UMA VISÃO HUMANISTA DO DIREITO
HOMENAGEM AO PROFESSOR MARÇAL JUSTEN FILHO

A Editora Fórum, consciente das questões sociais e ambientais, utiliza, na impressão deste material, papéis certificados FSC® (*Forest Stewardship Council*).

A certificação FSC é uma garantia de que a matéria-prima utilizada na fabricação do papel deste livro provém de florestas manejadas de maneira ambientalmente correta, socialmente justa e economicamente viável.

MONICA SPEZIA JUSTEN
CESAR PEREIRA
MARÇAL JUSTEN NETO
LUCAS SPEZIA JUSTEN

Coordenação Geral

UMA VISÃO HUMANISTA DO DIREITO
HOMENAGEM AO PROFESSOR MARÇAL JUSTEN FILHO

Volume 2

Filosofia e Teoria Geral do Direito
Coordenação temática: Guilherme F. Dias Reisdorfer

Direito Constitucional
Coordenação temática: Clèmerson Merlin Clève

Licitações e Contratações Administrativas
Coordenação temática: Alexandre Wagner Nester e Egon Bockmann Moreira

Direito Tributário
Coordenação temática: Betina Treiger Grupenmacher

Belo Horizonte

FÓRUM
CONHECIMENTO JURÍDICO
2025

© 2025 Editora Fórum Ltda.

É proibida a reprodução total ou parcial desta obra, por qualquer meio eletrônico, inclusive por processos xerográficos, sem autorização expressa do Editor.

Conselho Editorial

Adilson Abreu Dallari
Alécia Paolucci Nogueira Bicalho
Alexandre Coutinho Pagliarini
André Ramos Tavares
Carlos Ayres Britto
Carlos Mário da Silva Velloso
Cármen Lúcia Antunes Rocha
Cesar Augusto Guimarães Pereira
Clovis Beznos
Cristiana Fortini
Dinorá Adelaide Musetti Grotti
Diogo de Figueiredo Moreira Neto (*in memoriam*)
Egon Bockmann Moreira
Emerson Gabardo
Fabrício Motta
Fernando Rossi
Flávio Henrique Unes Pereira
Floriano de Azevedo Marques Neto
Gustavo Justino de Oliveira
Inês Virgínia Prado Soares
Jorge Ulisses Jacoby Fernandes
Juarez Freitas
Luciano Ferraz
Lúcio Delfino
Marcia Carla Pereira Ribeiro
Márcio Cammarosano
Marcos Ehrhardt Jr.
Maria Sylvia Zanella Di Pietro
Ney José de Freitas
Oswaldo Othon de Pontes Saraiva Filho
Paulo Modesto
Romeu Felipe Bacellar Filho
Sérgio Guerra
Walber de Moura Agra

CONHECIMENTO JURÍDICO

Luís Cláudio Rodrigues Ferreira
Presidente e Editor

Coordenação editorial: Leonardo Eustáquio Siqueira Araújo
Revisão: Bárbara Ferreira
Capa, projeto gráfico e diagramação: Walter Santos

Rua Paulo Ribeiro Bastos, 211 – Jardim Atlântico – CEP 31710-430
Belo Horizonte – Minas Gerais – Tel.: (31) 99412.0131
www.editoraforum.com.br – editoraforum@editoraforum.com.br

Técnica. Empenho. Zelo. Esses foram alguns dos cuidados aplicados na edição desta obra. No entanto, podem ocorrer erros de impressão, digitação ou mesmo restar alguma dúvida conceitual. Caso se constate algo assim, solicitamos a gentileza de nos comunicar através do *e-mail* editorial@editoraforum.com.br para que possamos esclarecer, no que couber. A sua contribuição é muito importante para mantermos a excelência editorial. A Editora Fórum agradece a sua contribuição.

Dados Internacionais de Catalogação na Publicação (CIP) de acordo com ISBD

U48	Uma visão humanista do direito: homenagem ao Professor Marçal Justen Filho / Monica Spezia Justen, Cesar Pereira, Marçal Justen Neto, Lucas Spezia Justen (coord). Belo Horizonte: Fórum, 2025. v. 2.
	967 p. 17x24cm
	v. 2
	ISBN impresso 978-65-5518-916-2
	ISBN digital 978-65-5518-914-8
	1. Direito constitucional. 2. Licitações. 3. Contratações administrativas. 4. Direito tributário. 5. Filosofia. 6. Teoria Geral do Direito. I. Justen, Monica Spezia. II. Pereira, Cesar. III. Justen Neto, Marçal. IV. Justen, Lucas Spezia. V. Título.
	CDD: 342
	CDU: 342

Ficha catalográfica elaborada por Lissandra Ruas Lima – CRB/6 – 2851

Informação bibliográfica deste livro, conforme a NBR 6023:2018 da Associação Brasileira de Normas Técnicas (ABNT):

JUSTEN, Monica Spezia; PEREIRA, Cesar; JUSTEN NETO, Marçal; JUSTEN, Lucas Spezia (coord.). *Uma visão humanista do direito*: homenagem ao Professor Marçal Justen Filho. Belo Horizonte: Fórum, 2025. v. 2. 967 p. ISBN 978-65-5518-916-2.

Sobre o homenageado

Marçal Justen Filho graduou-se em Direito pela UFPR em 1977. Doutor e Mestre em Direito Público pela Pontifícia Universidade Católica de São Paulo. Advogado, árbitro e parecerista. Professor titular da Faculdade de Direito da Universidade Federal do Paraná de 1986 a 2006. *Visiting Fellow* no Instituto Universitário Europeu (Itália, 1999) e *Research Scholar* na Yale Law School (EUA, 2010/2011). Professor do IDP, em Brasília.

SUMÁRIO

NOTA DOS COORDENADORES
MONICA SPEZIA JUSTEN, CESAR PEREIRA, MARÇAL JUSTEN NETO, LUCAS SPEZIA JUSTEN 29

FILOSOFIA E TEORIA GERAL DO DIREITO
(Coordenador: Guilherme F. Dias Reisdorfer)

VIVÊNCIA E APLICAÇÃO DO ESTADO DE DIREITO NO BRASIL
ALEXANDRE AROEIRA SALLES 33
I   Introdução: a filosofia do Direito e o professor Marçal Justen Filho 33
II   O ser humano e a formação do Estado e do Direito 35
III A fonte biológica: o cérebro do ser humano (*Homo sapiens*) 36
IV Conclusões: o poder de polícia como uma das fontes de educação dos cidadãos e de transformação da sociedade 45
     Referências 49

DIREITO COMO FATO INSTITUCIONAL
ANDRÉ LUIZ FREIRE 51
1   O que é um "jurista"? 51
2   O fardo ontológico da realidade social 53
3   Elementos necessários para a criação da realidade social 55
3.1 A intencionalidade 56
3.2 Regras regulativas e constitutivas 59
4   Dos fatos brutos aos fatos institucionais 60
5   A criação e a manutenção de fatos institucionais 62
6   O Direito como instituição e como fato institucional 63
     Referências 66

A NOÇÃO CONTEMPORÂNEA DE DIREITO SUBJETIVO – UM TEMA DE TEORIA GERAL VISTO A PARTIR DA EXPERIÊNCIA DO DIREITO ADMINISTRATIVO
GUILHERME REISDORFER 69

1 Prólogo: a homenagem a Marçal Justen Filho 69
2 O tema e a proposta de abordagem 69
3 Um ponto de partida histórico: o direito subjetivo entre afirmação e negação – variações em torno de tendências subjetivistas e objetivistas 70
4 O abalo da centralidade do direito subjetivo: distinção em face de direitos enfraquecidos, interesses legítimos e meros interesses 72
5 Constitucionalização e direitos fundamentais: impactos dogmáticos e práticos 74
6 Da configuração estrutural à configuração funcional da noção de direito subjetivo – a tendencial integração das noções de "direito" e meros "interesses" 75
7 Fechamento 80
Referências 81

A TEORIA HERMENÊUTICA DE MARÇAL JUSTEN FILHO
GUSTAVO KAERCHER LOUREIRO, RAFAEL MAFFINI 83

Introdução 83
I Elementos de uma teoria geral da hermenêutica 84
I.1 Introdução 84
I.2 O caráter ontológico ou existencial da hermenêutica 85
I.3 O círculo hermenêutico 86
I.4 A pré-compreensão 86
II A hermenêutica jurídica 88
II.1 Conceito e objetos sobre os quais se aplica 88
III Anotações críticas 94
IV Conclusão 96

DIREITO ADMINISTRATIVO E A FORMAÇÃO DA CIDADANIA
JORGE ULISSES JACOBY FERNANDES 97

1 Introdução 97
2 Da formação da cidadania e os regimes políticos 98
3 De John Rawls a Michael Sandel 99
4 Da consciência do que deve ser feito 101
5 Da influência da doutrina do Direito Administrativo 102
6 Da influência da doutrina de Marçal Justen Filho 103
7 Da influência da doutrina na formação do novo Direito Administrativo 105
8 Da necessidade de melhor compreender a evolução do Direito Administrativo como instrumento da formação da cidadania 107
Referências 109

ENTRE SEGURANÇA, JUSTIÇA E O BEM COMUM
JOSÉ ROBERTO DE CASTRO NEVES 111

QUE DIREITO ADMINISTRATIVO É ESTE? DESAFIOS PRESENTES PARA AS GERAÇÕES FUTURAS
JULIANO HEINEN 119
1   Introdução entendimentos parciais sobre a realidade 119
2   A unilateralidade colocada contra a parede 122
3   Ordenando o "admirável mundo novo" 125
4   Existe ainda Direito Administrativo? Ou: que Direito Administrativo é este? 130
     Conclusões 140
     Referências 142

"PRINCIPIOLOGISMO": CULTURA DA INDETERMINAÇÃO NORMATIVA
OLAVO RIGON FILHO 145
     Referências 151

DIREITO CONSTITUCIONAL
(Coordenador: Clèmerson Merlin Clève)

O SUPREMO TRIBUNAL FEDERAL ENTRE O PRESENTE E O FUTURO
CLÈMERSON MERLIN CLÈVE 155
I   Introdução 155
II   A Constituição amadurece 156
III   O desenho institucional do Judiciário 157
IV   O desenho institucional do Supremo Tribunal Federal 158
V   O progressivo fortalecimento do Supremo Tribunal Federal 159
VI   Correção tópica do desenho e das disfuncionalidades do Supremo Tribunal Federal 162
VII   Conclusão: o Supremo do futuro 169
     Referências 170

A IMPORTÂNCIA DA OAB ENQUANTO INSTITUIÇÃO INDEPENDENTE NA DEFESA DA DEMOCRACIA CONSTITUCIONAL
ESTEFÂNIA MARIA DE QUEIROZ BARBOZA, GUSTAVO BUSS 175
1   Introdução 175
2   O papel assegurado à OAB no exercício do controle de constitucionalidade ... 178
3   A OAB enquanto entidade independente na defesa da democracia 183
4   Conclusão 186
     Referências 187

DIREITOS FUNDAMENTAIS E RELAÇÕES PRIVADAS – BREVES NOTAS, EM ESPECIAL À LUZ DA JURISPRUDÊNCIA DO SUPREMO TRIBUNAL FEDERAL BRASILEIRO
INGO WOLFGANG SARLET 189
1   Notas introdutórias 189
2   Considerações sobre a eficácia dos direitos fundamentais no âmbito do Direito Privado, em especial na esfera das relações privadas 190
3   A identificação e o desenvolvimento de algumas pautas de solução, à luz de exemplo extraído da jurisprudência do STF 195
4   Considerações finais 200

O DIREITO ADMINISTRATIVO E OS DIREITOS E GARANTIAS FUNDAMENTAIS: UM NOVO RESPLENDOR OFERECIDO POR MARÇAL JUSTEN FILHO
JOSÉ ANTONIO DIAS TOFFOLI, WALTER GODOY DOS SANTOS JR. 203
    Referências 209

EM DEFESA DO ESTADO DEMOCRÁTICO DE DIREITO: UM BREVE RELATO PESSOAL SOBRE O NECESSÁRIO AMADURECIMENTO DO JUDICIÁRIO
JOSÉ JORGE DE VASCONCELOS LIMA 211
    Conclusão 223
    Referências 224

DEMOCRACIA, MÍDIAS SOCIAIS E LIBERDADE DE EXPRESSÃO: ÓDIO, MENTIRAS E A BUSCA DA VERDADE POSSÍVEL
LUÍS ROBERTO BARROSO, LUNA VAN BRUSSEL BARROSO 227
I   Democracia e populismo autoritário 227
II   Internet, mídias sociais e liberdade de expressão 229
III   Um modelo regulatório para as redes sociais 236
IV   O papel da sociedade 242
V   Novos desenvolvimentos sobre o tema 242
VI   Conclusão 244
    Referências 244

APONTAMENTOS SOBRE ESTADO DE DIREITO E DEMOCRACIA: BREVES OBSERVAÇÕES SOBRE A TENSÃO ENTRE SOBERANIA POPULAR E PROTEÇÃO DOS DIREITOS INDIVIDUAIS NA EXPERIÊNCIA JURÍDICA MODERNA
LUIZ EDSON FACHIN, FERNANDA BERNARDO GONÇALVES 249
    Nota prévia 249
1   Introdução 250
2   As revoluções modernas: qual é o legado? 252
3   O surgimento do Estado de Direito; *'qui prodest'*? 258

| 4 | Considerações finais | 262 |
| Referências | 263 |

O FENÔMENO CLIMÁTICO-AMBIENTAL E A NEGOCIAÇÃO COLETIVA DE TRABALHO: APLICABILIDADE DOS PRINCÍPIOS DA PRECAUÇÃO DA INFORMAÇÃO E DA FRATERNIDADE
LUIZ EDUARDO GUNTHER 265

1	Introdução	265
2	O fenômeno climático-ambiental e a negociação coletiva de trabalho	266
3	O princípio da precaução	269
4	O princípio da informação	270
5	O princípio da solidariedade e/ou fraternidade	274
6	Considerações finais	277
Referências	278

DA NECESSÁRIA VALORAÇÃO DOS PRINCÍPIOS ADMINISTRATIVOS EM SITUAÇÕES DE CONFLITOS DE INTERESSE ENTRE ADMINISTRAÇÃO PÚBLICA E A TUTELA DA DIGNIDADE HUMANA DAS HIPERVULNERÁVEIS CRIANÇAS COM DEFICIÊNCIA. DIREITO À CONDIÇÃO ESPECIAL DE TRABALHO (CET)
MÁRIO GOULART MAIA 281

1	Introdução	281
2	Da legislação aplicável e necessária ponderação dos direitos fundamentais em discussão nos pedidos de concessão especial de trabalho	284
3	Conclusão	292
Referências	293

O PAPEL DA COMPARAÇÃO JURÍDICA NA CONSTITUCIONALIZAÇÃO DO DIREITO ADMINISTRATIVO
MATHEUS GOMES SETTI, MELINA GIRARDI FACHIN 295

1	Introdução	295
2	Constitucionalização do Direito Administrativo	296
3	Comparação jurídica como vetor da constitucionalização	301
4	Conclusão	308
Referências	309

O *AMICUS CURIAE* NO STF: ENTRE UM TRIBUNAL FECHADO E A SELETIVIDADE ARBITRÁRIA
MIGUEL GUALANO DE GODOY 313

| | Proêmio: a sorte de ter sido aluno do Prof. Marçal Justen Filho e o privilégio de ter trabalhado com ele | 313 |
| 1 | *Amicus curiae* | 314 |

2	O Plenário tapando os ouvidos: a irrecorribilidade da decisão que não admite o ingresso de *amicus curiae*	315
3	Um tribunal fechado: por que pessoa física não pode ser *amicus curiae* perante o STF?	318
4	Por que *amicus curiae* não pode opor embargos de declaração?	320
5	Conclusão: rigor normativo e legitimidade democrática andam juntos, não separados	324
	Referências	325

DA SÚMULA PERSUASIVA À RELEVÂNCIA DA QUESTÃO FEDERAL
ROBERTO ROSAS 327

PRINCÍPIOS FUNDAMENTAIS DO DIREITO BRASILEIRO. SOBRE O BEM-ESTAR DOS ANIMAIS
SERGIO FERRAZ 331

LICITAÇÕES E CONTRATAÇÕES ADMINISTRATIVAS
(Coordenadores: Alexandre Wagner Nester e Egon Bockmann Moreira)

AS REPERCUSSÕES DA PRIVATIZAÇÃO NAS LICITAÇÕES E CONTRATOS DA EMPRESA ESTATAL
ALÉCIA PAOLUCCI NOGUEIRA BICALHO 347

1	Introdução	347
2	Delimitação do tema	348
3	Marco jurídico-corporativo da privatização	348
4	As licitações e contratos da empresa estatal em processo de privatização	349
4.1	Contratos em execução	349
5	Licitações em curso	356
6	Conclusões	357
	Referências	358

O PREGÃO E O FENÔMENO DA SELEÇÃO ADVERSA
ALEXANDRE WAGNER NESTER 361

1	Desbravando o Direito Público	361
2	O pregão no Direito brasileiro	362
3	O objetivo do pregão	363
4	A definição de pregão	364
5	A primeira dificuldade: definição do objeto comum	365
5.1	A diferença entre as modalidades legalmente previstas	365
5.2	Os bens e serviços comuns	366
6	A segunda dificuldade: a seleção adversa	368

6.1	Falhas de mercado e assimetria de informações	368
6.2	O estudo de George Akerlof: *the market for "lemons"*	369
6.3	O fenômeno da seleção adversa no pregão	370
6.4	A mutação dinâmica da proposta	370
6.5	O risco moral (*moral hazard*)	371
6.6	Os mecanismos de mitigação do problema	372
7	O objetivo de eficiência como desafio do pregão	373
	Referências	374

A RELATIVIDADE DO TEMPO NO REAJUSTE EM SENTIDO ESTRITO: É POSSÍVEL REAJUSTE SAZONAL?
BRADSON CAMELO, LINDINEIDE OLIVEIRA CARDOSO 375

1	Introdução	375
2	Fundamentos Legais para o reajustamento em sentido estrito sazonal	377
3	Aspectos econômicos dos contratos e dos reajustes sazonais	380
3.1	Dos riscos e incertezas	381
3.2	Da aversão ao risco	381
3.3	Problemas de informação: risco moral e seleção adversa	382
3.4	O critério de reajuste e a estrutura mercadológica	383
	Conclusão	385
	Referências	386

O TERMO ADITIVO E O APOSTILAMENTO NA NOVA LEI DE LICITAÇÕES: HIPÓTESE PRÁTICA DE DISTINÇÃO
CAROLINA ZANCANER ZOCKUN, MAURÍCIO ZOCKUN 389

I	Introdução	389
II	A questão do vale-transporte	389
III	Distinção entre termo aditivo e apostilamento	393
IV	Do apostilamento para a alteração do vale-transporte	395
V	Conclusões	396
	Referências	397

DISPENSA DE LICITAÇÃO EM RAZÃO DO VALOR: PLANEJAMENTO, FRACIONAMENTO DE DESPESA E A INTERPRETAÇÃO DO ART. 75, §1º, INCISO I, DA LEI Nº 14.133/2021
CHRISTIANNE DE CARVALHO STROPPA, GABRIELA VERONA PÉRCIO 399

I	Introdução	399
II	O planejamento como pilar de sustentação das contratações públicas	400
III	Os impactos da LINDB na aplicação da lei	401
IV	Legalidade, ilegalidade e necessidade de atendimento do interesse público	402

V	A nova hipótese de dispensa *em razão* do valor	403
VI	O fracionamento de despesa	404
	Referências	410

BREVE RETROSPECTIVA DOS 100 ANOS DE REGULAÇÃO FINALÍSTICO-LEGAL DAS LICITAÇÕES E SUA IMBRICAÇÃO COM O DESENVOLVIMENTO SUSTENTÁVEL NO BRASIL
DANIEL FERREIRA 413

	Introdução	413
1	As finalidades legais da licitação pública no contexto pré-constitucional	414
2	Os fins licitatórios no contexto pós-Constituição da República até 2006	417
3	A assaz criticada Lei Complementar nº 123/2006 e o tratamento favorecido conferido às microempresas e às empresas de pequeno porte	418
4	As múltiplas finalidades da licitação a partir da Medida Provisória nº 495/2010 e seus impactos na promoção indireta e mediata do desenvolvimento nacional sustentável	420
	Considerações finais	426
	Referências	426

DA ALOCAÇÃO DE RISCOS À LUZ DA LEI Nº 14.133/2021
DINORÁ ADELAIDE MUSETTI GROTTI, JOSÉ ROBERTO PIMENTA OLIVEIRA 429

1	Introdução	429
2	Planejamento da contratação e cláusula de matriz de riscos	431
3	Hipóteses de obrigatoriedade legal da cláusula de matriz de risco	433
4	Matriz de riscos e formulação do ato convocatório	437
5	Alocação de riscos e eficiência	440
6	Matriz de riscos e modificações unilaterais contratuais	442
7	Matriz de riscos e fato do príncipe	443
8	Matriz de riscos e caso fortuito/ força maior	444
9	Matriz de riscos e fatos imprevisíveis ou previsíveis de consequências incalculáveis	445
10	Matriz e riscos securitizáveis para o contratado	446
11	Quantificação dos riscos e valor estimado da contratação	447
12	Restabelecimento do equilíbrio econômico-financeiro e observância da matriz contratual	448
13	Renúncia e pedidos de recomposição de equação econômico-financeira	449
14	Resolução contratual, riscos securitizáveis e agravos anormais à execução contratual	450
15	Alteração contratual da cláusula de matriz de riscos	450
16	Considerações finais	451
	Referências	452

BREVES APONTAMENTOS SOBRE O EDITAL DAS LICITAÇÕES À LUZ DA LEI Nº 14.133/2021
EDGAR GUIMARÃES 455

I	Introdução	455
II	Natureza jurídica do edital...	456
III	Competência para elaborar e assinar editais	457
IV	Prerrogativas e limites na elaboração do edital	460
V	A utilização de minutas-padrão de editais	461
VI	Controle prévio de legalidade..	462
VII	Publicidade do edital...	463
VIII	Prazos mínimos..	464
IX	Mutabilidade do edital e suas consequências	465
X	Conclusões..	466
	Referências	467

COMPLEMENTARIDADE E DISCRICIONARIEDADE PARA A CELEBRAÇÃO DE CONTRATOS DE GESTÃO COM ORGANIZAÇÕES SOCIAIS DE SAÚDE
FERNANDO BORGES MÂNICA 469

1	Introdução	469
2	A complementaridade na CF/88 e na Lei Orgânica do SUS....................	470
3	Os dois modelos de complementaridade	472
4	A Lei Orgânica da Saúde (LOS) e sua regulamentação: a complementaridade externa ou de serviços	474
5	Complementaridade interna ou de gestão: os contratos de gestão com organizações sociais	476
6	Conclusão: complementaridade interna e a motivação necessária para o ato que decide pela celebração de um contrato de gestão no setor de saúde	478
	Referências	479

O TRATAMENTO DO EQUILÍBRIO ECONÔMICO-FINANCEIRO DOS CONTRATOS ADMINISTRATIVOS PELA LEI Nº 14.133/2021
FERNANDO VERNALHA GUIMARÃES 481

1	Nota sobre a importância do pensamento de Marçal Justen Filho para o tema das licitações e contratos administrativos no Brasil	481
2	Evolução da noção de equilíbrio econômico-financeiro na experiência brasileira........	482
3	A noção de equilíbrio econômico-financeiro do contrato administrativo extraída da Lei nº 14.133/2021	483
4	Comandos jurídicos veiculados na Lei nº 14.133/2021 condicionantes da composição do equilíbrio contratual	484
5	Normas definidoras de critérios para a alocação dos riscos no plano do contrato........	484
5.1	A aplicação extensiva da regra do art. 103, §1º, da Lei nº 14.133/2021	485

5.2	A definição de obrigações de resultado e de obrigações de meio 485
5.3	O tratamento contratual do risco da elevação expressiva do custo inflacionário 486
6	A tutela dos riscos extracontratuais veiculada no artigo 124, II, "d", da Lei nº 14.133/2021 487
7	O direito das partes à preservação do equilíbrio contratual 488
7.1	Pressupostos ao exercício do direito à compensação 488
7.2	Delimitação temporal da responsabilidade das partes em relação à alocação de riscos 488
7.3	Direito à recomposição do equilíbrio contratual e decadência 488
8	A extensão da compensação pela recomposição do equilíbrio contratual 490
8.1	As altas inflacionárias extraordinárias e a falácia da recomposição do *equilíbrio global* do contrato 490
8.2	Responsabilidade indenizatória decorrente de interferências administrativas e de sua mora no cumprimento de obrigações instrumentais à execução das obrigações do contratado 492
9	Prazo para a recomposição do equilíbrio contratual 493
9.1	A mora administrativa e a extensão do dever indenizatório correspondente 493
10	As formas possíveis para a compensação indenizatória 493
11	Equilíbrio contratual e regime de execução 494
	Referências 495

O CONCEITO JURÍDICO DE VANTAJOSIDADE FORMULADO POR MARÇAL JUSTEN FILHO
FERNÃO JUSTEN DE OLIVEIRA 497

1	Introdução 497
2	A linguagem jurídica 498
2.1	Linguagem natural e linguagem científica 498
2.2	Do signo à pragmática 499
2.3	Discurso da norma jurídica 500
3	O que é um conceito jurídico? 500
3.1	Conceito essencialista e conceito jurídico 501
3.2	O problema da indeterminação dos termos 501
3.3	Neologismo e definição 502
3.4	Conteúdo e evolução do conceito jurídico de vantajosidade 502
4	A vantajosidade na 1ª edição de *Comentários à Lei de Licitações e Contratos Administrativos* – 1993 503
4.1	"Seleção da melhor proposta" como matriz 503
4.2	Ponderação entre vantajosidade e isonomia 503
4.3	Promoção dos direitos fundamentais envolvidos 503
4.4	Contratação eficiente por atividade vinculada 504

5	A vantajosidade na 5ª edição de *Comentários à Lei de Licitações e Contratos Administrativos* – 1998	504
5.1	Insuficiência do vocábulo "vantagem"	505
5.2	Obstáculo à vantajosidade a pretexto de isonomia	505
5.3	Rejeição ao formalismo irracional	505
5.4	Licitação como instrumento da vantajosidade	506
5.5	Qualidade como elemento da vantajosidade	507
6	A vantajosidade na 10ª e na 11ª edições de *Comentários à Lei de Licitações e Contratos Administrativos* – 2004 e 2005	508
6.1	Correção de defeitos por proporcionalidade – 10ª edição	508
6.2	Crítica à expressão "indisponibilidade do interesse público" – 11ª edição	508
6.3	Princípio da República e interesses supraindividuais – 11ª edição	509
7	A vantajosidade na 12ª edição de *Comentários à Lei de Licitações e Contratos Administrativos* – 2008	509
7.1	Rejeição categórica da tese da "supremacia" do interesse público	510
7.2	Dever de eficiência e princípio da República	510
7.3	Integração da economicidade ao conceito de vantajosidade	511
7.4	Discricionariedade de meios e indisponibilidade de fins	511
7.5	Preço e custos de transação	512
8	A vantajosidade na 15ª edição de *Comentários à Lei de Licitações e Contratos Administrativos* – 2012	512
8.1	Desenvolvimento nacional sustentável como fim da contratação pública	513
8.2	Caráter axiológico das múltiplas vantajosidades	514
8.3	Legitimação de vantajosidades não econômicas	514
8.4	Persistência da eficiência econômica	514
9	A vantajosidade na 16ª e na 17ª edições de *Comentários à Lei de Licitações e Contratos Administrativos* – 2014 e 2016	515
9.1	Vantajosidade por redução da insegurança ao particular – 16ª edição	515
9.2	Presunção relativa de imperatividade da licitação – 17ª edição	516
9.3	Função social da empresa estatal mediante vantajosidade econômica – 17ª edição	516
10	A vantajosidade na 1ª edição de *Comentários à Lei de Licitações e Contratações Administrativas* – 2021	516
11	Conclusão	518
	Referências	519

AS SANÇÕES DE EFEITOS EXTERNOS NA LEI Nº 14.133/21
FLÁVIO AMARAL GARCIA 523

1	A oportunidade da homenagem	523
2	As sanções administrativas de efeitos externos	523
3	A fixação de parâmetros para a dosimetria das sanções	524

4	A tipificação das infrações	525
5	O impedimento de licitar e contratar e a declaração de inidoneidade para licitar ou contratar: as distinções quanto à extensão e prazo	527
6	A incidência do princípio da proporcionalidade	529
7	O devido processo legal administrativo sancionador	531
8	A autoridade administrativa sancionadora	532
9	A reabilitação	533
10	Os cadastros unificados	534
11	Apontamentos finais	535

O ASSESSORAMENTO JURÍDICO NAS LICITAÇÕES E CONTRATOS NO CONTEXTO DA LEI Nº 14.133/2021
GUILHERME CARVALHO 537

1	Introdução	537
2	O papel do órgão de assessoramento jurídico na fase preparatória da licitação	538
2.1	A análise prévia da legalidade: art. 53, *caput*	538
2.2	Conteúdo do parecer jurídico: §1º do art. 53	541
2.3	A divulgação do edital após a instrução jurídica: §3º do art. 53	543
2.4	O parecer jurídico na contratação direta e em outros instrumentos: §4º do art. 53	544
2.5	A dispensabilidade do parecer jurídico: §5º do art. 53	545
3	A atuação do órgão de assessoramento jurídico em outras fases da contratação pública	547
3.1	O papel do órgão de assessoramento no controle das contratações	547
3.2	O papel do órgão de assessoramento jurídico no encerramento da licitação	548
3.3	A atuação do órgão de assessoramento jurídico na atividade consensual da Administração Pública	548
4	Considerações finais	549
	Referências	549

A VIAGEM REDONDA: A LEI Nº 14.133/2021 E O RESILIENTE PROBLEMA DAS NORMAS GERAIS EM LICITAÇÕES E CONTRATAÇÕES PÚBLICAS
GUSTAVO BINENBOJM 551

I	Nota prévia	551
II	A Lei nº 14.133/2021 e o resiliente problema das normas gerais em matéria de licitações e contratações públicas	552
III	Duas premissas: (I) há normas gerais e normas específicas na Lei nº 14.133/2021; (II) as normas relativas aos agentes de contratação são normas específicas	553
IV	Conclusões	556

AS MUDANÇAS E INOVAÇÕES INTRODUZIDAS PELA NOVA LEI DE LICITAÇÕES E CONTRATOS ADMINISTRATIVOS E OS DESAFIOS NA SUA IMPLANTAÇÃO
JORGE ANTÔNIO DE OLIVEIRA FRANCISCO, CAROLINE VIEIRA BARROSO SULZ GONSALVES 559

1. Introdução 559
2. O Tribunal de Contas da União e a governança pública das aquisições 559
3. Pilares da nova Lei de Licitações e Contratos da Administração Pública 560
4. Próximos passos e desafios da efetiva implantação da Lei nº 14.133/2021 565
5. Conclusão 566

OBJETIVOS DA CONTRATAÇÃO PÚBLICA – A TRANSIÇÃO PARADIGMÁTICA DETERMINADA PELA LEI Nº 14.133/21
JOSÉ ANACLETO ABDUCH SANTOS 567

1. Introdução 567
2. Os objetivos do processo da contratação pública como estratégia impositiva de governança e a responsabilidade da Alta Administração 568
3. Primeiro objetivo: assegurar a seleção da proposta apta a gerar o resultado de contratação mais vantajoso para a Administração Pública, inclusive no que se refere ao ciclo de vida do objeto 569
4. Segundo objetivo: assegurar tratamento isonômico entre os licitantes, bem como a justa competição 571
5. Terceiro objetivo: evitar contratações com sobrepreço ou com preços manifestamente inexequíveis e superfaturamento na execução dos contratos 573
6. Quarto objetivo: incentivar a inovação e o desenvolvimento nacional sustentável 574
7. Conclusões 578
   Referências 578

O CONHECIMENTO E A DOUTRINA COMO ELEMENTARES PARA A GOVERNANÇA DAS CONTRATAÇÕES: A CONTRIBUIÇÃO DO PROFESSOR MARÇAL JUSTEN FILHO
LUCIANO ELIAS REIS 579

I. Introdução 579
II. O dever de capacitação dos agentes públicos 580
III. Posição das Cortes de Contas como indutor do avanço ao conhecimento na área de contratações públicas 581
IV. Experiência da União Europeia sobre a profissionalização e a capacitação dos agentes públicos 584
V. A Lei nº 14.133/2021 e a preocupação com a capacitação dos agentes públicos 586
VI. A gestão por competências e a estruturação da área de contratações públicas como instrumentos efetivos de governança das contratações 587
VII. O papel do conhecimento e da doutrina 589
   Referências 591

ESPAÇOS DA VINCULAÇÃO E DA DISCRICIONARIEDADE EM PROCEDIMENTOS LICITATÓRIOS
LUIZ ALBERTO BLANCHET 593
1 Introdução 593
2 A vinculação e a discricionariedade na solução de problemas pertinentes a obras, serviços, compras ou alienações 597
3 A identificação do objeto da licitação e seu papel na delimitação da discricionariedade 602
Referências 605

A CONTRIBUIÇÃO DE MARÇAL JUSTEN FILHO PARA A INTERPRETAÇÃO DA LEI DE LICITAÇÕES
MARÇAL JUSTEN NETO 607
1 Conceitos gerais 607
2 A evolução do tema 607
3 A influência dos autores na criação do Direito Administrativo 608
4 A contribuição de Hely Lopes Meirelles 608
5 A evolução legislativa 609
6 A publicação dos Comentários à Lei de Licitações e Contratos Administrativos 609
7 A produção acadêmica de Marçal Justen Filho sobre licitação 610
8 As sucessivas edições dos *Comentários* 610
9 A consagração de Marçal Justen Filho como autoridade em licitações 611
10 O impacto sobre o tema das licitações 611
11 Um processo de avanços e retrocessos 612
12 Como medir o impacto da obra de um doutrinador? 612
13 A metodologia adotada: verificação na jurisprudência 613
14 Os problemas da metodologia adotada 614
15 As referências a Marçal Justen Filho na jurisprudência do STF sobre licitação 615
16 O impacto na interpretação da Lei de Licitações 633
17 O fim da ilusão 633
18 Uma lição pessoal 634
Referências 634

PARÂMETROS DE ACEITABILIDADE DO SEGURO-GARANTIA EM OBRAS PÚBLICAS: UM NOVO DESAFIO PARA O CONTROLE EXTERNO APÓS A LEI Nº 14.133/2021
MARCOS BEMQUERER COSTA, PATRÍCIA REIS LEITÃO BASTOS 637
1 Introdução 637
2 Das determinações do Tribunal de Contas da União para a glosa de valores 639
3 Da autorização do TCU para a substituição da glosa de valores pelas garantias previstas na Lei nº 8.666/1993 640

4	Da constatação de que a substituição da glosa de valores pelo seguro-garantia pode se tornar medida inócua	642
5	Da necessidade de definição de parâmetros de aceitabilidade do seguro-garantia em substituição à glosa de valores	646
6	Dos questionamentos quanto à utilização do seguro-garantia também no âmbito dos processos judiciais	648
7	Da previsão do seguro-garantia na Lei nº 14.133/2021	651
8	Considerações finais	652
	Referências	654

DIÁLOGO COMPETITIVO
ODETE MEDAUAR 657

1	Introdução	657
2	Noção	658
3	Aplicabilidade	659
4	Operacionalidade	660
5	Conclusão	661
	Referências	661

DECRETAÇÃO DE NULIDADE DO NEGÓCIO JURÍDICO: DIÁLOGO PÚBLICO *VS.* PRIVADO
RENATA C. STEINER 663

	Parte I – O regime da nulidade contratual no Direito Administrativo em três tempos	664
1.1	A moldura legal na Lei nº 8.666/1993	664
1.2	A alteração na LINDB	667
	Parte II – O regime das nulidades contratuais no Direito Privado	672
2.1	A moldura legal no Código Civil de 1916	672
2.2	A moldura legal no Código Civil de 2002	674
2.3	Nulidade, produção de efeitos e regras de conservação: há válvulas de escape?	675
	Parte III – Entre cogência e flexibilidade: em busca de um sentido que justifique a orientação diversa no Direito Público e no Direito Privado	677
	Referências	679

COMO E QUANDO SE FORMA O CONTRATO ADMINISTRATIVO
RENATO GERALDO MENDES 683

1	Introdução	683
2	O acordo de vontades	685
3	Homologação e adjudicação	689
4	O contrato e suas dimensões formal e material	690

5	Distinção entre contrato, instrumento de contrato e ordem de fornecimento ou execução	692
6	Aplicação prática da presente tese	693
7	Ponderações finais	695
	Referências	695

A ADMINISTRAÇÃO PÚBLICA NOS CONTRATOS ADMINISTRATIVOS
RICARDO MARCONDES MARTINS 697

1	Introito	697
2	Contrato administrativo e "prerrogativas"	697
3	Âmbito de incidência do art. 104 da Lei nº 14.133/21	700
4	Aplicação de normas privadas	701
5	Supremacia especial	702
6	Modificação unilateral	703
7	Cláusulas inalteráveis	707
8	Equilíbrio econômico-financeiro	707
9	Extinção unilateral	708
10	Fiscalização	710
11	Sanção	711
12	Apossamento administrativo	711
	Referências	713

SUSTENTABILIDADE NAS CONTRATAÇÕES PÚBLICAS NO BRASIL
ROBERTA JARDIM DE MORAIS 717
CESAR PEREIRA 717

1	Introdução	717
2	Sustentabilidade nos contratos regidos pela Lei de Licitações e Contratos Administrativos	719
2.1	"Desenvolvimento nacional" e a dimensão constitucional das contratações públicas sustentáveis	719
2.2	Contratações públicas sustentáveis na Lei nº 8.666	720
2.3	Contratações públicas sustentáveis a partir da Lei nº 14.133	721
3	Sustentabilidade nos contratos administrativos internacionais	723
3.1	Esforços internacionais para a promoção das contratações públicas sustentáveis	723
3.2	Sustentabilidade no GPA/WTO e a potencial acessão do Brasil	724
4	Sustentabilidade e inidoneidade	725
4.1	Infrações ambientais e sanções de impedimento de licitar	725
4.2	Interação entre infrações penais e administrativas	726
5	Conclusão	726
	Referências	727

INEXISTÊNCIA DE PERSONALISMO DA CONTRATAÇÃO ADMINISTRATIVA: A CONTRIBUIÇÃO DE MARÇAL JUSTEN FILHO
RODRIGO GOULART DE FREITAS POMBO 729

1 Introdução 729
2 A afirmação do caráter personalíssimo do contrato administrativo 730
3 A revisão da concepção sobre o alegado caráter personalíssimo do contrato administrativo: a contribuição de Marçal Justen Filho 731
3.1 A conotação específica reconhecida ao aludido caráter *intuitu personae* 731
3.2 O aprofundamento da crítica 732
4 A alteração gradual do posicionamento sobre o tema: jurisprudência 734
4.1 Jurisprudência do TCU 734
4.2 Jurisprudência do STF 735
5 A alteração do posicionamento sobre o tema: legislação 737
5.1 As hipóteses da Lei nº 11.079/2004 e Lei nº 8.987/1995 738
5.2 A Lei nº 8.666 (art. 78, VI) e a Lei nº 14.133 (art. 137, III) 738
5.3 O seguro-garantia com cláusula de retomada (*step-in*) 741
6 Conclusão 742
Referências 742

A LEI Nº 14.133/2023 E O NOVO SISTEMA DE REGISTRO DE PREÇOS
RONNY CHARLES LOPES DE TORRES 745

1 Introdução 745
2 Breve histórico sobre a evolução normativa do SRP 746
3 Características do SRP e condições para sua adoção 748
4 Apontamentos sobre algumas das principais inovações do SRP na Lei nº 14.133/2021 ... 750
4.1 Possibilidade de fornecedores registrados com preços diferentes 750
4.2 Registro de preços para contratações diretas 751
4.3 Registro de preços para obras 752
4.4 SRP e menor preço por grupo 753
4.5 Prazo de vigência da ata de registro de preços 754
4.6 Alteração e atualização dos preços registrados 755
4.7 Da adesão à ata de registro de preços 756
5 Conclusão 762
Referências 762

DIREITO TRIBUTÁRIO
(Coordenadora: Betina Treiger Grupenmacher)

O DIFERIMENTO OU SUBSTITUIÇÃO REGRESSIVA E A SUA NATUREZA JURÍDICA
BETINA TREIGER GRUPENMACHER, FLÁVIA TREIGER GRUPENMACHER 767
1   Introdução 767
2   O sujeito passivo da relação jurídico-tributária 768
3   Responsabilidade por substituição tributária 770
4   Diferimento: benefício fiscal ou substituição tributária? 771
5   Conclusão 776
    Referências 777

IMPACTOS DO JULGAMENTO DO ERESP Nº 1.795.347/RJ: POSSIBILIDADE DE CONVERSÃO DE EMBARGOS À EXECUÇÃO FISCAL EM AÇÃO ANULATÓRIA À LUZ DOS ARTIGOS 20 E 24 DA LEI DE INTRODUÇÃO ÀS NORMAS DO DIREITO BRASILEIRO
FERNANDA GUIMARÃES HERNANDEZ, RODRIGO GABRIEL ALARCON 779
1   Introdução 779
2   Possibilidade de conversão de embargos à execução fiscal em ação anulatória de débito fiscal 781
3   Observância dos artigos 20 e 24 da Lei de Introdução às Normas do Direito Brasileiro (LINDB)...784
4   Conclusão 786
    Referências 788

A HIPÓTESE DE INCIDÊNCIA DO IPI SEGUNDO MARÇAL JUSTEN FILHO: UM JURISTA QUE DOMINA O PEQUENO E MORA NAS ALTURAS!
JOSÉ ROBERTO VIEIRA 789
1   Homenagem ao Jurista 789
2   Teoria da norma jurídica de incidência tributária: independência e originalidade 792
3   Hipótese de incidência do IPI.. 795
3.1 Núcleo constitucional.. 795
3.2 Complemento infraconstitucional.. 797
3.3 Critério pessoal.. 800
4   Hipótese de Incidência do IPI segundo Marçal Justen Filho 802
5   Do domínio do pequeno à morada nas alturas 803
     Referências 805

SISTEMA AMBIENTAL-TRIBUTÁRIO E O CONTROLE DAS EMISSÕES DE CO_2
LEONARDO SPERB DE PAOLA 811
1   O sistema ambiental-tributário na Constituição 811
2   A caixa de ferramentas da defesa do meio ambiente 813
3   Tributação das emissões de CO_2 817
3.1 Novo imposto seletivo sobre bens e serviços prejudiciais à saúde e ao meio ambiente 820
3.2 Contribuição de intervenção no domínio econômico 822
4   Incentivos fiscais 823
      Referências 826

LEGITIMAÇÃO SUBJETIVA PASSIVA TRIBUTÁRIA: UM CONTRAPONTO ENTRE AS CONTRIBUIÇÕES DO PROFESSOR MARÇAL JUSTEN FILHO E AS VIOLAÇÕES DAS GARANTIAS JUSTRIBUTÁRIAS NO ORDENAMENTO JURÍDICO ATUAL
NAPOLEÃO NUNES MAIA FILHO, EDSON KOHL JUNIOR, ANDRESSA LAMEU 829
1   Introdução 829
2   Conceito e características da sujeição passiva tributária e responsabilidade tributária 830
3   Responsabilidade tributária solidária: uma análise acerca da ausência de interesse comum na situação que constitui o fato gerador da exação tributária e violação da regra-matriz tributária 833
4   Implicações práticas da configuração da responsabilização solidária tributária desenfreada 835
5   Conclusão 839
      Referências 840

TRIBUTAÇÃO E O FINANCIAMENTO DA EDUCAÇÃO PÚBLICA NO BRASIL: UM HISTÓRICO DESINTERESSE
ANA LÚCIA BARELLA, OCTAVIO CAMPOS FISCHER 841
      Introdução 841
1   O financiamento da educação pública nas constituições anteriores à CF/88 842
2   O financiamento da educação pública na Constituição atual 847
3   A importância dos impostos para a educação pública no Brasil 854
      Considerações finais 860
      Referências 862

OS GASTOS TRIBUTÁRIOS E OS INVISÍVEIS
REGIS FERNANDES DE OLIVEIRA 865

A EXCLUSÃO DO ISS DA BASE DE CÁLCULO DO PIS/COFINS
ROQUE ANTONIO CARRAZZA 883
1   Introdução 883
2   Escorço histórico 884
3   O *princípio da segurança jurídica* e a irretroatividade dos precedentes do *STF* 886
4   Da equivalência das inserções do *ICMS* e do *ISS*, na base de cálculo do *PIS/COFINS*, a exigir o mesmo tratamento jurídico-tributário 892
5   O perfil constitucional do *ISS* 900
6   Da irrelevância, para o deslinde do caso em consulta, de o *ISS*, ao contrário do *ICMS*, não dever obedecer ao *princípio da não cumulatividade* 903
7   Conclusão 905
    Referências 905

A LEI COMPLEMENTAR COMO AGENTE NORMATIVO ORDENADOR DO SISTEMA TRIBUTÁRIO E DA REPARTIÇÃO DAS COMPETÊNCIAS TRIBUTÁRIAS
SACHA CALMON NAVARRO COÊLHO 909
1   As leis complementares da Constituição 909
2   As leis complementares tributárias 910
3   O lugar da lei complementar no ordenamento jurídico – O âmbito de validade das leis em geral – Enlace com a teoria do federalismo 910
4   A lei complementar e seu relacionamento jurídico com a Constituição Federal e as leis ordinárias 913
5   Como operam as leis complementares em matéria tributária 914
6   Os três objetos materiais genéricos da lei complementar tributária segundo a Constituição Federal de 1988 917
7   Conflitos de competência 917
8   Regulação das limitações ao poder de tributar 919
9   Apreciações críticas sobre a matéria em exame 920
10 Normas gerais de Direito Tributário 921
11 O federalismo brasileiro – Aspectos – Ligação com o tema das leis complementares 924
12 O "poder" das normas gerais de Direito Tributário em particular 925
13 O art. 146-A do Texto Constitucional – A preservação da concorrência 927
14 Temas tópicos constitucionais reservados à lei complementar em matéria tributária 927
15 A necessidade de lei complementar prévia para a instituição de impostos e contribuições 928

A INFLUÊNCIA DAS CONCEPÇÕES CENTRALIZADORA E DESCENTRALIZADORA NA CONFIGURAÇÃO DO FEDERALISMO TRIBUTÁRIO: O CASO DO ATO ADICIONAL DE 1834, AS INTERPRETAÇÕES DE TAVARES BASTOS E DO VISCONDE DO URUGUAY, E O FEDERALISMO MONÁRQUICO NO BRASIL IMPÉRIO

WEDER DE OLIVEIRA 931

    Introdução 931

1   O federalismo monárquico 933

2   O contexto nacional e as interpretações de Tavares Bastos e do Visconde do Uruguay sobre o Ato Adicional de 1834 935

3   Centralização e descentralização: Visconde do Uruguay e Tavares Bastos 953

    Conclusão 957

    Referências 958

SOBRE OS AUTORES 961

NOTA DOS COORDENADORES

Cada um de nós tem uma ligação única com o Marçal, construída ao longo dos anos de convívio e aprendizado. De maneiras distintas, fomos profundamente marcados pela sua influência e, apesar de nossas diferentes trajetórias, compartilhamos o mesmo respeito e admiração pelo legado que construiu. Nós quatro fomos seus alunos na Faculdade de Direito – em um período abrangendo da década de 1980 até 2024 – em matérias das mais diversas: Direito Empresarial, Direito Tributário, Introdução ao Estudo do Direito, Direito Administrativo e Direito Econômico.

Esta homenagem começou como uma surpresa.

Em meados de 2023, depois de uma conversa entre a Monica e o Cesar, começamos a formar o grupo dos coordenadores temáticos. A ideia era reunir colegas e especialistas que, assim como nós, foram influenciados por suas ideias e ensinamentos. Estávamos, enfim, tirando do papel algo que parecia inevitável. A produção de uma obra coletiva em homenagem a grandes juristas se tornou uma espécie de tradição no meio jurídico, e acreditávamos que havia chegado o momento certo para o Marçal receber a sua. Assim, o projeto tomou forma naturalmente, recebendo o apoio de todos os que tomavam conhecimento.

O Marçal é um jurista influente em várias áreas. Para cobrir os múltiplos campos de seu interesse até este momento, reunimos juristas com profundo conhecimento em seus respectivos setores e com décadas de convívio com o Marçal: Alexandre Wagner Nester, André Guskow Cardoso, Ministro Benjamin Zymler, Betina Treiger Grupenmacher, Clèmerson Merlin Clève, Eduardo Talamini, Egon Bockmann Moreira, Fernão Justen de Oliveira, Guilherme F. Dias Reisdorfer, Isabella Moreira de Andrade Vosgerau, Karlin Olbertz Niebuhr, Mayara Gasparoto Tonin e Rafael Wallbach Schwind.

Em conjunto com os coordenadores temáticos, preparamos uma lista de convidados – quase todos estão entre os 233 autores dos 174 artigos que compõem os três volumes da homenagem. Fizemos contato com o Luís Cláudio Ferreira, da Editora Fórum, que deu seu apoio imediato e produziu a imagem de uma capa provisória para o projeto.

Com tudo pronto, apresentamos ao Marçal no início de 2024 o resultado dessa "conspiração do bem" de seus amigos e admiradores. E o projeto foi para a rua no final de março de 2024. O entusiasmo dos convidados foi imediato.

A aderência aos prazos também foi rigorosa. Nem poderia ser diferente, em se tratando do Marçal como homenageado. Tudo seguiu o cronograma previsto – ainda que graças a contatos pessoais da Monica para o *nudge* necessário – e a estrutura originalmente estabelecida. Em setembro de 2024, os três volumes da obra coletiva estavam na editora.

A organização de 174 artigos, com o processamento das informações e documentos de 233 autores, foi uma tarefa gigantesca. Teria sido impossível sem a dedicação de um grupo de jovens advogados e estagiários da Justen, Pereira, Oliveira e Talamini, coordenados por Marçal Justen Neto e Lucas Spezia Justen. O grupo atuou na elaboração do manuscrito enviado em setembro de 2024 para a editora e nas diversas interações posteriores até a versão final estar pronta para produção. Nosso agradecimento e reconhecimento para Ana Paula Sovierzoski, Caroline Martynetz, Daniel Carvalho Lopes, Edson Francisco Rocha Neto, Eduardo Nadvorny Nascimento, João Pedro Lima de Vasconcellos, Jolivê Alves da Rocha Filho, Nicole Mendes Müller, Paola Gabriel Ábila, Raphaela Thêmis Leite Jardim e Rodrigo Costa Protzek. Também para Juliana Hammerschmidt de Assunção, que deu apoio administrativo ao grupo.

Os 70 anos do Marçal, completados em 1º de março de 2025, deram a oportunidade para esta homenagem. O Marçal tem muito mais a produzir e nos ensinar, com a energia, perspicácia, clareza e criatividade que o caracterizam. Mas o momento é adequado para celebrar a sua extensa obra ainda em construção. Sob certo ângulo, esta é uma homenagem intermediária. Uma oportunidade de meditação sobre a sua contribuição atual e futura para o Direito brasileiro e, sobretudo, de diálogo com o próprio Marçal sobre as ideias e métodos que criou e ajudou a disseminar em campos jurídicos tão variados.

A obra foi organizada em três volumes. O primeiro reúne os artigos e depoimentos sobre o Marçal como pessoa e jurista (coordenados por Fernão Justen de Oliveira), os temas de Direito Administrativo em geral (coordenados por André Guskow Cardoso e Karlin Olbertz Niebuhr) e os tópicos de Controle e Direito Administrativo Sancionador (cujo coordenador é o Ministro Benjamin Zymler). O segundo volume versa sobre Licitações e Contratações Administrativas (tema coordenado por Alexandre Wagner Nester e Egon Bockmann Moreira), Direito Constitucional (sob a coordenação de Clèmerson Merlin Clève), Direito Tributário (coordenação de Betina Treiger Grupenmacher) e Filosofia e Teoria Geral do Direito (capítulo coordenado por Guilherme F. Dias Reisdorfer). O terceiro volume compreende Regulação e Infraestrutura (cujo coordenador é Rafael Wallbach Schwind), Direito Processual e Resolução de Disputas (sob a coordenação de Eduardo Talamini) e Direito Empresarial (com as coordenadoras Isabella Moreira de Andrade Vosgerau e Mayara Gasparoto Tonin).

Por sua dimensão e pela profundidade e variedade de temas abrangidos em cada capítulo, esta obra coletiva já nasce monumental. O esforço de todos – coordenadores, autores e colaboradores – visou a um registro que refletisse de algum modo a vastidão da produção jurídica do Marçal até agora.

Agradecemos a cada um dos que dedicaram seu tempo e conhecimento para participar deste projeto. Aos que produziram reflexões memoráveis, que dialogam com as obras do Marçal e as colocam em contexto. Aos que deram depoimentos sobre a influência do Marçal nas suas próprias trajetórias. Aos que apresentaram teses inovadoras, interpretações criativas, sistematizações inéditas e produções acadêmicas que o momento desta homenagem lhes permitiu realizar.

O Marçal é um incentivador da criação de conhecimento. Não haveria melhor homenagem que a demonstração concreta, refletida em cada um dos 174 artigos desta obra coletiva, da inspiração intelectual que o Marçal produz em nós.

Monica Spezia Justen
Cesar Pereira
Marçal Justen Neto
Lucas Spezia Justen
Coordenadores Gerais

FILOSOFIA E TEORIA GERAL DO DIREITO

(Coordenador: Guilherme F. Dias Reisdorfer)

VIVÊNCIA E APLICAÇÃO DO ESTADO DE DIREITO NO BRASIL

ALEXANDRE AROEIRA SALLES

I Introdução: a filosofia do Direito e o professor Marçal Justen Filho

Em 1998 eu estava cursando o primeiro ano do mestrado em Direito Administrativo na Faculdade de Direito da UFMG (FDUFMG), em Belo Horizonte, quando meus orientadores, professores Paulo Neves de Carvalho e Pedro Paulo de Almeida Dutra, pediram-me para receber um jovem professor de Curitiba que há algum tempo revolucionara o estudo das licitações e contratações administrativas, por meio do já famoso livro comentando a Lei nº 8.666/93. Sua discrição, humildade e educação impressionaram-me positivamente, acalmando a minha juvenil timidez.

O jovem professor Marçal Justen Filho estava incumbido de dar palestra para os acadêmicos da FDUFMG sobre o tema dos contratos administrativos. Mas de forma totalmente surpreendente, diferindo de tudo o que estávamos acostumados a ver em palestras sobre a bruta Lei nº 8.666, o jovem professor Marçal dedicou os primeiros 30 minutos para trazer-nos os filosóficos pressupostos para as contratações públicas.

O domínio da filosofia e da teoria do Direito pelo professor Marçal reverberou pela sala durante toda aquela manhã, bem como durante muitas semanas depois nas acaloradas discussões na FDUFMG. Sua erudição, simples e objetiva, sem qualquer afetação, fascinou a mim e a muitos de nossos colegas e professores, servindo-nos de grande fonte de inspiração acadêmica e profissional.

Tal exemplo perdurou pelas décadas seguintes, ampliando o grande impacto da admiração vivida naquele primeiro contato.

No ano de 2021, ainda imersos em nossas casas por causa da pandemia de covid 19, chegou em minhas mãos mais uma nova obra do professor Marçal Justen Filho: *Introdução ao Estudo do Direito* (JUSTEN FILHO, 2021). Escrita com didática invejável, sistematiza um conhecimento que anda meio esquecido na prática da aplicação do Direito no Brasil, trazendo reflexões como a transcrita:

> O Direito é uma experiência na vida real. Para conhecer o Direito é necessário viver, experimentar, sentir e valorar. As formulações teóricas, que traduzem concepções idealizadas sobre a realidade, não capturam o Direito (...). O Direito não é simplesmente 'conhecido', nem apenas 'pensado', nem existe como algo 'ideal': faz parte da existência concreta do indivíduo e da sociedade.[1]

E ainda:

> Mas a experiência da vida social evolui para uma concepção cada vez mais fundada na cooperação e na organização dos esforços e recursos individuais e comuns para atingir resultados concretos mais satisfatórios e compatíveis com a dignidade humana. (...) O Direito é também um instrumento para concretizar a cooperação entre os sujeitos públicos e privados.[2]

Como se verificam desses singelos parágrafos, o professor Marçal Justen Filho coloca, com enorme discrição e profunda sofisticação, o dedo na ferida do acanhado desenvolvimento social do Brasil. Enquanto lia tais passagens, eu ficava imaginando como ele gostaria de gritar o quão distante estamos, nós brasileiros, da efetiva vivência de um Estado de Direito: "O Direito não é simplesmente 'conhecido', nem apenas 'pensado', nem existe como algo 'ideal': faz parte da existência concreta do indivíduo e da sociedade".

Disso reverbera a pergunta: como o Direito é vivenciado cotidianamente pelos brasileiros? Nós, brasileiros, conseguimos alcançar, em razoável dimensão, o desejado Estado de Direito? Há segurança jurídica no Brasil? O Direito se manifesta adequadamente para os brasileiros? E os brasileiros exercem-no?

Acompanhando o Mapa da Violência no Brasil, nas principais cidades onde vivemos, bem como o imenso volume de violações aos direitos de milhões e milhões de brasileiros, é inevitável reconhecer que o Poder Público é fraco e, consequentemente, fracassa enormemente em fazer aplicar o Direito perante nossa sociedade, e mais ainda fracassa em cooperar com os cidadãos para que o Direito seja verdadeiramente vivenciado e exercido.

O Estado brasileiro contenta-se em criar leis e regras jurídicas, como se suas publicações nos diários oficiais fossem suficientes para conduzir os cidadãos brasileiros na correta direção almejada pelo nosso ordenamento jurídico-constitucional. Ou então, em direção diametralmente oposta, usa de desordenada punibilidade, muitas vezes trágica violência em zonas de quase guerra civil, levando à morte milhares de jovens policiais e jovens perdidos brasileiros.

Milhares de crianças brasileiras estão desprotegidas, submetidas a toda sorte de violência física, psíquica e emocional. Roubos e furtos de bens móveis, como celulares, tênis e mochilas, são parte do cotidiano daqueles que precisam andar pelas ruas das cidades. Mulheres são estupradas a cada minuto. Idosos são enganados e roubados por meio de fraudes eletrônicas de todo tipo.

Não há paz. Não há harmonia. Não há segurança.

---

[1] *Introdução ao Estudo do Direito* (JUSTEN FILHO, 2021), p. 42.
[2] *Introdução ao Estudo do Direito* (JUSTEN FILHO, 2021), p. 53.

Uso aqui a oportunidade que me foi dada pelo professor Marçal Justen Filho, a partir de honroso convite para participar dessa obra-homenagem, para dialogar com o seu pensamento juris-filosófico, buscando contribuir com o aprimoramento do Estado Democrático de Direito no Brasil.

O objetivo precípuo deste artigo é a tentativa de apresentar as razões científicas, metajurídicas, que corroboram o pensamento expresso pelo professor Marçal na sua obra em geral, em especial em seus livros *Introdução ao Estudo do Direito* e *Curso de Direito Administrativo*, quando em ambos salienta a relevância de a dignidade da pessoa humana ser exercida por meio da efetiva vivência do Direito: "O Direito é uma experiência na vida real. Para conhecer o Direito, é necessário viver, experimentar, sentir e valorar".

Se o Direito é uma experiência da vida real, como as instituições do Poder Público nacional podem colaborar com os brasileiros para que esses conformem seus comportamentos de modo a instaurarmos uma sociedade mais bem-sucedida, com bem-estar para todos?

II O ser humano e a formação do Estado e do Direito

Durante certo tempo de minha vida eu aceitei o comum argumento de que o Brasil se mantinha em estágio intermediário de desenvolvimento, com baixo índice de desenvolvimento humano, por causa do caráter do brasileiro, que teria um certo 'jeitinho' próprio de ser, razão de nossos relativos fracassos como sociedade. Desde que vivenciei a realidade de outros países, estudando suas práticas do Direito, tal argumento não me foi mais admitido como minimamente correto.

Durante milênios, as proposições e implantações de instituições jurídicas por reis e rainhas, czares, imperadores, líderes tribais, senhores feudais, parlamentares, presidentes, políticos, religiosos e filósofos eram (e em grande medida continuam sendo) amparadas em ilações sobre como regras jurídicas poderiam funcionar para dada comunidade, sem que houvesse clara compreensão sobre o funcionamento do ser humano, tanto individual como coletivamente.

Os crassos e visíveis erros de algumas sociedades podiam servir de aprendizado para os bem-intencionados líderes de outras, que concebiam diretrizes normativas a partir das crenças existentes em dado tempo e lugar. Se dado líder não possuísse bons propósitos, a deterioração das regras e instituições daquele dado lugar ficava ainda mais flagrante.

Contudo, atualmente, em pleno século XXI, já há suficiente conhecimento sistematizado tanto sobre o funcionamento das pessoas como sobre o das instituições sociais, de modo que é mais evidente a melhor forma de se estruturar o Direito e os órgãos aplicadores do Direito a fim de auxiliar os seus destinatários a se realizarem plenamente como indivíduos, em família e na comunidade.

Como pronunciado pela ciência moderna, nós, seres humanos,[3] somos produtos da natureza; ou seja, surgimos pela evolução de milhões de anos das espécies, sendo que o primeiro *Homo* já vivia na Terra há aproximadamente 2,5 milhões de anos.

---

[3] Os *humanos* são o gênero de algumas espécies como a espécie dos *rudolfensis*, *a dos erectus*, *a dos neandertais e a dos sapiens*. Sempre que se utilizar aqui o termo *humanos*, estaremos falando do gênero *Homo*. Quando quisermos precisar a espécie da qual fazemos parte – Homo Sapiens –, utilizaremos essa mesma expressão científica, ou então a comumente usada: *ser humano*.

Já o Estado é produto da vontade, criatividade e da inteligência do ser humano, não tendo mais do que 2 mil anos de evolução.

Não obstante ser o Estado algo recente na história, sua construção decorre de características cognitivas, psicológicas e emocionais próprias dos *Homo sapiens*, com todos os atributos genéticos e culturais adquiridos ao longo de centenas de milhares de anos. Para compreender os Estados modernos, seus acertos e erros, sucessos e fracassos, é fundamental conhecer quem somos, e como nós seres humanos chegamos até aqui.

Para nos conhecermos melhor como membros de uma sociedade organizada, é bom sistematizar duas[4] camadas do funcionamento humano, como (i) a nossa fonte primária criadora de vontade – a dimensão biológica: o cérebro e a mente; e a (ii) nossa fonte secundária criadora de vontade – a dimensão social: a cultura. Em face dos limites deste trabalho, para fins da homenagem ora pretendida, o artigo se concentrará na primeira fonte, a biológica.

Espero que tais reflexões ajudem a mover o Direito Público brasileiro em uma direção mais consentânea com a natureza humana.

III A fonte biológica: o cérebro do ser humano (*Homo sapiens*)

Os mesmos átomos que nos formam e a nossos cérebros são os que compõem todos os demais seres vivos na Terra. E desde Charles Darwin, no século XIX, com a Teoria da Evolução das Espécies, que nós passamos a nos perceber cientificamente como um animal qualquer, apenas bem mais evoluído intelectualmente do que os demais.

Como já foi testado centenas de vezes nas últimas décadas, os primatas[5] são iguais a nós anatômica, neurológica, genética e fisiologicamente. Contudo, quando estamos lhes dando banana nos zoológicos ou nos parques, percebemos claramente que há uma grande distância cognitiva entre eles e nós. Todos nos perguntamos: se a tal evolução das espécies é verdadeira, como pôde tamanho salto cognitivo? Por que somos capazes de fazer um filme como Guerra nas Estrelas ou de viajar pelo espaço enquanto eles ficam se coçando e tirando piolhos em um poço atrás de grades?

Os arqueólogos, antropólogos e biólogos, por meio de fósseis e artefatos do passado, conseguiram mapear milhões de anos com distintas ramificações de hominídeos, como as espécies: *Sahelanthropus tchadensis*, de mais ou menos 6,5 milhões de anos atrás (Maa); *Australopithecus afarensis*, de 4,5 a 3,5 Maa; *Homo habilis*, de 2 a 1,8 Maa; e *Homo erectus*, de 1,8 a 0,2 Maa.

Durante milhões de anos a seleção natural aprimorou, paulatina e fragmentadamente, os cérebros dos hominídeos, como uma pequena expansão do córtex aqui e um

---

[4] Indico aqui "algumas camadas do funcionamento humano" porque pode haver outras que não o cérebro, o meio ambiente e a cultura. Se for correta a compreensão de que os seres humanos recebem quando nascem um 'espírito' ou 'alma', então teríamos que investigar qual o grau de influência tal 'espírito' traz na vontade do indivíduo na Terra. Como não se tem meios comprovadamente testáveis e demonstráveis sobre como se operaria o funcionamento da 'alma' ou do 'espírito' dentro do corpo de um indivíduo, não seria correto para esta obra nos debruçarmos sobre o tema, mais apropriado para a filosofia das religiões.

[5] "O *Homo sapiens* é uma espécie de antropoide (macaco) da ordem primata, que inclui espécies de dois grandes grupos taxonômicos (infraordens): os Strepsirrhini (lêmures, lórises e gálagos) e os Haplorrhini (tarsos e antropoides)" (SANTOS, Fabrício R. A Grande Árvore Genealógica Humana. *Revista UFMG*, v. 21, n. 1 e 2, p. 88-113, jan./dez. 2014).

espessamento maior de fibras ali, de modo a ir entregando, geração a geração, maiores habilidades para o manuseio de instrumentos e raciocínios um pouco mais complexos.[6]

Há cerca de dois milhões e quinhentos mil anos os *Australopithecus* começaram a se espalhar de áreas da África Oriental para outras na Europa e Ásia. Daí evoluíram para os *Homo neanderthalensis* e *Homo erectus*, há dois milhões de anos. Por incrível que pareça, desde esses dois milhões de anos até apenas 10 mil anos esses humanos e outros (como os *rudolfensis, ergaster, soloensis, denisova* e os *sapiens*) viviam em bandos por todas as regiões e continentes da Terra, quando já dominavam o uso de ferramentas, de linguagem sofisticada em relação aos demais primatas, capacidade de organização social e colaboração.

Com a conquista da capacidade de pleno controle do fogo, há cerca de 300 mil anos, os humanos (*erectus, neandertal* e ancestrais dos *sapiens*) deram um salto alimentar, tanto aumentando a digestibilidade dos alimentos como facilitando a caça, diminuindo sensivelmente o tempo e a energia necessários para consumir quantidade maior de calorias.

Há apenas 150 mil anos, o *Homo sapiens* sobressaiu em relação aos demais humanos, espalhando-se bem mais pela Terra e levando à paulatina e completa extinção (ou absorção) das outras espécies humanas.[7]

Mas o que aconteceu biologicamente para que nos sobressaíssemos tanto assim?

A resposta, óbvia e notória, está no cérebro, que passou a funcionar de uma forma diferente daquela até então vista, juntando partes cerebrais que anteriormente não se conectavam da mesma maneira em outros primatas e até mesmo em outros hominídeos.

Mas o que isso tem a ver com o objeto deste artigo: estratégias de construção de um Estado ou Direito eficiente? Penso que o primeiro passo para tal empreitada deve ser por meio da compreensão da evolução do cérebro do *Homo sapiens*, pois dele é que se extraíram as instituições políticas e as regras que conformam os comportamentos dos cidadãos em direção a um sustentável desenvolvimento social e econômico.

Em outras palavras: haveria alguma dica provinda do cérebro sobre como nós conformamos nossos comportamentos? Se houver, ótimo, poderemos usá-la para acelerar o desenvolvimento de nossos países.

III.1 O encéfalo, os neurônios-espelho e o *feedback*

O comportamento humano depende de uma complexa série de receptores sensoriais conectados ao encéfalo, que tem aproximados 100 bilhões de neurônios (células nervosas) que conversam entre si por meio de fibras cheias de ramos (dendritos) e cabos de transmissão (axônios), e cada neurônio faz de mil a dez mil contatos com os outros neurônios, formando o que se denomina de sinapses (que podem ser excitatórias

---

[6] Para aprofundar nesse estudo, ver em RAMACHANDRAN, V.S. *O que o cérebro tem para contar. Desvendando os mistérios da natureza humana*. Editora Jorge Zahar, 2014, p. 33.

[7] Harari (*Sapiens*: uma breve história da humanidade. 2014. L&P. p. 26) descreve muito bem os debates científicos sobre as razões pelas quais apenas o *homo sapiens* teria sobrevivido: ou pela aniquilação dos demais (genocídio) pelos *sapiens*; ou pela miscigenação, tendo prevalecido o genoma dos *sapiens*; ou por ambas as razões concomitantes.

ou inibitórias).[8] Os neurônios estão conectados em redes para múltiplos propósitos, podendo processar informações cognitivas e/ou fisiológicas, trabalhando em estruturas que formam circuitos. E são esses circuitos que "transmitem informação para cá e para lá em círculos repetidos e permitem às estruturas cerebrais trabalharem juntas para criar percepções, pensamentos e comportamentos sofisticados".[9]

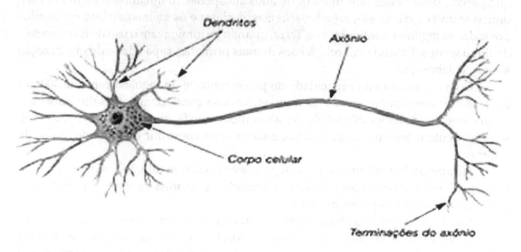

(imagem ilustrativa retirada do site sobiologia.com.br)

Como aprendemos nas aulas de biologia, o cérebro é formado por medula, ponte de varólio, mesencéfalo, cerebelo, lobo temporal, comissura anterior, diencéfalo, corpo caloso, sulco cingulado e, finalmente, o córtex cerebral. Todas essas partes trabalham emitindo e recebendo fluxos constantes de sinais com as demais células do corpo, em especial com as nossas vísceras, fazendo com que todos influam bastante nos nossos sentimentos[10] e consequentemente em nossos comportamentos. Contudo, para o presente estudo, o que nos interessa mais é essa última parte: o córtex cerebral, pois é precipuamente a matriz do pensamento sofisticado.

---

[8] Este capítulo tem como principal fonte o livro *Princípios de Neurociências*, escrito por 79 dos mais prestigiados neurocientistas internacionais, tendo como coordenadores Eric R. Kandel, James H Schwartz, Thomas M. Jessell, Steven A Siegelbaum, A. J. Hudspeth (*Princípios de Neurociências*. AMGH Editora Ltda. Porto Alegre. 5. ed.).

[9] Ver em RAMACHANDRAN, V. S. *O que o cérebro tem para contar*. Desvendando os mistérios da natureza humana. Editora Jorge Zahar. 2014 (p. 34-45).

[10] Ver DAMASIO, António. *A Estranha Ordem das Coisas* – as origens biológicas dos sentimentos e da cultura. Companhia das Letras, 2018. Há uma passagem que merece aqui transcrição: "Sentimentos não são eventos apenas neurais. O corpo propriamente dito está envolvido de modo crucial, e esse envolvimento inclui a participação de outros sistemas importantes e homeostaticamente relevantes, por exemplo, o imune. Sentimentos são fenômenos cem por cento *simultâneos e interagentes* do corpo *e* do sistema nervoso" (p. 147).

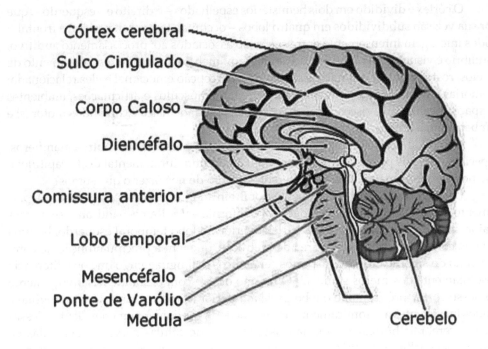

(imagem retirada do site infoescola.com/anatomia-humana/cerebro)

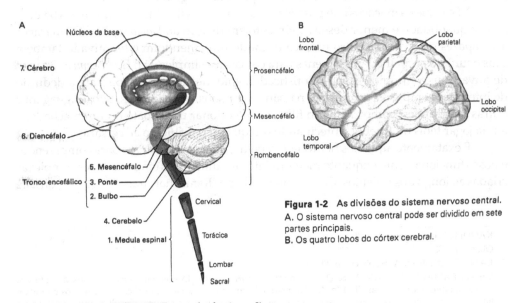

Figura 1-2 As divisões do sistema nervoso central.
A. O sistema nervoso central pode ser dividido em sete partes principais.
B. Os quatro lobos do córtex cerebral.

(imagem retirada de KANDEL, Eric *et al.*, ob. cit., p. 9)

O córtex é dividido em dois hemisférios espelhados – o direito e o esquerdo –, que por sua vez são subdivididos em quatro lobos – occipital, temporal, parietal e frontal.[11] Todos interagem intensamente entre si e estão associados ao: processamento auditivo, equilíbrio e visual; com identificação de cor, movimento e forma; ao reconhecimento de objetos, rostos e outros animais, assim como a percepção emocional a eles relacionada; memórias curtas e longas; informações sobre tato, músculos e articulações, ambientes e espaço, localização e riscos; imagem corporal, agilidade física e comandos motores; e também com a linguagem.[12]

Como todas essas características também estão presentes em outros mamíferos, especialmente nos primatas, remanesce aqui a pergunta fundamental deste capítulo: o que no cérebro humano há de tão diferente a ponto de nos fazer o que somos?

De acordo com o diretor do Center for Brain and Cognition e professor do Departamento de Psicologia da Universidade da Califórnia – V.S. Ramachandran –, sete vezes maior do que nos chimpanzés, na parte superior do lobo temporal esquerdo, há uma área do córtex conhecida como área de Wernicke, que tem a precípua função de compreensão do significado e dos aspectos semânticos da linguagem (o que nos diferencia absolutamente dos meros símios).[13] O mesmo ocorre com o grande desenvolvimento do nosso córtex pré-frontal e o lobo parietal inferior (giros supramarginal e angular), ambos inexistentes anatomicamente nos macacos. E, fundamentalmente, dentro dessas regiões cerebrais humanas há uma classe especial de células nervosas chamadas de neurônios-espelho, que "não se excitam apenas quando executamos uma ação, mas também quando vemos alguém executar essa mesma ação. (...) O que essas células fazem é nos permitir efetivamente ter empatia para com a outra pessoa e 'entender' suas intenções – imaginar o que ela está realmente pretendendo. Fazemos isso executando uma simulação de suas ações usando nossa própria imagem corporal".[14]

Não é que os macacos não possuem neurônios-espelho, mas sim que neles há uma menor quantidade e menor desenvolvimento em relação ao *Homo sapiens*. Os macacos são capazes de observar outro macaco pegando um amendoim e ter ativado também seus neurônios-espelho;[15] mas apenas para comandos simples. Já o *Homo sapiens* é capaz de ativar seus neurônios-espelho sofisticadamente, desde atos simples até a dedução de intenções complexas de outrem, passando por sons, vocalizações, tato, linguagem e outras habilidades, como ensinar o filho a confeccionar um sapato ou um machado, e ainda jogar tênis ou futebol, antecipando o saque ou o drible do adversário.

É exatamente aqui, nos neurônios-espelho, que reside a chave para compreender o nosso funcionamento enquanto membros ativos e dinâmicos em sociedades complexas criadas ao longo dos milênios. Como sintetizado por Ramachandran, "a cultura consiste

---

[11] KANDEL, Eric *et al.*, ob. cit., p. 8.
[12] Ob. cit., p. 303.
[13] RAMACHANDRAN, V. S., ob. cit., p. 11.
[14] Ver em RAMACHANDRAN, V. S. *O que o cérebro tem para contar*. Desvendando os mistérios da natureza humana. Editora Jorge Zahar, 2014 (p. 43). No mesmo livro, na p. 327, o autor explica: "Embora nos permitam adotar provisoriamente o ponto de vista de outra pessoa, os neurônios-espelho não resultam numa experiência extracorpórea. Não flutuamos até onde o outro ponto de vista está, nem perdemos nossa identidade como pessoa. (...) Verifica-se que nossos lobos frontais inibem os neurônios-espelho ativados, pelo menos o suficiente para impedir que tudo isso aconteça, de modo que permaneçamos ancorados em nosso corpo".
[15] KANDEL, Eric *et al.*, ob. cit., p. 372.

em enormes coleções de habilidades complexas e conhecimento que são transferidas de pessoa para pessoa através de dois meios essenciais, linguagem e imitação. Não seríamos nada sem nossa habilidade meio *savant* de imitar outras pessoas",[16] transmitindo conhecimento entre indivíduos e entre gerações por meio do exemplo.

Há ainda outra característica relevante possibilitada pelos neurônios-espelho, a constituição do *self* de cada um de nós: a autoconsciência. E dela também surge a forma sofisticada de nossa percepção do outro, sabendo que somos indivíduos únicos sendo observados e avaliados por outros indivíduos da comunidade (fulano deve estar me achando desagradável?; será que meus colegas estão me aprovando ou me reprovando frente ao meu comportamento A ou B?).

É o conjunto desses elementos – imitação e dedução de intenções de outrem – que leva ao aprendizado do *Homo sapiens*.

Assim, conformamos os comportamentos dos indivíduos e da coletividade quando estimulamos seus neurônios-espelho, ou seja, "o controle do comportamento e da interação social depende muito da capacidade de reconhecer e compreender o que os outros estão fazendo e por que estão fazendo".[17] Quanto mais treinamento os indivíduos receberem por meio dos exemplos transmitidos pelos seus pais, tios, primos, amigos, colegas, professores, policiais e demais pessoas em evidência, mais forte serão as respostas de seus neurônios-espelho, gravando-as e automatizando-as em seus comportamentos.

Não é à toa o ditado popular de que se ensina pelo exemplo e não por palavras dele desconectadas.

Mas não é apenas isso. Como já visto, os neurônios-espelho também viabilizam que cada um de nós considere enormemente o que supostamente transpassa na mente dos demais indivíduos da coletividade, de modo a alcançarmos o máximo de suas aprovações. Tal característica biológica reforça a necessidade de o indivíduo receber *feedback* sobre suas atitudes, se negativo ou se positivo. O *feedback* negativo levará o indivíduo a corrigir suas atitudes até obter o positivo. Já o *feedback* positivo trará ao indivíduo o reforço da atitude bem avaliada.

Isso é potencializado pelos neurotransmissores, em especial a serotonina. Estudo em animais e em seres humanos demonstra que obter o reconhecimento do meio social em que se vive é fundamental para aumento de níveis de serotonina, o que gera nos indivíduos resposta positiva quanto ao prazer. E o inverso acarreta queda de serotonina, a ponto de gerar depressão. Ao longo de milhões de anos, a luta por *status* foi consolidada em nosso código genético; aqueles indivíduos (incluindo macacos e outros mamíferos) que recebiam maior reconhecimento do seu agrupamento ampliavam o acesso a parceiras sexuais, tendo maior sucesso reprodutivo.[18]

É daqui que surge o sentimento de moralidade próprio dos seres humanos, levando-nos a tentar agir "de forma correta" mesmo quando poderíamos agir diferentemente (salvo os sociopatas). O medo inconsciente e consciente de contrariar o padrão da coletividade e vir a ser dela banido é algo que permeou e permeia a construção

---

[16] RAMACHANDRAN, V. S., ob. cit., p. 157.
[17] KANDEL, Eric *et al.*, ob. cit., p. 770.
[18] MASTERS, Roger D.; MC GUIRE, Michael. *The Neurotransmitter Revolution*: Serotonin, Social Behavior, and the Law. Editora Southern Illinois University Press; 1994. p. 11.

de nossas civilizações. O conjunto desses elementos está atrelado ao mecanismo do aprendizado e da memória.

III.2 O mecanismo cerebral para o aprendizado e a memória

Muitos países do mundo, como o Brasil, têm alta taxa de criminalidade não porque estão desprovidos de normas e regras, mas pela razão de que os seus governos não conseguiram auxiliar seus cidadãos no árduo processo de aprendizagem quanto aos seus comportamentos desejáveis para o desenvolvimento individual e coletivo.

Apenas oferecer educação formal não é definitivamente suficiente. Como se sabe, muitos criminosos de colarinho branco estudam nas melhores escolas nacionais e internacionais, chegando a fazer prestigiados cursos de pós-graduação. O mesmo se dá para tantos outros que descumprem regras básicas de convivência no trânsito, aqueles que compram produtos de contrabando, sonegam tributos, falseiam documentos e outros crimes correntes em países como o Brasil. Isso tudo se explica quando se entende que o mecanismo da aprendizagem impõe, além de ir à escola, muitas outras atividades ao longo da vida de todos nós.

O cérebro é capaz de guardar, em locais distintos do encéfalo, memórias de curto e de longo prazo, mas somente se consolidam as memórias de longo prazo se antes guardarmos as memórias de curto prazo ("que mantém representações atuais, embora transitórias, de conhecimentos relevantes para certos objetivos"). A de curto prazo é denominada de memória de trabalho, subdividida em um sistema para informação verbal e outro para a informação visuoespacial, que dura poucos segundos. Quando dedicamos muita atenção a alguma dessas atividades em desenvolvimento (seja ouvindo uma frase ou visualizando uma tarefa), é quando conseguimos fazer, seletivamente, a transição da memória de curto para a de longo prazo.[19] Esse processo exige maior esforço energético do indivíduo, a partir de estímulos internos ou externos.

As memórias de longo prazo são classificadas como explícitas (conscientes) ou implícitas (inconscientes).

As implícitas (inconscientes) são as memórias de procedimentos, que advêm de forma automática, como andar de bicicleta, dirigir um carro ou escovar os dentes. Essas memórias são conquistadas a partir de experiências repetitivas, com aprendizado progressivo (práticas motoras, hábitos e condicionamentos). No caso de hábitos e condicionamentos, a base do aprendizado é o associativo, em que cada tarefa específica desenvolvida acarreta uma consequência a ela associada por meio probabilístico (*v.g.* depois de queimar os lábios nas primeiras vezes em que se tomou afobadamente uma xícara de café, nas próximas você soprará antes de, cuidadosa e lentamente, bebê-la). Se a consequência associada à tarefa for uma recompensa, a ação tende a se repetir. Se a consequência for aversiva, tende a não se repetir.

Um elemento muito importante para o aprendizado decorrente do condicionamento é o tempo demandado entre a ação praticada pelo indivíduo e a consequência advinda. Quanto mais cedo ocorrer o reforço ou a aversão em relação ao ato praticado,

---

[19] KANDEL, Eric *et al.*, ob. cit., p. 1258.

mais intenso e duradouro será o aprendizado.[20] Isso serve para inúmeras técnicas de educação, por exemplo, dos filhos. Se é desejo dos pais condicioná-los a escovar os dentes depois das refeições, é necessário que sejam advertidos nos primeiros minutos que se sucedem ao término da refeição, não podendo esperar o dia seguinte de manhã para lhes contar que eles se esqueceram de escovar os dentes na noite anterior. E assim que os ver escovando os dentes na hora certa, deve-se premiá-los, dando-lhes, por exemplo, palavras de aprovação, um carinho nos cabelos e beijo na face.

Já as memórias explícitas (conscientes) são flexíveis e advêm da "evocação consciente de conhecimento de fatos acerca de pessoas, lugares e coisas",[21] apresentando-se na forma semântica (*v.g.* bananas têm cor amarela) e nas episódicas (*v.g.* quando e onde você fez o que para quem), em que recordamos as emoções que sentimos na relação com outrem, com nós mesmos ou com objetos.[22] São as nossas memórias episódicas que nos caracterizam ao longo da vida como seres singulares, com identidade própria, alimentando as histórias que contamos sobre nós para nós mesmos, assim como para os outros.

O processo para armazenar as informações ligadas às memórias explícitas (semânticas e/ou episódicas) é extremamente rico, e está distribuído em várias partes do encéfalo,[23] podendo advir da visão, audição, tato e degustação. Existem quatro operações nesse processo: codificação, armazenamento, consolidação e evocação. Para que armazenemos uma nova informação, precisamos codificá-la, ou seja, prestar atenção e associá-la a conhecimentos já estabelecidos anteriormente na memória. Para que a memorize a longo tempo, e não apenas nos próximos segundos, é necessário que façamos também o seu armazenamento em determinados sítios neurais. Posteriormente, por meio do reforço da memorização dessa informação, é possível consolidá-la de forma ainda mais estável, produzindo mudanças estruturais nas sinapses. E, por fim, tem-se a evocação, que é o ato de resgatar a informação da memória já armazenada ou consolidada.[24]

Percebe-se quão relevante é, no processo de codificação, o indivíduo já possuir algum prévio conhecimento que facilite a conquista de novos conhecimentos ligados ao anterior (se ele não aprender primeiro o que é uma roda, ele não entenderá a dinâmica de funcionamento de uma bicicleta).

Ademais, é necessário que haja treinamento sobre essas informações conquistadas, por meio do reforço da memória correspondente, a fim de consolidá-la. Se uma informação é observada atentamente pelo indivíduo, mas depois não mais lhe é exigido o seu resgate, provavelmente isso não se consolidará ou, ainda pior, nem ao menos terá sido armazenada. A consequência é a impossibilidade de vir a ser evocada quando necessária para auxiliar no comportamento esperável, e não servirá de base para uma futura nova informação que precise ser armazenada.

---

[20] KANDEL, Eric *et al.*, ob. cit., p. 1270.
[21] KANDEL, Eric *et al.*, ob. cit., p. 1260.
[22] RAMACHANDRAN, V. S., ob. cit., p. 355.
[23] De acordo com Kandel, ob. cit., p. 1262 e 1263, o "conhecimento episódico depende de interação entre o lobo temporal medial e os córtices associativos. O conhecimento semântico é armazenado em córtices associativos distintos e sua evocação depende do córtex pré-frontal".
[24] KANDEL, Eric *et al.*, ob. cit., p. 1261.

III.3 O aprendizado, o *feedback* e o *status*

Seja a partir do funcionamento dos neurônios-espelho e/ou pelo mecanismo de aprendizado, os elementos da neurociência moderna nos indicam que as emoções recebidas na relação com os outros, a partir dos *feedbacks* obtidos desde o nascimento, são determinantes para construirmo-nos como indivíduos e como sujeitos de um agrupamento social.

Dessa forma, se quisermos fortalecer um país, como o Brasil, precisamos cuidar dos *feedbacks* que as crianças e adultos recebem dentro de sua família, nas escolas, nas ruas, nas igrejas e nos demais espaços públicos das cidades.

Assim, de nada adianta, por exemplo, um governo garantir ensino gratuito, de quatro horas por dia, cinco dias por semana, a crianças que, depois das aulas, serão lançadas à vida real de comunidades onde impera o exemplo da violência, do tráfico de drogas, de frivolidades, espertezas e malandragens.

O meio ambiente em que tais indivíduos convivem cotidianamente, recebendo *feedbacks* concretos de seus familiares, vizinhos, colegas, amigos e autoridades, é muito mais relevante na sua verdadeira formação do que as poucas horas de ensino abstrato e formal recebido na Escola.

O ensino abstrato (como as teorias lançadas nos quadros das salas de aula), em que pese ser importante, diz pouco para a formação das crianças e adultos, pois são meros objetos que exigem esforço muito grande para serem absorvidos como comandos de comportamentos, em especial quando estão desconectados da realidade prática cotidiana de dada comunidade. De acordo com as pesquisas contidas em Kandel *et al.* (ob. cit. p. 771):

> os neurônios-espelho não respondem quando um macaco está simplesmente observando um objeto ou quando observa simulações de movimentos de braço e mão sem um objeto-alvo. Como cada indivíduo compreende as causas e as consequências de seus atos motores, a hipótese da combinação direta propõe que a atividade dos neurônios-espelho durante a observação das ações de outros forneça um mecanismo de transformação das aferências visuais complexas em uma compreensão de ordem superior das ações observadas.

Como notório, diariamente, milhares de crianças vivendo em comunidades sem presença do Poder Público assistem a aulas teóricas que lhes ensinam matemática, gramática, história, ciências e, provavelmente, preceitos morais. Contudo, quando essas crianças saem da escola (ou muitas vezes ainda lá dentro na convivência com colegas), elas se deparam com outras regras reais de convivência, como as que indicam que "somente é permitido roubar fora da própria comunidade" e que "não se pode delatar os moradores da comunidade". Algo parecido acontece com empresas em que seus funcionários são estimulados pelos seus pares e líderes a conquistar novos contratos mesmo que a partir de atos de corrupção; ou em certas famílias em que se tem como normal a ida a feiras de bens contrabandeados e a aquisição de DVDs piratas.

Se o reconhecimento (*status*) que tais indivíduos recebem, em seu visível agrupamento social, depende da prática de atos contrários à legislação, eles não terão a menor dúvida em descumprir o Direito formal para, perante seus colegas, praticarem atos tidos como ilícitos pelo Estado.

É por isso que não se pode aceitar o chavão de que o "Brasil não teria jeito por causa do brasileiro". É importante gritar o óbvio: o cérebro do brasileiro não é diferente de nenhum outro cérebro de estrangeiro.

A dificuldade na construção de países em desenvolvimento, como o Brasil, está apenas na incompreensão dos que lideram as instituições políticas nacionais sobre quais melhores estratégias devem ser adotadas para guiar nossos cidadãos nas direções que lhes favoreçam como indivíduos e como coletividade.

IV Conclusões: o poder de polícia como uma das fontes de educação dos cidadãos e de transformação da sociedade

Como visto, os indivíduos não aprendem a se comportar apenas sentados quatro horas por dia em frente ao quadro branco de uma sala de aula. Eles precisam experenciar as emoções advindas da reprovação ou da aprovação de suas condutas por outrem.

Se uma criança puxa o cabelo de outra criança menor e é repreendida imediatamente por algum adulto e/ou outras coleguinhas, ela não apenas tenderá a deixar de agir assim como também não chutará a irmã e nem outra criança em condições similares. De outro lado, se ela ajuda a coleguinha ou a irmã e é valorizada por tal ato, tenderá a repetir no futuro tanto para a irmã como para outros.

Se estaciono o carro em um lugar proibido e quando retorno para buscá-lo, o carro foi rebocado ou aplicada multa, a tendência é a de se evitar de estacionar novamente o carro não apenas naquele específico lugar proibido, mas em todos os demais lugares proibidos que encontrar. O inverso é absolutamente verdadeiro, se não há repressão desse comportamento, tendemos a parar em outros lugares proibidos quantas vezes acharmos conveniente. Se a cada dez estacionamentos irregulares houver apenas uma multa, é também reforço negativo de comportamento indesejado.

Ou seja, é por meio dos sentimentos advindos da observação do resultado, positivo ou negativo, dos diferentes cursos de suas ações que as pessoas aprendem que tipos de atitudes são mais ou menos adequados para cada situação.

A reprovação e a aprovação devem advir das instituições sociais e legais a que os indivíduos estão inseridos: a família, a escola, o trabalho, a igreja e o Estado.

Família, escola, trabalho e igreja são espaços privados, ou seja, são ambientes com certa distância do poder do Estado, onde os particulares exercem suas habilidades e comportamentos em privado, submetidos a controle social, moral, ético e religioso, seja dentro de casa, da sala de aula, do galpão da indústria ou do salão de orações e celebrações. Esses quatro ambientes têm cumprido um relevante papel na formação de milhões de brasileiros.

Contudo, tais ambientes definitivamente não são suficientes para ajudar todos os nossos concidadãos a conformarem melhor seus comportamentos. Especialmente nos grandes centros urbanos, o espaço público, o da "rua", é o local onde estamos perdendo a capacidade de completar educação plena de nossos cidadãos.

Nesse espaço público, a ausência da presença firme e colaborativa do Estado acaba por permitir que os indivíduos, não adequadamente educados nos ambientes privados, tornem-se violadores da ordem jurídica vigente.

Importante aqui salientar que o Brasil possui suficiente arcabouço normativo. Não há falta de leis para indicar o que se espera de cada pessoa, seja física ou jurídica.

O que o Estado não consegue fazer é o seu relevante papel na condução dos cidadãos na direção da ordem jurídica vigente. O problema não está com o brasileiro, não é por causa de um suposto desvio de seu caráter, mas porque há milhões de pessoas vivenciando ambientes em que as regras prevalecentes são muito distantes das correspondentes do Direito formal escrito.

Além disso, há também muitos outros que mesmo nascendo em ambientes com certa promoção de valores correspondentes ao Direito vigente acabam por se envolver em comportamentos ilegais. Isso é causado também pela ausência do Estado em locais relevantes. Tal ausência ou omissão acarreta o sentimento de impunidade pelos atos ilícitos praticados por determinadas pessoas e por aqueles que os cercam. Essas pessoas se encaixam, muito provavelmente, nos estudos comandados por Max H. Bazerman[25] e Ann E. Tenbrunsel,[26] mencionados com perspicácia por Silveira,[27] que assim os sintetiza:

> O murchamento ético em geral se desenvolve da seguinte forma: no início, sentimos que algo está errado em relação a determinadas práticas que vimos ou somos impelidos a fazer. Em tal situação, sentimos uma forte tensão entre as implicações dessas atitudes e nossos valores pessoais. Entretanto, ao longo do tempo, tendemos a nos tornar cada vez menos sensíveis para com essas práticas: o estresse se torna menos intenso e as preocupações de ordem moral começam a desaparecer. O processo continua, em pequenos passos, até perdermos completamente a dimensão ética de nossas ações ou omissões. A partir de um certo ponto, deixamos de nos questionar. Transgressões que inicialmente geravam dilemas internos passam a ser vistas como normais ou até mesmo defensáveis. É nesse momento que nos tornamos eticamente cegos.

Interessante depoimento de um médico cirurgião, ex-secretário de saúde do Estado do Rio de Janeiro até o ano 2010, preso por corrupção e lavagem de dinheiro, revelou exatamente o processo de murchamento ético que vivenciou: "primeiro, fui me acostumando a certos luxos. Uma viagem aqui, um vinho ali. (...) Sim, fui corrupto. A vaidade me corrompeu. Existia um sistema que me seduziu. Mentalmente, eu me justificava dizendo que não deixava que os contratos fossem superfaturados. A verdade é que as licitações eram viciadas".

O desafio do murchamento ético no brasileiro é acentuado pela sensação do indivíduo comum de que o Estado é muito mais um inimigo do que instituição que o

---

[25] Disponível em: https://hbr.org/2011/04/ethical-breakdowns, acesso em: 27 ago. 2017.

[26] Ann E. Tenbrunsel and David M. Messick. Ethical Fading: The Role of Self-Deception in Unethical Behavior. Social Justice Research, vol. 17, n. 2, June 2004 (°C 2004), que em poética conclusão propõem: *"We struggle along with such thick layers of bias and rationalization, compartmentalization and denial, that our choices suffer immeasurably" (Bok, 1989, p. 71). The layers of self-deception are thick and the processes are ingrained. To accept this fact, but do nothing about it, will leave us color blind in our vision of the ethical landscape. Muting the forces behind ethical fading will take much more time than some of the solutions that have been previously offered but the effort will be well spent, producing long-lasting and more permanent results. As with most embedded problems, the first step – recognizing and accepting the problem – is often the most difficult. The next step is to more clearly understand the processes that cause ethical fading. We hope this paper provides a roadmap for the ensuing journey"*.

[27] SILVEIRA, Alexandre Di Miceli da. Ética Empresarial na Prática: soluções para gestão e governança no século XXI. Rio de Janeiro: Alta Books, 2018. Kindle edition. Posição 1049.

apoiará nos momentos de dificuldade. Para o cidadão de bem, é por meio da família e dos amigos que se consegue proteger contra a violência, a doença e a expropriação do próprio patrimônio. Se a família ou os amigos vizinhos estiverem vivenciando um "outro" conjunto de regras, como as do tráfico de drogas, por exemplo, esse indivíduo não terá alternativas fáceis, seguirá o que seu cérebro foi formado para cumprir por meio do exemplo e dos *feedbacks* recebidos ao seu redor.

Por meio de diversas pesquisas orientadas por Tversky e Kahneman, em 1973[28] e em 1979,[29] ficou demonstrado que as pessoas não escolhem suas atitudes por critérios racionais e ponderadamente, mas sim por influxo das circunstâncias ao seu redor e de como elas a compreendem a partir de preconceitos imprecisos e estaticamente equivocados. Para que a razão prevaleça, é necessário grande esforço intelectual, com levantamento de dados probabilísticos distantes do ser humano normal, dificultando o acerto decisório.

E para piorar ainda mais a situação, mesmo para aqueles que querem fazer o que é correto, estudos demonstram que os seres humanos têm limites biológicos de energia mental para se autocontrolarem,[30] acabando por não suportarem muitas concomitantes demandas morais em suas rotinas.[31] Se o sistema institucional, o corporativo e o cultural de uma nação exigir do indivíduo demasiadamente esforço para ser honesto, muito mais facilmente ele sucumbirá à antieticidade e à ilegalidade.

Parece, infelizmente, ser este o caso brasileiro, como Rui Barbosa intuitivamente já o anunciara em dezembro de 1914: "De tanto ver triunfar as nulidades, de tanto ver prosperar a desonra, de tanto ver crescer a injustiça, de tanto ver agigantarem-se os poderes nas mãos dos maus, o homem chega a desanimar da virtude"!

Ademais, além de o Estado brasileiro não prover o básico, na verdade cria inúmeras dificuldades para o desenvolvimento pleno da sua humanidade. O Brasil possui complexa estrutura administrativo-burocrática, com inúmeros órgãos e agências exercendo concorrentemente e de forma ainda desarticulada atividades de controle, investigação e punição.

Um cidadão ou empresário que se relaciona com o Estado, no Brasil, está sujeito há dezenas de órgãos de fiscalização, controles e punição, cada qual com competências concorrentes e em muitas vezes sobrepostas, tais como: 27 distintas polícias civis; a polícia federal; as receitas estaduais e municipais, e a receita federal; 27 ministérios públicos estaduais e o federal; órgãos ambientais municipais, estaduais e federais; tribunais de contas dos Estados (alguns municipais) e o da União; CADE; Conselho de Valores Mobiliários; Banco Central; e algumas Agências Reguladoras.

É comum o brasileiro se ver à volta com inúmeras acusações, algumas vezes concomitantes, de órgãos diversos pelo mesmo fato ou por fatos similares. Não existe coordenação entre as atividades de investigação, fiscalização e controle, e não é raro

---

[28] TVERSKY, A.; KAHNEMAN, D. Availability: A Heuristic for Judging Frequency and Probability. The Hebrew University of Jerusalem and the Oregon Research Institute. *Cognitive Psychology*, n. 5, p. 207-232, 1973.
[29] KAHNEMAN, D.; TVERSKY, A. Prospect theory: an analysis of decision under risk. *Econometrica: Journal of the econometric society*, vol. 47, n. 2, p. 263-292, Mar. 1979.
[30] Mark Muraven, Dianne M. Tice and Roy F. Baumeister. Self-Control as Limited Resource. *Journal of Personality and Social Psychology*, vol. 74, n. 3, p. 774-789, 1998.
[31] BAUMEISTER, R. F.; EXLINE, J. J. Virtue, Personality, and Social Relations: Self-Control as the Moral Muscle. *Journal of personality*, vol. 67; part. 6, p. 1165-1194, 1999 – DUKE UNIVERSITY PRESS.

encontrar situações de conflitos. Tudo somado ao desconexo emaranhado legislativo existente, nos níveis federal, estadual e municipal, o sentimento de inadequação do funcionamento da máquina pública é presente e caro para o bom desenvolvimento do país.

Os órgãos de controle, os reguladores e as polícias não conseguiram exercer seus papéis propostos na década de 90. Claro exemplo é o pequeno percentual dos crimes contra a vida que de fato são investigados, quanto mais punidos. O mesmo se dá dos milhões de roubos e fraudes de toda a sorte que sequer chegam a ser apuradas.

De outro lado estão os agentes públicos dos diversos órgãos de investigação e de controle, que possuem o sentimento de que não conseguem alcançar o resultado punitivo que os "desonestos" merecem em função de seus atos ilícitos. Seus instrumentos de fiscalização e de investigação melhoraram ao longo dos últimos anos, mas ainda estão acanhados e submetidos ao ambiente de impunidade indicada.

Todos desconfiam de todos. Todos estão com razão e ao mesmo tempo não têm qualquer razão. Nenhum dos lados consegue verdadeiramente avançar. Hodges e Steinholtz[32] trazem ilustrativo gráfico publicado por agência de proteção ao meio ambiente escocesa, gráfico esse que ilustra como deveriam ser enfrentados os atos irregulares praticados pelas pessoas e organizações:

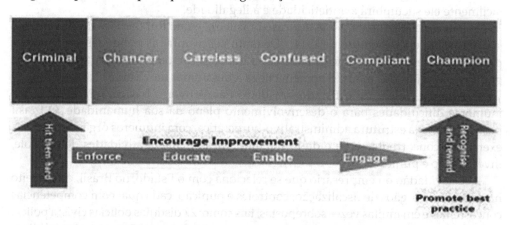

As polícias, as instituições de controle e as fracas instituições regulatórias brasileiras estão ainda buscando conseguir atacar a zona vermelha, ou seja, superar os criminosos ou, no máximo, aqueles que estão prestes a praticar graves crimes. As pessoas que se encontram no limiar da atenção e aquelas ainda confusas sobre a melhor forma de atuação estão absolutamente isoladas, sem qualquer capacidade de orientação por parte das autoridades.

A partir de todos esses dados, assustadores, é quase impossível não reconhecer o quão equivocado está o sistema de controle, regulatório e punitivo brasileiro. O Estado e o Direito têm a função de pacificar os cidadãos, dando-lhes segurança jurídica e

---

[32] HODGES, Christopher; STEINHOLTZ, Ruth. *Ethical Business Practice and Regulation* – a behavioural and values, based approach to compliance and enforcement. Hart Publishing. Oxford and Portland, 2017. p. 158.

física, viabilizando que se desenvolvam plenamente como indivíduos livres e criativos, para que possam almejar a felicidade, como bem apontado por Marçal Justen Filho na introdução deste artigo.

A moderna compreensão sobre a razão de existirem penalidades e punições aplicadas pelo Estado contra os infratores não está mais focalizada na vingança, nem apenas na prevenção para que o criminoso não aja errado novamente contra a vítima ou outros, nem ainda como necessária resposta proporcional ao ato ilícito, mas muito mais concentradas particularmente nos meios eficazes para que haja redução geral dos índices de criminalidade em determinada localidade ou país.

Há décadas e décadas, é muito comum, no Brasil, a afirmativa de que é necessário aumentar as penalidades previstas em leis para que as pessoas, em geral, sejam influenciadas a não cometerem ofensas ao direito, desestimulando-as à prática de ilícitos. Assim como é dito que aplicar duras sanções ao criminoso impedirá que ele pratique novos ilícitos.

Contudo, infelizmente, como visto ao longo deste artigo, não é assim que será possível ajudar nossos cidadãos a conformarem melhor seus comportamentos. O Estado brasileiro precisa assumir o protagonismo na complementação da educação dos nossos habitantes, por meio de sua presença firme nos espaços públicos, repreendendo ao tempo e de modo proporcional as condutas desviantes nos nossos concidadãos.

Se assim o fizer, poderemos alcançar as lições contidas na obra de nosso homenageado, o professor Marçal Justen Filho: "O Direito não é simplesmente 'conhecido', nem apenas 'pensado', nem existe como algo 'ideal': *faz parte da existência concreta do indivíduo e da sociedade*".[33]

Referências

BAUMEISTER, R. F.; EXLINE, J. J. Virtue, Personality, and Social Relations: Self-Control as the Moral Muscle. *Journal of personality*, Duke University Press, v. 67; p. 6, 1165-1194, 1999.

DAMASIO, António. *A Estranha Ordem das Coisas* as origens biológicas dos sentimentos e da cultura. São Paulo: Companhia das Letras, 2018.

HARARI, Yuval Noah. *Sapiens:* uma breve história da humanidade. Porto Alegre: L&PM, 2014.

HODGES, Christopher; STEINHOLTZ, Ruth. *Ethical Business Practice and Regulation*: a behavioural and values, based approach to compliance and enforcement. Oxford and Portland: Hart Publishing, 2017.

JUSTEN FILHO, Marçal. *Lei de Introdução do Estudo do Direito*. 2. ed. Rio de Janeiro: Forense, 2021.

KANDEL, Eric R. *et al*. *Princípios de Neurociências*. 5. ed. AMGH, 2014.

KAHNEMAN D.; TVERSKY, A. Prospect theory: an analysis of decision under risk. Econometrica: *Journal of the econometric society*, v. 47, n. 2, p. 263-292, Mar. 1979.

MASTERS, Roger D.; MC GUIRE, Michael. *The Neurotransmitter Revolution:* serotonin, social behavior, and the law. Editora Southern Illinois University Press; 1994. p. 11.

MURAVEN, Dianne M. Tice; BAUMEISTER, Roy F. Self-Control as Limited Resource. *Journal of Personality and Social Psychology*, v. 74, n. 3, p. 774-789, 1998.

---

[33] *Introdução ao Estudo do Direito* (JUSTEN FILHO, 2021). p. 42.

RAMACHANDRAN, V.S. *O que o cérebro tem para contar:* desvendando os mistérios da natureza humana. Editora Jorge Zahar,2014.

SANTOS, Fabrício R. A Grande Árvore Genealógica Humana. *Revista UFMG*, v. 21, n. 1 e 2, p. 88-113, jan./dez. 2014.

TENBRUNSEL, Ann E.; MESSICK David M. Ethical Fading: the role of self-deception in unethical behavior. *Social Justice Research*, v. 17, n. 2, June 2004.

TVERSKY, A.; KAHNEMAM D. Availability: a heuristic for judging frequency and probability. The Hebrew University of Jerusalem and the Oregon Research Institute. *Cognitive Psychology*, n. 5, 1973.

Informação bibliográfica deste texto, conforme a NBR 6023:2018 da Associação Brasileira de Normas Técnicas (ABNT):

SALLES, Alexandre Aroeira. Vivência e aplicação do Estado de Direito no Brasil. *In*: JUSTEN, Monica Spezia; PEREIRA, Cesar; JUSTEN NETO, Marçal; JUSTEN, Lucas Spezia (coord.). *Uma visão humanista do Direito*: homenagem ao Professor Marçal Justen Filho. Belo Horizonte: Fórum, 2025. v. 2, p. 33-50. ISBN 978-65-5518-916-2.

DIREITO COMO FATO INSTITUCIONAL

ANDRÉ LUIZ FREIRE

1 O que é um "jurista"?

Por vezes, quando ligo a televisão num programa de entrevistas ou telejornal, ou ainda quando leio uma revista ou jornal, algum advogado está dando uma entrevista e o veículo atribui a ele a qualificação de "jurista". O mais interessante é quando o próprio profissional – em alguma rede social, entrevista ou palestra – se autodenomina "jurista". Normalmente, quando ele próprio se autodenomina desse modo, não está usando a palavra num sentido muito amplo, para designar todos os que estão no mundo do Direito, como advogados, juízes e professores de Direito. Na autopromoção, este profissional quer se diferenciar da grande massa dos profissionais de Direito. Ele usa o termo num sentido mais estrito: os profissionais em geral, quando muito, apenas estudam o Direito, mas não são "juristas" (tal como ele, que é diferenciado). Mas quando podemos dizer que um profissional do Direito – nesse sentido mais específico – é um "jurista"?

É claro que os sentidos das palavras são convencionais e elas podem significar aquilo o que quisermos. Então, eu vou estipular aqui o sentido que atribuo à palavra "jurista". Eu qualifico um autor que lide com temas dogmáticos – como Direito Administrativo, Constitucional, Comercial etc. – como "jurista" não pelo seu conhecimento específico sobre a base empírica do direito positivo de seu campo de estudo (Constituição, leis, julgados etc.), por mais profundo que seja. É claro que as considerações que faz sobre o direito positivo são relevantes. Mas também não é isso, porque existem autores que chegam a conclusões com às quais não concordo, mas ainda assim os considero como "juristas" (e outros com os quais concordo e não reputo como "juristas"). Para mim, o que é revelador de um jurista é *a estrutura conceitual da qual ele se vale*. É esta estrutura que lhe confere consistência argumentativa. É ela que lhe permite ser criativo em suas conclusões. Mais importante ainda: é por meio dos conceitos por ele utilizados que conseguimos enxergar nosso mundo de uma forma diferenciada. Afinal, uma das funções dos conceitos consiste em "recortar" a realidade. Quando alguém introduz um conceito novo, é como se um novo aspecto do mundo se apresentasse para nós.

A grande dificuldade é que, para construir uma base conceitual sólida, é preciso ter muito estudo e, principalmente, reflexão. Na minha visão, os juristas dogmáticos que fazem diferença são aqueles que partem de uma dada concepção filosófica sobre o mundo, o que os leva a ver um aspecto deste mundo – o Direito – de certa forma. Esta é traduzida em conceitos de teoria do direito (como o de "norma", "direito subjetivo" etc.) e eles, então, aplicam esses conceitos à dogmática jurídica. É claro, a construção da base filosófica (geral e jurídica) é extremamente difícil e trabalhosa. É, inclusive, normal o jurista mudar sua perspectiva ao longo da vida, o que pode levar a modificações nas suas conclusões sobre a teoria do direito e, por consequência, sobre a dogmática. Como tudo na vida, pode-se concordar ou discordar dessa estrutura conceitual; mas é ela que permite verificar a consistência do autor em suas conclusões e entender melhor suas críticas. Ao entender a estrutura conceitual de um jurista, conseguimos entender como ele enxerga o mundo. Por isso, não raro, as divergências na dogmática não estão propriamente na dogmática; estão na estrutura conceitual dos juristas. Por isso, quando identifico num autor essa estrutura conceitual filosófica (geral e jurídica),[1] ainda que esta estrutura não me pareça a melhor, então eu o qualifico como "jurista".

Não há dúvidas de que o Prof. Marçal Justen Filho está na categoria de "jurista".[2] Ao ler seus textos, é possível perceber que, ao tratar de um tema de dogmática jurídica (como o regime das licitações e contratos, agências reguladoras, concessões de serviço público etc.), há estudo efetivo de textos de filosofia (geral ou jurídica) e formação de uma estrutura conceitual. Esta, por sua vez, é usada para – ao analisar os diversos textos do Direito brasileiro (a base empírica da dogmática jurídica brasileira) – chegar às suas conclusões.

Por isso, decidi escrever para este livro um texto que envolvesse algum aspecto de filosofia já abordado pelo Prof. Marçal. Escolhi um tema que me chamou atenção quando da publicação da primeira edição do seu *Curso de direito administrativo* de 2005 e que esteve presente até a 12ª, de 2016. Ao final do primeiro capítulo, o Prof. Marçal dizia adotar uma *visão institucionalista do Direito*. Nas suas palavras, isso "significa reconhecer que a disciplina jurídica é produzida por instituições, utilizada a expressão para indicar fatos sociais e valores que condicionam e disciplinam a conduta social". Dentro dessa visão, o direito não se reduz à lei e mais do que os textos escritos. "O direito é o conjunto de normas jurídicas produzidas por instituições aptas a disciplinar a conduta social e a

---

[1] Quando digo "estrutura filosófica", pretendo ser menos exigente do que o texto sugere. Afinal, a filosofia é difícil não só por conta do alto nível de abstração, mas também pela grande quantidade de filósofos importantes que deveríamos *estudar* (ou seja, ler, reler, ler comentadores, fazer nova leitura e refletir durante todo processo) e pelo pouco tempo que a vida contemporânea nos oferece. Para mim, o importante é que o jurista tenha alguma base sólida, alguma linha que lhe dê consistência de pensamento.

[2] Infelizmente, o Brasil vê uma profusão de autores, mas de poucos juristas (no sentido estrito em que uso a palavra). Muitos autores dogmáticos são muito estudiosos do direito positivo e da jurisprudência e, até mesmo, da doutrina estrangeira do seu campo dogmático. Mas seu conhecimento de teoria do direito e filosofia é extremamente pobre. Não são poucos os que citam algum autor que considerem da moda – Hart, Dworkin etc. – apenas para conferir algum verniz teórico, mas desconhecem por completo os debates em que tais autores se encontram. Não estou querendo dizer que a produção desse tipo de autor deve ser abandonada. Muitas dessas publicações são muito úteis, especialmente para fins práticos (ex.: entender como o sistema está funcionando para dar algum aconselhamento jurídico). A única que temos que ter consciência é que, quando temos conhecimento suficiente para identificar essa deficiência neste tipo de autor (nem sempre eu consigo e, em relação a alguns autores, só percebi isso depois de muito tempo e estudo), é saber que suas observações não servem para formar nossa estrutura conceitual, embora ele nos ajude para outras finalidades.

organizar a utilização legítima da coerção para impor valores, escolhas e soluções. Mas não é possível reduzir o direito à norma jurídica, porque a disciplina da conduta se consagra por meio do conjunto de normas e também pelos sentidos, valores e vivências produzidos pelas instituições sociais". O direito é produzido por instituições estatais de modo formal e de modo informal, por instituições estatais e não estatais, não sendo possível fazer um rol exaustivo de instituições. E, por sua vez, estas não se reduzem ao conceito de pessoa jurídica. Essa indeterminação é um reflexo da complexidade da vida social contemporânea.[3]

É interessante que, a partir da 12ª edição de seu *Curso*, o autor retirou o trecho sobre a visão institucional do Direito. E, em seu *Introdução ao estudo do direito*,[4] ele não faz referência à teoria institucional. Isso me fez questionar se ele havia mudado de posição. Felizmente, pouco antes de entregar este artigo, tive oportunidade de perguntar diretamente ao autor se ele havia abandonado a teoria institucional. Ele me disse que mantém sua posição sobre a visão institucionalista, mas que outros temas que lhe pareceram mais úteis aos leitores do *Curso de direito administrativo* (como a adoção do método hermenêutico pragmático) mereceriam precedência.

De fato, alguns temas de filosofia e teoria do direito não precisam constar num curso de Direito Administrativo. Isso, no entanto, não significa que esses temas mais abstratos não sejam relevantes e não tenham utilidade (ainda que não seja uma utilidade direta para um leitor de Direito Administrativo). Como este oportuno livro foi organizado de modo a incluir temas de teoria do direito, achei que seria interessante discorrer sobre o conceito de fato institucional, tal como tem sido apresentado contemporaneamente.[5] Em especial, a teoria institucional que tem atraído a atenção de teóricos do Direito, em especial Neil MacCormick,[6] é a de John R. Searle. É sobre a concepção de Searle que eu gostaria de discorrer brevemente. Ao final, tecerei algumas considerações sobre como vejo a caracterização do fenômeno "Direito" dentro da teoria de Searle.

2 O fardo ontológico da realidade social

John R. Searle é um dos principais filósofos norte-americanos contemporâneos e que possui trabalhos em diversas áreas da filosofia. Talvez sua obra mais conhecida seja sobre atos de fala.[7] No entanto, Searle possui duas obras importantes sobre ontologia social. São elas *The Construction of Social Reality* ("The Construction"), de 1995, e *Making the World: The Structure of Human Civilization*, de 2010.[8]

---

[3] JUSTEN FILHO, Marçal. *Curso de direito administrativo*. 4. ed. em e-book (*ProView*) baseada na 12. ed. impressa. São Paulo: Revista dos Tribunais, 2016, item 1.10.
[4] JUSTEN FILHO, Marçal. *Introdução ao estudo do direito*. 2. ed. São Paulo: Forense, 2021.
[5] A teoria de Searle não tem o mesmo sentido das antigas teorias institucionalistas de Maurice Hauriou e Santi Romano.
[6] MACCORMICK, Neil. *Institutions of law*: an essay in legal theory. Oxford: Oxford University Press, 2007. MACCORMICK, Neil; WEINBERGER, Ota. *An institutional theory of law*: new approaches to legal positivism. Dordrecht: D. Reidel Publishing, 1986.
[7] *Speech acts: an essay in the philosophy of language*. Cambridge: Cambridge University Press, 1969. No texto, ao mencionar este livro, usarei a expressão "*Speech acts*".
[8] SEARLE, John R. *The construction of social reality*. New York: The Free Press, 1995; *Making the world*: the structure of human civilization. Oxford: Oxford University Press, 2010. Neste último, Searle complementa em importantes

Searle procura responder à questão de como é possível – numa realidade física (explicada pela física, química e biologia) – haver um mundo objetivo de dinheiro, propriedade, casamento etc. Afinal, dinheiro, propriedade e casamento são instituições sociais que só existem porque nós acreditamos que elas existem. Como é possível construir uma realidade social *objetiva*?[9]

Note que essa realidade social é muito mais complexa do que ela se apresenta para nós. Pensemos na seguinte situação, muito corriqueira: você sai de casa em direção à faculdade de Direito para assistir aula. Você entra no ônibus e paga a tarifa ao cobrador. Você encontra um lugar vazio e se senta num assento não reservado para idosos, gestantes e pessoas com deficiência; mas, ao perceber que um idoso estava em pé, ainda assim você cede o seu lugar. Quando o ônibus chega ao ponto mais próximo da faculdade, você desce e anda em direção à faculdade em que se encontra matriculado.

Num primeiro olhar, essa situação é bastante simples. Porém, ela esconde uma grande complexidade. O ônibus que você pegou pertence a uma concessionária de serviço público de transporte municipal de passageiros. Para que essa pessoa jurídica (devidamente constituída, nos termos da legislação vigente) pudesse prestar tal serviço, ela foi vencedora de um processo de licitação pública conduzido pelo Município (cujas atribuições – inclusive a de ser responsável pelo serviço de transporte coletivo de passageiros – estão delineadas na Constituição Federal de 1988 e na sua Lei Orgânica). Ao celebrar o contrato de concessão de serviço público de transporte coletivo de passageiros com esse ente político, a concessionária passa a se submeter a uma série de

---

aspectos de *The Construction*. Por exemplo, ele inclui a ideia de que a realidade social é constituída a partir de declarações (que é um tipo de ato de fala). Eu vou me valer aqui, basicamente, de *The Construction*, porque este trabalho já apresenta os principais elementos para a construção da realidade social. E, para evitar contínuas citações, a descrição (simplificada) de sua teoria feita no texto contém a ideia central, sem qualquer pretensão de ser exaustivo e detalhista. Então, alguns detalhes da teoria institucional de Searle não serão incluídos.

[9] Usualmente, falamos em algo como sendo "objetivo" e "subjetivo". No entanto, é preciso ter certo cuidado com tais adjetivos, pois eles podem fazer referência a situações diferentes. Searle aponta dois sentidos diferentes: um *epistêmico* e outro *ontológico*.

Pelo *sentido epistêmico*, "objetivo" e "subjetivo" dizem respeito a julgamentos feitos pelos sujeitos acerca de algo. Se você diz que "Pelé foi um jogador melhor do que Maradona", está fazendo um julgamento subjetivo. Isso porque a verdade ou a falsidade dessa assertiva não é uma mera questão de fato, mas depende do ponto de vista das pessoas (os brasileiros tendem a concordar; os argentinos, não). Porém, se você diz "Pelé foi um jogador brasileiro de futebol", então essa é uma proposição epistemologicamente objetiva. Isso porque a verdade dessa assertiva não depende do ponto de vista das pessoas, sendo uma questão de fato (mesmo um argentino concordará com isso). Assim, uma proposição será epistemologicamente subjetiva quando a sua verdade ou falsidade depender de atitudes, sentimentos ou pontos de vista das pessoas. Ela será epistemologicamente objetiva quando sua verdade ou falsidade for uma questão de fato, não dependendo das atitudes, sentimentos ou pontos de vista dos sujeitos. Nesse sentido epistêmico, não falamos apenas de julgamentos (objetivos ou subjetivos), mas também de fatos objetivos e subjetivos.

Pelo sentido ontológico, "objetivo" e "subjetivo" são predicados de entidades, fazendo referência ao seu modo de existência. Se eu piso no seu pé e isso lhe causa dor, a existência da dor é algo subjetivo, já que o seu modo de existência depende do sentido do sujeito. Por outro lado, se estamos em Brasília e eu afirmo "aquele é o Palácio do Planalto", estou fazendo referência a um ente objetivo. Afinal, a existência do prédio público "Palácio do Planalto" não depende de qualquer estado mental do sujeito. O mesmo vale para montanhas, praias e árvores e tantos outros entes.

Como se pode perceber, o sentido epistêmico diz respeito ao conhecimento; o ontológico, à existência dos entes. Inclusive, é possível enunciar juízos epistemologicamente subjetivos, mas ontologicamente objetivos e vice-versa. Se você afirma que "o Estádio do Maracanã é mais bonito do que o Estádio do Morumbi", você emitiu um juízo epistemologicamente subjetivo sobre entidades ontologicamente objetivas. Quando você afirma "neste momento, estou com uma forte dor de cabeça", você emitiu um juízo epistemologicamente objetivo (a sua verdade não depende da atitude ou sentimento das pessoas) acerca de uma entidade ontologicamente subjetiva (a dor de cabeça).

normas jurídicas constitucionais, federais, estaduais e municipais.[10] De outro lado, ao pagar o cobrador (que possui um contrato de trabalho com a concessionária, regido pela Consolidação das Leis do Trabalho e pela convenção coletiva de trabalho aplicável à categoria dos cobradores), você utilizou dinheiro: um pedaço de papel aceito como meio de troca. No caso brasileiro, a moeda aceita pela legislação é o real, criado pela Lei nº 9.069/1995 e emitido pela Casa da Moeda do Brasil. Se você tivesse tentado usar um papel escrito "vale R$ 5,00 (cinco reais)" certamente não conseguiria usar o serviço. Você cedeu o seu lugar ao idoso por considerar estar sujeito a uma norma moral que o obriga a adotar essa conduta, mesmo se os assentos reservados a idosos já estivessem ocupados. Em relação à faculdade de Direito, ela pode prestar o serviço educacional (e admitir a sua matrícula) por ter atendido a todos os requisitos previstos na legislação e por possuir todas as autorizações emitidas pelo Poder Público (em especial, o Ministério da Educação) necessárias para tanto. Podemos parar por aqui. Você já deve ter percebido que a complexidade dessa situação corriqueira pode aumentar cada vez mais. E você também já percebeu que o Direito exerce um grande papel nisso.

Searle explica que uma das razões que nos permite carregar todo esse fardo ontológico é que a complexa estrutura da realidade social se apresenta para nós como algo leve e invisível. Nós nascemos e crescemos numa *cultura* que toma a realidade social como algo já dado, como se fossem montanhas, árvores e rios. Nós crescemos e descobrimos que, para comprar coisas, precisamos de dinheiro; que, para entrar numa faculdade, é preciso fazer vestibular ou a prova do ENEM; que, no mundo, existem diversas línguas, como o inglês e o francês.

Para descrever essa complexa estrutura, Searle entende que devemos partir de uma teoria ontológica mais geral. A descrição do nosso mundo físico (a "natureza") vem principalmente da física, da química e da biologia. E, como é usual, também nesses domínios científicos há disputas sobre a melhor descrição da realidade natural. Porém, duas características da realidade não estão em discussão: a teoria atômica da matéria e a teoria da evolução da biologia, que podem ser descritas de forma muito simplificada da seguinte forma.

3 Elementos necessários para a criação da realidade social

O mundo consiste inteiramente de entidades chamadas (ainda que não de forma precisa) de "partículas". Essas existem em campos de força e são organizadas em sistemas. Os limites dos sistemas são determinados por relações de causalidade. Alguns desses sistemas são sistemas vivos e, no planeta Terra, esses sistemas são formados por moléculas de carbono e usam bastante de hidrogênio, nitrogênio e oxigênio.

Os tipos de sistemas vivos têm certas formas de estruturas celulares, especificamente, sistemas nervosos capazes de causar e sustentar a *consciência*. A consciência é um *dado mental, biológico e, portanto, físico*. A consciência é característica de certos sistemas nervosos de alto nível, como cérebros humanos e de alguns outros animais. Nossa capacidade de ter consciência é o resultado de um longo período de evolução biológica.

---

[10] Aliás, o homenageado possui uma obra clássica (mais uma) sobre as concessões: JUSTEN FILHO, Marçal. *Teoria geral das concessões*. São Paulo: Dialética, 2003.

3.1 A intencionalidade

Searle afirma que toda realidade social é criada pela mente, isto é, pela nossa consciência. Com a consciência vem a *intencionalidade*, a capacidade da mente de representar objetos e estados de coisas num mundo diferente dele mesmo. Acreditar que está chovendo, ter medo de que o Brasil entre numa recessão, querer ver o jogo do Fluminense e preferir feijoada a churrasco são todos estados mentais intencionais. Estes estão sempre *direcionados a algo*, dizem *respeito a algo* e suas duas formas básicas são a *cognição* (percepção, memória, crenças) e a *volição* (planejamento, intenção, desejos).

Em relação à intencionalidade, há dois aspectos que valem ser analisados com maior destaque, já que são fundamentais para a criação da realidade social. A *intencionalidade coletiva* e a *atribuição de função*.

3.1.1 A intencionalidade coletiva

Além da intencionalidade singular (*"eu* acredito que está chovendo", *"eu* tenho medo que o Brasil entre numa recessão", *"eu* quero ver o jogo do Fluminense", *"eu* prefiro feijoada a churrasco"), que se apresenta na mente de cada indivíduo, há também a intencionalidade coletiva. O comportamento cooperativo entre as pessoas e a existência de estados intencionais comuns às pessoas (como crenças, desejos e intenções) são manifestações da *intencionalidade coletiva*.

O sentido fundamental da intencionalidade coletiva é o de fazer (querer, acreditar etc.) algo *em conjunto*. Quando *nós* compramos uma pizza, quando *nos* reunimos para escutar uma palestra, quando *nós* vamos jogar futebol ou quando *nós* tocamos uma música em conjunto, estamos sempre expressando nossa intencionalidade coletiva.[11]

Para Searle, a intencionalidade coletiva pode se manifestar de forma fraca, como, por exemplo, na atitude das pessoas de mero *reconhecimento* de uma instituição social (ex.: o reconhecimento pela sociedade da existência do governo brasileiro, ainda que não se concorde com quem está na posição de governante). Mas ela também se manifesta de forma mais forte, como na total *cooperação* entre as pessoas. Um casal pode apenas reconhecer o instituto do casamento, sem aplicá-lo na sua vida (vivem apenas em união estável, por exemplo). Mas haverá total cooperação com a instituição do casamento quando, além disso, as pessoas efetivamente casam com base nas normas que formam tal instituição social em sua comunidade.

A compreensão da intencionalidade coletiva é essencial à compreensão dos fatos sociais. Para Searle, *fato social* é qualquer fato que envolva a intencionalidade coletiva. E, dentro da categoria dos fatos sociais, há os *fatos institucionais*, como, por exemplo, o

---

[11] Aliás, de acordo com Searle, nessas ações, a intencionalidade singular *deriva* da intencionalidade coletiva. Num jogo de futebol, todos os jogadores têm a mesma intencionalidade coletiva: "nós estamos jogando futebol". No entanto, cada um possui uma intencionalidade singular derivada dessa intencionalidade coletiva: *"eu* vou jogar na posição de atacante e não tenho a responsabilidade de defender, só de atacar", ou então *"eu* vou jogar na posição de goleiro e posso pegar a bola com as mãos dentro da área". Essa intencionalidade singular ("eu vou jogar de atacante", "eu vou jogar de goleiro") tem como fonte a intencionalidade coletiva ("nós estamos jogando futebol"). Outro exemplo é o de músicos tocando uma sinfonia, cada qual executando a sua parte (há o maestro, os violinistas, o pianista etc.). Se sou o violinista, estou tocando a *minha* parte (intencionalidade singular) na *nossa* performance da sinfonia (intencionalidade coletiva).

fato de que o pedaço de papel que está na minha carteira é uma nota de dez reais, ou de que existe a propriedade privada, ou ainda o fato de existirem governos.

3.1.2 A atribuição de função: as funções agentivas e as funções não-agentivas

Um dos aspectos da intencionalidade necessários à criação da realidade social é a *atribuição de função*. Searle assevera que, em relação às partes inanimadas do mundo, nós não as experimentamos como objetos materiais, ou como conjunto de moléculas. Pelo contrário, nós experimentamos um mundo de cadeiras e mesas, casas e carros, quadros, ruas, jardins etc. Se alguém vê uma pedra e a coloca em cima de alguns papéis, tal pedra passa a ter a função de "peso de papel". Mesmo fenômenos naturais (como árvores e rios) podem ter uma função e, portanto, podem ser avaliados como bons ou ruins, a depender da função assinalada. Se alguém diz "aquela árvore é bonita" e "aquele rio é bom para nadar", tal pessoa atribuiu uma função estética à árvore e uma função prática ao rio.

Todos os casos citados envolvem um critério de avaliação que não é interno ao fenômeno em questão. A esses objetos é fixada uma *função*, isto é, uma causa que serve a um propósito. Esses critérios de avaliação são *relativos à intencionalidade do observador*, e não são *intrínsecos* ao objeto material.[12]

Por consequência, *as funções nunca são intrínsecas ao objeto observado, mas sempre relativas à intencionalidade do observador*. Diz Searle que a natureza nada sabe sobre funções. É intrínseco à natureza que o coração bombeia o sangue e leva ao seu curso pelo corpo. Se você afirmar que "*a função do coração é bombear o sangue*", você está acrescentando algo à mera descrição do fato de que "o coração bombeia o sangue". Tanto isso é verdadeiro que há um vocabulário para o sucesso ou insucesso para fatos brutos da natureza. Se você diz, em vista daquela função, que o coração de alguém é bom ou ruim, isso está sendo feito apenas em razão de um sistema de valores adotado

---

[12] Searle afirma que, historicamente, nossa tradição intelectual tem feito a distinção geral entre mente e corpo e entre cultura e natureza. Ao sustentar que a mente é apenas um conjunto de características de alto nível do cérebro, um conjunto de traços que são, ao mesmo tempo, "mentais" e "físicos", Searle afirma ter abandonado essa visão dualística mente/corpo e cultura/natureza. Aliás, esse filósofo usa o termo "mente" para mostrar como a "cultura" é construída a partir da "natureza". Para tanto, Searle introduz uma nova distinção: elementos do mundo que independem da nossa intencionalidade dos que dependem, isto é, entre elementos *intrínsecos* e os *relativos à intencionalidade do observador*.
O objeto em que estou sentado é feito de celulose, hemocelulose, lignina e outros componentes químicos. Esses são aspectos intrínsecos a esse objeto em que estou sentado. No entanto, tal objeto tem a função de servir como algo para as pessoas se sentarem: é uma cadeira. Esse objeto só é uma cadeira porque as pessoas o usam para esse fim. Note que, ao se dizer que o objeto é uma cadeira, nenhum dado material é acrescido à sua descrição. Mas ao se falar que é uma cadeira, um elemento *epistemologicamente objetivo* é acrescido à realidade, tendo em vista que essas são características que existem em razão da intencionalidade dos usuários e observadores. Assim, é epistemologicamente objetivo que o objeto em que estou sentado é uma cadeira. A verdade dessa assertiva não depende da opinião de qualquer pessoa. As pessoas usam esse objeto dessa maneira, chamando-o de "cadeira". Contudo, como se trata de um aspecto desse objeto que *só existe em relação a observadores e usuários*, trata-se de uma *característica ontologicamente subjetiva*.
Assim, elementos intrínsecos são aqueles que existem independentemente de todos os estados mentais, exceto os próprios estados mentais (que são aspectos intrínsecos da realidade dos animais). Por sua vez, aspectos relativos à intencionalidade do observador são sempre criados por fenômenos mentais intrínsecos aos usuários, observadores etc. em relação ao objeto observado.

pelo sujeito. Isso ocorre porque tomamos como *dado* na biologia que os valores "vida" e "sobrevivência" são descobertos por nós e que, dentro desse sistema valorativo, a função do coração é bombear o sangue.[13]

Dentro da característica da intencionalidade dos observadores de atribuir uma função, Searle distingue as atribuições de função que chama de *agentivas* das *não agentivas*. São as funções agentivas que nos importam aqui. Em algumas situações, a atribuição de função tem relação com nossas finalidades imediatas, sejam práticas, gastronômicas, estéticas ou outras. Quando dizemos "isto é um peso de papel", "isto é um lápis", "isto é uma cadeira", estamos atribuindo funções em razão dos *nossos* objetivos. Tais objetos passam, então, a ser *usados* em vista dessas finalidades. Essas funções não são *descobertas* por nós. Elas são *determinadas* por nós em razão dos interesses práticos de agentes conscientes. *São frutos de uma decisão*. É evidente que nem todos os interesses são "práticos" em sentido ordinário, porque tais funções também são fixadas quando dizemos, dentro da finalidade estética, "este quadro é feio". Nesses casos, é a função que determina o uso que intencionalmente colocamos nos objetos. É por isso que Searle as chama de *funções agentivas*.[14]

De acordo com Searle, há uma classe especial de funções agentivas, em que uma função é atribuída a um objeto que "está para" ou "representa" outro objeto. Se eu desenho uma casa num papel, essas marcas no papel têm a função de representar, ou estar para uma casa. O mesmo ocorre quando escrevo no papel a frase "o objeto em cima da minha prateleira é um livro". A esse tipo de imposição de função se chama "simbolismo" ou "significado". E a hipótese mais famosa de simbolismo é a linguagem. Ao usarmos a linguagem, impomos uma específica função: *a de representar algo por meio de marcas e sons*.

Searle afirma que a capacidade de impor funções em fenômenos naturais é incrível. E também é incrível o fato de os seres humanos atribuírem funções de forma *inconsciente* e que essas são *frequentemente invisíveis*. Assim, quando usamos o dinheiro, usualmente nós não pensamos "estamos impondo uma função a pedaços de papel". Mas as pessoas usam o dinheiro sabendo que, ao dar uma quantidade de dinheiro a alguém, outro objeto será recebido; ou seja, o dinheiro é usado pelas pessoas como um meio de troca, sem que elas pensem na estrutura lógica da imposição de função.

Intencionalidade coletiva (que, como dito, deriva da consciência, que é um dado biológico, físico) e a atribuição de funções agentivas são elementos para a criação da realidade social. Mas há ainda um terceiro elemento: a existência de *regras constitutivas*.

---

[13] Para ver como é verdadeiro o fato de que a natureza não sabe nada sobre as funções, basta você pensar em outro sistema de valores para fatos da natureza. Se valorarmos a morte acima de tudo, então o câncer não seria uma doença (algo, portanto, ruim); ele teria a função de abreviar a morte e seria algo positivo. Já o envelhecimento teria a função de nos aproximar da morte; talvez o desejo das pessoas fosse apenas o de envelhecer. É por tal razão que Searle conclui que funções nunca são intrínsecas ao objeto. Elas são sempre atribuídas em relação aos interesses de usuários e observadores.

[14] As funções agentivas diferem das não-agentivas justamente porque, neste último caso, as funções não são impostas aos objetos para servir a finalidades práticas. Elas são estabelecidas para objetos naturais como *parte de uma descrição teórica do fenômeno* em questão. É o que ocorre quando dizemos que "a função do coração é bombear o sangue". Essa é uma descrição de como os organismos vivem e sobrevivem. Dentro desse sistema que valora a sobrevivência e a reprodução, podemos *descobrir* funções na natureza independentemente de razões práticas dos agentes humanos. Por isso, essas são *funções não agentivas*.

3.2 Regras regulativas e constitutivas

Para compreender a realidade social, é necessário que você entenda a distinção feita por Searle entre duas espécies de regras (ou normas[15]): as *regulativas* e as *constitutivas*.[16] Normas regulativas são as que disciplinam comportamentos que são possíveis independentemente da existência da regra. Aqui, o conceito do comportamento não depende da regra, já existindo antes dela. Regras constitutivas, por outro lado, são as que criam *a própria possibilidade da conduta*; são elas que permitem que determinada ação ou omissão seja interpretada como tal.

Pensemos na seguinte hipótese. Você está no seu carro (que possui um motor potente) numa estrada. Como ela está bem pavimentada e é uma reta longa, você resolve acelerar até chegar a 250 quilômetros por hora. Quando você está no meio da reta, você verifica que há uma sinalização de trânsito com os seguintes dizeres: "velocidade permitida: 110 km/h". Dois metros depois, vê outra placa: "fiscalização eletrônica". Embora você tenha tirado o pé do acelerador, um metro depois você verifica que passou pelo dispositivo medidor de velocidade a bem mais do que 110 quilômetros por hora. Dirigir acima de 110 quilômetros por hora é uma conduta que existe (nós a interpretamos como "dirigir a 110 quilômetros por hora") independentemente de qualquer regra. Para a interpretarmos como tal, não precisamos da regra indicada pela placa "velocidade permitida: 110 km/h". Note que, independentemente dessa regra, é possível dirigir a tal velocidade. A diferença é que, com a regra, haverá (no nosso exemplo) uma infração, que será comprovada com a foto tirada pelo dispositivo medidor de velocidade. Trata-se de uma *regra regulativa*.

Agora pensemos num jogo de futebol. Temos 22 jogadores, divididos em dois times. O objetivo inicial é o de fazer com que a bola ultrapasse totalmente a linha situada entre os postes e por baixo do travessão e que é defendida pela equipe adversária. Em síntese, o objetivo é "fazer gol". A equipe que fizer mais gols durante o período da partida vence. Por isso, quando um jogador do Fluminense chuta a bola e ela ultrapassa a linha de meta situada entre os postes e por baixo do travessão defendido pelo time do Flamengo, isso será um "gol". Nessa situação, a possibilidade do gol é criada pelas regras do futebol, que são regras constitutivas. Para comprovar esse fato, vamos fazer um experimento mental. O jogador do Fluminense que fez o gol volta no tempo, mais precisamente, à cidade do Rio de Janeiro do ano 1700, todo uniformizado e com a bola debaixo do braço. Então, na frente da sociedade carioca de 1700, ele põe a bola no chão, finge driblar os jogadores do Flamengo, dá um chute e sai comemorando. Como as pessoas que assistiram interpretariam este fato? Provavelmente, elas ficaram bastante confusas, porque elas sequer conseguem pensar que tal jogador está fazendo um gol. Elas não conhecem este conceito porque isso pressupõe as regras de futebol. Sem as regras

---

[15] Searle usa somente a palavra "regras". Ao fazer a distinção, não está preocupado em fazer qualquer distinção entre regras, princípios, políticas ou outras proposições prescritivas, que é algo inerente ao discurso jurídico. Então, não associe o uso da palavra "regra" à distinção usualmente feita entre juristas entre regras e princípios. Até por isso, no texto, usarei também a palavra "norma" de forma sinônima.

[16] A distinção entre regras regulativas e constitutivas foi introduzida por Searle em sua obra sobre atos de fala (*Speech acts: an essay in the philosophy of language*, p. 33-42) e retomada nas obras mencionadas (*The construction of social reality* e *Making the social world*). Neste item, utilizaremos as três obras para descrever sua concepção sobre as regras regulativas e constitutivas.

de futebol, não temos o conceito de "gol". A conduta "jogar futebol" (e fazer gol) só tem sentido quando se identifica que a pessoa está agindo em conformidade com as regras do futebol, porque o futebol não existe independentemente das regras. O mesmo vale para as regras do xadrez, do basquete e da linguagem. São todas regras constitutivas dessas realidades sociais.

Para Searle, as regras constitutivas usualmente têm a estrutura "X conta como Y no contexto C". Dentro dos sistemas que contêm as regras constitutivas, a frase que dispõe sobre o termo Y não será um simples rótulo. *O termo Y trará consequências pela realização do estado de coisas previsto no termo X.* Assim, o estado de coisas previsto no termo X será considerado "gol", o movimento será "xeque-mate", o uso de próclise no início da frase será um "erro gramatical".

Como veremos no próximo item, as regras constitutivas desempenham um papel fundamental na criação da realidade social.[17]

4 Dos fatos brutos aos fatos institucionais

Agora já estamos em melhores condições de entender a estrutura da realidade social. Para isso, vamos apresentar outra distinção feita por John Searle, introduzida em seu livro de 1969, *Speech Acts*, a qual foi desenvolvida em *The Construction* e *Making the Social World*. Trata-se da distinção entre *fatos brutos e fatos institucionais*.

Lembremos que a premissa de Searle para explicar a realidade social é que esta provém de uma realidade física. Todas as nossas instituições – como governos, linguagem e direito – provêm do mundo "físico". E existem fatos que independem de qualquer estado mental e de qualquer instituição humana. Quando afirmamos algo do tipo "isto é um rio", "isto é uma montanha" ou "este é um ser humano", estamos fazendo referência a fatos da realidade que independem de qualquer estado mental dos sujeitos. São fatos que – embora requeiram uma instituição humana para serem afirmados ou descritos (no caso, a linguagem) – independem de qualquer instituição humana para a sua existência. São os *fatos brutos*.[18]

No entanto, existem fatos que dependem de nossos estados mentais. O fato de que estou com dor de cabeça, que eu desejo um copo de água ou que o mundo seria melhor se os *jedis* existissem (será?) são todos *fatos mentais*. Eles dependem da nossa mente para existirem. Esses fatos mentais podem ser *intencionais* – como "eu estou com vontade de

---

[17] Como tudo na filosofia, a distinção entre regras regulativas e constitutivas não é livre de críticas. Afirma-se que toda regra constitutiva, ao mesmo tempo em que cria a possibilidade de uma conduta, também regula essa mesma conduta e outras dela derivadas. Nesse sentido, a regra constitutiva teria um duplo aspecto: constitutivo e regulativo. Além disso, dentro de instituições (que, como veremos, são sistemas de normas constitutivas), existem regras regulativas de condutas. Vide: RAZ, Joseph. *Practical reason and norms*. 2. ed. Oxford: Oxford University Press, 1999, p. 108-111.
Embora essa crítica seja procedente, a distinção ainda possui utilidade, pois ela nos permite visualizar que as normas criam a possibilidade de condutas que, sem elas (as normas), não existiriam. E, como será visto, isso é fundamental na criação de instituições sociais e, portanto, do direito. SCHAUER, Frederick. *Playing by the rules: a philosophical examination of rule-based decision-making in law and in life*. Oxford: Oxford University Press, 1991, p. 6-7.

[18] A expressão "fatos brutos" remonta ao clássico artigo da filósofa Gertrude Elizabeth Margaret Anscombe (ANSCOMBE, G.E.M. On bute facts. *Analysis*, v. 18, n. 3, p. 69-72, jan. 1958).

jogar futebol" – ou *não intencionais* (como a manifestação de uma necessidade física do tipo "estou com sede").

Especificamente em relação aos fatos mentais intencionais, é possível classificá-los com base em critérios distintos. Assim, há aqueles que envolvem a intencionalidade singular dos sujeitos e os que dizem respeito à intencionalidade coletiva. São os *fatos intencionais singulares* e os *fatos intencionais coletivos*, respectivamente. E, lembre-se, os fatos que envolvem a intencionalidade coletiva são fatos sociais.

Além disso, os fatos intencionais podem ser diferenciados entre os que *atribuem uma função* e os que *não atribuem função alguma*. Quando alguém diz "isto é uma cadeira", está sendo atribuída uma função a tal objeto físico. Por outro lado, se a mesma pessoa diz "estou com sede", este estado mental não atribui qualquer função a objeto algum. E, como você já sabe, a imposição de função pode servir para atender interesses dos sujeitos ou para situar o objeto dentro da descrição de um fenômeno. Ou seja, as funções podem ser agentivas ou não agentivas (vide item 3.1.2). Note ainda que os fatos intencionais singulares podem atribuir ou não função a algo; e os fatos intencionais coletivos, também (ex.: "estamos tocando uma sinfonia"; ou ainda o fato de leões caçarem em conjunto).

Quando olhamos especificamente para os fatos intencionais *coletivos* impositivos de *funções agentivas*, há mais duas espécies importantes que podem ser identificadas. Algumas funções são atribuídas aos entes em razão das suas características intrínsecas. É o que ocorre quando digo que o objeto físico em que estou sentado é uma cadeira. Ou então, quando vemos algumas pessoas sentadas num mesmo objeto de madeira, atribuímos a este objeto a função de "banco". Aqui, a função (imposta coletivamente, mediante aceitação ou reconhecimento coletivo) é desempenhada apenas em virtude das características físicas do fenômeno. São os *fatos agentivos causais*.

Por outro lado, os seres humanos conseguem atribuir funções que podem ser desempenhadas *independentemente das características físicas do objeto*. Em alguns casos, pode sequer haver objeto físico. Pensemos em algumas situações.

Uma das principais funções causais do papel é de suporte para que possamos escrever algo. No entanto, o papel que tenho na minha carteira não é para escrever: ele serve como um meio de troca por outros objetos. É o dinheiro. Nesse caso, a sociedade atribui uma função a esse pedaço de papel (que atende a outros critérios, como o fato de ter sido emitido pelo Banco Central do Brasil e produzido pela Casa da Moeda) que é desempenhada não em virtude de suas características físicas. No caso, trata-se da função de servir de meio de troca. Tanto isso é verdadeiro que esta função pode ser atribuída a outro objeto. Aliás, atualmente, temos usado bastante outro objeto físico para isso: o cartão de débito e de crédito (que não é dinheiro em si, mas – se contiver saldo suficiente – pode ser usado para comprar coisas).

Há outros casos. A função de alguns objetos é justamente representar algo além deles mesmos, o de *simbolizar* algo. Ao emitirmos sons ou colocarmos certas marcas, passamos a representar estados de coisas diferentes dos sons e marcas. É a *linguagem*, que é uma instituição social necessária para a criação de outras instituições.

Outra instituição social é o Direito. De um documento específico, a Constituição da República Federativa do Brasil de 1988, atribuímos a função de introduzir as normas da mais alta hierarquia no sistema jurídico brasileiro, cabendo a sua obediência por todos os órgãos e pessoas no território brasileiro. Para usar a linguagem de Hart, atribuímos a ela a função de servir como regra última de reconhecimento do Direito brasileiro.[19] Ou então, quando um agente de trânsito levanta o braço e sopra um apito uma vez, nós paramos o carro. Temos, no primeiro caso, um papel com marcas e, no segundo, uma ação específica e emissão de sons. Com base apenas nas suas respectivas características intrínsecas, não é possível dizer que se trata de uma "Constituição" e de um sinal de "pare". Mas a esses objetos atribuímos uma função específica, que independe de suas características intrínsecas, qual seja, a de introduzir normas jurídicas gerais ou individuais, abstratas ou concretas.

Além disso, as funções podem ser impostas a pessoas. Pense no fato de que Jorge Mario Bergoglio é o Papa Francisco. O fato de Jorge Mario Bergoglio ser da espécie *Homo sapiens* não é suficiente para que seja Papa. Foi preciso que ele passasse por uma eleição, realizada de uma forma específica, para que pudesse exercer as funções de Papa.

Quando atribuímos uma função a objetos e pessoas independentemente de suas características intrínsecas, estamos diante de *fatos institucionais*. Aqui, Searle assevera que a determinados objetos e pessoas é imposta uma *função de status*, tendo em vista que o objeto ou a pessoa passa a desempenhar uma função coletivamente reconhecida como tal. E, ao exercer essas funções de *status*, há o exercício de "poderes deônticos", como direitos, deveres etc.

Segundo Searle, *fatos institucionais são os que ocorrem dentro de instituições humanas*. Estas nada mais são do que *sistemas de regras constitutivas*. São essas regras que criam a possibilidade de fatos institucionais, tendo a estrutura "X conta como Y, no contexto C". O fato de Jorge Mario Bergoglio (termo X) ser o Papa (termo Y) no mundo (contexto C), e o fato de que eu (termo X) sou um advogado devidamente inscrito na Ordem dos Advogados do Brasil (termo Y) no território brasileiro (contexto C) são fatos institucionais, porque inseridos em sistemas de regras constitutivas. Jorge Mario Bergoglio pode, por ser Papa, exercer determinados poderes (como o de emitir Encíclicas Papais), tal como eu, por ser advogado, possuo certas prerrogativas (como o de ter acesso, na defesa de meu cliente, aos autos processuais sujeitos a sigilo) e deveres (não posso fazer propaganda dos meus serviços na televisão, por exemplo).

5 A criação e a manutenção de fatos institucionais

A descrição anterior deixou uma questão em aberto: como os fatos institucionais são criados? E, uma vez criados, como eles são mantidos?

Searle nos pede para pensar numa tribo primitiva que constrói um muro de pedras muito alto em torno de suas casas, a fim de se proteger de ameaças externas. Nesse caso, é atribuída uma função agentiva (causal) ao conjunto das pedras dispostas de uma determinada forma: a de proteger a tribo contra invasores e animais selvagens. O fato de o muro ser muito alto impede que invasores e animais entrem no território da tribo. Essa função foi imposta em razão das características intrínsecas do objeto, havendo uma relação de causalidade (a não entrada de invasores e animais tem como causa a altura do muro). Imagine agora que, com o passar do tempo, o muro de pedras

---

[19] HART, H.L.A. *The concept of law*. 3. ed. Oxford: Oxford University Press, 2012, p. 110-117.

vai sendo destruído. Ao final, o que sobra é apenas uma linha de pedras que não tem a aptidão de, em virtude de suas características intrínsecas, manter invasores e animais fora dos limites do território da tribo. No entanto, os habitantes da tribo apenas cruzam essa linha em hipóteses específicas (ex.: quando autorizado pelo chefe da tribo, para caçar etc.). A tribo pode, até mesmo, indicar membros que terão a tarefa de vigiar a linha de pedras. De outro lado, visitantes que desejem cruzar essa linha de pedras terão que pedir permissão para a tribo ou eventualmente ter que efetuar algum pagamento para cruzar pelo território.

Perceba que, neste momento, a linha de pedras possui uma função que não é mais executada em virtude de suas características físicas. A linha de pedras exerce a *função de delimitação do território da tribo*. E essa função (esse novo *status*) é imposta pela intencionalidade coletiva dos membros da tribo. A partir desse momento *passa a incidir uma regra constitutiva na forma "X conta como Y, no contexto C"*. A linha de pedras (termo X) passa a contar como a delimitação do território (função Y), no âmbito daquele espaço físico (contexto C). Um aspecto relevante a ser destacado é que o termo X não especifica uma característica causal, que seria suficiente para autorizar que a linha de pedras tivesse a função de limite territorial da tribo (termo Y). Ou seja, a linha de pedras *não causa* a delimitação do território. *O termo X não causa a função Y*; não se trata, pois, de relação de causalidade. Para usar uma expressão kelseniana, a função Y é *imputada* ao termo X. Por meio da intencionalidade coletiva da tribo, a linha de pedras funciona como limite territorial *porque eles assim decidiram*. Trata-se, portanto, de uma *decisão humana* (pouco importando se essa decisão é consciente ou inconsciente, racional ou irracional). E o fato de essa linha de pedras ter a função de delimitação do território, independentemente de suas características intrínsecas, faz com que esse seja um fato institucional.

Agora a pergunta que surge é a seguinte: uma vez atribuída a função de limite territorial, de que modo essa função é mantida pela tribo? A resposta é simples: enquanto as pessoas continuarem a *reconhecer* aquela linha de pedras como limite do território. Não é relevante se esse reconhecimento se dá pelo acordo voluntário ou por uma força externa (o chefe da tribo determina, sob pena de morte, que todos respeitem a linha de pedras). O importante é que as pessoas continuem tratando a linha de pedras como um limite territorial da tribo.

6 O Direito como instituição e como fato institucional

Como você já deve ter percebido, o Direito – enquanto fenômeno – tanto é uma instituição social como um fato institucional.

Enquanto instituição social, o Direito nada mais é do que um sistema de regras constitutivas. Essas regras surgem da nossa intencionalidade coletiva. Por meio delas, atribuímos funções a certas práticas sociais e, portanto, a qualificamos como "Direito". Hart nos diria que, a partir do momento em que os principais agentes do sistema (no caso brasileiro, os ministros do Supremo Tribunal Federal, parlamentares, Presidente da República etc.) *aceitam*[20] a regra última de reconhecimento. Ou seja, eles passam a usar a

---

[20] A ideia de "aceitação" é central no pensamento de Hart. É um dos critérios que diferenciam regras sociais de meros hábitos. A aceitação de uma regra consiste no ato de fazer desta um padrão para o comportamento

regra última de reconhecimento como um padrão para o seu próprio comportamento e para os demais. Eles usam a regra última de reconhecimento como uma razão para agir. No caso brasileiro, os Ministros do Supremo Tribunal Federal, por exemplo, aceitam a Constituição de 1988 como padrão de validade das demais regras e como razão para suas decisões. De igual modo, parlamentares e o Presidente da República também a aceitam, ainda que discordem do sentido atribuído pelos demais órgãos do sistema jurídico brasileiro aos dispositivos constitucionais.

Enquanto instituição social, o Direito é um sistema de normas[21] ao qual atribuímos algumas funções. A primeira delas é a de orientação social. O Direito não existe apenas para o "homem mau" (Holmes[22]); ele também existe para a "pessoa perplexa" (Hart), que deseja saber o que o Direito prescreve para orientar a sua ação. O Direito não está somente nos tribunais. Mais do que isso, a principal função do Direito reside nas diversas formas por meio das quais o Direito serve para controlar, guiar e planejar a vida das pessoas fora dos tribunais.[23] Assim, como coloca Vicenzo Ferrari, o Direito tem como objetivo dirigir o comportamento de uma multiplicidade de pessoas, a partir de modelos normativos capazes de conferir razões para a tomada de decisão sobre qualquer dilema que possa se apresentar na interação social. Esses modelos têm a pretensão de ser coerentes (embora o sistema possa apresentar contradições internas) e universais (pois visam a regular todas as relações sociais de certa sociedade).[24]

O Direito – esse sistema de normas – também têm a função de dar um tratamento aos conflitos sociais. Isso ocorre, por exemplo, pela mera criação de normas jurídicas gerais e abstratas veiculadas em leis, ou ainda pela tomada de decisão em casos concretos (como numa decisão do STF). E as situações em que o Direito é chamado a resolver os conflitos são inúmeras e de intensidades diferentes. Há situações em o Direito precisa apenas decidir, pouco importando em qual sentido. Frederick Schauer dá o exemplo do lado da direção nas ruas. De modo geral, as pessoas não estão preocupadas se a mão de direção das ruas é a direita, ou a esquerda. O importante é que haja uma decisão, seja ela qual for. As normas jurídicas tratam esse problema, indicando um caminho a ser seguido por todos.[25] Porém, existem casos mais complexos, como as discussões sobre o registro, a posse e a comercialização de armas de fogo ou ainda sobre os limites da liberdade de expressão. Quando o Direito dá uma solução para o problema, ele procura resolver o conflito social, ainda que este (em função da própria solução dada) venha a ser potencializado. Se dois vizinhos estão em disputa sobre os limites da propriedade

---

(próprio e alheio), isto é, de fazer da regra uma razão para a ação, levando a uma atitude reflexiva crítica. Isso consiste na avaliação de que certos tipos de conduta são o padrão comum de comportamento social e que isso deva levar à crítica (incluindo a autocrítica) à conduta desviante da regra, bem como a exigências de conformidade e conhecimento de que tais exigências e críticas são justificadas. HART, H.L.A. *The concept of law*, p. 55-57.

[21] Como instituição social, o direito é um sistema de regras constitutivas, para usar a teoria de Searle. São essas regras constitutivas que atribuem funções específicas a um sistema normativo para considerarmos "direito". E, dentro desse sistema normativo a que chamamos "direito", temos tanto regras constitutivas como regulativas.

[22] HOLMES, Oliver Wendell. The path of the law. *Harvard Law Review*, v. 10, n. 8, mar. 1897, p. 459.

[23] HART, H.L.A. *The concept of law*, p. 40. Para uma discussão sobre a "pessoa perplexa", cfr. SCHAUER, Frederick. *A força do direito*. Trad. André Luiz Freire. São Paulo: Martins Fontes, 2022, p. 62 e ss.

[24] FERRARI, Vicenzo. *Funciones del derecho*. Trad. por María José Añón Roig e Javier de Lucas Martín. Bogotá: Universidad Externado de Colombia, 2014, p. 196-197.

[25] SCHAUER, Frederick. *A força do direito*, p. 160-161.

de cada um e eles procurarem o Poder Judiciário, este órgão decidirá. Ainda que a decisão final demore (pois todas as instâncias de apreciação da matéria deverão ser observadas), o fato é que o Poder Judiciário dará uma solução para o conflito. Ele irá pôr um fim à disputa, não sendo mais possível rever a matéria sob o ponto de vista jurídico. O conflito jurídico terá acabado, ainda que o conflito social entre os dois continue por muito mais tempo. De todo modo, o Direito procura sempre resolver a disputa e com uma pretensão de definitividade.

A terceira função que atribuímos a essa instituição social consiste na legitimação das relações de poder.[26] Essas relações se manifestam de formas variadas (relações de poder ideológico, econômico, político[27] etc.). Pensemos no poder político, mais especificamente no processo de *impeachment* da ex-Presidente Dilma Roussef. Seus partidários sustentaram que o processo para a sua retirada da Presidência da República não observou os parâmetros previstos na ordem jurídica, que é a existência de crime de responsabilidade (art. 85 da Constituição). Por isso, sustentavam que a subida ao poder do então Vice-Presidente Michel Temer foi um golpe. Por sua vez, os partidários do ex-Presidente Michel Temer procuraram sustentar que o *impeachment* foi totalmente válido, tendo ele o direito de exercer as competências atribuídas pela Constituição brasileira ao Presidente da República. O que isso nos mostra? Que o Direito tem a função de legitimar o poder político. Por meio do Direito, as ações políticas serão justificadas ou não. Dizer que uma ação política é legítima implica a busca pela sua aceitação e, como consequência, pela sua obediência. Por vezes, os sujeitos não concordam total ou parcialmente com o conteúdo da ação política; mas, como ela está adequada à ordem jurídica, ela acaba sendo cumprida.

Da mesma forma que falamos do poder político, o Direito também legitima as relações de poder econômico e ideológico. Isso é evidente quando é o próprio Estado, para atender a seus fins, que se utiliza do poder econômico (ex.: aumentando tributos, celebrando convênios em que há repasse de recursos etc.) e do poder ideológico (ex.: mediante uma propaganda para o uso de camisinha para evitar doenças no Carnaval). Mas quando os sujeitos privados exercem o poder econômico e ideológico, essa função do Direito também está em pauta. No caso do poder econômico, basta pensar na proteção dada ao direito de propriedade e nas regras existentes para a assunção de obrigações patrimoniais, seja nas relações de trocas econômicas, seja nas relações de trabalho. Em relação ao poder ideológico, o Direito também é relevante. Veja o caso do

---

[26] Numa relação de poder, o titular do poder atinge fins por ele desejados mediante o comportamento de outro sujeito, o qual não adotaria tal conduta não fosse o exercício do poder. Cfr. RUSSELL, Bertrand. *Power: a new social analysis*, p. 23.

[27] Faço referência aos três tipos de poder indicados por Bobbio. Bobbio sustenta que o critério mais adequado para distinguir o poder político de outros poderes é que se funda no *meio*. Ao exercer o poder político, o seu titular utiliza a *força física* para obter os efeitos desejados. A coação é um elemento essencial à caracterização do poder político. O sujeito que exerce o poder político é a classe governante de uma comunidade. Nisso, o poder político se diferencia do poder econômico e do poder ideológico. No poder econômico, o seu titular dispõe de bens materiais para obter o comportamento desejado. Ele pode ser o proprietário do capital, o empregador, o responsável por liberar recursos de terceiros etc. Já o poder ideológico diz respeito ao uso de certas ideias – não acessíveis a outros – para obter a conduta visada pelo seu titular. O líder de uma seita religiosa, que traz revelações de uma ou mais divindades, vale-se desse tipo de poder. Um grande economista ou um jurista – o único de posse de conhecimentos que resolverão certos problemas – também dispõe de um poder ideológico. Vide: BOBBIO, Norberto. *Teoria geral da política: a filosofia política e a lição dos clássicos*, p. 233.

poder ideológico exercido pelas diversas religiões nos Estados. Em alguns casos isso é tão relevante que o Direito legitima apenas um tipo de religião e veda as demais.

Então, o Direito é um conjunto de normas que cumprem as funções de orientação social, tratamento dos conflitos com pretensão de definitividade e de legitimação das relações de poder. Enquanto instituição social, os diversos fatos que ocorrem dentro dele (que qualificamos como "fatos jurídicos") são fatos institucionais.

Mas o Direito – enquanto fenômeno social – também é em si um fato institucional. O seu contexto é o da sociedade política. Uma sociedade pode ser definida como um sistema de interrelações que conecta seus membros.[28] Quando essa relação entre seus membros, num território específico, envolve o monopólio do exercício da força física legítima, então temos o Estado.[29] Este é, no mundo contemporâneo, a instituição social que tem a função de monopolizar o exercício da força física legítima, sendo a forma mais importante de sociedade política. O outro tipo é a sociedade internacional, formada pelo conjunto dos Estados. Nessa sociedade política internacional, o Direito Internacional tem, como um de seus propósitos, regular o uso da força física pelos Estados, a fim de evitar guerras. E, mesmo quando essas ocorrem, o Direito Internacional procura discipliná-la. Mas, é claro, isso não esgota o conteúdo e os propósitos do Direito Internacional. Seja como for, o ponto fundamental aqui é mostrar que o Direito também é um fato social que se insere num contexto institucional, formado pelo que qualificamos como "sociedade política", nacional e internacional.

Referências

ANSCOMBE, G.E.M. On bute facts. *Analysis*, v. 18, n. 3, p. 69-72, jan. 1958.

BOBBIO, Norberto. *Teoria geral da política*: a filosofia política e a lição dos clássicos. 20. reimp. Trad. Daniela Beccaccia Versiani. Rio de Janeiro: Elsevier, 2000.

FERRARI, Vicenzo. *Funciones del derecho*. Trad. por María José Añón Roig e Javier de Lucas Martín. Bogotá: Universidad Externado de Colombia, 2014.

GIDDENS, Anthony; DUNEIER, Mitchell; APPELBAUM, Richard P.; CARR, Deborah. *Introduction to sociology*. 9. ed. New York: W.W. Norton & Company, 2014.

HART, H. L. A. *The concept of law*. 3. ed. Oxford: Oxford University Press, 2012.

HOLMES, Oliver Wendell. The path of the law. *Harvard Law Review*, v. 10, n. 8, p. 457-478, mar. 1897.

JUSTEN FILHO, Marçal. *Introdução ao estudo do direito*. 2. ed. São Paulo: Forense, 2021.

JUSTEN FILHO, Marçal. *Curso de direito administrativo*. 4. ed. em e-book (*ProView*) baseada na 12. ed. impressa. São Paulo: Revista dos Tribunais, 2016.

JUSTEN FILHO, Marçal. *Teoria geral das concessões*. São Paulo: Dialética, 2003.

MACCORMICK, Neil. *Institutions of law*: an essay in legal theory. Oxford: Oxford University Press, 2007.

MACCORMICK, Neil; WEINBERGER, Ota. *An institutional theory of law*: new approaches to legal positivism. Dordrecht: D. Reidel Publishing, 1986.

---

[28] GIDDENS, Anthony; DUNEIER, Mitchell; APPELBAUM, Richard P.; CARR, Deborah. *Introduction to sociology*. 9. ed. New York: W.W. Norton & Company, 2014, p. 55.

[29] WEBER, Max. *Economia e sociedade*. Trad. Regis Barbosa e Karen Elsabe Barbosa. Brasília: Universidade de Brasília, 2012, v. II, p. 525-526.

RAZ, Joseph. *Practical reason and norms*. 2. ed. Oxford: Oxford University Press, 1999.

RUSSELL, Bertrand. *Power*: a new social analysis. London: Routledge, 2004.

SCHAUER, Frederick. *A força do direito*. Trad. André Luiz Freire. São Paulo: Martins Fontes, 2022.

SCHAUER, Frederick. *Playing by the rules*: a philosophical examination of rule-based decision-making in law and in life. Oxford: Oxford University Press, 1991.

SEARLE, John R. *Making the world*: the structure of human civilization. Oxford: Oxford University Press, 2010.

SEARLE, John R. *The construction of social reality*. New York: The Free Press, 1995.

SEARLE, John R. *Speech acts*: an essay in the philosophy of language. Cambridge: Cambridge University Press, 1969.

WEBER, Max. *Economia e sociedade*. Trad. Regis Barbosa e Karen Elsabe Barbosa. Brasília: Universidade de Brasília, 2012. Volume II.

Informação bibliográfica deste texto, conforme a NBR 6023:2018 da Associação Brasileira de Normas Técnicas (ABNT):

FREIRE, André Luiz. Direito como fato institucional. *In*: JUSTEN, Monica Spezia; PEREIRA, Cesar; JUSTEN NETO, Marçal; JUSTEN, Lucas Spezia (coord.). *Uma visão humanista do Direito*: homenagem ao Professor Marçal Justen Filho. Belo Horizonte: Fórum, 2025. v. 2, p. 51-67. ISBN 978-65-5518-916-2.

A NOÇÃO CONTEMPORÂNEA DE DIREITO SUBJETIVO – UM TEMA DE TEORIA GERAL VISTO A PARTIR DA EXPERIÊNCIA DO DIREITO ADMINISTRATIVO

GUILHERME REISDORFER

1 Prólogo: a homenagem a Marçal Justen Filho

É lugar-comum falar sobre o brilhantismo de Marçal Justen Filho e de seu legado. Mas há lugares-comuns que precisam ser ditos, repetidos e, mais do que isso, celebrados. Marçal é exemplo por excelência de seriedade e honestidade acadêmica e profissional. Ao realizar com plenitude a sua própria vocação, Marçal inspira tantos outros em seus próprios caminhos. E assim multiplica, de forma inestimável, a sua grandiosidade. Registro aqui a enorme admiração que tenho pelo Marçal – como advogado, professor e pessoa –, assim como a maior satisfação possível por poder participar de uma coletânea em sua homenagem.

2 O tema e a proposta de abordagem

A riqueza da produção teórica de Marçal, que transita da teoria geral a diversos campos do Direito – com o risco de falta à completude, podem-se citar Direito Tributário, Direito Comercial, Direito Constitucional, Direito Administrativo e Direito Processual –, permite dialogar com as suas ideias nos mais diversos temas. Optou-se aqui pela análise histórica e descritiva de um tema que toca a todos os ramos – a noção de direito subjetivo –, com abordagem focada na experiência do Direito Administrativo.

O tema do direito subjetivo foi abordado por Marçal em diversas oportunidades. Este texto considera, em particular, duas de suas contribuições.

Como primeiro exemplo, pode-se referir à sua tese de doutorado, denominada "Sujeição Passiva Tributária", publicada em versão comercial em 1986. Para enfrentar o tema da tese, Marçal apresenta um panorama da incorporação da noção de direito subjetivo às relações de direito público, considerando, entre outros aspectos e peculiaridades, sua necessária dissociação de "preconceitos privatistas".[1]

Como segundo exemplo do tratamento do tema por Marçal – com maior repercussão ao longo dos últimos anos, e que evidencia a sua visão humanista, que dá justo título a esta coletânea –, cabe menção à posição que atribui aos direitos fundamentais (por evidente, não restritos aos direitos subjetivos clássicos) o papel de eixo estruturante da atuação estatal contemporânea. Tal entendimento surge sistematizado por Marçal desde a primeira edição de seu *Curso de Direito Administrativo*, publicada em 2005. Nessa obra, Marçal define que "o regime de direito público consiste num conjunto de normas jurídicas que disciplinam poderes, deveres e direitos vinculados diretamente a supremacia e a indisponibilidade dos direitos fundamentais".[2] O seu pioneirismo nessa frente é reconhecido pela melhor doutrina.[3]

O presente artigo aborda a noção de direito subjetivo com a proposta de revisitar, entre outros elementos, algumas das considerações de Marçal pertinentes a ela. De forma panorâmica, apresenta-se a ideia de que, apesar de sua aplicação universal, a noção de direito subjetivo nunca foi imune a controvérsias. Também não é uma concepção estática. O entendimento acerca do direito subjetivo é marcado por movimentos mais amplos ao longo do tempo, que revelam concepções distintas acerca da configuração e da abrangência de aplicação dessa noção. Em particular, observa-se que a leitura que Marçal faz do processo atual de constitucionalização do Direito – e da centralidade dos direitos fundamentais – apresenta contributos que justificam revisitar a noção de direito subjetivo, particularmente no que diz respeito às relações jurídicas administrativas.

3 Um ponto de partida histórico: o direito subjetivo entre afirmação e negação – variações em torno de tendências subjetivistas e objetivistas

Até a era moderna, prevalecia uma concepção objetiva de Direito.[4] A noção de direito subjetivo situa-se como conceito desenvolvido dentro da lógica do jusnaturalismo racionalista. É nesse contexto que a construção de prerrogativas individuais viria a ganhar relevo e posição de centralidade.[5] A noção de direito subjetivo, no modelo de Estado

---

[1] *Sujeição passiva tributária*. Belém: CEJUP, 1986. p. 41.

[2] JUSTEN FILHO, Marçal. *Curso de Direito Administrativo*. 15. ed. Rio de Janeiro: Forense, 2024. p. 36.

[3] "No Brasil, coube a Marçal Justen Filho o papel pioneiro de redefinir alguns de seus institutos e a própria disciplina [do direito administrativo], a partir da teleologia constitucional dos direitos fundamentais" (BINENBOJM, Gustavo. *Poder de polícia, ordenação, regulação*: transformações político-jurídicas, econômicas e institucionais do direito administrativo ordenador. Belo Horizonte: Fórum, 2016. p. 46).

[4] Como indicado por Marçal, "as primeiras análises acerca de relação jurídica e de direito subjetivo remontam à Pandectística do século passado. Os romanos não haviam formulado um conceito abstrato acerca dessas (e de outras) figuras jurídicas. Os juristas da Idade Média e os jusnaturalistas da Idade Moderna haviam elaborado noção externa, descritiva das características jurídicas dos institutos" (*Sujeição passiva tributária*. Belém: CEJUP, 1986, p. 41). No mesmo sentido, explicando que *"l'objectivisme représente la tendance historiquement la plus ancienne"*, conferir ROUBIER, Paul. *Droits Subjectifs et Situations Juridiques*. Paris: Dalloz, 1963. p. 16. Também sobre o tema, WIEACKER, Franz. *História do Direito Privado Moderno*. 3. ed. Lisboa: Fundação Calouste Gulbenkian, 2004. p. 254.

[5] ROUBIER, Paul. *Droits Subjectifs et Situations Juridiques*. Paris: Dalloz, 1963. p. 7-8.

de Direito, implica que o seu titular tenha os meios necessários para restabelecer a sua esfera jurídica de forma integral, inclusive perante o Estado.

É, aliás, possivelmente nesse paradigma que se encontra o apogeu de uma concepção de Direito fundamentalmente centrada no direito subjetivo, este entendido como "produto teórico" de "concepções voluntárias, que privilegiavam a figura humana, como dado prévio ao Direito, partindo de concepções abstratas e aprioristicamente conceptualísticas".[6] E é nesse mesmo contexto que surge o Direito Administrativo, "ligado ao moderno Estado de direito, inspirado pelo movimento do Constitucionalismo, cuja essência se identifica na célebre Declaração dos Direitos do Homem e do Cidadão, de 1789".[7] A Declaração se baseia na noção de direitos naturais, sujeitos a restrições necessariamente delimitadas em lei (arts. 4º e 5º).[8] Lei entendida ela própria como a manifestação por excelência da vontade humana, então erigida à condição de "fonte de todas as coisas", aí incluída "a noção de direito subjetivo".[9]

Segue-se, após a afirmação desse paradigma e a partir dele, o avanço da era industrial. A generalização de problemas e reivindicações sociais colocou em xeque o primado da liberdade individual como parâmetro justificador da atuação restrita e pontual do Estado liberal. O atendimento direto a necessidades sociais crescentes passou a constituir fator central de legitimação da atuação estatal, o que ocorreu em conjunto com (i) a incorporação de relações antes reguladas pela moral e pelos bons costumes ao âmbito do Direito, (ii) o acréscimo de deveres aos indivíduos e (iii) o processo de funcionalização de direitos.[10] O individualismo cede algum espaço à solidariedade; a abstenção do Estado liberal cede ao anseio de bem-estar social; as responsabilidades são atribuídas não apenas ao Estado, mas partilhadas com a sociedade, esta entendida como um composto de segmentos sociais heterogêneos.[11]

Ao tempo em que essa realidade se caracteriza pelo reconhecimento de mais direitos – fenômeno de acolhimento de pretensões de proteção individualizada ou coletiva a determinadas situações ou categorias de sujeitos, por meio dos canais *"des revendications démocratiques"*[12] –, ainda nas primeiras décadas do século XX ganha tração um movimento de caráter objetivista, com propostas de redução da relevância e até mesmo de questionamento da noção de direito subjetivo.

Nesse estágio, surgem as formulações teóricas que negariam a existência ou utilidade da noção de direito subjetivo, o que é ilustrado pelas notórias concepções

---

[6] JUSTEN FILHO, Marçal. *Sujeição passiva tributária*. Belém: CEJUP, 1986. p. 42.

[7] ALMEIDA, Fernando Dias Menezes de. Controle da Administração Pública e Responsabilidade do Estado. In: DI PIETRO, Maria Sylvia Zanella (coord.). *Tratado de direito administrativo*. São Paulo: Revista dos Tribunais, 2014. v. 7. p. 269.

[8] "Art. 4º - A liberdade consiste em poder fazer tudo o que não prejudique o próximo: assim, o exercício dos direitos naturais de cada homem não tem por limites senão aqueles que asseguram aos outros membros da sociedade o gozo dos mesmos direitos. Estes limites só podem ser determinados pela lei. Art. 5º - A lei não proíbe senão as ações nocivas à sociedade. Tudo o que não é vedado pela lei não pode ser obstado e ninguém pode ser constrangido a fazer o que ela não ordene". Tradução extraída de: https://br.ambafrance.org/A-Declaracao-dos-Direitos-do-Homem-e-do-Cidadao. Acesso em: 30 dez. 2022.

[9] JUSTEN FILHO, Marçal. *Sujeição passiva tributária*. Belém: CEJUP, 1986. p. 43.

[10] GOMES, Orlando. *A crise do Direito*. São Paulo: Max Limonad, 1955. p. 27.

[11] WIEACKER, Franz. *História do Direito Privado Moderno*. 3. ed. Lisboa: Fundação Calouste Gulbenkian, 2004. p. 718. Da perspectiva específica do direito administrativo: MEDAUAR, Odete. *O Direito Administrativo em Evolução*. 3. ed. Brasília, DF: Gazeta Jurídica, 2017. p. 83-92 e 122-129.

[12] ROUBIER, Paul. *Droits Subjectifs et Situations Juridiques*. Paris: Dalloz, 1963. p. 48.

de Duguit e Kelsen.¹³ Comentando essas construções, Roubier aponta que, embora não tenham prevalecido, tiveram elas o mérito de lançar luzes à distinção entre duas categorias de "situações jurídicas distintas", correspondentes a situações objetivas e a direitos subjetivos em sentido próprio.¹⁴ Essas posições coexistiriam nos vários ramos do Direito, com uma variedade de "jogos de organização" conformados pela lógica variável dos respectivos conjuntos normativos.

A corrente objetivista suscitou o desenvolvimento de novas concepções para explicar a situação dos cidadãos frente à Administração Pública. O Direito Público revelou-se campo propício para um *jogo de organização* inspirado pela tendência objetivista, que, entre outras concepções, pode ser identificada a partir das construções em torno do conceito de interesse público. As teorizações que se seguiram foram marcadas pela ênfase ou prevalência da atribuição ao Estado de posições jurídicas de poder ou de prerrogativas, com a consequente posição de sujeição dos destinatários da atuação estatal.¹⁵

4 O abalo da centralidade do direito subjetivo: distinção em face de direitos enfraquecidos, interesses legítimos e meros interesses

Em termos práticos, no Direito Administrativo essas teorizações se refletiram em construções que contrapuseram direitos subjetivos de caráter "civil" e "administrativo".¹⁶ Em sentido similar, é útil se referir à construção doutrinária italiana que promoveu a distinção entre a noção de direito subjetivo perfeito e as noções de *direito enfraquecido* (*diritto affievolito*), de *interesses legítimos* e de *meros interesses*, que bem ilustra a tendência objetivista ora descrita.

A concepção italiana se baseava na premissa de que o cidadão disporia perante a Administração Pública de uma esfera jurídica em sentido próprio e, a par dela, de uma esfera de interesses que seriam tutelados apenas na medida em que coincidentes com o direito objetivo. Esses interesses seriam caracterizáveis como "direitos em sentido lato",¹⁷ sem, no entanto, constituir fundamento para proteção jurídica individual e autônoma.

Como sistematizado por Alessi, (i) os *direitos subjetivos perfeitos* seriam aqueles assim enunciados pela lei; (ii) os *meros interesses* dos particulares jamais poderiam ser

---

¹³ " *Il y a là le principe d'une distinction importante, à laquelle nous arrivons maintenant, entre deux catégories de situations juridiques: les situations objectives et les droits subjectifs. Ces deux types de situations juridiques correspondent à deux tendances différentes de l'organisation juridique, dont nous devons examiner les traits fondamentaux, à la lumière d'exemples des deus sortes*" (ROUBIER, Paul. *Droits Subjectifs et Situations Juridiques*. Paris: Dalloz, 1963. p. 8-9).

¹⁴ ROUBIER, Paul. *Droits Subjectifs et Situations Juridiques*. Paris: Dalloz, 1963. p.8-9.

¹⁵ "[...] *tandis que la tendance subjectiviste aboutit, comme on le verra, à créer un régime de droits et d'obligations, les tendances objectivistes se représentent les prérogatives et les charges sous la forme de pouvoirs et de devoirs. [...] Ceci constitue d'ailleurs la plus forte différence entre le droit public et le droit civil, et c'est la conséquence directe du fait, déjà signalé, que le droit public est aussi objectiviste qu'il est possible de l'être. Certes, on n'entend pas dire que le droit public ne connaît pas de droits subjectifs; il en existe indiscutablement, et notamment les collectivités publiques (Etat, provinces, communes) ont, dans leurs domaine privé, bien des droits, droits de propriété, droits de créance, droits d'entreprise et de clientèle, qu'elles gèrent à la manière d'une personne privée. En revanche, nous pensons que, pour tout ce qui concerne la puissance publique, et notamment les pouvoirs sur les personnes, il s'agit, non pas de rapports de droit et d'obligation entre l'Etat et les gouvernés, mais bien de rapports de pouvoir et de devoir*" (ROUBIER, Paul. *Droits Subjectifs et Situations Juridiques*. Paris: Dalloz, 1963. p. 20).

¹⁶ ALCOZ, Luis Medina. Historia del concepto de derecho subjetivo en el Derecho Administrativo Español. *Revista de Derecho Público*: Teoría y Método Marcial Pons Ediciones Jurídicas y Sociales, Madrid, v. 1, p. 7-52, 2021. p. 22.

¹⁷ ALESSI, Renato. *Diritto Amministrativo*. Milano: Giuffrè, 1949. p. 271.

considerados como posições jurídicas propriamente ditas – seriam pretensões não jurídicas à obtenção de certo benefício ou ao evitamento de algum prejuízo; (iii) os *interesses legítimos* seriam interesses individuais "indiretamente ou ocasionalmente protegidos", conforme coincidissem ou não com o interesse público em jogo em determinada situação; e (iv) os *direitos enfraquecidos*, por sua vez, seriam efetivamente direitos – porém, diante de competências discricionárias, o direito enfraquecido se manifestaria como interesse, sujeito a ser suprimido pela atuação estatal.[18]

Esses conceitos revelam subjacente uma concepção não necessariamente de oposição entre a atuação administrativa discricionária e a afirmação de posições jurídicas ativas dos particulares perante a Administração, mas de frequente subordinação. E de limitação da proteção individual: do ponto de vista *material*, os interesses privados – aqui compreendidas as diversas situações em que não exista um direito subjetivo em sua conformação clássica, *ex lege* – surgem tutelados de forma reflexa e residual, apenas na medida em que sejam coincidentes com a adoção de providências para a preservação da legalidade estrita ou para a realização dos interesses da coletividade que estão a cargo do ente estatal.

Ao mesmo tempo, essas noções refletem contexto econômico e social em que as interações público-privadas se intensificam e multiplicam a ponto de ir muito além das situações previamente fixadas na legislação. A atuação estatal como um todo passa a afetar as esferas de interesses privados e sociais de forma mais ampla e complexa, além das fronteiras do conceito clássico de direito subjetivo.

Dito de outro modo, a afirmação legislativa de direitos subjetivos não acompanha o crescimento da atuação administrativa nas diversas esferas econômicas e sociais. Esta última constatação está relacionada à realidade que Canotilho descreve como um "crescente envolvimento do círculo jurídico do particular" com as atividades estatais, do que resulta a "inversão da autonomia para a sujeição" dos sujeitos privados perante a atuação estatal. Ainda conforme as palavras de Canotilho, as leis de caráter geral, instrumentos por excelência de garantia dos direitos subjetivos e de limitação das funções estatais, abrem espaço para o surgimento de instrumentos normativos (legislativos e regulamentares) de "conformação concreta e individual, susceptíveis de ingerências lesivas nas situações subjetivas",[19] sem que necessariamente haja, de forma concomitante, reconhecimento legislativo específico de direitos subjetivos correspondentes.

Essa realidade plural impõe admitir que a centralidade do conceito clássico de direito subjetivo é abalada, na medida em que interesses privados de variadas ordens e conformações se proliferam perante a atuação estatal cada vez mais ampla e são por ela afetados. Daí a pertinência do diagnóstico apresentado por Marçal, quando aponta

---

[18] ALESSI, Renato. *Diritto Amministrativo*. Milano: Giuffrè, 1949. p. 438 e 442. Ainda sobre o tema: GIANNINI, Massimo Severo. *Diritto Amministrativo*. 3. ed. Milano: Giuffrè, 1993. v. 2. p. 74-75. Para as várias teorias em torno da noção de interesses legítimos, conferir GARCÍA DE ENTERRÍA, Eduardo; FERNÁNDEZ, Tomás-Ramón. *Curso de Direito Administrativo*. Tradução: José Alberto Froes Cal. Revisor técnico: Carlos Ari Sundfeld. São Paulo: Revista dos Tribunais, 2014. v. II. p. 70; e SILVA, Vasco Pereira da. *Em Busca do Acto Administrativo Perdido*. Coimbra: Almedina, 2003. p. 216. Ilustrando o reflexo da teoria do interesse legítimo para além da Itália, e a negação de uma tutela material a tais posições: GORDILLO, Agustin. *Princípios Gerais de Direito Público*. São Paulo: Revista dos Tribunais, 1977. p. 191-192.

[19] CANOTILHO, José Joaquim Gomes. *A responsabilidade do Estado por actos lícitos*. 2. ed. rev. e ampl. Belo Horizonte: Fórum, 2019. p. 91-92.

que as tendências e experiências posteriores à era liberal evidenciaram "a insuficiência desse conceito [o de direito subjetivo] para descrever todas as situações jurídicas. Ou seja, a análise conjugada dos mandamentos normativos demonstrou a instituição de posições favoráveis e desfavoráveis que não se alinham no modelo do 'direito subjetivo'"[20] clássico.

5 Constitucionalização e direitos fundamentais: impactos dogmáticos e práticos

A partir do período pós-guerra surge um novo movimento, de retorno do pêndulo em direção à subjetivização do direito. Essa tendência ganha impulso com a reconfiguração dos sistemas constitucionais, o desenvolvimento da teoria dos direitos fundamentais e a progressiva submissão da atuação administrativa ao constitucionalismo renovado. A submissão da atuação estatal se dá tendo em vista não apenas a "dimensão subjetiva de proteção de situações individuais", mas a partir da consideração dos direitos fundamentais enquanto elementos conformadores de uma "ordem objetiva de valores".[21] Ao mesmo tempo em que compõem essa ordem objetiva de valores, os direitos fundamentais produzem tendência de subjetivização que se vem a verificar, em particular, nas relações jurídicas administrativas.

Tal como ocorre em outros âmbitos, os direitos fundamentais são erigidos a uma posição de centralidade no Direito Administrativo.[22] Reconhece-se neles o potencial de eficácia imediata perante a atuação estatal. Essa eficácia ao mesmo tempo transcende e ressignifica a legalidade administrativa, já não mais vista como um dado "abstrato, supraordenado e objetivo, [...] à margem de tal situação subjetiva dos cidadãos".[23]

---

[20] JUSTEN FILHO, Marçal. *Sujeição passiva tributária*. Belém: CEJUP, 1986. p. 47.

[21] BARROSO, Luís Roberto. A constitucionalização do direito e suas repercussões no âmbito administrativo. In: ARAGÃO, Alexandre Santos de; MARQUES NETO, Floriano de Azevedo (coord.). *Direito administrativo e seus novos paradigmas*. Belo Horizonte: Fórum, 2008. p. 35; "[...] *la completa subjetivización de la relación entre ciudadano y Estado, subrayada por el concepto de tutela jurídica omnicomprensiva de los derechos del individuo [...], es el resultado de la evolución del Derecho desde la segunda posguerra. Fritz Ossenbühl la ha calificado de 'verdadero giro copernicano en el sistema jurídico administrativo'. Tampoco esta evolución ha escapado a la crítica [...] En este punto la Ley Fundamental ha adoptado, sin embargo, una posición muy clara: al someter a todos los poderes públicos a los derechos fundamentales en su art. 1.III, la Ley Fundamental impone la subjetivización del ordenamiento jurídico como algo irrenunciable. La misma conclusión se desprende de la orientación global del Derecho administrativo a la tutela de los derechos fundamentales del individuo*" (SCHMIDT-ASSMANN, Eberhard. *La Teoría General del Derecho Administrativo como Sistema*. Madrid: Marcial Pons, 2003. p. 94-95). Sobre uma "tensão dialética entre a lógica da autoridade e a lógica da liberdade", esta última relacionada à "vertente garantística" do direito administrativo: BINENBOJM, Gustavo. *Uma Teoria do Direito Administrativo*: Direitos Fundamentais, Democracia e Constitucionalização. 2. ed. Rio de Janeiro: Renovar, 2008. p. 18.

[22] Recepcionando essa orientação e a aplicando como núcleo estruturador de propostas de releitura do Direito Administrativo brasileiro, conferir JUSTEN FILHO, Marçal. *Curso de Direito Administrativo*. 15. ed. Rio de Janeiro: Forense, 2024. *passim*, e BINENBOJM, Gustavo. *Uma Teoria do Direito Administrativo*: Direitos Fundamentais, Democracia e Constitucionalização. 2. ed. Rio de Janeiro: Renovar, 2008. *passim*. Alude-se a essas obras como um todo porque os diversos pontos nelas tratados são permeados pela concepção ora retratada.

[23] "[...] a articulação entre legalidade administrativa e situação jurídica do administrado [...] fica fulminada quando se considera tal legalidade como algo abstrato, supraordenado e 'objetivo', construída à margem de tal situação subjetiva dos cidadãos, a partir da simples perspectiva imanente da Administração. Nas bases do sistema existe a consciência entranhada de tal articulação profunda, consciência tornada explícita pela magna criação histórico-jurisprudencial do recurso francês de *excès de pouvoir* e as soluções paralelas que,

O fenômeno da constitucionalização do Direito conduz à superação da premissa de que a consagração explícita de direitos e correlatos deveres seria condição indispensável para que posições jurídicas ativas possam emergir do relacionamento concreto com o Estado. A tutela pode decorrer de normas gerais estruturantes, desde que seja possível delas extrair um propósito ou escopo de proteção. E da eficácia irradiante dos direitos fundamentais podem surgir direitos subjetivos, agora já não necessariamente dependentes de afirmação legislativa explícita, mas decorrentes da composição dos valores fundamentais, dentro de um processo hermenêutico mais amplo.

Assim, se no passado a situação do indivíduo frente à atuação estatal revelava alguma posição jurídica subjetiva digna de tutela perante o Estado apenas se esta viesse expressamente prevista em lei como direito propriamente dito, com a concessão de proteção jurídica apenas ocasional e reflexa às demais situações, hoje se refere ser "difícil imaginar um interesse particular que, de uma ou outra forma, não guarde relação com os bens jurídicos protegidos pelos direitos fundamentais".[24] Os direitos fundamentais informam o processo de "juridificação do poder discricionário", envolvendo designadamente "o dever da Administração de actuar em conformidade com princípios jurídicos fundamentais, como os da imparcialidade, da igualdade, da justiça, da proporcionalidade, da racionalidade, da boa-fé e da protecção da confiança legítima, que é vista como um 'direito' dos particulares ao exercício correcto do poder discricionário".[25]

6 Da configuração estrutural à configuração funcional da noção de direito subjetivo – a tendencial integração das noções de "direito" e meros "interesses"

O processo histórico resumido permite compreender que *"también la dogmática del derecho subjetivo ha avanzado notablemente al amparo de los derechos fundamentales"*[26],

---

sob umas ou outras justificativas, acompanharam outros Direitos nacionais. Ao reconhecer ao cidadão uma ação jurisprudencial para conseguir a eliminação do(s) ato(s) administrativo(s) que 'incorra(m) em qualquer forma de violação do ordenamento jurídico' (art. 70.2 LJ), a jurisprudência ou as Leis não estão atribuindo a tal cidadão uma função abstrata de fiscalização da observância objetiva da legalidade pela Administração, uma função do Ministério Público; ao contrário, estão reconhecendo a ele um verdadeiro direito subjetivo para defender sua liberdade quando esta se sente injustamente (*id est*: ilegalmente) atacada pela Administração: *ubi remmedium, ibi ius*" (GARCÍA DE ENTERRÍA, Eduardo; FERNÁNDEZ, Tomás-Ramón. *Curso de Direito Administrativo*. Tradução: José Alberto Froes Cal. Revisor técnico: Carlos Ari Sundfeld. São Paulo: Revista dos Tribunais, 2014. v. II. p. 78).

[24] *"Es difícil de imaginar un interés particular que, de una u otra forma, no guarde relación con los bienes jurídicos protegidos por los derechos fundamentales. Frente a todo lo anterior hay que afirmar que los derechos fundamentales no son programas normativos completos pendientes ya sólo de su aplicación; tampoco se puede ver en los derechos fundamentales una esfera imprecisa y desordenada de intereses que sólo ante una agresión se concretan en situaciones jurídicas firmes. Antes bien, el contenido preciso de cada derecho fundamental resulta de un proceso de concreción gradual donde la ley cumple la tarea primordial*" (SCHMIDT-ASSMANN, Eberhard. *La Teoría General del Derecho Administrativo como Sistema*. Madrid: Marcial Pons, 2003. p. 84-85).

[25] ANDRADE, José Carlos Vieira de. *Lições de Direito Administrativo*. 4. ed. Coimbra: Imprensa da Universidade de Coimbra, 2015. p. 76-77.

[26] SCHMIDT-ASSMANN, Eberhard. *La Teoría General del Derecho Administrativo como Sistema*. Madrid: Marcial Pons, 2003, p. 83-84. Ainda da mesma obra, logo na sequência: "El 'encargo de subjetivación' (Wahl) que deriva de los derechos fundamentales ha dado un sentido uniforme a la vetusta categoría del derecho subjetivo, que ocupa hoy una posición central en el Derecho administrativo [...]. Incluso en el seno de la propia Constitución los derechos fundamentales

abrindo espaço para uma importância renovada de tal noção, em particular no Direito Administrativo, e para a necessidade de revisitá-la.

O conceito de direito subjetivo passa a ser cogitado para alcançar uma diversidade de situações que, em termos amplos, podem ser traduzidas como "faculdades jurídicas (modos de interagir) que o titular pode fazer valer mediante procedimentos garantidos por normas".[27] Essas faculdades não são necessariamente tipificadas. Podem ser deduzidas a partir de hermenêutica diretamente baseada em normas constitucionais. Elas assim se caracterizam como posições jurídicas para fazer frente a omissões ou agressões que provenham da Administração e justifiquem reação justificada em normas de proteção, para fins de obter ou recuperar vantagem ou eliminar componente injusto criado pela atuação administrativa.[28]

Eduardo García de Enterría e Tomás-Ramón Fernández propuseram sistematizar esse fenômeno com a enumeração de dois gêneros de direitos subjetivos frente à administração: (i) *direitos típicos ou ativos*, equiparáveis aos "direitos clássicos do Direito privado" e caracterizados por pretensões "para a consecução de prestações patrimoniais ou de respeito de titularidades jurídico-reais, ou de vinculação a atos provenientes da própria Administração ou de respeito a uma esfera de liberdade formalmente definida"; e (ii) *direitos reacionais ou impugnatórios*, caracterizados como posições jurídicas ativas oponíveis ao Estado que, mesmo sem consagração específica e explícita no ordenamento, apresentam o potencial de suscitar a eliminação de "atuação ilegal", "para o restabelecimento da integridade" de interesses que surjam protegidos enquanto derivação da

---

actúan como matriz generadora de nuevos derechos subjetivos: en torno al núcleo elemental de los derechos fundamentales (como derechos de defensa) han arraigado otros derechos subjetivos, una amplia panoplia de acciones procesales (de cesación, eliminación, plena reparación e indemnizatoria) y derechos auxiliares. De otro lado, la dimensión protectora de los derechos fundamentales ha intensificado las tendencias subjetivizadoras. Así se observa en dos ámbitos de debate: en primer lugar, en torno a las posibles pretensiones de protección como forma de reacción frente a nuevas situaciones de peligro (como las que derivan de los riesgos de la técnica); y en segundo lugar, sobre la protección de intereses de terceros que, no siendo destinatarios de la resolución administrativa, pretenden ejercer acciones como vecinos o competidores" (La Teoría General del Derecho Administrativo como Sistema. Madrid: Marcial Pons, 2003. p. 83-84). No mesmo sentido: BINENBOJM, Gustavo. *Uma Teoria do Direito Administrativo*: Direitos Fundamentais, Democracia e Constitucionalização. 2. ed. Rio de Janeiro: Renovar, 2008. p. 83-84).

[27] "A expressão direito subjetivo cobre diversas situações, difíceis de serem trazidas a um denominador comum. A própria liberdade, em seu ambíguo sentido moderno de autonomia e de não-impedimento, é ela própria um lugar-comum, um importante topos que orienta e organiza o raciocínio, mas que não lhe confere um caráter lógico rigoroso. Dada essa diversidade de casos, é possível opor, assim, a noção de direito objetivo às diferentes situações subjetivas, entendidas como posições jurídicas dos destinatários das normas em seu agir: exercer atos de vontade, ter interesses protegidos, conferir poder, ser obrigado etc. [...]. A expressão direito subjetivo, em síntese, considerada à luz de sua função jurídica, aponta para a posição de um sujeito numa situação comunicativa, que se vê dotado de faculdades jurídicas (modos de interagir) que o titular pode fazer valer mediante procedimentos garantidos por normas" (FERRAZ JÚNIOR, Tércio Sampaio. *Introdução ao Estudo do Direito*: técnica, decisão, dominação. 4. ed. São Paulo: Atlas, 2003. p. 149 e 153).

[28] "Por isso a famosa afirmação de Bachof, decisiva na evolução prática e na interpretação do Direito alemão, de acordo com a qual todas as vantagens (*Begünstigen*) decorrentes do ordenamento para cada cidadão tornaram-se verdadeiros direitos subjetivos, expressa um princípio fundamental do atual Estado de Direito; mas deve ser matizada, para evitar eventuais equívocos, com a observação de que a constituição em direitos subjetivos não surge diretamente pela inferência de tais vantagens a partir do ordenamento, senão única e exclusivamente quando estas sofrem uma agressão injusta da Administração, direitos subjetivos que tendem então ao restabelecimento de tais vantagens pela via da reação ou da eliminação do injusto que as nega, as desconhece ou as perturba" (GARCÍA DE ENTERRÍA, Eduardo; FERNÁNDEZ, Tomás-Ramón. *Curso de Direito Administrativo*. Tradução: José Alberto Froes Cal. Revisor técnico: Carlos Ari Sundfeld. São Paulo: Revista dos Tribunais, 2014. v. II. p. 81).

legalidade em sentido amplo.[29] Segundo esclarecem, esta última categoria abrangeria as hipóteses tradicionalmente denominadas no Direito italiano como interesses legítimos.[30]

Embora a proposta dos publicistas espanhóis consista em classificação bipartite, a concepção por eles apresentada pode ser vista como unitária, enquanto formulação que supera a lógica binária de proteção/não proteção e indica que o plexo de posições jurídicas distintas e heterogêneas verificado na realidade está sujeito à tutela jurídica de forma mais ampla, ainda que por vezes fluida e com graus variáveis de eficácia, independentemente de sua configuração como direito típico ou não.

A partir dessa construção, pode-se afirmar a ampliação da noção de direito subjetivo, enquanto conceito aglutinador de posições ou pretensões jurídicas em geral frente à Administração. Admite-se que esses elementos, conquanto não formem um agrupamento homogêneo, atraem proteção do ordenamento, em níveis variáveis. Por esse prisma, podem ser reconduzidos a um denominador comum.

No Direito italiano, Vincenzo Irelli também reconhece a existência dos dois gêneros de situações descritos por García de Enterría e Fernández, denominando-os, respectivamente, como direito subjetivo e interesses legítimos. Irelli indica que a noção típica de direito subjetivo confere ao seu titular posição jurídica que o habilita a satisfazer o seu interesse substancial por conta própria. Já o interesse legítimo dependeria do exercício de competências estatais e abrangeria duas prerrogativas: de participação no processo de formação de decisão estatal e de reação em caso de exercício irregular da competência administrativa. Contudo, a renovada concepção de interesse legítimo revela-se não mais limitada a uma dimensão estritamente formal e objetiva. Essa concepção identifica fundamento para que o sujeito lesado reclame proteção jurídica subjetiva material, isto é: pode ele pretender não apenas o restabelecimento da legalidade, mas a recomposição de sua esfera jurídica, quando lesada.[31] Em termos práticos, uma das principais decorrências consiste no reconhecimento de legitimidade individual para pleitear o afastamento do ato lesivo e buscar a responsabilização civil do Estado em condições mais amplas.[32]

---

[29] GARCÍA DE ENTERRÍA, Eduardo; FERNÁNDEZ, Tomás-Ramón. *Curso de Direito Administrativo*. Tradução: José Alberto Froes Cal. Revisor técnico: Carlos Ari Sundfeld. São Paulo: Revista dos Tribunais, 2014. v. II. p. 82. De certo modo também se referindo a dois tipos de direitos subjetivos, Vasco Pereira da Silva afirma que o ordenamento pode "atribuir diretamente o direito subjetivo, ou fazê-lo, de forma indireta, através do estabelecimento de um dever" (SILVA, Vasco Pereira da. *Em Busca do Acto Administrativo Perdido*. Coimbra: Almedina, 2003. p. 219-220). No mesmo sentido, ALMEIDA, Mário Aroso de. *Anulação de actos administrativos e relações jurídicas emergentes*. Coimbra: Almedina, 2002. p. 116.

[30] GARCÍA DE ENTERRÍA, Eduardo; FERNÁNDEZ, Tomás-Ramón. *Curso de Direito Administrativo*. Tradução: José Alberto Froes Cal. Revisor técnico: Carlos Ari Sundfeld. São Paulo: Revista dos Tribunais, 2014. v. II. p. 78-80.

[31] IRELLI, Vincenzo Cerulli. *Corso di Diritto Amministrativo*. Torino: G. Giappichelli Editore, 2000. p. 390.

[32] De fato, um dos reflexos mais relevantes dessa posição é o alargamento do espaço de responsabilidade civil do Estado. Para ilustrar a perspectiva clássica mais restritiva à responsabilização – em razão de sua limitação à noção de direito subjetivo –, pode-se referir à lição de Guimarães Menegale. Esse administrativista aludia à responsabilidade por danos produzidos em função do exercício de atividades administrativas restrita à frustração de "direitos objetivos dos administrados", ressalvando que tal responsabilidade desaparece quanto aos atos caracterizados por lei como discricionários, a não ser quando esteja em causa lesão a direitos subjetivos assim qualificados na legislação (MENEGALE, J. Guimarães. *Direito Administrativo e Ciência da Administração*. 2. ed. Rio de Janeiro: Borsoi, 1950. v. 2. p. 349-350). Como Marçal bem demonstra, essa posição restou superada. Em suas palavras, pode haver responsabilidade estatal frente a "todas as situações jurídicas instauradas em decorrência do exercício de competências administrativas", aí incluídos "interesses legítimos" e as "expectativas e os direitos derivados de atividades estatais" (JUSTEN FILHO, Marçal. *Curso de Direito Administrativo*. 12. ed. Rio de Janeiro: Forense, 2016. p. 1205 e 1245 – refere-se a esta edição em razão das alterações havidas nas edições

Evolução similar aparece no Direito francês. Em face da orientação do Conselho de Estado, a doutrina dá conta de um processo de elastecimento da noção de *direito lesado*. Este passa a equivaler a uma noção mais ampla, de *interesse protegido*, de modo a viabilizar o alcance mais abrangente da tutela jurídica dos cidadãos.[33]

A propósito da experiência francesa, Constantin Yannakopoulos afirma que a diferença entre "direitos" e os chamados "interesses legítimos" não seria de natureza, mas relacionada à intensidade da proteção jurídica a incidir em cada caso. A palavra *direito* figuraria como *standard*, abrangente da noção de interesse.[34] Yannakopoulos conclui que o significado do termo *direito* na jurisprudência administrativa moderna francesa pressupõe a consideração de um espectro de posições – "*prérogatives juridiques*" – que, em vez de refletir contraposição estanque entre direitos e fatos, esboçam uma gradativa passagem destes, enquanto seja possível neles identificar interesses individualizáveis, a direitos.[35]

Como se vê, as diversas posições indicadas sinalizam uma compreensão comum, de superação da premissa de que "a observância da legalidade" constituiria para a Administração "um dever puramente objetivo, decorrente da vinculação positiva que de tal legalidade decorre diretamente para ela", para, em seu lugar, admitir-se que "a Lei objetiva pode, contrariamente ao que supúnhamos antes, se decompor efetivamente em um conjunto de situações jurídicas subjetivas".[36]

Chega-se, assim, a um importante ponto de inflexão, verificado contemporaneamente em diversos ordenamentos: passa-se a visualizar o interesse legítimo, expressão esta adotada para alcançar inclusive situações jurídicas em formação (ainda não caracterizadas como direitos plenamente aperfeiçoados), não em contraposição radical e substancial à noção de direito. A lógica de tudo (direito subjetivo previsto em lei e aperfeiçoado) ou nada (o restante de situações que se verifiquem) é superada para admitir a tutela processual e material dos sujeitos enquanto se relacionam com o Estado. Isto desde a pretensão de correção da ação à administrativa até a pretensão de manutenção das esferas individuais indenes.

Conforme o caso, essa proteção pode desdobrar-se em fases intermediárias, ao longo das interações estabelecidas, abrangendo situações subjetivas não correspondentes a um direito propriamente dito, mas vocacionadas a resultar na obtenção de um determinado bem ou vantagem. Tais interações e situações aparecem sujeitas a um *progressivo rafforzamento* juridicamente tutelado.[37] Exemplo ilustrativo desse processo corresponde à forma como os princípios da boa-fé e da proteção da confiança legítima incidem sobre situações originalmente destituídas de respaldo jurídico ou mesmo antijurídicas, para nelas conferir algum tipo de proteção aos sujeitos envolvidos.

---

subsequentes). Assim, a posição subjetiva tutelável não será necessariamente reconduzível à noção clássica de direito subjetivo. O tema foi aprofundado em REISDORFER, Guilherme. *Responsabilidade pré-contratual do Estado*. Belo Horizonte: Fórum, 2024, p. 185 e ss.

[33] YANNAKOPOULOS, Constantin. *La notion de droits acquis en droit administratif français*. Paris: LGDJ, 1997. p. 249-250.

[34] YANNAKOPOULOS, Constantin. *La notion de droits acquis en droit administratif français*. Paris: LGDJ, 1997. p. 253.

[35] YANNAKOPOULOS, Constantin. *La notion de droits acquis en droit administratif français*. Paris: LGDJ, 1997. p. 249-250.

[36] GARCÍA DE ENTERRÍA, Eduardo; FERNÁNDEZ, Tomás-Ramón. *Curso de Direito Administrativo*. Tradução: José Alberto Froes Cal. Revisor técnico: Carlos Ari Sundfeld. São Paulo: Revista dos Tribunais, 2014. v. II. p. 80.

[37] CASETTA, Elio. *Manuale di Diritto Amministrativo*. 15. ed. Milano: Giuffrè, 2013. p. 378.

Nesse sentido, é possível ampliar a lição de Marçal ainda na década de 1980 relativa à processualização da atividade administrativa[38] – fenômeno este que só viria a ser objeto de maior destaque na doutrina publicista anos depois[39] –, para concluir que não apenas o exercício da função estatal, mas também as posições jurídicas individuais podem surgir e desenvolver-se de forma procedimentalizada, densificando-se sob proteção jurídico-material conforme a evolução das interações público-privadas estabelecidas.

Com isso, não se pretende equiparar toda e qualquer situação coberta por algum grau de proteção do ordenamento a um direito em acepção clássica. Pretensões podem surgir condicionadas ou não a pronunciamentos estatais que, em maior ou menor medida, poderão (deverão) compor o interesse tutelado com outros igualmente relevantes e realizá-lo de diferentes formas. Como consequência, o conteúdo e a eficácia dessas posições jurídicas variarão, em termos de exigibilidade e formas de satisfação (se por via direta e *in natura*, ou pela via indenizatória, como forma de ceder à realização direta de um dado interesse jurídico tutelado pelo poder público). A conformação dessas situações protegidas pode, portanto, estar mais ou menos dependente da mediação da atuação estatal.

A gradação remete a um leque de posições jurídicas ativas remissíveis a um conceito lato de *direito*. Há diferença não tanto de natureza ou qualidade entre essas posições, mas de graus de eficácia, atrelados à densidade normativa que se verifica em relação à proteção dessas posições. Com apoio nas palavras de Vieira de Andrade, é possível reconhecer uma *"continuidade gradativa das figuras do 'direito subjectivo' e do 'interesse legalmente protegido' no que respeita à determinabilidade e à individualização do conteúdo, bem como à intencionalidade e à intensidade da protecção – a definir em cada hipótese por interpretação das normas aplicáveis"*.[40]

Essa compreensão reforça o descabimento da referência ao *interesse legítimo* no Direito brasileiro em sua acepção clássica, enquanto dado substancialmente distinto da noção de direito subjetivo.[41] O conceito de interesse pode ser utilizado como elemento descritivo de situação que não se equipara a um direito subjetivo consagrado em lei,

---

[38] "A sujeição a um regime de direito público (...) acarreta um outro fenômeno, além da funcionalização do poder. É a sua procedimentalização" (JUSTEN FILHO, Marçal. *Sujeição passiva tributária*. Belém: CEJUP, 1986. p. 51)

[39] Como descrito por Fernando Dias Menezes de Almeida em *Formação da teoria do direito administrativo no Brasil*. São Paulo: Quartier Latin, 2015. p. 393.

[40] ANDRADE, José Carlos Vieira de. *Lições de Direito Administrativo*. 4. ed. Coimbra: Imprensa da Universidade de Coimbra, 2015. p. 73. Em complemento: "Há a considerar, desde logo, a existência de *diversos tipos de direitos subjectivos*, alguns dos quais não eram habitualmente configurados como tais nas relações jurídicas administrativas. [...] Existem, de facto, *direitos limitados*, enquanto direitos subjectivos públicos que *não gozam de uma tutela plena*. É o que acontece, desde logo, com os direitos condicionados em sentido estrito – designadamente, os direitos *atribuídos por actos administrativos*, mas sujeitos a *condição suspensiva* (*pendente conditione*) ou a uma actuação procedimental *integrativa da eficácia* (aprovação, visto), que só produzem os seus efeitos principais se vier a verificar-se a condição ou a prática do acto integrativo (que, no entanto, têm ou podem ter efeitos *ex tunc*, retrotraídos à data da perfeição do acto). Mas é igualmente o que se passa com os *direitos enfraquecidos*, que podem, por força da lei ou por força de acto administrativo com base na lei, ser sacrificados através do exercício legítimo de poderes da autoridade administrativa. [...] Há a considerar ainda os *direitos incompletos*, que, sendo mais que expectativas jurídicas, resultam da vinculação material de decisões interlocutórias em procedimentos complexos – por exemplo, os direitos ao licenciamento resultantes da aprovação do projecto de arquitectura no procedimento de licenciamento de obras particulares" (ANDRADE, José Carlos Vieira de. *Lições de Direito Administrativo*. 4. ed. Coimbra: Imprensa da Universidade de Coimbra, 2015. p. 73-75).

[41] Sobre a rejeição do conceito no direito brasileiro: MELLO, Celso Antônio Bandeira de. Proteção jurisdicional dos interesses legítimos no direito brasileiro. *In*: MELLO, Celso Antônio Bandeira de. *Grandes Temas de Direito Administrativo*. São Paulo: Malheiros, 2009. p. 148.

sem que daí se possa importar a sua concepção original no Direito italiano – superada inclusive por lá – de caracterizá-lo *a priori* como condição jurídica inferior, ou meramente processual, destituída de proteção jurídica material.[42]

Se o *interesse legítimo* é conceito que carrega em sua originalidade a marca de uma concepção de atuação administrativa de feições estatizantes ou mesmo autoritárias, hoje ele vem a se integrar no processo mais amplo de afirmação das garantias e direitos individuais.[43] Esse racional argumentativo pode ser identificado na jurisprudência brasileira, com recurso à expressão "legítimo interesse" não no sentido original da construção italiana, mas como fundamento para resguardar situações materiais não reconduzíveis a um conceito mais estrito de direito subjetivo.[44]

7 Fechamento

O cenário apresentado revela um fenômeno de subjetivização da forma de operacionalização das relações jurídicas e, no que toca ao Direito Administrativo, do próprio processo decisório estatal.[45] De forma geral, revela uma tendência mais ampla, de *hipersubjetivização* do Direito.[46] Isso não sem desafios.[47]

---

[42] Representando uma guinada na jurisprudência que segue movimentos doutrinários anteriores, a orientação fixada pela Corte de Cassação italiana na sentença 500/1999 sinaliza a superação da distinção entre interesses legítimos e direitos subjetivos, para o fim de aproximar o tratamento material de ambas as figuras – naquele caso específico, em termos de responsabilidade civil do Estado. No corpo da decisão, a Corte nota a sua "giurisprudenza definita dalla dottrina 'monolitica' o addirittura 'pietrificata'", e o dissenso "manifestato dalla quasi unanime dottrina, che ha [...] denunciato come iniqua la sostanziale immunità della P.A. per l'esercizio illegittimo della funzione pubblica" quando diante de posições jurídicas não reconduzíveis à noção de direito subjetivo (Disponível em: https://www.federalismi.it/ApplOpenFilePDF.cfm?artid=4905&dpath=document&dfile= 01062006012207.pdf&content=Corte%2Bdi%2BCassazione%2C%2B%2BSentenza%2Bn%2E%2B500%2F1999%2C%2BIn%2Bmateria%2Bdi%2Burbanistica%2B%2D%2Bpolitiche%2Bdi%2Bsettore%2B%2D%2Bdocumentazione%2B%2D%2B. Acesso em: 4 dez. 2022). A partir desse momento, assentou-se a orientação de que a tutela indenizatória é extensível a interesses legítimos, cujo conteúdo era antes tido como exclusivamente instrumental ou procedimental, relacionado estritamente com a pretensão de atuação administrativa segundo critérios de *corretezza*. Por identidade de razões, tal proteção vem a abranger a tutela material de meras *expectativas*, enquanto *posições jurídicas de espera*.

[43] ALCOZ, Luis Medina. Historia del concepto de derecho subjetivo en el Derecho Administrativo Español. *Revista de Derecho Público*: Teoría y Método Marcial Pons Ediciones Jurídicas y Sociales, Madrid, v. 1, p. 7-52, 2021. p. 41.

[44] Há decisão do Superior Tribunal de Justiça que, relacionada à responsabilidade civil de concessionária de serviço público, pode ser considerada para a responsabilidade civil do Estado em geral, inclusive pela equiparação estabelecida no art. 37, §6º, da Constituição. No caso, houve represamento de rio federal para construção de usina hidrelétrica, que resultou na "alteração das espécies e redução do valor comercial do estoque pesqueiro. O STJ reconheceu à comunidade pesqueira direito à indenização por lucros cessantes correspondentes à frustração do "legítimo interesse": "embora notória a finalidade pública do represamento de rio para a construção de usina hidrelétrica e, no caso em exame, sendo certo que o empreendimento respeitou o contrato de concessão e as normas ambientais pertinentes, a alteração da fauna aquática e a diminuição do valor comercial do pescado enseja dano a legítimo interesse dos pescadores artesanais, passível de indenização" (Recurso Especial 1.371.834/PR, 4ª Turma, relatora Ministra Maria Isabel Gallotti, j. 5.11.2015).

[45] "*La subjetivación del Derecho administrativo sustantivo ha ido de la mano de la subjetivación del proceso administrativo. Una no se entiende sin la otra: quien sufre las extralimitaciones del poder, en cuanto titular de derechos, tiene constitucionalmente garantizada una protección plena, lo que implica garantías de imparcialidad e igualdad de armas, así como la posibilidad de practicar prueba y obtener condenas a hacer*" (ALCOZ, Luis Medina. Historia del concepto de derecho subjetivo en el Derecho Administrativo Español. *Revista de Derecho Público*: Teoría y Método Marcial Pons Ediciones Jurídicas y Sociales, Madrid, v. 1, p. 7-52, 2021. p. 32).

[46] A expressão, atribuída a Jacques Chevallier, é desenvolvida por Menezes de Almeida em: ALMEIDA, Fernando Dias Menezes de. *Formação da Teoria do Direito Administrativo no Brasil*. São Paulo: Quartier Latin, 2015. p. 412.

[47] Um dos principais desafios é determinar quem deve suportar a realização dos direitos e o custo correspondente. Conforme observado por José Casalta Nabais, "somente com uma consideração adequada dos deveres

Assim ocorre tendo em vista que o *status* que os cidadãos assumem perante o Estado resulta não apenas da figura da lei, mas da incidência direta das normas constitucionais sobre a atividade administrativa. Tal *status* é marcado por uma tendência expansiva de posições jurídicas ativas e autônomas perante os deveres estatais e baseado em pautas de controle da atuação estatal mais amplas e intensas. A densificação da proteção de direitos e o alargamento das fronteiras da própria noção de direito subjetivo – não apenas em termos individuais, mas também considerando interesses coletivos e de terceiros em geral – alça as posições jurídicas ativas dos cidadãos à pauta de prioridade no Direito Administrativo.

Nesse contexto, pode-se, com Alexy, referir-se à noção de direito subjetivo como um *supraconceito*, abrangente de "posições em si bastante distintas".[48] Alguém poderia questionar a utilidade terminológica de tal expressão abrangente e a sua relativa imprecisão – notadamente, porque ela demanda tarefa subsequente, de discriminar as posições jurídicas subjetivas conforme as suas peculiaridades. Entende-se que a referência a tal supraconceito é útil, quando menos, como marco da evolução histórica, isto é: por ilustrar o estágio atual de constitucionalização do direito e evidenciar a superação de concepções que viam espaços da atuação estatal como alheios aos cidadãos por ela atingidos.

Referências

ANDRADE, José Carlos Vieira de. *Lições de Direito Administrativo*. 4. ed. Coimbra: Imprensa da Universidade de Coimbra, 2015.

ALCOZ, Luis Medina. Historia del concepto de derecho subjetivo en el Derecho Administrativo Español. *Revista de Derecho Público*: Teoría y Método Marcial Pons Ediciones Jurídicas y Sociales, Madrid, v. 1, p. 7-52, 2021.

ALESSI, Renato. *Diritto Amministrativo*. Milano: Giuffrè, 1949.

ALEXY, Robert. *Teoria dos Direitos Fundamentais*. (trad. Virgílio Afonso da Silva). 2. ed. São Paulo: Malheiros, 2011.

ALMEIDA, Fernando Dias Menezes de. Controle da Administração Pública e Responsabilidade do Estado. *In*: DI PIETRO, Maria Sylvia Zanella (coord.). *Tratado de direito administrativo*. São Paulo: Revista dos Tribunais, 2014. v. 7.

ALMEIDA, Fernando Dias Menezes de. *Formação da teoria do direito administrativo no Brasil*. São Paulo: Quartier Latin, 2015.

---

fundamentais e dos custos dos direitos, poderemos lograr um estado em que as ideias de liberdade e da solidariedade não se excluam, antes se completem. Ou seja, somente com uma consideração adequada dos deveres fundamentais e dos custos dos direitos, poderemos desfrutar de um estado de liberdade e de um estado de liberdade a um preço moderado. Por isso, não podemos esquecer o que, com uma clarividência que ainda hoje impressiona, dizia Alexis de Tocqueville: 'a reclamação de direitos e a sua realização não é suficiente; os cidadãos também têm deveres" (*Por uma liberdade com responsabilidade*: estudos sobre direitos e deveres fundamentais. Coimbra: Coimbra Editora, 2007. p. 194-195).

[48] "A diversidade daquilo que é designado como 'direito (subjetivo)' cria um problema terminológico. Deve a expressão 'direito (subjetivo)', de plurivocidade e vagueza quase insuperáveis, ser reservada apenas para algumas posições, ou deve ser ela utilizada em um sentido o mais amplo possível? A primeira alternativa traz consigo o perigo de polêmicas estéreis sobre o que pode ser designado corretamente como 'direito (subjetivo)'. Mais importante que essa questão é conhecer a estrutura das diferentes posições. Por isso, é recomendável que a expressão 'direito (subjetivo)' seja utilizada, seguindo seu uso corrente, como um supraconceito para posições em si bastante distintas, para que, a partir daí, sejam feitas diferenciações e classificações terminológicas" (ALEXY, Robert. *Teoria dos Direitos Fundamentais*. (trad. Virgílio Afonso da Silva). 2. ed. São Paulo: Malheiros, 2011, p. 192-193).

ALMEIDA, Mário Aroso de. *Anulação de actos administrativos e relações jurídicas emergentes*. Coimbra: Almedina, 2002.

BARROSO, Luís Roberto. A constitucionalização do direito e suas repercussões no âmbito administrativo. *In*: ARAGÃO, Alexandre Santos de; MARQUES NETO, Floriano de Azevedo (coord.). *Direito administrativo e seus novos paradigmas*. Belo Horizonte: Fórum, 2008.

BINENBOJM, Gustavo. *Poder de polícia, ordenação, regulação*: transformações político-jurídicas, econômicas e institucionais do direito administrativo ordenador. Belo Horizonte: Fórum, 2016.

BINENBOJM, Gustavo. *Uma Teoria do Direito Administrativo*: Direitos Fundamentais, Democracia e Constitucionalização. 2. ed. Rio de Janeiro: Renovar, 2008.

CAHALI, Yussef Said. *Responsabilidade civil do Estado*. 4. ed. São Paulo: Revista dos Tribunais, 2012.

CANOTILHO, José Joaquim Gomes. *A responsabilidade do Estado por actos lícitos*. 2. ed. rev. e ampl. Belo Horizonte: Fórum, 2019.

CASETTA, Elio. *Manuale di Diritto Amministrativo*. 15. ed. Milano: Giuffrè, 2013.

FERRAZ JÚNIOR, Tércio Sampaio. *Introdução ao Estudo do Direito*: técnica, decisão, dominação. 4. ed. São Paulo: Atlas, 2003.

GARCÍA DE ENTERRÍA, Eduardo; FERNÁNDEZ, Tomás-Ramón. *Curso de Direito Administrativo*. Tradução: José Alberto Froes Cal. Revisor técnico: Carlos Ari Sundfeld. São Paulo: Revista dos Tribunais, 2014. v. II.

GIANNINI, Massimo Severo. *Diritto Amministrativo*. 3. ed. Milano: Giuffrè, 1993. v. 2.

GORDILLO, Agustin. *Princípios Gerais de Direito Público*. São Paulo: Revista dos Tribunais, 1977.

IRELLI, Vincenzo Cerulli. *Corso di Diritto Amministrativo*. Torino: G. Giappichelli Editore, 2000.

JUSTEN FILHO, Marçal. *Curso de Direito Administrativo*. 12. ed. Rio de Janeiro: Forense, 2016.

JUSTEN FILHO, Marçal. *Curso de Direito Administrativo*. 15. ed. Rio de Janeiro: Forense, 2024.

JUSTEN FILHO, Marçal. *Sujeição passiva tributária*. Belém: CEJUP, 1986.

MELLO, Celso Antônio Bandeira de. Proteção jurisdicional dos interesses legítimos no direito brasileiro. *In*: MELLO, Celso Antônio Bandeira de. *Grandes Temas de Direito Administrativo*. São Paulo: Malheiros, 2009.

MENEGALE, J. Guimarães. *Direito Administrativo e Ciência da Administração*. 2. ed. Rio de Janeiro: Borsoi, 1950. v. 2.

NABAIS, José Casalta. *Por uma liberdade com responsabilidade*: estudos sobre direitos e deveres fundamentais. Coimbra: Coimbra Editora, 2007.

REISDORFER, Guilherme. *Responsabilidade pré-contratual do Estado*. Belo Horizonte: Fórum, 2024.

ROUBIER, Paul. *Droits Subjectifs et Situations Juridiques*. Paris: Dalloz, 1963.

SCHMIDT-ASSMANN, Eberhard. *La Teoría General del Derecho Administrativo como Sistema*. Madrid: Marcial Pons, 2003.

SILVA, Vasco Pereira da. *Em Busca do Acto Administrativo Perdido*. Coimbra: Almedina, 2003.

YANNAKOPOULOS, Constantin. *La notion de droits acquis en droit administratif français*. Paris: LGDJ, 1997.

WIEACKER, Franz. *História do Direito Privado Moderno*. 3. ed. Lisboa: Fundação Calouste Gulbenkian, 2004.

Informação bibliográfica deste texto, conforme a NBR 6023:2018 da Associação Brasileira de Normas Técnicas (ABNT):

REISDORFER, Guilherme. A noção contemporânea de direito subjetivo – um tema de teoria geral visto a partir da experiência do Direito Administrativo. *In*: JUSTEN, Monica Spezia; PEREIRA, Cesar; JUSTEN NETO, Marçal; JUSTEN, Lucas Spezia (coord.). *Uma visão humanista do Direito*: homenagem ao Professor Marçal Justen Filho. Belo Horizonte: Fórum, 2025. v. 2, p. 69-82. ISBN 978-65-5518-916-2.

A TEORIA HERMENÊUTICA DE MARÇAL JUSTEN FILHO

GUSTAVO KAERCHER LOUREIRO

RAFAEL MAFFINI

Introdução

O presente artigo tem um duplo propósito. Pretende, em primeiro lugar, realizar uma exposição do pensamento de Marçal Justen Filho (MJF) relativamente à atividade hermenêutica ou interpretativa[1] no Direito para, num segundo momento, pontuar/problematizar alguns elementos centrais dessa teoria.

Convém começar notando que, dentre o vasto universo de temas, problemas, institutos e noções jurídicas que compareçam na obra que tomaremos por referência (*Introdução ao Estudo do Direito*[2]), o *problema hermenêutico* parece ser aquele que mais ocupou a atenção do autor. MJF tratou diretamente dele em nada menos do que seis capítulos, incluindo aquele que encerra sua obra.[3][4]

E essa circunstância se explica: logo no início do trato do tema, MJF afirma: "Sob um certo ângulo, a hermenêutica jurídica se constitui na temática mais importante e

---

[1] Usaremos os dois termos como sinônimos, muito embora haja quem os diferencie.
[2] JUSTEN FILHO, Marçal. *Introdução ao Estudo do Direito*. 2. ed. Rio de Janeiro: Forense, 2021.
[3] Capítulo XXVI – Hermenêutica jurídica: introdução; Capítulo XXVII – A hermenêutica jurídica: interpretação jurídica; Capítulo XXVIII – Hermenêutica jurídica: os métodos de interpretação; Capítulo XXIX – A aplicação do Direito; Capítulo XXXI – Aplicação do Direito e autonomia do aplicador; Capítulo XXXVI – O círculo hermenêutico e o eterno retorno.
[4] Impõe-se, aqui, um acordo semântico relevante para o texto. O vocábulo "obra", em relação a Marçal Justen Filho, mostra-se polissêmico e, aqui, assumirá dois principais significados. Utiliza-se o vocábulo "obra" de MJF, de um lado, para designar o livro referido na nota 2. Tal é o sentido mais frequentemente empregado, aliás. De outro, por vezes, utilizaremos "obra", relativa a MJF, num sentido mais abrangente, para significar todo o vasto conjunto da produção do jurista merecidamente homenageado neste livro, o qual, em sua trajetória profissional (acadêmica e advocatício), transitou em várias áreas do Direito, sempre com muita desenvoltura e qualidade.

essencial para o operador do Direito".[5] No capítulo final do livro, o autor reitera essa importância, a modo de fechamento de suas reflexões:

> O núcleo central da atividade jurídica é a interpretação e a aplicação do Direito. Todas as atividades relacionadas com o mundo do Direito envolvem necessariamente essa atuação conjugada de determinar o conteúdo e o alcance do Direito e produzir uma solução para um caso real – ainda que considerado de modo geral e abstrato (como a avaliação da constitucionalidade de uma lei).[6]

Também merece atenção o fato de que, ao tratar da hermenêutica, MJF o faça desde uma perspectiva abrangente, de caráter filosófico (portanto: "meta-" ou "pré-" jurídica). Já na Introdução o autor aponta suas referências intelectuais para o tema que nos ocupa. Elas não são jurídicas:

> O livro adotou uma concepção fundada no pensamento propriamente hermenêutico, vinculado a Dilthey, Heidegger e Gadamer. A obra em seu conjunto incorporou a concepção do círculo hermenêutico e da pré-compreensão do intérprete.[7]

Considerando os interesses e a produção intelectual desses três autores alemães, é lícito supor que a fonte imediata de onde MJF colheu elementos para construir sua teoria (geral) hermenêutica seja Hans-Georg Gadamer, discípulo (não "em tempo integral") de Martin Heidegger. Dos três, Gadamer foi o que mais atenção dispensou à interpretação jurídica, tendo-a tomado, inclusive, como exemplar em face de outras atividades interpretativas.[8] Além disso, as referências ao "círculo hermenêutico" e, sobretudo, à noção de "pré-compreensão do intérprete" são igualmente indicativas dessa aparente preeminência das ideias de Gadamer (não que esses temas não tenham sido ventilados por Heidegger e Dilthey, mas não representam os conceitos-chave de suas teorias hermenêuticas).

Fazendo justiça à citação de filósofos, MJF principia o estudo da hermenêutica com considerações que estão, por assim dizer, "acima" do Direito.

I Elementos de uma teoria geral da hermenêutica

I.1 Introdução

A amarração Filosofia/Direito é obtida pela articulação de três elementos centrais da filosofia de Hans Georg Gadamer. Primeiro: o caráter existencial da experiência

---

[5] *Op. cit.*, p. 265.
[6] *Op. cit.*, p. 378.
[7] *Introdução*, cit., p. VIII.
[8] Nas palavras do autor: "o modelo da hermêutica jurídica mostrou-se, pois, efetivamente fecundo. Quando o jurista se sabe legitimado a realizar a complementação do direito, dentro da função judicial e face ao sentido original de um texto legal, o que faz é o que, seja como for, tem lugar em qualquer forma de compreensão" (GADAMER, Hans-Georg. *Verdade e método* – traços fundamentais de uma hermenêutica filosófica. 3. ed. Petrópolis: Vozes, 1999, p. 504).

hermenêutica; segundo: o conceito de círculo hermenêutico e, terceiro: a noção de pré-compreensão. Vejamos.

I.2 O caráter ontológico ou existencial da hermenêutica

Logo no capítulo de abertura ("Hermenêutica jurídica: introdução"), Marçal Justen Filho chama a atenção para a multiplicidade de objetos sobre os quais a atividade do intérprete pode recair.[9] Dentre outros, são aptas a sofrer o influxo da hermenêutica as obras de arte de todo o tipo, os textos literários, sacros e jurídicos. Não se estaria traindo a teoria do autor paranaense se disséssemos que é passível de interpretação (e não apenas de explicação causal) todo e qualquer objeto produzido pelo entendimento, vontade e imaginação humanos (objetos culturais, em sentido amplo).[10]

Pois bem. Esse dado acerca da amplitude da atividade hermenêutica não é uma curiosidade ou mero exercício especulativo. A heterogeneidade dos objetos submetidos à interpretação funciona como índice de uma circunstância mais geral e absolutamente essencial na hermenêutica gadameriana que parece ter sido incorporada por MJF, qual seja, o *status* ontológico-existencial da experiência hermenêutica:

> Em 'Verdade e Método', Gadamer, acompanhando os ensinamentos de seu mestre Heidegger, que definia a compreensão como forma de definição do 'ser' (...) vai expor uma teoria a respeito da natureza ontológica da experiência humana identificando-a com a compreensão, *'compreender e interpretar textos no es solo uma una instancia científica, sino que pertenece con toda evidencia a la experiencia humana del mundo'* (...).
>
> Com Gadamer, a hermenêutica se transformará de simples técnica de compreensão das ciências do espírito (segundo Dilthey) em uma ontologia do intérprete e de seus compromissos existenciais.[11]

Reitere-se, porém: esse aspecto existencial do compreender não é expressamente articulado por MJF, mas é por ele sugerido ao referir o vasto alcance da hermenêutica e sua importância como elemento intrínseco à própria condição humana (em realidade, elemento *definidor* da condição humana).

Já os dois próximos pontos comparecem a pleno título no texto de MJF que estamos analisando.

---

[9] *Op. cit.*, p. 266 e ss.
[10] Ainda que perceptível, em sua obra, a advertência de que a intepretação não se materializa do mesmo modo nos diversos objetos sobre os quais incide. Em alguma medida, depreende-se de suas ideias, por exemplo, o caráter alográfico que caracteriza a intepretação do Direito, nas palavras de Eros Grau (GRAU, Eros Roberto. *Por que tenho medo dos juízes (a intepretação/aplicação do direito e os princípios)*. 7. ed. refundida do ensaio e discurso sobre a interpretação/aplicação do Direito. São Paulo: Malheiros, 2016, p. 38.
[11] Ainda: "A hermenêutica deixa de ser um método para tornar-se uma ontologia, o modo de 'ser do homem', o modo de 'compreender', de 'conhecer'." Ana Maria D'Ávila Lopes, "A hermenêutica jurídica de Gadamer". *Revista de Informação Legislativa*, n. 145, p. 104-105, 2000.

I.3 O círculo hermenêutico

É tal a importância que MJF empresta a esse conceito que é com ele que encerra a sua obra, depois de o ter utilizado ao longo de todo o livro.[12]

Mas no que ele consiste? Nas palavras de Justen Filho:

> Em termos simplistas, esse círculo hermenêutico se reduz à afirmação de que a compreensão de um objeto depende da compreensão do todo, a qual depende da compreensão das partes; o que exige a compreensão do todo. Não se trata de um paradoxo, mas da afirmação da natureza não linear da compreensão.[13]

Tratemos de aprofundar.

Para Gadamer, o círculo hermenêutico não é propriamente um método a ser empregado para chegar à melhor interpretação possível (como se fosse possível escolher entre "participar do círculo" ou não). Cuida-se, ao revés, de uma verdadeira descrição do processo inerente à compreensão humana. A busca pela compreensão é um processo infinito, um diálogo interminável entre o passado e o presente, entre o texto e o leitor. Este círculo não é um círculo vicioso, mas uma espiral interminável de compreensão cada vez mais profunda e expansiva.

Em *Verdade e Método*, Gadamer amplia o círculo hermenêutico. Para ele, todo ato de interpretação está enraizado no diálogo entre o intérprete, a tradição (ou história) e o texto (ou a obra artística).

Para encerrar essa breve rememoração, poderíamos assim sintetizar o "funcionamento" do círculo hermenêutico:

1. Entrada no círculo: diante de um objeto de interpretação começamos com uma hipótese sobre seu significado, baseada em nossos preconceitos e contexto histórico no qual nos inserimos (tradição).
2. Interação do todo com as partes: ao interpretar, alternamos entre a compreensão das partes e a compreensão do todo, ajustando nossa interpretação à medida que novos detalhes surgem e dialogam com nossas suposições iniciais.
3. Revisão e ajuste: o entendimento preliminar informa nossa leitura subsequente das partes, o que leva a um ajuste contínuo de nossas percepções tanto do todo quanto das partes.
4. Tendencialmente, este processo de ir-e-vir é sem fim ("espiral hermenêutica"), limitado apenas pela temporalidade intrínseca ao ser humano.

I.4 A pré-compreensão

Em sua obra, Gadamer desafia o preconceito iluminista contra os preconceitos (a repetição é inevitável), sugerindo que eles não podem ser completamente extirpados do sujeito cognoscente e, na verdade, formam a base sobre a qual qualquer compreensão

---

[12] Capítulo XXXVI – O círculo hermenêutico e o eterno retorno.
[13] *Op. cit.*, p. 377.

é construída. Eles são o pressuposto da compreensão e a tradição é o meio pelo qual são transmitidos.

MJF toma de Gadamer esta noção e com ela trabalha ao longo de todo o seu livro. Referida na introdução da obra que estamos analisando, a figura da pré-compreensão é empregada (e utilizada) por diversas vezes, sobretudo quando se trata de aclarar a situação em que se encontra o intérprete de textos normativos.[14] Marçal Justen Filho dedicou-lhe, inclusive, seções específicas do capítulo XXVI (XXVI.6.; XXXVI.2.1.-2.6).

Em tons marcadamente "gadamerianos", MJF assim caracterizou essa que é uma circunstância inafastável da condição do sujeito enquanto ente que compreende (interpreta):

> Quando o sujeito se aproxima do objeto de sua cogitação, traz consigo uma pluralidade de intuições, memórias e projeções. Muitas delas são inconscientes, relacionadas com eventos de um passado distante e esquecido. Outras decorrem de condicionamentos culturais, resultantes de usos e costumes. (...). A pré-compreensão é inevitável. Não se trata, portanto, de um 'defeito' do processo hermenêutico. Mais do que isso, essa pré-compreensão é um pressuposto do início da trajetória. Admitindo-se que fosse possível concretamente a ausência de pré-compreensão, seria inviável o início do processo hermenêutico.[15]

Ou ainda:

> Todo sujeito desenvolve processos mentais conscientes e inconscientes, que condicionam a sua existência e o seu relacionamento com o mundo. A experiência modela o modo como o sujeito compreende o mundo, ainda que a razão seja um instrumento de revisão e de controle da influência da tradição sobre o intérprete.[16]

Assim como no caso do círculo hermenêutico, ao discorrer sobre a pré-compreensão, Marçal Justen Filho não está *prescrevendo* tal ou qual conduta hermenêutica, mas, antes, está *constatando* como, necessariamente, ocorre o processo de entendimento ou compreensão. Assim como no caso do círculo hermenêutico, a pré-compreensão é um dado e não um construto (muito menos um método).

De forma esquemática, três são os condicionamentos que operam na pré-compreensão.

Em primeiro lugar a posição da *pessoa do intérprete* no mundo, vale dizer, o conjunto de suas vivências, experiências e história pessoal. Este é o "elemento personalíssimo" que condiciona o fazer hermenêutico.

Em segundo lugar – e um tanto mais destacado da pessoa do intérprete – encontraremos como elementos que informam a pré-compreensão as circunstâncias concretas sob as quais o intérprete realiza sua tarefa. Elas são variadas e vão desde a cultura da

---

[14] Assim, por exemplo, nas p. 296; 377; 379, dentre outras passagens.
[15] *Op. cit.*, p. 378.
[16] *Op. cit.*, p. 235. No mesmo sentido: "... o processo de compreensão é condicionado e influenciado por uma 'pré-compreensão'. Essa pré-compreensão afeta a capacidade de o sujeito desenvolver uma atuação absolutamente imparcial e isenta. O sujeito enfrenta o objeto segundo uma orientação prévia que, na maior parte dos casos, é inconsciente". *Op. cit.*, p. 270.

época até a sua conformação político-institucional, modos e estilos de vida, padrões culturais etc.

Finalmente, em terceiro lugar, está o que Gadamer chama de "tradição". Por tal – e de modo muito simplificado – podemos entender a totalidade da história passada e de suas inevitáveis projeções sobre o presente.

Juntos, esses três elementos formam o "horizonte de (pré)compreensão" do intérprete (outro conceito caro a Gadamer). É com tal horizonte que o sujeito aproxima-se, pela primeira vez, do objeto que demanda exegese. O resultado deste primeiro encontro é uma compreensão provisória, *prima facie*, que será refinada incessantemente no processo de ida e vinda que marca o círculo hermenêutico.

A existência de um horizonte de compreensão tem duas consequências para a teoria hermenêutica:
(i) *cada interpretação é (idealmente) única*; no limite, duas ou mais interpretações do mesmo texto (sacro, jurídico, literário etc.), feitas pelo mesmo intérprete são objetivamente distintas, ao menos do ponto de vista temporal;
(ii) *cada interpretação possui um ineliminável componente criativo (subjetivo)*; interpretar não é (apenas) descobrir ou revelar o sentido (supostamente dado e preexistente) de um objeto qualquer, mas é também constituí-lo, a partir do próprio horizonte. Essa circunstância é problemática para o Direito, como veremos adiante.

Natureza existencial do compreender; círculo hermenêutico e pré-compreensão formam, juntos, os pilares filosóficos que servem de esteio para a teoria propriamente jurídica da intepretação,[17] tal como esboçada por MJF na sua *Introdução ao Estudo do Direito*. É para ela que se vai agora.

II A hermenêutica jurídica

II.1 Conceito e objetos sobre os quais se aplica

Assentadas as premissas filosóficas que tanto caracterizam como condicionam a atividade de interpretação propriamente jurídica, Justen Filho introduz, no capítulo XXVII, o tema que nos interessa mais de perto.

Logo à partida, o autor define, de modo amplo, o vocábulo "interpretar": "interpretar consiste em revelar a alguém uma mensagem, que está contida num objeto, num documento, num discurso".[18] Em várias outras passagens vamos encontrar diferentes formulações, inclusive mais específicas, como essa: "A hermenêutica *jurídica* é o estudo da teoria e das técnicas pertinentes à revelação do sentido e do conteúdo do Direito".[19]

---

[17] A inspiração gadameriana, neste ponto de sua obra, é igualmente perceptível se considerarmos que "a interpretação não é um ato posterior e oportunamente complementar à compreensão, porém, compreender é sempre interpretar, e, por conseguinte, a interpretação é a forma explícita da compreensão" (GADAMER, Hans-Georg. *Verdade e método* – traços fundamentais de uma hermenêutica filosófica. 3. ed. Petrópolis: Vozes, 1999, p. 459).

[18] *Op. cit.*, p. 273. Ou ainda: "... a hermenêutica visa a compreensão do texto (ou da obra de arte, por exemplo)." *Op. cit.*, p. 266.

[19] *Op. cit.*, p. 266.

Se no plano filosófico o intérprete topa com uma grande variedade de objetos, no Direito essa heterogeneidade se reduz. Primariamente, trata-se de interpretar *textos normativos*, isto é, linguagem escrita produzida por terceiros sujeitos aos quais é imputada a competência para produzir normas no interior de uma hierarquia de fontes.[20] Secundariamente, poder-se-ia falar da interpretação de comportamentos, como quando se está diante do costume.[21]

Como MJF caracteriza essa atividade do operador do Direito?

II.2 Traços característicos da interpretação jurídica

II.2.1 Introdução

As premissas filosóficas lançadas na Seção I permitem antever algumas notas características da teoria da interpretação jurídica elaborada por MJF. Três delas são centrais:

1. *A não dissociação entre o momento interpretativo e o momento de aplicação do Direito.* Tal dissociação é um postulado da teoria positivista da interpretação, para a qual *primeiro* se fixa o sentido e o alcance do texto para somente *depois* – e de posse desse sentido – fazê-lo incidir sobre os fatos previstos na hipótese de incidência da norma, como seu antecedente.
2. *O caráter não unívoco do resultado da interpretação.* Diferentes intérpretes com diferentes pré-compreensões, situados em diferentes realidades e empregando diferentes métodos interpretativos chegarão, muito provavelmente, a resultados também diferentes, sem que se possa razoavelmente imputar correção (ou "verdade") a um e incorreção (ou "inverdade") a outro. Em suma, não há, propriamente, uma (e apenas uma) interpretação "verdadeira".
3. *O caráter não inteiramente objetivo do resultado da interpretação.* Por outras palavras: no fazer hermenêutico existe uma ineliminável *carga de subjetividade/criatividade* ali colocada pelo sujeito que interpreta (carregado de pré-compreensões).

Essas três premissas básicas são rigorosamente o oposto do que postula uma abordagem positivista da interpretação, como a que se depreende da seguinte passagem de conhecida obra de Carlos Maximiliano:

> A hermenêutica jurídica tem por objetivo o estudo e a sistematização dos processos aplicáveis para determinar o sentido e o alcance das expressões do Direito (...). Para aplicar o Direito se faz mister um trabalho preliminar: descobrir e fixar o sentido verdadeiro da regra positiva; e, logo depois, o respectivo alcance e sua extensão. Em suma, o executor extrai da norma tudo o que na mesma se contém: é o que se chama interpretar.[22]

---

[20] MJF dedica um inteiro capítulo ao tema das fontes do Direito (Capítulo X).
[21] Sobre a interpretação do costume e seus problemas específicos, v. GUASTINI, Riccardo, *Interpretare e Argomentare*, Milano: Giuffrè, 2011, p. 38 e ss.
[22] Carlos Maximiliano, *Hermenêutica e Aplicação do Direito*, Rio de Janeiro: Forense, 1999, p. 01.

Sigamos no exame da teoria da hermenêutica jurídica de MJF a partir desses três corolários.

II.2.2 Interpretação e aplicação do direito

Como se viu, a teoria da interpretação tradicional postula uma dissociação lógico-conceitual e também fática (temporal, inclusive), entre interpretação e aplicação do Direito.[23] Com a escola hermenêutica isso não se dá: o momento de aplicação da norma ao caso concreto auxilia decisivamente no desvelamento do sentido do texto de onde se extrai a norma. Como afirma MJF

> A aplicação e a interpretação do Direito são atividades insuscetíveis de dissociação. Isso é mais evidente no tocante à aplicação, que pressupõe a identificação do conteúdo e da extensão das normas aplicáveis. Mas também se deve ter em vista que a *atividade de interpretação somente é completa quando toma em vista a dimensão das questões efetivas da realidade.*[24] (grifou-se)

A razão para conferir à aplicação do Direito o *status* de atividade (também) cognitiva (ou constitutiva) de significado é dada por Ana Maria D'Ávila Lopes:

> ... a compreensão do Direito só será possível por meio da aplicação da norma a uma situação jurídica concreta, 'comprender es, entonces, un caso especial de la aplicación de algo general a una situación concreta y determinada'. Isso devido a que as situações que acontecem na vida social e que requerem a sua regulamentação pelo Direito são muitas e diferentes; assim, cada nova situação irá requerer uma nova aplicação da norma, pois a sua generalidade e sua historicidade impedem uma aplicação imediata. No Direito, não existe um processo interpretativo independente da aplicação da norma, já que só nesse momento é possível compreender todo o seu sentido, é ali que se fundamenta sua validade.[25]

II.2.3 As aberturas semânticas e sintáticas do texto e a multiplicidade de sentidos possíveis

Formulado de modo direto e simples, esse segundo corolário da tomada de posição filosófica de MJF sugere – em sua versão *"soft"* – que, ao menos em um número considerável de vezes, o texto que abriga a norma jurídica é passível de mais de uma interpretação (e, portanto, é capaz de produzir mais de uma norma), todas elas plausíveis (assim como também há propostas implausíveis ou mesmo *nonsense*).

---

[23] Modernamente, veja-se Guastini, Riccardo, *Op. cit.*, p. 25.
[24] Em outra passagem formula ideia semelhante: "... é questionável a viabilidade de uma interpretação realizada de modo puramente abstrato, em que o sujeito desenvolve um esforço relacionado a determinar a disciplina jurídica sem tomar em vista qualquer questão concreta". *Op. cit.*, p. 291.
[25] *Op. cit.*, p. 108-109.

Por outras palavras, não há algo como um significado verdadeiro ou único:

> É incorreto supor que cada lei produz, de modo automático e inquestionável, uma norma jurídica de conteúdo preciso e determinado. Assim não o é, inclusive porque muitas normas jurídicas são dotadas de amplitude e indeterminação inquestionáveis. Portanto, a atividade de interpretação não é orientada a revelar 'a' vontade, única e inquestionável do Direito. Uma lei propicia diferentes interpretações e a fixação do sentido das normas depende de variáveis diversas, muitas delas não relacionadas com o mundo do Direito.[26]

Esta concepção do caráter não unívoco dos textos submetidos à interpretação não é atualmente objeto de sérios debates jusfilosóficos entre "hermeneutas" e "positivistas" (o que é o caso nas demais teses). O terreno comum do acordo entre uns e outros é a linguagem natural e suas inegáveis propriedades semânticas (vagueza semântica, ambiguidade, textura aberta dos conceitos empregados, inclusive os jurídicos como cláusulas gerais, conceitos indeterminados etc.) e sintáticas (ambiguidade sintática, obscuridade estrutural) que propiciam essa potencial multiplicidade de significados.[27] Tais propriedades permitem falar em "zonas de significado" com diferentes graus de certeza e/ou plausibilidade quanto ao sentido a ser atribuído a uma determinada frase encartada num diploma legal.

II.2.4 O caráter constitutivo da subjetividade do intérprete

O terceiro corolário é próximo do segundo – no sentido de negar os extremos do objetivismo hermenêutico – mas é, diferentemente dele, controvertido. Suas bases partem diretamente do que é peculiar à escola hermenêutica e não de um acordo sobre as propriedades da linguagem.

Dito de forma simples, referido corolário assevera que o processo de interpretação tem em si um elemento ineliminavelmente volitivo, ao lado daquele cognitivo. Como MJF assevera, "[t]oda e qualquer atividade de interpretação compreende, de modo inevitável e necessário, uma margem de inovação, a cargo do intérprete".[28]

Essa propriedade descende diretamente da noção de pré-compreensão. Como o intérprete vem carregado de "pré-juízos", condicionamentos e limitações e está inserido numa determinada tradição e realidade histórica, é-lhe impossível desvencilhar-se desse aparato para oferecer uma interpretação do texto absolutamente neutra ou perfeitamente imparcial. O próprio Direito concebe instrumentos por onde transita, em maior ou menor grau, a liberdade e a vontade do intérprete.[29]

---

[26] *Op.cit.*, p. 276-277.
[27] Sobre o tema, vide: ÁVILA, Humberto. *Teoria da indeterminação no Direito* – entre a indeterminação aparente a determinação latente. 2. ed. São Paulo: Malheiros /Juspodivm, 2023.
[28] *Op. cit.*, p. 272.
[29] Eles são apontados por MJF: discricionariedade, conceitos jurídicos indeterminados, conceitos técnico-científicos e conceitos valorativos, cf. *op. cit.*, p. 330.

Reconhecer isso, por outro lado, não significa entregar-se irremediavelmente ao arbítrio ou renunciar a estabelecer parâmetros mínimos de controlabilidade,[30] inclusive para assegurar valores fundamentais do ordenamento jurídico:

> O reconhecimento da autonomia do intérprete implicaria reduzir a dimensão heterônoma do Direito. Ou, quando menos, conduziria ao reconhecimento da insuficiência e limitação da teoria da separação dos poderes. O reconhecimento da autonomia do intérprete para introduzir inovação normativa implicaria reduzir a relevância da atuação do Poder Legislativo. Então, o Poder Legislativo produziria leis, cujo conteúdo seria determinado de modo autônomo pelo intérprete. Logo, a titularidade do poder para determinar o conteúdo da disciplina jurídica não seria de titularidade do Poder Legislativo. Essa situação não é desejável, especialmente em vista de concepções democráticas. Justamente por isso, existe um esforço em neutralizar a influência do intérprete quanto à fixação do conteúdo e do alcance do Direito. Há mecanismos jurídicos orientados a restringir essa influência.[31]

Parte desse "aparato de controle" é dada pelos métodos hermenêuticos.[32] É para eles que se vai agora.

II.2.5 Os métodos hermenêuticos como instrumentos para mitigar incertezas e propiciar a verificabilidade da atividade interpretativa

MJF deposita confiança na função de verificabilidade dos métodos hermenêuticos:

> A hermenêutica compreende diversos métodos cuja conjugação permite uma elevada margem de segurança na determinação da vontade legislativa.[33]

---

[30] "Todo sujeito desenvolve processos mentais conscientes e inconscientes, que condicionam a sua existência e o seu relacionamento com o mundo. A experiência modela o modo como o sujeito compreende o mundo, ainda que a razão seja um instrumento de revisão e de controle da influência da tradição sobre o intérprete." *Op. cit.*, p. 269.
Em linha com essa pretensão de balizar a liberdade do intérprete vai outro autor brasileiro muito marcado pelo pensamento de Gadamer: "Se não existe interpretação sem intérprete; se toda interpretação, embora seja um ato de conhecimento, traduz-se, afinal, em uma manifestação de vontade do aplicador do Direito; se a distância entre a generalidade da norma e a particularidade do caso exige, necessariamente, o trabalho mediador do intérprete, como condição indispensável ao funcionamento do sistema jurídico; se no desempenho dessa tarefa resta sempre uma insuprimível margem de livre apreciação pelos operadores da interpretação; se ao fim e ao cabo, isso tudo é verdadeiro, então o ideal de racionalidade, de objetividade e, mesmo de segurança jurídica, aponta para o imperativo de se fazer recuar o mais possível o momento subjetivo da interpretação e reduzir ao mínimo aquele resíduo incômodo de voluntarismo que se faz presente, inevitavelmente, em todo trabalho hermenêutico." Mártires Coelho, Inocêncio, *Interpretação Constitucional*, Porto Alegre: Fabris, 1997, p. 13.

[31] *Op. cit.*, p. 276.

[32] "Segundo esse enfoque, a interpretação jurídica é influenciada pela pré-compreensão do intérprete. Isso significa que, ao se aproximar da situação concreta objeto da intepretação, a atuação hermenêutica já se encontra condicionada. Logo, o intérprete do Direito é influenciado por suas concepções anteriores, o que produz a tendência à reafirmação das convicções pessoais do sujeito. Justamente por isso, a hermenêutica jurídica envolve uma pluralidade de mecanismos e técnicas que se destinam a identificar e a neutralizar (se possível), as pré-compreensões do intérprete. A revelação desses pressupostos de pré-compreensão é essencial para reduzir o risco da prevalência de soluções subjetivas e irracionais, reflexo de preconceitos e de juízos prévios do sujeito" (*Op. cit.*, p. 271).

[33] *Op. cit.*, p. 278.

Logo adiante, porém, adiciona (ou recupera) uma pitada de relativismo:

> [n]ão existe um método hermenêutico único a ser utilizado de modo padronizado em todas as oportunidades. Há métodos diversos. O intérprete escolhe alguns deles e promove a sua conjugação para determinar o sentido e o alcance das normas aplicáveis. Isso permite aludir a uma atividade construtiva por parte do intérprete, eis que ele produz uma conjugação de métodos distintos.[34]

Ou seja: mesmo com os métodos hermenêuticos não se escapa de um "quê" de autonomia do intérprete, manifestada, no mínimo, pela eleição – e combinação – dos diferentes métodos, à luz do caso específico que deve ser decidido.

Quanto ao elenco deles, MJF alinha-se com a doutrina tradicional, tanto na descrição quanto no exame crítico de cada qual. Ao longo do capítulo XXVIII o leitor depara-se com os métodos gramatical, histórico, teleológico, sistemático (e consequencialista[35]). Cada um deles é apresentado em suas características essenciais, seguidas de observações acerca de seus limites.[36]

Ressaem da exposição dos métodos exegéticos alguns resultados que convém sintetizar:
1. Há uma multiplicidade de métodos e cada um deles é apto a gerar um determinado resultado, o qual pode, ou não, ser discrepante do resultado obtido por outro método.
2. Não há uma hierarquia ou um critério juridicamente vinculante de escolha entre diferentes métodos (e diferentes interpretações).
3. Os métodos de interpretação jurídica podem ser combinados entre si.
4. Sob determinadas circunstâncias (estritas), é possível superar o texto normativo ao argumento de preservar a "vontade da lei" (adiante). Essa possibilidade produz a classificação que distingue entre "interpretação declaratória", "interpretação ampliativa" e "interpretação restritiva".[37]

---

[34] *Op. cit.*, p. 289.
[35] Rigorosamente, MJF não elencou o procedimento consequencialista dentre os métodos hermenêuticos. Dele trata em outra parte de sua obra. Resumidamente, o autor recohece sua importância (citando, inclusive a LINDB), mas destaca seus riscos: (i) para os direitos fundamentais protegidos pela Constituição; (ii) para a ética e a igualdade; e (iii) para a segurança jurídica. Não parece, porém, equivocado, incluí-lo nessa resenha.
[36] Tome-se como exemplo a análise que MJF faz do método gramatical que é sempre o início, mas pode não ser o fim da empreitada hermenêutica, seja porque a linguagem tem o que se qualifica como *open texture* dos conceitos da linguagem natural (v. supra), seja porque os resultados a que chega podem ser incompatíveis com a aplicação de outros métodos. Quando isso ocorre, o intérprete pode superar o texto da lei, com cautela e prudência. Confira-se: "De modo genérico, reputa-se que a interpretação literal é uma etapa necessária, mas não suficiente à complementação da atividade hermenêutica. Como já se disse, a intepretação gramatical é um pressuposto da interpretação, que não se encerra com a determinação do sentido das palavras. (...) Essa ponderação implica admitir a possibilidade da superação do texto legislativo. Em muitos casos, os demais métodos hermenêuticos permitem confirmar o entendimento propiciado pela interpretação literal. Mas há outros em que se evidencia a ocorrência de uma dissociação entre as palavras e a vontade da lei. Os limites para a atuação do intérprete, em tais hipóteses, são muito problemáticos." *Op. cit.*, p. 293.
[37] *Op. cit.*, p. 302.

II.2.6 O objetivo da interpretação

A esta altura da exposição calha indagar: o que se busca com todo esse aparato de métodos? Ou, mais genericamente, qual é, afinal, o objetivo da atividade interpretativa? MJF apresenta este problema em seus termos gerais:

> Uma questão controvertida reside na determinação do objetivo da atividade hermenêutica. Pode-se afirmar, de modo genérico, que a hermenêutica visa a compreensão do texto (ou da obra de arte, por exemplo). No entanto, há diferentes concepções sobre essa questão. (...)
> Um enfoque tradicional, relacionado especificamente com os textos literários e teológicos, defendia que a finalidade da hermenêutica era revelar a vontade do autor. O hermeneuta tinha por função examinar o texto para obter evidências que lhe permitissem reconstruir a vontade e as intenções do autor. (...) Outra abordagem admite que a atividade hermenêutica destina-se a revelar uma vontade inerente e autônoma do próprio texto, criada ou não intencionalmente pelo autor. Esse enfoque sustenta que a obra, uma vez completada, desvincula-se da vontade do autor, a qual se torna irrelevante.[38]

Vertida em termos jurídicos, a alternativa concebida por MJF é entre, de um lado, a "vontade do legislador" e, de outro, a "vontade da lei".

A generalidade do pensamento jurídico adota entendimento diverso. Reputa-se que a vontade do legislador somente é relevante no período anterior ao surgimento da lei. Uma vez entrando em vigência, a lei adquire existência (e vontade) autônoma. Cabe ao intérprete examinar a lei tal como foi objetivamente produzida, sendo plenamente cabível adotar interpretação radicalmente diversa da intenção que norteara o legislador durante a tramitação do projeto.

Estas são, em síntese, as travas mestras da teoria da interpretação de MJF.

III Anotações críticas

O texto procurou reconstruir, da forma mais esquemática e ordenada possível, a teoria da interpretação de MJF. Para tanto, os autores foram *além* do texto do jurista paranaense, permitindo-se incursões na obra do próprio Gadamer e na literatura secundária; tomaram, inclusive, certa liberdade *interpretativa*, ultrapassando, até, em certos momentos, o que se encontra na obra estudada (espera-se que de maneira adequada).

O recurso a estes expedientes que extrapolam o texto de MJF fez-se necessário porque o autor, em vários momentos, adotou um estilo que, à falta de melhor termo, poder-se-ia qualificar como "aforismático" (*à la* Nietzsche); ou como um conjunto de agudos *insights* que, entre idas e vindas e reelaborações de um mesmo tópico (círculo hermenêutico...), faz prova do esforço que é positivar uma teoria hermenêutica que parece se construir no momento mesmo em que é escrita e que não chegou, ainda, a uma elaboração plenamente sistemática e estável.

---

[38] *Op. cit.*, p. 266.

Amostras do caráter *in fieri* da teoria hermenêutica de MJF podem ser colhidas em distintos momentos de seu desenvolvimento, os quais revelam uma tensão entre tendências de sentidos opostos. Isso ocorre, por exemplo, quando o autor apresenta a figura do intérprete e sua inelimável contribuição pessoal para a interpretação, ao mesmo tempo em que propugna pela (juridicamente necessária) objetividade do resultado interpretativo (revelação da *mens legis* e não da vontade do intérprete) e pelo respeito à divisão de Poderes (manutenção do caráter heterônomo do Direito[39]). Ou, ainda, quando apresenta os métodos hermenêuticos como passíveis, de um lado, de proporcionar "freios e contrapesos" à criação de significados de textos normativos (reduzindo a margem de criatividade do intérprete) e, de outro lado, como *topoi* argumentativo-retóricos que produzem, cada qual, um resultado distinto do outro.[40]

Uma segunda nota crítica vai endereçada à ideia de que se há de prestigiar, no lugar da *voluntas legislatoris* a *voluntas legis* como objetivo da atividade de interpretação. Essa opção – se evita os notórios inconvenientes da busca anacrônica e "psicologizante" da intenção de legisladores históricos – enfrenta também sérios obstáculos que tomam a forma de interrogações: a que corresponde, *empiricamente,* uma "vontade (objetiva) da lei"? Como aferi-la se os métodos hermenêuticos não asseguram resultados unívocos e se há um *quid* de vontade/autonomia ineliminável no ato de interpretação? *Quem determina* qual é a "vontade da lei"? Neste passo, é inevitável apelar (igualmente) para ficções jusfilosóficas dificilmente controláveis. Em síntese, é grande o risco de ser a *voluntas legis* algo tão imponderável quanto a sua alternativa.

Por fim, fica aqui uma provocação acerca da pretendida indissociabilidade interpretação/aplicação. Diferentemente de quanto sustentado por MJF, reputa-se que se está diante de dois procedimentos lógica e cronologicamente distintos, o segundo pressupondo o primeiro. Dá prova da distinção todo o trabalho da doutrina ou da dogmática jurídica que, sem ter diante de si este ou aquele caso concreto, produz, a pleno título, a interpretação de textos normativos para deles extrair normas, plenamente compreensíveis. É tão relevante o caráter dessa interpretação "em abstrato" (dissociada da aplicação/subsunção da norma ao caso concreto) que disputam os autores em torno da "melhor" interpretação de dispositivos normativos, assim como juízes adotam, para aplicar o Direito, a interpretação (em abstrato) deste ou daquele jurista. Fica-se, aqui, com a distinção propugnada por Guastini que aparta a "interpretação em abstrato" e a "interpretação em concreto".[41]

---

[39] "A natureza heterônoma do Direito implica a redução (se não a supressão) da autonomia do intérprete para determinar o sentido e o alcance da disciplina jurídica", *Op. cit.*, p. 267. Em sentido semelhante, *Op. cit.*, p. 276.

[40] Quanto ao caráter de freios e contrapesos ao intérprete, v. a citação acima, na p. 15 e ainda: "... a hermenêutica jurídica envolve uma pluralidade de mecanismos e de técnicas que se destinam a identificar e a neutralizar (se possível), as pré-compreensões do intérprete", *op.cit.*, p. 271. Quanto à diversidade de resultados a que pode levar a escolha do método hermenêutico, v. *Op. cit.*, p. 289-290. Por outro lado: "É incorreto supor que cada lei produz, de modo automático e inquestionável uma norma jurídica de conteúdo preciso e determinado. Assim não o é inclusive porque muitas normas jurídicas são dotadas de amplitude e indeterminação inquestionáveis. Portanto, a atividade de interpretação não é orientada a revelar 'a' vontade única e inquestionável do Direito. Uma lei propicia diferentes interpretações e a fixação do sentido das normas depende de variáveis diversas, muitas delas não relacionadas com o mundo do Direito".

[41] Riccardo Guastini, *Interpretare e Argomentare*, Milano: Giuffrè, 2011, p. 15 e ss.

IV Conclusão

É inegável a contribuição da *Introdução ao Estudo do Direito* de MJF ao debate jurídico contemporâneo, como é, aliás, inegável a contribuição do autor aqui homenageado nas várias searas do Direito nas quais navega com qualidade e desenvoltura, notadamente no tocante às questões atinentes ao Direito Administrativo. Já de há muito, por exemplo, não há como estudar quaisquer dos temas relativos a negócios jurídicos da Administração Pública sem que sejam devidamente compreendidas as lições de MJF. Seus textos sobre licitações, contratações públicas, concessões, por exemplo, já se postam de modo indelével na melhor doutrina brasileira sobre o assunto.

Por um merecimento emergente da qualidade de seus textos, MJF ocupa uma posição oracular no Direito Administrativo brasileiro.

E a qualidade dos trabalhos desenvolvidos por MJF, estreme de dúvidas, se deve ao modo adequado que manuseia as mais adequadas ferramentas hermenêuticas. A adequada interpretação jurídica é, pois, a causa da qualidade da obra de MJF e o seu livro *Introdução ao Estudo do Direito* exterioriza as razões para tanto. Trata-se, pois, de um livro a ser por todos conhecido e adequadamente compreendido.

Informação bibliográfica deste texto, conforme a NBR 6023:2018 da Associação Brasileira de Normas Técnicas (ABNT):

LOUREIRO, Gustavo Kaercher; MAFFINI, Rafael. A teoria hermenêutica de Marçal Justen Filho. In: JUSTEN, Monica Spezia; PEREIRA, Cesar; JUSTEN NETO, Marçal; JUSTEN, Lucas Spezia (coord.). *Uma visão humanista do Direito:* homenagem ao Professor Marçal Justen Filho. Belo Horizonte: Fórum, 2025. v. 2, p. 83-96. ISBN 978-65-5518-916-2.

DIREITO ADMINISTRATIVO E A FORMAÇÃO DA CIDADANIA

JORGE ULISSES JACOBY FERNANDES

1 Introdução

Este artigo é uma homenagem ao maior jurista do Direito Administrativo de todos os tempos, na jovem história do Brasil. A sua dimensão e influência na formação da cidadania somente pode ser aquilatada por aqueles que conhecem de perto o seu trabalho.

No entanto, cada uma das suas preciosas lições hoje ilustra e fundamenta decisões importantes que estão diretamente relacionadas ao exercício de direitos e ao cumprimento de deveres. Mais do que isso: a atuação desse jurista fomentou a evolução do Direito Administrativo de modo a que o cidadão possa efetivamente contribuir para o desenvolvimento do interesse público, a concretização de políticas públicas, uso correto do ferramental que a ciência jurídica oferece ao gestor público.

Isso porque, em razão do primeiro princípio da Constituição Federal, dirigido à Administração Pública, a legalidade, e a compreensão da lei por consequência, estabelece com precisão o balizamento jurídico, válido ou inválido, para a atuação administrativa.

E a compreensão da lei, antes da prática de qualquer ato, é guiada por um processo complexo inerente à ciência jurídica. Desse modo, mesmo que a formação jurídica não seja necessária ao desempenho da direção de órgãos públicos, ou à prática de atos administrativos, é preciso que um conjunto de intérpretes, responsáveis pela integridade do sistema, possam esclarecer a melhor interpretação da norma para guiar os agentes públicos e os particulares que entretêm negócios com a Administração Pública.

É nesse cenário que se destaca o jurista Marçal Justen filho. E esse destaque está não só por ter vivenciado, na prática, os diversos temas que ilustram a ciência jurídica, no restrito ramo do Direito Administrativo. A sua obra e, portanto, o seu maior legado, está na amplitude do enfrentamento dos temas com profundidade suficiente para sanar as dúvidas; ser um guia seguro.

O Direito Administrativo é o ramo da ciência jurídica que pode dar efetividade à Constituição Federal. Pode parecer uma área distante da sociedade, mas a prática e os fundamentos do Direito Administrativo estão muito mais presentes no nosso dia a dia do que podemos imaginar, mesmo que seja para recorrer de maneira ativa ou indireta.

Podemos observar sua incidência nas concessões públicas; prestação de energia elétrica; coleta de lixo; emissão de documentos, como, por exemplo, a Carteira Nacional de Habilitação (CNH); nas licitações e contratos administrativos; nos concursos públicos, dentre outros atos administrativos.

Seu conhecimento é de grande necessidade, não apenas para os operadores do Direito, mas para aqueles que custeiam seus atos: o cidadão.

É preciso esclarecer, ensinar e incentivar o cidadão a cobrar do poder público a execução de políticas públicas; a participar da "cidade", apontando erros; a servir à cidade e, portanto, maximizar a dimensão dos seus deveres.

Em todas as linhas da produção do eminente e culto Marçal Justen filho, o leitor encontra essa dimensão da integridade em um roteiro seguro para os que acreditam no ideário da democracia. Para a nossa felicidade, a produção literária não está sujeita à restrição da expulsão compulsória pela idade. Ao contrário, Marçal Justen filho, aos 70 anos que agora completa é mais profícuo, sábio e estudioso do que foi a vida toda. E também mais jovem. Parabéns a todos nós que podemos nos servir do seu legado.

2 Da formação da cidadania e os regimes políticos

A formação da cidadania tem relação direta com o regime de governo. Não se pode, pois, conceber direitos e deveres para um cidadão, distante do regime democrático. Isso porque nos regimes de governo vivenciados até o início do milênio passado predominava a ideia de um só, concentrando todo o poder sobre a vida e o patrimônio de todos de uma nação. Concessões foram feitas não por ato de generosidade dos que detinham o poder, mas por necessidades para a permanência desses no mesmo poder.

Portanto, é a partir da divisão do poder, idealizada por pensadores, que se começa a distinguir o patrimônio do governante e o do Estado, até atingir os momentos atuais que vivenciamos, em que o poder do governante e de todos os que governam, nos diversos escalões da Administração Pública, deve ser austera e rigorosamente separado e controlado.

Não mais cabe a apropriação de parcela da riqueza que o próprio agente público pode gerar para o Estado e para a sociedade. A sua remuneração deve se conter naquilo que foi estabelecido por lei como considerado justo e adequado em razão da capacidade e do nível de responsabilidades de cada um.

A leitura atenta de Thomas Hobbes a Montesquieu revela um grande hiato entre o poder do Estado e a forma como hoje concebemos e denominamos a "Administração Pública". Aqui a Administração Pública é destinada a servir ao cidadão, executar políticas públicas previstas na Constituição Federal para efetivar os direitos fundamentais que asseguram o Estado Democrático de Direito. É exatamente nessa gênese que se vai encontrar a possibilidade de o cidadão exercer direitos, cumprir obrigações e participar efetivamente do governo.

O jovem país, denominado Brasil, ainda se desenvolve na busca da plenitude desses valores. Assiste ao desenvolvimento de outros países adotando caminhos hesitantes, retrocessos, supressão de direitos e totalitarismos.

Algumas certezas já podemos considerar conquistadas pela nossa democracia.

A primeira, certamente, é que os compromissos da nação devem estar inseridos na Constituição Federal. É a partir dessa norma fundamental que se construirá todo o desenvolvimento da estrutura, organização do aparelho estatal, definição de Direitos e deveres do cidadão.

A segunda certeza, é que precisamos evoluir o profissionalismo para a execução de políticas públicas, coordenar os esforços de forma técnica para que os resultados sejam previsíveis e concretizáveis. Ainda que se resguarde para a cúpula do Poder Executivo o provimento, mediante eleições periódicas, com sufrágio universal, admitindo inexperientes, ou "inocentes", em gestão, para dirigir um país, há concordância que, a partir do segundo ou terceiro nível hierárquico, é imprescindível uma sólida formação profissional, como requisito para a ocupação do cargo.

3 De John Rawls a Michael Sandel

A evolução do Direito exige a possibilidade de amplo debate sobre o que esperamos do sentido da justiça no desenvolvimento da humanidade. É justo aceitar que os que detêm o poder o exerçam desconsiderando a necessidade da evolução do ser humano? Certamente não.

Se, na amplitude da formação geopolítica do mundo que conhecemos, a organização das Nações Unidas passou a ter por ideário "que nenhuma nação será deixada para trás", é óbvio que no âmbito interno e político o trabalho a ser desenvolvido deve considerar a redução etimológica desse conceito para produzir uma síntese dos objetivos como: nenhum ser humano deverá ser deixado para trás.

No século passado, dois proeminentes filósofos americanos ocuparam a pauta da reflexão sobre como se deve tratar o conceito de justiça e, a partir desse, a construção de normas, preceitos e diretrizes para alcançar o sentido de justiça que eleve o ser humano.

Se John Locke criou a teoria do contrato social para obrigar a todos a cumprir o que hoje se denomina de Constituição, Immanuel Kant recorre ao consentimento hipotético e considera que uma lei é justa quando há a aquiescência da população como um todo. Na democracia de hoje, traduzimos esse consentimento através dos legítimos representantes do povo.

John Rawls – (1921-2002) filósofo político americano – escreveu em 1971 o livro *Teoria da Justiça*, onde argumenta que a maneira pela qual podemos fazer justiça é perguntando a nós mesmos com quais princípios vamos concordar em uma situação inicial de equidade. Nasceu assim a teoria de cotas compensatórias. Esse mesmo filósofo acredita que dois princípios de justiça poderiam emergir de um contrato hipotético, sendo o primeiro quando se garantem liberdades básicas para todos os cidadãos, como liberdade de expressão e religião. E esse princípio iria se sobrepor ao segundo princípio, que se refere a equidade social e econômica. Desse modo não requeriam uma distribuição igualitária de renda e riqueza; ele apenas permite que as desigualdades sociais e econômicas que beneficiam os membros menos favorecidos de uma sociedade sejam construídas num regime de compensação.[1]

---

[1] "Devemos repudiar a alegação de que as instituições sejam sempre falhas porque a distribuição dos talentos naturais e as contingências da circunstância social são injustas, e essa injustiça deve inevitavelmente ser

O desenvolvimento dos trabalhos da filosofia do Direito encontra na atualidade o pensamento de Michael Sandel, autor da obra "Justiça – o que é fazer a coisa certa". Esse autor considera motivo de preocupação a crescente desigualdade na vida americana: "um fosso muito grande entre ricos e pobres enfraquece a solidariedade que a cidadania democrática requer".[2] E é nesse ponto que o autor vai, sem ter plena consciência desse fato, abonar o valor do Direito Administrativo como um instrumento para a evolução da própria sociedade. Percebe-se isso na seguinte passagem, muito próxima ao encerramento da obra.

> Se o desgaste do que constitui domínio público é o problema, qual é a solução? Uma política do bem comum teria como um de seus principais objetivos a reconstrução da infraestrutura da vida cívica. Em vez de se voltar para a redistribuição de renda no intuito de ampliar o acesso ao consumo privado ela cobraria impostos aos mais ricos para reconstruir as instituições e os serviços públicos, para que ricos e pobres pudessem usufruir deles igualmente.[3]

Assim, independentemente de se buscar restrições ao crescimento do cidadão, inclusive sobre o aspecto econômico, uma nova visão do Direito Administrativo poderia levar, como sugere esse autor, que todos usufruíssem da estrutura básica adequada de serviços públicos.

Atualmente no nosso país, o Brasil, todos contribuímos com impostos, taxas e contribuições, perceptíveis ou não para garantir o custeio dos serviços públicos fundamentais. Mas é fato que nenhum rico coloca seus filhos em escola pública; ninguém, com melhor poder aquisitivo, acredita que estará seguro com a segurança pública proporcionada pelo Estado; quem tem mais recursos financeiros, na maioria quase absoluta, se serve do pagamento de vultosos valores aos planos de saúde e, possuindo recursos, frequenta hospitais de luxo com infraestrutura e equipamentos adequados, além de uma primorosa hotelaria. E, se não paga por isso, acaba se endividando quando possui patrimônio.

Agora considere a situação, dita com frequência por aqueles que viajam o mundo: nos países mais desenvolvidos, os ricos frequentam metrô, como Nova Iorque e, às vezes, Paris; no Rio de Janeiro e São Paulo, aqui no Brasil, alguns com remuneração elevada já se atrevem a usar o metrô também.

Agora considere um centro de excelência de medicina, como aqui em Brasília o hospital Sarah Kubitschek. Nele, ricos e pobres são tratados de forma igual e há profissionais com formação científica e acadêmica sólida; alguns destes, inclusive,

---

transferida para as providências humanas. Eventualmente essa reflexão é usada como uma desculpa para que se ignore a injustiça, como se a recusa em aceitar a injustiça fosse o mesmo que ser incapaz de aceitar a morte. A distribuição natural não é justa nem injusta; tampouco é injusto que as pessoas nascem em uma determinada posição na sociedade. Esses fatos são simplesmente naturais. O que é justo ou injusto é a maneira como as instituições lidam com esses fatos." Segundo Rawls, a verdade simples da qual frequentemente nos esquecemos é: "a maneira como as coisas são não determina a maneira como elas deveriam ser". RAWLS, *A Theory of Justice* (2. ed., 1999), seção 17 *apud* SANDEL, Michael J. *Justiça*: o que é fazer a coisa certa. 9. ed. Rio de Janeiro: Civilização Brasileira, 2012. 204 p.

[2] SANDEL, Michael J. *Justiça*: o que é fazer a coisa certa. 9. ed. Rio de Janeiro: Civilização Brasileira, 2012.

[3] SANDEL, Michael J. *Justiça*: o que é fazer a coisa certa. 9. ed. Rio de Janeiro: Civilização Brasileira, 2012, p. 328.

confessam ter obtido essa formação com recursos de pesquisa ou financiamento público para cursarem faculdade.

Portanto, não é difícil vislumbrar que na filosofia do Direito mais bem esclarecida o Direito Administrativo pode ser visualizado como a solução para a evolução da própria sociedade.

4 Da consciência do que deve ser feito

A estruturação de um país, na formação de um Estado Democrático de Direito, pressupõe que o "contrato social" firmado pelos seus legítimos representantes assuma o formalismo de uma Constituição Federal.

Ainda que se possa discutir a efetiva legitimidade dos representantes, a qualidade do sufrágio universal é um dos pontos da filosofia, e da filosofia do Direito, que tem ocupado ampla discussão especialmente nas academias mais avançadas.

Já há, na doutrina, quem defenda a atribuição de uma ponderação em relação à tomada quantitativa dos votos, segundo a capacidade de compreensão, cultura e formação acadêmica. Defendem que não é estabelecer o privilégio daqueles que estudaram mais, o que contribui mais com seus impostos, mas o conhecimento dos pressupostos da cidadania e a aptidão para exercê-los e escolher os governantes.[4]

É fato: a pretexto de corrigir erros no sistema democrático não se pode ir tão longe e apoiar essa ideia. O erro fundamental, e não é só do Brasil, é dar a igualdade de votos antes de tratar dos problemas da educação. Temos aqui um caso que merece estudo: o Brasil não concedia o Direito de votar aos analfabetos e a esse tempo o tratamento do analfabetismo era uma política pública, inclusive com órgão específico a nível federal para tratar da questão: o Mobral.

Na Constituição cidadã, de 1988, foi concedido o voto a todos, inclusive aos analfabetos, e o que antes era um problema nacional perseguido com frequência na busca de solução, hoje não mais frequenta a pauta. Não é mais prioridade. E todos sabemos da facilidade de manipular os ingênuos, ainda que tenham sabedoria de vida.

Nas mais variadas áreas da prestação do serviço público, todos têm consciência dos deveres a serem cumpridos pela Administração Pública e, também aqueles que se dispõem a dirigir órgãos da Administração Pública têm essa consciência. Podem não ter qualificação, não saber como executar determinada atividade, mas têm consciência das necessidades públicas.

É nesse nível que se deve operar a qualificação dos agentes públicos. Devem esses aprender como realizar bons contratos, quando a atividade é transferida a terceiros para a execução. Devem compreender os limites de uma fiscalização, a possibilidade de alterar contratos, o dever de pagar, pagar o valor correto e no prazo certo, por respeito àqueles que se dispõem a contratar com a Administração Pública.

O conjunto de possibilidades fica a cargo do Direito Administrativo e é inegável que esse vem expandindo as suas fronteiras não só para oportunizar novas ferramentas, como também para dar garantia ao contratado e especialmente ao gestor público.

---

[4] DE FARIAS, Luciano. *Mínimo Existencial:* um parâmetro para o controle judicial das políticas sociais de saúde. Belo Horizonte: Fórum, 2015, p. 150.

É impressionante como no recesso de ambientes privados, numa convivência privilegiada, com agentes públicos e líderes empresariais a consciência do que precisa ser feito é latente. Empresários que contratam com a Administração Pública têm consciência do fato de que não cumprir o objeto e se apropriar dos recursos públicos certamente hoje no Brasil não renderá prêmios, mas com certeza isso poderá expor os responsáveis a um conjunto de sensações, que pode inclusive ir além da personalidade jurídica da empresa, afetando o patrimônio individual.

Também os gestores passaram a se acautelar cuidando de melhorar a instrução processual e registrar nos autos a motivação, o amparo legal e as dificuldades que enfrentaram no momento da decisão.

5 Da influência da doutrina do Direito Administrativo

No âmbito do Direito Administrativo, como dito o ramo do Direito que efetiva as garantias constitucionais do cidadão, a estruturação de serviços públicos, os fundamentos de políticas públicas, os limites da ação do controle administrativo, a doutrina tem um peso fundamental.

Mais do que em outros ramos, nesse a visão dos intérpretes e professores assume relevante expressão de poder. Isso porque o Direito Administrativo, diferente dos outros ramos do Direito, tem por primeiro intérprete o principal aplicador da norma. Em outras palavras, quando um crime é cometido, o aplicador da norma, o juiz, tem diante de si duas interpretações possíveis na aplicação da norma: aquela defendida pelo advogado do autor do processo e outra defendida pelo advogado do réu ou requerido. E assim o sistema tradicional que garante o monopólio da atividade jurídica no controle da Administração Pública e da sociedade se faz diante de duas ou três interpretações possíveis sobre cada norma existente. Normalmente, nesse cenário, o intérprete terá o apoio de dois ou três intérpretes anteriores sobre o texto da lei.

No Direito Administrativo, contudo, a norma recém-editada é aplicada direta e imediatamente pelo agente público que, por exemplo, tem que realizar uma licitação. E tem de um lado uma necessidade pública a ser atingida e de outro o procedimento estabelecido em lei.

Somam-se a esse cenário os limites do princípio da legalidade, que na administração direta significa exatamente que o agente só poderá fazer o que a lei permite.

Portanto, na prática, o agente público costuma recorrer à doutrina para interpretar a norma posta como guia dos procedimentos a serem adotados no curso do processo administrativo. Tenha esse por objetivo uma licitação, um contrato, uma aposentadoria, uma responsabilidade para contrair obrigações frente à lei de responsabilidade fiscal; seja para conceder uma licença ambiental, uma carteira de habilitação, uma autorização para o tráfego de um veículo, uma concessão de linha de ônibus, a abertura de um hospital, a compra de medicamentos e a contratação de servidores públicos.

Em tudo isso permeia um conjunto de normas que hoje, no Brasil, conta com uma doutrina disposta a produzir rapidamente textos esclarecendo a aplicação. Esse inclusive um dos marcos da década de 2020, em que nasceu a nova lei de licitações e contratos, *a Lei nº 14.133, de 1º de abril de 2021.*

Os doutrinadores, aqueles que estudam a lei e se dispõem a esclarecê-la, escrevem tendo apenas a teoria e não o caso em concreto. É por isso ainda mais o valor da doutrina, posto que está distante da parcialidade dos envolvidos. Diferentemente, decisões dos órgãos de controle e do Judiciário aplicam-se apenas ao caso específico julgado e somente quando absolutamente coincidentes os pressupostos fáticos é que a decisão pode servir a outro determinado caso concreto que não aquele que foi objeto de decisão.

A doutrina, portanto, pode ser guia seguro para a maior parte das pessoas e caberá ao intérprete subsumir os fatos à lei e à interpretação que considera mais adequada. Assim o esforço do intérprete, diante da motivação dos atos administrativos, é que poderá ser validado ou invalidado posteriormente. Quanto mais conhecimento tiver o doutrinador, mais experiência possuir, também mais será útil.

6 Da influência da doutrina de Marçal Justen Filho

Se a doutrina assume papel fundamental no desenvolvimento do Direito Administrativo e esse ramo do Direito é o que dá efetividade às garantias constitucionais à execução dos serviços públicos e políticas públicas, é também verdade que autores de grande competência profissional assumem um papel relevantíssimo no encaminhamento das decisões do gestor público.

De fato, o gestor público que tem consciência da necessidade de motivar os seus atos e explicar a interpretação de lei que adota encontra na doutrina de profissionais com grande reputação o melhor amparo possível.

É nesse cenário que Marçal Justen filho dá uma grande contribuição ao país. Muito além de qualquer retribuição econômica, o referido autor dedica um enorme tempo de sua vida produtiva para elaborar doutrina, em ensinar, frequentar foros de debate pelo aprimoramento das leis. Somando esses seus valores e virtudes, a reputação pessoal e profissional do autor dão uma garantia a quem o cita de que pratica o ato visando a efetividade e a primazia do interesse público.

É possível que a riqueza dos detalhes do caso concreto poderá levar aquele que faz o controle dos atos administrativos a entendimento diferente no caso específico. Isso em nada desautoriza a doutrina.

Em pesquisa feita, ao correr da pena, em *sites* de busca, verifica-se que, em processos que ainda constam dos sistemas, Marçal Justen Filho é citado nos tribunais em mais de 10.000 referências.

Existem frases desse jurista que sintetizam com precisão ainda maior do que a lei: Sobre o dever de diligenciar, antes do julgamento da licitação:

> A realização da diligência não é uma simples "faculdade" da Administração, a ser exercitada segundo juízo de conveniência e oportunidade. A relevância dos interesses envolvidos conduz à configuração da diligência como um poder-dever da autoridade julgadora. Se houver dúvida ou controvérsia sobre fatos relevantes para a decisão, reputando-se insuficiente a documentação apresentada, é dever da autoridade julgadora adotar as providências apropriadas para esclarecer os fatos. Se a dúvida for sanável por meio de diligência será obrigatória a sua realização.[5]

---

[5] BRASIL. *Tribunal de Contas da União*. Acórdão nº 1204/2024. Plenário. TC nº 038.166/2023-2. Data da sessão: 16/06/2024.

Sobre a aplicação da garantia constitucional da reserva legal nas agências reguladoras: "O princípio da legalidade significa a ausência de poder normativo da agência para instituir norma jurídica que não tenha sido, anteriormente, delineada legislativamente".[6]

Sobre o que é emergência, como causa da dispensa de licitação:

> A emergência consiste em ocorrência fática que produz mudança na situação visualizada pelo legislador como padrão. A ocorrência anômala (emergência) conduzirá ao sacrifício de certos valores se for mantida a disciplina jurídica estabelecida como regra geral.[7]

Sobre a expressão prejuízo, como causa de punição:

> A expressão 'prejuízo' deve ser interpretada com cautela, por comportar significações muito amplas. Não é qualquer 'prejuízo' que autoriza dispensa de licitação. O prejuízo deverá ser irreparável. Cabe comprovar se a contratação imediata evitará prejuízos que não possam ser recompostos posteriormente.[8]

Sobre os efeitos da homologação de uma licitação:

> A homologação possui eficácia declaratória enquanto confirma a validade de todos os atos praticados no curso da licitação. Possui eficácia constitutiva quanto à proclamação da conveniência da licitação e exaure a competência discricionária sobre esse tema.[9]

Sobre a força do princípio da presunção da inocência:

> Ainda que a instauração do processo administrativo possa ser vinculada à apuração de indícios quanto à materialidade e à autoria do ilícito, é inafastável que a autoridade instaure e conduza o processo a partir do princípio da presunção da inocência.[10]

Resolvendo a confusão dos julgamentos sobre valor global:

> Deve-se ter em vista, quando muito, o valor global da proposta. É óbvio que preenche os requisitos legais uma proposta cujo valor global não é excessivo, ainda quanto o preço unitário de um dos insumos possa ultrapassar valores de mercado ou registro de preços (e, mesmo tabelamento de preços).[11]

---

[6] BRASIL. *Tribunal de Contas da União*. Acórdão nº 1368/2024. Plenário. TC nº 039.511/2020-0. Data da sessão: 10/07/2024.

[7] BRASIL. *Tribunal de Contas da União*. Acórdão nº 3402/2024. Segunda Câmara. TC nº 031.704/2015-8. Data da sessão: 11/06/2024.

[8] BRASIL. *Tribunal de Contas da União*. Acórdão nº 3402/2024. Segunda Câmara. TC nº 031.704/2015-8. Data da sessão: 11/06/2024.

[9] BRASIL. *Tribunal de Contas da União*. Acórdão nº 3402/2024. Segunda Câmara. TC nº 031.704/2015-8. Data da sessão: 11/06/2024.

[10] BRASIL. *Tribunal de Contas da União*. Acórdão nº 3827/2024. Primeira Câmara. TC nº 033.544/2020-4. Data da sessão: 28/05/2024.

[11] BRASIL. *Tribunal de Contas da União*. Acórdão nº 2917/2018. Plenário. TC nº 031.629/2016-4. Data da sessão: 12/12/2018.

Em outra citação do jurista:

> Marçal Justen Filho, tratando da rescisão dos contratos administrativos, ressalta que 'os agentes públicos cuja atuação concreta for a causa da rescisão culposa por parte da Administração estarão sujeitos a responsabilização pessoal' (*Curso de Direito Administrativo*. 7. ed. Belo Horizonte: Fórum, 2011, p. 554).[12]

E, nessa passagem, em que situa a doutrina frente à evolução de interpretações, referindo-se à Lei nº 8.666/1993:

> O art. 30 teve sua racionalidade comprometida em virtude desses vetos. Logo, é impossível afirmar com certeza que determinada interpretação é a única (ou melhor) comportada pela regra. Trata-se de uma daquelas hipóteses em que a evolução social (inclusive e especialmente em face da jurisprudência) determinará o conteúdo da disciplina para o tema (...). (JUSTEN FILHO, Marçal. *Comentários à Lei de Licitações e Contratos Administrativos*, ed. Revista dos Tribunais, 18. ed., 2019, p. 713).[13]

7 Da influência da doutrina na formação do novo Direito Administrativo

Nas últimas décadas do século passado, o Direito Administrativo foi muito fortalecido. A busca de sistematização fez nascer o Decreto-Lei nº 200/1967, que foi promulgado seguindo-se a uma lei que tratou da profissionalização do orçamento público, a Lei nº 4.320/1964.

Posteriormente, avançou-se no balizamento do Direito buscando uma gestão burocrática, em que o procedimento e o rigoroso apego à forma foram visualizados como meio de garantir os resultados da Administração Pública. Acreditou-se durante pelo menos cinco décadas que o princípio da legalidade era exauriente, em outras palavras: um fim em si mesmo.

A prática, contudo, veio demonstrar aos operadores do Direito, inclusive liderados pela doutrina, que o princípio da legalidade não responde a todas as necessidades da Administração Pública. O princípio da legalidade opera estabelecendo os fins a serem buscados pela Administração Pública, mas é frequente que o processo ou uma série de atos praticados não tenha previsão precisa em lei.

Não pode o legislador, que tem a função de ser generalista, exaurir todas as possibilidades de execução do ato administrativo. Não consegue prever todos os fatos que interferem diretamente na realização de procedimentos. Essa doutrina iniciada em solo estrangeiro, acabou ingressando no país com vigor pela doutrina.

Após uma longa trajetória, sendo acolhida pelo Poder Judiciário, passou-se a perceber que, flexibilizando a realização de procedimentos, é possível permitir ao gestor

---

[12] BRASIL. *Tribunal de Contas da União*. Acórdão nº 9618/2023. Segunda Câmara. TC nº 000.045/2022-5. Data da sessão: 03/10/2023.

[13] BRASIL. *Tribunal de Contas da União*. Acórdão nº 2353/2024. Segunda Câmara. TC nº 028.764/2022-6. Data da sessão: 09/04/2024.

público o maior balizamento para a prática de atos. Este balizamento encontra limite não só na execução do fim previsto em lei, como também na exigência de pressupostos de ética e integridade na pessoa do gestor público.

Não se pode, a pretexto de buscar uma flexibilização, ou incentivar inovações, ser míope em relação à apropriação indébita, ao patrocínio de interesses escusos perante a Administração Pública.

A experiência demonstrou que muitos gestores públicos foram condenados, não pela prática de ato desonesto ou doloso, mas por desconhecerem o formalismo exigido pela lei de licitações ou outras normas que regem a Administração Pública. Mais do que isso, verificou-se que a criminalização de atos relacionados à licitação e à Administração Pública foram tipificados por lei especial, ignorando todos os fundamentos do Direito Penal brasileiro, inclusive aqueles que integram as garantias constitucionais, como os direitos fundamentais.

Assim a doutrina passou a reclamar a mudança das leis especiais para a integração ao Direito Penal; também passou a exigir o elemento subjetivo dolo, para a caracterização de ato de improbidade. Foi além: amparados na boa doutrina, alguns julgados passaram a considerar necessário um regime de transição, na interpretação das normas, para evitar que o elemento "surpresa" justifique condenações casuístas.

Era necessário passar a exigir do intérprete, encarregado de julgamento nas esferas administrativa, controladora e judicial, um mínimo de coerência em suas decisões; que elas não fossem mudadas em razão dos atores envolvidos no processo; que oferecessem segurança jurídica para as partes de um processo.

Assim, também se passou a reclamar a necessidade de individualização das condutas, banindo a expressão que pretende ver configurada a "formação de quadrilha" pelo simples fato de ter assinado qualquer documento num processo; além da individualização da conduta também se passou a cobrar que o intérprete viesse a conhecer as condições fáticas ao tempo da ocorrência dos fatos que cercavam aquele que tinha obrigação de aplicar determinada norma.

Não se tratava de humanizar o Direito, mas de aplicar a equidade no sistema de julgamento para alcançar uma verdadeira justiça.

O grande debate que veio se formando em nível nacional contou com lideranças de doutrina mais prestigiada. O então senador Antonio Anastasia recolheu a melhor jurisprudência e os melhores doutrinadores e apresentou ao Senado Federal um projeto de lei que viria a ser a Lei nº 13.655, de 25 de abril de 2018, que incluiu no Decreto-Lei nº 4.657, de 4 de setembro de 1942 (Lei de Introdução às Normas do Direito Brasileiro), disposições sobre segurança jurídica e eficiência na criação e na aplicação do direito público, e passou a ser cognominada de "lei da segurança jurídica". Antecedendo a apreciação da lei pelo plenário do Poder Legislativo, o autor buscou por escrito o entendimento dos principais tribunais do Brasil, inclusive do Ministério Público, os quais apresentaram valiosas contribuições. Nasceu, assim, uma lei que hoje fundamenta o princípio da segurança jurídica e obriga o intérprete a seguir parâmetros mais evoluídos, precisos e honestos para aplicar uma norma. Retira o casuísmo, o personalismo das interpretações, e prepara o terreno jurídico para que o Brasil se apresente como nação que mereça crédito dos brasileiros e estrangeiros que aqui investem.

Marçal Justen Filho também esteve presente e foi protagonista nesse cenário, sendo referido em julgamentos que antecederam as normas do novo Direito Administrativo.

Note, a propósito de seu poder de influência, a seguinte passagem: "Por fim, é de extrema importância destacar que o célebre administrativista Marçal Justen Filho, referência nacional em matéria de licitações e contratos administrativos, em parecer jurídico elaborado 'sobre a validade de contratação sem licitação para serviços advocatícios de natureza singular' especificamente relacionado aos processos da temática do FUNDEF, leciona que a existência de irregularidades formais não tem o condão de nulificar a contratação, máxime quando há obtenção do êxito desejado.

Resultado desse esforço do qual Marçal Justen foi um dos líderes, na doutrina que nasce a segurança jurídica, Lei nº 13.655/2018, da lei que retira a ação culposa na configuração da improbidade, Lei nº 14.230/2021, e da que passa a admitir até a continuidade de contrato nulo, quando o interesse público for maior do que a legalidade – inteligência do art. 147 da Lei nº 14.133/2021.

O novo Direito Administrativo atuou inclusive num ponto fundamental, que é o temor do agente honesto que pretende implantar inovações na Administração Pública sem que exista ainda precedente de jurisprudência, seja do Tribunal de Contas ou do Judiciário, que lhe dê certeza da interpretação a adotar.

E as normas estão fazendo isso, garantindo ao servidor que atua como agente público o direito de defesa em processos administrativos judiciais e de controle. Assim é, por exemplo, o que dispõe o art. 10 da Lei nº 14.133 de 2021, como também a Lei nº 14.230/2021, tratando respectivamente de atos licitatórios e de contratos administrativos e atos de improbidade.

O desenvolvimento do Direito Administrativo, portanto, exige uma atualização permanente do aplicador da norma para conhecer não só o que já se tornou lei, mas conhecer a doutrina que fundamentou essas mudanças, merecendo destaque o agora septuagenário, Marçal Justen Filho.

8 Da necessidade de melhor compreender a evolução do Direito Administrativo como instrumento da formação da cidadania

Certamente encerrar este texto sem uma contextualização da função do jurista pode levar à incompreensão do valor dessa função.

Normalmente espera-se que a doutrina se coloque na mesma linha de entendimento daqueles que julgam. Pela lógica espera-se que a doutrina anteceda ao julgamento de todos os casos concretos e, portanto, possa ser um balizamento para aqueles que vão ser autores ou responder a processos segundo a utilidade do texto produzido.

Mas pode ocorrer de a doutrina esclarecer a melhor aplicação da norma, muito distante daquela que venha a ser ou que vem sendo utilizada pelo Judiciário. Não se tratará, pois, de doutrina dirigida à aplicação de um caso concreto – situação em que se denomina de parecer porque vai examinar o caso específico ou tese determinada. Pode mesmo a doutrina nascer como um brado a exigir a evolução da interpretação adotada pelas instâncias administrativa, controladora ou judicial.

Nesse sentido, deve o intérprete atuar com sabedoria, pois a evolução das interpretações é também a evolução do balizamento da atuação da sociedade, em especial dos agentes públicos.

Assim, impõe não só as homenagens de estilo, como a elegância necessária nas relações interpessoais que toda a doutrina seja aplaudida com o valor que deve ser dado àqueles que retiram do seu tempo de vida horas a fio para produzir textos a partir de uma visão, não só de professor, mas de orientador, buscando dar segurança aos que têm o desafio de interpretar normas como meio para atender ao interesse público da função administrativa.

Como na maioria das vezes o doutrinador no âmbito do Direito Administrativo é formado em Direito, muitas vezes acumulando a função do advogado, parece oportuno trazer uma reflexão.

A propósito desse tema, no livro "Como os advogados salvaram o mundo", o ilustre doutor José Roberto de Castro Neves observa: "foram os advogados que forjaram a certeza, abraçada pela civilização, de que o Estado deve ser justo e o Direito é a ferramenta que garante essa justiça. Pelo Direito, protege-se a liberdade. Afinal, o homem só se transforma num fim em si mesmo quando atua de forma consciente e autodeterminante, tornando concreto o que chamamos de liberdade. Como registrou Hannah Arendt, não resta nenhuma outra causa a não ser a mais antiga de todas, a única, de fato, que desde o início da nossa história determinou a própria existência da política: a causa da liberdade em oposição à tirania". A conquista, entretanto, não é simples, tampouco definitiva. Constrói-se a cada amanhecer. Requer constante vigília e o espírito colaborativo da sociedade. Ela é tão frágil ou tão sólida quanto a nossa crença na humanidade.[14]

Garantir a produção de doutrina e o respeito aos doutrinadores e juristas é também dever dos que ambicionam ter a democracia como berço de suas ações mesmo quando a interpretação proposta não é coincidente com aquelas dos que julgam.

O Direito Administrativo, que gravita ao redor do poder público, muito mais do que os outros ramos do Direito, deve respeitar a liberdade para a produção intelectual e a evolução dos parâmetros do Estado na concretização de políticas públicas.

O Poder Público não é mais um órgão do governante, da administração das posses do rei e do poder soberano e absoluto sobre todas as pessoas, suas vidas e patrimônio.

O Poder Público hoje está a serviço da sociedade e os que o exercem também estão a serviço do cidadão. E esse serviço deve ser melhor do que qualquer serviço privado no país: segurança, saúde, transporte e mobilidade, desenvolvimento e sustentabilidade social e econômica.

O Direito Administrativo deve ser um instrumental dinâmico para assegurar a efetividade do ideário sintetizado pela Constituição Federal.

Não há dúvida de que a evolução e o desenvolvimento do Direito Administrativo estão na linha certa e que tanto irão melhorar quanto melhorarem os intérpretes que nas instâncias administrativa, controladora e judicial interpretam as leis e o Direito com base na melhor doutrina.

---

[14] Hanna Arendt, *Sobre a revolução*, São Paulo, Companhia das Letras, 2011 apud NEVES, José Roberto. *Como os advogados salvaram o mundo*: a história da advocacia e sua contribuição para a humanidade. 3. ed. atual. Rio de Janeiro: Nova Fronteira, 2018, p. 279.

Referências

BRASIL. *Constituição da República Federativa do Brasil.* Brasília, 5 de outubro de 1988.

BRASIL. *Lei nº 14.133, de 1º de abril de 2021.* Dispõe sobre licitações e contratos administrativos.

BRASIL. *Decreto-Lei nº 200, de 25 de fevereiro de 1967.* Dispõe sobre a organização da Administração Federal, estabelece diretrizes para a Reforma Administrativa e dá outras providências.

BRASIL. *Lei nº 4.320, de 17 de março de 1964.* Estatui sobre Normas Gerais de Direito Financeiro para elaboração e controle dos orçamentos e balanços da União, dos Estados, dos Municípios e do Distrito Federal.

BRASIL. *Lei nº 13.655, de 25 de abril de 2018.* Inclui no Decreto-Lei nº 4.657, de 4 de setembro de 1942 (Lei de Introdução às Normas do Direito Brasileiro), disposições sobre segurança jurídica e eficiência na criação e na aplicação do direito público.

BRASIL. *Decreto-Lei nº 4.657, de 4 de setembro de 1942.* Lei de Introdução às Normas do Direito Brasileiro.

BRASIL. *Lei nº 14.230, de 25 de outubro de 2021.* Altera a Lei nº 8.429, de 2 de junho de 1992, que dispõe sobre improbidade administrativa.

BRASIL. *Tribunal de Contas da União.* Acórdão nº 1204/2024. Plenário. TC nº 038.166/2023-2. Data da sessão: 16/06/2024.

BRASIL. *Tribunal de Contas da União.* Acórdão nº 1368/2024. Plenário. TC nº 039.511/2020-0. Data da sessão: 10/07/2024.

BRASIL. *Tribunal de Contas da União.* Acórdão nº 3402/2024. Segunda Câmara. TC nº 031.704/2015-8. Data da sessão: 11/06/2024.

BRASIL. *Tribunal de Contas da União.* Acórdão nº 3827/2024. Primeira Câmara. TC nº 033.544/2020-4. Data da sessão: 28/05/2024.

BRASIL. *Tribunal de Contas da União.* Acórdão nº 2917/2018. Plenário. TC nº 031.629/2016-4. Data da sessão: 12/12/2018.

BRASIL. *Tribunal de Contas da União.* Acórdão nº 9618/2023. Segunda Câmara. TC nº 000.045/2022-5. Data da sessão: 03/10/2023.

BRASIL. *Tribunal de Contas da União.* Acórdão nº 2353/2024. Segunda Câmara. TC nº 028.764/2022-6. Data da sessão: 09/04/2024.

DE FARIAS, Luciano. *Mínimo Existencial:* um parâmetro para o controle judicial das políticas sociais de saúde. Belo Horizonte: Fórum, 2015.

NEVES, José Roberto de Castro. Como os advogados salvaram o mundo: a história da advocacia e sua contribuição para a humanidade. 3. ed. Rio de Janeiro: Nova Fronteira, 2020.

RAWLS, John. *Uma Teoria da Justiça.* São Paulo: Martins Fontes, 1971.

SANDEL, Michael J. *Justiça:* o que é fazer a coisa certa. 9. ed. Rio de Janeiro: Civilização Brasileira, 2012.

Informação bibliográfica deste texto, conforme a NBR 6023:2018 da Associação Brasileira de Normas Técnicas (ABNT):

JACOBY FERNANDES, Jorge Ulisses. Direito Administrativo e a formação da cidadania. In: JUSTEN, Monica Spezia; PEREIRA, Cesar; JUSTEN NETO, Marçal; JUSTEN, Lucas Spezia (coord.). *Uma visão humanista do Direito:* homenagem ao Professor Marçal Justen Filho. Belo Horizonte: Fórum, 2025. v. 2, p. 97-109. ISBN 978-65-5518-916-2.

ENTRE SEGURANÇA, JUSTIÇA E O BEM COMUM

JOSÉ ROBERTO DE CASTRO NEVES

"Ordem e progresso", eis as palavras estampadas na nossa bandeira nacional. Não é comum encontrar dizeres nas flâmulas de outros países. As bandeiras europeias, como a francesa e a italiana, a dos Estados Unidos e a do Japão, para citar símbolos icônicos, não contêm palavras. Há quem critique o uso dos vocábulos nas flâmulas porque criam um "lado errado" da bandeira: no nosso caso, lê-se no reverso da bandeira um incompreensível "ossergorp e medro".

Deixando de lado as questões estéticas, sabe-se que o moto "ordem e progresso" foi retirado de um postulado positivista. Mais especificamente, de um lema do filósofo francês Auguste Comte: "O amor por princípio e a ordem por base; o progresso por fim". O filósofo positivista maranhense, Raimundo Teixeira Mendes, atuante no movimento que proclamou a república, apresentou projeto de bandeira nacional, pois se fazia necessário, com rapidez, alterar os símbolos relacionados à monarquia. O projeto, inclusive com os dizeres sugeridos, foi prontamente aceito.

Há quem critique a mutilação do conceito original, retirando-se o "amor" existente na frase de Comte. O amor, alega-se, permitiria melhor harmonizar ordem e progresso. Afinal, existe, como já se denunciou, um aparente paradoxo entre ordem e progresso. A ordem representa a manutenção de certa situação, ao passo que o progresso necessariamente passa pela mudança, pela quebra dessa ordem.

No mundo jurídico, esse contraponto, ou aparente contraponto, entre a ordem e o progresso também tem vez. O valor da segurança jurídica – a ordem – por vezes sofre o antagonismo da justiça – o amor – e do bem comum – o progresso. Como identifica Gilmar Mendes, "De um lado, a ideia central de segurança jurídica, uma das expressões máximas do Estado de Direito; de outro, a possibilidade e necessidade de mudança. Constitui grande desafio tentar conciliar essas duas pretensões, em aparente antagonismo".[1]

---

[1] MENDES, Gilmar *et al. Curso de Direito Constitucional*, São Paulo: Saraiva, 2007, p. 446.

Comumente, identificam-se as finalidades principais do Direito como "a organização da vida em sociedade e a busca de soluções justas".[2] Para atingir esse fim, ele se assenta em valores. Pode-se dizer que, fundamentalmente, o Direito se ancora em três valores cardeais: justiça, segurança e bem comum. Essa lição se colhe, entre outras fontes, na breve prelação feita por Gustav Radbruch, em 1945, logo após o fim da Segunda Guerra Mundial, aos seus alunos da Universidade de Heidelberg (Radbruch havia sido afastado da cátedra em 1933, por se opor ao nazismo). Como ensina o mestre, segurança, bem-estar e justiça devem conviver para permitir um sistema jurídico saudável.

Não sem razão, esses três valores – segurança, bem-estar e justiça – se encontram expressamente referidos no preâmbulo da Constituição Federal.[3]

Em breves palavras, o bem comum é aquilo que interessa à comunidade: a felicidade coletiva desejada pelos cidadãos. O Estado deve propiciar meios para que esse bem-estar seja atingido: o *"pursuit of happiness"* referido no preâmbulo da Declaração de Independência norte-americana.

A segurança jurídica – corolário da segurança social – consiste na certeza de estabilidade de certa situação. O Estado deve garantir regras estáveis para regular a vida social. As pessoas precisam de previsibilidade da resposta do Estado aos temas que lhe são submetidos. Em suma, o conceito de segurança social abrange o da segurança jurídica. Este, por sua vez, se relaciona à estabilidade e à previsibilidade.[4]

São corolários da segurança jurídica, por exemplo: a regra de que os atos jurídicos devem ser regidos pela lei de seu tempo – *tempus regit actum*; o respeito ao ato jurídico perfeito – tema, inclusive, de ordem constitucional;[5] e o conceito de que os Tribunais devem aplicar as normas de forma homogênea e isonômica. O próprio princípio do devido processo legal se relaciona à segurança jurídica.[6][7] Por meio da segurança jurídica,

---

[2] MARTINEZ, Pedro Romano. *Introdução ao Estudo do Direito*, Lisboa: Alameda da Universidade, 2021, p. 105.

[3] "Nós, representantes do povo brasileiro, reunidos em Assembleia Nacional Constituinte para instituir um Estado Democrático, destinado a assegurar o exercício dos direitos sociais e individuais, a liberdade, a segurança, o bem-estar, o desenvolvimento, a igualdade e a justiça como valores supremos de uma sociedade fraterna, pluralista e sem preconceitos, fundada na harmonia social e comprometida, na ordem interna e internacional, com a solução pacífica das controvérsias, promulgamos, sob a proteção de Deus, a seguinte Constituição da República Federativa do Brasil."

[4] "E a manutenção desse sistema de direitos e deveres protetores dos indivíduos se dá senão através da observância ao princípio da segurança jurídica. Ademais, consiste a segurança jurídica em princípio norteador de todo o Estado de Direito, principalmente se ele possui cunho social e democrático, uma vez que o Estado assume o papel de garantidor dos direitos e garantias fundamentais. Assim, deve-se não somente proteger os indivíduos de eventuais arbitrariedades praticadas pelo Estado, como também resguardar seus direitos nas relações privadas, sendo excepcionalíssimos os casos em que a segurança jurídica é sopesada, para a garantia de algum valor maior envolvido" (VAINER, Bruno Zilberman. Aspectos Básicos da Segurança Jurídica. In: *Revista de Direito Constitucional e Internacional*, v. 56, p. 26, jul./set. 2006).

[5] A Constituição Federal arrola, entre as garantias fundamentais do art. 5º, XXXVI: "a lei não prejudicará o direito adquirido, o ato jurídico perfeito e a coisa julgada".

[6] "As características da estabilidade, da calculabilidade, da confiança e da previsibilidade, inerentes ao princípio da segurança jurídica, não foram superadas pelo neoconstitucionalismo. O processo civil, ainda mais na sociedade atual, marcada pela alta velocidade das transformações, não pode abrir mão de tais valores, especialmente porque a segurança jurídica está assegurada na Constituição Federal.

Tanto a segurança jurídica quanto a efetividade processual estão amparadas pela garantia do devido processo legal, o que assegura a necessidade de harmonização entre ambos os princípios. Afinal, não se pode pensar em uma tutela jurisdicional efetiva que não seja prestada de forma segura, garantindo justiça e pacificação social. Do mesmo modo, realizar o direito material de forma desordenada e desorganizada acaba por afetar a própria eficiência do sistema processual" (CAMBI, Eduardo; BUENO, Filipe Braz da Silva. Segurança Jurídica e Efetividade Processual. In: *Revista dos Tribunais Sul*, v. 4, p. 190, mar./abr. 2014).

[7] "No Estado de Direito, porém, a segurança jurídica não decorre apenas da estabilidade, certeza, previsibilidade e calculabilidade do ordenamento jurídico positivo, mas também do respeito a esses preceitos gerais na sua

o cidadão se protege de arbitrariedades do Estado – não sem razão, uma das garantias fundamentais, previstas na Constituição, é a ideia da anterioridade da lei, registrada no inciso II do artigo 5º.

A segurança jurídica permite ao cidadão compreender como deve agir e quais as consequências de seus atos; ou seja, previsibilidade. Interessante notar que, na doutrina da *common law*, a previsibilidade funciona como fundamento para respeitar os precedentes judiciais.[8] Dessa forma, garantem-se a isonomia e a certeza de tratamento do ordenamento jurídico à determinada situação.

Para isso, até mesmo por lógica, é necessário haver estabilidade. Trata-se de um olhar objetivo da segurança jurídica, relacionando-se não apenas à manutenção das regras, como à sua interpretação consistente pelos Tribunais.

O julgador responsável deve compreender seu papel de garantidor dessa segurança. Acreditar que, na condição de julgador, teria plena autonomia, sem atentar à sua função como agente do Estado, pode acarretar situações de profunda insegurança ao jurisdicionado. O julgador, seja ele no âmbito estatal ou em uma arbitragem, é a peça de uma grande engrenagem, cujo propósito maior consiste em oferecer decisões previsíveis, sob pena de se perder a ideia de sistema. Não cabe ao julgador dar uma opinião pessoal: quem julga é o Estado.

A segurança faz com que o jurisdicionado confie no Estado, elemento fundamental para que se desenvolva o espírito de cidadania e um mercado próspero.

Não é exagero reconhecer que a ideia de segurança jurídica se confunde com a do Estado de Direito. Interessante notar que nem a Declaração de Direitos Humanos da ONU ou o Pacto de São José da Costa Rica tratam da segurança jurídica.[9] Contudo, não pode haver dúvida de que o Estado falharia se fosse incapaz de garantir a segurança. Talvez essa ausência explique pela obviedade de que a segurança jurídica é um pressuposto necessário. Seria como o nosso Código Civil que em momento algum diz expressamente que os contratos devam ser cumpridos, embora disso ninguém divirja.

Por fim, há o valor da justiça, que, dos valores, é o conceito mais fugidio, sujeito a mutações – como criticava Kelsen.[10]

---

interpretação e aplicação pelo Judiciário" (PINHEIRO, Armando Castelar. Segurança Jurídica, Crescimento e Exportações. In: *Texto para Discussão nº 1125, Instituto de Pesquisa Econômica Aplicada* – IPEA, out. 2005, p. 3). Ver ainda TAKOI, Sérgio Massaru. O Princípio Constitucional da Segurança Jurídica no Processo. In: *Revista de Direito Constitucional e Internacional*, v. 94, p. 249-262, jan./mar. 2016.

[8] "O funcionamento de tal sistema ocorre nos seguintes termos: quando um ponto de direito é fixado pelo tribunal em um caso concreto, ele se converte, de imediato, em uma norma que deve ser acatada, obrigatoriamente, em demandas semelhantes, pelas cortes inferiores e pelo próprio órgão que o proclamou, salvo em hipótese de revogação pelo último" (CAMPOS MELLO, Patrícia Perrone. *Precedentes*, Rio de Janeiro: Renovar, 2008, p. 23).

[9] "Embora as Constituições e Cartas de direitos humanos fundamentais – como, por exemplo, a Declaração dos Direitos Humanos da ONU e a Convenção Americana de São José da Costa Rica – não aludam a um direito à segurança jurídica, o constitucionalismo dos nossos dias é consciente de que um Estado de Direito é dela indissociável" (MARINONI, Luiz Guilherme. Segurança dos Atos Jurisdicionais. In: *Dicionário de Princípios Jurídicos*, Rio de Janeiro: Elsevier, 2011, p. 1225).

[10] "Uma teoria dos valores relativista não significa – como muitas vezes erroneamente se entende – que não haja qualquer valor e, especialmente, que não haja qualquer Justiça. Significa, sim, que não há valores absolutos mas apenas valores relativos, que não existe uma Justiça absoluta mas apenas uma Justiça relativa, que os 48 valores que nós constituímos através dos nossos atos produtores de normas e pomos na base dos nossos juízos de valor não podem apresentar-se com a pretensão de excluir a possibilidade de valores opostos." (KELSEN, Hans. *Teoria Pura do Direito*, São Paulo, 1999, p. 47-48).

Ulpiano ofereceu uma conhecida definição: dar a cada um o que é seu. A justiça pode ser definida como o que for moralmente aceitável, como razoável, como harmônico, proporcional e bom. Trata-se, inevitavelmente, de um conceito cambiante, que acompanhará os valores da sociedade, pois é atrelado às variações dos *ethos*, isto é, dos costumes, do temperamento.

Como aponta Gustav Radbruch, "A ideia de direito, porém, não pode ser diferente da ideia de Justiça".[11] No pequeno e valioso texto de 1945, antes referido, Radbruch denunciou: a culpa das leis nazistas recaía nos juristas que admitiram o Direito como ciência pura e formalista, dissociada da justiça.

Esses três valores – justiça, bem comum e segurança –, na maior parte das vezes, se complementam. A ideia de que os jurisdicionados receberão respostas homogêneas do Estado, ao apresentarem um tema semelhante, assenta-se, ao mesmo tempo, tanto no valor da segurança como no da justiça.

Na maioria das vezes, esses valores convivem em harmonia. Noutras, contudo, entram em conflito. Nestes casos, deve-se ponderar qual valor, no caso concreto, deve preponderar.

Permitam-se exemplos: os institutos da decadência e da prescrição – a perda de direitos pelo decurso do tempo –, por exemplo, se relaciona à segurança jurídica – e, não raro, se afasta da justiça.

Toma-se o instituto da desapropriação. Ela nada se relaciona com a justiça ou com a segurança, mas diretamente ao interesse do bem comum, um interesse social. Admite-se que uma pessoa perca a sua propriedade porque existe um interesse comum de que aquele bem, objeto da desapropriação, terá um uso social melhor para a coletividade.

Já a prescrição existe para proteger a segurança jurídica, mas, comumente, se afasta do bem comum e da justiça. Tome-se, por exemplo, a situação da dívida prescrita. Pode-se dizer que há uma injustiça em alguém perder o poder de cobrar uma dívida pelo decurso do tempo. O Direito, aqui, busca garantir a segurança.

A propriedade, historicamente, tinha sua proteção jurídica lastreada no valor da segurança jurídica. Atualmente, contudo, a propriedade também se fundamenta na função social, conceito que se aproxima da justiça.

É verdade que buscar o fundamento da propriedade exclusivamente na função social ensejaria uma série de problemas, na medida em que, em diversas situações, a segurança jurídica serve como único esteio para que se proteja o domínio.

Imagine-se o dono de um quadro de autoria de um famoso pintor, que mantém a obra de arte numa caixa lacrada, escondida num depósito. O fato de ele manter a obra guardada não significa que ele deva perder a propriedade, embora se possa argumentar que isso não seja justo (pois outras pessoas ficam impedidas de admirar a pintura) e que, dessa forma, a obra não cumpra a sua função social. A segurança jurídica, entretanto, no exemplo, garante o domínio. Na usucapião, contudo, a função social prepondera – e o valor da justiça fala mais alto.

Ao longo do tempo, a sociedade elege um valor como preponderante.

---

[11] RADBRUCH, Gustav. *Filosofia do Direito*, Coimbra: Armênio Amado, 1979, p. 86.

A corrente juspositivista acreditava que a segurança jurídica deveria ser o mais relevante dos valores. No Direito contemporâneo, contudo, vimos o crescente interesse em prestigiar o valor da justiça e do bem comum.

Marçal Justen Filho identifica nessa relação o conflito entre, de um lado, a dinâmica dos fatos e, de outro, a força normativa do Direito.[12] Com efeito, a dialética entre os valores se faz presente em todo fenômeno jurídico.

No ramo do Direito das Obrigações, o conceito da lesão, da resolução pela onerosidade excessiva, do reconhecimento dos efeitos da imprevisão, dentre outros, são exemplos do atual interesse do jurista em evitar que negócios muito díspares produzam pleno efeito, ainda que isso comprometa a segurança jurídica.

Nos Direitos Reais, a função social ganha enorme relevo, servindo como contraponto para a segurança jurídica em determinadas situações.

No Direito Tributário, toda a fundamentação de renúncia de receitas cuida de calibrar esse interesse pelo bem comum (fomentando determinado setor da economia ou promovendo estímulo ou reequilíbrio social), com a segurança jurídica de arrecadar tributos.

Como se intui, a análise exclusivamente de um desses valores, justiça ou segurança jurídica, com o desprezo sobre o outro, pode gerar aberrações.

A Professora Judith Martins-Costa identificou esses dois polos e a necessidade de seu equilíbrio:

> Em outras palavras, o ordenamento jurídico, tal qual a vida, equilibra-se entre os polos da segurança (na abstrata imutabilidade das situações constituídas) e da inovação (para fazer frente ao *pânta rei*). Assim, na relação (que é fundamental) entre tempo e direito, a expressão "princípio da segurança jurídica" marca, como signo pleno de significados que é, o espaço de retenção, de imobilidade, de continuidade, de permanência – valoriza, por exemplo, o fato de o cidadão não ser apanhado de surpresa por modificação ilegítima na linha de conduta da Administração, ou por lei posterior, ou modificação na aparência das formas jurídicas.
>
> (...) Em suma: no nosso contexto social complexo, multiforme, instável e conflituoso, a Administração Pública não pode – para garantir a confiança, fundamento do Direito – limitar-se a uma abstenção, antes devendo estar presente na regulação e na garantia dos variados mecanismos de realização dos direitos fundamentais e das legítimas expectativas que gera na esfera jurídica dos particulares.[13]

Na construção da vida em sociedade, em que o Direito tem por função organizar, não se pode permitir que um desses valores seja absolutamente desprezado. Ao apreciar uma situação que mereça uma resposta do mundo jurídico, faz-se necessário levar em conta todos os valores, para, então, indicar qual o valor e em que proporção ele deve preponderar.

---

[12] Marçal Justen Filho identifica o conflito entre, de um lado, a dinâmica dos fatos e, de outro, a força normativa do Direito, alertando para o risco da "destruição da natureza axiológica e democrática do Direito" (JUSTEN-FILHO, Marçal. *O Direito das Agências Reguladoras Independentes*. São Paulo: Dialética, 2002, p. 291).

[13] MARTINS-COSTA, Judith. A Re-Significação do Princípio da Segurança Jurídica na Relação entre o Estado e os Cidadãos: a segurança como crédito de confiança. *In: R. CEJ*, n. 27, p. 113-116, out./dez. 2004.

O desafio do jurista contemporâneo é garantir esse equilíbrio entre a ordem e o progresso, levando-se em consideração, ainda, o propósito de construir uma sociedade solidária e justa (isto é, com amor), sempre com base na análise do caso concreto.[14]

Deve-se ter presente, entretanto, que, mesmo na orientação que privilegie o valor da justiça ou da busca pelo bem comum, há de se atuar de modo previsível. Em outras palavras, não pode haver justiça se, para chegar a ela, houver uma medida surpreendente por parte do Estado, sob pena de se abrir a porta para o abuso e a arbitrariedade.

Permita-se outro exemplo: no âmbito do Direito das Obrigações, o artigo 317 do Código Civil estabelece a possibilidade de o Estado, em casos de alteração extraordinária e imprevisível da situação, restabelecer o equilíbrio das prestações. Uma norma que, a toda evidência, tem o propósito de garantir a justiça contratual, perdida por uma circunstância não esperada. Contudo, isso é possível porque essa "correção" se encontra prevista no ordenamento. Não fosse assim, essa "justiça" não seria admissível, pois, afinal, uma injustiça jamais poderia fundamentar outra injustiça.

Portanto, a concretização da justiça deve, por assim dizer, dar-se de modo a não ofender radicalmente a segurança jurídica. Não se pode esquecer que o velho brocardo *fiat justitia, et pereat mundus* – faça-se justiça, ainda que o mundo pereça – também ser interpretado como a promoção da justiça, sem análise de suas consequências, pode condenar o mundo ao caos...

Nessa linha, vale citar a passagem de um pequeno e precioso livro, *Dialética da secularização: sobre razão e religião*, obra conjunta de Jurgen Habermas e Joseph Ratzinger – dois grandes pensadores, um do ramo jurídico e o segundo teológico –, no qual se reconhece: "é importante para toda e qualquer sociedade superar a desconfiança em relação ao direito e à ordem, porque só assim é possível evitar o arbítrio e viver a liberdade de forma compartilhada. A liberdade sem direito é a anarquia que destrói a liberdade".[15]

Hermes Lima, num clássico da literatura jurídica nacional, termina seu *Introdução à ciência do Direito* registrando: "De um lado, as forças da renovação. Do outro, as da conservação. (...) Daí não há fugir, desde que os indivíduos e as classes de uma sociedade não possuam igual interesse nos resultados da liberdade".[16]

---

[14] "Neste contexto, parece-nos que um dos desafios principais a serem enfrentados e vencidos é o da adequada hierarquização entre o direito à segurança jurídica (que não possui – convém frisá-lo – uma dimensão puramente individual, já que constitui elemento nuclear da ordem objetiva de valores do Estado de Direito como tal) e a igualmente fundamental necessidade de, sempre em prol do interesse comunitário, proceder aos ajustes que comprovadamente se fizerem indispensáveis, já que a possibilidade de mudanças constitucionalmente legítimas e que correspondam às necessidades da sociedade como um todo (mas também para a pessoa individualmente considerada) carrega em si também um componente de segurança que não pode ser desconsiderado. (...) Importa relembrar, nesta quadra, a oportuna lembrança de Cármen Lúcia Antunes Rocha, que, ao sufragar o princípio da proibição de retrocesso, afirmou que 'as conquistas relativas aos direitos fundamentais não podem ser destruídas, anuladas ou combalidas, por se cuidarem de avanços da humanidade, e não de dádivas estatais que pudessem ser retiradas segundo opiniões de momento ou eventuais maiorias parlamentares'. Tal assertiva merece ser levada ainda mais a sério quando estiver em causa o núcleo essencial dos direitos fundamentais sociais, especialmente no que diz com a salvaguarda do mínimo existencial, em outras palavras, do conjunto de condições para uma vida saudável e, portanto, para uma vida com dignidade, tal qual sustentado ao longo do presente ensaio" (SARLET, Wolfgang Ingo. A Eficácia do Direito Fundamental à Segurança Jurídica: Dignidade da Pessoa Humana, Direitos Fundamentais e Proibição de Retrocesso Social no Direito Constitucional Brasileiro. *In: Revista de Direito Constitucional e Internacional*, v. 57, p. 40-48, out./dez. 2006.

[15] HABERMAS, Jurgen; RATZINGER, Joseph. *Dialética da secularização*: sobra razão e religião, Aparecida: Editora Ideias e Letras, 2005, p. 65.

[16] LIMA, Hermes. *Introdução à ciência do Direito*, 29. ed. Rio de Janeiro: Freitas Bastos, 1989, p. 325.

Entre a ordem e o progresso, ficamos com o amor – o *caritas* de São Jerônimo –, que nos garantirá a sensibilidade necessária para fazer do justo seguro e do seguro justo.

Informação bibliográfica deste texto, conforme a NBR 6023:2018 da Associação Brasileira de Normas Técnicas (ABNT):

NEVES, José Roberto de Castro. Entre segurança, justiça e o bem comum. *In*: JUSTEN, Monica Spezia; PEREIRA, Cesar; JUSTEN NETO, Marçal; JUSTEN, Lucas Spezia (coord.). *Uma visão humanista do Direito*: homenagem ao Professor Marçal Justen Filho. Belo Horizonte: Fórum, 2025. v. 2, p. 111-117. ISBN 978-65-5518-916-2.

QUE DIREITO ADMINISTRATIVO É ESTE? DESAFIOS PRESENTES PARA AS GERAÇÕES FUTURAS

JULIANO HEINEN

1 Introdução entendimentos parciais sobre a realidade[1]

Cada grupo humano precisa se *organizar* de acordo com uma *determinada ordem*, de modo a evitar disputas que prejudiquem a própria sobrevivência do mencionado grupo. E o Direito Administrativo tem uma missão bastante essencial: dar *direção a esta coletividade, auxiliar no seu desenvolvimento, perseguir a paz e a harmonia social* etc. Portanto, para tal desiderato, o Direito não deveria deter *contradições internas* – ou seja, deveria ser *coerente* –, como algo natural ao seu fim. Explico: não se teria como conseguir a mencionada "paz social" ou a "harmonia da coletividade" sendo o Direito Administrativo contraditório. Pensamos que justamente as *incoerências gerariam mais e mais disputas*. Basta pensar em uma lei dúbia ou contraditória: possui grande possibilidade de gerar um número considerável de demandas judiciais.[2]

Além disso, um dos fins do Direito Administrativo é a busca pela *segurança*, e isto é enaltecido pela sua *inviolabilidade*, até porque aquilo determinado pela *legalidade* é *excluído da arbitrariedade*.[3] Para tanto, devem ser constituídas instituições para se *esclarecer e manter o Direito Administrativo existente*.[4] O homem sente este "efeito benéfico" da segurança jurídica para manter as instituições importantes ao homem, sem lhe fomentar surpresas. Logo, a ordem duradoura gera previsibilidade, uma vez que "se sabe o que esperar", porque aquilo que permanece no tempo tende a ganhar a confiança das pessoas.

---

[1] A palavra "parcial" tem aqui dolosamente um duplo sentido.
[2] JUSTEN FILHO, Marçal. Abrangência e incidência da lei. In: MARQUES NETO, Floriano de Azevedo; RODRIGUES JUNIOR, Rodrigo Xavier Leonardo (org.). *Comentários à lei da liberdade econômica*: lei 13.874/2019, São Paulo: Revista dos Tribunais, 2019.
[3] COING, Helmut. *Elementos fundamentais da filosofia do direito*. Porto Alegre: Sérgio Fabris, 2002, p. 190-191.
[4] COING, Helmut. *Op. cit.*, p. 194. O autor cita, como exemplos de instituições que intentam manter a segurança jurídica, os registros públicos de documento propriedade etc., a coisa julgada, o ato jurídico perfeito, entre outros.

Ao longo dos tempos, percebeu-se que existe uma diferença bastante gritante entre o *Direito Administrativo da academia ou da ciência* se comparado com aquele *Direito Administrativo dos diários oficiais*. Aquele "Direito Administrativo que acontece" parece um menoscabo às bibliotecas escritas sobre o tema, porque é praticado e tenta resolver os problemas do exercício das funções de Estado sem as fórmulas customizadas ou customizando formulações a depender do caso concreto. E sequer estamos a falar de práticas não republicanas ou não virtuosas. Ao contrário. Estamos a perceber as coisas como elas se processam, porque *o cotidiano parece não se importar com certas pilastras da dogmática, ou elas não dão conta de resolver o Direito Administrativo tão multifacetado*. Se percebermos bem, há um Direito Administrativo praticado no Município de Serra da Saudade-MG, menor cidade do País em termos demográficos conforme pesquisa do IBGE de 2022, e um Direito Administrativo praticado no âmbito amplo da União. Há o Direito Administrativo que tem de dar conta das grandes estruturas bilionárias e aquele que tutela a sindicância do sumiço de uma cadeira. Volto a outro exemplo: por longas décadas, o Direito brasileiro mantinha os atos administrativos ilegais por outros fundamentos, ou seja, não anulava estes atos com base, por exemplo, na irredutibilidade de vencimentos – na hipótese de um servidor ter recebido uma verba pecuniária e salarial indevida. A revogação de atos legais, ao seu turno, passou a ter de respeitar os "direitos subjetivos" dos cidadãos, o que, tempos depois, foi reconfigurado para a necessidade de respeito ao "direito adquirido".[5] E depois de muitas décadas é que se construiu a ideia de segurança jurídica para manter atos ilegais.

Ficamos convencidos de que a "parte geral" do Direito Administrativo é fundamental e o instrumento-chave para conseguir *customizá-lo a estas múltiplas vertentes e reclames* citados no parágrafo anterior. Aparentemente, a *especialização* em massa ocorrida nas últimas décadas criou um "direito setorial" que é aprofundado e detalhado – o que não se vê como algo ruim, ao contrário. O que se advoga aqui é a *necessária busca por encadear estes múltiplos setores especializados com premissas cognitivas comuns*, a fim de que se tenha um "fio epistêmico" a dar a mínima *sistematicidade*. E isto será feito pela dita "parte geral". Exemplifico com simplicidade: o ato administrativo de nomeação para prover originariamente um cargo público possui os mesmos elementos nucleares de outro ato administrativo de desapropriação ou de paralisação de uma obra, por hipótese. Eis o liame que se advoga!

A dita "parte geral" muitas vezes foi feita por *normas gerais*, seja no nível de primeiro como no de segundo grau da pirâmide normativa nacional. Explico: as leis gerais sobre licitações[6] ou as normas de referência da Agência Nacional de Águas e Saneamento Básico (ANA) pretendem principalmente conferir *coerência ao sistema jurídico, harmonizando o multinível normativo e as especificidades regulatórias*.[7] E essa harmonia normativa não advém necessariamente da atuação do Poder Legislativo ou do Poder Judiciário, este último operando diante do caso concreto. Outros centros de poder, como

---

[5] COUTO E SILVA, Almiro do. Prescrição quinquenária da pretensão anulatória da Administração Pública com relação aos seus atos administrativos. *In:* COUTO E SILVA, Almiro do. *Conceitos fundamentais do direito no Estado Constitucional.* São Paulo: Malheiros, 2015, p. 418.

[6] Cf. art. 22, inciso XXVII, da CF/88.

[7] Cf. art. 4º-A da Lei nº 9.984, de 17 de julho de 2000, com redação dada pela Lei nº 14.026/2020.

as agências reguladoras independentes,[8] *ampliam a noção de separação de poderes* – ao menos vista pelo viés pragmático.

Portanto, algumas medidas foram tomadas para que este ramo do Direito fosse maleável aos seus usos múltiplos. Por exemplo, (1) *as relações especiais de sujeição, derivadas da lei ou de um contrato, tiveram de ser mais bem reguladas*; (2) *os vários modos de intervenção do Estado na sociedade tiveram de ser reconfigurados*, a despeito do disposto no art. 5º, inciso II, da CF/88; (3) *o controle dos atos administrativos passou a ser feito a partir da ponderação de bens*. E neste ponto o Brasil peca, porque esta *ponderação não deve ser feita somente ex post*, ou seja, quando da análise dos atos já praticados, mas muito *mais ex ante*, por meio dos *processos de planificação*.

Outro dado chama a atenção na contemporaneidade: *a dogmática jurídica começou a dialogar com acurácia e proximidade com outros ramos da ciência*. E isto, em nossa opinião, aportou tarde, mas melhor do que nunca – como bem diz o ditado. Fico apenas com um exemplo: as licitações e contratos públicos devem ser analisados sob o prisma econômico. Quais são seus reais impactos na economia a no desenvolvimento das trocas de riqueza? Qual o seu custo transacional? Existem posições oportunistas ou concentrações no "mercado" das compras públicas? Ver as licitações e contratos públicos apenas sob o viés jurídico rende uma análise que pode não diagnosticar suas fricções e câmbios necessários. Assim, o contexto atual revela pontos de conformação que encaminham a um Direito Administrativo baseado em pilares do tipo: (1) *constitucionalização da atividade pública*; (2) *técnica de direção do tal exercício ou planejamento dele*; (3) *seleção de âmbitos de referência para a sua atuação customizada*. Assim, a ciência do Direito Administrativo deve ser repensada tanto em termos de conteúdo como em termos de metodologia. E estas questões fundamentais do Direito Administrativo responderiam aos problemas da contemporaneidade, como: complexidade, desordem, indeterminação e incerteza[9]. Até porque, como bem defende *Chevallier*, na esteira de um "Estado pós-moderno", surge um "direito pós-moderno".[10]

Outro tema debatido nos vários sistemas jurídicos analisados consistiu *na definição, limites e compressão normativa do serviço público*. A sua definição dogmática estava pra lá de ser uma questão meramente teórica, porque vocacionada a saber se era uma atividade de titularidade do Estado, qual seria a intensidade da incidência do regime jurídico-administrativo e, para países com França e Itália, era relevante para saber se o tema estaria no âmbito de abrangência da jurisdição administrativa – dado que estes países adotam uma jurisdição dual. Para o panorama nacional, fora o último ponto, os demais são também relevantes. Mas não só: há um escopo e uma teleologia a ser maturada. A depender de como uma atividade é estruturada, haverá *maior ou menor eficiência no que se refere à universalização, à modicidade tarifária, à qualidade* etc. Sobre este aspecto, basta ver o dilema do serviço postal na Europa: sempre se defendeu o regime não concorrencial para obrigar que o único prestador, atuando em larga escala, pudesse atingir lugares não lucrativos, compensando-se pela prestação em locais com valor presente líquido

---

[8] Reguladas, entre outras, pela Lei nº 13.848/2019.
[9] CHEVALLIER, Jacques. *O Estado Pós-Moderno*. Belo Horizonte: Fórum, 2010, p. 16-17 (Tradução de Marçal Justen Filho – aliás, importantes são suas considerações em: JUSTEN FILHO, Marçal. *Curso de Direito Administrativo*. São Paulo: Revista dos Tribunais, 2014, p. 105-107).
[10] CHEVALLIER, Jacques. *Op. cit.*, p. 124.

positivo. No Brasil, este mesmo dilema vem sendo enfrentado mais recentemente no setor de saneamento básico – notadamente pela modelagem normativa feita pela Lei nº 14.026/2020.[11]

Quisemos demonstrar com a exposição feita no presente tópico que, sob variados aspectos, seria relevante erigir um diploma normativo que pudesse dar cabo de estruturar uma parte geral ou premissas transnacionais uniformes. Ainda que no âmbito interno, mal ou bem, muitas premissas estruturantes são realizadas pela *Lei de Processo Administrativo* (Lei nº 9.784/1999, no âmbito federal).

A exposição feita até aqui demonstrou que os vários países apresentaram correntes de pensamentos e percursos teórico-dogmáticos, por vezes autênticos, por vezes apropriaram-se de compreensões de outras nações. Mas ainda assim vemos evidentes as peculiaridades de cada qual. Com o perdão da analogia, ocorre o mesmo ao se importar um idioma: com o tempo ele acaba ficando diferente, ou seja, próprio de cada cultura. Veja o que ocorreu com a língua portuguesa e a língua inglesa no Brasil e nos Estados Unidos, respectivamente: em muitos aspectos singularizaram-se. Portanto, existe uma agenda de desafios peculiares do Direito Administrativo brasileiro, que está sendo exposta no presente trabalho.

2 A unilateralidade colocada contra a parede

Sempre se defendeu que a *função administrativa* consistia, em suma, "em aplicar a lei de ofício".[12] Mas isto deve ser repensado. Para além do fato de que *simplesmente não se aplica a lei, mas se a interpreta*, os mecanismos de determinação de decisões administrativas reclamam que sejam elas *compartilhadas com a vontade do cidadão ou que ela seja considerada*. Muitos nomes foram dados a este fenômeno: "administração pública concertada"; "administração pública dialógica"; "administração pública consensual"; "*soft administration*".[13]

Na França, na Alemanha, na Itália e em certos aspectos muito específicos do Direito do *common law*,[14] o Direito Administrativo *propiciou prerrogativas ao Estado que o permitiam atuar unilateralmente*, anulando as figuras do consenso. Em palavras muito simples: a *unilateralidade foi uma marca da noção de ato administrativo, inclusive no Brasil*. Contudo, ao longo da História e notadamente nos tempos atuais, isto passou a ser questionado a partir dos *valores da democracia e dos direitos fundamentais*. As cartas constitucionais

---

[11] Veja o caso Corbeau de 1993 (caso C-320/91, julgado em 09/02/1993), que enfrentou o monopólio do serviço postal na Bélgica. Para tanto: AGUILLAR, Fernando Herren. *Direito econômico*: do direito nacional ao direito supranacional. São Paulo: Atlas, 2016, p. 407. O Sr. Corbeau era um agente privado e pretendia exercer uma atividade diferenciada no âmbito postal, entregando as correspondências antes do meio-dia. Contudo, na Bélgica, esse serviço era monopolizado – não concorrencial. A Corte Europeia entendeu que as restrições à concorrência eram passíveis de serem estabelecidas quando provado que a múltipla prestação poderia comprometer a efetividade do serviço de relevância coletiva – *v.g.* prejudicar a universalização e a regularidade. O julgado em questão deve ser complementado pelo Caso *Commune d'Almelo*, de 1994, que reconheceu a possibilidade de um regime não concorrencial à energia elétrica.

[12] FAGUNDES, Miguel Seabra. *O controle dos atos administrativos pelo poder judiciário*. Rio de Janeiro: Forense, 2010, p. 5.

[13] COUTO E SILVA, Almiro. Notas sobre o conceito de ato administrativo. In: COUTO E SILVA, Almiro do. *Conceitos fundamentais do direito no Estado Constitucional*. São Paulo: Malheiros, 2015, p. 158.

[14] Exemplo de prerrogativa ao Estado é a *Foreign Sovereign Immunities* norte-americana, que propicia ao Poder Público uma imunidade de jurisdição.

previram direitos que, ou não poderiam ser sublimados pela atuação do Estado, ou impunham limites a esta atuação, ou determinavam o respeito ou a consideração da vontade dos particulares.

Portanto, o *consenso não estava mais apenas presente na formação da vontade política* (*v.g.* por meio do exercício do voto), mas também *presente na formação da decisão administrativa*. Valores como *democracia, participação, dialogismo, Administração Pública concertada, segurança jurídica e legitimidade* começaram a fazer parte da agenda do Estado-administrativo. Esse movimento de ampliação de espaços de consenso foi *auxiliado por uma série de outras medidas*, as quais possuem um *efeito indireto*, como a *simplificação* e a *deslegalização*.

O sistema jurídico brasileiro na totalidade é bastante rico em fornecer mecanismos para determinar decisões administrativas compartilhadas com o cidadão. Então, citemos alguns deles, sabendo que tantos outros poderiam ser mencionados: contrato, processo administrativo, decisão coordenada,[15] audiências e consultas públicas.[16] Esses são mecanismos de *consensualização*, ou seja, ferramentas para se atingir o *consenso*.

Partindo dessa divisão, podemos classificar o tema da seguinte forma:

(a) Consenso: resultado da cooperação de vontades da Administração Pública e do cidadão:
  (a1) *Regulatório*: estabelece-se um consenso na formação de atos normativos, seja quando da feitura das leis, seja quando da edição de atos normativos infralegais, como nas agências reguladoras;
  (a2) *Administração dos interesses públicos*: implementada por formas de coordenação, colaboração e cooperação;
  (a3) *Solução de conflitos*: acordos de não persecução, transações em processos etc.;
(b) *Consensualidade*: mecanismos que operam o consenso:
  (b1) *Instrumentos procedimentais*: audiências e consultas públicas;
  (b2) *Instrumentos orgânicos*: existência de órgãos de deliberação colegiada com a participação social (*v.g.* Conselhos de Meio Ambiente ou de Segurança Pública);
  (b3) *Instrumentos negociais*: acordos, que podem ser:
    (b3.1) *Substitutivos*: substituem o processo – exemplo: transação que põe fim ao processo;
    (b3.2) *Integrativos*: convivem com o processo – exemplo: acordo de não persecução.

Os acordos podem ser *substantivos* (*v.g.* termos de ajustamento de conduta), *colaborativos* (*v.g.* acordos de leniência), *para resolução de controvérsias, integrativos* (*v.g.* o administrado se submete e condições para receber uma autorização), *processuais* (*v.g.* negócio jurídico processual). Logo, já de plano se consegue notar que há uma significativa *atipicidade* na constituição e na implementação dos acordos, porque eles servem para resolver um caso concreto. Logo, também deverão ser *adaptativos* – aliás, características estas mutuamente influenciadoras. E o grande fundamento para estes

---

[15] No Direito italiano é referenciada como *"conferenza di servizi"*. No Direito português é chamada de "conferência procedimental".

[16] *V.g.* Lei nº 13.848/2019; art. 27 da LINDB; art. 21 da Lei nº 14.133/2021 etc.

acordos é o art. 26 da LINDB, que dispõe de medidas funcionalizadas e deixa margem a esta atipicidade.[17] A perceber que os acordos não devem cotejar apenas os interesses das partes acordantes, mas muito mais os interesses daqueles que, ao final, sofrem os efeitos do pacto. Exemplo: um acordo entre uma agência reguladora e a concessionária deve ser pensado a partir dos efeitos benéficos que geram aos usuários.

Vemos, com isto, que *a unilateralidade não foi eliminada, e, portanto, a consensualidade foi adaptada ou convive com as atuações administrativas não dialógicas*.[18] Por exemplo: ninguém faria acordo de leniência se não estivesse diante de uma decisão unilateral. Um exemplo desta simbiose seria a *transação por adesão*, que seria uma espécie de "acordo normatizado", em que o cidadão adere sem poder negociar suas cláusulas. Voltando ao *acordo de leniência*: veja que ele provém de um mecanismo unilateral. Lembrando que os *instrumentos de ação administrativa podem ser aqueles que se traduzem em vias acordadas, dialógicas ou consensuadas com o administrado*. A visão estritamente unilateral da Administração Pública teria sérias dificuldades de dialogar com os direitos fundamentais previstos na CF/88. A consensualidade pode ser um instrumento muito eficiente para solucionar problemas. Exemplifico: os acordos de não persecução, termos de ajustamento e suas variantes podem permitir a customização pragmática das complexidades vivenciadas. Em outras palavras, muito mais efetivo pode ser um acordo do que a simples aplicação de uma penalidade. Vamos a um exemplo: no começo do segundo milênio, a Agência Nacional de Telecomunicações (ANATEL) aplicara uma série de multas às concessionárias por descumprimento de obrigações obsoletas, principalmente relacionadas à necessidade de se manter os Telefones de Uso Público (os populares "orelhões"). As tais penalidades eram notadamente ineficientes e relacionadas a uma obrigação anacrônica. Logo, a confecção de um acordo, com a obrigação de as empresas investirem o valor das multas em infraestrutura condizente com a forma contemporânea de comunicação, pareceu ser mais eficiente.[19] Claro que outras soluções poderiam ter sido aceitas: ressarcimento dos usuários, compromisso de cessar a irregularidade, obrigação de conceder benefícios temporários aos usuários, compromissos estruturantes – construção de novas infraestruturas etc. *Cada acordo possui seu plano e duas diferenciações*.

A mudança do paradigma deve ser central. Tomo como exemplo o Direito Sancionador: se pensarmos que os acordos somente surgem quando frustrada a aplicação de uma sanção, a consensualidade seria vista como uma técnica subsidiária. Contudo, se pensarmos que os acordos detêm *autonomia* e podem ser constituídos mesmo antes de uma sanção, pode-se angariar toda sorte de governança ou de incentivos à solução de um problema. Imagine que o delator, sabendo que pode acordar, ele não espera ser fiscalizado e descoberto, porque pode voluntariamente propor uma solução para corrigir a ilicitude. Ele incentivadamente traria ao conhecimento da Administração Pública a ocorrência da ilicitude (*self-report*) e proporia medidas corretivas.

---

[17] Então, apesar de adequado, não é necessário existir um regulamento para a celebração de pactos deste jaez. Se existe um regulamento para acordo, o art. 26 da LINDB seria aplicado subsidiariamente.

[18] JUSTEN FILHO, Marçal. *Curso de Direito Administrativo*. São Paulo: Revista dos Tribunais, 2014, p. 109.

[19] MARQUES NETO, Floriano de Azevedo; PALMA, Juliana Bonacorsi de. Consensualidade administrativa na regulação: acordos substitutivos no setor de telecomunicações. In: PALMA, Juliana Bonacorsi de *et al.* (org.). *Direito administrativo sancionador regulatório*. Rio de Janeiro: CEEJ, 2022, p. 313.

É inegável que o aumento do consenso na Administração Pública tende a *reduzir a litigiosidade, a aumentar a segurança jurídica da decisão, a dar a ela maior legitimidade, a aumentar a efetividade e a economicidade*. Enfim, "consenso" quer dizer "ter o mesmo sentir".[20] Então, o sistema jurídico fixou uma série de espaços para a Administração Pública "sentir junto" com o cidadão destinatário dos seus misteres, sendo que esta é uma tendência a se perpetuar.

3 Ordenando o "admirável mundo novo"

E as coisas só ficaram mais *complexas*, até porque o mundo também experimentou toda sorte de *contingências*. Tivemos de nos adaptar aos *movimentos de virtualização das coisas*, aos *impactos causados pelas novas tecnologias*, à *fugacidade das certezas* e à *velocidade das mudanças*. Estes movimentos não conhecem paradas ou suspensões. Se você porventura conversasse com um sujeito que está a viver no ano de 2000 e contasse o que hoje se processa, é muito provável que ele ficaria abismado ou pensaria que se trata de um livro de ficção científica o que você estaria a lhe contar. Mas tudo isto acontece e é real:

- Telefones cabem na palma da mão e possibilitam resolver e interagir com quase tudo da vida das pessoas – e o que menos se faz é telefonar;
- Existem carros que andam sozinhos, similares ao desenho dos *Jetsons*;[21]
- O relógio do "007" que se comunica, tira fotos e tem um montão de funcionalidades também passou a ser um artigo bastante popular;
- Existem programas que calculam exatamente o tempo que se levará para chegar de casa ao trabalho, ou a qualquer outro lugar, independentemente se tenha ocorrido um acidente ou outro imprevisto;
- Pessoas comuns podem alugar foguetes e dar uma volta no espaço;
- Receber um cartão-postal ou uma carta física ainda é possível, mas se tornou *vintage*. E possivelmente ninguém que tenha entrado no mercado de trabalho nos últimos cinco anos tenha enviado um documento "via *fax*";
- Aliás, o comércio é mais virtual do que presencial, se comparamos o volume de transações;
- Estamos todos informados e desinformados, tamanha a facilidade de acesso a um volume imenso de dados dispostos na rede mundial de computadores. A "Barsa"[22] se chama "*Google*" ou, se quisermos ser mais específicos: "*Wikipédia*";
- Reuniões virtuais por plataformas são uma realidade econômica, rápida e distante (o último termo tem dois sentidos);
- A comunicação via aplicativos que trocam mensagens é tão popular, que o Código de Processo Civil foi alterado para determinar que a citação, por exemplo, seja feita preferencialmente por meio eletrônico, a partir dos endereços

---

[20] GONÇALVES, Cláudio Cairo. O princípio da consensualidade no Estado Democrático de Direito. *Revista de Direito Administrativo*, Rio de Janeiro, v. 232, p. 106, abr./jun. 2003.
[21] Desenho animado produzido pela Hanna-Barbera, e exibido pela ABC entre 1962 e 1963. Em suma, a história conta o cotidiano da família Jetsons, mas vivendo no futuro, em carros que andam sozinhos, empregadas domésticas são robôs etc.
[22] Enciclopédia brasileira criada em 1964 que foi muito popular no Brasil, ofertando uma farta fonte de consulta sobre centenas de assuntos diversos.

virtuais indicados pelo citando no banco de dados do Poder Judiciário.[23] Em suma, o Oficial de Justiça foi desfragmentado e "reconfigurado em *bytes*" e quase não bate mais à porta com um mandado judicial nas mãos. Transformou-se em uma mensagem eletrônica na caixa de *e-mails*, por exemplo;

- A rede mundial de computadores se tornou parte de praticamente todas as atividades humanas. É difícil pensar em um setor que não opere ou não dependa dela;
- Ao mesmo tempo, as relações sociais foram drasticamente alteradas, por meio de redes de conexão interpessoal, como *Facebook©*, *Instagram©*, *Linkedin©* etc. – já nem vamos falar das comunicações que eram feitas por cartas físicas e que passaram a ser remetidas por *e-mail*. Até mesmo um mundo paralelo foi criado por meio do *Second Life*, sendo um ambiente virtual e tridimensional que simula em alguns aspectos a vida real e social do ser humano,[24] hoje remasterizado pelo sistema *Metaverso*.
- Moeda em papel ou metal virou coisa do passado, a tal ponto de o "dinheiro de plástico" (*v.g.* transações feitas por cartões magnéticos) já estar obsoleto. Moedas virtuais sem lastro no Produto Interno Bruto de um país já são uma realidade.

Exemplos outros não faltariam e poderiam preencher mais dezenas de linhas. E o que é mais curioso: a depender de quando o leitor esteja lendo este livro, muito do que se disse já pode estar superado. Bem-vindos ao novo mundo!

As novas tecnologias aportaram um mundo diferente, construindo o que corriqueiramente se chamou de "movimentos disruptivos". As *novas tecnologias geram novos agentes de mercado, novos mercados e/ou novas relações jurídicas*. Exemplos não faltam, e o expoente destas novidades são os aplicativos de compartilhamento (*Uber©*,[25] *Airbnb©* etc.). A *economia destes bens comuns* (compartilhados) gerou um novo mercado e novas relações jurídico-econômicas e introduziu até mesmo "novas regras de oferta e procura".[26] E isso configurou um *novo cenário econômico desamparado de maiores regulamentações*, as quais se mostram necessárias, porque estabelecem relações sociais de toda ordem, ou seja, fixa-se uma série de direitos e deveres. Até porque cabe dizer que as *regulamentações refletem o pensamento da autoridade pública para o cumprimento de atos normativos*.[27] Seriam, então, disposições autonômicas feitas pela própria autoridade que é destinatária delas.

---

[23] Código de Processo Civil, art. 246, "caput".
[24] Conforme: www.secondlife.com. A descrição do propósito do ambiente virtual é feita pela empresa mantenedora e criadora: "*In 2003, we launched Second Life, the pioneering virtual world that's been enjoyed by millions of people and seen billions of dollars transacted among users in its economy. In 2019, we unveiled Tilia, a registered money services business and fully licensed money transmitter that powers virtual economies. Linden Lab was founded in 1999 and is headquartered in San Francisco with additional offices in Seattle, Boston, Davis, and Charlottesville.*" (Disponível em: https://www.lindenlab.com/about. Acesso no verão de 2021).
[25] Sobre o transporte individual de passageiros por aplicativo, conferir a análise de: BINENBOJM, Gustavo. Novas tecnologias e mutações regulatórias nos transportes públicos municipais de passageiros: um estudo a partir do caso Uber. *Direito da Cidade*, v. 8, n. 4, p. 1690-1706, 2016.
[26] Isso é bastante claro na obra de Jean Tirole (*Economia do bem comum*). Rio de Janeiro: Zahar, 2020, p. 158.
[27] Lição já há muito legada por: RIBAS, Antônio Joaquim. *Direito administrativo brasileiro*. Rio de Janeiro: F. L. Pinto & C, Livreiros-editores, 1866, p. 17.

Exemplo: regimento das Cortes de Justiça (art. 96, inciso I, alínea "a", da CF/88).[28] Essas regulações que, ao mesmo tempo, *automatizam a atuação administrativa* e garantem maior *segurança jurídica* e ganham força quando este Direito dito "administrativo" não possui codificação.[29]

Veja que a *rede mundial de computadores ou internet* é um ambiente virtual que se presta a uma série de *relações jurídicas, sociais e econômicas*. Não seria demasiado dizer que tal ambiente transplantou uma "realidade real" a uma "realidade virtual". Exemplos não faltam: no comércio, as compras que eram feitas em mercados, feiras, livrarias etc. de modo presencial, cada vez mais são processadas por cliques de *mouse*, sendo entregues via transporte de cargas nas residências – no caso de compras de bens materiais. Nesse ambiente, as *trocas econômicas são rapidamente processadas e alteradas*, sendo que certos atores podem até mesmo ter um papel proeminente na alteração ou manipulação das regras de oferta e procura.[30] Logo, a ordenação administrativa deve ser repensada a atuar neste ecossistema digital.

O mercado *on-line* tinha um desafio nos seus primórdios: tronar-se *seguro e confiável*, porque as pessoas não tinham condições de conhecer a reputação dos vendedores. E, na prática, a *confiabilidade* tornou-se um diferencial ou uma questão de "sobrevivência" em relação ao concorrente do mercado virtual. Empresas confiáveis atraíam e atraem mais consumidores. Assim, o mercado via rede mundial de computadores provou serem necessárias *informações confiáveis e um ambiente seguro às transações para conseguir eficiência*. E isso se viu ao analisar o desenvolvimento do *eBay*©. Exemplo: a avaliação dos compradores e vendedores, no início, não era anônima, o que criava uma "reciprocidade artificial" entre ambos. Quando as avaliações passaram ao anonimato, o mercado passou a contar com *informações confiáveis* dos vendedores e, de quebra, com uma rede de incentivos a ambas as partes que negociam.[31] Mas veja que esta *regulação foi feita pelas regras de mercado*, ou seja, o *mercado se autorregulou*.

De todo modo, há um consenso entre os vários teóricos que tratam do tema, os quais são citados ao decorrer da exposição: esse *ambiente virtual e as novas tecnologias devem ser regulados*. O principal questionamento feito consiste em se saber: *como se deve processar tal regulação?* E desta pergunta derivam outras:

   (a) O Direito Administrativo "tal qual nós o conhecemos" está preparado para ordenar esse panorama? Em outras palavras, os institutos e leis deste ramo do Direito são suficientemente eficazes para perfazer uma boa ordenação, ou precisam ser adaptados?
   (b) Qual a intensidade de tal regulação?
   (c) Quais os instrumentos jurídicos mais eficazes?

---

[28] Para alguns autores, é necessário que exista uma *coletividade* ou *corporação organizada*, que edite tais atos regulamentares para criar um Direito não estatal (LIMA, Ruy Cirne. *Princípios de direito administrativo*. São Paulo: Malheiros, 2007, p. 91) – ainda que o autor estivesse a falar em *estatutos* e em *regimentos* (LIMA, Ruy Cirne. *Op. cit.*, p. 92).

[29] Aliás, esse é um tema debatido há muito no exterior e no Brasil. Veja que até mesmo José de Alencar, no século XIX, reclamava da ausência de uma codificação do Direito Administrativo (ALENCAR, José de. *A propriedade*. Rio de Janeiro: B. L. Garnier, 1883).

[30] Acórdão C-31/12, *Google Spain SL, Google Inc. vs. Agencia Española de Protección de Datos (AEPD)*. Mario Costeja González. Acórdão de 13 de maio de 2014:

[31] TIROLE, Jean. *Op. cit.*, p. 139-140.

(d) Quem deve regular esses temas?
(d1) O Estado?
(d2) Um organismo supranacional, com renúncia de soberania?
(d3) O ambiente não deve ser regulado?
(d4) Os agentes devem fazer sua autorregulação?

Pensa-se que não fica difícil perceber a importância da regulação no Brasil. Veja que o sistema jurídico vem se esforçando em ofertar mecanismos para conseguir uma maior segurança jurídica, a fim de minimizar a contingência e o risco que a ausência de confiança causam nas relações. Essa busca por mecanismos que criem maior previsibilidade pode explicar o debate tão agudo sobre o tema, especialmente frente aos desafios que ainda devem ser enfrentados pelo País.

No Brasil, a *definição dos limites e do que é regulação*, como *função de Estado* que é, deve partir do texto da Constituição da República Federativa do Brasil de 1988. Para tanto, seguindo a sua arquitetura jurídica, essa função poderia atuar em dois campos:

(a) *Regulação econômica ou da economia*: funciona como uma espécie de *intervenção do Estado no mercado,* ou *propriedade,* ou *liberdade*. Essencialmente, baseia-se nos arts. 170 (regulação dos *princípios* ali previstos) e 174 (regulação da *economia*, nas funções de *incentivo, fiscalização e planejamento*). Apesar disto, o texto constitucional não é claro quanto ao papel específico da regulação no Direito brasileiro ou sua finalidade. Assim, consideramos que tal função pública tenta lançar ao mercado um *equilíbrio* para *maximizar sua eficiência*.[32] Por isso que não fará sentido uma regulação que prejudique o desenvolvimento econômico;

(b) *Regulação dos serviços públicos*: fundamenta-se na previsão da proteção do usuário constante no art. 37, §3º, da CF/88. E essa regulação deverá ser *ponderada com o princípio da liberdade de iniciativa* (art. 1º, inciso IV; e art. 170 "caput", ambos da CF/88).[33]

Então, de repente, surge um *movimento disruptivo*, ou seja, *a realidade, os processos, as relações passam a ser concebidas muito diversamente*. Normalmente são movimentos rápidos e muito intensos. Podem-se demarcar alguns momentos da História em que a disrupção ocorreu: (1) o processamento da vida por meio de computadores; (2) depois pela rede mundial de computadores; (3) e mais tarde a conexão da vida estava na palma da mão, ou seja, em cada *smartphone;* (4) e então as relações de toda ordem passaram a ser processadas por plataformas de compartilhamento; (5) até se conceber a *"internet das coisas"* por meio da tecnologia 5G.[34]

De modo que surge uma nova tecnologia e o cenário passa a ser outro, tornando, quiçá, obsoleta a regulação. Essa "desconexão regulatória"[35] *pode ser gerada pela inovação, originando um dilema ao regulador,* que pode ser percebido a partir da seguinte sequência

---

[32] FARACO, Alexandre Ditzel. Direito Concorrencial e Regulação. *Revista de Direito Público da Economia – RDPE*, Belo Horizonte, n. 44, p. 9-41, out./dez. 2013.

[33] Um alerta importante merece ser exposto: "A liberdade de iniciativa protege o direito de produzir, transferir e acumular riquezas. O direito de propriedade e a autonomia negocial são as molas mestras da liberdade de empreender" (BINENBOJM, Gustavo. *Liberdade igual*. O que é e porque importa. Rio de Janeiro: História Real, 2020, p. 79).

[34] Esses marcos são dispostos de modo unilateral pelo autor.

[35] BROWNSWORD, Roger; GOODWIN, Morag. *Law and the Technologies of the Twenty-First Century:* Text and Materials. Cambridge: Cambridge University Press, 2012, p. 46-71.

de questionamentos: é necessário regular ou modificar a regulação existente? Em caso negativo, deve se pensar *se isto não deva ser feito no futuro*. Em caso positivo, deve-se perguntar *como regular e com qual intensidade*.

Em outras palavras, a entidade ordenadora deve perceber se é necessária a *reconexão*, quando e como assim o fazer, sem se esquecer de dialogar com a *autonormatização já feita pela própria nova tecnologia – v.g. regulação por arquitetura*. Essa forma de normatizar as coisas, em suma, *ocorre quando os sistemas são projetados moldando a conduta dos agentes que deles se utilizam*. Tomemos como base a rede mundial de computadores como um todo ou os sites de relacionamentos: os fluxos de informação e as trocas de dados entre as pessoas podem ser "arquitetados" por meio da projeção dos sistemas. Assim, empresas que dominam as plataformas como *Facebook*© ou *Instagram*© podem determinar como e com quem as pessoas podem se relacionar. Veja que a regulação se dá pelo algoritmo projetado pelo programador, ou melhor, pela empresa que é proprietária do site ou da plataforma. Assim, ocorre uma "regulação por arquitetura". De modo que essa forma de *regulação teria por meta prevenir comportamentos ou estimular condutas*. E isso gera um *ambiente regulado por si*, porque os códigos dos sistemas funcionam como as regras de um setor.

A relação entre tecnologia e regulação pode ser percebida em vários aspectos. Vamos listar alguns deles:

(a) *Tecnologia como instrumento da regulação*: as inovações tecnológicas podem servir à estruturação da regulação, qualificando seu desempenho. Exemplo: as audiências públicas podem ser feitas via rede mundial de computadores, atingindo número expressivo de pessoas, o que qualifica a legitimidade dos atos normativos;

(b) *Regulação como instrumento da tecnologia*: os atos normativos seriam um vetor para desenvolver novas tecnologias ou bem as ordenar (*v.g.* regulação do uso de drones; regulação incentivadora da pesquisa de novos produtos tecnológicos etc.);

(c) *Relação de equivalência*: quando a tecnologia e a regulação se auxiliam mutuamente. Exemplo: a regulação emprega o *blockchain*, mas também o normatiza.

Em algumas situações, a *regulação será considerada uma tecnologia*, a partir do momento em que a *ordenação projeta resultados*, que podem ser ampliados ou restringidos, mas que são originais, inéditos e/ou disruptivos. Então, as *várias técnicas regulatórias funcionam como um processo de nova tecnologia*. Veja o caso das *licenças negociáveis (emissions trading)*, tão famosas na compra e venda de índices construtivos[36] ou no "mercado de carbono".

Pode existir uma série de *outras formas de normatização de setores*, combinando em maior ou menor medida a participação do Estado. Veja o caso dos *atos normativos consensuais*, em que se *firmam compromissos entre o Estado e os atores regulados*, perfazendo uma *corregulação*. Ou a *regulação poderá ser privada – autorregulação –*, seja ela obrigatória ou voluntária.

---

[36] De acordo com os coeficientes de aproveitamento básico, que permitem outorgas onerosas dos direitos de construir acima de determinados patamares determinados no plano diretor (cf. arts. 28 e ss. do *Estatuto da Cidade* – Lei nº 10.257/01).

O termo "autorregulação" pode revelar uma série de sentidos, ou melhor, referir-se a múltiplas situações. Dando contornos jurídicos ao tema, na Alemanha comumente o termo é referido pela palavra *"Selbstregulierung"*[37] e, na França, por uma interessante expressão: *"autorégulation régulée"* – como se fosse dizer que uma regra esteja permitindo que um sujeito ou instituição regule a si. A autorregulação se diferencia da *heterorregulação*. Neste último caso, uma entidade externa exara regras que pautam outrem.

Em termos bastante sintéticos, a *autorregulação consiste na fixação de determinada auto-organização, em que um determinado sujeito, instituição, organismos etc. obrigam-se a praticar certas condutas*. E isso pode se dar até pelo estabelecimento de compromissos morais que se autoimpõem. Logo, constituem-se *forças de autocontrole* (*Sebststeuerungskräfte*) em determinado organismo.

Então, esse "admirável mundo novo" pode estar à mercê de *desarranjos regulatórios*, que em tese podem causar uma série de problemas: violação de direitos fundamentais, assimetrias informacionais, disfunção na concorrência ou na entrada de novos agentes econômicos etc. As sub-regulações, ou[38] *sobrerregulações*, aquém ou além do devido, podem existir e prejudicar o desenvolvimento de todo o processo.[39]

E, de outro lado, a regulação pode enfrentar outro problema: *sua própria superação, ou melhor, seu bypass*. Ela pode ser francamente contornada caso não se adapte às mudanças sociais, caso perca legitimidade, caso não seja atrativa etc. Exemplifico: o *WhatsApp*© tornou-se *"too big to ban"*, ou seja, "grande demais para ser banido".[40] Em outras palavras, o Estado não possui mais "força" para impedir ou até mesmo ordenar intensamente este sistema que se "enraizou" na vida cotidiana de milhões de pessoas.

4 Existe ainda Direito Administrativo? Ou: que Direito Administrativo é este?

Por muitos anos, o Direito Administrativo forjou institutos com elementos próprios, ou seja, institutos que eram próprios desta ciência jurídica. Por exemplo: na França praticava-se a ideia de contrato administrativo, o qual carregava consigo o regime derrogatório, os aspectos ligados ao equilíbrio econômico-financeiro e uma

---

[37] O termo é empregado no movimento de privatização dos serviços de telecomunicações, postal e ferroviária dos anos 90 do século XX. Também, aqui, merece ser feita outra explicação. Na Alemanha, mais recentemente, emprega-se o termo "Regulierung", que é a palavra para a tradução da regulação no sentido norte-americano (*regulation*). É o nosso regulatório no Direito Administrativo. Por exemplo, a *Regulierungsbehörde* equivale às nossas agências reguladoras. Já *"Regelung"* é termo mais antigo e tradicional da teoria do direito e vale como regramento e mesmo como regulamento, mas no sentido genérico do termo (e não no sentido do decreto do Executivo). Veja que a palavra *"Regelung"* vem de *"Regel"*, que, em tradução literal, quer dizer "regra". Possui relação com "regra" no senso material do termo, e não com a forma do ato. Mesmo na Lei Fundamental alemã existem regramentos ou regulamentos.

[38] MARQUES NETO, Floriano de Azevedo; FREITAS, Rafael Véras de. Uber, Whatsapp, Netflix: os novos quadrantes da *publicatio* e da assimetria regulatória. *In*: FEIGELSON, Bruno; FREITAS, Rafael Véras de; RIBEIRO, Leonardo Coelho (org.). *Regulação e novas tecnologias*. Belo horizonte: Fórum, 2017, p. 20-22.

[39] RIBEIRO, Leonardo Coelho. A instrumentalidade do direito administrativo e a regulação de novas tecnologias disruptivas. *In*: FEIGELSON, Bruno; FREITAS, Rafael Véras de; RIBEIRO, Leonardo Coelho (org.). *Regulação e novas tecnologias*. Belo Horizonte: Fórum, 2017, p. 61-69.

[40] HACHEM, Daniel Wunder; FARIA, Luzardo. Regulação jurídica das novas tecnologias no Direito Administrativo brasileiro: impactos causados por Uber, WhatsApp, Netflix e seus similares. *Revista Brasileira de Direito*, Passo Fundo: IMED, v. 15, n. 3, p. 193, dez. 2019.

série de características. Então, quando se visualizava um negócio jurídico ao redor do mundo, dizia-se: "este instituto segue o 'modelo francês'". E, para tanto, sempre se teve dificuldade em definir o Direito Administrativo.[41]

Mas *esse determinismo dogmático parece estar em franca ebulição*, porque mesmo na França, com a vigência das diretivas da União Europeia de 2014, os contratos "tipicamente franceses" passaram a ser questionados, dado que sofreram o influxo da presença de aspectos do Direito do *common law*. E, claro, *outros institutos também sofreram com esta indeterminação conceitual*. Em suma, quero dizer que o problema é ainda mais amplo, porque os *limites do Direito Administrativo não são mais precisos*, porque muitas vezes os espaços de incidência do sistema jurídico ou mesmo suas fontes não se adéquam aos modelos dogmáticos até então praticados. Fico com dois exemplos: o primeiro deles é mais singelo e consiste na aproximação bastante latente do direito da improbidade administrativa a conceitos de Direito Penal com a reforma feita pela Lei nº 14.230/2021 na *Lei de Improbidade Administrativa* (Lei nº 8.429/1992), ainda que o STF, ao julgar o Tema nº 1.199, tenha deixado clara esta diferença. Em outro aspecto, veja a aproximação feita pela Lei nº 14.133/2021 com institutos que já eram praticados nas concessões de serviço público e nas Parcerias Público-Privadas – exemplo: contratos de fornecimento de bens com mão de obra associada; regulação da matriz de risco em contratos de aquisição; procedimento do diálogo competitivo; proposta de manifestação de interesse; contrato com cláusula de remuneração variável; etc.

O segundo exemplo parece ser mais sofisticado e mais relevante quando se fala em imbricamento do Direito Administrativo e outros ramos da ciência jurídica: *a maior ou menor incidência do sistema jurídico de Direito Privado*. Veja que nem todos os atos praticados pelo Estado são atos administrativos.[42] Concentrar-nos-emos neste tema, por conta de ser o principal alvo da doutrina e dos debates sobre os limites do Direito Administrativo, conforme será a seguir provado.

Deixo aqui o primeiro questionamento ao leitor: o art. 7º do código comercial italiano de 1882 assim dizia: "o Estado não pode adquirir o *status* de comerciante". Será?

(1) É certo que estes questionamentos não são novos, porque já eram formulados há muitos anos por Fritz Fleiner[43] quando falava da "fuga para o direito privado" ou "privatização do direito administrativo", sendo enfrentado por muitos autores como Savatier e Charles Eisemann e, no Brasil, por autores como Maria Sylvia Zanella di Pietro. Há uma série de entendimentos que, ao analisar o problema desta divisão, acabam por "lançar luzes" ao questionamento acerca da existência ou não de Direito Administrativo, ainda que existam tantos institutos que dificultem conseguir uma compreensão mais precisa que coloque as "coisas o mais possível nos seus lugares".

---

[41] Como demonstra Marçal Justen Filho (*Curso de Direito Administrativo*. São Paulo: Revista dos Tribunais, 2014, p. 89-90).

[42] O que Almiro do Couto e Silva sinalizou como sendo "atos-fatos administrativos" (O princípio da segurança jurídica no Direito Público brasileiro e o direito da administração pública de anular os seus próprios atos administrativos: o prazo decadencial do art. 54 da lei do processo administrativo da União (Lei nº 9.784/99). In: COUTO E SILVA, Almiro. *Conceitos fundamentais do direito no Estado Constitucional*. São Paulo: Malheiros, 2015, p. 123). No mesmo sentido: SCHREIBER, Anderson. *A proibição do comportamento contraditório*: tutela da confiança e comportamento contraditório. Rio de Janeiro: Renovar. 2012, p. 213.

[43] Para o autor, o Estado continuava sendo a mesma pessoa jurídica, com as mesmas características, mesmo quando atuava submetido ao regime de Direito Privado (FLEINER, Fritz. *Institutionen des Deutschen Verwaltungsrechts*. Tübingen: J. C., 1928, p. 326).

O fenômeno ficou ainda mais aparente com a *ampliação das tarefas do Estado, momento em que se ampliaram, naturalmente, as fronteiras do Direito Administrativo, que avançaram sobre o direito privado*, notando-se isto nos temas ligados ao implemento de *direitos sociais*.[44] Ou quando foi imposto que as tarefas estatais fossem *mais eficientes e ágeis*.[45] Então, podemos apostar que, em verdade, estamos a falar da *ampliação do Direito Administrativo*, ou seja, de atividades que migraram aos domínios da Administração Pública e que, agora, são por ela prestadas.

Repetindo o que se disse logo antes: sabemos que nem todos os atos praticados pelos agentes públicos são atos administrativos – *v.g.* atos materiais, considerados "atos-fatos administrativos".[46] O primeiro ponto que parece fazer sentido de ser explorado é: existe *Direito subjetivo-administrativo*? Não se duvida que o *ato administrativo está vinculado a um fim*.[47] No Direito Privado, *o ato está vinculado a bens e pessoas*. Logo, a questão cinge-se à divisão de competências, *estabelecendo atividades que no mais das vezes são indisponíveis*. Exemplo: o foco nos bens de uso comum do povo não é a condição de proprietário, mas a sua destinação. Se um prédio privado é invadido por águas públicas, ele será dominado pelo Direito Público enquanto durar essa condição.

Ato administrativo, então, *seria um ato jurídico vocacionado a satisfazer uma finalidade pública do Estado, submetido a um regime jurídico-administrativo*. A partir desta dimensão, Ruy Cirne Lima[48] aponta uma série de artigos do Código Civil de 1916 que tratam de Direito Administrativo (*v.g.* autarquia, serviços públicos, bens públicos etc.), o que já denunciava de certo modo este embricamento. Então, institutos de Direito Privado há muito ganhavam contornos publicísticos.

Nem mesmo nos países continentais a evidente diferença entre o Direito Público e o Direito Privado permanece. Há muitos fatores para tal acontecido:

- A *ampliação do controle ou presença do comando da Administração Pública sobre pessoas jurídicas de Direito Privado*, o que se deu por variados modos e em múltiplas conformações;
- *Ampliação das regras de Direito Público sobre o Direito Privado*, ou mesmo a retração do Direito Administrativo em determinadas searas. Aqui, cabe um adendo: quanto mais o Direito Público invadiu a seara privada, mais foi influenciado pelo Direito Civil.[49]

A divisão entre Direito Público e Direito Privado ou atuação a partir destas características poderia ser pensada a partir de uma série de critérios. Estaríamos diante do Direito Público quando exista:

---

[44] DI PIETRO, Maria Sylvia Zanella. *Do direito privado na Administração Pública*. São Paulo: Atlas, 1989, p. 39.

[45] COUTO E SILVA, Almiro do. Os indivíduos e o Estado na realização das tarefas públicas. *In:* COUTO E SILVA, Almiro. *Conceitos fundamentais do direito no Estado Constitucional*. São Paulo: Malheiros, 2015, p. 255.

[46] COUTO E SILVA, Almiro do. Atos jurídicos de direito administrativo praticados por particulares e direito formativo. *In:* COUTO E SILVA, Almiro. *Conceitos fundamentais do direito no Estado Constitucional*. São Paulo: Malheiros, 2015, p. 124.

[47] Tema há muito já dissertado por Ruy Cirne Lima (Direito administrativo e direito privado. *Revista de Direito Administrativo*. Rio de Janeiro: FGV, v. 26, p. 19-33). É possível que uma relação de administração surja concomitantemente com um direito subjetivo, sem que ambos se oponham. Exemplo: na concessão de serviço público surge uma relação de administração e um direito subjetivo do concessionário.

[48] *Idem*.

[49] Esse fenômeno ficou mais evidente nos serviços industriais e comerciais prestados pelo Estado francês.

(a) *unilateralidade* da ação, característica marcante do ato administrativo;[50]
(b) *finalidade* de proteção da coletividade;
(c) *limitação* da liberdade, propriedade ou atividade pelo Estado;[51]
(d) o *direito constitucional* forneceria as bases da atuação do Estado, e ali deveria se procurar saber em que medida o Estado poderia atuar no Direito Público ou Privado;
(e) a *presença do Estado* está em um dos polos da relação jurídica formada ou do ato praticado.

Esses critérios foram duramente criticados por Charles Eisenmann,[52] e tendo a concordar com o autor. Primeiro, a unilateralidade está presente em uma série de atos do Direito Privado, chamados, por exemplo, de atos potestativos, resolutivos ou formativos.[53] Segundo, o Direito Privado em muitas situações cogita proteger direitos coletivos, basta ver o direito do consumidor, direito da criança e adolescente ou direitos de personalidade. Ademais, dentro do Direito Privado existe uma série de ordenações que limitam a liberdade ou a propriedade, como é o caso do direito de vizinhança ou as normas de condomínio. Sem contar que *o Estado tem por vocação também ampliar a liberdade dos cidadãos, e* não só os limitar. Veja que o Direito Constitucional não se preocupou em deixar clara esta divisão, sendo que não será ali que necessariamente se encontrarão as respostas para os problemas mais complexos. Por fim, o critério subjetivo não é aplicado em muitos âmbitos do Direito Administrativo, valendo o *critério funcional ou material*. Logo, a simples presença do Estado não garante que se esteja diante de um regime jurídico-administrativo, porque pessoas jurídicas de Direito Privado ou bens privados por vezes sofrem um influxo de um regime exorbitante com muito mais intensidade do que as pessoas jurídicas de Direito Público. Basta ver uma concessionária de serviço público comparada a uma sociedade de economia mista que atua no mercado.

Portanto, conclui o autor que a divisão, como na sua origem, *tem uma finalidade muito mais didática*. E neste ponto, podemos manifestar nossa respeitável discordância, porque somos chamados a responder a uma série de complexidades que demandam diferenciar o tal direito. Veja os seguintes exemplos: quando uma empresa pública revoga uma licitação, aproxima esta ação de um ato administrativo; agora, quando o mesmo diretor faz um negócio na Bolsa de Valores, pratica ato de direito privado.

---

[50] Ainda que os atos negociais ou bilaterais reclamem uma manifestação de vontade do particular para gerar efeitos. Esta manifestação poderá ser prévia (exemplo: aposentadoria) ou posterior ao ato (exemplo: nomeação e aceitação posterior).

[51] São critérios eleitos, por exemplo, por: SAVATIER, René. *Droit privé et droit public*. Paris: Dalloz, 1946, p. 25-28.

[52] EISENMANN, Charles. Droit public, droit privé (En marge d'un livre sur l'évolution du droit civil français du XIXe au XXe siècle). *Revue du droit public et de la science politique en France et a l'étranger*. Paris: LGDJ, 1952, p. 903-979.

[53] O termo "direito formativo" é criado na conferência proferida por Emil Seckel em 1903, com base na compreensão de Helwig sobre as sentenças constitutivas. Em termos de Direito Púbico, poderiam ser considerados aqueles direitos que o particular pode pretender em face da Administração Pública (cf. COUTO E SILVA, Almiro do. Princípio da segurança jurídica no Direito Público brasileiro e o direito da administração pública de anular os seus próprios atos administrativos: o prazo decadencial do art. 54 da lei do processo administrativo da União (Lei nº 9.784/99). *In*: COUTO E SILVA, Almiro. *Conceitos fundamentais do direito no Estado Constitucional*. São Paulo: Malheiros, 2015, p. 125).

Vamos a outro exemplo: Jacqueline Morand Deviller,[54] ao explicar a diferença entre os *serviços administrativos* e os *serviços industriais e comerciais*, afirmou que os primeiros estavam submetidos totalmente ao Direito Público e os segundos somente em parte. Essa concepção coloca na *lei a tarefa de atribuir maior ou menor grau de regulação sobre o tema* e, por conseguinte, de definir as fronteiras do Direito Administrativo. Contudo, para o entendimento moderno,[55] *o critério formal não seria viável para definir os serviços públicos, ou seja, é irrelevante a presença ou não de um regime jurídico-administrativo, porque devem ser apenas conjugados os critérios orgânico (presença do Estado ou de quem lhe faça às vezes) e material (satisfação das necessidades sociais).*

No *Direito Administrativo dos bens*, as zonas de incerteza quanto à maior ou menor presença do Direito Público – e das suas prerrogativas – são também candentes. Veja que *existem "bens estatais" que não se confundem com "bens públicos"*. Os primeiros representam todos os que pertencem ao Estado, de natureza privada ou pública.[56] Veja que o art. 98 do Código Civil disse que "são públicos os bens do domínio nacional pertencentes às pessoas jurídicas de direito público interno; todos os outros são particulares, seja qual for a pessoa a que pertencerem". Uma leitura rápida poderia pressupor que todos os bens estatais são públicos. Mas não é isto que a regra deflagra, porque dispõe que *os bens estatais serão públicos quando pertencentes às pessoas jurídicas de Direito Público – aplicação do critério subjetivo ou orgânico. Então, quando o Estado atuar por meio de pessoas jurídicas de Direito Privado, os bens conterão esta natureza.*

Contudo, esse critério parece estar *superado*. Em outras palavras, o parâmetro pessoal parece simplista ou inócuo na contemporaneidade e frente aos *múltiplos ordenamentos que escalonam níveis de deflagração de um maior ou menor regime jurídico administrativo.* Assim, um *bem estatal privado não necessariamente se sujeitará totalmente ao regime de direito privado.* Logo, o critério simplista bipolar parece ceder a uma "[...] escala complexa de dominialidade, cuja compreensão pressupõe que os juristas desqualifiquem certas expressões jurídicas".[57] Só este fato já ratifica a dificuldade de formatar limites absolutos entre os regimes de Direito Público e Privado.

Bens públicos seriam um conjunto de ativos, materiais ou imateriais, corpóreos ou incorpóreos, afetados ou desafetados, atrelados ao patrimônio das pessoas jurídicas de direito público interno e sujeitos a um predominante regime jurídico-administrativo. Este conceito toma por base o direito positivo e revela uma faceta: a dificuldade ou a impossibilidade de se avançar em outros elementos, dada a intensidade das variantes normativas e dogmáticas a incidir no tema.

No campo dos bens estatais, farei um recorte, dando conta dessa dificuldade de categorização conceitual entre público e privado, ou na tentativa de transportar os conceitos de um campo a outro. Sobre o direito de propriedade estatal,[58] pode-se

---

[54] MORAND DEVILLER, Jacqueline. *Cours de droit administratif*. Paris: Montchrestien, 2001, p. 459.
[55] Falo aqui de René Chapus (*Droit administratif*. Paris: Montchrestien, 2001).
[56] FERRAZ, Luciano; MARRARA, Thiago. Direito administrativo dos bens e restrições estatais à propriedade. In: DI PIETRO, Maria Sylvia Zanella (coord.). *Tratado de direito administrativo*. São Paulo: Revista dos Tribunais, 2019, p. 30.
[57] FERRAZ, Luciano; MARRARA, Thiago. *Op. cit.*, p. 40.
[58] Antes da obra de Maurice Hauriou (*Précis de droit administratif*. Paris: Recueil Sirey, 1933, cuja primeira edição é de 1911), entendia-se que o Estado apenas tinha o direito de defesa sobre estes bens. A partir da obra citada, passou-se a compreender que o Estado tinha plena propriedade sobre os bens de domínio público.

considerar (1) *que a noção de propriedade privada poderia ser plenamente aplicada ao domínio estatal dos bens*; (2) ou *que esta aplicação poderia ser feita apenas para com alguns bens*; (3) ou que a propriedade estatal é única e diversa das definições *de direito privado*; (4) ou *que ela não poderia ser concebida dentro do Direito Administrativo*.[59] Na verdade, a questão pode ser resolvida ao se clarear algumas diversidades. Veja que o direito de *propriedade não se confunde com suas faculdades*. Deter o domínio de algo permite com que o titular possa exercer certas condutas e tomar certas posições. Mas *nem toda a propriedade permite sempre o exercício das quatro faculdades:* usar, gozar ou fruir, dispor e reaver – e isto vale para o direito privado e para o público. Ao serem apartadas estas premissas, consegue-se defender (1) que *o Estado possui direito de propriedade sobre seus bens* e que (2) em muitas situações *não exercerá todas as faculdades* – exemplo: nem todos os bens públicos estão sujeitos à livre disposição. Por último, assim como ocorre no Direito Privado, (3) *o proprietário possui também deveres e prerrogativas*. E aqui vemos uma diferença: os *deveres estatais poderão ser diferentes daqueles impostos no âmbito do direito privado*.[60] Assim como a Administração Pública terá *prerrogativas não deferidas aos agentes privados*,[61] as quais foram criadas em maior ou menor medida para proteger o interesse primário.[62] Em suma, a *propriedade do Estado é funcionalizada e variam suas faculdades, deveres e prerrogativas*.

Faço outro recorte no tema: *a expressão "domínio público" já não pode ser empregada em sentido subjetivo*, como quer o Código Civil, ou seja, a se *referir aos bens de propriedade das pessoas jurídicas de Direito Público*. As coisas assim postas deixariam de explicar situações em que um bem estatal está alocado submetido integralmente ao regime privado, e quando um bem de propriedade privada está afeto a um mister eminentemente público. Deixo ao leitor um exemplo para dar conta da insuficiência do tal critério: imagine que uma concessionária do serviço público de saneamento básico receba terrenos estatais para prestar a tal atividade; e que aloque bens de seu patrimônio neste mister; ou um terreno público é alugado a um banco. Nestes exemplos, fica claro que "domínio público" não pode ser relacionado a quem é o proprietário, mas a um regime jurídico incidente. Em suma, *um bem estatal pode estar submetido a um regime de domínio público ou privado*, a depender da legislação regente. Logo, um bem que está no "domínio público" pode ser de propriedade pública ou privada, e sofrerá o influxo das regras de Direito Administrativo.[63]

(2) Aspiro fornecer a minha compreensão do tema. Aparentemente, o "voo não precisa ser tão alto", bastando que voltemos à essência das coisas. A primeira pergunta que me proponho a fazer é: existe utilidade em tentar estabelecer um critério para esta divisão? Ou melhor, *qual a relevância de se saber se a Administração Pública está atuando sob um regime de Direito Público ou Privado?* Talvez antes de ofertarmos respostas, seja mais importante fazer a pergunta correta: a *Administração Pública pode estar sujeita a um regime*

---

[59] MARQUES NETO, Floriano de Azevedo. *Bens públicos:* função social e exploração econômica. O regime jurídico das utilidades públicas. Belo Horizonte: Fórum, 2009, p. 73.
[60] Veja os deveres de manutenção, de asseio ou operação de bens atrelados ao uso coletivo.
[61] A autoexecutoriedade de medidas administrativas, em caso de urgência ou previsão legal.
[62] JUSTEN FILHO, Marçal. Concepto de interés público y la personalización del derecho administrativo. *Actualidad en el Derecho* Público. Buenos Aires: Ad-Hoc, n. 9, p. 51-89, ene./abr. 1999; MARQUES NETO, Floriano de Azevedo. *Op. cit.*, p. 70.
[63] FERRAZ, Luciano; MARRARA, Thiago. *Op. cit.*, p. 51-52.

jurídico que lhe garanta mais ou menos prerrogativas e atuação unilateral? Resposta: *o sistema jurídico calibra em cada âmbito de proteção a exorbitância ou não dos poderes administrativos*. E de outro lado, em casos excepcionais, o sistema jurídico *coloca o administrado até em posição de supremacia em relação ao Poder Público* (exemplo: ele pode impor sua vontade ao Estado, como nos casos em que a lei permite o cidadão se autorregular ou quando o autoriza a unilateralmente aderir a parcelamentos tributários que vão impor a suspensão da ação administrativa fiscal e até a eventual ação penal).

Como visto logo antes, um bem estatal, que pode ser público ou privado, pode *sofrer uma maior ou menor incidência de um regime jurídico administrativo*. E a sua natureza jurídica ou sua propriedade serão apenas um dos elementos que indicarão os níveis de exorbitância do tal regime a que tal coisa é submetida. De regra, um bem privado não alocado a uma função pública tenderá a sofrer uma baixa incidência do regime jurídico-administrativo. Contudo, *bens estatais ou não estatais podem deter o mesmo nível de incidência de um regime jurídico interventivo*. Por isso, existe uma *multinormatividade que impôs a criação de subespécies de bens públicos*: "bens públicos impróprios", "bens particulares indiretamente afetados" etc. Em suma, *os limites do regime jurídico público desafiam a inexistência de um regime jurídico único para as mesmas coisas; na existência de regimes específicos e funcionais a determinados setores; na incidência dupla de normas de Direito Privado e Público; etc.*

A *legalidade administrativa* ainda fornece *parâmetros, limites e possibilidades quanto à atuação administrativa*. Então, todo agente público está sujeito a um *regime de competência*. Logo, a *menor ou maior penetração do Direito Privado, ou*, dito de outro modo, a *maior atuação do Direito Público não é senão a ampliação (1) da intervenção do Estado na propriedade, com a (2) ampliação dos limites da competência dos agentes públicos neste sentido*. E o movimento inverso de retração do Direito Público permitindo a ampliação do Direito Privado na Administração Pública segue as mesmas duas lógicas.

Então, casuisticamente a lei deveria fixar qual *é a autonomia da autoridade* pública para agir conforme o direito privado, o que coloca ou conduz o problema aos *limites da competência administrativa*. O leitor poderia perguntar: mas e se o sistema jurídico não for claro neste sentido, como deveria ser? Nestas situações indeterminadas, valeria explorar os mecanismos de interpretação da legislação, notadamente (1) a *interpretação sistemática*; (2) a sua *finalidade* e (3) a *lógica da norma* (por exemplo, um indicativo de que se está diante do direito público ocorre quando o legislador fornece prerrogativas ao Poder Público). Mas o sistema jurídico deveria prever claramente a lista de prerrogativas em homenagem ao art. 5º, inciso II, e art. 37, "caput", ambos da CF/88 – veja o caso da Lei nº 14.133/2021: no art. 104 listou as prerrogativas contratuais do Poder Público.

Então, a legislação no mínimo deveria dizer:

(a) Qual a *maior ou menor autonomia do Poder Público*? (no limite, estaria a definir a atuação discricionária);

(b) Quais as *prerrogativas conferidas ao Estado*? E aqui a lei poderia, ao inverso, apresentar a conjuntura na qual o Poder Público se sujeita ou atua sob os domínios do Direito Privado;

(c) Quais são os *casos em que o Poder Público deve ou pode demandar o consenso do cidadão*?

(d) Quais os *casos em que as tarefas públicas são transferidas parcialmente* (*v.g.* só sua execução) ou *totalmente aos agentes privados*?[64]

Então, cada sistema jurídico encontrou seu modo de fixar os limites de incidência do Direito Administrativo, distinguindo-o do Direito Privado. Em resumo, o Direito francês formatou critérios para delimitar as normativas públicas e privadas, como, por exemplo, (1) o *critério dos meios*: a atuação é feita sob um *regime derrogatório*?; (2) o *critério dos fins:* o exercício das funções públicas visa a *satisfazer uma necessidade social* (*v.g.* serviço público). Já o Direito alemão estabeleceu que a distinção estava centrada na presença ou não da *autoridade pública*, que trazia consigo a ideia de regime derrogatório. Com o tempo, essa ideia de "autoridade pública" se desenvolveu em três subcritérios: (2.1) *exercício das prerrogativas*; (2.2) *função de planejamento*; e (2.3) *prestações sociais*.[65]

O Brasil contemporâneo também possui este desafio: encontrar sua *summa divisio* entre o Direito Público e o Privado, a fim de parametrizar os limites do próprio Direito Administrativo. Importar pura e simplesmente os critérios elencados pelos demais países pode não ser uma boa estratégia, dado que o nosso sistema jurídico deveria ser pensado a partir de suas fontes. Então, partindo do texto da Constituição da República Federativa do Brasil de 1988, os arts. 5º, inciso LXIX, e 37, §6º, demarcariam dois critérios para distinguir uma atuação com base em um regime jurídico administrativo, ou seja, a partir da definição da "autoridade pública" e dos atos que ela pratica, atraindo um regime de responsabilidade e a possibilidade de questionamento via mandado de segurança, poderíamos iniciar a distinção.

Neste aspecto, parece fazer sentido que o regime publicístico seja aplicado às atividades de:

(a) *prestação de serviço público*;

(b) *atos de império*.

A partir dessas duas premissas, ou *se concentra a divisão a partir dos paradigmas franceses, cortejando critérios definidores, ou se pode delimitar, mais ou menos extensivamente, a concepção de "autoridade pública" do Direito alemão*. Ainda que se possa advogar que a opção escolhida seja uma questão teórica ou didática, compreendo que os "feixes de indícios" do Direito francês podem ser mais explicativos. Exemplo: uma determinada entidade é submetida ao Direito Público ou Privado? Para responder a este questionamento, poder-se-ia partir de determinados parâmetros:

(a) Como foi *criada a entidade*? Se por lei, há um indício de que se trata de uma entidade administrativa e que não se submete ao Direito Privado – porque, do contrário, seria "autorizada" por lei, conforme art. 37, inciso XIX, da CF/88;

(b) Qual o *fim perseguido pela entidade*? A prestação de atividades de realização das necessidades sociais pode indicar a incidência do regime jurídico-administrativo;

(c) Como se organizam as relações entre a entidade e quem a criou? Exemplo: como são nomeados seus dirigentes;

---

[64] Veja que toda delegação de serviço público reclama a presença de lei – art. 175 da CF/88, combinado com o art. 1º, parágrafo único, da Lei nº 8.987/1995.

[65] COUTO E SILVA, Almiro do. A natureza jurídica da Fundação Estadual de Proteção Ambiental e o regime jurídico de aposentadoria dos servidores. *In:* COUTO E SILVA, Almiro. *Conceitos fundamentais do direito no Estado Constitucional.* São Paulo: Malheiros, 2015, p. 642-644.

(d) A *entidade tem ou não prerrogativas*? A submissão ou o deferimento de um regime derrogatório pode ser determinante neste sentido.

(3) A *utilização de regras privadas pela Administração Pública deve ser admitida segundo a própria legalidade, ou seja, conforme autorizado pelo sistema jurídico*.[66] Não se concorda com a afirmação de que a Constituição Federal de 1988 não tenha fixado um regime material à Administração Pública, podendo ser aplicado qualquer regime, público ou privado. Ao contrário: ela forneceu subsídios muito importantes para tanto, cabendo ao legislador, como manda a "boa técnica", densificar o texto. E não há um regime apriorístico do tipo: "na ausência de norma específica, pode-se aplicar o direito privado". Ao contrário, há de se perceber qual a categoria jurídica que se está a tratar. Segundo a Constituição da República Federativa do Brasil de 1988, temos o seguinte quadro sistemático:

(a) *Tarefas públicas*:

(a1) *Regime exclusivamente de Direito Público* – tarefas estatais exclusivas;

(a2) *Regime semipúblico*:

(a2.1) *Privatização orgânica* – criação de empresa estatal (privada) para exercer tarefas públicas – art. 37, inciso XIX;

(a2.2) *Privatização da tarefa*:

(a2.2.1) *Depende de ato concessivo* (*v.g.* concessões de permissões) – art. 175;

(a2.2.2) A *execução é sujeita a mínimas regras de Direito Público, e prestadas por um privado* (autorizações de serviço de utilidade pública[67]) – *v.g.* setor ferroviário e portuário;

(a3) *Tarefas públicas prestadas exclusivamente pelo agente privado* – *v.g.* notários e registradores, conforme art. 236;

(b) *Tarefas privadas*:

(b1) *Regime exclusivamente de direito privado* – é a regra, segundo os arts. 170, 174 e 219;

(b2) *Regime semiprivado*:

(b2.1) *Publicização orgânica* – criação de empresa estatal (privada) para exercer tarefas privadas – art. 173;

(b2.2) *Publicização da tarefa*:

(b2.2.1) *Depende de autorização*, nos casos prevista em lei – art. 170, parágrafo único;

(b2.2.2) A *execução é sujeita a mínimas regras de direito público, e prestadas por um privado* (*v.g.* profissões regulamentadas) – art. 5º, inciso XIII;

(b3) *Tarefas privadas prestadas exclusivamente pela União* – *v.g.* lista de casos de monopólio do art. 177.

---

[66] Exemplo: o arrendamento portuário segue as regras de Direito Privado, mas tem de ser precedido de licitação (art. 5º-B da Lei nº 12.815/2013).

[67] O constituinte dá a opção de exercer o serviço diretamente ou autorizar que o agente privado assim o faça – intenção de conferir maior flexibilidade, fugindo das determinações do art. 175. Almiro do Couto e Silva, no ponto, adverte para o cuidado que se deve ter em relação ao princípio da igualdade, porque, ou todo o interessado pode prestar o serviço, ou faria prévia licitação (COUTO E SILVA, Almiro. Privatização no Brasil e o novo exercício das funções públicas por particulares. Serviço público à brasileira? *In*: COUTO E SILVA, Almiro. *Conceitos fundamentais do direito no Estado Constitucional*. São Paulo: Malheiros, 2015, p. 203-209).

Destaco que a *privatização orgânica da atuação* ocorre quando existem *tarefas públicas executadas sob a égide de um regime privado*, colocando maior agilidade e eficiência na sua implementação (exemplo: criação de uma empresa estatal) – o que se conhece por descentralização por outorga ou delegação funcional. Ou se pode perfazer uma (2) *privatização da tarefa*: ocorre quando o *Estado passa à completa execução da tarefa ao agente privado*, cabendo a este mesmo Estado *fiscalizar e regular sua prestação em níveis mínimos de qualidade*.

Ainda, merece ser mencionado que *muitos setores podem conviver com dois ou até mais regimes*. Por exemplo: a prestação da geração de energia elétrica pode ser feita por concessão ou por autorização, no caso de produção para uso próprio. Nas telecomunicações, pode existir o regime de concessão ou de autorização, no caso da telefonia móvel. No setor ferroviário, a Lei nº 14.273/2021, chamada de "Lei das Ferrovias", provoca uma alteração no panorama normativo do setor. Estabelece uma série de novidades que reclamarão a pertinente regulamentação. Rearranja o setor em dois principais eixos: serviços autorizados e serviços concedidos, tutelados, respectivamente, por um regime jurídico predominantemente de Direito Privado e outro de Direito Público.

Fica claro, então, que o *Estado assume uma dupla personalidade – pública e privada*.[68] Logo, nos dias de hoje, *não se pode perceber que o Estado está apenas sujeito ao Direito Público e o cidadão possui direitos subjetivos em face dele*, como era assim concebido no final do século XIX. A concepção estrita de serviço público formulada pela proposta burguesa e liberal do século XIX, e remodelada nas décadas seguintes, deverá ser ainda mais repensada. Há de se ter uma "posição existencialista" a descobrir se tal atividade segue um regime jurídico diferente do privado. Para tanto, o vínculo orgânico (*v.g.* Estado ou delegatários), tendo por fim o interesse público ou quando alguém recebe recursos públicos, poderia colocar boa dose de certeza sobre os pontos destacados.

(4) Se a dificuldade em definir a maior ou menor incidência de um regime público já provocou toda sorte de questionamentos, o que se dirá do efeito contrário, quando um *instituto sofre dupla ou tripla incidência de regimes jurídico-administrativos*. De certo modo, o tema foi disciplinado por vários dispositivos constitucionais, como, por exemplo, os arts. 21 e 23 (competências administrativas), arts. 22 e 24 (competências legislativas), arts. 25 30 (que tratam, respectivamente, das competências de Estados e Municípios – regras estas que devem ser interpretadas para com os demais artigos citados) etc. Apesar da dedicação do legislador constituinte neste assunto, muitas dúvidas surgiram e ainda surgem. Veja o caso dos serviços públicos, que podem ser afetados por regulações de outros entes públicos que não os titulares; o tema dos bens públicos: veja a situação em que um bem é alocado a usos múltiplos. Exemplo: um rio pode ser objeto de navegação, turismo, produção de energia elétrica, fornecimento de água a humanos, animais e plantações etc. Haverá, assim, uma múltipla regulação (da União, dos Estados, do Distrito Federal e dos Municípios) a depender da atividade inserida em cada rol de competências. Exemplo marcante: o meio ambiente. E mesmo após aprovada a Lei Complementar nº 140/2002, que objetivou com bastante intensidade a competência de cada entre federado no tema, ainda resta uma série de complexidades a serem dirimidas.

---

[68] COUTO E SILVA, Almiro. Notas sobre o conceito de ato administrativo. *In:* COUTO E SILVA, Almiro. *Conceitos fundamentais do direito no Estado Constitucional*. São Paulo: Malheiros, 2015, p. 147.

Conclusões

A partir das premissas teórico-dogmáticas ilustradas anteriormente, entendemos que os desafios do Direito Administrativo contemporâneo e nacional, a título de conclusão, podem ser assim dispostos:

- O *princípio (postulado) da proporcionalidade* deverá deter um conteúdo teórico-dogmático bem definido, para que, na prática, possa ser aplicado com *uniformidade* e com *isonomia*. Queremos dizer que este postulado não pode ser definido a cada julgado, a cada dia ou a cada caso, para dar a solução jurídica que vá ao encontro dos interesses de quem aplica este instituto;
- Os mecanismos constitucionais e legais devem garantir efetivamente uma *harmonia entre a ordem política e a ordem social*, a fim de que os anseios da coletividade sejam adimplidos pelos poderes constituídos;
- A *sistematização, a uniformização e a instalação de bases estruturais da Administração Pública* no campo legislativo mostram-se imprescindíveis. O que significa que é premente a edição de um *código* ou de uma *disciplina jurídica* que condense, com completude, as principais bases orgânicas e funcionais desta seara do Direito. Assim, permitir-se-á uma maior *sistematicidade* ao Direito, *evitando-se* possíveis *contradições*;
- A definição dos marcos dogmáticos da noção de *serviço público* ainda não encontra um consenso, perspectiva esta que passa pelo enfrentamento de uma questão prévia: a demarcação do *espaço de atuação pública e privada*, e a *distinção das entidades estatais e não estatais*;
- A maior *fragmentação aos centros de poder*, o que reforça o caráter policêntrico da Administração Pública, facilita a *regionalização das decisões administrativas* e o *empoderamento das instâncias locais*. De modo que fica claro que o Poder Legislativo não possui o monopólio da normatização das coisas. Em outras palavras, há *de se diferenciar poder de normatizar e poder de legislar*, sendo apenas este último de competência exclusiva do Parlamento;[69]
- As *licitações públicas* devem assumir um novo modelo que compatibilize a seleção da melhor proposta, a igualdade de participação, a imunidade da malversação do processo focado em fins alheios ao interesse público, a desburocratização do procedimento, a promoção da sustentabilidade e do desenvolvimento social e o resultado mais vantajoso;
- A adoção de *métodos e de técnicas negociais*, dando azo à cultura do diálogo, da participação e do amplo acesso às decisões administrativas, mostra-se bastante profícua, sem que se comprometa a eficiência e as premissas mantenedoras da instância pública;
- O avanço da *Administração Pública consensual* deve ser perene. O tal consenso é demarcado pela adoção de acordos, parcerias e múltiplas outras formas de pactuação que ligam o Estado à sociedade civil, para a satisfação das necessidades públicas;

---

[69] Isto fica claro em: STF, AgR na ADI nº 2.950, Pleno, Rel. original Min. Marco Aurélio, Rel. para o acórdão Min. Eros Grau, j. 06/10/2004.

- Deve-se vivenciar um *Estado em uma dimensão adequada à realidade*. Nem tão mínimo que deixe de satisfazer adequadamente às necessidades sociais, nem tão grande que se torne ineficiente e caro. E uma ferramenta que se faz cada vez mais crescente neste contexto, que relaciona-se ao "jogo das parcerias", sendo um excelente espaço de integração do Primeiro para com o Segundo e Terceiro Setores. Assim, a democracia brasileira deve prosseguir na linha de dois exitosos exemplos: a *regulação e as parcerias*;
- O conceito moderno de *democracia* exige a *ampla participação* do cidadão, fomentando a legitimidade das decisões administrativas. E esta legitimidade deve ser vista em vários patamares da ação administrativa, como, por exemplo, no *acesso*, na *decisão*, na *execução* e no *resultado* dela;
- O ideal de *consensualidade* deve alcançar também a Administração Pública, na medida em que se possa avançar neste tema;
- Além disso, a *flexibilidade das formas* deve ser equilibrada pela manutenção da *previsibilidade e da segurança jurídica*, em relação à celeridade e eficiência dos atos administrativos;
- Deve-se ter *clareza na definição de responsabilidades* que surgem a partir da relação jurídico-administrativa entre a Administração e os administrados. Esta clareza deverá ser compreendida tanto em termos legais como em termos jurisdicionais;
- Os *direitos fundamentais* devem estar presentes e plenamente aplicáveis nas relações jurídico-administrativas mantidas pelo Poder Público em relação ao cidadão;
- Atualmente, a *Administração Pública é uma organização complexa*. Além de ser titular de atividades típicas de Estado, atua, direta ou indiretamente, no setor financeiro, agrícola, industrial, econômica etc. Presentemente, diferentemente de tempos passados, a abordagem da administração e sua relação com a sociedade traz consigo a *necessidade de incorporar a estrutura e a atividade* dela, ou seja, atua, muitas vezes, por meio de instrumentos próprios da empresa privada, como o *rendimento dos serviços, avaliação de seus custos* etc. Para tanto, exige-se da gestão pública contemporânea uma *competência técnica* dos funcionários. Ela, é claro, deve ser mais avançada, mais especializada, mais variada. A sociedade reclama que *as ações de Estado sejam efetivas*,[70] na mesma medida que esta eficiência é percebida em outros setores da sociedade. Isto desperta a atenção ao estudo de como reconstruir, sempre e sempre, a *organização administrativa* e seu *modo de atuação*. E se assim o é, esta reconstrução perpassa pela *revisão dogmática do próprio Direito Administrativo*;
- Bem por isso que não se deve considerar este campo da ciência jurídica somente como um *mero sistema de proteção jurídica*, mas muito mais como um *direito da organização administrativa e da promoção do desenvolvimento e bem-estar social*;
- Por isso que o *Direito Administrativo deve ter foco no cidadão*, e não na autoridade;[71]

---

[70] Expressão vista em *sentido amplo*.
[71] JUSTEN FILHO, Marçal. O direito administrativo de espetáculo. In: ARAGÃO, Alexandre Santos de; MARQUES NETO, Floriano de Azevedo (org.). *Direito Administrativo e seus novos paradigmas*. Belo Horizonte: Fórum, 2017, p. 57-79.

- A Administração Pública deve atuar com base nas premissas da *precaução* e da *prevenção*, o que permite gerenciar o risco de que ocorram prejuízos à coletividade ou ao indivíduo, bem como fornece mais responsabilidade na racionalização dos recursos públicos. Em uma palavra, o *Direito Administrativo persegue a proteção dos interesses coletivos pela* ação dos direitos fundamentais;
- A *regulação da* "vida digital" pode acontecer *em variadas situações ou por meio de múltiplos modos*, e o ambiente em que se processam relações virtuais é amplamente demarcado por esta forma de disciplinar a vida. Em termos macros, o ideal é que *cada setor componha seu ambiente regulatório a partir da combinação planejada e customizada*, a partir dos vários modelos regulatórios.

Esse percurso feito até aqui poderia dar a impressão de que o Direito Administrativo brasileiro é uma "colcha de retalhos" costurada por vários artífices: legislador, jurisprudência, doutrina etc. Acredito que assim não seja. Há inspiração no Direito estrangeiro e isto é inegável. Mas conseguimos construir uma "colcha" só nossa que foi retalhada pelo trabalho autêntico dos brasileiros, que construíram em muitos casos normativas ou interpretações dissonantes, impondo ao intérprete cerzir estes talhos jurídicos.

Referências

AGUILLAR, Fernando Herren. *Direito econômico*: do direito nacional ao direito supranacional. São Paulo: Atlas, 2016.

ALENCAR, José. *A propriedade*. Rio de Janeiro: B. L. Garnier, 1883.

BINENBOJM, Gustavo. *Liberdade igual*. O que é e porque importa. Rio de Janeiro: História Real, 2020.

BINENBOJM, Gustavo. Novas tecnologias e mutações regulatórias nos transportes públicos municipais de passageiros: um estudo a partir do caso Uber. *Direito da Cidade*, v. 8, n. 4, 2016.

BROWNSWORD, Roger; GOODWIN, Morag. *Law and the Technologies of the Twenty-First Century:* Text and Materials. Cambridge: Cambridge University Press, 2012.

CHAPUS, René. *Droit administratif*. Paris: Montchrestien, 2001.

CHEVALLIER, Jacques. *O Estado Pós-Moderno*. Belo Horizonte: Fórum, 2010.

COING, Helmut. *Elementos fundamentais da filosofia do direito*. Porto Alegre: Sérgio Fabris, 2002.

COUTO E SILVA, Almiro do. A natureza jurídica da Fundação Estadual de Proteção Ambiental e o regime jurídico de aposentadoria dos servidores. *In*: COUTO E SILVA, Almiro do. *Conceitos fundamentais do direito no Estado Constitucional*. São Paulo: Malheiros, 2015.

COUTO E SILVA, Almiro do. Atos jurídicos de Direito Administrativo praticados por particulares e direito formativo. *In*: COUTO E SILVA, Almiro do. *Conceitos fundamentais do direito no Estado Constitucional*. São Paulo: Malheiros, 2015.

COUTO E SILVA, Almiro do. Os indivíduos e o Estado na realização das tarefas públicas. *In*: COUTO E SILVA, Almiro do. *Conceitos fundamentais do direito no Estado Constitucional*. São Paulo: Malheiros, 2015.

COUTO E SILVA, Almiro do. Prescrição quinquenária da pretensão anulatória da Administração Pública com relação aos seus atos administrativos. *In*: COUTO E SILVA, Almiro do. *Conceitos fundamentais do direito no Estado Constitucional*. São Paulo: Malheiros, 2015.

COUTO E SILVA, Almiro do. Notas sobre o conceito de ato administrativo. *In*: COUTO E SILVA, Almiro do. *Conceitos fundamentais do direito no Estado Constitucional*. São Paulo: Malheiros, 2015, p. 158.

COUTO E SILVA, Almiro do. O princípio da segurança jurídica no Direito Público brasileiro e o direito da administração pública de anular os seus próprios atos administrativos: o prazo decadencial do art. 54 da lei do processo administrativo da União (Lei nº 9.784/99). *In:* COUTO E SILVA, Almiro do. *Conceitos fundamentais do direito no Estado Constitucional.* São Paulo: Malheiros, 2015.

COUTO E SILVA, Almiro do. Privatização no Brasil e o novo exercício das funções públicas por particulares. Serviço público à brasileira? *In:* COUTO E SILVA, Almiro do. *Conceitos fundamentais do direito no Estado Constitucional.* São Paulo: Malheiros, 2015.

DI PIETRO, Maria Sylvia Zanella. *Do direito privado na Administração Pública.* São Paulo: Atlas, 1989.

EISENMANN, Charles. Droit public, droit privé (En marge d'un livre sur l'évolution du droit civil français du XIXe au XXe siècle). *Revue du droit public et de la science politique en France et a l'étranger.* Paris: LGDJ, 1952.

FAGUNDES, Miguel Seabra. *O controle dos atos administrativos pelo poder judiciário.* Rio de Janeiro: Forense, 2010.

FARACO, Alexandre Ditzel. Direito Concorrencial e Regulação. *Revista de Direito Público da Economia – RDPE*, Belo Horizonte, n. 44, out./dez. 2013.

FERRAZ, Luciano; MARRARA, Thiago. Direito administrativo dos bens e restrições estatais à propriedade. *In:* DI PIETRO, Maria Sylvia Zanella (coord.). *Tratado de direito administrativo.* São Paulo: Revista dos Tribunais, 2019.

FLEINER, Fritz. *Institutionen des Deutschen Verwaltungsrechts.* Tübingen: J. C., 1928.

GONÇALVES, Cláudio Cairo. O princípio da consensualidade no Estado Democrático de Direito. *Revista de Direito Administrativo.* Rio de Janeiro: FGV, v. 232, abr./jun. 2003.

HACHEM, Daniel Wunder; FARIA, Luzardo. Regulação jurídica das novas tecnologias no Direito Administrativo brasileiro: impactos causados por Uber, WhatsApp, Netflix e seus similares. *Revista Brasileira de Direito*, Passo Fundo, v. 15, n. 3, dez. 2019.

HAURIOU, Maurice. *Précis de droit administratif.* Paris: Recueil Sirey, 1933.

JUSTEN FILHO, Marçal. Abrangência e incidência da lei. *In:* MARQUES NETO Floriano de Azevedo; RODRIGUES JUNIOR, Rodrigo Xavier Leonardo (org.). *Comentários à lei da liberdade econômica:* lei 13.874/2019. São Paulo: Revista dos Tribunais, 2019.

JUSTEN FILHO, Marçal. Concepto de interés público y la personalización del derecho administrativo. *Actualidad en el Derecho* Público, Buenos Aires: Ad-Hoc, n. 9, ene./abr. 1999.

JUSTEN FILHO, Marçal. *Curso de Direito Administrativo.* São Paulo: Revista dos Tribunais, 2014.

JUSTEN FILHO, Marçal. O Direito Administrativo de espetáculo. *In:* ARAGÃO, Alexandre Santos de; MARQUES NETO, Floriano de Azevedo (org.). *Direito Administrativo e seus novos paradigmas.* Belo Horizonte: Fórum, 2017.

LIMA, Ruy Cirne. Direito administrativo e direito privado. *Revista de Direito Administrativo.* Rio de Janeiro: FGV, v. 26.

LIMA, Ruy Cirne. *Princípios de direito administrativo.* São Paulo: Malheiros, 2007.

MARQUES NETO, Floriano de Azevedo; FREITAS, Rafael Véras de. Uber, Whatsapp, Netflix: os novos quadrantes da *publicatio* e da assimetria regulatória. *In:* FEIGELSON, Bruno; FREITAS, Rafael Véras de; RIBEIRO, Leonardo Coelho (org.). *Regulação e novas tecnologias.* Belo Horizonte: Fórum, 2017.

MARQUES NETO, Floriano de Azevedo e PALMA, Juliana Bonacorsi de. Consensualidade administrativa na regulação: acordos substitutivos no setor de telecomunicações. *In:* PALMA, Juliana Bonacorsi de et al. (org.). *Direito administrativo sancionador regulatório.* Rio de Janeiro: CEEJ, 2022.

MARQUES NETO, Floriano de Azevedo. *Bens públicos:* função social e exploração econômica. O regime jurídico das utilidades públicas. Belo Horizonte: Fórum, 2009.

MORAND DEVILLER, Jacqueline. *Cours de droit administratif.* Paris: Montchrestien, 2001.

RIBAS, Antônio Joaquim. *Direito administrativo brasileiro.* Rio de Janeiro: F. L. Pinto & C, Livreiros-editores, 1866.

RIBEIRO, Leonardo Coelho. A instrumentalidade do Direito Administrativo e a regulação de novas tecnologias disruptivas. *In:* FEIGELSON, Bruno; FREITAS, Rafael Véras de; RIBEIRO, Leonardo Coelho (org.). *Regulação e novas tecnologias.* Belo horizonte: Fórum, 2017.

SAVATIER, René. *Droit privé et droit public*. Paris: Dalloz, 1946.

SCHREIBER, Anderson. *A proibição do comportamento contraditório:* tutela da confiança e comportamento contraditório. Rio de Janeiro: Renovar, 2012.

TIROLE, Jean. *Economia do bem comum*. Rio de Janeiro: Zahar, 2020.

Informação bibliográfica deste texto, conforme a NBR 6023:2018 da Associação Brasileira de Normas Técnicas (ABNT):

HEINEN, Juliano. Que Direito Administrativo é este? Desafios presentes para as gerações futuras. *In*: JUSTEN, Monica Spezia; PEREIRA, Cesar; JUSTEN NETO, Marçal; JUSTEN, Lucas Spezia (coord.). *Uma visão humanista do Direito*: homenagem ao Professor Marçal Justen Filho. Belo Horizonte: Fórum, 2025. v. 2, p. 119-144. ISBN 978-65-5518-916-2.

"PRINCIPIOLOGISMO":
CULTURA DA INDETERMINAÇÃO NORMATIVA

OLAVO RIGON FILHO

Marçal Justen Filho é autor de uma produção acadêmica invejável, sendo, hoje, uma das principais figuras do pensamento social, jurídico e político brasileiro, podendo-se dizer que suas ideias influenciam e contribuem para uma formação jurídica sólida, coerente e moderna.

Desde muito cedo, Marçal Justen Filho professou que o rigor na utilização de "palavras e conceitos jurídicos"[1] nem sempre se traduz na verdadeira "intenção de 'revelar' a significação intrínseca e necessária das palavras", e citando Genaro Carrió[2] adverte que "conhecer seus significados é saber como usá-las corretamente, isto é, de modo a serem geralmente inteligíveis". Marçal, conhecedor da teoria tridimensional, é um dos grandes juristas brasileiros que está "edificando valores", "vivenciando e realizando",[3] com seus trabalhos, um novo olhar para o Direito brasileiro.

Sua linguagem guarda uniformidade de pensamento, oferece raciocínio crítico e lógico, didático e com *elegantia juris*, com uma simplicidade que parece para nós, leitores, que a ciência do Direito é algo de fácil compreensão.

Essa simplicidade didática é fruto de uma bagagem intelectual invejável, de quem já transitou com maestria pelo Direito Societário, Tributário e Cível,[4] e que, hoje, reconhecidamente, é uma estrela no cenário do Direito Público.

E a ideia deste breve artigo surgiu da leitura dos comentários ao artigo 5º da Lei nº 14.133/2021, que disciplina princípios de aplicação à Lei de Licitações e Contratos Administrativos. Com a sua experiência nos foros administrativos e judiciais,[5] Marçal

---

[1] Marçal Justen Filho, *Desconsideração da Personalidade Societária no Direito Brasileiro*, RT, 1987, p. 12.
[2] Desconsideração..., p. 14.
[3] Expressões utilizadas por Marçal (ob. cit., p. 15).
[4] É autor de livros na área societária e tributária, tendo sido, que alguns não sabem, professor titular de Direito Comercial da Faculdade de Direito da Universidade Federal do Paraná.
[5] Carlos Ari Sundfeld (Direito Administrativo para Céticos, M, 2012, p. 65) alertou que, "Se continuarem deixando os professores de direito administrativo fazerem projetos de lei, em breve não haverá mais princípios para serem descobertos no reino da implicitude". Quem só é professor e não vivencia as agruras da vida real, não pode

conhece os riscos de uma norma abstrata, a iniciar pela ampliação do subjetivismo que em última análise gera insegurança jurídica. Eis sua contundente crítica:

> 2) A tomada de posição contrária ao "principiologismo"
>
> 'O art. 5º reflete uma concepção que se difundiu amplamente no Brasil, especialmente depois da edição da CF/1988, no sentido de que uma disciplina legislativa recheada de princípios seria a solução mais adequada para os problemas da realidade.
>
> Esse enfoque é levado muitas vezes além do limite do adequado e do recomendável, gerando uma concepção que pode ser identificada como "principiologismo". A expressão indica a concepção de que o modelo normativo mais satisfatório é aquele repleto de princípios.
>
> A presente obra consagra posicionamento contrária a essa orientação.
>
> Não se trata de negar a importância normativa dos princípios constitucionais, nem de ignorar que os valores compõem a estrutura do direito.
>
> Adota-se entendimento de que a disciplina infraconstitucional de licitações e contratos administrativos faz-se preponderantemente por meio de regras. Nesses temas, é fundamental reduzir a indeterminação normativa.
>
> A multiplicação de princípios reduz a segurança jurídica. A potencial contradição de soluções propiciadas por múltiplos e diversos princípios amplia o risco de interpretações distintas e conflitantes entre os órgãos administrativos e as instituições de controle. Ainda que a Lei 13.655/2018 tenha introduzido restrições a esse posicionamento abstrato, o principiologismo continua a se constituir em uma solução simplista para problemas jurídicos relevantes.
>
> Esse é o fundamento para uma severa crítica ao art. 5º, que é um amontoado não sistemático de princípios e que se presta a fundamentar as mais diversas conclusões a propósito dos assuntos disciplinados pela Lei 14.133/2021.
>
> Pode-se estimar que, no curso de licitações e de contratos administrativos, cada sujeito privado, cada agente público e cada órgão de controle interno ou externo invocarão alguma passagem do dispositivo para tentar fazer prevalecer uma interpretação que reflete concepções subjetivas. O art. 5º não acrescenta qualquer benefício efetivo ao regime das licitações e contratações administrativas. Melhor seria a pura e simples supressão desse dispositivo.[6]

Essa ideia de fundo – concepções subjetivas que permitem uma largueza de interpretação – fomenta o descrédito do Judiciário e dos órgãos administrativos, na medida em que abre um leque de possibilidades de aplicação do Direito ao caso concreto, desprestigiando o sistema jurídico e causando insegurança e imprevisibilidade.

Sabemos que o princípio mais fundamental das sociedades civilizadas é o império da lei. E a lei, na esteira de Miguel Reale, é fruto da relação dialética entre fato e valor, que retrata, em suma, a cultura da sociedade. Já há algum tempo, estamos vivenciando uma sutil mudança da cultura do império da lei, que sempre se pautou por normas claras, objetivas, menos abstratas, mitigando, assim, o exercício arbitrário do poder.

---

ser considerado jurista. E Marçal, como advogado militante, conhece as vicissitudes das decisões dos casos concretos e a importância de normas certas e determinadas que não permitam devaneios na aplicação do Direito.

6. Marçal Justen Filho, *Comentários à Lei de Licitações e Contratações Administrativas*, RT, 2021, p. 94.

Ao chamar de "cultura da indeterminação normativa", quero alertar para essa valorização das normas abertas, em que se concede um poder ao julgador que gera insegurança jurídica. E a insegurança jurídica é que está no âmago do descrédito do Judiciário.[7]

Para que o sistema jurídico seja confiável, algo essencial para o desenvolvimento de países de primeiro mundo, precisamos de normas que resolvam diretamente os litígios. Não é crível que princípios possam ser equiparados a normas, de forma a que deles possam fluir diretamente soluções para casos concretos. Como professa Marçal, não se nega a importância dos princípios. Aliás, são os princípios, aliados a outras diretrizes do processo, que irão orientar o juiz na formulação da norma adequada à resolução do caso concreto. Não se pode, pois, confundir princípios e normas infraconstitucionais. E não se pode confundir, também, os princípios que José Afonso da Silva[8] denomina de "ordenadores" e que por isso recebem a qualificação de fundamentais e que estão na Constituição para gerar uma eficácia plena ao sistema normativo. Não estamos, aqui, a debater sobre uma norma (inconstitucional) que fere um princípio fundamental. Não, o que queremos trazer a lume é a discussão muito bem-posta por Marçal da utilização indiscriminada de princípios como norma de aplicação ao caso concreto.

Antônio Junqueira de Azevedo[9] lembra que "A excelência do Código Civil francês e, depois, dos demais Códigos, fez com que o jurista, ao invés da razão, procurasse o *texto*. Pode-se dizer que, a partir daí, cada vez mais quem diz 'direito' diz 'lei'. Trata-se do *positivismo legal*".

Antonio Junqueira lembra, ainda, que, mesmo no positivismo, há sempre a "questão da interpretação: quem interpreta é o intérprete" (é "tautologia expressiva", na expressão de Pontes de Miranda).[10] E complementa: "Na verdade, todo intérprete, na sua atividade, tem a 'pré-compreensão', com que se aproxima do objeto, e traz também consigo a '*legal culture*' e as ideias em geral próprias do seu tempo".[11] E o mesmo Antônio adverte que o próprio Direito posto não é somente norma. O Direito, lembra, é sistema, mas sistema com "caracterização estativa e piramidal, com a Constituição no ápice e a legislação ordinária abaixo, agora, aqui, a falar em 'sistema' é entendido como o conjunto de elementos que *evoluem e interagem* de modo relativamente uniforme, – como o sistema solar, na astronomia, ou as células, na biologia. Os elementos do sistema jurídico são, i) além das normas, que precisam sempre de interpretação, (ii) as instituições jurídicas, como os parlamentos, as assembleias e os tribunais; (iii) os membros dos estamentos jurídicos, como advogados, promotores e juízes; (iv) a doutrina; e (v) a jurisprudência".[12]

---

[7] Descrédito pela ausência de previsibilidade e não no sentido do ativismo judicial, que está, também, a gerar uma insegurança jurídica importante. Aliás, recentemente fomos surpreendidos com mais uma decisão do Supremo, com repercussão geral (Tema 1236), dando conta de que a regra do artigo 1.641, II, do Código Civil que estabelece o regime de separação de bens no casamento com pessoa maior de 70 anos tem natureza "obrigatória facultativa". Mas esse é assunto para debate em outro momento.

[8] *Curso de Direito Constitucional Positivo*, RT, 1990, p. 85.

[9] *Novos Estudos e Pareceres de Direito Privado*, Ed. Saraiva, 2009, p. 8.

[10] Ob. cit., p. 10.

[11] Quem decide são serem humanos constituídos de sensações e experiências pessoais que devem ser contidas na hora de sentenciar, embora sentença venha do verbo sentir.

[12] Jacques Chevallier (O Estado Pós-Moderno, Ed. Fórum, 2009, p. 121), com tradução fidedigna do Prof. Marçal, professa que o "direito perdeu os atributos de sistematicidade, generalidade e estabilidade, que caracterizam o direito moderno" e adverte: "A disciplina jurídica sofreu intensos abalos em razão da *proliferação anárquica*

A interpretação é inerente ao aplicar o Direito. Não há como fugir de um certo subjetivismo. A própria linguagem dos textos apresenta, muitas vezes, um leque de variáveis significativas, com a possibilidade de se adequarem a diversas situações da vida humana. Isso é inerente à hermenêutica jurídica. Nem sempre a circunstância do texto estar escrito de modo claro não exclui a necessidade interpretativa. Mas não é isso que está em jogo. O que está em jogo é o poder que a lei delega ao magistrado ou ao agente público para dizer a lei ao caso concreto, ou seja, exercer o poder do legislador. Em outras palavras, não estou a criticar como se dá a interpretação/aplicação da norma ao caso concreto. O que questiono – e é por isso que identifico a formação de uma "cultura"[13] – é a reiterada edição de normas abertas que só permitem uma escolha na sua aplicação: a interpretação de um agente de poder. E esse modelo de interpretação unicamente subjetiva resulta, quase sempre, em autoritarismo.

O autoritarismo geralmente é traduzido por individualismo. Em outras palavras, uma decisão coletiva, que é a lei, é reduzida a uma interpretação individualista que nem sempre resulta na obediência ao princípio teleológico que deu vida à lei.

Essa é a crítica que está na raiz do que o Prof. Marçal escreveu e que para mim está no âmago dessa cultura que estamos vendo florescer do individualismo, do subjetivismo, que privilegia a interpretação, a argumentação (ou narrativa) em desfavor do Direito certo, determinado. Em suma: essa cultura privilegia o poder dos agentes públicos e dos magistrados, gerando insegurança e imprevisibilidade.

É óbvio que todo o sistema jurídico sempre permite um espaço maior ou menor de discrição na aplicação da lei. Isso é absolutamente normal e adequado. Não se quer ou se pretende um sistema rígido ou inflexível. Não é isso. A crítica está no exagero de normas abertas dentro do sistema jurídico. Admite-se – e isso é absolutamente normal no sistema jurídico – que na aplicação de determinada norma possam existir decisões antagônicas a um mesmo caso concreto, muitas vezes destoando da vontade do legislador. Mas o próprio sistema, via jurisprudência, geralmente corrige tais decisões antagônicas.

A questão é: podemos falar em julgamento justo com uma lei que permite margem maior para interpretações divergentes ou artimanhas ideológicas?

E mais: não há dúvida de que os princípios constitucionais devem presidir e orientar a interpretação do Direito Administrativo. Entretanto, não pode haver contradição entre a norma e os princípios. Mas a norma deve ser clara, objetiva, não permitindo que essa contradição se dê por uma aplicação forçada pela escolha de um princípio.[14]

---

de regras, o que tornou mais indeterminados os contornos da ordem jurídica, comprometeu a sua coesão e perturbou a sua estrutura: a existência de 'hierarquia entrelaçadas', de 'objetos jurídicos não identificados', de competências concorrentes testemunham uma nova desordem".

[13] Cultura como sistema adaptativo, ou seja, que vai se adaptando a novos valores e a novos comportamentos. Se o legislador e a elite pensante incentivarem, na aplicação do Direito, critérios de normas abertas, deixando a norma concreta em segundo plano, tem-se a formação de uma cultura do indeterminismo.

[14] Alguns autores lembram que os princípios servem de "muletas" para sustentar equivocadas argumentações. Aliás, vê-se, hoje, uma certa vulgarização da utilização dos princípios, dando espaço para abstrações e ideias imprecisas. Sou um pragmático do Direito, um observador da vida cotidiana do foro e nessa condição vejo que o raciocínio jurídico, que deveria ser um exercício de aplicação normativa do Direito (na hierarquia das leis), está sendo substituído pelo exercício de construção da "melhor justificativa" com base em critérios subjetivos, embasados em princípios abstratos e normas elásticas, que, como já disse ao menos um autor (Lúcia do Valle Figueiredo), mais parece um "cavalo de Troia", onde cabe tudo dentro. É tão mais fácil aplicar a norma, a doutrina ou bons precedentes.

A norma deve adequar-se aos princípios? Esse é o risco. No processo interpretativo, dependendo, sempre, da situação concreta, um princípio pode prevalecer sobre outro, mas isso não significa dizer que, ao aplicar determinado princípio ao invés de outro, poder-se-á se afastar do que foi desejado pela norma objetiva.[15]

A crítica está justamente nessa leitura de que os princípios (quais?) devem ser equiparados à norma de modo que deles (princípios) possam fluir diretamente soluções para os casos concretos. É o que parece querer o legislador. E boa parte da doutrina.

E nesta seara, questiono a posição de Luís Roberto Barroso,[16] de que estamos vivenciando o "pós-positivismo", onde a "normatividade dos princípios" é reconhecida pela ordem jurídica. Não questiono a importância dos princípios na interpretação e aplicação da lei. São importantíssimos. Agora, afirmar que os princípios conquistaram o "*status* de norma jurídica, superando a crença de que teriam uma dimensão puramente axiológica, ética, sem eficácia jurídica ou aplicabilidade direta e imediata", datíssima vênia, está na base do nosso inconformismo. Não se questiona a eficácia e aplicabilidade dos princípios no sistema jurídico. Mas não com a extensão normativa do "pós-positivismo" sustentado por Barroso.[17]

E Eros Roberto Grau[18] advertiu: "princípio não é norma". E confessou que, após sua passagem como juiz do STF, compreendeu que "tudo o que pensava a respeito dos *princípios* havia de ser revisto",[19] lembrando, ainda, que é um erro "matraquear" de que "é mais grave violar um princípio do que violar uma norma". E, após criticar "esse inusitado controle de proporcionalidade e de razoabilidade das leis" que gera incerteza e insegurança jurídicas, concluiu, citando Franz Neumann,[20] que a objetividade da lei é importante para que não se construa um sistema legal "a partir dos chamados princípios gerais ou padrões jurídicos de conduta", que, segundo Neumann, servem de "escudo que oculta medidas individuais". E arremata criticando o que denomina como a "norma sendo produzida pelo intérprete".

Ora, o Direito deve ser formado por normas. Normas que devem ser, na medida do possível, menos abstratas, diminuindo a elasticidade interpretativa. E os princípios, como outras regras do sistema (inclusive a jurisprudência), é que deverão orientar o juiz ou agente público na formulação da norma adequada à resolução do caso concreto. Não o princípio de forma isolada. Os princípios devem servir como uma ideia de direito e não o próprio direito.

E a norma aberta permite isso. O que nos preocupa é que, ao incentivar essa cultura da norma aberta, estar-se-á delegando a um grupo de iluminados a tarefa de decidir

---

[15] Diogo de Figueiredo Moreira Neto (*Mutações do Direito Administrativo*, Renovar, 2000, p. 83) enumera 58 normas constitucionais, entre princípios e preceitos.
[16] A Nova Interpretação Constitucional, 3ª ed., Renovar, p. 28-30.
[17] É importante gizar que não é objeto deste estudo o debate – mais amplo, complexo e sutil – acerca da adoção filosófica do neopositivismo ou uma versão moderna do positivismo legal.
[18] Por que tenho medo dos juízes, 6ª ed. Refundida do ensaio e discurso sobre a interpretação/aplicação do direito, Malheiros Editores, 2014, p. 22.
[19] Ob. cit., prefácio.
[20] Ob. cit., p. 24.

os rumos de litígios, criando, assim, insegurança e imprevisibilidade.[21] E no direito de poder confiar no sistema jurídico.

Antonio Carlos Alberto Alvaro de Oliveira, citando J.J. Gomes Canotilho,[22] adverte que segurança jurídica está umbilicalmente ligada à ideia de *proteção da confiança* e assevera que "não só a norma jurídica deve ser formulada de maneira clara, acessível e previsível, mas também previsível deve ser o resultado do litígio, sem causar estranheza no meio social onde deve atuar".

E com normas tão abertas e que dependam da intepretação inovadora e criativa do julgador teremos essa confiança?

Aliás, Carlos Ari Sundfeld,[23] ao falar sobre "a moda dos princípios no direito público" lembra que a "operação de um sistema com tal índice de incerteza normativa gera muita confusão (saber se a confusão é positiva ou negativa: eis uma questão!)", o que, em *ultima ratio*, se traduz na falta de confiança e na imprevisibilidade.

Essa "cultura do indeterminismo" está tomando forma inclusive nos debates sobre o projeto do novo Código Civil. Em artigo muitíssimo interessante, intitulado "Preocupante, reforma do Código Civil pode trazer insegurança e litigiosidade",[24] os professores Débora Gozzo, Fábio Floriano Melo Martins, Judith Martins Costa e Paulo Doron de Araújo escreveram contundente crítica, demonstrando, além da ausência de boa técnica legislativa, alterações conceituais baseadas em conceitos vagos como "função social", que, alertam, "até hoje não há o mínimo de consenso sobre o significado da expressão". O que, para os articulistas, certamente irá "ampliar a insegurança aos contratantes".[25]

E essa crítica de respeitados civilistas não é novidade. Ao comentar o atual Código Civil, Humberto Theodoro Júnior[26] escreveu: "O grande risco, nesse momento de aplicação do conceito genérico da lei, está na visão sectária do operador, que, por má-formação técnica ou por preconceito ideológico, escolhe, dentro do arsenal da ordem constitucional, apenas um de seus múltiplos e interdependentes princípios, ou seja, aquele que lhe é mais simpático às convicções pessoais. Com isso, o valor eleito se torna muito superior aos demais formadores da principiologia constitucional. Toda a ordem infraconstitucional, graças à superideologização do operador, passa a se alimentar apenas e tão somente de forma sectária, unilateral e pessoal, muito embora aparentando respaldo em princípio ético prestigiado pela Constituição". E conclui para dizer que o

---

[21] Não é propósito deste ensaio adentrar em discussões sobre os modelos, fechados, abertos ou mistos, de constituições. Mas quando falamos em modelo aberto (ou misto) estar-se-á frente a um sistema que não é integralmente positivado, pois permite uma flexibilidade na aplicação de preceitos normativos e princípios, reduzindo, assim, a segurança jurídica.

[22] Carlos Alberto Alvaro de Oliveira, *Do formalismo no processo civil*, 3ª ed., Saraiva, p. 79.

[23] Ob. cit., p. 67.

[24] Folha de São Paulo, 15 de abril de 2024.

[25] Os professores também mencionam a expressão "violarem a boa-fé", mais um conceito indeterminado. E Antonio Junqueira de Azevedo (ob. cit., p. 600), a título de exemplo, cita que "Nos dias atuais, realmente há um excesso no apelo à boa-fé objetiva; isso pode trazer prejuízos aos negócios empresariais pela insegurança que pode provocar". E o professor tem razão: cabe ao intérprete verificar se o tipo de comportamento exigido para determinado negócio jurídico foi o correto (leia-se: leal e adequado), que se configura numa cláusula geral aberta. Tem-se, portanto, um sistema em que o ponto central deixou de ser a lei e passou a ser a interpretação do juiz.

[26] *Comentários ao novo Código Civil*, Forense, 4ª ed., 2008, p. XVI.

Código Civil, ao introduzir "inúmeras cláusulas gerais", obriga o intérprete a promover uma "conexão axiológica entre o corpo codificado e a Constituição da República, que define valores e os princípios fundantes da ordem pública".

E essa cultura do indeterminismo das normas jurídicas tem efeito direto na economia: o investidor, o empreendedor, o mercado, enfim, querem previsibilidade, estabilidade e segurança. Regras claras e, dentro do possível, objetivas e previsíveis. As regras não podem mudar o tempo todo ou ficar ao arbítrio de posições, muitas vezes antagônicas, do julgador, aumentando, assim, o risco do empreendedor. Imagine um investidor estrangeiro, que tem uma visão de longo prazo, acostumado a regras previsíveis e estáveis, se deparar com essa cultura do indeterminismo, que gera tal grau de insegurança e risco ao seu investimento. Ainda mais quando tem opções mais seguras na geografia econômica mundial. Em outras palavras: os reflexos de uma mudança de paradigma da norma são inúmeros e permeiam todas as relações humanas, sendo em última análise, por sua natureza, uma ordem de dever, exteriorização de poder.

O que se pretende, assim, com esse breve ensaio – com todas as lacunas e imperfeições – é lembrar que cultura é um sistema adaptativo, que vai sendo construído no tempo, com novos comportamentos, muitas vezes ditado por uma elite pensante que não vislumbra o risco que essas normas abertas podem gerar na sociedade. O que não se quer é que se instale, como cultura, o reino do subjetivismo do julgador, e que, no seu arbítrio, poderá justificar a solução preferida com o mesmíssimo argumento que em outras ocasiões replicou ou não adotou. Significa dizer, almejar segurança jurídica é, também, diminuir espaços à discrição do julgador, de forma que a *ratio legis*, a razão de ser da lei, seja menos abstrata possível, conferindo aos princípios a relevância na formulação de diretrizes/guias para os órgãos formuladores do Direito, mas sem o *status* normativo.

Referências

AZEVEDO, Antonio Junqueira de. *Novos Estudos e Pareceres de Direito Privado*. São Paulo: Saraiva, 2009.

BARROSO, Luís Roberto; BARCELLOS, Ana Paula de. *A nova interpretação constitucional:* ponderação, argumentação e papel dos princípios. Rio de Janeiro: Renovar, 2008.

CHEVALLIER, Jacques. Trad. JUSTEN FILHO, Marçal. *O Estado Pós-Moderno*. Belo Horizonte: Fórum, 2009.

GOZZO, Débora et al. *Preocupante, reforma do Código Civil pode trazer insegurança e litigiosidade*. 2024. Disponível em: https://www1.folha.uol.com.br/opiniao/2024/04/preocupante-reforma-do-codigo-civil-pode-trazer-inseguranca-e-litigiosidade.shtml. Acesso em: 15 abr. 2024.

GRAU, Eros Roberto. *Por que tenho medo dos juízes* (a interpretação/aplicação do direito e os princípios). São Paulo: Malheiros Editores, 2014.

JUSTEN FILHO, Marçal. *Comentários à Lei de Licitações e Contratações Administrativas*. São Paulo: Revista dos Tribunais, 2021.

JUSTEN FILHO, Marçal. *Desconsideração da personalidade societária no direito brasileiro*. São Paulo: Revista dos Tribunais, 1987.

MOREIRA, José Carlos Barbosa. *Comentários ao novo Código Civil*. Rio de Janeiro: Forense, 2008.

MOREIRA NETO, Diogo de Figueiredo. *Mutações do Direito Administrativo*. Rio de Janeiro: Renovar, 2000.

OLIVEIRA, Carlos Alberto Alvaro de. *Do formalismo no processo civil*. São Paulo: Saraiva. 2009.

SILVA, José Afonso da. *Curso de Direito Constitucional Positivo*. São Paulo: Revista dos Tribunais, 1990.

SUNDFELD, Carlos Ari. *Direito Administrativo para céticos*. São Paulo: Malheiros, 2012.

Informação bibliográfica deste texto, conforme a NBR 6023:2018 da Associação Brasileira de Normas Técnicas (ABNT):

RIGON FILHO, Olavo. "Principiologismo": cultura da indeterminação normativa. *In*: JUSTEN, Monica Spezia; PEREIRA, Cesar; JUSTEN NETO, Marçal; JUSTEN, Lucas Spezia (coord.). *Uma visão humanista do Direito*: homenagem ao Professor Marçal Justen Filho. Belo Horizonte: Fórum, 2025. v. 2, p. 145-152. ISBN 978-65-5518-916-2.

DIREITO CONSTITUCIONAL

(Coordenador: Clèmerson Merlin Clève)

O SUPREMO TRIBUNAL FEDERAL ENTRE O PRESENTE E O FUTURO

CLÈMERSON MERLIN CLÈVE

> *Because the Court grants review dominantly when others jurists have divided on the meaning of a statutory or constitutional prescription, the questions we take up are rarely easy; they seldom have indubitably right answers. Yet by reasoning together at our conferences and, with more depth and precision, through circulation of, and responses to, draft opinions, we ultimately agree far more often than we divide sharply.*
>
> Ruth Bader Ginsburg. My own words. New York. Simon & Schuster, 2016, p. xvii.

I Introdução

Em meados da década de 60, Aliomar Baleeiro, jurista bem conhecido, autor de obras clássicas sobre Direito Financeiro e Direito Tributário, antigo deputado federal pela UDN, nomeado para o STF pelo regime militar,[1] publicou livro com o objetivo de chamar atenção para o Supremo, o órgão de cúpula do Judiciário então pouco presente na imprensa nacional e raramente notado pelo grande público. *Supremo Tribunal Federal, esse outro desconhecido*, era o título.[2] Mais adiante, no final dos anos 80 e início dos 90 do século passado, Moreira Alves, o homem que comandou a inauguração dos trabalhos

---

[1] Nomeado a partir das vagas criadas pelo Ato Institucional nº 2, de 1965. Ver: RECONDO, Felipe. *Tanques e togas*: o STF e a ditadura militar. SP: Companhia das Letras, 2018, p. 102.

[2] BALEEIRO, Aliomar. *O Supremo Tribunal Federal, esse outro desconhecido*. Rio de Janeiro: Forense, 1968.

do Constituinte de 87/88, que presidiu o Supremo exercendo influência avassaladora e lá permaneceu por 28 anos, podia caminhar tranquilamente pelas ruas do país sem ser notado. Pois, nos dias que correm, o Supremo pode ser tido como distante, mas jamais como desconhecido e os ministros, agora celebridades, andam, sempre notados, acompanhados por seguranças, muitas vezes aplaudidos, não sendo raros também os episódios em que são hostilizados nas ruas, nos aviões ou nos aeroportos. O que ocorreu com esta instituição centenária instituída pela república neste tempo que transcorre entre a promulgação da Constituição de 1988 e os dias que experimentamos?

Mesmo sem crescer substancialmente, o país se transformou. É, atualmente, uma formação social altamente complexa. A Constituição foi sendo, paulatinamente, descoberta. Pelo modo como se apresenta normativamente, ela tem sido manejada, como generosa caixa de ferramentas para o enfrentamento das questões que sobrecarregam o sistema de justiça ou que afligem a sociedade brasileira. E, assim, também o Supremo, forjado com um desenho institucional robusto, que, por obra ou omissão do legislador diante de sua crescente ousadia ou pela sua firme atuação como fiador da democracia em momentos de grave crise, viu crescer extraordinariamente a sua esfera de influência e de poder.

II A Constituição amadurece

Merecem comemoração as três décadas e meia de vigência da Lei Fundamental. Numa república volátil, que sofreu sucessivos golpes e momentos de instabilidade institucional, viger por tanto tempo constitui condição desafiadora de todos os encômios. E não falo, aqui, de qualquer Lei Fundamental, mas, antes, de uma Carta extremamente ambiciosa, detalhista e, para surpresa de muitos que se preocuparam, justamente, com a majoritária composição conservadora do Congresso Constituinte, composta por elementos bastante progressistas. Tem sido uma Constituição resiliente,[3] resistente aos influxos do tempo, às tensões recorrentes entre os poderes, às deslealdades institucionais que fazem duvidar, muitas vezes, do atuar com boa-fé dos agentes públicos e às sucessivas crises políticas que emergem de tempos em tempos neste imenso e complexo país.[4]

Apresenta-se, sabemos, com uma normatividade expansiva, analítica, regulatória e principiológica ao mesmo tempo, comprometida com a dignidade da pessoa humana, com o pluralismo, com a democracia, com a construção de uma sociedade de livres e iguais, sendo generosa ao elencar, como cláusulas pétreas, mas não em *numerus clausus*, os direitos fundamentais, inclusive os sociais, apontando para as autonomias pública e privada do ser humano, pretendendo constituir uma comunidade aberta de emancipados em função da garantia do mínimo existencial, heterovinculando os poderes da república e apontando para o papel instrumental do Estado quando compreendido enquanto ossatura institucional. É uma Constituição não residente no vértice do sistema jurídico, mas, antes, no centro, substanciando polo gravitacional a atrair os demais sistemas e

---

[3] VIEIRA, Oscar Vilhena et al. *Resiliência constitucional*: compromisso maximizador, consensualismo político e desenvolvimento gradual. São Paulo: Direito GV, 2013.
[4] VIEIRA, Oscar Vilhena. *A batalha dos poderes*: da transição democrática ao mal-estar constitucional. São Paulo: Companhia das Letras, 2018.

microssistemas jurídicos, isso em função não apenas da eficácia vertical, o que seria natural, senão também da eficácia horizontal dos direitos fundamentais. Uma Lei Fundamental como esta, por um lado, opera, normativamente, uma revolução silenciosa, apresentando-se, tenho dito sempre, como uma resposta para um passado indesejado e, ao mesmo tempo, como uma proposta, um projeto, para um futuro desafiador, sim, mas à procura de redenção, reparação, reconstrução. É claro que uma normativa constitucional de tal tipo, ambiciosa e detalhista, favorece a emergência da judicialização de muitas questões da vida em sociedade que, antes, não chegavam ao Supremo, favorecendo aquilo que muitos chamam de judicialização da política ou, mesmo, em função da ingênua ou maliciosa confusão de conceitos, de ativismo judicial.[5] Diante da Constituição vigente, cumpre alertar, a judicialização é inevitável, enquanto o ativismo é merecedor de sóbrio e responsável debate.

O Constituinte, certamente, não conseguia antever no horizonte o quanto a sua obra seria capaz de transformar, para sempre, a esfera de atuação do Supremo e, mesmo este, com a formação da época, não podia imaginar o quanto a instituição mudaria nas décadas seguintes. Para além do universo retórico, num país no qual a enunciação normativa nem sempre implica eficácia, as ricas potencialidades da nova normatividade foram sendo descobertas aos poucos, no laboratório da experiência, através dos conflitos do mundo da vida, assumindo, paulatina e inevitavelmente, o Supremo, porque muitas vezes provocado de modo desassombrado, novas configuração e importância. Mas isto que já é muito, muito mesmo, é só o começo.

III O desenho institucional do Judiciário

A nova ordem constitucional prestigiou, como nunca antes, o Poder Judiciário. Concedeu a este poder o monopólio da função jurisdicional. Não há mais autorização para a criação de contenciosos administrativos, como na Carta revogada. O princípio da inafastabilidade de apreciação judicial obteve carga semântica reforçada, abrangendo, como sabemos, não apenas as lesões como qualquer ameaça de lesão a direito. Conferiu, ademais, ao Judiciário efetiva autonomia. A independência do Judiciário é, normativamente, assegurada pela (i) sólida *autonomia institucional* e pelo grau de (ii) *autonomia funcional* (decorrente das garantias da vitaliciedade, inamovibilidade e da irredutibilidade de subsídios (art. 95, I, II e II, da CF) e das vedações que alcançam os magistrados (art. 95, parágrafo único). Fiquemos, apenas, na *autonomia institucional*, da qual decorrem as ideias de a) autogoverno, b) administração própria, c) poder de iniciativa legislativa e d) autonomia financeira. Compete aos próprios tribunais eleger os seus dirigentes (art. 96, I, "a"). Uma olhadela no Direito Comparado permite notar que neste particular o sistema constitucional brasileiro é singular. O Judiciário cuida de sua própria administração. Com efeito, cabe aos tribunais elaborar seus regimentos internos, organizar as suas secretarias, serviços auxiliares e dos juízos que lhe forem vinculados. Dispõem, ademais, os tribunais de poder de iniciativa reservada em certas matérias.

---

[5] KOERNER, Andrei. Ativismo Judicial? Jurisprudência constitucional e política no STF pós-88. *Novos estudos CEBRAP*, p. 69-85, 2013; ARGUELHES, Diego Werneck; OLIVEIRA, Fabiana Luci; RIBEIRO, Leandro Molhano. Ativismo judicial e seus usos na mídia brasileira. *Revista Direito, Estado e Sociedade*, n. 40, 2012.

O Estatuto da Magistratura Nacional, por exemplo, é lei complementar de iniciativa do Supremo Tribunal Federal, isso para não falar no rol de matérias elencadas no art. 96, II, da CF. Isso não é comum. Por fim, a autonomia financeira é suficiente para autorizar os tribunais a gerir suas dotações orçamentárias (necessariamente entregues pelo Executivo, em duodécimos, a cada dia 20 nos termos do art. 168 da CF), bem como elaborar suas propostas orçamentárias para encaminhamento ao Poder Legislativo por ocasião da votação da lei orçamentária anual (art. 99 da CF). Como se vê, o Judiciário brasileiro assume uma configuração especial, particular em termos de Direito Comparado, de modo que os juízes e tribunais, devidamente protegidos, dispõem de todos os pressupostos para o desempenho de suas atividades com independência e imparcialidade. O constituinte, portanto, acreditou no Judiciário, compreendendo substanciar meio efetivo de proteção dos direitos fundamentais, isto, porém, sem absolutamente antever o lugar que ele, especialmente o seu órgão de cúpula, conquistaria no futuro.[6]

IV O desenho institucional do Supremo Tribunal Federal

Embora, à época, tenha sido discutida a instituição, entre nós, de uma Corte Constitucional no estilo europeu, a verdade é que, na Constituinte,[7] saiu vencedora a proposta, defendida pelo próprio Supremo, a começar pelo Ministro Moreira Alves, então presidente, de manutenção, com algumas mudanças, do desenho do órgão iniciado com a República. O Supremo Tribunal foi mantido, composto por 11 ministros, indicados pelo presidente da república e aprovados pelo voto da maioria absoluta dos membros do Senado Federal. Os requisitos para indicação: brasileiros com notável saber jurídico e reputação ilibada, com mais de 35 e menos de 65 anos, condição, esta última, posteriormente alterada pela PEC da Bengala, de modo que hoje a idade máxima é 70 anos, ocorrendo a aposentadoria compulsória aos 75 anos.[8]

A competência do Supremo Tribunal Federal cresceu de maneira exponencial quando contrastada com aquela exercida antes da nova Lei Fundamental, tendo sido, ademais, diante do inevitável processo de evolução jurisprudencial ou em virtude de reforma constitucional, ampliada com o passar do tempo.[9] Com efeito, à Corte cumpre zelar pela guarda da Constituição, exercendo competência envolvendo (i) a fiscalização de constitucionalidade por ação ou omissão, em virtude de ação direta ou de modo incidental, (ii) as ações penais originárias nos casos de foro por prerrogativa de função (iii) os recursos ordinário e extraordinário, constituindo este a primeira justificativa para a sua criação na alvorada da república e (iv) outras ações originárias, incluindo o *habeas*

---

[6] ARGUELHES, Diego Werneck; RIBEIRO, Leandro Molhano. Criatura e/ou criador: transformações do Supremo Tribunal Federal sob a Constituição de 1988. *Revista Direito GV*, v. 12, p. 405-440, 2016.

[7] KOERNER, Andrei; FREITAS, Lígia Barros de. O Supremo na Constituinte e a Constituinte no Supremo. *Lua Nova: Revista de cultura e política*, p. 141-184, 2013.

[8] Para concepção crítica ver: ARGUELHES, Diego Werneck. A PEC do desrespeito ao Supremo: aumento da aposentadoria compulsória de ministros para 75 anos foi mera arma política. Jota, 6 de maio de 2015. Disponível em: https://www.jota.info/opiniao-e-analise/artigos/a-pec-do-desrespeito-ao-supremo-06052015?non-beta=1. Acesso em: 18 jun. 2024.

[9] ARGUELHES, Diego Werneck; RIBEIRO, Leandro Molhano. Criatura e/ou criador: transformações do Supremo Tribunal Federal sob a Constituição de 1988. *Revista Direito GV*, v. 12, p. 405-440, 2016.

corpus, o mandado de segurança e a reclamação para a preservação de sua competência e garantia da autoridade de suas decisões.

V O progressivo fortalecimento do Supremo Tribunal Federal

A sociedade brasileira, nos últimos anos, testemunha o progressivo fortalecimento do papel da Suprema Corte. Isso ocorre em virtude: (i) da natureza sensível de inúmeras questões levadas à Corte (muitas vezes por meio da Arguição de Descumprimento de Preceito Fundamental) e por ela decididas, (ii) das alterações constitucionais e legislativas que inauguraram a possibilidade de atribuição de efeitos gerais ou vinculantes, eventualmente também transcendentes em razão dos motivos determinantes, às suas manifestações decisórias, inclusive cautelares, de modelagem dos seus efeitos nos termos do art. 27 da Lei nº 9.868/99, ou do manejo de novas técnicas de decisão pelo Supremo, especialmente no âmbito do controle concentrado de constitucionalidade, ou, ainda, em razão (iii) de decisões, de ofício ou provocadas, adotadas no âmbito das crises da pandemia[10] ou política derivada das ameaças à democracia oferecidas por um governo orientado pelo projeto de erodir e, mais do que isto, de subverter as bases constitucionais do Estado Democrático de Direito.[11]

Em matéria de controle da constitucionalidade, verifica-se uma convergência paulatina entre os modelos americano (controle difuso-incidental) e europeu (concentrado-principal). Afinal, ambos se prestam à proteção dos direitos fundamentais, manifestando-se uma lenta dissolução da distinção forte entre os processos subjetivo e objetivo. Nota-se, no âmbito da Corte, a manifestação de gradual objetivação do processo subjetivo e subjetivação do processo objetivo.[12] Em ambas as situações, é inegável a ocorrência de verticalização da jurisdição constitucional com o consequente fortalecimento do seu papel no contexto da arquitetura constitucional de poderes divididos. O amplo leque de legitimados ativos à provocação da fiscalização abstrata de constitucionalidade, a jurisprudência recente alargando a anterior mais restritiva em relação a alguns dos legitimados ativos especiais,[13] a feição assumida pelo Procurador-Geral da República e pelos partidos políticos com representação no Congresso enquanto legitimados ativos universais, a renovada jurisprudência sobre a ação direta de inconstitucionalidade por omissão e sobre o mandado de injunção, a ação declaratória de constitucionalidade instituída pela Emenda Constitucional nº 3/93, a promulgação das Leis nº 9.868 e nº 9.882 em 1999 e consequente disciplina da Arguição de Descumprimento de Preceito Fundamental, esta que tem permitido à Corte tratar não apenas de normativas antes vedadas no âmbito do controle concentrado de constitucionalidade, como também de

---

[10] SUPREMO TRIBUNAL FEDERAL. *Corte aberta*: Painel de Ações Covid-19, Brasília. Atualizado em 18 jun. 2024. Disponível em https://transparencia.stf.jus.br/extensions/decisoes_covid/decisoes_covid.html. Acesso em: 18 jun. 2024; GODOY, Miguel Gualano de; TRANJAN, Renata Naomi. Supremo Tribunal Federal e federalismo: antes e durante a pandemia. *Revista Direito GV*, v. 19, p. e2311, 2023.

[11] VIEIRA, Oscar Vilhena. O STF e a Defesa da Democracia no Brasil. *Journal of Democracy* [Edição em Português], v. 12, n. 1, jun. 2023.

[12] MARINONI, Luiz G. Abstrativização do Controle Concreto ou Concretização do Controle Abstrato? *Revista de Processo*, vol. 329, jul. 2022.

[13] CLÈVE, Clèmerson Merlin. *A Fiscalização Abstrata de Constitucionalidade no Direito Brasileiro*. São Paulo: Revista dos Tribunais, 2022, p. 175.

omissões, mesmo aquelas envolvendo questão de natureza estrutural, atravessando competências administrativas ou legislativas distribuídas entre os entes da federação, tudo isto confirma o que foi anunciado no parágrafo anterior. Não pode passar em branco, por fim, a Emenda Constitucional nº 45/2004, que instituiu, entre nós, a súmula vinculante, distinta da súmula de simples efeito persuasivo, há longo tempo conhecida, e a eventual decisão com repercussão geral nos recursos extraordinários.[14] Bosqueja-se, inclusive, um quadro a autorizar a revisão ou, no limite, o que foi recentemente decidido em matéria tributária,[15] a superar independentemente de medida voltada especificamente a esta finalidade, a coisa julgada em função de novo paradigma constitucional decorrente de decisão dotada de efeitos vinculantes.

Não há dúvida de que o Supremo, ao tempo em que ascende a uma nova estatura política enquanto instituição, pelos motivos já elencados e, mais, através da interpretação elástica de suas competências e eventual uso estratégico delas,[16] competências já bastante extensas, diga-se, procura, até em virtude de previsão legal, promover uma abertura hermenêutica através da ampliação democrática do debate constitucional, isto em consonância com a ideia de Häberle orientada no sentido de reforçar a sociedade aberta dos intérpretes da Constituição.[17] A possibilidade de apresentação, pelos ministros, de voto vencido, decorrência do modelo *seriatim* de deliberação judicial,[18] a exigência constitucional de motivação das decisões e as sessões públicas de julgamento substanciam características do modelo brasileiro que, aqui ou ali, contrastam com o europeu ou o americano. Em consequência, processo aberto, exceto nos casos sujeitos a segredo de justiça, a admissão no feito, decidida pelo relator, dos *amici curiae*, a realização de audiências públicas, a possibilidade de produção de prova no processo objetivo (que, tratando de questão de direito em tese não a admitiria) e a oportunidade de manifestação em audiência de *experts* nas matérias debatidas pelo colegiado ampliam a legitimidade das decisões da Corte, permitindo, também, o mais amplo domínio, pelos julgadores, da matéria em julgamento.

O Supremo Tribunal Federal conquistou ainda maior protagonismo nos últimos anos em consequência da paralisia do Executivo nas recentes crises sanitária e política que o país enfrentou.[19] No pêndulo dos poderes, como todos sabem, não há lugar para terreno vazio.

Consideremos, primeiro, a crise pandêmica. O Supremo Tribunal Federal, recorrentemente provocado, agiu adequadamente para reforçar, dentro das balizas jurídicas,

---

[14] MARINONI, Luiz G. *Processo Constitucional e Democracia*. São Paulo: Revista dos Tribunais, 2022.

[15] Recurso Extraordinário nº 955227 (Tema 885) e Recurso Extraordinário nº 949297 (Tema 881), de relatoria dos ministros Luís Roberto Barroso e Edson Fachin.

[16] CLÈVE, Clèmerson Merlin; LORENZETTO, Bruno Meneses. *Corte Suprema, agir estratégico e autoridade constitucional compartilhada*. Belo Horizonte: Fórum, 2021.

[17] HÄBERLE, Peter. *Hermenêutica Constitucional*: A sociedade aberta dos interpretes da Constituição: Contribuição para a interpretação pluralista e "procedimental" da Constituição. Porto Alegre: Sérgio Antonio Fabris Editor, 2002.

[18] MENDES, Conrado H. *Constitutional courts and deliberative democracy*. Oxford University Press, 2013, p. 63.

[19] CLÈVE, Clèrmerson M. A realidade brasileira em tempo de pandemia: a defesa da Constituição e resistência ao autoritarismo. *Jota*, 13 de setembro de 2020. Disponível em: https://www.jota.info/opiniao-e-analise/artigos/a-realidade-brasileira-em-tempos-de-pandemia-13092020?non-beta=1. Acesso em: 18 jun. 2024; VIEIRA, Oscar Vilhena; GLEZER, Rubens; BARBOSA, Ana Laura Pereira. Supremocracia e infralegalismo autoritário: O comportamento do Supremo Tribunal Federal durante o governo Bolsonaro. *Novos estudos CEBRAP*, v. 41, n. 3, p. 591-605, 2022.

o quadro normativo e a segurança necessários à atuação dos agentes e autoridades no esforço de combate à aflição pandêmica e, também, para controlar a proporcionalidade e razoabilidade dos programas administrativos propostos.[20] Isto num contexto no qual a presidência da república, omissa e negacionista, dava mau exemplo, conduzindo-se de modo reprovável e pretendendo responsabilizar os demais poderes e coletividades políticas pelo quadro desolador de mortes evitáveis.[21] A atuação do Supremo decidindo inúmeras ações, sobretudo de controle concentrado de constitucionalidade, além da providência da alteração do seu Regimento Interno para contemplar a atuação colegial por meio remoto,[22] permitindo presteza e celeridade na apreciação dos graves temas levados a julgamento, foi, ao lado das oportunas medidas aprovadas pelo Congresso Nacional, determinante para a superação da grave crise sem a ocorrência de traumas institucionais invencíveis. Do ponto de vista humano, todavia, o número de vítimas foi devastador.

A crise política, por seu turno, implicando corrosão dos pilares da democracia, acompanhou o mandato do presidente empossado em janeiro de 2019. Manifestando ímpetos autocráticos e desrespeito à liturgia do cargo, inaugurou um período preocupante de tensionamento político e de conflito entre os poderes.[23] Levado à cadeira presidencial por um pequeno partido, não dispunha de maioria parlamentar. Imaginou, inicialmente, que a gramática da guerra, o empurrar parlamentares contra a parede, poderia constituir inteligente modo de governar. Não obtendo sucesso, dirigiu as críticas virulentas antes endereçadas ao Congresso para o Supremo Tribunal Federal, para as urnas eletrônicas adotadas pela Justiça Eleitoral, para o Tribunal Superior Eleitoral e, durante a pandemia, para os prefeitos e governadores.[24] A resistência da sociedade civil, do Judiciário, sobretudo do Supremo Tribunal Federal e do Tribunal Superior Eleitoral, bloqueou o processo em andamento de erosão constitucional e, mesmo, a possível ruptura da experiência democrática. O Supremo, na ocasião, providenciou especiosa releitura do seu Regimento Interno e, com base nele, instaurou polêmico, mas eficaz, inquérito[25] que rendeu novos rebentos, sempre pretextando aplicar as lições oferecidas pela democracia militante,[26] transformando a Corte no órgão constitucional mais temido da república. Passada a turbulência política, punidos os responsáveis, inclusive aqueles

---

[20] Ver: Ação Direta de Inconstitucionalidade nº 6.341 (DF), de relatoria do ministro Marco Aurélio, redator para acórdão ministro Edson Fachin; GLEZER, Rubens. As razões e condições dos conflitos federativos na pandemia de Covid-19: coalizão partidária e desenho institucional. *Suprema-Revista de Estudos Constitucionais*, v. 1, n. 2, p. 395-434, 2021.

[21] VENTURA, Deisy, AITH, Fernando, REIS, Rossana *et al*. A linha do tempo da estratégia federal de disseminação da Covid-19. São Paulo: CEPEDISA/USP, 2021; VENTURA, Deisy de Freitas Lima *et al*. Resposta federal à covid-19 no Brasil: responsabilização penal de autoridades com prerrogativa de foro junto ao Supremo Tribunal Federal (2020-2023). *Revista Direito e Práxis*, 2024.

[22] BARBOSA, Ana Laura Pereira; GLEZER, Rubens. A ascensão do plenário virtual: nova dinâmica, antigos poderes. *Política & Sociedade*, v. 21, n. 52, p. 54-104, 2022.

[23] GUGLIANO, Monica. Vou intervir! *PIAUÍ*, n. 167, p. 22-25, ago. 2020; AVRITZER, Leonardo. *Política e antipolítica*: a crise do governo Bolsonaro. Todavia, 2020.

[24] RECONDO, Felipe; WEBER, Luiz. *O Tribunal*: como o Supremo se uniu ante a ameaça autoritária. São Paulo: Companhia das Letras, 2023.

[25] Inquérito nº 4781, Rel. Min. Alexandre de Moraes. Ver ADPF 542.

[26] VIEIRA, Oscar Vilhena. O STF e a Defesa da Democracia no Brasil. *Journal of Democracy* [Edição em Português], v. 12, n. 1, jun. 2023.

que agitaram o patético ensaio de golpe de janeiro de 2023,[27] será tempo de retomada da normalidade institucional e de encerramento do intervalo de perigosa, embora compreensível, exceção judicial.[28]

Em ligeira síntese, esta é a crônica da ascensão institucional do Supremo Tribunal Federal a um lugar de protagonismo indiscutível na dinâmica das relações entre os poderes.[29] O Supremo Tribunal Federal é, hoje, suponho, a mais poderosa Corte Constitucional do mundo. Mas nem tudo são flores. O exercício do poder cobra responsabilidade e transparência. No espaço público, a casa deve ter telhado de vidro. O Supremo tem sido cobrado. Nem sempre injustamente. A Corte acumula, afinal, sérias disfuncionalidades[30] que precisam ser resolvidas sob pena de descrédito institucional e perda de legitimidade.[31] Por outro lado, mantido o desenho adotado pelo Constituinte, alguns ajustes são indispensáveis para a sua melhor atuação. Os mais importantes serão referidos nas linhas que seguem. Não estão contemplados, todavia, os debates relativos à aplicação do Estatuto da Magistratura e à necessidade de um Código de Ética para balizar a conduta fora dos autos dos membros do Supremo, como aquele recentemente aprovado pela Suprema Corte americana.[32] Cumpre reconhecer que, entre nós, o problema das entrevistas (ainda que em *off*) deste ou daquele membro da Corte tratando de assunto pendente de julgamento ou sobre o qual, possivelmente, terá de se pronunciar no exercício da jurisdição constitucional é bastante sério.

VI Correção tópica do desenho e das disfuncionalidades do Supremo Tribunal Federal

Não se trata aqui de considerar a hipótese de transformação do Supremo em verdadeira Corte Constitucional, nos moldes europeus, despida de competências outras que não as de natureza estritamente constitucional, sem ostentar a condição de órgão de cúpula do Judiciário. Nem de advogar a adoção desta ou daquela teoria jurídica para sustentar a consistência e coerência do Direito. Para alguns juristas há, para cada caso, uma única resposta correta que, coincidentemente, é a que decorre da aplicação de sua teoria. Ora, os juízes são livres para escolher suas *démarches* teóricas, e pretensão deste naipe está fadada ao insucesso. Afinal, a composição e o funcionamento da Corte

---

[27] MENDES, Conrado H. 8 de janeiro foi contido, não derrotado. *Folha S. Paulo*, 10 de janeiro de 2024. Disponível em: https://www1.folha.uol.com.br/colunas/conrado-hubner-mendes/2024/01/8-de-janeiro-foi-contido-nao-derrotado.shtml. Acesso em: 19 jun. 2024.

[28] VIEIRA, Oscar V. Com ação do STF, nossa democracia saiu da zona de risco existencial. *Folha de S. Paulo*. 16 de junho de 2023. Disponível em: https://www1.folha.uol.com.br/colunas/oscarvilhenavieira/2023/06/com-acao-do-stf-nossa-democracia-saiu-da-zona-de-risco-existencial.shtml. Acesso em 19 jun. 2024.

[29] VIEIRA, Oscar Vilhena. *A batalha dos poderes*: da transição democrática ao mal-estar constitucional. São Paulo: Companhia das Letras, 2018.

[30] GODOY, Miguel Gualano de. O Supremo contra o processo constitucional: decisões monocráticas, transação da constitucionalidade e o silêncio do Plenário. *Revista Direito e Práxis*, v. 12, p. 1034-1069, 2021.

[31] VIEIRA, Oscar V. Supremo demonstrou ser trincheira relevante na defesa da democracia. *Folha de S. Paulo*, 3 de maio de 2024. Disponível em: https://www1.folha.uol.com.br/colunas/oscarvilhenavieira/2024/05/supremo-demonstrou-ser-trincheira-relevante-na-defesa-da-democracia.shtml. Acesso em: 19 jun. 2024.

[32] MENDES, Conrado H. O STF não precisa de código de ética. *Folha de S. Paulo*, 22 de novembro de 2023. Disponível em: https://www1.folha.uol.com.br/colunas/conrado-hubner-mendes/2023/11/o-stf-nao-precisa-de-codigo-de-etica.shtml. Acesso em: 18 jun. 2024.

assumem uma importância que as abstrações teóricas nem sempre alcançam. Como há teorias hermenêuticas, ideologias e interesses contrastantes em jogo, são o modo de organização da Corte e o processo de deliberação e formação da decisão que, em última instância, responderão pela integridade e coerência dos julgados.[33] A institucionalidade, o modo de configurar o processo deliberativo,[34] neste particular, pode ser tão importante quanto a construção de teorias jurídicas. É pensável, portanto, levantar a necessidade de determinadas correções no processo de formação da Corte e sustentar a adoção, entre nós, de outro modelo de decisão, não meramente agregativo caracterizado pela justaposição de votos despidos de preocupação com a convergência da *ratio decidendi* para a formação de precedentes sólidos, transitando do modelo *seriatim* para algo mais próximo do *per curiam*, com o consequente prestígio da deliberação colegial.[35] Não seria demais, igualmente, reclamar maior coerência nas decisões no decorrer do tempo, superando aquilo que a comunidade identifica como um tribunal de conjuntura.[36] Ou, ainda, operar uma crítica aos injustificados e excessivos ativismo ou contenção do Supremo em relação a certas questões sensíveis que dividem o mundo da vida.

Aceitemos, em suas linhas gerais, o desenho institucional adotado pelo Constituinte para apontar certas disfuncionalidades que desafiam cuidadosa correção. As palavras ambiguidade (comprometendo o modelo de separação de poderes com *checks and balances*), opacidade (embora a publicidade), incoerência (apesar dos precedentes) e individualismo[37] (*déficit* de colegialidade e, portanto, de efetiva deliberação) conferem as cores do quatro esboçado, desembocando naquilo que Oscar Vilhena Vieira chamou de supremocracia,[38] Diego Werneck Arguelhes e Leandro M. Ribeiro identificaram como ministrocracia[39] e Conrado Hübner Mendes apelidou de magistocracia.[40]

A. Sabatina no Senado e *freios e contrapesos*

O Ministro Moreira Alves, tendo integrado a Corte por quase três décadas, foi, até recentemente, aquele com maior tempo de permanência. A marca histórica, todavia, foi superada pelos Ministros Celso de Mello e Marco Aurélio. Embora o período médio dos ministros na função não supere os 15 anos, a verdade é que os presidentes têm procurado

---

[33] DWORKIN, Ronald. *O Império do Direito*. São Paulo. Martins Fontes, 1999; MENDES, Conrado H. *Constitutional courts and deliberative democracy*. Oxford University Press, 2013.
[34] SILVA, Virgílio Afonso da. Do We Deliberate: If So, How. *Eur. J. Legal Stud.*, v. 9, p. 209, 2016.
[35] MENDES, Conrado. *Constitutional courts and deliberative democracy*. Oxford University Press, 2013, p. 63 Ver também: MARINONI, Luiz Guilherme. *Julgamento nas cortes supremas*: precedente e decisão do recurso diante do novo CPC. Thomson Reuters, 2015, p. 64
[36] ARGUELHES, Diego Werneck. Tribunal de conjuntura: o Supremo se submeteu ao Senado? *Jota*, 12 de outubro de 2017. Disponível em: https://www.jota.info/stf/supra/tribunal-de-conjuntura-o-supremo-se-submeteu-ao-senado-12102017?non-beta=1. Acesso em: 18 jun. 2024.
[37] ARGUELHES, Diego Werneck; RIBEIRO, Leandro Molhano. 'The Court, it is I'? Individual judicial powers in the Brazilian Supreme Court and their implications for constitutional theory. *Global Constitutionalism*, v. 7, n. 2, p. 236-262, 2018.
[38] VIEIRA, Oscar Vilhena. Supremocracia. *Revista Direito GV*, v. 4, p. 441-463, 2008.
[39] ARGUELHES, Diego Werneck; RIBEIRO, Leandro Molhano. Ministrocracia: o Supremo Tribunal individual e o processo democrático brasileiro. *Novos estudos CEBRAP*, v. 37, p. 13-32, 2018.
[40] MENDES, Conrado H. *O discreto charme da magistocracia*: vícios e disfarces do Judiciário brasileiro. São Paulo: Todavia, 2023.

indicar membros cada vez mais jovens para que, considerada a vitaliciedade, possam permanecer por um longo período no exercício do cargo. A composição do Supremo, nos dias que correm, especialmente numa sociedade polarizada, constitui elemento essencial do jogo político, transcendendo o horizonte limitado do mandato do Chefe do Executivo. Este, portanto, dispõe do poder de influir longamente nos destinos da nação, especialmente porque, neste país, com o *déficit* de colegialidade, os ministros individualmente contam muito, exercendo um poder dificilmente contrastável.[41] A adoção da investidura a um termo, portanto, de dez ou doze anos, aquilo que alguns chamam de mandato, é algo a ser, com seriedade, discutido. Períodos longos, mas não vitalícios, aperfeiçoado o processo de investidura adotado pelo Constituinte, sem abrir espaço para a pequena política corporativa, pode permitir maior solidez da jurisprudência, com o consequentemente robustecimento do equilíbrio entre permanência e mudança no espaço de intervenção da jurisdição constitucional.

Por outro lado, a sabatina na Comissão de Constituição e Justiça do Senado Federal tem funcionado mais como instrumento preventivo de pressão sobre a escolha presidencial do que, propriamente, como oportunidade de confrontação do indicado para a verificação de seu pensamento, de suas qualidades e da satisfação dos pressupostos constitucionais para o exercício do cargo (*notável saber jurídico* e *reputação ilibada*). Entre nós, a sombra da sabatina atravessa o momento da escolha presidencial.[42] Providenciada a nomeação, consideradas a dinâmica partidária e a correlação de forças, a sessão do Senado não trará, como comprova a história e salvo os nem sempre autênticos arroubos retóricos da oposição, maiores problemas para o indicado. O que compromete as nossas sabatinas, breves e superficiais, ao contrário das acompanhadas na experiência americana, não é o suposto despreparo dos nossos parlamentares, mas antes, e isto tem sido apontado pela melhor doutrina, a competência por prerrogativa de função do Supremo Tribunal Federal em matéria penal.[43] Se os senadores estão a inquirir os seus futuros julgadores, é claro que a sabatina tomará um caminho estratégico, nem sempre sincero, caracterizado pela pouca profundidade. Não é sábio ferir a sensibilidade de alguém que, adiante, decidirá o seu caso penal. Situação singular no mundo, embora revista por mais de uma vez e nem sempre para melhor pela própria Corte através da evolução jurisprudencial, a competência penal por prerrogativa de função contemplada na Lei Fundamental merece sofrer, a meu juízo, maior compressão para incidir, apenas, sobre os presidentes dos poderes por atos praticados no exercício da função. Alguém já se perguntou alguma vez por que não prosperam os eventuais pedidos (consistentes) de *impeachment* contra membros da Corte?[44] Aqui e na sabatina o fenômeno do constrangimento ocorre de modo igual, comprometendo a mecânica republicana dos *checks and balances*. Ora, uma Corte que pode muito e não presta contas a ninguém, não é nem constitucional, nem

---

[41] ARGUELHES, Diego Werneck; RIBEIRO, Leandro Molhano. 'The Court, it is I'? Individual judicial powers in the Brazilian Supreme Court and their implications for constitutional theory. *Global Constitutionalism*, v. 7, n. 2, p. 236-262, 2018.

[42] ARGUELHES, Diego Werneck. *O Supremo*: entre o direito e a política. Rio de Janeiro: História Real, 2023, p. 78-79.

[43] FALCÃO, J.; PEREIRA, T.; ARGUELHES, D. W.; RECONDO, F. (org.). *O Supremo Tribunal Criminal:* o supremo em 2017. Belo Horizonte: Letramento, 2018.

[44] DA ROS, Luciano; BOGÉA, Daniel. Contenção judicial: mapa conceitual e pedidos de impeachment de Ministros do Supremo Tribunal Federal. *Política & Sociedade*, v. 21, n. 52, p. 184-225, 2022.

republicana.⁴⁵ A natureza da providência agora postulada, mantidas, repito, as linhas gerais do desenho constitucional, seria suficiente para conferir dinâmica mais proveitosa ao processo de investidura dos ministros do Supremo, além de autorizar correlação de forças mais equilibrada entre o órgão de cúpula do Judiciário e o Congresso Nacional.

B. *Déficit* de colegialidade: onze Supremos?

O Supremo é o órgão de cúpula do Judiciário brasileiro, não os seus ministros individualmente considerados. De modo que uma das suas mais sérias disfunções consiste no inaceitável poder conferido a membro integrante para resolver soberanamente questões sensíveis de alta relevância sem levá-las ao colegiado ou levando-as com os efeitos da decisão consumados ou irreversíveis diante da repercussão que alcançaram. Manifesta-se, aqui, também, expressão do corporativismo, certo pacto tácito de proteção recíproca entre os membros.⁴⁶ Não à toa, 98% das decisões monocráticas são, quando levadas ao plenário, confirmadas.⁴⁷ A República instituiu um Supremo, não 11. Um continente, não 11 ilhas.⁴⁸ A apontada prática incomoda os jurisdicionados, autoriza percepção, justa ou injusta, de politização e parcialidade da Corte, além de agredir o princípio da colegialidade. Ao Tribunal Constitucional, pelas relevantes competências que acumula e pelo delicado papel que desempenha ao controlar as manifestações dos demais poderes, incumbiria decidir colegiadamente, promovendo deliberação efetiva e aberta. Há decisões monocráticas, em sede de liminar, invalidando condenações proferidas em três graus de jurisdição⁴⁹ ou cautelares concedidas em sede de controle abstrato de normas e vigendo por prolongado tempo suspendendo a eficácia de normativas importantes, inclusive de emendas à Constituição,⁵⁰ prolatadas sem o assentimento dos demais ministros. Como o Supremo decide por último, admitido que todos os poderes são legítimos intérpretes da Constituição, cumpre atuar com prudência e atenção redobrada e, por isto, o Pleno ou a Turma são os lugares adequados para a confrontação de argumentos e posterior deliberação. Como lembra Diego Werneck Arguelhes, as decisões individuais vêm constituindo a regra, não a exceção. Entre os anos 2000 e 2019 – sustenta em sua obra – pouco menos de 90% das decisões foram prolatadas monocraticamente.⁵¹ Uma Corte assim perde a credibilidade para participar adequadamente da dinâmica constitucional

---

⁴⁵ MENDES, Conrado H. *O discreto charme da magistocracia*: vícios e disfarces do Judiciário brasileiro. São Paulo: Todavia, 2023.

⁴⁶ MENDES, Conrado H. *O discreto charme da magistocracia*: vícios e disfarces do Judiciário brasileiro. São Paulo: Todavia, 2023.

⁴⁷ Com base em levantamento realizado no período de cinco anos conferir: Conjur, 6 de novembro de 2022. Disponível em: https://www.conjur.com.br/2022-nov-06/decisoes-monocraticas-stf-sao-confirmadas-98-casos/. Acesso em: 19 jun. 2024. Ver ainda: PEREIRA, Thomaz; ARGUELHES, Diego Werneck; ALMEIDA, Guilherme da Franca Couto. *VIII Relatório Supremo em Números*: Quem decide no Supremo? Tipos de decisão colegiada no tribunal. Rio de Janeiro: FGV Direito Rio, 2020.

⁴⁸ MENDES, Conrado H. Onze ilhas. *Folha de S. Paulo*, 1 de fevereiro de 2010.

⁴⁹ FALCÃO, J.; PEREIRA, T.; ARGUELHES, D. W.; RECONDO, F. (org.). *O Supremo Tribunal Criminal*: o supremo em 2017. Belo Horizonte: Letramento, 2018.

⁵⁰ OLIVEIRA, Fabiana Luci de; ARGUELHES, Diego Werneck. O Supremo Tribunal Federal e a mudança constitucional. *Revista brasileira de ciências sociais*, v. 36, p. e3610506, 2020.

⁵¹ ARGUELHES, Diego Werneck. *O Supremo*: entre o direito e a política. Rio de Janeiro: História Real, 2023.

da divisão de poderes adotada pelo Constituinte brasileiro. Salvo hipóteses excepcionais e solidamente justificadas, não se pode aceitar, no Estado de Direito, "a possibilidade de ministros decidirem sozinhos questões profundamente importantes, juridicamente controversas e de alto impacto político sem controle relevante por parte de seus colegas".[52] Este tipo de prática, nesta dimensão, não é comum em outros países e nem deveria ser aqui. Há normativas legais cuidando do tema e mesmo normas regimentais recentes introduzidas durante a presidência da Ministra Rosa Weber (Emenda Regimental nº 58/2022). Não são, entretanto, cumpridas. A PEC nº 8/2021, que altera a Constituição para disciplinar os pedidos de vista no Supremo, a declaração de inconstitucionalidade e a concessão de medidas cautelares monocráticas, tão severamente combatida pela Corte sob o argumento de inconstitucionalidade, poderia substanciar uma boa oportunidade para a discussão desta delicada questão.[53] Embora, em suas linhas gerais, não se manifeste contrariedade à Lei Fundamental na proposta, temo que, diante da irresignação dos ministros, não seja levada adiante.

C. Controle da agenda, definição da pauta e plenário virtual

Num país que confere legitimação ativa ampla aos feitos de fiscalização de constitucionalidade, incluindo também os partidos políticos com representação no Congresso Nacional, é natural que centenas de casos sejam levados ao Supremo anualmente. Embora, como todo o Judiciário, só possa atuar quando provocado, a Corte detém a faculdade de definir o melhor momento para apreciá-los. Não são raros aqueles que ficam na gaveta dormitando, sem maior justificativa, por um tempo indefinido. Se há questão nacional sensível agitando a sociedade, pode o Tribunal, mesmo sem provocação específica, escolher, entre os milhares de casos que se encontram sem pronunciamento, aquele análogo que autoriza estratégica intervenção no debate e eventual solução do problema comprometendo, por exemplo, a diligência dos demais poderes. Escolhe, portanto, em função do poder de agenda do relator ou do Presidente, ou em virtude de pedido de vista submetido a uma hábil administração do tempo, o momento certo para prolatar a decisão.[54] Pode se manifestar hoje ou mais tarde. Há liminares aguardando deliberação do colegiado há anos. Em tese, como foi dito, existem prazos a cumprir prescritos na legislação de regência ou em normativa interna. São, todavia, prazos impróprios, afirma-se, sem qualquer consequência para o seu descumprimento. Este poder de agenda, o diferir o tempo do pronunciamento quando há interesse estratégico ou o julgar agora instrumentalizando caso antigo para interferir no debate público, caracteriza mais do que simples hipótese de judicialização da política, um desvio em direção à politização do Judiciário. Está-se a referir aqui, evidentemente, às hipóteses

---

[52] ARGUELHES, Diego Werneck. *O Supremo*: entre o direito e a política. Rio de Janeiro: História Real, 2023.
[53] GODOY, Miguel G. Supremo monocrático e pedidos de vista: a PEC 08/2021 como aprimoramento institucional. *Jota*, 25 de out. 2023; MAFEI, Rafael. Como defender um Tribunal acuado. *Piauí*, 23 de novembro de 2023. Disponível em: https://piaui.folha.uol.com.br/como-defender-um-tribunal-acuado-stf-senado-decisoes-monocraticas-pec/. Acesso em 19 jun. 2024.
[54] ARGUELHES, Diego Werneck; HARTMANN, Ivar A. Timing control without docket control: how individual justices shape the Brazilian Supreme Court's agenda. *Journal of Law and Courts*, v. 5, n. 1, p. 105-140, 2017.

de gerência ilegítima do decurso do tempo. Em certos casos, e isso ocorre igualmente em outras Cortes, o Supremo pode constatar que o debate sobre a questão sensível em julgamento não está pronto, havendo necessidade de mais robusto intercâmbio de argumentos na sociedade civil, de modo a amadurecer a delicada matéria que está a reclamar a atuação da jurisdição constitucional. O que se vê nesta hipótese, ao contrário da primeira, substancia manifestação de cuidado e respeito e não de reprovável estratégia.

A Corte recebe todos os anos, especialmente por meio da interposição do recurso extraordinário, mesmo depois da introdução da repercussão geral com a Emenda Constitucional nº 45/2004, cerca de 70 mil casos,[55] o que contrasta com as poucas centenas decididas anualmente pela Suprema Corte americana, que, inclusive, tem a faculdade de, em sede de *writ of certiorari*, escolher aqueles que apreciará. Entre os milhares de feitos recebidos, apenas cerca de 1% (um por cento) desafia deliberação mais delicada.[56] Nos últimos 30 anos, esse foi o número de decisões proferidas a partir de debate aprofundado e presencial. São aquelas que a imprensa reporta e as redes sociais discutem (nem sempre de modo civilizado). Os casos submetidos ao Tribunal, em sua grande maioria, são solucionados pelo relator mediante a aplicação de precedentes, das súmulas ou da jurisprudência reiterada. Para enfrentar o elevado número de recursos extraordinários, a Corte vem erigindo jurisprudência de feição defensiva. A atuação individual do relator nas hipóteses antes referidas, além de legal, é absolutamente compreensível. O que não é compreensível, nas questões complexas e sensíveis, mormente naquelas envolvendo fiscalização de constitucionalidade, é a falta de colegialidade e, portanto, de vigorosa deliberação.[57] Há, muita vez, escassa deliberação nos colegiados (os votos, prontos, são lidos, ocorrendo raramente debate e constituindo, o Acórdão, justaposição volumosa das manifestações) e nenhuma no plenário virtual. O que o público acompanha, principalmente, através dos meios de comunicação, é o plenário real, físico ou *on-line* síncrono. O problema, todavia, é grave no virtual.[58] Aqui, os ministros votam em tempos distintos, sem debate, sem interação contemporânea e confrontação de argumentos e, portanto, sem a manifestação de robusta deliberação. Grande parte das causas difíceis são, atualmente, depois da equiparação das competências entre os plenários físico e virtual, julgados neste último. Os relatores decidem se as levam, uma vez liberadas para julgamento, para este ou aquele plenário; o virtual tem conquistado a absoluta preferência. Aqui, os julgamentos atraem pouca atenção e, como disse antes, não há

---

[55] Segundo o Relatório de atividades do STF, a Corte recebeu 75.137 processos em 2020, p. 29. Disponível em: http://www.stf.jus.br/arquivo/cms/publicacaoCatalogoProdutoConteudoTextual/anexo/RelatorioAtividadesSTF2020.pdf. Acesso em: 26 abr. 2021.

[56] PEREIRA, Thomaz; ARGUELHES, Diego Werneck; ALMEIDA, Guilherme da Franca Couto Fernandes de. *VIII Relatório Supremo em Números*: Quem decide no Supremo? Tipos de decisão colegiada no tribunal. 2020. Disponível em: https://direitorio.fgv.br/publicacoes/viii-relatorio-supremo-em-numeros-quem-decide-no-supremo. Acesso em: 26 abr. 2021; TEIXEIRA, Matheus. Só 1% das decisões do STF dos últimos 30 anos foi tomada em discussão presencial e aprofundada. *Folha de São Paulo*, São Paulo, 21.09.2020. Disponível em: https://www1.folha.uol.com.br/poder/2020/09/so-1-das-decisoes-do-stf-dos-ultimos-30-anos-foi-tomada-em-discussao-presencial-e-aprofundada.shtml. Acesso em: 26 abr. 2021.

[57] SILVA, Virgílio Afonso da. Deciding without deliberating. *International Journal of Constitutional Law*, v. 11, n. 3, p. 557-584, 2013. SILVA, Virgílio Afonso da. Pauta, público, princípios e precedentes: condicionantes e consequências da prática deliberativa do STF. *Suprema-Revista de Estudos Constitucionais*, v. 1, n. 1, p. 22-56, 2021.

[58] BARBOSA, Ana Laura Pereira; GLEZER, Rubens. A ascensão do plenário virtual: nova dinâmica, antigos poderes. *Política & Sociedade*, v. 21, n. 52, p. 54-104, 2022.

deliberação, apenas somatória não sincrônica dos votos e mesmo as sustentações orais das partes são gravadas e encaminhadas por meio eletrônico. Farão diferença? Tem-se, neste ponto, com o plenário virtual, um elemento adicional para a caracterização da Corte não como uma instituição estável, consistente e legitimada pela coerência e imparcialidade na tomada de decisões, mas antes como arquipélago undecimal que se firma pelo mero exercício do poder. Ora, a autoridade do Judiciário, especialmente da Corte, não provém primariamente de sua força, mas antes da credibilidade que constrói no curso da história.[59]

D. Estado de Direito e segurança jurídica

O papel de uma Corte Constitucional é o de proteger os direitos fundamentais e garantir a integridade da ordem constitucional objetiva. Dessa integridade decorrem a previsibilidade e a racionalidade do Direito e, por consequência, a segurança jurídica. Também aqui a atuação da Corte se apresenta, eventualmente, contaminada pela disfuncionalidade. Há decisões monocráticas dissonantes, há desconsideração de precedentes (falo dos precedentes à brasileira) ou da *ratio decidendi* de decisões pretéritas sem explicitação ou com explicitação superficial das razões a reclamar o *overruling*, há aceitação de exceções discricionárias e decisões, mesmo colegiadas de mérito, ignorando orientações pretéritas.[60] Aquilo que era constitucional ontem passa a ser inconstitucional hoje sem justificativa plausível e sólida e aquilo que era proibido ontem é autorizado agora, especialmente quando há algum grau de simpatia recíproca entre a Corte e o órgão constitucional interessado. Isto fica mais evidente quando o poder individual dos ministros emerge assentando monocraticamente com fundamento em uma pluralidade de critérios ou métodos hermenêuticos nem sempre compatíveis entre si. Há uma multiplicidade de métodos de interpretação manejados no âmbito da trajetória dos integrantes da Corte variando sem maior explicação. Aquele que pondera aqui pode ser originalista, positivista ou consequencialista no contexto de julgamento futuro. A situação descrita transporta à mente, lembrança não totalmente despida de sentido, a interessante obra de Brenner & Spaeth intitulada, com certa dose de humor, *Stare Indecisis*, tratando da alteração dos precedentes na Suprema Corte americana.[61]

Alguém poderia dizer que o único poder da república chamado de supremo é o Supremo Tribunal Federal, de modo que não sendo supremo à toa, é supremo em relação aos demais. A espirituosa afirmação desafia contestação. Embora fale por último, todos os órgãos constitucionais são intérpretes da Lei Fundamental, não havendo lugar, na Constituição brasileira, para um poder da república residir em lugar acima dos demais. Isto decorre da dinâmica dos freios e contrapesos que caracteriza o nosso sistema constitucional. Daí não ter sentido a afirmação segundo a qual a Corte exerce

---

[59] CLÈVE, Clèmerson Merlin; LORENZETTO, Bruno Meneses. *Democratic Government and Constitutional Jurisdiction*. Lanham: Rowman & Littlefield, 2022.

[60] MARINONI, Luiz G. *Processo Constitucional e Democracia*. São Paulo: Revista dos Tribunais, 2022, p. 947.

[61] BRENNER, Saul; SPAETH, Harold J. *Stare Indecisis*: the alteration of precedent on the supreme court (1946-1992). Cambridge University Press, 1995.

entre nós, recuperando aquilo que incumbia ao Imperador no contexto da Constituição de 1824, algumas funções próprias do Poder Moderador. Outros, mais recentemente, afirmam que, superado o *presidencialismo de coalizão*,[62] diante da crise democrática que atravessou o país, experimenta-se agora, depois da última eleição presidencial, uma espécie de *judiciarismo de coalizão* caracterizado por suposta cumplicidade entre o Supremo e o Poder Executivo.[63] Com o devido respeito, o nome é ruim e a ideia ainda pior. Ora, a república não admite tal tipo de aliança política. O Judiciário é imparcial, cuida da ordem jurídica protegendo os direitos fundamentais e garantindo a integridade do documento constitucional e neste ponto não há lugar para um suposto arranjo de natureza política ou institucional com outro poder. Há cooperação, deve haver também harmonia entre os poderes, exigência da normativa primeira, mas sempre atuando a Corte com independência e imparcialidade e, portanto, sem cumplicidade ou afirmação de preferência política. A ideia de pacto de qualquer dos poderes com o Judiciário deve ser sempre olhada com desconfiança. O pacto do Supremo é, exclusivamente, com a Constituição.

VII Conclusão: o Supremo do futuro

O país experimentou tempos turbulentos que exigiram medidas excepcionais, agressivas e polêmicas para a defesa das instituições democráticas. Creio ter chegado o momento de providenciar o retorno paulatino das águas da enchente para o leito do rio, retomando, o Supremo ao seu devido lugar na república, prestigiando os postulados do Estado de Direito e do devido processo legal e caminhando novamente em direção a uma situação de normalidade constitucional. Quem acumula poder tem dificuldades para devolvê-lo, quem duvida? Mas esta é a tarefa que se impõe à Corte no vislumbrado horizonte.

Qual será o Supremo do futuro? Há dois caminhos. O primeiro é a instituição seguir a trilha percorrida até aqui, acumulando poder e se recusando a enfrentar as disfuncionalidades que maculam a sua relevantíssima e indispensável atuação jurisdicional. Neste quadro, os brasileiros continuarão convivendo com a ressurgência dos conflitos entre os poderes, alguma dose de instabilidade institucional, os *backlashes* justificados ou arbitrários patrocinados pelo Congresso Nacional e a incompreensão da sociedade civil (não se reporta aqui à parcela irracional seduzida pelo extremismo). A outra via, mais sensata, é a da cooperação para a correção das atipicidades apontadas, por meio de medidas legislativas, sobretudo reformando a Constituição topicamente, sem alterar o desenho constitucional da Corte, somada à sua atuação republicana para prosseguir no fecundo processo de atualização do Regimento Interno iniciado pela então Presidente Ministra Rosa Weber ajustando aquilo que, sendo de sua alçada, pode ser modificado através desta providência.

---

[62] ABRANCHES, Sérgio. *Presidencialismo de coalizão*: raízes e evolução do modelo político brasileiro. Editora Companhia das Letras, 2018.

[63] SARTOTI, Caio. Com base frágil, governo Lula amplia recursos ao STF e reforça 'judiciarismo de coalizão'. *O Globo*, 5 de maio de 2024. Disponível em: https://oglobo.globo.com/politica/noticia/2024/05/05/com-base-fragil-governo-lula-amplia-recursos-ao-stf-e-reforca-judiciarismo-de-coalizao.ghtml. Acesso em: 19 jun. 2024.

A Suprema Corte vem prestando ao longo da história republicana, inclusive nos graves períodos de tensionamento político e risco de ruptura democrática, um valoroso serviço, merecendo receber todos os encômios. A sociedade brasileira, cumpre reconhecer, deve muito ao Supremo. Mas o agir pronto para debelar as crises comprometedoras do regime não lhe confere escusa para repelir o necessário aperfeiçoamento. A Corte pode e deve ser aperfeiçoada para alcançar maiores legitimidade, credibilidade e transparência.[64] O que pedem os jurisdicionados não é a diminuição do Tribunal,[65] mas, antes, a sua grandeza, e a sua grandeza reclama o agir com parcimônia, com independência e imparcialidade, deliberando colegiadamente nos casos difíceis, especialmente nos feitos envolvendo a fiscalização de constitucionalidade e o controle dos atos dos chefes dos demais poderes, isto tudo enquanto órgão constitucional de indisputável importância composto por magistrados respeitados que bem conhecem a sua missão e não por 11 ilhas soberanas.

Referências

ABRANCHES, Sérgio. *Presidencialismo de coalizão*: raízes e evolução do modelo político brasileiro. São Paulo: Companhia das Letras, 2018.

ALBUQUERQUE, Grazielle. *Da lei aos desejos*: o agendamento estratégico do STF. São Paulo: Amanuense, 2023.

ARGUELHES, Diego Werneck. *O Supremo*: entre o direito e a política. Rio de Janeiro: História Real, 2023.

ARGUELHES, Diego Werneck; RIBEIRO, Leandro Molhano. Ministrocracia: o Supremo Tribunal individual e o processo democrático brasileiro. *Novos estudos CEBRAP*, v. 37, p. 13-32, 2018.

ARGUELHES, Diego Werneck; RIBEIRO, Leandro Molhano. 'The Court, it is I'? Individual judicial powers in the Brazilian Supreme Court and their implications for constitutional theory. *Global Constitutionalism*, v. 7, n. 2, p. 236-262, 2018.

ARGUELHES, Diego Werneck. Tribunal de conjuntura: o Supremo se submeteu ao Senado? *Jota*, 12 de outubro de 2017. Disponível em: https://www.jota.info/stf/supra/tribunal-de-conjuntura-o-supremo-se-submeteu-ao-senado-12102017?non-beta=1. Acesso em: 18 jun. 2024.

ARGUELHES, Diego Werneck; RIBEIRO, Leandro Molhano. Criatura e/ou criador: transformações do Supremo Tribunal Federal sob a Constituição de 1988. *Revista Direito GV*, v. 12, p. 405-440, 2016.

ARGUELHES, Diego Werneck. A PEC do desrespeito ao Supremo: aumento da aposentadoria compulsória de ministros para 75 anos foi mera arma política. *Jota*, 6 de maio de 2015. Disponível em: https://www.jota.info/opiniao-e-analise/artigos/a-pec-do-desrespeito-ao-supremo-06052015?non-beta=1. Acesso em: 18 jun. 2024.

ARGUELHES, Diego Werneck; OLIVEIRA, Fabiana Luci; RIBEIRO, Leandro Molhano. Ativismo judicial e seus usos na mídia brasileira. *Revista Direito, Estado e Sociedade*, n. 40, 2012.

AVRITZER, Leonardo. *Política e antipolítica*: a crise do governo Bolsonaro. Todavia, 2020.

BALEEIRO, Aliomar. *O Supremo Tribunal Federal, esse outro desconhecido*. Rio de Janeiro: Forense, 1968.

BARBOSA, Ana Laura Pereira; GLEZER, Rubens. A ascensão do plenário virtual: nova dinâmica, antigos poderes. *Política & Sociedade*, v. 21, n. 52, p. 54-104, 2022.

---

[64] ALBUQUERQUE, Grazielle. *Da lei aos desejos*: o agendamento estratégico do STF. São Paulo: Amanuense, 2023.

[65] MENDES, Conrado H. Enfraquece o ministro, fortalece o STF. *Folha de S. Paulo*, 1 de novembro de 2023. Disponível em: https://www1.folha.uol.com.br/colunas/conrado-hubner-mendes/2023/11/enfraquece-o-ministro-fortalece-o-stf.shtml. Acesso em: 19 jun. 2024.

BRENNER, Saul; SPAETH, Harold J. *Stare Indecisis*: the alteration of precedent on the supreme court (1946-1992). Cambridge University Press, 1995.

CLÈVE, Clèmerson Merlin; LORENZETTO, Bruno Meneses. *Democratic Government and Constitutional Jurisdiction*. Lanham: Rowman & Littlefield, 2022.

CLÈVE, Clèmerson Merlin. *A Fiscalização Abstrata de Constitucionalidade no Direito Brasileiro*. São Paulo: Revista dos Tribunais, 2022.

CLÈVE, Clèmerson Merlin; LORENZETTO, Bruno Meneses. *Corte Suprema, agir estratégico e autoridade constitucional compartilhada*. Belo Horizonte: Fórum, 2021.

CLÈVE, Clèmerson M. A realidade brasileira em tempo de pandemia: a defesa da Constituição e resistência ao autoritarismo. *Jota*, 13 de setembro de 2020. Disponível em: https://www.jota.info/opiniao-e-analise/artigos/a-realidade-brasileira-em-tempos-de-pandemia-13092020?non-beta=1. Acesso em: 18 jun. 2024.

CLÈVE, Clèmerson M. STF, liberdade religiosa, pandemia e a jurisprudência da crise. *Jota*, 12 de abril de 2021. Disponível em: https://www.jota.info/opiniao-e-analise/artigos/stf-liberdade-religiosa-pandemia-e-a-jurisprudencia-da-crise-12042021?non-beta=1. Acesso em: 18 jun. 2024.

DA ROS, Luciano; BOGÉA, Daniel. Contenção judicial: mapa conceitual e pedidos de impeachment de Ministros do Supremo Tribunal Federal. *Política & Sociedade*, v. 21, n. 52, p. 184-225, 2022.

DWORKIN, Ronald. *O Império do Direito*. São Paulo. Martins Fontes, 1999.

FALCÃO, J.; PEREIRA, T.; ARGUELHES, D. W.; RECONDO, F. (org.). *O Supremo Tribunal Criminal*: o Supremo em 2017. Belo Horizonte: Letramento, 2018.

GODOY, Miguel G. Supremo monocrático e pedidos de vista: a PEC 08/2021 como aprimoramento institucional. *Jota*, 25 de out. 2023.

GODOY, Miguel Gualano de; TRANJAN, Renata Naomi. Supremo Tribunal Federal e federalismo: antes e durante a pandemia. *Revista Direito GV*, v. 19, p. e2311, 2023.

GODOY, Miguel Gualano de. O Supremo contra o processo constitucional: decisões monocráticas, transação da constitucionalidade e o silêncio do Plenário. *Revista Direito e Práxis*, v. 12, p. 1034-1069, 2021.

GLEZER, Rubens. As razões e condições dos conflitos federativos na pandemia de Covid-19: coalizão partidária e desenho institucional. *Suprema-Revista de Estudos Constitucionais*, v. 1, n. 2, p. 395-434, 2021.

GUGLIANO, Monica. Vou intervir! *PIAUÍ*, n. 167, p. 22- 25, ago. 2020.

HÄBERLE, Peter. *Hermenêutica Constitucional*: A sociedade aberta dos interpretes da Constituição: Contribuição para a interpretação pluralista e "procedimental" da Constituição. Porto Alegre: Sergio Antonio Fabris Editor, 2002.

KOERNER, Andrei; FREITAS, Lígia Barros de. O Supremo na Constituinte e a Constituinte no Supremo. *Lua Nova: Revista de cultura e política*, p. 141-184, 2013.

KOERNER, Andrei. Ativismo Judicial? Jurisprudência constitucional e política no STF pós-88. *Novos estudos CEBRAP*, p. 69-85, 2013.

MAFEI, Rafael. Como defender um Tribunal acuado. *PIAUÍ*, 23 de novembro de 2023. Disponível em: https://piaui.folha.uol.com.br/como-defender-um-tribunal-acuado-stf-senado-decisoes-monocraticas-pec/. Acesso em: 19 jun. 2024.

MARINONI, Luiz G. *Processo Constitucional e Democracia*. São Paulo: Revista dos Tribunais, 2022.

MARINONI, Luiz G. Abstrativização do Controle Concreto ou Concretização do Controle Abstrato? *Revista de Processo*, vol. 329, jul. 2022.

MENDES, Conrado H. 8 de janeiro foi contido, não derrotado. *Folha S. Paulo*, 10 de janeiro de 2024. Disponível em: https://www1.folha.uol.com.br/colunas/conrado-hubner-mendes/2024/01/8-de-janeiro-foi-contido-nao-derrotado.shtml. Acesso em: 19 jun. 2024.

MENDES, Conrado H. Enfraquece o ministro, fortalece o STF. *Folha de S. Paulo*, 1 de novembro de 2023. Disponível em: https://www1.folha.uol.com.br/colunas/conrado-hubner-mendes/2023/11/enfraquece-o-ministro-fortalece-o-stf.shtml. Acesso em: 19 jun. 2024.

MENDES, Conrado H. O STF não precisa de código de ética. *Folha de S. Paulo*, 22 de novembro de 2023. Disponível em: https://www1.folha.uol.com.br/colunas/conrado-hubner-mendes/2023/11/o-stf-nao-precisa-de-codigo-de-etica.shtml. Acesso em: 18 jun. 2024.

MENDES, Conrado H. *O discreto charme da magistocracia*: vícios e disfarces do Judiciário brasileiro. São Paulo: Todavia, 2023.

MENDES, Conrado H. *Constitutional courts and deliberative democracy*. Oxford University Press, 2013.

MENDES, Conrado H. Onze ilhas. *Folha de S. Paulo*, 1 de fevereiro de 2010.

OLIVEIRA, Fabiana Luci de; ARGUELHES, Diego Werneck. O Supremo Tribunal Federal e a mudança constitucional. *Revista brasileira de ciências sociais*, v. 36, p. e3610506, 2020.

PEREIRA, Thomaz; ARGUELHES, Diego Werneck; ALMEIDA, Guilherme da Franca Couto. *VIII Relatório Supremo em Números*: Quem decide no Supremo? Tipos de decisão colegiada no tribunal. Rio de Janeiro: FGV Direito Rio, 2020.

RECONDO, Felipe; WEBER, Luiz. *O Tribunal*: como o Supremo se uniu ante a ameaça autoritária. São Paulo: Companhia das Letras, 2023.

RECONDO, Felipe. *Tanques e togas*: o STF e a ditadura militar. São Paulo: Companhia das Letras, 2018.

SARTOTI, Caio. Com base frágil, governo Lula amplia recursos ao STF e reforça 'judiciarismo de coalizão'. *O Globo*, 5 de maio de 2024. Disponível em: https://oglobo.globo.com/politica/noticia/2024/05/05/com-base-fragil-governo-lula-amplia-recursos-ao-stf-e-reforca-judiciarismo-de-coalizao.ghtml. Acesso em: 19 jun. 2024.

SILVA, Virgílio Afonso da. Pauta, público, princípios e precedentes: condicionantes e consequências da prática deliberativa do STF. *Suprema – Revista de Estudos Constitucionais*, v. 1, n. 1, p. 22-56, 2021.

SILVA, Virgílio Afonso da. Do We Deliberate: If So, How. *Eur. J. Legal Stud.*, v. 9, p. 209, 2016.

SILVA, Virgílio Afonso da. Deciding without deliberating. *International Journal of Constitutional Law*, v. 11, n. 3, p. 557-584, 2013.

SUPREMO TRIBUNAL FEDERAL. *Corte aberta*: Painel de Ações Covid-19, Brasília. Atualizado em 18 de jun. 2024. Disponível em https://transparencia.stf.jus.br/extensions/decisoes_covid/decisoes_covid.html. Acesso em: 18 jun. 2024.

VENTURA, Deisy de Freitas Lima *et al*. Resposta federal à covid-19 no Brasil: responsabilização penal de autoridades com prerrogativa de foro junto ao Supremo Tribunal Federal (2020-2023). *Revista Direito e Práxis*, 2024.

VENTURA, Deisy, AITH, Fernando, REIS, Rossana *et al*. A linha do tempo da estratégia federal de disseminação da Covid-19. São Paulo: CEPEDISA/USP, 2021.

VIEIRA, Oscar V. Supremo demonstrou ser trincheira relevante na defesa da democracia. *Folha de S. Paulo*, 3 de maio de 2024. Disponível em: https://www1.folha.uol.com.br/colunas/oscarvilhenavieira/2024/05/supremo-demonstrou-ser-trincheira-relevante-na-defesa-da-democracia.shtml. Acesso em: 19 jun. 2024.

VIEIRA, Oscar V. Com ação do STF, nossa democracia saiu da zona de risco existencial. *Folha de S. Paulo*. 16 de junho de 2023. Disponível em: https://www1.folha.uol.com.br/colunas/oscarvilhenavieira/2023/06/com-acao-do-stf-nossa-democracia-saiu-da-zona-de-risco-existencial.shtml. Acesso em: 19 jun. 2024.

VIEIRA, Oscar Vilhena. O STF e a Defesa da Democracia no Brasil. *Journal of Democracy* [Edição em Português], v. 12, n. 1, jun. 2023.

VIEIRA, Oscar Vilhena. *A batalha dos poderes*: da transição democrática ao mal-estar constitucional. São Paulo: Companhia das Letras, 2018.

VIEIRA, Oscar Vilhena; GLEZER, Rubens; BARBOSA, Ana Laura Pereira. Supremocracia e infralegalismo autoritário: O comportamento do Supremo Tribunal Federal durante o governo Bolsonaro. *Novos estudos CEBRAP*, v. 41, n. 3, p. 591-605, 2022.

VIEIRA, Oscar Vilhena *et al. Resiliência constitucional*: compromisso maximizador, consensualismo político e desenvolvimento gradual. São Paulo: Direito GV, 2013.

VIEIRA, Oscar Vilhena. Supremocracia. *Revista Direito GV*, v. 4, p. 441-463, 2008.

Informação bibliográfica deste texto, conforme a NBR 6023:2018 da Associação Brasileira de Normas Técnicas (ABNT):

CLÈVE, Clèmerson Merlin. O Supremo Tribunal Federal entre o presente e o futuro. *In*: JUSTEN, Monica Spezia; PEREIRA, Cesar; JUSTEN NETO, Marçal; JUSTEN, Lucas Spezia (coord.). *Uma visão humanista do Direito*: homenagem ao Professor Marçal Justen Filho. Belo Horizonte: Fórum, 2025. v. 2, p. 155-173. ISBN 978-65-5518-916-2.

A IMPORTÂNCIA DA OAB ENQUANTO INSTITUIÇÃO INDEPENDENTE NA DEFESA DA DEMOCRACIA CONSTITUCIONAL

ESTEFÂNIA MARIA DE QUEIROZ BARBOZA

GUSTAVO BUSS

1 Introdução

O constitucionalismo democrático é um modelo de governo limitado que tem como pilares a separação dos poderes e a garantia de direitos fundamentais. Embora existam algumas divergências sobre a forma de aplicação, limites e atuação de cada Poder dentro de uma democracia, é certo que há um consenso de que o exercício do poder deve ser limitado. Conforme frisado por Marçal Justen Filho, "a democracia exige que as minorias tenham seus interesses assegurados e que os valores fundamentais sejam realizados mesmo contra a vontade da maioria ou de extratos significativos da população".[1] Se, de um lado, a democracia invoca a participação popular na tomada de decisões, de outro, ela também impõe que existam limites a essa participação. Isso se dá, principalmente, através da previsão de controles recíprocos entre os diferentes ramos do poder,[2] que ostentam competências específicas e que devem observar sempre o dever de transparência e de prestação pública de contas.

O constitucionalismo exprime uma preocupação justificada com a limitação e contenção de poderes autoritários, o que se estabelece em múltiplas dimensões.

---

[1] JUSTEN FILHO, Marçal, Agências reguladoras e democracia: existe um déficit democrático na "regulação independente"? *Revista de Direito Público da Economia*, v. 1, n. 2, p. 3, 2003.

[2] Neste sentido Marçal Justen Filho: "A finalidade da separação de poderes reside na redução da concentração do Poder estatal. A distribuição das funções entre órgãos diversos é um instrumento para neutralização do arbítrio, por meio de um mecanismo em que o poder controla o poder. Isso envolve um modelo estatal de freios e contrapesos" (*"checks and balances"*). JUSTEN FILHO, Marçal *Introdução ao Estudo do Direito*. Rio de Janeiro: Grupo GEN, 2021. E-book. ISBN 9786559640577. Disponível em: https://integrada.minhabiblioteca.com.br/#/books/9786559640577/. Acesso em: 18 ago. 2024.

Além da clássica separação horizontal dos poderes, é possível conceber também uma divisão vertical, exemplificada pelo princípio federativo e pela distribuição territorial de competências. Conforme pontuado por Lowenstein,[3] a descentralização administrativa[4] permite a distribuição da autoridade entre diferentes níveis de governo (federal, estadual, municipal), promovendo maior equilíbrio e dificultando a concentração excessiva de poder em um único ente. Ademais, a própria estrutura interna do Estado contribui para esse controle, através da burocracia pública e da definição de competências específicas dentro dos órgãos e Poderes estatais.

É importante compreender a dimensão ampliativa da separação de poderes concebida a nível constitucional. Isso porque a limitação e a contenção do poder não se resumem exclusivamente ao controle mútuo que um Poder pode e deve exercer sobre o outro. No âmbito interno, cada ramo também ostenta uma repartição específica de competências, assim como está prevista a criação de órgãos de controle autônomos, que também desempenham um papel crucial nesse processo. Para evitar a concentração excessiva de autoridade em uma única esfera, o sistema foi desenhado de forma a fragmentar o poder internamente.[5] Um exemplo claro é o Poder Legislativo: no caso brasileiro, ele se divide em duas Casas, com 513 deputados e 81 senadores, permitindo que uma revise e contenha possíveis excessos da outra.

O Poder Judiciário apresenta uma estrutura interna complexa, caracterizada pela hierarquia de tribunais com competências distintas, órgãos colegiados e mecanismos de revisão de decisões. Esta organização reflete o princípio de limitação do poder que permeia todo o sistema constitucional. Ademais, seguindo a mesma lógica, seria incongruente conceber que o Poder Executivo, especialmente em um sistema presidencialista, pudesse operar sem restrições ao exercício de sua autoridade. Muitas decisões executivas não são verdadeiramente discricionárias, dependendo da manifestação favorável de diferentes órgãos, inclusive conselhos nos quais há participação pública, para que sejam adotadas.

Assim, a Constituição cria diversas possibilidades de controles recíprocos entre os Poderes. É permitido ao Congresso Nacional, por exemplo, sustar os atos normativos do Poder Executivo que exorbitem do poder regulamentar ou dos limites de delegação legislativa (art. 49, V, CRFB), aprovar o estado de defesa e a intervenção federal, autorizar o estado de sítio (art. 49, IV, CRFB). Compete à Câmara aprovar e ao Senado julgar o presidente no caso de crimes de responsabilidade (arts. 51, I, e 52, I, CRFB). E, quanto a crime comum, a competência é distribuída entre a aprovação da Câmara e o julgamento pelo Supremo Tribunal Federal (art. 102, I, "b", CRFB).

---

[3] LOEWENSTEIN, Karl, *Teoría de la constitución*. Barcelona: Ariel, 2018. Ver também JUSTEN FILHO, M. Parecer sobre a proposta legislativa de criação de consórcios públicos. Disponível em: https://revistajuridica.presidencia.gov.br/index.php/saj/article/download/527/520/1071&ved=2ahUKEwjb1YnFnoKIAxUDGbkGHY0TGEoQFnoECBIQAQ&usg=AOvVaw0anY20SKEduxlBjglHoXv. Acesso em: 10 ago. 2024.

[4] Sobre descentralização e desconcentração administrativa ver capítulo 8 de: FILHO, Marçal J. *Curso de Direito Administrativo*. Rio de Janeiro: Grupo GEN, 2024. E-book. ISBN 9786559649822. Disponível em: https://integrada.minhabiblioteca.com.br/#/books/9786559649822/. Acesso em: 18 ago. 2024.

[5] JUSTEN FILHO, Agências reguladoras e democracia, p. 5. Destaca o autor: "essa organização do poder político estatal deve assegurar a limitação interna das competências, de modo a evitar a possibilidade de decisões arbitrárias ou resultantes de preferências subjetivas irracionais dos eventuais e temporários ocupantes de cargos e funções públicas".

Um elemento crucial do sistema de freios e contrapesos constitucional é o controle de constitucionalidade das leis, exercido pelo Poder Judiciário. Trata-se de um mecanismo que permite a diversos atores políticos, representantes da sociedade, provocar o Judiciário para avaliar a conformidade das leis com a Constituição, criando um sofisticado sistema de diálogos e controles institucionais. A Constituição de 1988 não apenas fortaleceu a jurisdição constitucional, mas também consolidou sua posição central instituindo uma série de entidades dotadas de autonomia constitucional. Estas entidades foram concebidas como representantes multifacetados da esfera político-jurídica, com a missão de coibir excessos de poder e salvaguardar a ordem constitucional e a democracia.

Prosseguindo na análise da Constituição de 1988, observa-se a estruturação de um complexo sistema de órgãos com autonomia constitucional, como associações e sindicatos (art. 8º), partidos políticos (art. 17, §1º), Ministério Público, Defensoria Pública (art. 134), universidades (art. 207) e imprensa (arts. 5º, IX, e 220), a quem também dá competências na proteção de direitos fundamentais e da ordem democrática.

Vicky Jackson argumenta que instituições de conhecimento (chamadas no texto original de *knowledge institutions*), dentre as quais se destacam as universidades, desempenham um papel central na proteção da democracia.[6] Elas representam, assim, um contrapeso ao poder político, atuando de forma independente no controle dos demais Poderes, não apenas no âmbito governamental, mas também na esfera pública mais ampla. Ao produzirem pesquisas baseadas em evidências e análises imparciais, estas instituições podem informar o debate público e influenciar a formulação de políticas de maneira construtiva. É justamente por isso que Martha Nussbaum justifica a importância de instituições de conhecimento independentes: para cultivar as capacidades necessárias para uma cidadania democrática efetiva.[7]

Para além das grandes instituições desenhadas na Constituição de 1988, o desenvolvimento constitucional aponta para a importância das agências regulatórias independentes na busca pelo melhor equilíbrio e eficiência na Administração Pública. Segundo Marçal Justen Filho, "a instituição de agências independentes derivou da constatação de que a atribuição de certas competências de natureza normativa e executiva a órgãos providos por via eleitoral gerava risco de sacrifício de valores fundamentais".[8] Portanto, a existência de instituições independentes aos três Poderes se assenta justamente em uma visão ampliada do sistema de freios e contrapesos constitucional, ampliando as instâncias com competência decisória ou fiscalizatória e limitando os poderes atribuídos a representantes eleitos. Especialmente porque "um Estado Democrático não pode ser governado com atenção exclusiva à vontade popular".[9]

Nesse contexto, merece destaque o papel constitucional atribuído à Ordem dos Advogados do Brasil (OAB). A Carta Magna de 1988 conferiu à OAB legitimidade ativa para propor ações de controle abstrato de constitucionalidade, reforçando seu papel de controle sobre os Poderes constituídos, na qualidade de guardiã da ordem jurídica.

---

[6] JACKSON, Vicki C. Knowledge Institutions in Constitutional Democracies: Preliminary Reflections. *The Canadian Journal of Comparative and Contemporary Law*, v. 7, n. 1, p. 156-221, 2021.
[7] NUSSBAUM, Martha C. *Not for profit*: why democracy needs the humanities. Princeton, N.J: Princeton University Press, 2010.
[8] JUSTEN FILHO, Agências reguladoras e democracia, p. 6.
[9] JUSTEN FILHO, Agências reguladoras e democracia, p. 7.

É relevante recuperar o voto do ministro Ayres Britto na ADI nº 3.026/DF, ao destacar que a OAB "se coloca ao lado da Imprensa como as duas grandes instituições da sociedade civil".[10] Ademais, complementa que, "longe de ser fiscalizada pelo Poder Público, ela deve fiscalizar com toda autonomia e com toda independência o Poder Público, tal como faz a imprensa".

Apesar do desenho constitucional expresso, a posição da OAB enquanto entidade independente no sistema de freios e contrapesos constitucional suscita debates que justificam uma análise aprofundada. Para alcançar este objetivo, será realizada uma investigação, partindo do exemplo decorrente da legitimação para propor ações de controle abstrato de constitucionalidade, que não se submete à mesma interpretação restritiva aplicada a outras entidades de classe. Esta abordagem se faz necessária devido à aparente escassez de análises focadas no contexto particular da OAB. Além disso, serão examinadas as decisões do Supremo Tribunal Federal que delinearam o exercício das ações constitucionais de controle judicial de constitucionalidade. Por fim, será destacado o papel institucional da Ordem dos Advogados do Brasil no atual ordenamento constitucional, como guardiã da democracia e da Constituição. A missão da OAB transcende a mera proteção da advocacia como categoria profissional; ela abrange a defesa da advocacia como elemento estruturante de uma democracia plural, a salvaguarda da ordem constitucional e democrática e a proteção dos direitos fundamentais da sociedade.

2 O papel assegurado à OAB no exercício do controle de constitucionalidade

No cenário constitucional brasileiro, a Ordem dos Advogados do Brasil emerge como um órgão singular, investido de função pública e dotado de autonomia e independência para o cumprimento de seu múnus público. Sua posição é estruturante para o regime democrático, integrando uma sofisticada engenharia constitucional que vai além da tradicional separação horizontal de poderes e da divisão vertical federativa. A OAB faz parte de um conjunto de instituições autônomas que, no desenho constitucional, desempenham papéis cruciais na contenção do poder e na proteção de direitos, contribuindo assim para o equilíbrio e a robustez do sistema democrático brasileiro.

Marçal Justen Filho destaca que "há uma tendência à atribuição de poderes normativos para órgãos não estatais. Um exemplo é a Ordem dos Advogados do Brasil – OAB. Embora se trate formalmente de uma 'autarquia', a OAB não integra a Administração Pública e dispõe de poderes normativos".[11]

Nesta seção, será destacado um aspecto fundamental que exemplifica a independência e a importância da OAB na defesa da ordem constitucional: seu papel no controle de constitucionalidade concentrado. A Constituição de 1988, ao conferir à OAB

---

[10] STF. ADI nº 3026/DF, Relator Ministro Eros Grau, Voto Ministro Carlos Britto, DJ de 29/9/2006.
[11] FILHO, Marçal J. *Introdução ao Estudo do Direito*. Rio de Janeiro: Grupo GEN, 2021. E-book. ISBN 9786559640577. Disponível em: https://integrada.minhabiblioteca.com.br/#/books/9786559640577/. Acesso em: 18 ago. 2024.

legitimidade ativa para propor ações diretas de inconstitucionalidade e ações declaratórias de constitucionalidade, reconheceu sua capacidade única de atuar como guardiã da Carta Magna. Esta prerrogativa não apenas reforça a posição da OAB como entidade autônoma, mas também a coloca como protagonista na manutenção do equilíbrio entre os Poderes. Ao exercer esse papel, a OAB transcende a mera representação de classe, assumindo uma função de interesse público mais amplo, essencial para a preservação do Estado Democrático de Direito. A análise deste aspecto permitirá compreender como a atuação da OAB no controle de constitucionalidade se alinha com sua missão institucional e contribui para a solidez do sistema jurídico-constitucional brasileiro.

O controle concentrado de constitucionalidade foi introduzido no Brasil pela Emenda Constitucional nº 16/1965, durante a vigência da Constituição de 1946. Inicialmente, apenas o Procurador-Geral da República (PGR) tinha legitimidade para propor a representação de inconstitucionalidade. A Constituição de 1967, embora tenha ampliado o número de ações de controle abstrato, manteve o PGR como único legitimado ativo. Esta exclusividade visava diferenciar essas ações da ação interventiva, na qual a União Federal era a legitimada. André Ramos Tavares observa que, nesse período, prevalecia o entendimento de que o PGR atuava como substituto processual de toda a coletividade nas ações de controle de constitucionalidade.[12]

A respeito da história do controle de constitucionalidade no Brasil, é crucial distinguir entre as duas modalidades de controle judicial de constitucionalidade presentes no ordenamento brasileiro. Antes da introdução do controle concentrado, realizado por uma Corte Constitucional em face da ação principal focada exclusivamente na constitucionalidade da lei, o Brasil já adotava o controle difuso. Este último, exercido incidentalmente por qualquer juiz, era a forma predominante de controle constitucional.[13] Com a criação da representação de constitucionalidade atribuída ao Procurador-Geral da República, o Brasil começou a delinear um modelo híbrido de controle de constitucionalidade. No entanto, na prática, o controle difuso continuava a prevalecer, oferecendo maiores possibilidades de legitimação ativa. Essa realidade reflete uma evolução gradual do sistema de controle constitucional brasileiro, que incorporou novos mecanismos sem abandonar completamente as práticas anteriores.[14]

Com a promulgação da Constituição de 1988, houve uma ampliação significativa do rol de legitimados para a propositura de ações constitucionais de controle judicial concentrado. É o que denota a redação atual do dispositivo:

> Art. 103. Podem propor a ação direta de inconstitucionalidade e a ação declaratória de constitucionalidade:
>
> I - o Presidente da República;
>
> II - a Mesa do Senado Federal;
>
> III - a Mesa da Câmara dos Deputados;

---

[12] TAVARES, André Ramos. *Curso de direito constitucional*. 10. ed. São Paulo: Saraiva, 2012, p. 303.
[13] SARLET, Ingo Wolfgang; MARINONI, Luiz Guilherme; MITIDIERO, Daniel Francisco, *Curso de direito constitucional*. São Paulo: Revista dos Tribunais, 2012, p. 774-775.
[14] MENDES, Gilmar Ferreira; BRANCO, Paulo Gonet, *Curso de direito constitucional*. 15. ed. São Paulo: Saraiva Educação, 2020, p. 1333.

IV - a Mesa de Assembleia Legislativa ou da Câmara Legislativa do Distrito Federal;

V - o Governador de Estado ou do Distrito Federal;

VI - o Procurador-Geral da República;

VII - o Conselho Federal da Ordem dos Advogados do Brasil;

VIII - partido político com representação no Congresso Nacional;

IX - confederação sindical ou entidade de classe de âmbito nacional.

A inclusão de novos legitimados pela Constituição de 1988 teve como objetivo claro ampliar o sistema concentrado e abstrato de controle judicial de constitucionalidade, envolvendo uma pluralidade de atores políticos representativos da sociedade. Contudo, isso não significou o abandono de outras formas de controle. O Brasil manteve o controle difuso e incidental, mas a expansão do rol de legitimados intensificou o sistema concentrado e abstrato, tornando-o mais aberto e plural. Virgílio Afonso da Silva aponta como o modelo brasileiro de controle de constitucionalidade é complexo, congregando diversos canais e configurações para seu exercício.[15] Com a Carta Magna de 1988, essa complexidade se consolidou, observando-se uma maior concentração de ações no sistema concentrado. Consequentemente, houve um relativo enfraquecimento do controle difuso, embora ele permaneça disponível para a resolução de questões constitucionais concretas e incidentais. Essa evolução reflete um equilíbrio entre diferentes modalidades de controle, adaptando o sistema constitucional brasileiro às demandas de uma sociedade democrática e plural.

A Constituição de 1988 inovou significativamente ao ampliar o rol de legitimados para propor ações de controle concentrado de constitucionalidade. Além dos atores políticos tradicionais e dos partidos políticos com representação, incluíram-se legitimados civis, notadamente as confederações sindicais e entidades de classe de âmbito nacional. Tal mudança abriu novos canais para que a sociedade civil organizada pudesse levar ao Supremo Tribunal Federal questões de relevância social que, de outra forma, poderiam ser negligenciadas pela elite política nacional. Nesse contexto, merece destaque especial a posição ocupada pela Ordem dos Advogados do Brasil no art. 103 da Constituição. Embora a OAB seja uma entidade de classe que defende os interesses dos advogados em nível nacional, o constituinte lhe atribuiu um *status* diferenciado ao conferir ao Conselho Federal da OAB um inciso próprio (inciso VII) para assegurar sua legitimidade ativa. A distinção reflete o reconhecimento do papel singular da OAB não apenas como representante da classe profissional, mas como instituição fundamental para a defesa da ordem jurídica e do Estado Democrático de Direito.

Apesar de o texto constitucional não estabelecer limitações explícitas à capacidade dos legitimados elencados no art. 103, o STF desenvolveu jurisprudencialmente os contornos para admissão das intervenções. Consequentemente, e também para distingui-la da legitimação da ação popular, o STF passou a interpretar o inciso IX do art. 103 como uma hipótese de legitimação limitada. No julgamento da ADI nº 34/DF, foi estabelecido

---

[15] SILVA, Virgílio Afonso da, *Direito constitucional brasileiro*. São Paulo: Editora da Universidade de São Paulo, 2021, p. 573.

que as associações de empregados e entidades de classe deveriam se apresentar como efetivas representantes de uma categoria profissional.[16] A razão dessa distinção residiria na maior generalidade do objeto tutelado pela ação de inconstitucionalidade, exigindo um grau mais elevado de representatividade. Assim, não é qualquer entidade de classe que possui legitimidade ativa para propor ações no sistema concentrado. Apenas entidades com representatividade significativa[17] e abrangência nacional[18] podem acionar o controle concentrado de constitucionalidade.

Ademais, o STF estabeleceu uma interpretação restritiva adicional quanto à capacidade postulatória das confederações sindicais e entidades de classe no controle concentrado de constitucionalidade. Além da necessidade de demonstrar abrangência nacional e vinculação a uma categoria profissional, os legitimados do inciso IX do art. 103 da Constituição devem comprovar a pertinência temática entre o objeto da ação proposta e seus interesses institucionais. No julgamento da ADI nº 1.114/DF tal interpretação foi sustentada em razão da "natureza especial de tais entidades que, ao contrário das demais pessoas e órgãos legitimados para o controle abstrato de constitucionalidade, são entes privados, embora representem interesses coletivos".[19] Tal exigência significa que o objeto da ação de controle judicial de constitucionalidade concentrada deve, para esses atores, guardar uma relação clara de pertinência com os seus próprios objetivos sociais, conforme definidos em seus atos constitutivos.[20]

Embora não explicitamente prevista no texto constitucional, essa interpretação decorre da lógica do sistema concentrado de controle de constitucionalidade. No modelo brasileiro, que combina mecanismos de controle concentrado e difuso, o controle concentrado se caracteriza por ser principal e abstrato, focando-se em teses jurídicas.[21] Consequentemente, a exigência de pertinência temática para alguns legitimados específicos é entendida como uma expressão da prevalência do interesse público, equilibrando a abstração do controle concentrado com a necessidade de demonstração de um interesse concreto por parte dos atores privados. Destarte, o acesso ao controle concentrado por entidades privadas passa a ser justificado com base em uma relação direta entre seus objetivos institucionais e a questão constitucional em debate, mantendo a integridade e a eficácia deste importante mecanismo constitucional.

Confrontado com este quadro, Clèmerson Merlin Clève propôs uma distinção importante entre os legitimados ativos para o controle concentrado de constitucionalidade, baseando-se no grau de amplitude da sua legitimação.[22] De um lado, ele identifica

---

[16] STF. ADI nº 34/DF. Rel. Min. Octavio Gallotti. DJ de 28 de abr. de 1989.
[17] STF. ADI nº 61/DF. Rel. Min. Sepúlveda Pertence. DJ de 28 de set. de 1990. Imputa a ementa do acórdão: "não constitui entidade de classe, para legitimar-se a ação direta de inconstitucionalidade (CF, art. 103, IX), associação civil (Associação Brasileira de Defesa do Cidadão), voltada a finalidade altruísta de promoção e defesa de aspirações cívicas de toda a cidadania".
[18] STF. ADI nº 43/DF. Rel. Min. Sydney Sanches. DJ de 19 de mai. de 1989. Imputa a ementa do acórdão: "entidade de classe de âmbito estadual – e não nacional – não tem legitimidade para propor Ação Direta de Inconstitucionalidade de Lei Federal".
[19] STF. ADI nº 1.114/DF. Rel. Min. Ilmar Galvão. DJ de 30 de set. de 1994.
[20] MORAES, Alexandre de. *Direito constitucional*. 32. ed. São Paulo: Atlas, 2016, p. 779.
[21] BARROSO, Luís Roberto. *O controle de constitucionalidade no direito brasileiro*: exposição sistemática da doutrina e análise crítica da jurisprudência. 6. ed. São Paulo: Saraiva, 2012.
[22] CLÈVE, Clèmerson Merlin, *Fiscalização abstrata de constitucionalidade no direito brasileiro*, São Paulo: RT, 1999.

os detentores de legitimidade universal, atribuída por exemplo aos atores políticos, e para os quais se presume a pertinência temática, dada a amplitude de suas atribuições institucionais na defesa da ordem constitucional. De outro, ele aponta os legitimados especiais, que necessitam demonstrar a pertinência temática. Neste último grupo, o autor inclui os governadores e mesas de assembleias legislativas estaduais ou distritais, que devem demonstrar o interesse específico relacionado à sua base geográfica, bem como as confederações sindicais e entidades de classe, que precisam demonstrar a pertinência temática. Isso permite uma compreensão mais estruturada da legitimação ativa no controle concentrado de constitucionalidade, diferenciando claramente entre aqueles que possuem uma presunção de interesse na defesa da ordem constitucional como um todo e aqueles cuja legitimidade está condicionada à demonstração de um interesse específico, seja ele geográfico ou temático.

A legitimidade ativa das entidades de classe para propor ações de controle concentrado de constitucionalidade está intrinsecamente ligada à sua área de atuação e aos interesses de seus representados. Por exemplo, uma entidade que representa profissionais de saúde teria legitimidade para questionar a constitucionalidade de leis relacionadas à saúde ou temas que afetem diretamente seus membros. Contudo, essa mesma entidade não estaria legitimada a propor ações sobre questões puramente educacionais ou administrativas que não tenham relação direta com seu escopo de atuação. No entanto, é importante notar que o STF tem recentemente demonstrado uma tendência de expansão do conceito de entidade de classe. Esta evolução jurisprudencial reflete uma compreensão mais ampla e inclusiva do papel das entidades de classe no controle de constitucionalidade, potencialmente abrindo espaço para uma maior participação de grupos historicamente marginalizados no debate constitucional. Em decisão monocrática proferida no bojo da ADI nº 5.291/DF o ministro relator Marco Aurélio reputou que a restrição do "conceito de entidade de classe implica, ao reduzir a potencialidade de interação entre o Supremo e a sociedade civil, amesquinhar o caráter democrático da jurisdição constitucional, em desfavor da própria Carta de 1988".[23]

A recuperação da controvérsia acerca da amplitude de legitimação conferida às entidades de classe busca apenas ilustrar a existência de um campo legítimo de embate. No que se refere especificamente à OAB enquanto entidade de classe representativa dos profissionais da advocacia, tais desafios já se encontram superados por força da previsão do constituinte, assegurando legitimação ampla. A legitimidade do Conselho Federal da OAB, especialmente decorrente da sua inclusão em inciso próprio no rol do art. 103 da Constituição, é considerada universal. Destarte, a seção seguinte deste texto buscará apresentar as razões que sustentam o tratamento diferenciado dispensado à Ordem dos Advogados do Brasil, enquanto entidade de classe com posição de destaque na defesa da ordem constitucional.

---

[23] STF. ADI nº 5.291. Rel. Min. Marco Aurélio. DJ de 11 de maio de 2015.

3 A OAB enquanto entidade independente na defesa da democracia

Segundo Marçal Justen Filho, as agências independentes[24] têm legitimidade para controlar e limitar os demais Poderes, particularmente evidentes quando "sua estruturação assegure a ampliação do nível de democracia do sistema em seu conjunto".[25] Não é necessário que, para ser considerada democrática, toda instituição derive necessariamente do voto popular, justamente porque a Constituição anseia por mecanismos de limitação da vontade popular quando se revela opressora de direitos fundamentais de grupos minoritários. No entanto, é imprescindível que qualquer entidade independente que busque a defesa da democracia tenha aptidão para "propiciar a evolução democrática e o aperfeiçoamento da organização estatal".[26]

O exemplo destacado na seção anterior busca evidenciar a existência de uma posição constitucional diferenciada atribuída à OAB. Se seu escopo fosse unicamente o de defesa dos interesses corporativos próprios à classe da advocacia, não faria sentido a existência de incisos distintos no art. 103 da Constituição cuidando da OAB e das demais entidades de classe. Mas o que parece revelado pelo constituinte é a admissão de que se trata de uma entidade com atuação que excede interesses puramente privados da categoria, alcançando a defesa dos valores insuperáveis em uma democracia.[27]

Ana Paula de Barcellos argumenta que a limitação da legitimidade ativa para propor ações constitucionais no sistema concentrado se justifica pelo objetivo primordial desse mecanismo: a defesa da integridade da ordem constitucional como um todo, e não meramente a tutela de interesses subjetivos.[28] Isto é, é necessário um interesse público legítimo como requisito para o ingresso com uma ação constitucional no sistema concentrado. Tal exigência se fundamenta na coexistência do sistema concentrado e do difuso, que permanece como canal para a discussão de questões constitucionais em casos concretos e isolados. A distinção entre os dois sistemas reforça a natureza abstrata do controle judicial de constitucionalidade no âmbito concentrado, onde se analisa a constitucionalidade em tese, com implicações potenciais para toda a sociedade.

A pergunta daí decorrente é: o que justificaria, então, a distinção entre a Ordem dos Advogados do Brasil e as demais entidades de classe legitimadas de forma genérica e limitada? A resposta parece contemplar uma necessária distinção no nível de objetivos

---

[24] No mesmo sentido Marçal Justen Filho ressalta a complexidade da divisão de poderes estatal: "A ampliação da complexidade da organização estatal resultou também no surgimento de órgãos que não se enquadram na divisão tradicional dos poderes. Esses órgãos desempenham funções de controle (tal como o Ministério Público e os Tribunais de Contas) e de regulação setorial (agências reguladoras independentes). Outro aspecto relevante se relaciona com o surgimento de estruturas estatais independentes, tais como o Ministério Público, os Tribunais de Contas e as agências reguladoras independentes. Essas entidades integram o Estado e são titulares de competências próprias, que não podem ser exercitadas pelos outros Poderes". JUSTEN FILHO, Marçal. *Introdução ao Estudo do Direito*. Rio de Janeiro: Grupo GEN, 2021. E-book. ISBN 9786559640577. Disponível em: https://integrada.minhabiblioteca.com.br/#/books/9786559640577/. Acesso em: 18 ago. 2024.

[25] JUSTEN FILHO, Agências reguladoras e democracia, p. 9.

[26] JUSTEN FILJO, Agências reguladoras e democracia, p. 10.

[27] Ver também capítulo 14.4.3 em que Marçal Justen Filho, ao trazer as decisões do STF sobre as competências da OAB afirma que a partir da ADI nº 3.026 a OAB pode ser considerada uma entidade não estatal com competências públicas. JUSTEN FILHO, Marçal. *Curso de Direito Administrativo*. Rio de Janeiro: Grupo GEN, 2024. E-book. ISBN 9786559649822. Disponível em: https://integrada.minhabiblioteca.com.br/#/books/9786559649822/. Acesso em: 18 ago. 2024.

[28] BARCELLOS, Ana Paula de, *Curso de direito constitucional*, 5. ed. Rio de Janeiro: Forense, 2023, p. 580.

institucionais. O Estatuto da Advocacia dispõe já em seu art. 2º que "o advogado é indispensável à administração da justiça" e que, "no seu ministério privado, o advogado presta serviço público e exerce função social". Isso se justifica na medida em que são conferidas ao advogado prerrogativas de defesa da justiça na aplicação do Direito. Também é incumbência sua a interpretação das leis manejadas à luz do ordenamento constitucional.

Frente a esses elementos, extrai-se uma vocação que transcende à simples defesa de interesses privados. Segundo Vicki Jackson, não são apenas as instituições de ensino que ostentam importância central na consolidação da democracia constitucional, mas outras instituições governamentais ou não que oferecem espaço para o diálogo democrático e aperfeiçoamento do sistema constitucional.[29] Daí por que o Conselho Federal da OAB é tratado como legitimado universal no sistema de controle judicial concentrado, já que as suas atribuições institucionais evidenciam um interesse que suplanta aquele exclusivo da classe profissional representada, contemplando também a defesa e articulação dos valores constitucionais.[30]

Em uma perspectiva histórica, é interessante observar que a OAB, especialmente através de seu Conselho Federal, sempre se apresentou atenta ao seu eminente papel político, e, portanto, público, para além do seu papel corporativo, naturalmente privado.[31] O Estatuto de 1963 inseriu de forma expressa a previsão imputando tanto ao Conselho Federal como a todos os advogados o dever de defesa da ordem jurídica e constitucional. A visão já era a de que a advocacia não deve permanecer preocupada apenas com seus interesses profissionais imediatos, mas com a vida pública em geral, que engloba os direitos e interesses coletivos dos cidadãos. Enquanto operadores cotidianos do Direito, os advogados mantêm um interesse subjacente de que se defenda e aperfeiçoe o ordenamento constitucional. Portanto, atuam enquanto instituição independente, de conhecimento, intimamente ligada à defesa da democracia.

A feição dual do papel atribuído à OAB, em dimensão corporativa e social, se reforça quando considerada a sua participação na Assembleia Constituinte de 1987-1988.[32] A atuação do Conselho Federal da OAB no cenário constitucional brasileiro revela uma dualidade de propósitos que reflete sua natureza singular. Por um lado, é compreensível e esperado que a OAB defenda interesses corporativos próprios da advocacia, como evidenciado por sua atuação na Assembleia Constituinte, onde buscou fortalecer as prerrogativas profissionais e institucionais da categoria no texto constitucional. Esta dimensão corporativa é legítima e necessária, considerando o papel fundamental da advocacia no sistema de justiça. Por outro lado, a OAB transcende essa função meramente corporativa ao assumir um papel mais amplo de interesse social, manifestado em sua busca por um desenho institucional plural e alinhado com o ideal de acesso à justiça.

---

[29] JACKSON, Knowledge Institutions in Constitutional Democracies: Preliminary Reflections, p. 180.
[30] FERRARI, Regina Maria Macedo Nery, *Curso de Direito Constitucional*, 2. ed. Belo Horizonte: Fórum, 2016, p. 830.
[31] MATTOS, Marco Aurélio Vannucchi Leme de, *Os cruzados da ordem jurídica*: a atuação da Ordem dos Advogados do Brasil (OAB), 1945-1964, Tese de doutoramento, Universidade de São Paulo (USP), São Paulo, 2011, p. 151–152.
[32] PELLEGRINO, Vinny; LIMA, Jairo, A participação da OAB na Assembleia Constituinte de 1987-1988 e a dinâmica de seus interesses. *REI – Revista Estudos Institucionais*, v. 9, n. 1, p. 110-140, 2023.

É precisamente esta dualidade, pautada na conjugação de interesses corporativos com um compromisso mais abrangente com o interesse público, que fundamenta a defesa da OAB enquanto entidade independente e relevante de defesa democrática e controle dos demais Poderes. A legitimação para o controle judicial de constitucionalidade concentrado apenas reforça essa interpretação. Tal *status* reconhece o compromisso institucional especial da OAB na tutela do interesse público, posicionando-a como guardiã não apenas dos interesses da advocacia, mas também dos princípios fundamentais do Estado Democrático de Direito. Esta legitimação universal reflete a confiança depositada na OAB como entidade capaz de atuar de forma equilibrada, considerando tanto as necessidades específicas da classe que representa quanto os interesses mais amplos da sociedade na manutenção da ordem constitucional.

Fortalecendo a independência constitucional da OAB, recentemente o STF também definiu que o Conselho Federal e os Conselhos Seccionais da OAB não se submetem ao controle pelo TCU:

> (...) 1. A Ordem dos Advogados do Brasil – OAB não é uma entidade da Administração Indireta, tal como as autarquias, porquanto não se sujeita a controle hierárquico ou ministerial da Administração Pública, nem a qualquer das suas partes está vinculada.
>
> 2. A Ordem dos Advogados do Brasil é instituição que detém natureza jurídica própria, dotada de autonomia e independência, características indispensáveis ao cumprimento de seus múnus públicos. ADI 3.026, de relatoria do Ministro Eros Grau, Plenário, DJ 29.06.2006. Precedentes.
>
> 3. Não obstante a prestação de serviço público exercido pela Ordem dos Advogados do Brasil – OAB, não há que se confundir com serviço estatal. O serviço público que a OAB exerce, é gênero do qual o serviço estatal é espécie.
>
> 4. Recurso extraordinário a que se nega provimento com a proposta de fixação da seguinte Tese: 'O Conselho Federal e os Conselhos Seccionais da Ordem dos Advogados do Brasil não estão obrigados a prestar contas ao Tribunal de Contas da União nem a qualquer outra entidade externa'.
>
> (RE 1.182.189/BA, Pleno, rel. Min. Marco Aurélio, j. 25.04.2023, DJe 15.06.2023).

Em síntese, a análise das agências independentes à luz das observações de Marçal Justen Filho revela a complexa interação entre o controle dos Poderes e a promoção da democracia. A legitimidade dessas entidades não decorre exclusivamente do voto popular, mas da capacidade de promover e proteger a democracia em seu conjunto. No caso da Ordem dos Advogados do Brasil (OAB), sua posição constitucional diferenciada e sua atuação além dos interesses corporativos ilustram um papel fundamental na defesa dos valores democráticos e na limitação da vontade popular quando esta compromete direitos fundamentais. A decisão recente do STF, que confirma a independência da OAB do controle pelo TCU, evidencia a confiança depositada nesta entidade para atuar como guardiã dos princípios do Estado Democrático de Direito, equilibrando os interesses da classe advocatícia com a defesa do interesse público e dos valores constitucionais.

4 Conclusão

A inclusão do Conselho Federal da OAB no art. 103, inciso VII, da Constituição Federal de 1988, distintamente das demais entidades de classe contempladas no inciso IX, não foi um mero acaso ou equívoco do constituinte. O movimento reflete o reconhecimento da singularidade da OAB como uma entidade que transcende os interesses meramente corporativos, assumindo um compromisso institucional e estatutário com a defesa da ordem constitucional e democrática. A posição de destaque da OAB como órgão de controle dos poderes constituídos é fundamentada em sua atuação pautada primordialmente pelo interesse público. Assim, sua função vai além da representação profissional, posicionando a OAB como uma guardiã da Constituição e dos princípios democráticos. Tal papel é evidenciado por sua atuação proativa e abrangente no cenário jurídico-constitucional brasileiro.

Nesse sentido, é importante ressaltar a atuação da OAB em defesa das liberdades constitucionais, tendo a instituição usado de sua ampla legitimação constitucional para propor ações como: a ADPF nº 496/DF, em que se sustentou a inconstitucionalidade do crime de desacato dada a amplitude da liberdade de expressão, a ADPF nº 153, em que se sustentou a inconstitucionalidade de parte da Lei de Anistia, e a ADPF nº 918, contra atos da Administração Pública federal que violam a garantia do pleno exercício dos direitos culturais e de acesso às fontes da cultura nacional. Em relação à Medida Provisória nº 954/20, a entidade se opôs ao compartilhamento de dados com o IBGE, defendendo o direito ao sigilo e privacidade. Por fim, durante a pandemia provocada pela covid-19, propôs diferentes ações de controle de constitucionalidade abstrato em defesa do direito fundamental à saúde, bem como outros direitos fundamentais dos cidadãos brasileiros. A ADPF nº 885/DF, por exemplo, buscou assegurar o investimento bilionário no Programa de Aquisição de Alimentos para efetivação do combate à fome durante a pandemia.

Todas as intervenções destacadas exemplificam como a OAB atua de forma abrangente na defesa de direitos fundamentais e, consequentemente na defesa da democracia constitucional, indo muito além dos interesses corporativos da advocacia. Ademais, a posição única da OAB no sistema constitucional brasileiro é justificada por vários fatores: (i) papel histórico: a OAB tem uma longa tradição de defesa da democracia e dos direitos humanos, inclusive em períodos autoritários; (ii) função social da advocacia: os advogados são essenciais à administração da justiça, conforme dispõe o art. 133 da Constituição, o que confere à OAB uma responsabilidade especial; (iii) capilaridade nacional: a presença da OAB em todo o território nacional lhe permite uma visão ampla e diversificada das questões constitucionais; (iv) independência institucional: a OAB não está vinculada a nenhum dos demais Poderes, o que lhe confere uma posição única para atuar com independência na fiscalização e controle dos atos administrativos; e (v) compromisso estatutário: o estatuto da OAB estabelece expressamente seu dever e compromisso com a defesa da Constituição, da ordem jurídica e da justiça social.

A posição de destaque da OAB dentre os demais órgãos de classe não é, portanto, um privilégio injustificado, mas um reconhecimento do seu papel institucional na defesa da ordem constitucional. Isso se reflete diretamente na ampla legitimação que lhe foi conferida para intervenção judicial. Entretanto, visto sobre outra ótica, tem-se um dever que a Constituição impõe à OAB, reconhecendo sua capacidade única de integrar o sistema de freios e contrapesos, essencial para a manutenção do Estado Democrático de Direito. Em conclusão, os elementos destacados neste texto buscam sublinhar como a advocacia, através de seu órgão de classe, desempenha um papel fundamental na concretização do acesso à justiça e na defesa dos direitos e garantias fundamentais. A OAB, portanto, não representa apenas uma classe profissional, mas atua como uma instituição independente essencial na consolidação e defesa contínua dos compromissos democráticos assumidos na Constituição de 1988.

Referências

BARCELLOS, Ana Paula de. *Curso de direito constitucional*. 5. ed. Rio de Janeiro: Forense, 2023.

CLÈVE, Clèmerson Merlin. *Fiscalização abstrata de constitucionalidade no direito brasileiro*. São Paulo: RT, 1999.

FERRARI, Regina Maria Macedo Nery. *Curso de Direito Constitucional*. 2. ed. Belo Horizonte: Fórum, 2016.

JACKSON, Vicki C. Knowledge Institutions in Constitutional Democracies: Preliminary Reflections. *The Canadian Journal of Comparative and Contemporary Law*, v. 7, n. 1, p. 156-221, 2021.

JUSTEN FILHO, Marçal. Agências reguladoras e democracia: existe um déficit democrático na "regulação independente"? *Revista de Direito Público da Economia*, v. 1, n. 2, p. 3, 2003.

JUSTEN FILHO, Marçal. *Introdução ao Estudo do Direito*. Rio de Janeiro: Grupo GEN, 2021. E-book. ISBN 9786559640577. Disponível em: https://integrada.minhabiblioteca.com.br/#/books/9786559640577/. Acesso em: 18 ago. 2024.

JUSTEN FILHO, Marçal. *Curso de Direito Administrativo*. Rio de Janeiro: Grupo GEN, 2024. E-book. ISBN 9786559649822. Disponível em: https://integrada.minhabiblioteca.com.br/#/books/9786559649822/. Acesso em: 18 ago. 2024.

JUSTEN FILHO, M. Parecer sobre a proposta legislativa de criação de consórcios públicos. Disponível em: https://revistajuridica.presidencia.gov.br/index.php/saj/article/download/527/520/1071&ved=2ahUKEwjb1YnFnoKIAxUDGbkGHY0TGEoQFnoECBIQAQ&usg=AOvVaw0anY20SKEduxlBjglHoXv. Acesso em: 10 ago. 2024.

LOEWENSTEIN, Karl. *Teoría de la constitución*. Trad. Alfredo Gallego Anabitarte. Barcelona: Ariel, 2018.

MATTOS, Marco Aurélio Vannucchi Leme de. *Os cruzados da ordem jurídica*: a atuação da Ordem dos Advogados do Brasil (OAB), 1945-1964. Tese de doutoramento, Universidade de São Paulo (USP), São Paulo, 2011.

MENDES, Gilmar Ferreira; BRANCO, Paulo Gonet. *Curso de direito constitucional*. 15. ed. São Paulo: Saraiva Educação, 2020 (Série IDP).

MORAES, Alexandre de. *Direito constitucional*. 39. ed. Barueri: Atlas, 2023.

NUSSBAUM, Martha C. *Not for profit*: why democracy needs the humanities. Princeton, N.J: Princeton University Press, 2010 (The public square book series).

PELLEGRINO, Vinny; LIMA, Jairo. A participação da OAB na Assembleia Constituinte de 1987-1988 e a dinâmica de seus interesses. *REI – Revista Estudos Institucionais*, v. 9, n. 1, p. 110-140, 2023.

SARLET, Ingo Wolfgang; MARINONI, Luiz Guilherme; MITIDIERO, Daniel Francisco. *Curso de direito constitucional*. São Paulo: Revista dos Tribunais, 2012.

SILVA, Virgílio Afonso da. *Direito constitucional brasileiro*. São Paulo: Editora da Universidade de São Paulo, 2021 (Acadêmica, 107).

TAVARES, André Ramos. *Curso de direito constitucional*. 10. ed. São Paulo: Saraiva, 2012.

Informação bibliográfica deste texto, conforme a NBR 6023:2018 da Associação Brasileira de Normas Técnicas (ABNT):

BARBOZA, Estefânia Maria de Queiroz; BUSS, Gustavo. A importância da OAB enquanto instituição independente na defesa da democracia constitucional. *In*: JUSTEN, Monica Spezia; PEREIRA, Cesar; JUSTEN NETO, Marçal; JUSTEN, Lucas Spezia (coord.). *Uma visão humanista do Direito*: homenagem ao Professor Marçal Justen Filho. Belo Horizonte: Fórum, 2025. v. 2, p. 175-188. ISBN 978-65-5518-916-2.

DIREITOS FUNDAMENTAIS E RELAÇÕES PRIVADAS – BREVES NOTAS, EM ESPECIAL À LUZ DA JURISPRUDÊNCIA DO SUPREMO TRIBUNAL FEDERAL BRASILEIRO

INGO WOLFGANG SARLET

1 Notas introdutórias

Nada obstante os oceanos de tinta gastos na redação de um número de textos já praticamente impossível de ser inventariado e avaliado, o tema da eficácia dos direitos fundamentais nas relações privadas – ou, como ainda preferem alguns, da eficácia "horizontal" dos direitos fundamentais – segue ocupando a pauta da doutrina jurídica e da jurisprudência dos tribunais, inclusive no caso das cortes internacionais, não sendo o Brasil uma exceção. Aliás, o que se percebe, pelo menos à vista do volume de material doutrinário e jurisprudencial, talvez seja mesmo no Brasil onde o tema veio a ganhar um espaço e atenção muito maiores do que em ordens jurídicas onde a controvérsia em torno do tópico praticamente deita as suas raízes.

De outra parte, por mais que no Brasil tenham sido desenvolvidos aportes próprios, que buscam dialogar mais diretamente com o Direito Positivo e a jurisprudência dos Tribunais domésticos, não há praticamente autor que não se abebere de fontes doutrinárias e jurisprudenciais estrangeiras, até porque, embora não totalmente desconhecido na academia e no Poder Judiciário brasileiros, o próprio tema e o seu arcabouço teórico-prático foram, em grande medida, incorporados via recepção das discussões promovidas em outros países, em especial, na Alemanha, Espanha e Portugal, mas também com um olhar, ainda que mais discreto, sobre a experiência norte-americana da doutrina da *state action*, França e Itália.

Nesse sentido, calha, mais uma vez, rememorar a sempre atual lição de Claus-Wilhelm Canaris, que, embora apontando para a circunstância de que o tema de há muito já transpôs as fronteiras das ordens jurídicas nacionais e que não se deve deixar de observar as vantagens de um diálogo cada vez mais aberto a modelos transnacionais e estruturas argumentativas de cunho universal, adverte sobre a necessidade de que as soluções para os problemas específicos devem levar em conta as circunstâncias e peculiaridades de cada ordem jurídica.¹

É por tais razões, mas também pelo escopo do presente texto e em virtude do espaço disponível, que se irá tecer sumárias considerações, a respeito de alguns dos aspectos nucleares da discussão travada no Brasil sobre as relações entre os direitos fundamentais e o Direito Privado, com destaque para a evolução no âmbito da jurisprudência do Supremo Tribunal Federal (STF), em especial o seu *leading case* na matéria, designadamente o RE nº 201818-RJ, Relatora Min. Ellen Gracie, Relator para o Acórdão, Ministro Gilmar Mendes, julgado em 11.10.2005.

Antes de avançar, contudo, impõe-se agradecer ao honroso convite formulado pelos coordenadores desta obra coletiva, que rende justa e merecida homenagem ao ilustre colega e amigo, Professor Doutor Marçal Justen Filho, um dos maiores publicistas vivos brasileiros, ao ensejo de seu septuagésimo aniversário. Aliás, é de se destacar que, a despeito de sua trajetória acadêmica e profissional focada no Direito Público, em particular no Direito Administrativo, o tema do presente texto foi igualmente objeto da atenção e da pena do homenageado, com a maestria que lhe é peculiar.

2 Considerações sobre a eficácia dos direitos fundamentais no âmbito do Direito Privado, em especial na esfera das relações privadas

Assim como se verifica com o fenômeno da constitucionalização da ordem jurídica em geral,² também as relações entre a Constituição (com destaque para os direitos fundamentais!) e o Direito Privado sempre foram marcadas por um relacionamento dialético e dinâmico e de influência recíproca.³ Também – mas não só – nesse sentido, as relações entre a Constituição e o Direito Privado podem ser descritas e compreendidas pelo menos a partir de duas perspectivas: a do Direito Privado na Constituição, que se caracteriza pela constitucionalização de institutos originários do Direito Privado, e a da Constituição no Direito Privado, ou seja, a da eficácia das normas constitucionais no âmbito do Direito Privado.⁴

---

[1] Cf. CANARIS, Claus-Wilhelm, no prefácio de sua obra *Direitos Fundamentais e Direito Privado* (Tradução de Ingo W. Sarlet e Paulo M. Pinto do original *Grundrechte und Privatrecht – eine Zwischenbilanz*), Coimbra: Almedina, 2003.

[2] A respeito dos pressupostos e dimensões da constitucionalização da ordem jurídica de um modo geral, v. especialmente, dentre tantos, SHUPPERT, Gunner Folke; BUNKE, Christian, *Die Konstitutionalisierung der Rechtsordnung: Überlegungen zum Verhältnis von verfassungsrechtlicher Ausstrahlungswirkung und Eigenständigkeit des "einfachen" Rechts*. Baden-Baden: Nomos, 2000, assim como – embora na perspectiva da Itália – Roberto Guastini, "La Constitucionalización del Ordenamiento Jurídico", *In*: Miguel Carbonell (comp.), *Neoconstitucionalismo(s)*, p. 49-74. No Brasil, v., em caráter meramente exemplificativo, NETO, Cláudio Pereira de Souza; SARMENTO, Daniel (coord.). *Constitucionalização do Direito*, Rio de Janeiro: Lumen Juris, 2006. Sobre a constitucionalização do Direito Administrativo v., por todos, JUSTEN FILHO, Marçal. *Curso de Direito Administrativo*, 10. ed. São Paulo: Revista dos Tribunais, 2014, p. 104 e ss.

[3] Sobre este tópico v., por todos, o clássico texto de HESSE, Konrad. *Derecho Constitucional y Derecho Privado*, Madrid: Civitas, 1995.

[4] Cf. anota FACCHINI NETO, Eugênio. Reflexões histórico-evolutivas sobre a constitucionalização do Direito Privado. *In*: SARLET, Ingo Wolfgang (org.). *Constituição, Direitos Fundamentais e Direito Privado*. 2. ed. Porto Alegre: Livraria do Advogado Editora, 2006, especialmente p. 35 e ss.

De qualquer sorte, em ambos os casos, a normativa constitucional – com destaque para os direitos fundamentais – impacta o Direito Privado, seja no tocante à vinculação dos atores estatais (em especial, o Legislador e o Poder Judiciário), mas também alcança a esfera das relações entre os próprios atores privados. O que se discute, nesse contexto, é em especial o "se" e o "como" se dá a influência das normas de direitos fundamentais em relação ao Direito Privado, aqui com foco no problema, já anunciado no título, da eficácia dos direitos fundamentais nas relações jurídicas estabelecidas entre os particulares.

Outro aspecto de relevo diz com a existência de uma confluência entre o que se tem convencionado designar de uma eficácia horizontal (mais precisamente, da eficácia na esfera das relações entre atores privados) e vertical (em relação aos agentes estatais) dos direitos fundamentais. Por um lado, as relações entre particulares são cada vez mais marcadas pelo exercício de poder econômico e social, portanto, não afastam situações de evidente desequilíbrio de poder entre os atores sociais e uma verticalidade similar e por vezes até mesmo mais evidente do que a encontrada nas relações entre os particulares e o Estado. De outra parte, a aplicação efetiva dos direitos fundamentais acaba sendo habitualmente implementada por meio de um agente estatal e, portanto, guarda conexão com uma ação estatal, o que ocorre mesmo no âmbito da assim designada eficácia direta dos direitos fundamentais nas relações entre particulares, onde em muitos casos se atribui ao Poder Judiciário a solução da controvérsia.[5]

Exatamente em função da complementariedade e influência recíproca entre a eficácia dos direitos fundamentais em relação a atos emanados de agentes estatais e atos de atores privados (em outras palavras, aquilo que habitualmente tem sido, respectivamente, designado de uma eficácia vertical e horizontal) é possível partir da premissa de que uma estrita distinção entre ambas as manifestações da eficácia dos direitos fundamentais (tendo como critério o destinatário) não parece ser a melhor solução. Nunca é demais lembrar que na maior parte dos casos o legislador já editou alguma norma aplicável ao caso concreto, de tal sorte que a regulamentação legal ou se encontra (presentes os pressupostos) sujeita a uma interpretação conforme a Constituição ou eventualmente haverá de ser declarada inconstitucional, não sendo, neste caso, sequer aplicada, ressalvados os casos da modulação dos efeitos por parte do Poder Judiciário a quem incumbe a guarda da ordem constitucional.

Outrossim, no caso do Direito Constitucional positivo brasileiro, mediante sua compreensão em perspectiva sistemática, diferentemente do que se passa na Alemanha e em outros lugares, há como encontrar fundamento sólido para o reconhecimento de uma eficácia dos direitos fundamentais nas relações privadas que, a depender do caso, também poderá se dar de maneira direta. Isso se verifica mesmo além das hipóteses em que a eficácia direta já ocorre em virtude da previsão constitucional relativa aos destinatários dos direitos, como é o caso dos direitos dos trabalhadores, mas também do direito à indenização vinculado à liberdade de expressão, direito de herança, igualdade dos filhos e dos cônjuges, união estável, entre outros, o que não quer dizer que nesses casos se possa dispensar pura e simplesmente uma *interpositio legislatoris*.

---

[5] Cf. SARLET, Ingo Wolfgang. Die Einwirkung der Grundrechte auf das brasilianische Privatrecht. *In*: NEUNER, Jörg (Hsgb.), *Grundrechte und Privatrecht aus rechtsvergleichender Sicht*, Tübingen: Mohr Siebeck, 2007, p. 81-104. Em língua portuguesa, v. uma versão atualizada e em parte desenvolvida, Neoconstitucionalismo e influência dos direitos fundamentais no direito privado: algumas notas sobre a evolução brasileira. *Civilística: Revista Eletrônica de Direito Civil*, ano 1, n. 1, p. 1-30, 2012, p. 9 e ss.

Note-se que a Constituição Federal de 1988 (CF) expressamente dispôs (artigo 5º, parágrafo 1º)[6] que as normas definidoras de direitos a garantias fundamentais têm aplicação imediata, diferindo, portanto, substancialmente do que dispõe a Constituição Portuguesa de 1976 no seu artigo 18, que, ademais de prever a aplicabilidade imediata das normas definidoras dos direitos, liberdades e garantias, inclui expressamente as entidades privadas entre os destinatários dos direitos fundamentais. Aliás, a CF sequer menciona os destinatários dos direitos, limitando-se, como já referido, a afirmar a sua aplicabilidade imediata. Além disso, pelo que se pode observar, também em Portugal inexiste um consenso a respeito da tese de uma eficácia imediata das normas de direitos fundamentais na esfera das relações privadas, já que a constatação de que os direitos fundamentais vinculam as entidades privadas não responde necessariamente à pergunta de se esta eficácia irá ocorrer de modo direto ou indireto.[7]

Por sua vez – para não deixar de mencionar o caso da Alemanha, onde foram desenvolvidos os primeiros e principais (pelo menos considerando seu impacto sobre outras ordens jurídicas, com destaque para a brasileira e a portuguesa) aportes doutrinários e jurisprudenciais sobre o tema – a fórmula textual adotada na Lei Fundamental da Alemanha (artigo 1º, III) acaba por sugerir, ainda mais a partir de uma exegese literal, uma eficácia em princípio indireta dos direitos fundamentais no que diz com sua incidência nas relações entre particulares, já que expressamente estabelece uma vinculação apenas dos órgãos estatais, de tal sorte que a não referência aos particulares no texto do dispositivo ora mencionado tem sido considerada como excludente da possibilidade de uma vinculação direta dos agentes privados.[8]

Importante é, nesse contexto, que as peculiaridades de cada ordem constitucional e os seus respectivos limites textuais sejam suficientemente considerados para efeitos também do debate ora travado, que não pode dispensar um olhar sobre o Direito estrangeiro.

Em que pese a existência de outros argumentos, importa fique consignado que a tese da eficácia direta (de fato, mediante um modelo diferenciado) dos direitos fundamentais nas relações entre particulares – embora alguma – e crescente – resistência[9] – tem

---

[6] V., dentre outros, JUSTEN FILHO, Marçal. *Curso de Direito Administrativo*, op. cit., p. 188 e ss.

[7] Cf. por todos, ANDRADE, José Carlos Vieira de. *Os Direitos Fundamentais na Constituição Portuguesa de 1976*. Coimbra: Almedina, 1987, p. 259.

[8] Cf. por todos, CANARIS, Claus-Wilhelm. *Direitos Fundamentais e Direito Privado*. 1. ed. Coimbra: Almedina, 2009. É preciso ressalvar, contudo, que entre os extremos clássicos de uma eficácia indireta e direta forte (ou "pura"), como, por exemplo, advogadas por Günter Dürig (indireta) e Nipperdey (direta), existem importantes teorias que, em maior ou menor medida, podem ser designadas de intermediárias, ainda que, em regra, defensoras de uma eficácia indireta, destacando-se aqui, dentre outros, os nomes de Robert Alexy e Jörg Neuner. Da mesma forma, o próprio Tribunal Constitucional Federal da Alemanha, depois de uma fase dominada pela afirmação da eficácia indireta dos direitos fundamentais nas relações privadas, ampliou (ainda que em geral mantendo a sua posição pela eficácia indireta) as possibilidades de aplicação das normas de direitos fundamentais na esfera das relações entre particulares (v., nesse sentido, SINGER, Reinhard. O "direito ao esquecimento" na internet. *Revista Brasileira de Direitos Fundamentais & Justiça*, Belo Horizonte, v. 12, n. 39, p. 19-46, jul./dez. 2018. REINHARDT, Jörn. Conflitos de direitos fundamentais entre atores privados: "efeitos horizontais indiretos" e pressupostos de proteção de direitos fundamentais: Conflicts of fundamental rights between private parties. 'Indirect horizontal effects' and preconditions of protection for fundamental rights. *Revista Brasileira de Direitos Fundamentais & Justiça*, [S. l.], v. 13, n. 41, p. 59-91, 2020. DOI: 10.30899/dfj.v13i41.819. Disponível em: https://dfj.emnuvens.com.br/dfj/article/view/819. Acesso em: 7 jan. 2023).

[9] No Brasil, como exemplo de representantes importantes, mas ainda relativamente isolados da tese divergente, no sentido de que a eficácia dos direitos fundamentais nas relações entre particulares é indireta, podem ser

sido acolhida, em termos gerais e consideradas variações de maior ou menor monta, tanto em sede doutrinária quanto em sede jurisprudencial. Também o STF, na esteira de algumas decisões anteriores,[10] acabou por adotar, pelo menos de acordo com a tendência ora registrada, a tese de uma eficácia direta dos direitos fundamentais nas relações entre particulares. Neste caso, que de fato assume a condição de *leading case* para a matéria, a decisão versou sobre a aplicação da garantia constitucional do devido processo legal (especialmente da ampla defesa e do contraditório) na hipótese do afastamento de um sócio de uma sociedade civil, portanto, de uma entidade privada,[11] julgado que será sumariamente apresentado logo mais adiante.

Que o reconhecimento da eficácia direta das normas de direitos fundamentais nas relações entre particulares exige uma pauta de soluções diferenciada também tem sido de modo geral aceito pelos seus partidários. A diversidade de efeitos jurídicos já resulta da circunstância de que os direitos fundamentais formam um conjunto complexo e heterogêneo de posições jurídicas, seja no que diz com seu objeto e âmbito de proteção, seja no que concerne à sua estrutura normativa.[12]

Nesse contexto, retomando a evolução brasileira, marcante a influência do pensamento de J. J. Gomes Canotilho, no sentido de que a garantia de uma eficácia social dos direitos fundamentais, como fenômeno complexo, exige a consideração coordenada de uma multiplicidade de aspectos fáticos e técnico-jurídicos, de tal sorte que somente uma metódica suficientemente diferenciada se revela apta a dar conta das diversas facetas do problema.[13]

---

citados DIMOULIS, Dimitri; MARTINS, Leonardo. *Teoria Geral dos Direitos Fundamentais*, São Paulo: RT, 2007, p. 104 e ss.; DUQUE, Marcelo e, por último, a notável contribuição de RODRIGUES JR., Otávio Luiz. *Direito Civil Contemporâneo. Estatuto Epistemológico, Constituição e Direitos Fundamentais*. 3. ed. Rio de Janeiro: GEN/Forense Universitária, 2022. No direito português, indispensável a referência, dentre outros, às contribuições de MOTA PINTO, Carlos Alberto Da; MOTA PINTO, Paulo e MONTEIRO, Pinto Antônio. Teoria Geral do Direito Civil. 4. ed. Coimbra: Coimbra Editora, 2012 (embora admitindo uma eficácia direta no que diz respeito ao núcleo essencial dos direitos fundamentais). Dentre os constitucionalistas, a defesa mais forte (em termos de ênfase) e mais consistente de uma eficácia indireta e consequente refutação de uma eficácia direta foi promovida, salvo melhor juízo, por NOVAIS, Jorge Reis. *Direitos Fundamentais:* Trunfos contra a maioria. Coimbra: Coimbra Editora, 2006, consolidada na obra mais recente do autor onde este veio a reforçar e atualizar os seus argumentos (*Direitos Fundamentais nas Relações Privadas. Do dever de proteção à proibição de défice*. Coimbra: Almedina, 2018).

[10] Assim, por exemplo, as decisões no Recurso Extraordinário 158215-4/RS, Relator Ministro Marco Aurélio, e no Recurso Extraordinário 161.243-6/DF, Relator Ministro Carlos Mario Velloso, ambas do ano de 1996, onde se discutiu, respectivamente, a aplicação da garantia da ampla defesa e do contraditório em caso de exclusão de sócio de cooperativa, e a aplicação do princípio da igualdade às relações trabalhistas no caso de empresa estrangeira que discriminava entre empregados brasileiros e estrangeiros. Embora no bojo de ambas as decisões não se tenham discutido com mais vagar os aspectos dogmáticos envolvidos (nem mesmo a distinção entre uma eficácia direta e indireta) e a despeito das diversas críticas que já foram endereçadas ao Tribunal, acabou sendo privilegiada a tese da eficácia direta.

[11] Cf. Recurso Extraordinário nº 201818-RJ, Relator para o Acórdão, Ministro Gilmar Mendes, que, no seu alentado voto, sustentou a tese da eficácia direta dos direitos fundamentais nas relações privadas, mesclando, na sua fundamentação, elementos da doutrina norte-americana da *state action*, com contribuições da doutrina alemã, portuguesa e brasileira.

[12] Neste sentido, por todos, o nosso SARLET, Ingo Wolfgang. Direitos Fundamentais e Direito Privado, algumas considerações em torno da vinculação dos particulares aos direitos fundamentais. In: SARLET, Ingo Wolfgang (org.). *A Constituição Concretizada* – Construindo Pontes para o Público e o Privado. Porto Alegre: Livraria do Advogado, 2000, p. 138 e ss.

[13] Cf. CANOTILHO, José Joaquim Gomes. *Direito Constitucional e Teoria da Constituição*. 7. ed. Coimbra: Almedina, 2010, p. 1293 e ss.

Diante deste pano de fundo e partindo do pressuposto da existência tanto de uma convivência dialógica entre a vinculação dos órgãos estatais e dos particulares quanto entre uma eficácia direta e indireta, segue-se sustentando, desde o nosso primeiro texto específico sobre o tema (mas já com alguns ajustes pontuais desde então),[14] que a resposta constitucionalmente adequada no caso do Brasil é no sentido de reconhecer uma eficácia direta *prima facie* dos direitos fundamentais também na esfera das relações privadas.[15]

Nessa senda, a concepção adotada, no sentido de uma eficácia direta *prima facie* dos direitos fundamentais na esfera das relações entre particulares, significa, em termos gerais, que, em princípio, podem e devem ser extraídos efeitos jurídicos diretamente das normas de direitos fundamentais também em relação aos atores privados. Que somente as circunstâncias de cada caso concreto, as peculiaridades de cada direito fundamental e do seu âmbito de proteção, as disposições legais vigentes e a observância dos métodos de interpretação e solução de conflitos entre direitos fundamentais (como é o caso da proporcionalidade e da concordância prática) podem assegurar uma solução constitucionalmente adequada resulta evidente e não está em contradição com a concepção aqui sustentada e, ainda que com alguma variação, majoritariamente defendida e praticada no Brasil.

Por outro lado, ao se afirmar uma eficácia direta *prima facie* não se está a sustentar uma eficácia necessariamente forte ou mesmo absoluta, mas uma eficácia e vinculação flexível e gradual dos particulares aos direitos fundamentais, muito próxima da proposta de J.J. Gomes Canotilho, já referida. Nesse contexto – ressalvados outros argumentos que poderiam ser colacionados –, convém aduzir que o próprio dever de conferir a máxima eficácia e efetividade às normas de direitos fundamentais há de ser compreendido, s.m.j., no sentido de um mandado de otimização, visto que a eficácia e efetividade dos direitos fundamentais de um modo geral (e não apenas na esfera das relações entre particulares) não se encontram sujeitas, em princípio, a uma lógica do tipo "tudo ou nada".[16]

---

[14] Cf. V., dentre outros, apenas considerando a literatura brasileira, as contribuições (todas admitindo uma eficácia direta – embora não linear e absoluta – dos direitos fundamentais nas relações entre particulares) de *Direitos Fundamentais e Direito Privado, algumas considerações em torno da vinculação dos particulares aos direitos fundamentais*, cit., p. 154 e ss., SARMENTO, Daniel, *Direitos Fundamentais e Relações Privadas*. Rio de Janeiro: Lumen Juris, 2003, p. 297 e ss.; SOMBRA, Thiago Luís Santos, *A Eficácia dos Direitos Fundamentais nas Relações Jurídico-Privadas*: a identificação do contrato como ponto de encontro dos direitos fundamentais. Porto Alegre: Fabris, 2004, p. 123 e ss.; VALE, André Rufino do. *Eficácia dos Direitos Fundamentais nas Relações Privadas*. Porto Alegre: Fabris, 2004, especialmente p. 139 e ss. (adotando também um modelo diferenciado em termos de níveis de eficácia); STEINMETZ, Wilson Antônio. *Vinculação dos Particulares a Direitos Fundamentais*. São Paulo: Malheiros, 2005, p. 181 e ss.; SILVA, Virgílio Afonso da. *A Constitucionalização do Direito*: os direitos fundamentais nas relações entre particulares. São Paulo: Malheiros, 2005, p. 133 e ss.; PEREIRA, Jane Reis Gonçalves. *Interpretação Constitucional e Direitos Fundamentais*. Rio de Janeiro: Renovar, 2006, p. 486 e ss.; BARROSO, Luís Roberto. Neoconstitucionalismo e Constitucionalização do Direito (O Triunfo Tardio do Direito Constitucional do Brasil). *In*: SOUZA NETO, Cláudio Pereira; SARMENTO, Daniel (coord.). *A Constitucionalização do Direito*. Rio de Janeiro: Lumen Juris, 2007, p. 203-251, bem como MOREIRA, Eduardo Ribeiro. *Obtenção dos direitos fundamentais nas relações entre particulares*, Rio de Janeiro: Lumen Juris, 2007.

[15] SARLET, Ingo Wolfgang. Direitos Fundamentais e Direito Privado, algumas considerações em torno da vinculação dos particulares aos direitos fundamentais. *In*: SARLET, Ingo Wolfgang (org.). *A Constituição concretizada. construindo pontes entre o público e o privado*. Porto Alegre: Livraria do Advogado, 2000. Em Portugal, v. no mesmo sentido CRORIE, Benedita Ferreira da Silva Mac. *A vinculação dos particulares aos direitos fundamentais*, Coimbra, 2005, p. 86 e ss.

[16] Para maiores desenvolvimentos v. o nosso *A Eficácia dos Direitos Fundamentais*, op. cit., p. 265 ss., no que diz com a problemática ora versada, o nosso igualmente já referido em *Direitos Fundamentais e Direito Privado*, op. cit., p. 147 e ss.

Além disso, considerando que as situações que envolvem a aplicação dos direitos fundamentais às relações privadas correspondem, em regra, a casos de colisão entre direitos, o recurso à ponderação e às técnicas de sua concretização, bem como a outras diretrizes, resulta inevitável.

3 A identificação e o desenvolvimento de algumas pautas de solução, à luz de exemplo extraído da jurisprudência do STF

Assumindo a premissa de que, em regra, também a eficácia dos direitos fundamentais no Direito Privado de um modo geral – já que o controle da correção das opções legislativas envolve também uma fiscalização de ponderações levadas a efeito pelo legislador ao regular as relações privadas –, mas especialmente no que diz com a incidência da normativa constitucional na esfera das relações entre particulares, gravita em torno de problemas ligados à colisão de direitos fundamentais, implicando juízos de ponderação e "concordância prática", também a doutrina brasileira vem tentando identificar e desenvolver alguns critérios para viabilizar a implementação da tese da eficácia direta, no âmbito da já apontada metódica diferenciada que deve pautar a busca da solução constitucionalmente adequada.

Além da já há muito praticada aplicação das exigências da proporcionalidade,[17] certamente os principais vetores interpretativos têm sido construídos em torno do maior ou menor poder social e econômico (a assimetria das relações entre os atores privados), da salvaguarda da dignidade da pessoa humana e da proteção do núcleo essencial dos direitos fundamentais em causa.

Desde logo, especialmente no que concerne à evolução jurisprudencial, tais figuras, embora a relativamente farta produção doutrinária já referida em notas de rodapé, ainda não foram suficientemente sistematizadas, o que vale particularmente para a seara jurisprudencial, porquanto as decisões judiciais, pelo menos em diversos casos, ou não aplicam explicitamente tais critérios ou não justificam satisfatoriamente a sua aplicação, ainda que em muitos casos haja substancial reconhecimento quanto ao acerto do resultado final da decisão.

Com relação ao exercício de poder social, por exemplo, verifica-se a assimilação, por parte da doutrina brasileira, da tese de que a assimetria das relações gerada pela presença de um ator social (privado) poderoso não constitui critério (por si só!) determinante da eficácia direta dos direitos fundamentais. O maior ou menor desequilíbrio objetivamente aferível nas relações entre particulares serve em geral como critério justificador da maior ou menor necessidade de efetivar os deveres de proteção do Estado, viabilizando eventual restrição (sempre proporcional!) da autonomia privada do ator social "poderoso" em benefício da parte mais frágil da relação, com o escopo de assegurar a manutenção (não meramente formal) do equilíbrio entre as partes, quando efetivamente rompido ou ameaçado.[18]

---

[17] Sobre o princípio da proporcionalidade, no âmbito da obra do homenageado, v. por exemplo, JUSTEN FILHO, Marçal. *Curso de Direito Administrativo, op. cit.*, p. 167 e ss.

[18] Neste sentido, na esteira de autores como Klaus Stern, Claus-Wilhelm Canaris e outros, o nosso *Direitos Fundamentais e Direito Privado...*, cit., p. 128 e ss., bem como, aqui representando os advogados da eficácia direta no Brasil, Daniel Sarmento, *Direitos Fundamentais e Relações Privadas*, p. 297 e ss.

Cumpre anotar que, embora a autonomia privada e a liberdade contratual não estejam explicitamente previstas no texto constitucional brasileiro, cuida-se de direitos fundamentais implicitamente consagrados e que, a despeito de sua possível e necessária relativização, representam limites importantes para as intervenções na esfera das relações entre particulares, sem que tal circunstância seja tida como um obstáculo à eficácia direta dos direitos fundamentais nesta seara.[19]

Nessa perspectiva, calha referir a paradigmática decisão proferida pelo STF ao reconhecer a aplicação, na esfera das relações privadas, do princípio-garantia da ampla defesa (e do correlato contraditório). Trata-se do julgamento do Recurso Extraordinário (RE) nº 201818-RJ, Relatora Min. Ellen Gracie, Relator para o Acórdão, Ministro Gilmar Mendes, julgado em 11.10.2005, no âmbito do qual a Suprema Corte brasileira, na esteira dos julgados já referidos, reconheceu a eficácia direta dos direitos fundamentais nas relações privadas. Nesse sentido e antes de avançarmos, segue transcrição da ementa do respectivo acórdão:

> EMENTA: SOCIEDADE CIVIL SEM FINS LUCRATIVOS. UNIÃO BRASILEIRA DE COMPOSITORES. EXCLUSÃO DE SÓCIO SEM GARANTIA DA AMPLA DEFESA E DO CONTRADITÓRIO. EFICÁCIA DOS DIREITOS FUNDAMENTAIS NAS RELAÇÕES PRIVADAS. RECURSO DESPROVIDO.
>
> I. EFICÁCIA DOS DIREITOS FUNDAMENTAIS NAS RELAÇÕES PRIVADAS. As violações a direitos fundamentais não ocorrem somente no âmbito das relações entre o cidadão e o Estado, mas igualmente nas relações travadas entre pessoas físicas e jurídicas de direito privado. Assim, os direitos fundamentais assegurados pela Constituição vinculam diretamente não apenas os poderes públicos, estando direcionados também à proteção dos particulares em face dos poderes privados.
>
> II. OS PRINCÍPIOS CONSTITUCIONAIS COMO LIMITES À AUTONOMIA PRIVADA DAS ASSOCIAÇÕES. A ordem jurídico-constitucional brasileira não conferiu a qualquer associação civil a possibilidade de agir à revelia dos princípios inscritos nas leis e, em especial, dos postulados que têm por fundamento direto o próprio texto da Constituição da República, notadamente em tema de proteção às liberdades e garantias fundamentais. O espaço de autonomia privada garantido pela Constituição às associações não está imune à incidência dos princípios constitucionais que asseguram o respeito aos direitos fundamentais de seus associados. A autonomia privada, que encontra claras limitações de ordem jurídica, não pode ser exercida em detrimento ou com desrespeito aos direitos

---

[19] Confira-se, dentre outros e apenas considerando a literatura brasileira, as contribuições (todas admitindo uma eficácia direta – embora não linear e absoluta – dos direitos fundamentais nas relações entre particulares) de SARLET, Ingo Wolfgang. *Direitos Fundamentais e Direito Privado...*, 2000, cit., p. 154 e ss.; Gilmar Ferreira Mendes, Inocêncio Mártires Coelho e Paulo Gustavo Gonet Branco, *Hermenêutica Constitucional e Direitos Fundamentais*, p 169 e ss.; Daniel Sarmento, *Direitos Fundamentais e Relações Privadas*, 2003, p. 297 e ss.; Thiago Luís Santos Sombra, *A Eficácia dos Direitos Fundamentais nas Relações Jurídico-Privadas*, Porto Alegre, 2004, p. 123 e ss.; André Rufino do Vale, *Eficácia dos Direitos Fundamentais nas Relações Privadas*, Porto Alegre, 2004, especialmente p. 139 e ss. (adotando também um modelo diferenciado em termos de níveis de eficácia); Wilson Antonio Steinmetz, *Vinculação dos Particulares a Direitos Fundamentais*, 2005, p. 181 e ss.; Virgílio Afonso da Silva, *A Constitucionalização do Direito*, 2005, p. 133 e ss.; Jane Reis Gonçalves Pereira, *Interpretação Constitucional e Direitos Fundamentais*, Rio de Janeiro: Renovar, 2006, p. 486 e ss.; Luís Roberto Barroso, Neoconstitucionalismo e Constitucionalização do Direito (O Triunfo Tardio do Direito Constitucional do Brasil). *In*: SOUZA NETO, Cláudio Pereira; SARMENTO, Daniel (coord.). *A Constitucionalização do Direito...*, 2007, p. 203-251, bem como MOREIRA, Eduardo Ribeiro. *Obtenção dos Direitos Fundamentais nas Relações entre Particulares*, Rio de Janeiro: Lumen Juris, 2007.

e garantias de terceiros, especialmente aqueles positivados em sede constitucional, pois a autonomia da vontade não confere aos particulares, no domínio de sua incidência e atuação, o poder de transgredir ou de ignorar as restrições postas e definidas pela própria Constituição, cuja eficácia e força normativa também se impõem, aos particulares, no âmbito de suas relações privadas, em tema de liberdades fundamentais.

III. SOCIEDADE CIVIL SEM FINS LUCRATIVOS. ENTIDADE QUE INTEGRA ESPAÇO PÚBLICO, AINDA QUE NÃO ESTATAL. ATIVIDADE DE CARÁTER PÚBLICO. EXCLUSÃO DE SÓCIO SEM GARANTIA DO DEVIDO PROCESSO LEGAL. APLICAÇÃO DIRETA DOS DIREITOS FUNDAMENTAIS À AMPLA DEFESA E AO CONTRADITÓRIO.

As associações privadas que exercem função predominante em determinado âmbito econômico e/ou social, mantendo seus associados em relações de dependência econômica e/ou social, integram o que se pode denominar de espaço público, ainda que não-estatal. A União Brasileira de Compositores – UBC, sociedade civil sem fins lucrativos, integra a estrutura do ECAD e, portanto, assume posição privilegiada para determinar a extensão do gozo e fruição dos direitos autorais de seus associados. A exclusão de sócio do quadro social da UBC, sem qualquer garantia de ampla defesa, do contraditório, ou do devido processo constitucional, onera consideravelmente o recorrido, o qual fica impossibilitado de perceber os direitos autorais relativos à execução de suas obras. A vedação das garantias constitucionais do devido processo legal acaba por restringir a própria liberdade de exercício profissional do sócio. O caráter público da atividade exercida pela sociedade e a dependência do vínculo associativo para o exercício profissional de seus sócios legitimam, no caso concreto, a aplicação direta dos direitos fundamentais concernentes ao devido processo legal, ao contraditório e à ampla defesa (art. 5º, LIV e LV, CF/88).

Na hipótese em exame, a exclusão de associado da União Brasileira de Compositores, sem a observância das exigências essenciais da ampla defesa e do contraditório, foi tida como constitucionalmente ilegítima, ainda mais – como enfatizado na argumentação deduzida na decisão, em especial no alentado voto do Ministro Gilmar Mendes – quando se trata de associações privadas que exercem função preponderante em determinado âmbito econômico e/ou social, mantendo seus associados em relações de dependência econômica e/ou social, de tal sorte que tais associações integram o espaço público não estatal.

O que já à partida chama a atenção na fundamentação do voto divergente do Ministro Gilmar Mendes foi um salto qualitativo (nem por isso imune a controvérsia) no tratamento do tema, porquanto, ademais de consolidar – até o presente momento – a tese de que os direitos fundamentais geram efeitos mesmo diretamente nas relações privadas, agregou elementos extraídos tanto da dogmática alemã e portuguesa quanto aspectos da assim chamada *state action doctrin* norte-americana. Isso porque, de acordo com tal doutrina, embora os particulares não estejam vinculados diretamente às cláusulas constitucionais, quando se tratar de situações similares às que marcam a atuação do poder público e que a ele podem ser diretamente reconduzidas ao Estado (portanto, quando o Estado se fizer presente), os direitos fundamentais operam da mesma forma, ainda que inexistente legislação específica sobre o caso.[20]

---

[20] Sobre o tema, v., por todos, UBILLOS, Juan María Bilbao. *Los derechos fundamentales en la frontera entre lo público y lo privado*, Madrid: Mac Graw-Hill, 1997.

Outro aspecto que calha sublinhar é que nada obstante a convencional assertiva de que os direitos-garantia processuais tenham por destinatário direito apenas o Estado, como também se dá no caso dos direitos políticos, o STF acabou reconhecendo que, em se tratando de uma entidade privada com o perfil da Ordem dos Compositores, pela natureza de suas atribuições, a exclusão de um associado deveria observar os elementos nucleares do direito fundamental a um devido processo legal, designadamente, o contraditório e a possibilidade efetiva de defesa.

Muito embora a presença, num dos polos da relação privada, de um ator social poderoso não possa ser invocada como o único e nem mesmo principal critério para o reconhecimento de uma eficácia direta dos direitos fundamentais nesse domínio, o fato é que se cuida de um elemento importante para ser acionado quando da aplicação do princípio da proporcionalidade. Com efeito, como já referido, o maior ou menor desequilíbrio objetivamente aferível nas relações entre particulares serve em geral como critério justificador da maior ou menor necessidade de efetivar os deveres de proteção do Estado, viabilizando eventual restrição (sempre proporcional!) da autonomia privada do ator social "poderoso" em benefício da parte mais frágil da relação, com o escopo de assegurar a manutenção (não meramente formal) do equilíbrio entre as partes, quando efetivamente rompido ou ameaçado.

Cumpre anotar que, embora a autonomia privada e a liberdade contratual não estejam explicitamente previstas no texto constitucional brasileiro, cuida-se de direitos fundamentais implicitamente consagrados e que, a despeito de sua possível e necessária relativização, representam limites importantes para as intervenções na esfera das relações entre particulares, sem que tal circunstância seja tida – conforme sustenta a doutrina já referida – como um obstáculo intransponível à eficácia direta dos direitos fundamentais nessa seara.

Sem prejuízo dos argumentos extraídos da decisão do STF já referida, existem outros critérios que têm sido manejados quando se trata de aplicar, de modo constitucionalmente adequado, os direitos fundamentais nas relações privadas.

Como prestigiada diretriz material para a solução dos casos concretos envolvendo também as relações entre particulares e a alegação da violação de direitos fundamentais, a doutrina e a jurisprudência majoritárias costumam invocar a fórmula *in dubio pro dignitate*, sem, todavia, reduzir uma eficácia direta ao conteúdo em dignidade dos direitos fundamentais ou mesmo à própria dignidade da pessoa humana autonomamente considerada, como, de resto, já frisado.[21] Isto não significa que não se possa (e deva) controverter o uso muitas vezes quase que meramente retórico e até mesmo panfletário da dignidade da pessoa humana (aspecto que diz respeito aos princípios de um modo geral), o que, contudo, extrapola os limites do presente estudo.[22]

De qualquer forma, é essencial que se tenha presente, também neste contexto, a lição de Marçal Justen Filho, ora homenageado, no sentido de que a dignidade da pessoa

---

[21] Assim, por exemplo, destaca Daniel Sarmento, *Direitos Fundamentais e Relações Privadas, op. cit.*, p. 310 e ss.
[22] Sobre o conceito e conteúdo do princípio da dignidade da pessoa humana remetemos, no que diz com a produção monográfica, entre outros, ao nosso *Dignidade da Pessoa Humana e os Direitos Fundamentais na Constituição Federal de 1998*, 11. ed. Porto Alegre: Livraria do Advogado Editora, 2024.

humana guarda relação com a própria integridade do ser humano, "na acepção de um todo insuscetível de redução, em qualquer de seus aspectos fundamentais".[23]

Outro critério indispensável, quando em causa a ponderação, dada a circunstância de que em causa, em grande parte dos casos, uma colisão de direitos, é a necessidade de aderência às exigências do princípio da proporcionalidade, seja na condição de proibição de excesso de intervenção, seja como proibição de proteção insuficiente, ao que se voltará logo adiante.[24]

É (também) nesse contexto que ganha relevo o problema (e controvérsia) da eficácia dos direitos sociais nas relações privadas, posto que, a despeito de terem uma dupla função na condição, a depender do caso, de direitos de caráter defensivo, a sua função (concorrente e complementar) de direitos a prestações implica ainda maior consideração da aplicação da proporcionalidade na sua segunda dimensão.

Assim, no que diz com a função prestacional (que não exclui a defensiva) dos direitos sociais é possível identificar uma série de exemplos que em várias hipóteses guardam conexão com a dignidade da pessoa humana e a garantia de um mínimo existencial, como se dá, dentre outros, nos casos do direito à saúde, moradia, educação, serviços essenciais como energia elétrica, água potável, etc.[25]

Importa sublinhar, nesta quadra, como já adiantado, que não se está a defender uma eficácia direta "absoluta", no sentido de que sempre todo e qualquer direito fundamental e em todo e qualquer caso possa ser aplicado imediatamente a atos praticados por atores privados, mas sim que tal possibilidade não pode ser excluída e é mesmo indispensável a depender das circunstâncias. Por isso mesmo reitera-se (mais uma vez) a tese de J. J. Gomes Canotilho, de que a garantia de uma eficácia social dos direitos fundamentais, como fenômeno complexo, exige a consideração coordenada de uma multiplicidade de aspectos fáticos e técnico-jurídicos, de tal sorte que somente uma metódica suficientemente diferenciada se revela apta a dar conta das diversas facetas do problema.[26]

Diante deste pano de fundo, o que se sustenta é que a concepção de uma eficácia direta *prima facie* dos direitos fundamentais nas relações privadas não dispensa – pelo contrário, exige, para atender aos reclamos da segurança jurídica e assegurar a indispensável consistência dogmática – a primazia do legislador no que diz com a concretização do programa normativo dos direitos fundamentais e, em especial, no tocante à conciliação proporcional dos direitos e bens jurídicos constitucionais em rota de colisão.[27]

As opções legislativas estão, todavia, sujeitas ao controle pelo Poder Judiciário, que deverá fazer prevalecer, dentre outros, ademais do dever de interpretação conforme a constituição, quando possível, os critérios da proporcionalidade na sua dupla dimensão (proibição de excesso de intervenção e vedação da proteção insuficiente) e, no caso de

---

[23] Cf. JUSTEN FILHO, Marçal. *Curso de Direito Administrativo*, op. cit., p. 179.
[24] V., por todos, SARLET, Ingo Wolfgang. *A Eficácia dos Direitos Fundamentais*, op. cit., p 414 e ss.
[25] Sobre o tema, v. SARLET, Ingo Wolfgang, Direitos Fundamentais Sociais, Mínimo Existencial e Direito Privado. In: *Revista de Direito do Consumidor*, n. 61, p. 90-126, 2007.
[26] Cf. CANOTILHO, José Joaquim Gomes. *Direito Constitucional e Teoria da Constituição*. 7. ed. Coimbra: Almedina, 2010, p. 1293 e ss.
[27] É nesse sentido que reputamos correta a ponderação de Otávio Luís Rodrigues Jr. quando, em sua tese de livre-docência, refere a nossa concepção como sendo a de uma eficácia direta/imediata fraca ou mitigada (RODRIGUES JR., Otávio Luís. *Direito Civil Contemporâneo*, op. cit., p. 297 e ss.).

uma lacuna regulatória, resolver o caso com base nos parâmetros materiais diretamente extraídos dos direitos fundamentais.

Note-se, outrossim, que, mesmo à vista de eventual inexistência de concretização legislativa para a solução constitucionalmente adequada de um caso concreto, os órgãos do Poder Judiciário, como já de certo modo antecipado, não são detentores de um mandato ilimitado, encontrando-se, pelo contrário, especialmente vinculados ao dever de motivação racional e controlável de suas decisões, no sentido de um ônus argumentativo particularmente exigente.

Nesse contexto, volta a se colacionar – inclusive por se tratar de critérios que devem ser levados em conta quando do teste de proporcionalidade – que a maior ou menor vulnerabilidade (incluída aqui a assim chamada hipervulnerabilidade)[28] das partes envolvidas é elemento estruturante de sua interpretação/aplicação, mas também a maior ou menor aproximação, no caso concreto, com a dignidade da pessoa humana e dos conexos deveres de proteção,[29] não sendo possível aqui adentrar de modo mais pormenorizado o sentido e alcance de tais diretrizes.

4 Considerações finais

Com base em todos os argumentos colacionados, é possível afirmar que os direitos fundamentais, pelo menos de acordo com o entendimento prevalente na ordem jurídico-constitucional brasileira, geram efeitos diretos *prima facie* no âmbito das relações privadas, o que, além de pressupor uma metódica diferenciada, também implica o reconhecimento de uma relação de complementariedade entre a vinculação dos órgãos estatais e a vinculação dos atores privados aos direitos fundamentais, que também se verifica em relação ao modo pelo qual se opera esta eficácia.

Nesse contexto, importa relembrar aqui as sempre atuais lições de Vasco Pereira da Silva, no sentido de que, independentemente do modo pelo qual se dá, em concreto, a eficácia dos direitos fundamentais nas relações privadas, entre as normas constitucionais e o Direito Privado, o que se verifica não é um abismo, mas uma relação pautada por um contínuo fluir,[30] o que apenas reforça, como igualmente já referido, a tese da necessidade de uma metódica diferenciada, amplamente adotada no Brasil, em que pesem algumas variações de autor para autor e na seara jurisprudencial, já referidos.

A despeito disso e mesmo assumindo como constitucionalmente adequada a posição aqui sustentada, é de fato possível constatar que, notadamente (mas não exclusivamente) em virtude da insuficiente consideração das estruturas argumentativas e dos métodos e princípios de interpretação mais adequados ao Direito Constitucional positivo, especialmente no que diz com o correto manejo dos critérios da proporcionalidade e das diretrizes que presidem a solução das colisões entre direitos fundamentais de um

---

[28] Sobre o tema, v., dentre outros, MARQUES, Cláudia Lima; MIRAGEM, Bruno. *O Novo Direito Privado e a Proteção dos Vulneráveis*. São Paulo: RT, 2014.

[29] No que diz com a dignidade da pessoa humana em termos gerais, v. por todos SARLET, Ingo Wolfgang. *Dignidade da Pessoa Humana e Direitos Fundamentais na Constituição Federal de 1988*. 11. ed. Porto Alegre: Livraria do Advogado, 2024.

[30] Cf. PEREIRA DA SILVA, Vasco M.P.D. Vinculação das entidades privadas pelos direitos, liberdades e garantias. In: *Revista de Direito Público*, n. 82, p. 46, 1987.

modo geral, seguidamente ocorrem certos abusos também na seara da assim designada constitucionalização do Direito Privado, com particular ênfase na aplicação dos direitos fundamentais às relações privadas.

Não é sem razão, portanto, que mesmo adeptos insuspeitos de uma eficácia dos direitos fundamentais também na esfera das relações entre particulares têm pugnado por uma postura mais cautelosa, destacando, por exemplo, que um dos efeitos colaterais indesejáveis decorrentes de uma hipertrofia da constitucionalização da ordem jurídica acaba por ser uma por vezes excessiva e problemática judicialização das relações sociais.[31]

Isso bem demarcado, é possível afirmar que num mundo cada vez mais marcado por assimetrias de poder e pela necessidade de respostas adequadas – e, portanto, eficazes – para uma série de desafios postos aos direitos fundamentais e a dignidade da pessoa humana, abrir mão de uma eficácia de tais direitos na esfera das relações privadas, definitivamente não soa como a melhor alternativa.

Informação bibliográfica deste texto, conforme a NBR 6023:2018 da Associação Brasileira de Normas Técnicas (ABNT):

SARLET, Ingo Wolfgang. Direitos fundamentais e relações privadas – breves notas, em especial à luz da jurisprudência do Supremo Tribunal Federal brasileiro. In: JUSTEN, Monica Spezia; PEREIRA, Cesar; JUSTEN NETO, Marçal; JUSTEN, Lucas Spezia (coord.). *Uma visão humanista do Direito*: homenagem ao Professor Marçal Justen Filho. Belo Horizonte: Fórum, 2025. v. 2, p. 189-201. ISBN 978-65-5518-916-2.

---

[31] Nesse sentido v. BARROSO, Luís Roberto. Neoconstitucionalismo e Constitucionalização do Direito (O triunfo tardio do direito constitucional no Brasil). In: SOUZA NETO, Cláudio Pereira de; SARMENTO, Daniel (coord.). *A Constitucionalização do Direito*: Fundamentos Teóricos e Aplicações Específicas, Rio de Janeiro: Lumen Juris, 2007, especialmente p. 242 e ss.

O DIREITO ADMINISTRATIVO E OS DIREITOS E GARANTIAS FUNDAMENTAIS: UM NOVO RESPLENDOR OFERECIDO POR MARÇAL JUSTEN FILHO

JOSÉ ANTONIO DIAS TOFFOLI

WALTER GODOY DOS SANTOS JR.

A obra do Professor Marçal Justen Filho é marcada por uma leitura original do Direito Administrativo a partir das lentes da supremacia dos direitos e garantias fundamentais, inaugurando uma nova escola, que se propõe a estudar os institutos deste ramo do Direito, tendo em consideração a ordem constitucional implementada em 1988.

Com efeito, as lições do homenageado orientaram a evolução da doutrina do Direito Administrativo brasileiro no sentido de que ele não pode ser um entrave à Administração Pública. De acordo com as referidas lições, o Direito Administrativo deve sim ser um instrumento de controle da atividade estatal e de limitação para desvios e abusos, mas, simultaneamente, deve prestigiar o administrador público de boa-fé para que realize materialmente os comandos constitucionais em benefício da população, com destemor e segurança jurídica.

Dessa perspectiva, a doutrina do Professor Marçal Justen Filho insere o Direito Administrativo no compromisso geral da República de construir uma sociedade livre, justa e solidária, garantindo-se o desenvolvimento nacional, erradicando-se a pobreza e a marginalização, reduzindo-se as desigualdades sociais e regionais e promovendo-se o bem de todos.

De fato, em grande medida, tais objetivos são alcançados justamente por uma boa gestão de recursos finitos, devendo-se destacar, neste particular, a influência da obra do Professor Marçal Justen Filho na jurisprudência da Suprema Corte para separar o administrador probo e de boa-fé daquele que deve ser punido por desvios ou por atos de corrupção.

O suporte doutrinário por ele oferecido nesta matéria foi de fundamental importância para o deslinde de centenas de feitos na Suprema Corte, restituindo-se a dignidade de homens públicos acusados injustamente.

Particularmente em relação ao administrador público, a doutrina do homenageado teve o grande mérito de separar condutas dolosas e culposas, devendo-se mencionar em especial um caso de 2012 que se passou em uma cidade do interior do estado de Alagoas e em que se pôde verificar, com toda a nitidez, a influência da doutrina do homenageado, para além das fronteiras do Direito Administrativo puro.

Nos autos do Inq. nº 3.077, que teve curso no Supremo Tribunal Federal, discutiu-se a existência de substrato probatório mínimo para a deflagração de ação penal contra os denunciados, levando-se em consideração o preenchimento dos requisitos do art. 41 do Código de Processo Penal, não incidindo qualquer uma das hipóteses do art. 43, hoje art. 395, com a redação dada pela Lei nº 11.719/08.

De acordo com o ordenamento vigente, a denúncia, tal qual a queixa, deve conter a exposição do fato criminoso, com todas as suas circunstâncias, a qualificação do acusado (ou esclarecimentos pelos quais se possa identificá-lo), a classificação do crime e, quando for o caso, o rol de testemunhas (CPP, art. 41). Tais exigências se fundamentam na necessidade de precisar, com acuidade, os limites da imputação, não apenas autorizando o exercício da ampla defesa, mas também viabilizando a aplicação da lei penal pelo órgão julgador.

A verificação acerca da narração de fato típico, antijurídico e culpável, da inexistência de causa de extinção da punibilidade e da presença das condições exigidas pela lei para o exercício da ação penal (aí incluída a justa causa) revela-se fundamental para o juízo de admissibilidade de deflagração da ação penal em qualquer hipótese, mas guarda tratamento mais rigoroso quando se trata de crimes abarcados pela competência originária do Supremo Tribunal Federal.

No Inq. nº 3.077, o elemento subjetivo do tipo essencial à configuração do delito imputado aos denunciados não ficou demonstrado, qual seja, a vontade livre e conscientemente dirigida para superar a necessidade de realização da licitação. Pressupõe o tipo, além do necessário dolo simples (vontade consciente e livre de contratar independentemente da realização de prévio procedimento licitatório), a intenção de produzir um prejuízo aos cofres públicos por meio do afastamento indevido da licitação.

Vai nesse sentido a lição de Marçal Justen Filho (*Comentários à Lei de Licitações e Contratos Administrativos*. 12. ed. São Paulo: Dialética, 2008. p. 831), que sustenta que

> o elemento subjetivo consiste não apenas na intenção maliciosa de deixar de praticar a licitação cabível. Se a vontade consciente e livre de praticar a conduta descrita no tipo fosse suficiente para concretizar o crime, então seria de admitir-se modalidade culposa. Ou seja, quando a conduta descrita no dispositivo fosse concretizada em virtude de negligência, teria de haver a punição. Isso seria banalizar o Direito Penal e produzir criminalização de condutas que não se revestem de reprovabilidade. É imperioso, para a caracterização do crime, que o agente atue voltado a obter um outro resultado, efetivamente reprovável e grave, além da mera contratação direta. Ocorre, assim, a conduta ilícita quando o agente possui a vontade livre e consciente de produzir o resultado danoso ao erário. É necessário um elemento subjetivo consistente em produzir um prejuízo aos cofres públicos por meio do afastamento indevido da licitação. Portanto, não basta a mera intenção de não realizar licitação em um caso em que tal seria necessário.

Ademais, a ausência de observância das formalidades pertinentes à dispensa ou à inexigibilidade da licitação somente é passível de sanção quando acarretar contratação indevida e demonstrar a vontade ilícita do agente em produzir um resultado danoso.

A esse respeito, lembra Márcio dos Santos Barros (*Comentários sobre Licitações e Contratos Administrativos*. São Paulo: NDJ, 2005. p. 293) que

> talvez seja este o crime que maior preocupação traga ao administrador público porque diz respeito a assuntos absolutamente controvertidos, que dependem em grande parte de interpretação de questões não pacíficas. Assim, só pode ser aplicável à hipótese a clara e dolosa violação à lei.

Em julgado em que se discutiu a tipicidade de infração imputada a prefeito, destacou o relator, Ministro *Ayres Britto* (Inq. nº 2.646/RN – Tribunal Pleno, DJe de 7/5/10), o que segue:

> (...)
> Todavia, esse regramento constitucional não tem a força de transformar em ilícitos penais práticas que eventualmente ofendam o cumprimento de deveres simplesmente administrativos. Daí por que a incidência da norma penal referida pelo Ministério Público está a depender da presença de um claro elemento subjetivo que não enxergo neste caso: a vontade livre e consciente (dolo) de lesar o Erário. Pois é assim que se garante a distinção, a meu sentir necessária, entre atos próprios do cotidiano político-administrativo (controlados, portanto, administrativa e judicialmente nas instâncias competentes) e atos que revelam o cometimento de ilícitos penais. E de outra forma não é de ser, pena de se transferir para a esfera penal a resolução de questões que envolvem a ineficiência, a incompetência gerencial e a responsabilidade político-administrativa. Questões que se resolvem no âmbito das ações de improbidade administrativa, portanto.

Hely Lopes Meirelles, em seu clássico Direito Municipal Brasileiro (RT, 1985, p. 587/588), no mesmo tom, sustenta que as figuras típicas do art. 1º do Decreto-Lei nº 201/67:

> [...] só se tornam puníveis quando o Prefeito busca intencionalmente o resultado, ou assume o risco de produzi-lo. Por isso, além da materialidade do ato, exige-se a intenção de praticá-lo contra as normas legais que o regem [...] Mas em se tratando de crime contra Administração Municipal, é sempre possível e conveniente perquirir se o agente atuou em prol do interesse público, ou para satisfazer interesse pessoal ou de terceiro. Se o procedimento do acusado, embora irregular, foi inspirado no interesse público não há crime a punir.

Com efeito, se, por um lado, não se pode, pura e simplesmente, imputar ao governador de estado (ou, como no caso, especificamente ao prefeito municipal) a responsabilidade pela execução dos contratos que assina; por outro lado, ele, igualmente, não pode deixar de ser identificado como o responsável jurídico pelo contrato.

No caso, a pergunta necessária, então, era justamente se o fato de a denunciada aparecer nominalmente como responsável pela homologação do procedimento de inexigibilidade de licitação e pela contratação da empresa dirigida pela corréu, sem demonstração de que tivesse ciência e consciência de que, eventualmente, esses serviços haveriam de ser contratados mediante a observância do procedimento licitatório adequado, conduz automaticamente à tipificação do ilícito que lhe é imputado, sem que se esteja adentrando no campo da responsabilidade objetiva.

Aníbal Bruno ensinou, há muito, que

[o] resultado típico de dano ou de perigo para um bem jurídico tutelado pela lei penal conduz a ordem jurídica a procurar a vontade geradora desse resultado [, e, ainda, que] o direito penal é conceitualmente um Direito Penal da Culpabilidade; depois de mencionar Mayer, afirma que a "condenação da responsabilidade pelo resultado e essa exigência da responsabilidade pela culpabilidade vieram como produto de um processo longo de criação jurídica, que ainda hoje não chegou ao seu termo", lembrando que, nas origens, "houve uma fase de pura responsabilidade objetiva" (*Direito Penal*. Rio de Janeiro: Forense. v. I, Tomo 2º, p. 23-24 (Parte Geral)).

Não é por outra razão que *Nilo Batista* indica que:

[o] princípio da culpabilidade deve ser entendido, em primeiro lugar, como repúdio a qualquer espécie de responsabilidade pelo resultado, ou responsabilidade objetiva. Mas, deve igualmente ser entendido como exigência de que a pena não seja infligida senão quando a conduta do sujeito, mesmo associada casualmente a um resultado, lhe seja reprovável.

Para esse jurista, escapar da responsabilidade objetiva impõe que,

[para] além de simples laços subjetivos entre o autor e o resultado objetivo de sua conduta, assinala-se a reprovabilidade da conduta como núcleo da ideia de culpabilidade, que passa a funcionar como fundamento e limite da pena.

De fato, diz *Nilo Batista*:

[O] princípio da culpabilidade impõe a subjetividade da responsabilidade penal. Não cabe, em direito penal, uma responsabilidade objetiva, derivada tão-só de uma associação causal entre a conduta a um resultado de lesão ou perigo para um bem jurídico. É indispensável a culpabilidade. No nível do processo penal, a exigência de provas quanto a esse aspecto conduz ao aforisma 'a culpabilidade não se presume', que, no terreno dos crimes culposos (negligentes), nos quais os riscos de uma consideração puramente causal entre a conduta e o resultado são maiores, figura como constante estribilho em decisões judiciais: 'a culpa não se presume'. A responsabilidade penal é sempre subjetiva (*Introdução Crítica ao Direito Penal Brasileiro*. 4. ed. REVAN, p. 103-104).

De igual modo, *Rogério Greco* assinala, invocando a lição de Nilo Batista, o seguinte:

[P]ara que determinado resultado possa ser atribuído ao agente é preciso que a sua conduta tenha sido dolosa ou culposa. Se não houve dolo ou culpa, é sinal de que não houve conduta; se não houve conduta, não se pode falar em fato típico; e não existindo o fato típico, como consequência lógica, não haverá crime. Os resultados que não foram causados a título de dolo ou culpa pela agente não podem ser a ele atribuídos, pois que a responsabilidade penal, de acordo com o princípio da culpabilidade, deverá ser sempre subjetiva (*Curso de Direito Penal*. 4. ed. Impetus, 2004. p. 100 (Parte Geral)).

A propósito, a Suprema Corte decidiu, com a relatoria da Ministra *Cármen Lúcia*, que a ausência de provas da frustração dolosa do caráter competitivo da licitação conduz à improcedência da ação e à absolvição do réu (AP nº 430/RS, Tribunal Pleno, DJe de 26.9.08).

Na ocasião, o eminente Ministro *Menezes Direito* assinalou que *o réu não praticou a conduta apontada na denúncia, sendo certo que a prova dos autos indica que ele não participou diretamente da condução do processo licitatório*. Ou seja, não é possível aceitar que o agente do suposto ilícito responda por crime se agiu sem dolo ou culpa.

Nesse mesmo sentido:

PROCESSO PENAL. INQUÉRITO. ENVOLVIMENTO DE PARLAMENTAR FEDERAL. CRIME DE DISPENSA IRREGULAR DE LICITAÇÃO (ART. 89 DA LEI Nº 8.666/93). AUDIÇÃO PRÉVIA DO ADMINISTRADOR À PROCURADORIA JURÍDICA, QUE ASSENTOU A INEXIGIBILIDADE DA LICITAÇÃO. AUSÊNCIA DO ELEMENTO SUBJETIVO DOLO. ART. 395, INCISO III, DO CPP. INEXISTÊNCIA DE JUSTA CAUSA PARA A AÇÃO PENAL. REJEIÇÃO DA DENÚNCIA. 1. A denúncia ostenta como premissa para seu recebimento a conjugação dos artigos 41 e 395 do CPP, porquanto deve conter os requisitos do artigo 41 do CPP e não incidir em nenhuma das hipóteses do art. 395 do mesmo diploma legal. Precedentes: INQ 1990/RO, rel. Min. Cármen Lúcia, Pleno, DJ de 21/2/2011; Inq 3016/SP, rel. Min. Ellen Gracie, Pleno, DJ de 16/2/2011; Inq. 2677/BA, rel. Min. Ayres Britto, Pleno, DJ de 21/10/2010; Inq 2646/RN, rel. Min. Ayres Britto, Pleno, DJ de 6/5/010. 2. O dolo, consubstanciado na vontade livre e consciente de praticar o ilícito penal, não se faz presente quando o acusado da prática do crime do art. 89 da Lei nº 8.666/93 ("Dispensar ou inexigir licitação fora das hipóteses previstas em lei, ou deixar de observar as formalidades pertinentes à dispensa ou à inexigibilidade") atua com fulcro em parecer da Procuradoria Jurídica no sentido da inexigibilidade da licitação. 3. *In casu*, narra a denúncia que o investigado, na qualidade de Diretor da Secretaria Municipal de Esportes e Lazer, teria solicitado, mediante ofício ao Departamento de Controle e Licitações, a contratação de bandas musicais ante a necessidade de apresentação de grande quantidade de bandas e grupos de shows musicais na época carnavalesca, sendo certo que no Diário Oficial foi publicada a ratificação das conclusões da Procuradoria Jurídica, assentando a inexigibilidade de licitação, o que evidencia a ausência do elemento subjetivo do tipo no caso *sub judice*, tanto mais porque, na área musical, as obrigações são sempre contraídas *intuitu personae*, em razão das qualidades pessoais do artista, que é exatamente o que fundamenta os casos de inexigibilidade na Lei de Licitações – Lei nº 8.666/93. 4. Denúncia rejeitada por falta de justa causa – art. 395, III, do Código de Processo Penal (Inq. nº 2.482/MG. Tribunal Pleno, redator do acórdão Ministro *Luiz Fux*, DJe de 17/2/12).

Note-se que, no caso em debate, de acordo com os documentos acostados aos autos, revelou-se que o parecer jurídico da lavra do Procurador-Geral do Município de Arapiraca/AL concluiu pela inexigibilidade de licitação para a contratação da empresa.

Com isso, imputar-se à então prefeita municipal, *médica por formação*, pela simples razão de figurar como responsável pela homologação do procedimento e pela contratação, a prática de um crime doloso afigurou-se totalmente fora de propósito. A mesma premissa foi utilizada em relação à consultora, que, pela pessoa jurídica contratada, veio a firmar o ajuste.

Diante desse cenário, não restou identificado naqueles autos indício de prova para além da responsabilidade penal objetiva, ou seja, indício concreto de que a denunciada tenha participado de qualquer ato que ensejasse a intervenção corretiva para impedir a prática do delito (art. 13, §2º, do Código Penal). De igual modo, não houve indício algum de que tenha determinado qualquer procedimento irregular.

O fato é que o exercício do cargo de prefeito municipal apresenta riscos próprios, sem dúvida; mas essa circunstância não faz com que haja responsabilidade penal se não se demonstra, efetivamente, um mínimo de indícios de que houve participação dolosa do prefeito no ato apontado como ilícito, tudo nos termos da doutrina do Professor Marçal Justen Filho. O risco, por si só, decorrente do fato de ter homologado o procedimento e assinado o contrato não é suficiente para sua responsabilização penal, que seria, portanto, objetiva, o que é rechaçado por nosso ordenamento jurídico.

A propósito, também foi preciso dizer que a responsabilidade pessoal e solidária da assessoria jurídica somente se justifica quando houver ela atuado defeituosamente no cumprimento de seu ofício, apontando, quando existente, defeito jurídico a inviabilizar a contratação na modalidade proposta, o que não se comprovou naquela hipótese.

A esse respeito, vale citar o seguinte trecho de decisão do Tribunal de Contas da União (Acórdão nº 206/2007, Plenário, da relatoria do Ministro *Aroldo Cedraz*):

> (...) O fato de o administrador seguir pareceres técnicos não o torna imune à censura do Tribunal. Esta Corte evoluiu o seu posicionamento no sentido de que tal entendimento somente pode ser admitido a partir da análise de cada caso, isto é, deve-se verificar se o parecer está devidamente fundamentado, se defende tese aceitável e se está alicerçado em lição de doutrina ou na jurisprudência. Presentes tais condições, não há como responsabilizar os técnicos e os advogados, nem, em consequência, a autoridade que se baseou em seu parecer.

No caso concreto, não se verificou, ademais, o cometimento de ato danoso ao Erário ou grave ofensa à ordem jurídica, de modo a, igualmente, não se justificar o recebimento da denúncia.

Por tais razões, capitaneadas pelas lições do homenageado, a turma, por unanimidade, reconheceu a *improcedência* da acusação, demonstrando-se objetivamente a influência da doutrina do Professor Marçal Justen Filho não apenas para o deslinde do caso em questão, mas para centenas de decisões proferidas no Supremo Tribunal Federal e do Tribunal de Contas da União,[1] a partir das quais também foi possível chegar ao necessário aperfeiçoamento de leis envolvendo temas de Direito Público.

---

[1] Supremo Tribunal Federal, Voto do Ministro Celso de Mello no Mandado de Segurança nº 27.516-2/DF; Supremo Tribunal Federal, Voto do Ministro Relator Dias Toffoli no Inquérito nº 3.077/AL e Tribunal de Contas da União – Plenário – Ata nº 16, de 11 de maio de 2005, Ministro Benjamin Zymler.

Nosso homenageado, por essa e por outras razões, é, inegavelmente, um dos responsáveis pela efetiva evolução do Direito Administrativo no século XXI, com contribuições absolutamente originais.

Desejamos que a providência divina conserve seu entusiasmo e sua paixão pelo Direito Administrativo, a fim de que possa apontar novos rumos para essa matéria, que vem se estratificando ao longo dos anos em diversas especializações, embora mantendo sua unidade, graças à genialidade de grandes juristas como o homenageado, que percebeu na nova ordem constitucional e mais especificamente nos direitos e nas garantias fundamentais um novo resplendor para o Direito Administrativo.

Referências

BATISTA, Nilo. *Introdução Crítica ao Direito Penal Brasileiro*. 4. ed. REVAN.

BRUNO, Aníbal. *Direito Penal*. Rio de Janeiro: Forense. v. I, Tomo 2º, Parte Geral.

GRECO, Rogério. *Curso de Direito Penal*. 4. ed. Impetus, 2004.

JUSTEN FILHO, Marçal. *Comentários à Lei de Licitações e Contratos Administrativos*. 12. ed. São Paulo: Dialética, 2008.

SANTOS BARROS, Márcio dos. *Comentários sobre Licitações e Contratos Administrativos*. São Paulo: NDJ, 2005.

Acórdão nº 206/2007, Plenário, da relatoria do Ministro Aroldo Cedraz.

INQ nº 2.482/MG. Tribunal Pleno, redator do acórdão Ministro Luiz Fux, DJe de 17.2.12.

INQ nº 2.646/RN. Tribunal Pleno, relator Ministro Ayres Britto, DJe de 7.5.10.

AP nº 430/RS. Tribunal Pleno, relatora Ministra Cármen Lúcia, DJe de 26.9.08.

Informação bibliográfica deste texto, conforme a NBR 6023:2018 da Associação Brasileira de Normas Técnicas (ABNT):

TOFFOLI, José Antonio Dias; SANTOS JR., Walter Godoy dos. O Direito Administrativo e os direitos e garantias fundamentais: um novo resplendor oferecido por Marçal Justen Filho. *In*: JUSTEN, Monica Spezia; PEREIRA, Cesar; JUSTEN NETO, Marçal; JUSTEN, Lucas Spezia (coord.). *Uma visão humanista do Direito*: homenagem ao Professor Marçal Justen Filho. Belo Horizonte: Fórum, 2025. v. 2, p. 203-209. ISBN 978-65-5518-916-2.

EM DEFESA DO ESTADO DEMOCRÁTICO DE DIREITO: UM BREVE RELATO PESSOAL SOBRE O NECESSÁRIO AMADURECIMENTO DO JUDICIÁRIO

JOSÉ JORGE DE VASCONCELOS LIMA

Referência nacional do Direito Público brasileiro, o professor Marçal Justen Filho contribui todos os dias para a efetividade do Estado Democrático de Direito, lutando pela proteção dos princípios constitucionais através da formação de pensadores do Direito no Brasil, da sua valiosa contribuição para a evolução da interpretação legislativa, das decisões dos Tribunais Superiores e do TCU, onde se coloca como importante ator na composição de decisões mais justas e acertadas, inclusive mediante a aplicação de institutos advindos da Emenda Constitucional nº 45/2004.

Neste artigo busco relatar brevemente alguns trechos marcantes da minha jornada como constituinte originário e posteriormente como relator da Reforma do Judiciário. Após a redemocratização, com muita luta alcançamos a instauração do Estado Democrático de Direito, alicerçado na proteção dos direitos e garantias fundamentais e na separação dos poderes, com especial destaque para o Judiciário, que desempenha papel fundamental na manutenção e concretização dos valores democráticos.

Como relator da Emenda Constitucional nº 45/2004, que em breve completará 20 anos, tive a oportunidade de participar ativamente de um dos processos mais desafiadores e transformadores do sistema judiciário brasileiro. A EC nº 45, que ficou conhecida como a Reforma do Judiciário, foi fruto de um longo e complexo debate que buscou modernizar e otimizar o funcionamento da Justiça em nosso país. O papel de relator me impôs o desafio de mediar interesses diversos e muitas vezes conflitantes entre magistrados, advogados, legisladores e a sociedade civil. Foi um trabalho árduo, mas de extrema importância, pois as mudanças introduzidas pela emenda constitucional foram essenciais para tornar o Judiciário mais eficiente, transparente e acessível a todos.

Inicialmente, entendo ser fundamental refletir sobre o período histórico que lançou as bases para a necessidade de modernização do Judiciário. Trata-se do período de transição do regime militar para a democracia, o qual trouxe drásticas transformações sociais e políticas, em face das graves falhas estruturais no funcionamento das instituições do país durante a ditadura.

Como participante ativo no cenário político brasileiro durante os anos de redemocratização, tive a oportunidade de contribuir para um dos períodos mais emblemáticos da história do Brasil: o movimento "Diretas Já". Este movimento, que se desenvolveu entre 1983 e 1984, representou um clamor popular sem precedentes pela restauração das eleições diretas para a Presidência da República, evidenciando o desejo crescente da população por uma maior participação democrática e pelo fim do regime autoritário que governava o país desde 1964.

Minha atuação como deputado federal pelo Partido Democrático Social (PDS) durante esse período foi marcada pelo apoio à Emenda Dante de Oliveira, uma proposta que, embora não tenha sido aprovada, se tornou o símbolo da luta pelas eleições diretas. A emenda buscava restaurar o direito do povo brasileiro de escolher diretamente seu Presidente, um direito que havia sido suprimido pelo regime ditatorial.

Assim, o movimento "Diretas já" não apenas mobilizou a população em torno de um ideal comum, mas também expôs as fragilidades do regime militar e a insatisfação generalizada com a ausência de mecanismos democráticos de escolha de líderes. As manifestações, que reuniram milhões de pessoas em todo o país, foram um testemunho poderoso do desejo coletivo por mudança e da capacidade de mobilização popular em prol da democracia.

A experiência adquirida durante esse movimento influenciou significativamente minha compreensão do papel do legislador em tempos de transição política. A necessidade de articular as demandas populares com a realidade institucional do país tornou-se uma prioridade em minha atuação subsequente, especialmente durante a Assembleia Nacional Constituinte de 1987-1988, reforçando a minha convicção de que a luta por direitos democráticos é essencial para o desenvolvimento de uma sociedade justa e equitativa, e que a voz do povo deve ser um guia constante nas decisões políticas que moldam o futuro de uma nação.

Esse período marcado pela luta contra o regime militar instaurado em 1964 foi essencial para a construção de um novo paradigma político e social no Brasil. Diversos grupos sociais, que historicamente haviam sido excluídos do processo político e marginalizados pela estrutura de poder, começaram a reivindicar ativamente a instauração de uma Assembleia Nacional Constituinte.

Vivenciei, de perto, o fervor e a esperança que permeavam os movimentos sociais da época. Havia uma clara consciência de que estávamos diante de uma oportunidade única: a de reescrever as regras do jogo político e social em um país que, por mais de duas décadas, havia vivido sob o jugo de um regime militar autoritário. As manifestações populares que ocorreram nesse contexto não foram apenas protestos isolados, mas sim um movimento crescente de conscientização e organização coletiva.

Desse modo, o período que antecedeu a Constituinte foi permeado pelo fortalecimento das lutas sociais e pela emergência de novos atores políticos, como os movimentos sindicais, estudantis, feministas, indígenas e de direitos humanos. Esses grupos buscaram não apenas a redemocratização, mas também a construção de uma nova ordem constitucional que refletisse os valores de igualdade, justiça social e participação cidadã.

Nesse sentido, a convocação da Assembleia Nacional Constituinte representou um momento histórico no processo de redemocratização, do qual tive a honra de participar como deputado federal pelo então recém-fundado Partido da Frente Liberal (PFL).

Minha contribuição foi particularmente significativa na Comissão de Sistematização, onde estive diretamente envolvido na organização e compilação das propostas e emendas que moldaram o texto constitucional. Além disso, atuei como relator na Comissão da Organização dos Poderes e Sistema de Governo e na Subcomissão do Poder Legislativo, posições que me permitiram influenciar de forma substancial a estruturação final da nova Constituição.

Importante destacar os seguintes dados da primeira fase da Constituinte:

11.989 propostas vindas da sociedade civil representaram o primeiro material sobre o qual trabalharam os relatores das 24 Subcomissões temáticas. Além desse material primário, cada Subcomissão poderia realizar de 5 a 8 audiências públicas, abertas à participação espontânea de organizações ou mesmo orientadas para subsidiar os debates em torno das questões a serem definidas no futuro texto constitucional. Foram realizadas 578 reuniões entre as Subcomissões e Comissões temáticas durante o seu período de vigência. Quanto às audiências públicas realizadas na fase das Subcomissões, registraram-se mais de 800 depoimentos e sugestões feitas diretamente por entidades da sociedade civil.[1]

A significativa participação cidadã na elaboração da Constituição é evidenciada pelas 122 emendas populares, que somaram mais de 12 milhões de assinaturas. Além disso, a mobilização de caravanas para Brasília, com manifestações nos gramados e nas galerias do Congresso, reforçou a demanda por direitos das minorias, demonstrando o engajamento ativo e a diversidade de vozes presentes nesse processo histórico.

Durante os debates constituintes, os temas discutidos, abrangendo desde direitos humanos até saúde, educação e previdência, foram objeto de intensa negociação, incorporando o embate dialético do processo político conjuntural em sua inteireza.

Após 20 anos de um regime militar marcado por Atos Institucionais, cassações de mandatos, censura, fechamento do Congresso Nacional, terrorismo e movimentos armados, tortura e assassinatos pelo Estado e agressões contra o Supremo Tribunal Federal, meu voto favorável à Constituição Cidadã foi a manifestação do meu comprometimento com um Brasil mais democrático e inclusivo, que implorava por um instrumental de contenção do poder estatal hipertrofiado.

As instituições democráticas foram fortalecidas e a cidadania ampliada, refletindo, de maneira inédita, os anseios de uma sociedade que desejava se emancipar das amarras de um regime autoritário. E a nossa Lei Maior andou bem nesta direção, ao estabelecer mecanismos de freios e contrapesos para inibir o abuso de poder na Administração Pública em suas três esferas, executiva, legislativa e judiciária.

A Constituição Cidadã de 1988 é notavelmente caracterizada por seu caráter analítico e programático, evidente na inclusão de uma vasta gama de direitos individuais e coletivos, sociais, econômicos, políticos e culturais, e dos meios para efetivá-los, o

---

[1] MICHILES, Carlos *et al. Cidadão Constituinte*: a saga das emendas populares. Rio de Janeiro: Paz e Terra, 1989, p. 124-125.

que impõe ao governo e à sociedade a responsabilidade por alcançar objetivos amplos e ambiciosos, como a erradicação da pobreza, a redução das desigualdades sociais e regionais e a promoção do bem-estar de todos os cidadãos.

Ao estabelecer de forma detalhada um conjunto amplo de direitos e objetivos, a Constituição instituiu desafios significativos em termos de interpretação e aplicabilidade, evidenciando a complexa relação entre os ideais constitucionais e a realidade prática do país. Essa abordagem analítica é especialmente desafiadora no que se refere à implementação dos direitos e garantias fundamentais, já que sua concretização depende de uma infraestrutura institucional, econômica e administrativa robusta, que ainda está em construção no Brasil, dificultando, assim, que se cumpram as promessas constitucionais. A tensão entre a necessidade de mudança e a preservação da ordem constitucional vigente é um desafio persistente para o legislador e para a sociedade brasileira.

Em 5 de outubro de 2023, ao completar 35 de anos de vigência, o texto constitucional já contava com: 131 emendas constitucionais que modificaram um total de 1.677 dispositivos constitucionais e 1.221 propostas de emenda à Constituição. Ademais, o texto original previa mais de 50 leis complementares, muitas das quais ainda não foram implementadas. A grande quantidade de emendas constitucionais demonstra a adaptabilidade da nossa Lei Maior, todavia, também traz certa insegurança quanto à longevidade e à estabilidade de uma Constituição tão detalhada.

Mas como diz Sarney, "é melhor ter uma lei ruim do que nenhuma lei". E apesar de suas falhas, a Carta de 88 devolveu à República Federativa do Brasil um Estado Democrático de Direito, em que o poder do Estado é exercido com base em normas jurídicas que garantem o respeito aos direitos fundamentais, à igualdade perante a lei e à participação democrática. Com sua acuidade usual, o grande professor Marçal assevera:

> Mas a Constituição não se restringe a consagrar limites ao poder estatal e a criar garantias em favor do particular. A Constituição elege, como finalidade essencial do Estado, a promoção dos direitos fundamentais.
>
> A afirmação da supremacia dos direitos fundamentais propõe uma pluralidade de problemas de outra ordem, que vêm sendo enfrentados no âmbito do Direito Constitucional. Porém, o relevante é a rejeição da ideia de que o Estado se basta a si mesmo e de que o governante, porque eleito, foi legitimado a decidir isoladamente sobre os fins a serem buscados.[2]

A partir desse raciocínio foi que a Constituição Federal de 1988 conferiu ao Judiciário o papel de garantidor do Estado Democrático de Direito, com força e independência suficientes para evitar a violação de direitos fundamentais por interesses momentâneos ou arbitrários.

Nunca é demais lembrar que, durante o regime militar, o Poder Judiciário foi severamente esvaziado, teve suas prerrogativas limitadas e suas decisões frequentemente ignoradas, comprometendo a autonomia judicial, restringindo o acesso à justiça e a capacidade de questionar os abusos de poder. A ausência de uma Justiça efetiva foi um dos pilares que sustentou a repressão e a violação de direitos humanos no período.

---

[2] JUSTEN FILHO, Marçal. O Direito Administrativo de espetáculo. *Fórum Administrativo Dir. Público – FA*, Belo Horizonte, ano 9, n. 100, p. 151, jun. 2009.

Para Barroso,³ o papel fundamental do Poder Judiciário, especialmente dos tribunais superiores, é garantir o Estado Democrático de Direito, promover a estabilidade das instituições e assegurar o cumprimento dos princípios constitucionais.

> Fica assentado, desde já, que um Judiciário forte só existe em sociedades democráticas que rendam homenagem ao que se convencionou chamar de Constituições, sendo o guardião de um imenso catálogo de direitos fundamentais, sociais e políticos. O empoderamento do Poder Judiciário ocorre também em virtude da cultura de judicialização de conflitos em sociedades de baixo nível intelectual, econômico e social, como as da América Latina, onde tudo se espera desse Poder.⁴

Além de ampliar significativamente o rol de direitos fundamentais, a Constituição de 1988 facilitou o acesso à Justiça, com destaque para a criação da Defensoria Pública e o fortalecimento do Ministério Público, com autonomia para atuar em prol do interesse público. Ainda, a Carta Magna ampliou os instrumentos de controle judicial, como o mandado de segurança coletivo e o *habeas corpus*, facilitando o acesso das pessoas à proteção de seus direitos perante o Poder Judiciário. A incorporação de novos direitos na ordem jurídica resultou em um aumento do número de cidadãos que passaram a buscar o Judiciário como meio de efetivação dessas prerrogativas.

Ainda, a partir de 1988, tornou-se mais comum que questões envolvendo a constitucionalidade das leis fossem levadas ao STF, o que gerou um aumento significativo do número de ações judiciais. A judicialização da política e das relações sociais se tornou um fenômeno marcante, colocando o Judiciário como protagonista na resolução de questões que vão desde direitos trabalhistas e previdenciários até conflitos envolvendo saúde, educação e moradia. Esse cenário impôs desafios significativos para o sistema judicial, exigindo reformas e adaptações para lidar com o crescente volume de processos e garantir a efetividade da justiça.

Após a promulgação da CF/88, o número de casos novos quintuplicou em menos de três décadas, passando de 5,5 milhões de processos em 1990⁵ para cerca de 13,7 milhões de novos casos anuais em 2006, atingindo 28,1 milhões em 2018.⁶ Contudo, a estrutura do Poder Judiciário não estava preparada para receber esse aumento vertiginoso de demandas e logo a justiça se mostrou tardia e ineficaz, comprometendo a efetividade da Constituição.

O Poder Judiciário passou a enfrentar inúmeras críticas, refletindo as insatisfações da sociedade com sua lentidão e ineficiência. Títulos sugestivos nos veículos de comunicação evidenciavam essa realidade: "Reforma processual: Juízes dizem que excesso

---

³ BARROSO, Luís Roberto. *Curso de Direito Constitucional Contemporâneo*: os conceitos fundamentais e a construção de um novo modelo. 5. ed. São Paulo: Saraiva, 2015, p. 339-340; 448.
⁴ VASCONCELOS, *op. cit.*, p. 158.
⁵ BRASIL. Instituto Brasileiro de Geografia e Estatística (IBGE). Brasil em Números, 2018. Capítulo: O Poder Judiciário. Brasil, 2018. Disponível em: https://biblioteca.ibge.gov.br/biblioteca-catalogo?id=72&view=detalhes. Acesso em: 10 ago. 2024.
⁶ CNJ, Conselho Nacional de Justiça. Justiça em Números 2019, de 28 de agosto de 2019. Disponível em: https://www.cnj.jus.br/wp-content/uploads/conteudo/arquivo/2019/08/justica_em_numeros20190919.pdf. Acesso em: 10 ago. 2024.

de recursos emperra a Justiça",[7] "Ganhar e levar: Celeridade do Judiciário depende de reforma processual"[8] e "Próximos passos: Só reforma Processual pode acabar com a morosidade judicial".[9] Em matéria de 2003, divulgada sob o título "Tarda, cara, ruim: Morosidade do Judiciário custa mais de US$ 10 bi ao ano",[10] ficou evidente a necessidade de modernizar o sistema para garantir maior eficiência e celeridade nos processos judiciais, trazendo à tona a dimensão financeira dos prejuízos causados pelo atraso na resolução de disputas jurídicas.[11]

Diante desse dilema, surgiram propostas de emendas constitucionais para a reforma do sistema judicial, no intuito de torná-lo mais ágil e eficaz, garantindo que pudesse continuar a cumprir seu papel de maneira adequada, equilibrando a proteção dos direitos com a necessidade de eficiência no julgamento das demandas.

Nesse ponto, contudo, é preciso destacar a resistência histórica das instituições jurídicas a mudanças. A diversidade de poderosos atores envolvidos torna qualquer modificação na estrutura judiciária um terreno sensível, sujeito a pressões de diferentes grupos de interesse. Assim, a tarefa não só demanda tempo e recursos, mas também um consenso político que é difícil de alcançar.

Tanto é verdade que a grande "Reforma do Judiciário" tramitou por 13 anos no Congresso Nacional antes de ser finalmente promulgada. Como relator da Proposta de Emenda Constitucional que promoveu tal reforma, testemunhei as inúmeras dificuldades e desafios enfrentados para aprovar alterações tão abrangentes e significativas no Poder Judiciário.

> A Proposta de Emenda à Constituição (PEC) nº 96, de 1992, cujo primeiro signatário foi o Deputado Hélio Bicudo, originou a chamada "Reforma do Judiciário" com a aprovação da Emenda Constitucional nº 45, de 2004. Deu-se, com ela, um primeiro passo em direção à modificação da estrutura do Judiciário, tão esperada pela sociedade. Trata-se da primeira fase da Reforma, pois retorna à Câmara dos Deputados a PEC nº 358, de 2005, PEC paralela da Reforma, que contempla matérias sobre as quais o Congresso Nacional não alcançou ainda consenso
>
> A Reforma do Judiciário, em nível constitucional, vem sendo debatida no Congresso Nacional há mais de doze anos, tendo sido designados Relatores da PEC nº 96, de 1992, sucessivamente, na Câmara dos Deputados, os Deputados Federais Jairo Carneiro, Aloysio Nunes Ferreira e Zulaiê Cobra, no Senado Federal, os Senadores Bernardo Cabral e José Jorge.[12]

---

[7] LEITE, Costa. Reforma processual: excesso de recursos emperra a justiça. *Consultor Jurídico*, São Paulo, 8 dez. 2001.

[8] CHAVES, Iran. Ganhar e levar: celeridade do judiciário depende de reforma processual. *Consultor Jurídico*, São Paulo, 20 jul. 2004.

[9] CONSULTOR JURÍDICO. Próximos passos: só reforma processual pode acabar com a morosidade judicial. *Consultor Jurídico*, São Paulo, 8 dez. 2004.

[10] CHAER, Márcio. Tarda, cara, ruim: morosidade do judiciário custa mais de US$ 10 bi ao ano. *Consultor Jurídico*, São Paulo, 20 fev. 2003.

[11] ANDRADE, Fabio Martins. Reforma do Poder Judiciário. Aspectos gerais, o sistema de controle de constitucionalidade das leis e a regulamentação da súmula vinculante. Disponível em: https://www12.senado.leg.br/ril/edicoes/43/171/ril_v43_n171_p177.pdf. Acesso em: 10 ago. 2024.

[12] BANDEIRA, Regina Maria Groba. *A Emenda Constitucional nº 45 de 2004* – O novo perfil do Poder Judiciário Brasileiro. Brasília: Câmara dos Deputados, 2005, p. 3-4.

Interessante notar que fui designado relator justamente por ser considerado um agente neutro no cenário do Judiciário, devido à minha formação como engenheiro e economista. A ausência de vínculos prévios com a advocacia ou com a magistratura me proporcionou uma perspectiva vista como menos suscetível a pressões e imparcial, essencial para mediar os interesses e as disputas entre os diversos atores envolvidos na reforma. Nesse sentido, pronunciou-se José Sarney:

> A Emenda Constitucional nº 45 foi um passo importante na História do Judiciário Brasileiro – e o mais efetivo. Uma grande resistência construiu-se contra ela, e seus longos doze anos de tramitação testemunham essa luta, concentrada em dois pontos: a súmula vinculante e o controle externo. Contra a primeira insurgiram-se os juízes e advogados, juristas de grande renome. Moveu-se o espírito corporativista e a magistratura contra o segundo. A reforma não avançava. Foi o Ministro Nelson Jobim, então Presidente do STF, quem enfrentou e aceitou a tarefa de levá-la à frente e vencer as resistências. Eu era o Presidente do Senado e ajudei-o nessa tarefa. *Primeiro foi a matreira decisão do Ministro Jobim de não escolhermos um jurista como seu relator. Teríamos a resistência inicial de um ponto de vista pessoal. Daí a coisa estranha e inusitada de que uma Emenda desse alcance e dessa controvérsia tivesse como relator um engenheiro: o Senador José Jorge, de Pernambuco, depois Ministro do TCU.*[13]

Antes de mim, o conhecido e respeitado senador Bernardo Cabral, advogado que presidiu a Ordem dos Advogados do Brasil entre 1981 e 1983, foi o relator da PEC nº 29/2000. No entanto, os diversos interesses conflitantes impediram que a matéria avançasse.

Assim que assumi a relatoria da PEC, o então presidente da mesa do Senado, depois meu colega como Ministro do TCU, Raimundo Carreiro, de forma muito objetiva e sem floreios, me alertou que o projeto contava com inúmeras emendas conflitantes entre si e que na primeira tentativa de votação houvera uma discussão sem fim impedindo qualquer aprovação. Como naquele ano de 2002 tivemos eleições para renovação de 2/3 dos senadores, Carreiro, corajosa e criativamente, sugeriu que eu remetesse a proposta de volta à Comissão de Constituição e Justiça. Assim o fiz. Colhidas as sugestões dos novos membros do Senado, nessa etapa, a proposta foi totalmente reestruturada e limpa, sofrendo os ajustes necessários. Após essa reformulação, o texto foi novamente submetido ao debate, abrindo-se um novo ciclo de discussões e deliberações para viabilizar sua aprovação.

Embora os obstáculos ao consenso parecessem intransponíveis, contei com o precioso auxílio de grandes juristas e consultores do Senado muito bem-preparados. Um dos consultores que me auxiliavam era um jurista tão bem-preparado que vivia entre compromissos de aulas, escrita de livros e artigos, palestras etc., e, portanto, não dispunha de tempo livre suficiente para se debruçar comigo em tão árdua tarefa. Foi quando Carreiro, sem pestanejar, me aconselhou: "– troca!". Ele havia recentemente trabalhado pela nomeação dos novos consultores aprovados em concurso, e, como uma dádiva, recebemos em nossos quadros o hoje eminente Presidente do TCU, Ministro

---

[13] SARNEY, José. O ESTADO DE DIREITO. *In*: TOFFOLI, Dias; CRUZ, Felipe Santa; GODINHO, André (org.). *Emenda Constitucional nº 45/2004*: 15 anos do novo Poder Judiciário. Brasília: OAB, Conselho Federal, 2019.

Bruno Dantas, que passou a me auxiliar de perto, com imensa dedicação, lucidez e acuidade técnica.

Também tive a honra de contar com a valiosíssima contribuição de alguns Ministros do STF, em especial dos amigos Nelson Jobim e Gilmar Mendes, que estiveram ao meu lado para esclarecer, interpretar e aconselhar.

Procuramos promover uma análise técnica e imparcial das reformas necessárias, facilitando a construção de um consenso entre os diversos interesses em jogo.

De um lado, os advogados se opunham com vigor à introdução da Súmula Vinculante, temendo que a medida estreitasse o campo de atuação da advocacia e limitasse a possibilidade de questionar decisões com novos argumentos ou interpretações inovadoras.

De outro lado, as associações de magistrados resistiam à criação do Conselho Nacional de Justiça, preocupados com o risco de interferência externa no Judiciário. Concebido como um órgão de controle administrativo e disciplinar, o CNJ incluiria a participação de advogados e membros da sociedade civil, o que gerou temores entre os juízes de que sua independência poderia ser comprometida. As associações de magistrados alegavam que o Conselho poderia abrir caminho para ingerências políticas no Judiciário. Contudo, a criação do CNJ foi aprovada, reconhecida como uma medida essencial para garantir mais transparência, responsabilidade e eficiência no funcionamento da Justiça.

Dessa forma, a aprovação da EC nº 45 foi um passo significativo para a modificação da estrutura do Poder Judiciário. Entre as importantes inovações introduzidas pela referida emenda na Constituição Federal, destacam-se: a positivação do princípio da garantia da razoável duração do processo, a alteração de princípios do Estatuto da Magistratura, a criação da Súmula Vinculante do Supremo Tribunal Federal, a instituição do Conselho Nacional de Justiça e a introdução da repercussão geral das questões constitucionais. Assim resumiu o Ministro Gilmar Mendes:

> As mudanças ocorreram de forma sistemática nas mais diversas instâncias do país, algumas mais singelas, outras mais profundas. (...)
>
> No âmbito do Supremo Tribunal Federal, mudanças de grande importância também foram vistas, repercutindo de forma clara no âmbito de todos os tribunais. Objetivando resolver o problema gerado pelo elevado número de processos, a Emenda passou a exigir dos Recursos Extraordinários a repercussão geral do tema constitucional em discussão. Na mesma esteira, instituíram-se as Súmulas Vinculantes, que conferiram ao Tribunal a possibilidade de consolidar entendimentos pacificados em enunciados com efeito vinculante perante os demais órgãos do Poder Judiciário e da administração pública.
>
> De fato, a lista de novidades apresentadas pela Emenda Constitucional n. 45 de 2004 é ampla e reúne uma série de medidas voltadas a reestruturar inúmeros aspectos do Judiciário brasileiro. Entretanto, a despeito do impacto direto e imediato dos exemplos citados, a criação do Conselho Nacional de Justiça pela referida norma ganha notória importância nesse contexto por representar a consagração de um dos elementos fundamentais da EC n. 45/2004, que foi a necessidade de se repensar os desafios, dificuldades e problemas do judiciário e propor mudanças para tornar a justiça mais eficiente e célere.[14]

---

[14] MENDES, Gilmar Ferreira. A criação do CNJ pela emenda constitucional n. 45 e a consolidação do judiciário como poder nacional. *In*: TOFFOLI, Dias; CRUZ, Felipe Santa; GODINHO, André (org.). *Emenda Constitucional nº 45/2004*: 15 anos do novo Poder Judiciário. Brasília: OAB, Conselho Federal, 2019, p. 197-198.

Embora outras emendas importantes tenham sido implementadas após a EC nº 45/2004, nenhuma delas atingiu o mesmo nível de abrangência e profundidade na reforma do Judiciário.

É necessário reconhecer que a EC nº 45 foi apenas um passo em uma jornada contínua de adaptação às novas demandas da sociedade. Não obstante, a reforma estabeleceu um novo paradigma que continua a influenciar a organização e a operação do Judiciário até os dias de hoje, mostrando-se essencial para a modernização e eficiência do nosso sistema judicial.

A Repercussão Geral, por exemplo, firmou-se como requisito indispensável à admissibilidade do recurso extraordinário, estabelecendo que as questões constitucionais debatidas nesse tipo de recurso devem ser relevantes sob o aspecto econômico, político, social ou jurídico e devem ultrapassar os interesses subjetivos da causa para serem apreciadas pelo STF.

Com a introdução desse requisito, por conseguinte, o Supremo passou a selecionar os casos que possuem relevância suficiente para merecer sua análise, considerando não apenas o interesse das partes envolvidas, mas também o impacto que as decisões possam ter sobre a ordem jurídica e a sociedade como um todo, promovendo uma filtragem dos recursos que não apresentam grande repercussão.

Segundo dados atuais,[15] nesses 20 anos, foi afetado ao regime de repercussão geral um total de 1.104 questões. Dentre essas, 391 temas tiveram a repercussão negada, o que implica que os recursos relacionados a essas matérias não serão apreciados pelo STF, contribuindo para a redução do volume de processos que o tribunal precisa analisar. O fato de que uma parcela significativa das questões foi negada revela uma filtragem eficiente, permitindo que o STF concentre esforços apenas nas matérias de relevância constitucional efetiva e que, de fato, impactem a sociedade de maneira ampla.

Das 713 questões que restaram após a negativa da repercussão geral, 561 já foram julgadas, enquanto 189 permanecem pendentes. Isso demonstra um progresso considerável no julgamento de temas relevantes, com rápido ritmo de análise, se comparado ao histórico de julgamentos anteriores, e indica uma nova fase no tratamento de assuntos constitucionais pelo STF, promovendo mais agilidade e eficiência.

Neste ponto, preciso relatar que após minha experiência como Ministro do TCU, compreendi mais profundamente a relevância de uma jurisprudência uniforme.

Por certo que o estudo e a aplicação do Direito Administrativo dependem diretamente da interpretação e do respeito às normas constitucionais, assegurando a legalidade, moralidade e eficiência na Administração Pública. Assim, o Direito Constitucional fornece a base normativa e os limites dentro dos quais o Direito Administrativo deve operar, garantindo que a atuação do Estado esteja em conformidade com os direitos e garantias constitucionais. Conforme preceitua o Ministro Barroso, do STF:

> o Direito Administrativo é um dos mais afetados pelo fenômeno da constitucionalização, tendo em vista que, partindo da centralidade da dignidade da pessoa humana e dos direitos

---

[15] BRASIL. Supremo Tribunal Federal. Disponível em: https://portal.stf.jus.br/textos/verTexto.asp?servico=jurisprudenciaRepercussaoGeral&pagina=listas_rg. Acesso em: 10 ago. 2024.

fundamentais, a relação entre Administração e administrados é alterada, com a superação ou releitura de paradigmas tradicionais.[16]

Desse modo, observando o papel do instituto da Repercussão Geral no âmbito do Tribunal de Contas da União, verifico que o STF tem sido chamado a definir diretrizes claras através de temas de repercussão geral. Ao enfrentar questões que envolvem a aplicação de prazos prescricionais, por exemplo, o Supremo tem oferecido um norte seguro para a Administração Pública e para a proteção dos direitos dos administrados, como evidenciado nas decisões que redefiniram a prescritibilidade de processos no TCU.

Destaca-se o julgamento do Tema 666 (RE 669069[17]), que firmou a tese da prescritibilidade da ação de reparação de danos à Fazenda Pública decorrente de ilícito civil, representando um ponto de inflexão que levou à reavaliação de conceitos anteriormente aceitos, como a ampla imprescritibilidade baseada no artigo 37, §5º, da Constituição. Essa evolução culminou na decisão do Tema 899 (RE 636886[18]), que reconheceu a prescritibilidade da pretensão ressarcitória fundada em decisão de Tribunal de Contas, marcando uma mudança significativa na interpretação constitucional e promovendo uma aplicação mais restritiva da imprescritibilidade, em respeito aos direitos fundamentais e à segurança jurídica. Confira-se a aplicação do Tema para reconhecer a prescrição e desconstituir decisão do TCU:

> Ementa: DIREITO ADMINISTRATIVO. AGRAVO REGIMENTAL EM MANDADO DE SEGURANÇA. CONDENAÇÃO DO TRIBUNAL DE CONTAS DA UNIÃO EM TOMADA DE CONTAS ESPECIAL. PRESCRITIBILIDADE DA PRETENSÃO SANCIONATÓRIA. OBSERVÂNCIA DA LEI FEDERAL N. 9.873/1999. SUBSISTÊNCIA DA DECISÃO AGRAVADA. AGRAVO REGIMENTAL A QUE SE NEGA PROVIMENTO. *I – O exercício das pretensões de ressarcimento e punitivas pelo Tribunal de Contas da União está sujeito aos efeitos fulminantes da passagem de tempo, de acordo com o prazo e marcos interruptivos previstos na Lei federal n. 9.873/1999, conforme firme jurisprudência do Supremo Tribunal Federal. (...)* (MS 35844 AgR, Relator(a): CRISTIANO ZANIN, Primeira Turma, julgado em 18.03.2024, PROCESSO ELETRÔNICO DJe-s/n DIVULG 19.03.2024 PUBLIC 20.03.2024)

Recentemente, o Tema 897 (RE 852475[19]) ganhou relevo ao abordar a questão da prescritibilidade da pretensão de ressarcimento ao erário em casos de improbidade administrativa cometidos por agentes públicos. O STF, ao julgar o referido Tema, acabou por firmar o entendimento de que a pretensão de ressarcimento ao erário em face de agentes públicos por atos de improbidade administrativa é prescritível, salvo nos casos

---

[16] BARROSO, Luís Roberto. A constitucionalização do direito e suas repercussões no âmbito administrativo. *In*: ARAGÃO, Alexandre Santos de; MARQUES NETO, Floriano de Azevedo (coord.). *Direito administrativo e seus novos paradigmas*. Belo Horizonte: Fórum, 2012. p. 63.

[17] RE 669069, Relator(a): TEORI ZAVASCKI, Tribunal Pleno, julgado em 03.02.2016, ACÓRDÃO ELETRÔNICO REPERCUSSÃO GERAL – MÉRITO DJe-082 DIVULG 27.04.2016 PUBLIC 28.04.2016.

[18] RE 636886, Relator(a): ALEXANDRE DE MORAES, Tribunal Pleno, julgado em 20.04.2020, PROCESSO ELETRÔNICO REPERCUSSÃO GERAL – MÉRITO DJe-157 DIVULG 23.06.2020 PUBLIC 24.06.2020.

[19] RE 852475, Relator(a): ALEXANDRE DE MORAES, Relator(a) p/ Acórdão: EDSON FACHIN, Tribunal Pleno, julgado em 08.08.2018, PROCESSO ELETRÔNICO REPERCUSSÃO GERAL – MÉRITO DJe-058 DIVULG 22.03.2019 PUBLIC 25.03.2019.

em que o ato seja doloso e resulte em enriquecimento ilícito ou em danos ao erário. Dessa forma, estabeleceu-se uma distinção importante entre os atos de improbidade dolosos, em que o ressarcimento ao erário continua imprescritível, e os atos culposos, que devem respeitar prazos prescricionais.

Nesse contexto, é essencial ressaltar as valiosas contribuições do professor Marçal Justen Filho, cujas reflexões sempre enriquecem o mundo jurídico. De maneira assertiva e profundamente fundamentada, o professor Marçal concluiu:

> Não é cabível dentro do quadrante constitucional cogitar da imprescritibilidade de qualquer pretensão, seja ela punitiva ou ressarcitória, sob pena de ofensa ao direito fundamental à segurança jurídica e existência digna.
>
> Tampouco se pode inferir da literalidade do art. 37, §5º, da Constituição que as ações de ressarcimento ao erário foram ressalvadas da incidência dos prazos de prescrição.
>
> O disposto no art. 37, §5º estabelece um duplo regramento para os prazos prescricionais – um prazo prescricional a ser previsto em lei para os ilícitos e outro para as ações de ressarcimento ao erário. Ao ressalvar do prazo legal específico dos ilícitos, o art. 37, §5º, (segunda parte) deixou as ações de ressarcimento ao erário submetidas ao regramento geral das ações movidas pela Fazenda em face de particulares.
>
> O prazo prescricional para as ações de ressarcimento ao erário, portanto, é de 05 (cinco) anos, contados, da data do ato ou fato do qual se originaram –, conforme art. 1º do Decreto 20.910/32.[20]

Quanto às discussões sobre as reformas na Lei de Improbidade, o professor Marçal desempenhou um papel fundamental na construção do entendimento do STF no julgamento dos Temas 897 e 1199, sendo citado diversas vezes por sua sólida contribuição doutrinária, especialmente por conta de sua obra *Reforma da Lei de Improbidade Administrativa comparada e comentada*.[21] Seu profundo conhecimento sobre a matéria, articulado com precisão e clareza em seu livro, foi essencial para embasar as discussões sobre a exigência do dolo na configuração do ato de improbidade e a aplicação dos novos prazos de prescrição, influenciando diretamente as decisões da Corte.

Neste momento do texto, faço questão de abrir um espaço especial para prestar uma justa homenagem ao eminente jurista Marçal Justen Filho, cuja vasta contribuição ao mundo jurídico merece ser exaltada. Suas obras, sempre de rigor técnico e profundidade intelectual, têm iluminado a trajetória de muitos operadores do Direito e influenciado positivamente o desenvolvimento de nosso ordenamento jurídico. Com uma clareza única e um olhar atento às nuances da lei, o professor Marçal tem sido uma referência constante para todos nós, não apenas enriquecendo o debate acadêmico, mas também impactando diretamente em minhas decisões enquanto ministro da Corte de Contas da União.

---

[20] JUSTEN FILHO, Marçal. Prescritibilidade das ações de ressarcimento ao erário por improbidade. *JOTA*. Disponível em: https://www.jota.info/opiniao-e-analise/artigos/prescritibilidade-das-acoes-de-ressarcimento-ao-erario-por-improbidade-23042018. Acesso em: 10 ago. 2024.

[21] JUSTEN FILHO, Marçal. *Reforma da Lei de Improbidade Administrativa comparada e comentada*. Rio de Janeiro: Forense, 2021.

Ao rememorar minha trajetória no TCU, devo destacar que citei o professor Marçal Justen Filho em mais de 100 acórdãos. Sua obra e ensinamentos foram fundamentais para embasar e enriquecer minhas reflexões, demonstrando a profundidade de sua contribuição ao Direito Administrativo e a relevância de suas ideias na prática jurídica do Tribunal.

Aproximando-me da conclusão deste texto, considero imprescindível destacar, brevemente, comentários acerca de outro mecanismo de relevo aprovado pela EC nº 45, o instituto da Súmula Vinculante. No âmbito do Tribunal de Contas da União, esse mecanismo se revelou fundamental para assegurar a aplicação uniforme das decisões, minimizando divergências interpretativas e reforçando a segurança jurídica.

Na perspectiva do TCU, a súmula vinculante facilita o trabalho de fiscalização e controle, proporcionando uma referência clara e precisa sobre entendimentos já pacificados. Isso não apenas aumenta a eficiência do Tribunal, como também reforça a confiança dos gestores públicos e da sociedade na sua atuação, assegurando que suas decisões sejam fundamentadas em critérios objetivos e consolidados.

A Súmula Vinculante nº 3, por exemplo, foi uma tentativa de mitigar a insegurança que por vezes se instaurava nos processos de controle externo, surgindo a partir de reiteradas decisões do STF que reconheciam a importância dos princípios do contraditório e da ampla defesa em processos do TCU, especialmente aqueles que poderiam resultar na anulação ou revogação de atos administrativos que beneficiavam os interessados.

Novamente, Marçal Justen Filho, atento aos movimentos cruciais no cenário jurídico, prontamente reconheceu a importância da edição da Súmula Vinculante nº 3, que se tornou um marco fundamental na proteção dos direitos dos administrados. A súmula, ao assegurar a aplicação uniforme dos princípios constitucionais, garantiu que decisões administrativas significativas não fossem tomadas sem o devido processo legal. Com seu olhar apurado para a justiça e a eficiência no âmbito do Direito Administrativo, Marçal Justen Filho não apenas acolheu a súmula como uma inovação indispensável, mas também passou a requerer e enfatizar sua aplicação nos processos em que atuava perante o TCU, reforçando, assim, seu compromisso com a defesa dos direitos e garantias fundamentais dos administrados.

No âmbito do processo TC 009.710/2007-3, que tramitou perante o TCU, o Acórdão nº 3008/2012-TCU-Plenário albergou a tese capitaneada pelo time do professor Marçal, que defendeu com convicção a aplicação da Súmula Vinculante nº 3 no âmbito do Tribunal. Vale conferir:

> IV.1) A incidência das garantias de contraditório e ampla defesa
>
> 27. Devem ser observados, também nos processos de competência desse E. Tribunal, as garantias constitucionais do contraditório e da ampla defesa. É pacífica a aplicabilidade do art. 5º, inc. LV, da Constituição em casos como o presente.
>
> 27.1. (...) Aliás, a edição pelo E. STF da Súmula Vinculante nº 3 confirma a necessidade de observância aos princípios da ampla defesa e do contraditório nos processos de competência de Tribunais de Contas. Confiram-se os termos do referido ato:
>
> "Nos processos perante o Tribunal de Contas da União asseguram-se o contraditório e a ampla defesa quando da decisão puder resultar anulação ou revogação de ato administrativo que beneficie o interessado, excetuada a apreciação da legalidade do ato de concessão inicial de aposentadoria, reforma e pensão".

Conforme o caput do art. 103-A da Constituição, as Súmulas Vinculantes são de observância obrigatória, sob pena de nulidade do ato (administrativo ou judicial) que as contrariar (art. 103-A, § 3º).

27.2. O mesmo entendimento está pacificado no E. STJ: RMS 1.454/PA, 1' T., Rel. Min. GARCIA VIERA, DJ 31.05.1993, p. 10.622; RMS 10.317/GO, 1' T., Rel. Min. HUMBERTO GOMES DE BARROS, DJ 14.06.1999, p. 106.

27.3. O próprio Regimento Interno desse E. TCU prevê expressamente a necessidade de se observar as garantias do contraditório e da ampla defesa nos processos de sua competência.[22]

Em continuidade à singela análise das súmulas vinculantes que tocam a jurisdição do TCU, vejo como outro exemplo significativo a Súmula Vinculante nº 5, que dispensa a defesa técnica por advogado em processos administrativos disciplinares. Essa medida democratiza o acesso à Justiça e permite que os servidores públicos possam se defender de maneira mais ampla, independentemente de sua condição financeira. A medida reafirma que questões administrativas não devem ser tratadas de forma mais rigorosa do que o necessário, equilibrando o poder punitivo do Estado e os direitos do indivíduo.

A Súmula Vinculante nº 13 despontou-se como uma importante ferramenta no combate ao nepotismo na Administração Pública brasileira, estabelecendo que a nomeação de cônjuge, companheiro ou parente até o terceiro grau de autoridades ou servidores investidos em cargos de direção, chefia ou assessoramento, para exercer funções de confiança ou cargos em comissão, viola a Constituição Federal. Tal regulamentação mostra-se fundamental para garantir a impessoalidade e a moralidade na gestão pública, promovendo a igualdade de oportunidades e evitando que interesses particulares se sobreponham ao interesse público. Ao proibir o nepotismo, a Súmula Vinculante nº 13 reforça o compromisso com os princípios constitucionais, contribuindo para a transparência e a ética no serviço público.

Enfim, as súmulas vinculantes fortalecem a previsibilidade e a segurança jurídica, pilares fundamentais para a confiança da sociedade nas instituições e no Estado Democrático de Direito. Como resultado, avança-se na construção de um sistema de justiça mais equitativo e eficaz, no qual os direitos de todos são protegidos de maneira justa e consistente.

Conclusão

A reflexão sobre o longo e complexo caminho que percorremos desde a redemocratização brasileira até os dias atuais é imprescindível para que seja mantida a necessária reverência à Constituição. O fim do regime militar, com a transição para um regime democrático, culminou em um dos momentos mais célebres e significativos da história recente do país: a promulgação da Constituição de 1988.

---

[22] TC 009.710/2007-3, peça 61, p.12-13.

Conhecida como a "Constituição Cidadã", ela representou um marco fundamental na consolidação do Estado Democrático de Direito no Brasil, trazendo consigo uma nova perspectiva de justiça, liberdade e igualdade para todos os brasileiros. Nesse novo contexto, emergiu uma sociedade que ansiava por mudanças, depois de anos de repressão, censura e autoritarismo.

Na Constituição de 88 o Poder Judiciário foi alçado a uma posição inédita e desafiadora: a de guardião da Constituição. Como resultado, o seu fortalecimento tornou-se indispensável para assegurar que os direitos e garantias fundamentais fossem efetivamente protegidos. Contudo, essa evolução não se deu sem obstáculos. O caminho foi marcado por desafios que exigiram reformas e ajustes para aprimorar o funcionamento do sistema judiciário, sendo a EC nº 45 um passo decisivo nesse processo.

Posso afirmar com convicção que a promulgação da Emenda Constitucional nº 45/2004 representou uma verdadeira revolução no Poder Judiciário brasileiro. As reformas introduzidas, como a criação do Conselho Nacional de Justiça, da Repercussão Geral e da Súmula Vinculante, não apenas modernizaram o sistema judicial, mas também fortaleceram a transparência e a eficiência da Justiça, procurando aproximá-la um pouco mais das expectativas de uma sociedade em constante evolução.

A conexão dessas mudanças com o Tribunal de Contas da União destaca ainda mais a importância de uma governança pública sólida, alicerçada em interpretações jurídicas consistentes, que garantam a segurança jurídica e a eficiência no controle externo.

Apesar dos avanços significativos proporcionados pela EC nº 45, é crucial reconhecer que o trabalho de aprimorar o Judiciário brasileiro não pode parar, porquanto o sistema de justiça precisa estar em constante evolução para acompanhar as novas demandas e desafios que surgem em nossa sociedade.

Nesta jornada em busca da maturidade do Judiciário, a contribuição do professor Marçal Justen Filho é preciosa, pois seu pensamento crítico não apenas enriquece o debate acadêmico, mas também orienta decisões cruciais que impactam a Administração Pública brasileira e o modo de pensar o Direito no Brasil.

Somente com um compromisso contínuo com a melhoria e modernização do sistema judicial poderemos garantir a efetividade dos direitos e garantias fundamentais que tão arduamente conquistamos.

Referências

ANDRADE, Fabio Martins. Reforma do Poder Judiciário Aspectos gerais, o sistema de controle de constitucionalidade das leis e a regulamentação da súmula vinculante. Disponível em: https://www12.senado.leg.br/ril/edicoes/43/171/ril_v43_n171_p177.pdf. Acesso em: 20 ago. 2024.

BANDEIRA, Regina Maria Groba. *A Emenda Constitucional nº 45 de 2004* – O novo perfil do Poder Judiciário Brasileiro. Brasília: Câmara dos Deputados, 2005.

BARROSO, Luís Roberto. A constitucionalização do direito e suas repercussões no âmbito administrativo. In: ARAGÃO, Alexandre Santos de; MARQUES NETO, Floriano de Azevedo (coord.). *Direito administrativo e seus novos paradigmas*. Belo Horizonte: Fórum, 2012.

BRASIL. Instituto Brasileiro de Geografia e Estatística (IBGE). Brasil em Números, 2018. Capítulo: O Poder Judiciário. Brasil, 2018. Disponível em: https://biblioteca.ibge.gov.br/biblioteca-catalogo?id=72&view=detalhes.

BRASIL. Supremo Tribunal Federal. Disponível em: https://portal.stf.jus.br/textos/verTexto.asp?servico=jurisprudenciaRepercussaoGeral&pagina=listas_rg.

CABRAL, J. Bernardo. Minha experiência na reforma do Judiciário. Emenda Constitucional nº 45/2004: 15 anos do novo poder judiciário organizador: Dias Toffoli, Felipe Santa Cruz, André Godinho. Brasília: OAB, Conselho Federal, 2019.

CHAER, Márcio. Tarda, cara, ruim: morosidade do judiciário custa mais de US$ 10 bi ao ano. *Consultor Jurídico*, São Paulo, 20 fev. 2003.

CHAVES, Iran. Ganhar e levar: celeridade do judiciário depende de reforma processual. *Consultor Jurídico*, São Paulo, 20 jul. 2004.

CNJ, Conselho Nacional de Justiça. Justiça em Números 2019, de 28 de agosto de 2019. Disponível em: https://www.cnj.jus.br/wp-content/uploads/conteudo/arquivo/2019/08/justica_em_numeros20190919.pdf.

CONSULTOR JURÍDICO. Próximos passos: só reforma processual pode acabar com a morosidade judicial. *Consultor Jurídico*, São Paulo, 8 dez. 2004.

JUSTEN FILHO, Marçal. Prescritibilidade das ações de ressarcimento ao erário por improbidade. *JOTA*. Disponível em: https://www.jota.info/opiniao-e-analise/artigos/prescritibilidade-das-acoes-de-ressarcimento-ao-erario-por-improbidade-23042018. Acesso em: 10 ago. 2024.

JUSTEN FILHO, Marçal. O Direito Administrativo de espetáculo. *Fórum Administrativo Dir. Público – FA*, Belo Horizonte, ano 9, n. 100, p. 144-154, jun. 2009.

LEITE, Costa. Reforma processual: excesso de recursos emperra a justiça. *Consultor Jurídico*, São Paulo, 8 dez. 2001.

MENDES, Gilmar Ferreira. A criação do CNJ pela Emenda Constitucional n. 45 e a consolidação do Judiciário como poder nacional. *In*: TOFFOLI, Dias; CRUZ, Felipe Santa; GODINHO, André (org.). *Emenda Constitucional nº 45/2004*: 15 anos do novo Poder Judiciário. Brasília: OAB, Conselho Federal, 2019.

MICHILES, Carlos *et al*. *Cidadão Constituinte*: a saga das emendas populares. Rio de Janeiro: Paz e Terra, 1989.

SARNEY, José. O Estado de Direito. *In*: TOFFOLI, Dias; CRUZ, Felipe Santa; GODINHO, André (org.). *Emenda Constitucional nº 45/2004*: 15 anos do novo Poder Judiciário. Brasília: OAB, Conselho Federal, 2019.

VASCONCELOS, Marta Suzana Lopes. O Estado de Direito e o Poder Judiciário: relato de uma migração conceitual. *Revista de Informação Legislativa*, v. 50, n. 200, out./dez. 2013. Disponível em: https://www2.senado.leg.br/bdsf/handle/id/502941. Acesso em: 10 ago. 2024.

Informação bibliográfica deste texto, conforme a NBR 6023:2018 da Associação Brasileira de Normas Técnicas (ABNT):

LIMA, José Jorge de Vasconcelos. Em defesa do Estado Democrático de Direito: um breve relato pessoal sobre o necessário amadurecimento do Judiciário. *In*: JUSTEN, Monica Spezia; PEREIRA, Cesar; JUSTEN NETO, Marçal; JUSTEN, Lucas Spezia (coord.). *Uma visão humanista do Direito*: homenagem ao Professor Marçal Justen Filho. Belo Horizonte: Fórum, 2025. v. 2, p. 211-225. ISBN 978-65-5518-916-2.

DEMOCRACIA, MÍDIAS SOCIAIS E LIBERDADE DE EXPRESSÃO: ÓDIO, MENTIRAS E A BUSCA DA VERDADE POSSÍVEL[1]

LUÍS ROBERTO BARROSO

LUNA VAN BRUSSEL BARROSO

I Democracia e populismo autoritário

A democracia constitucional foi a ideologia que prevaleceu no século XX, na maior parte do planeta, superando os projetos alternativos que se apresentaram: comunismo, fascismo, nazismo, regimes militares e fundamentalismo religioso. O constitucionalismo democrático gira em torno de duas ideias principais que se fundiram no final do século XX. O *constitucionalismo*, herdeiro das revoluções liberais na Inglaterra, Estados Unidos da América e França, expressa as ideias de poder limitado, estado de direito e respeito aos direitos fundamentais. A *democracia*, por sua vez, é o regime de soberania popular, eleições livres e justas e governo da maioria. Em muitos países, a democracia só se consolidou verdadeiramente ao longo do século XX, com o sufrágio universal garantido pelo fim das restrições à participação política baseada em condição social, religião, raça, sexo ou nível de educação.[2]

As democracias contemporâneas são feitas de votos, direitos e razões. Elas não se limitam à integridade dos processos eleitorais, mas exigem, também, o respeito pelos direitos fundamentais de todos os cidadãos e um debate público permanente que informa e legitima as decisões políticas.[3] Para garantir a proteção desses três elementos essenciais,

---

[1] Esse texto foi publicado originariamente no Chicago International Law Journal, Outono 2023, sob o título *Democracy, Social Media, and Freedom of Expression:* Hate, lies, and the search for the possible truth. Tradução para o português feita com a colaboração de Matheus Verano.

[2] BARROSO, Luís Roberto. O constitucionalismo democrático ou neoconstitucionalismo como ideologia vitoriosa do século XX. *Revista Publicum*, v. 4, p. 14, 2018.

[3] DWORKIN, Ronald. *Is Democracy Possible Here?* Princeton: Princeton University Press, 2008, p. 12; DWORKIN, Ronald. *Taking Rights Seriously*. Cambridge: Harvard University Press, 1997, p. 181.

a maioria dos regimes democráticos inclui em sua estrutura constitucional uma suprema corte ou um tribunal constitucional com jurisdição para arbitrar as tensões inevitáveis que surgem entre democracia e constitucionalismo, ou seja, entre soberania popular e valores constitucionais.[4] Tais tribunais são, em última análise, as instituições responsáveis por proteger os direitos fundamentais e as regras do jogo democrático contra qualquer tentativa de abuso de poder por parte da maioria. Experiências recentes na Hungria, Polônia, Turquia, Venezuela e Nicarágua mostram que, quando falham em cumprir esse papel, a democracia entra em colapso ou sofre grandes retrocessos.[5]

Nos últimos anos, vários eventos desafiaram a prevalência do constitucionalismo democrático em muitas partes do mundo. Esse fenômeno tem sido caracterizado como recessão democrática,[6] retrocesso democrático,[7] constitucionalismo abusivo,[8] autoritarismo competitivo,[9] democracia iliberal,[10] legalismo autocrático,[11] entre outros. Mesmo democracias consolidadas enfrentaram momentos de turbulência e descrédito institucional,[12] à medida que o mundo testemunhou a ascensão de uma onda populista autoritária, antipluralista e anti-institucional que representa séria ameaça à democracia.

Populismo pode ser de direita ou de esquerda,[13] mas a onda recente tem sido caracterizada pela prevalência do extremismo de direita, frequentemente racista, xenófobo, misógino e homofóbico.[14] Enquanto no passado existia uma Internacional Comunista, hoje é a extrema direita que tem uma grande rede global.[15] A marca do populismo de direita é a divisão da sociedade em nós – o povo puro, decente e conservador – e eles – as

---

[4] BARROSO, Luís Roberto. O constitucionalismo democrático ou neoconstitucionalismo como ideologia vitoriosa do século XX. *Revista Publicum.*, v. 4, p. 14, 2018.

[5] ISSACHAROFF, Samuel. *Fragile Democracies*: Contested Power in the Era of Constitutional Courts. Cambridge: Cambridge University Press, 2015, p. 1.

[6] DIAMOND, Larry. Facing up to the Democratic Recession. *Journal of Democracy*, v. 26, p. 141, 2015.

[7] HUQ, Aziz; GINSBURG, Tom. How to Lose a Constitutional Democracy. *UCLA Law Review*, v. 65, p. 91, 2018.

[8] LANDAU, David. Abusive Constitutionalism. *U.C. Davis Law Review*, v. 47, p. 189, 2013.

[9] LEVITSKY, Steven; WAY, Lucan A. The rise of competitive authoritarianism. *Journal of Democracy*, v. 13, p. 51, 2002.

[10] Aparentemente, o termo foi utilizado pela primeira vez por Fareed Zakaria, The rise of illiberal democracies. *Foreign Affairs* 76:22, 1997.

[11] SCHEPPELE, Kim Lane. Autocratic Legalism. *University of Chicago Law Review*, v. 85, p. 545, 2018.

[12] BALZ, Dan. A Year After Jan. 6, Are the guardrails that protect democracy real or illusory? *The Washington Post*, Washington, 6 jan. 2022. Disponível em: https://www.washingtonpost.com/politics/democracy-january-6/2022/01/06/2a1fc41e-6db4-11ec-a5d2-7712163262f0_story.html. Acesso em: 5 maio 2023. Brexit: Reaction from around the UK, *BBC*, Londres, 24 jun. 2016. Disponível em: https://www.bbc.com/news/uk-politics-eu-referendum-36619444. Acesso em: 5 maio 2023.

[13] MUDDE, Cas. The Populist Zeitgeist. *Government and Opposition*. Cambridge: Cambridge University Press, v. 39, p. 541-544, 2004.

[14] MUDDE, Cas. The Populist Zeitgeist, *Government & Opposition*, v. 39, p. 541, 544, 2004. Para uma discussão geral sobre o extremismo de direita na Índia, veja: SIYECH, Mohammed Sinan. An Introduction to Right-Wing Extremism in India, *New Eng. J. Pub. Pol.* 1, p. 33, 2021. Para traçar a história do "Hindutva" e constatar que se tornou *mainstream* desde 2014 sob Modi, v. LEIDIG, Eviane. Hindutva as a Variant of Right-Wing Extremism, *Patterns of Prejudice*, v. 54, n. 3, p. 215-237, 2020. Para uma discussão do extremismo de direita no Brasil sob Bolsonaro, veja GOLDSTEIN, Ariel. Brazil leads the third wave of the Latin American far right, *C-REX – Center for Research on Extremism*, 1º mar. 2021. Disponível em: https://www.sv.uio.no/c-rex/english/news-and-events/right-now/2021/brazil-leads-the-third-wave-of-the-latin-american-.html. Acesso em: 5 maio 2023. Para uma discussão do extremismo de direita nos Estados Unidos sob Trump, veja JONES, Seth G. The rise of far-right extremism in the United States, *Center for Strategic & International Studies*, novembro de 2018. Disponível em: https://www.csis.org/analysis/rise-far-right-extremism-united-states. Acesso em: 5 maio 2023.

[15] FAUSTO, Sergio. O desafio democrático. *Revista Piauí*, v. 8, p. 191, 2022.

elites corruptas, liberais e cosmopolitas. O populismo autoritário decorre dos desvãos da democracia, das promessas não cumpridas de oportunidade e prosperidade para todos.[16] São muitos os fatores que levam a essa frustração democrática, dos quais se destacam três: *políticos* – as pessoas não se sentem representadas pelos sistemas eleitorais existentes, sentindo-se sem voz ou relevância –; *sociais* – pobreza, estagnação ou decréscimo de renda e aumento da desigualdade –; *cultural-identitários* – uma reação conservadora à agenda progressista de direitos humanos que prevaleceu nas últimas décadas, com a proteção dos direitos fundamentais de mulheres, afrodescendentes, minorias religiosas, *gays*, populações indígenas e meio ambiente.[17]

O populismo extremista autoritário adota, muitas vezes, estratégias semelhantes em diferentes partes do mundo, incluindo: a) comunicação direta com apoiadores, mais recentemente por meio das redes sociais; b) contorno ou cooptação das instituições intermediárias que fazem a interface entre o povo e o governo, como o Legislativo, a imprensa e a sociedade civil; e c) ataques às supremas cortes e aos tribunais constitucionais, bem como tentativas de capturá-los por meio da nomeação de juízes submissos.[18] Como o título do presente artigo sugere, uma das principais preocupações nessa temática é o uso de campanhas de desinformação, discursos de ódio, crimes contra a honra, mentiras e teorias conspiratórias para avançar esses objetivos antidemocráticos. Essas táticas ameaçam a democracia e as eleições livres e justas, porque enganam os eleitores, violam direitos fundamentais, silenciam minorias e distorcem o debate público, minando os valores que justificam a proteção especial da liberdade de expressão. A "decadência da verdade" e a "polarização dos fatos" desacreditam as instituições e, consequentemente, fomentam a desconfiança na democracia.[19]

II Internet, mídias sociais e liberdade de expressão[20]

O mundo vive sob a égide da terceira revolução industrial, também conhecida como a revolução tecnológica ou digital.[21] Algumas de suas principais características

---

[16] KUO, Ming-Sung. Against instantaneous democracy. *International Journal of Constitutional Law*, v. 17, p. 554-575, 2019. Disponível em: https://doi.org/10.1093/icon/moz029. Acesso em: 5 maio 2023. V. também ECPS – European Center for Populism Studies. *Digital Populism*. Disponível em: https://www.populismstudies.org/Vocabulary/digital-populism/. Acesso em: 5 maio 2023.

[17] Sobre o assunto, v.: BARROSO, Luís Roberto. Technological Revolution, Democratic Recession and Climate Change: The Limits of Law in a Changing World. *International Journal of Constitutional Law*, v.18, 2020, p. 334-349.

[18] Para o uso das mídias sociais, v.: ENGESSER, Sven *et al*. Populism and Social Media: How Politicians Spread a Fragmented Ideology. *Information, Communication & Society*, v. 20, p. 1.109, 2017. Sobre ataques à imprensa, v. WPFD 2021: Attacks on Press Freedom Growing Bolder Amid Rising Authoritarianism. *International Press Institute*, 30 abr. 2021. Disponível em: https://ipi.media/wpfd-2021-attacks-on-press-freedom-growing-bolder-amid-rising-authoritarianism/. Acesso em: 5 maio 2023. Para ataques ao judiciário, v.: DICHO, Michael; LOGVINENKO, Igor. Authoritarian Populism, Courts and Democratic Erosion. *Just Security*, 11 fev. 2021. Disponível em: https://www.justsecurity.org/74624/authoritarian-populism-courts-and-democratic-erosion/. Acesso em: 5 maio 2023.

[19] JACKSON, Vicki C. Knowledge institutions in constitutional democracies: reflections on the "press". *The Jorunal of Meida Law*, v. 14, p. 275, 2022. Disponível em: https://doi.org/10.1080/17577632.2022.2142733. Acesso em: 5 maio 2023.

[20] BARROSO, Luna van Brussel. *Liberdade de Expressão e Democracia na Era Digital*: O impacto das mídias sociais no mundo contemporâneo. Belo Horizonte: Fórum, 2022.

[21] A primeira revolução industrial é simbolizada pelo uso do vapor como fonte de energia, a partir do meio do século XVIII. A segunda teve início com o uso da eletricidade e a invenção do motor de combustão interna, na

são a massificação de computadores pessoais, a universalização dos telefones celulares inteligentes e, acima de tudo, a Internet, conectando bilhões de pessoas no planeta. Um dos principais subprodutos da revolução digital e da Internet foi o surgimento de plataformas de mídias sociais como o *Facebook, Instagram, YouTube, TikTok* e aplicativos de mensagens como o *WhatsApp* e *Telegram*. Vivemos em um mundo de *apps*, algoritmos, inteligência artificial e inovação em ritmo acelerado, onde nada parece realmente novo por muito tempo. Esse é o cenário em que se desenrola a narrativa a seguir.

1 O impacto da Internet

A Internet revolucionou o mundo da comunicação interpessoal e social, expandiu exponencialmente o acesso à informação e ao conhecimento e criou uma esfera pública onde qualquer um pode expressar ideias, opiniões e disseminar fatos.[22] Antes da Internet, a participação no debate público dependia, principalmente, da imprensa profissional,[23] que investigava fatos, seguia padrões da técnica e da ética jornalística[24] e era responsável por danos se publicasse informações falsas, deliberadamente ou por negligência.[25] Havia controle editorial e responsabilidade civil relativamente à qualidade e à veracidade do que era publicado. Isso não significa que fosse um mundo perfeito. O número de meios de comunicação é limitado e nem sempre plural, empresas jornalísticas têm seus próprios interesses e nem todas distinguem com o cuidado necessário fato de opinião. Ainda assim, havia um grau mais refinado de controle sobre o que se tornava público, bem como consequências negativas pela publicação de notícias falsas ou discursos de ódio.

A internet, com o surgimento de sites, blogs pessoais e redes sociais, revolucionou esse universo. Criou comunidades *on-line* para textos, imagens, vídeos e *links* gerados pelo usuário, publicados sem controle editorial e sem custo. Tais inovações amplificaram o número de pessoas que participam do debate público, diversificaram as fontes de informação e aumentaram exponencialmente o acesso a elas.[26] Essa nova realidade deu voz às minorias, à sociedade civil, aos políticos, aos agentes públicos, aos influenciadores digitais e permitiu que as demandas por igualdade e democracia adquirissem dimensões globais. Tudo isso representou uma poderosa contribuição para o dinamismo político e a resistência ao autoritarismo e estimulou a criatividade, o conhecimento científico

---

virada do século XIX para o XX. E já se fala da quarta revolução industrial, fruto da fusão de tecnologias, que está afetando as fronteiras entre as esferas física, digital e biológica. Sobre esse último ponto, v. SCHWAB, Klaus. *A Quarta Revolução Industrial*. Trad. Cássio Leite Vieira. v. 1. ed. São Paulo: Edipro, 2018.

[22] MAGARIAN, Gregory P. A Internet e as Mídias Sociais. *In:* STONE, Adrienne; SCHAUER, Frederick. *Liberdade de Expressão*. Oxford: Oxford University Press, 2021, p. 350-368.

[23] WU, Tim. Is the First Amendment Obsolete? *In:* POZEN, David E. (ed.). *The Perilous Public Square*. N. York: Columbia University Press, 2020. E-book Kindle.

[24] A ética jornalística inclui a distinção entre fato e opinião, verificação da veracidade do que é publicado, não ter interesse próprio no assunto relatado, ouvir o outro lado e retificar erros. Para um exemplo de carta internacional de ética jornalística, v. Global Charter of Ethics for Journalists, *The International Federation of Journalists* (junho de 2019). Disponível em: https://perma.cc/7A2C-JD2S. Acesso em: 5 maio 2023.

[25] *E.g., New York Times Co. v.* Sullivan, 376 U.S. 254, 1964.

[26] BALKIN, Jack M. Free Speech is a Triangle. *Columbia Law Review*, v. 118, n. 7, p. 2.011-2.056, 2018. Disponível em: https://columbialawreview.org/wp-content/uploads/2018/11/Balkin-FREE_SPEECH_IS_A_TRIANGLE.pdf. Acesso em: 5 maio 2023.

e as trocas comerciais.[27] Cada vez mais, as comunicações políticas, sociais e culturais relevantes ocorrem através desse meio.

No entanto, o surgimento das redes sociais também levou a um aumento exponencial na disseminação de discurso abusivo e criminoso. Embora essas plataformas não tenham criado desinformação, discursos de ódio ou discursos que atacam a democracia, a capacidade de publicar livremente, sem controle editorial e com pouca ou nenhuma responsabilidade, aumentou o uso dessas táticas. Além disso, e mais fundamentalmente, os modelos de negócio das plataformas agravaram o problema pela utilização de algoritmos que controlam e distribuem conteúdo *on-line*.

2 O papel dos algoritmos

A capacidade de participar e de ser ouvido no discurso público *on-line* é atualmente definida pelos algoritmos de moderação de conteúdo das grandes empresas de tecnologia. Embora as plataformas digitais tenham se apresentado inicialmente como espaços neutros, onde os usuários poderiam publicar livremente, elas na verdade desempenham funções legislativas, executivas e judiciais, pois (i) instituem unilateralmente as regras de discurso em seus termos e condições, (ii) definem, por seus algoritmos, como o conteúdo é distribuído e moderado e, por fim, (iii) decidem como essas regras são aplicadas.[28]

Especificamente, as plataformas digitais dependem de algoritmos para duas funções diferentes: recomendar e moderar conteúdo.[29] Primeiramente, um aspecto fundamental do serviço que oferece envolve a curadoria do conteúdo disponível, de modo a proporcionar a cada usuário uma experiência personalizada e aumentar o tempo gasto *on-line*. Elas recorrem a algoritmos de *deep learning* que monitoram cada ação na plataforma, extraem dados e preveem qual conteúdo manterá um usuário específico engajado e ativo, com base em sua atividade anterior ou de usuários semelhantes.[30] A transição de um mundo de escassez de informação para um mundo de abundância de informação gerou uma concorrência acirrada pela *atenção* do usuário – esse, sim, o recurso escasso na Era Digital.[31] Portanto, o poder de modificar o ambiente informacional de uma pessoa tem um impacto direto no seu comportamento e nas suas crenças. E como os sistemas de IA podem rastrear o histórico *on-line* de um indivíduo, eles podem adaptar mensagens específicas para maximizar o impacto. Mais importante ainda, eles monitoram como o usuário interage com a mensagem personalizada, utilizando esse

---

[27] MAGARIAN, Gregory P. The Internet and Social Media. *In:* STONE, Adrienne; SCHAUER, Frederick (ed.). *Freedom of Speech*. Oxford: Oxford University Press, 2021, p. 350-368.

[28] KADRI, Thomas E.; KLONICK, Kate. Facebook v. Sullivan: public figures and newsworthiness in online speech. *Southern California Law Review*, v. 93, p. 94, p. 37-99, 2019. Disponível em: https://scholarship.law.stjohns.edu/faculty_publications/292/. Acesso em: 5 maio 2023.

[29] ELKIN-KOREN, Niva; PEREL, Maayan. Speech Contestation by Design: Democratizing Speech Governance by AI. *Florida State University Law Review (forthcoming)*. Disponível em: https://papers.ssrn.com/sol3/papers.cfm?abstract_id=4129341https://papers.ssrn.com/sol3/papers.cfm?abstract_id=4129341. Acesso em: 5 maio 2023.

[30] MESEROLE, Chris. "How do recommender systems work on digital platforms?" *Tech Stream, Brookings*, 21 de set de 2022. Disponível em: https://www.brookings.edu/techstream/how-do-recommender-systems-work-on-digital-platforms-social-media-recommendation-algorithms/. Acesso em: 5 maio 2023.

[31] SHAFFER, Kris. *Data versus democracy*: how big data algorithms shape opinions and alter the course of history. Colorado: Apress, 2019, p. 11-15.

feedback para influenciar a segmentação de conteúdo futuro, tornando-se cada vez mais eficazes na moldagem de comportamentos.[32] Dado que os seres humanos se envolvem mais com conteúdo polarizador e provocativo, esses algoritmos acabam por provocar emoções fortes, incluindo raiva.[33] O poder de organizar o conteúdo *on-line*, portanto, tem impactos diretos sobre a liberdade de expressão, o pluralismo e a democracia.[34]

Além dos sistemas de recomendação, as plataformas também dependem de algoritmos para a moderação de conteúdo, que consiste na prática de classificar o conteúdo para verificar se viola os padrões da comunidade.[35] Como mencionado, o crescimento das redes sociais e seu uso por pessoas ao redor do mundo permitiram a propagação da ignorância, mentiras e a prática de crimes de diferentes naturezas com pouco custo e quase nenhuma responsabilização, ameaçando a estabilidade até mesmo de democracias duradouras. Nesse cenário, tornou-se inevitável a criação e imposição de termos e condições que definem os valores e normas que cada plataforma deseja para sua comunidade digital e que pautarão a moderação do discurso.[36] Mas a quantidade potencialmente infinita de conteúdo publicado *on-line* significa que esse controle não pode ser exercido exclusivamente por seres humanos.

Algoritmos de moderação de conteúdo otimizam a varredura do material publicado *on-line* para identificar violações dos padrões da comunidade ou termos de serviço em escala e aplicar medidas que variam desde a remoção até a redução/amplificação do alcance ou inclusão de esclarecimentos ou referências a informações alternativas. As plataformas frequentemente dependem de dois modelos algorítmicos para moderação de conteúdo. O primeiro é o modelo de *detecção de reprodução*, que usa o *hashing*, uma tecnologia que atribui um ID único a textos, imagens e vídeos, para identificar reproduções idênticas de conteúdo previamente rotulado como indesejado.[37] O segundo sistema, o *modelo preditivo*, usa técnicas de *machine learning* para identificar potenciais ilegalidades em conteúdo novo e não classificado.[38] O *machine learning* é um subtipo de inteligência artificial que depende de algoritmos treinados em vez de programados,

---

[32] RUSSELL, Stuart. *Human Compatible*: Artificial Intelligence and the Problem of Control. N. York, Penguin Books, 2019.

[33] V. SHAFFER, Kris. *Data versus democracy*: how big data algorithms shape opinions and alter the course of history. Colorado: Apress, 2019, p. 11-15.

[34] Mais recentemente, com o avanço da neurociência, as plataformas aprimoraram sua capacidade de manipular e mudar nossas emoções, sentimentos e, consequentemente, nosso comportamento de acordo não com nossos próprios interesses, mas com os deles (ou daqueles a quem vendem este serviço). Nesse contexto, já se fala em um novo direito fundamental à liberdade cognitiva, à autodeterminação mental ou ao direito ao livre-arbítrio.

[35] A moderação de conteúdo refere-se a "sistemas que classificam o conteúdo gerado pelo usuário com base em correspondência ou previsão, resultando em uma decisão e governança (por exemplo, remoção, bloqueio geográfico, suspensão de conta)". ORWA, Robert; BINNS, Reuben; KATZENBACH, Christian. Moderação de conteúdo algorítmico: desafios técnicos e políticos na automação da governança de plataformas. *Big Data & Society*, vol. 7, p. 1-15, 2020. Disponível em: https://journals.sagepub.com/doi/full/10.1177/2053951719897945. Acesso em: 7 maio 2023.

[36] BALKIN, Jack M. Free speech in the algorithmic society: big data, private governance, and new school speech regulation. *University of California, Davis*, v. 51, p. 1149-1210, 2018. Disponível em: https://lawreview.law.ucdavis.edu/issues/51/3/Essays/51-3_Balkin.pdf. Acesso em: 7 maio 2023.

[37] THAKUR, Dhanaraj; LLANSÓ, Emma. Do you see what I see? Capabilities and limits of automated multimedia content analysis. *Center for Democracy & Technology*, Washington, 20 maio 2021. Disponível em: https://cdt.org/insights/do-you-see-what-i-see-capabilities-and-limits-of-automated-multimedia-content-analysis/. Acesso em: 7 maio 2023.

[38] *Idem.*

capazes de aprender a partir de dados sem codificação explícita.[39] Embora úteis, ambos os modelos têm limitações.

O modelo de detecção de reprodução é ineficiente para conteúdos como discurso de ódio e desinformação, onde o potencial de novas e diferentes publicações é praticamente ilimitado e os usuários podem fazer alterações deliberadas para evitar a detecção.[40] O *modelo preditivo*, por sua vez, ainda é limitado em sua capacidade de lidar com situações às quais não foi exposto durante o treinamento, principalmente por uma incapacidade de entender significados e levar em conta considerações contextuais que influenciam a legitimidade do discurso.[41] Além disso, os algoritmos de *machine learning* também dependem de dados coletados do mundo real e podem incorporar preconceitos ou vieses, levando a aplicações assimétricas do filtro. E como os conjuntos de dados de treinamento são muito grandes, é difícil auditá-los para detectar essas falhas.

Apesar dessas limitações, os algoritmos continuarão a ser um recurso crucial no monitoramento de conteúdo, dada a escala das atividades *on-line*.[42] Somente nos últimos dois meses de 2020, o *Facebook* aplicou alguma medida de moderação de conteúdo a 105 milhões de publicações, e o *Instagram*, a 35 milhões. O *YouTube* tem 500 horas de vídeo carregadas por minuto e removeu mais de 9,3 milhões de vídeos. No primeiro semestre de 2020, o *Twitter* analisou reclamações relacionadas a 12,4 milhões de contas em potencial violação de suas regras e removeu 1,9 milhão.[43] Portanto, o monitoramento humano é impossível, e os algoritmos são uma ferramenta necessária para reduzir a disseminação de conteúdo ilícito e prejudicial. Responsabilizar as plataformas por erros ocasionais nesses sistemas criaria incentivos errados para abandonar os algoritmos na moderação de conteúdo, com a consequência negativa de aumentar significativamente a propagação do discurso indesejado. Por outro lado, reivindicações genéricas para que

---

[39] WOOLDRIDGE, Michael. *A Brief History of Artificial Intelligence*: What It Is, Where We Are, and Where We Are Going. New York: Flatiron Book, jan. 2021.

[40] No entanto, essa tecnologia tem sido eficaz no combate à pornografia infantil, que muitas vezes envolve a reprodução de imagens repetidas, dada a dificuldade de produzir esse conteúdo do zero. As empresas de tecnologia mantêm um banco de dados compartilhado e, portanto, são capazes de lidar com esse material com relativa eficiência. Essa tecnologia também é frequentemente usada para conteúdo terrorista e de direitos autorais. BUCKMAN, Ian. Hashing it out: how an automated crackdown on child pornography is shaping the Fourth Amendment. *Berkeley Journal of Criminal Law*, Berkeley, 13 abr. 2021. Disponível em: https://www.bjcl.org/blog/hashing-it-out-how-an-automated-crackdown-on-child-pornography-is-shaping-the-fourth-amendment/. Acesso em: 7 maio 2023.FUSSEL, Sidney. Why the New Zealand shooting video keeps circulating. *The Atlantic*, 21 mar. 2019. Disponível em: https://www.theatlantic.com/technology/archive/2019/03/facebook-youtube-new-zealand-tragedy-video/585418/. Acesso em: 7 maio 2023.

[41] A compreensão da linguagem natural é prejudicada pela ambiguidade da linguagem, dependência contextual de palavras não imediatamente próximas, referências, metáforas e regras de semântica geral. A compreensão da linguagem de fato requer conhecimento de senso comum sobre o mundo real, que os humanos possuem e é impossível de codificar (LARSON, Erik J. The Myth of Artificial Intelligence: Why Computers Can't Think the Way We Do. *Belknap Press*, abril de 2021). Um caso decidido pelo Conselho de Supervisão do Facebook ilustra o ponto: o filtro preditivo da empresa para combater pornografia removeu imagens de uma campanha de conscientização sobre câncer de mama, um conteúdo claramente legítimo que não deveria ser alvo do algoritmo. No entanto, com base no treinamento prévio, o algoritmo removeu a publicação porque detectou pornografia e não conseguiu levar em consideração o contexto de que se tratava de uma campanha de saúde legítima (Facebook Oversight Board, *Case 2020-004-IG-UA, Breast Cancer Symptoms and nudity*. Disponível em: https://www.oversightboard.com/decision/IG-7THR3SI1. Acesso em: 7 maio 2023).

[42] DOUEK, Evelyn. Governing online speech. *Columbia Law Review*, v. 121, n. 3, p. 791, 2021. Disponível em: https://columbialawreview.org/wp-content/uploads/2021/04/Douek-Governing_Online_Speech-from_Posts_As-Trumps_To_Proportionality_And_Probability.pdf. Acesso em: 7 maio 2023.

[43] *Idem.*

as plataformas implementem algoritmos para otimizar a moderação de conteúdo ou leis que imponham prazos muito curtos para responder a solicitações de remoção enviadas pelos usuários podem criar pressão excessiva para o uso desses sistemas imprecisos em uma escala maior. Reconhecer as limitações dessa tecnologia é fundamental para uma regulamentação precisa.

3 Algumas consequências indesejáveis

Um dos impactos mais marcantes deste novo ambiente informacional é o aumento exponencial na escala das comunicações sociais e na circulação de notícias. Ao redor do mundo, jornais, publicações impressas e estações de rádio têm alguns milhares de leitores e ouvintes.[44] A televisão atinge milhões de espectadores, embora diluídos em dezenas ou centenas de canais. Por outro lado, o *Facebook* tem cerca de 3 bilhões de usuários ativos.[45] O *YouTube* tem 2,5 bilhões de contas.[46] O *WhatsApp*, mais de 2 bilhões.[47] Os números são desconcertantes. No entanto, como já assinalado, assim como democratizou o acesso ao conhecimento, à informação e ao espaço público, a revolução digital também introduziu consequências negativas que devem ser abordadas. São elas:

a) *o aumento da circulação de desinformação*, mentiras deliberadas, discursos de ódio, teorias conspiratórias, ataques à democracia e comportamentos inautênticos, potencializados por algoritmos de recomendação que otimizam o engajamento do usuário e algoritmos de moderação de conteúdo que ainda são incapazes de identificar adequadamente conteúdo indesejável;

b) *a tribalização da vida*, com a formação de câmaras de eco onde grupos falam apenas para si mesmos, reforçando o viés de confirmação,[48] tornando o discurso progressivamente mais radical e contribuindo para a polarização e intolerância;

c) *uma crise global no modelo de negócios da imprensa profissional*. Embora as plataformas de mídia social tenham se tornado uma das principais fontes de informação, elas não produzem seu próprio conteúdo. Elas contratam engenheiros, não repórteres, e seu interesse é o engajamento, não as notícias.[49] No entanto, com a migração da maior parte da publicidade para plataformas tecnológicas, a imprensa sofreu com a falta de

---

[44] MINOW, Martha. *Saving the Press:* why the Constitution calls for government action to preserve freedom of speech. Oxford: Oxford University Press, 2021, p. 20. Por exemplo, o jornal mais vendido do mundo, The New York Times, encerrou o ano de 2022 com cerca de 10 milhões de assinantes, entre digitais e impressos (https://www.nytimes.com/2022/11/02/business/media/nyt-q3-2022-earnings.html). A revista The Economist teve aproximadamente 1,5 milhão em dados de 2019 (https://en.wikipedia.org/wiki/The_Economist). Em todo o mundo, são raras as publicações que atingem um milhão de assinantes (These are the most popular paid ubscription news websites, *Wordl Econ. F.*, 29 abr. 2021, https://perma.cc/L2MK-VPNX).

[45] Facebook statistics and trends. *Datareportal*, 19 fev. 2023. Disponível em: https://datareportal.com/essential-facebook-stats. Acesso em: 8 maio 2023.

[46] Youtube User Statistic. *Global Media Insight*, 27 fev. 2023. Disponível em: https://www.globalmediainsight.com/blog/youtube-users-statistics/. Acesso em: 8 maio 2023.

[47] WhatsApp 2023 User Statistics: How Many People Use WhatsApp? *Backlinko*, 5 jan. 2023. Disponível em: https://backlinko.com/whatsapp-users. Acesso em: 8 maio 2023.

[48] Viés de confirmação (*confirmation bias*) é um obstáculo ao bom pensamento, pois busca apenas informações que correspondem ao que alguém já acredita.

[49] MINOW, Martha. *Saving the Press*, 2021, p. 49.

receita, o que forçou centenas de publicações, nacionais e locais, a fechar as portas ou demitir jornalistas.[50] Mas imprensa livre e forte é vital para uma sociedade aberta e livre.

A imprensa profissional, tradicional e institucional é mais do que um negócio privado. Ela serve ao interesse público na busca pela verdade possível em um mundo plural e na disseminação de notícias, opiniões e ideias, condições indispensáveis para o exercício informado da cidadania. O conhecimento e a verdade – nunca absolutos, mas sinceramente buscados – são elementos essenciais para o funcionamento de uma democracia constitucional. Os cidadãos precisam compartilhar um conjunto mínimo de fatos objetivos comuns a partir dos quais formam os seus próprios juízos de valor. Se eles não puderem aceitar os mesmos fatos, o debate público se torna impossível. Intolerância e violência são produtos da incapacidade de se comunicar. Daí a importância das "instituições do conhecimento", como universidades, entidades de pesquisa e imprensa institucional. Sintomaticamente, em diferentes partes do mundo, a imprensa é um dos poucos negócios privados especificamente mencionados na Constituição. Apesar de sua importância para a sociedade e para a democracia, pesquisas revelam o declínio no prestígio do ensino superior e da imprensa.[51] Isso é preocupante.

No início da revolução digital, havia a crença de que a Internet deveria ser um espaço livre, aberto e não regulado, tanto do ponto de vista econômico e comercial quanto da perspectiva da liberdade de expressão. Com o tempo, surgiram preocupações de diferentes ordens, e a necessidade de regulação da Internet gradualmente se tornou um consenso, com abordagens propostas em diferentes áreas,[52] incluindo: a) *econômica*, por meio de legislação antitruste, proteção ao consumidor, tributação justa e respeito aos direitos autorais; b) *privacidade*, por meio de leis que restringem a coleta de dados do usuário sem consentimento, para direcionamento de conteúdo ou comercialização; e c) *combate aos comportamentos inautênticos, controle de conteúdo e regras de responsabilidade da plataforma*.

Encontrar o equilíbrio adequado entre a indispensável preservação da liberdade de expressão, de um lado, e a repressão do conteúdo ilegal nas redes sociais, de outro, é um dos problemas mais complexos de nossa geração. A liberdade de expressão é um direito fundamental incorporado em praticamente todas as constituições contemporâneas e, em muitos países, é considerada uma liberdade preferencial, que deve prevalecer *prima facie* quando em confronto com outros valores. Várias razões procuram justificar a sua proteção especial, incluindo: (i) *a busca pela verdade possível* em uma sociedade aberta e plural; (ii) como *elemento essencial para a democracia*, pois permite a livre circulação de ideias, informações e pontos de vista que informam a opinião pública e o voto; e (iii) como *elemento essencial da dignidade humana*, permitindo a expressão da personalidade de cada pessoa.

---

[50] MINOW, Martha. *Saving the Press*, 2021, p. 3 e 11.

[51] Sobre a importância do papel da imprensa como instituição de interesse público e sua "relação crucial" com a democracia, v. MINOW, Martha. *Saving the Press*, 2021, p. 35. Sobre a imprensa como uma "instituição de conhecimento", a ideia de "imprensa institucional" e dados sobre a perda de prestígio de jornais e estações de televisão, v. JACKSON, Vicki C. Knowledge Institutions in Constitutional Democracy: reflections on "the press", *Journal of Media Law*, v. 14, n. 2, p. 280 e ss.

[52] BALKIN, Jack M. How to Regulate (and Not Regulate) Social Media. *Journal of Free Speech Law*, v. 71, 2021, Knight Institute Occasional Paper Series, n. 1, March 2020, Yale Law School, Public Law Research Paper Forthcoming, 20 nov. 2019. Disponível em: https://papers.ssrn.com/sol3/papers.cfm?abstract_id=3484114. Acesso em: 7 maio 2023.

A regulação das plataformas digitais não pode comprometer esses valores. Pelo contrário, deve visar a sua proteção e fortalecimento. No entanto, na era digital, esses mesmos valores que historicamente justificaram a proteção reforçada da liberdade de expressão agora podem justificar a sua regulação. Como o Secretário-Geral da ONU, António Guterres, registrou com propriedade: "A capacidade de promover desinformação em larga escala e minar fatos cientificamente estabelecidos é um risco existencial para a humanidade".[53]

Dois aspectos do modelo de negócio da internet são particularmente problemáticos. O primeiro é que, embora o acesso à maioria das plataformas e aplicativos tecnológicos seja gratuito, os usuários pagam pelo acesso com sua privacidade.[54] Como Lawrence Lessig observou, assistimos à televisão, mas a internet nos assiste. Tudo o que fazemos *on-line* é monitorado e monetizado. Os dados são o novo ouro.[55] O segundo aspecto é que os algoritmos são programados para maximizar o tempo gasto *on-line*, o que muitas vezes leva à amplificação de conteúdo provocativo, radical e agressivo. Isso compromete a liberdade de expressão, porque, ao visar o engajamento, os algoritmos sacrificam a busca pela verdade – com a ampla circulação de *fake news* –, a democracia – com ataques às instituições e defesa de golpes e autoritarismo – e a dignidade humana – com ofensas, ameaças, racismo e outros. A busca por atenção e engajamento para obter receita nem sempre é compatível com os valores que sustentam a proteção da liberdade de expressão.

III Um modelo regulatório para as redes sociais

Os modelos de regulação de plataformas podem ser amplamente classificados em três categorias. A primeira é a (a) *regulação estatal ou governamental*, por meio de legislação e regras que criam um arcabouço obrigatório e abrangente; (b) *autorregulação*, por meio de regras elaboradas pelas próprias plataformas e materializadas em seus termos de uso; e (c) *autorregulação regulada ou corregulação*, por meio de padrões fixados pelo Estado, mas com flexibilidade das plataformas em materializá-los e implementá-los. Este artigo defende o terceiro modelo com uma combinação adequada de responsabilidades governamentais e privadas. O cumprimento das regras deve ser supervisionado por um comitê independente, com minoria de representantes do governo e maioria de representantes do setor empresarial, academia, entidades de tecnologia, usuários e sociedade civil.

O quadro regulatório deve visar a redução da assimetria de informações entre as plataformas e os usuários, salvaguardar o direito fundamental à liberdade de expressão de intervenções privadas ou estatais indevidas e proteger e fortalecer a democracia. As limitações técnicas atuais dos algoritmos de moderação de conteúdo exploradas e a discordância substancial sobre o que deve ser considerado ilegal ou prejudicial trazem uma implicação inevitável: o objetivo da regulamentação deve ser encontrar um modelo capaz de otimizar o equilíbrio entre os direitos fundamentais dos usuários e das plataformas, reconhecendo que sempre haverá casos em que o consenso é inatingível.

---

[53] A global dialogue to guide regulation worldwide. *Unesco*, 2023. Disponível em: https://www.unesco.org/en/internet-conference. Acesso em: 8 maio 2023.
[54] BEYER, R. Can we fix what's wrong with social media? *Yale Law Report*, verão de 2022.
[55] LESSIG, Lawrence. *They don't represent us*: reclaiming our democracy. Providence: Dey Street Books, 2019, p. 105.

O foco da regulamentação deve ser o desenvolvimento de procedimentos adequados para a moderação de conteúdo, capazes de minimizar erros e legitimar decisões, mesmo quando alguém discorda do resultado substantivo.[56] Com essas premissas como pano de fundo, a proposta de regulação formulada aqui é dividida em três níveis: (i) o modelo apropriado de responsabilidade intermediária para conteúdo gerado pelo usuário; (ii) deveres procedimentais para a moderação de conteúdo; e (iii) deveres mínimos para moderar conteúdo que represente ameaças concretas à democracia e/ou à liberdade de expressão em si.

1 Responsabilidade intermediária por conteúdo gerado pelo usuário

Existem três regimes principais de responsabilidade da plataforma pelo conteúdo de terceiros. Nos modelos de *responsabilidade objetiva*, as plataformas são responsáveis por todas as postagens geradas pelos usuários. Como as plataformas não têm controle editorial sobre o que é postado e não têm condições materiais de supervisionar milhões de postagens feitas diariamente, esse regime seria potencialmente destrutivo e, por isso, não foi adotado por nenhuma democracia. No modelo de *responsabilidade subjetiva após notificação extrajudicial*, a responsabilidade das plataformas surgiria se elas não agissem para remover o conteúdo após uma notificação extrajudicial dos usuários. Por fim, na *responsabilidade subjetiva após decisão judicial*, as plataformas seriam responsáveis pelo conteúdo postado pelos usuários somente em caso de não conformidade com uma ordem judicial de remoção do conteúdo. Este último modelo foi adotado no Brasil com o Marco Civil da Internet. A única exceção na legislação brasileira a essa regra geral é a chamada *pornografia de vingança*:[57] se houver violação da intimidade resultante da divulgação, sem consentimento dos participantes, de imagens, vídeos ou outros materiais contendo nudez privada ou atos sexuais privados, a notificação extrajudicial é suficiente para criar uma obrigação de remoção do conteúdo sob pena de responsabilidade.

Em nossa opinião, a regra geral prevista no modelo brasileiro, embora possa comportar exceções, é a que equilibra mais adequadamente os direitos fundamentais envolvidos.[58] Como mencionado, nos casos mais complexos relacionados à liberdade

---

[56] DOUEK, Evelyn. Governing online speech. *Columbia Law Review*, v. 121, p. 791, abr. 2021. Disponível em: https://columbialawreview.org/wp-content/uploads/2021/04/Douek-Governing_Online_Speech-from_Posts_As-Trumps_To_Proportionality_And_Probability.pdf. Acesso em: 8 maio 2023. ZITTRAIN, Jonathan. Answering impossible questions: content governance in an age of disinformation. *Harvard Kennedy School – Misinformation Review*, 4 jan. 2020. Disponível em: https://misinforeview.hks.harvard.edu/article/content-governance-in-an-age-of-disinformation/. Acesso em: 8 maio 2023.

[57] Art. 21. O provedor de aplicações de internet que disponibilize conteúdo gerado por terceiros será responsabilizado subsidiariamente pela violação da intimidade decorrente da divulgação, sem autorização de seus participantes, de imagens, de vídeos ou de outros materiais contendo cenas de nudez ou de atos sexuais de caráter privado quando, após o recebimento de notificação pelo participante ou seu representante legal, deixar de promover, de forma diligente, no âmbito e nos limites técnicos do seu serviço, a indisponibilização desse conteúdo.
Parágrafo único. A notificação prevista no caput deverá conter, sob pena de nulidade, elementos que permitam a identificação específica do material apontado como violador da intimidade do participante e a verificação da legitimidade para apresentação do pedido.

[58] Em pronunciamento na Conferência Global da UNESCO "Por uma Internet de Confiança", em 23.02.2023, o primeiro autor defendeu as ideias a seguir. No caso de comportamentos criminosos, as plataformas devem remover os conteúdos ilícitos de ofício, isto é, independentemente de provocação. Em casos de clara violação de

de expressão, as pessoas vão discordar sobre a legalidade do discurso. Regras que responsabilizam as plataformas por não remover o conteúdo após uma simples notificação do usuário criam incentivos para a remoção excessiva de qualquer conteúdo potencialmente controverso, restringindo excessivamente a liberdade de expressão dos usuários. Ou seja: haveria um incentivo para remover todo o conteúdo que ofereça risco de ser considerado ilícito pelos tribunais para evitar a responsabilidade,[59] criando um ambiente de autocensura.

No entanto, esse regime de responsabilidade deve coexistir com uma estrutura regulatória mais ampla impondo princípios, limites e deveres à moderação de conteúdo pelas plataformas digitais, tanto para aumentar sua legitimidade na aplicação de seus próprios termos e condições quanto para minimizar os impactos potencialmente devastadores de discursos ilícitos ou prejudiciais.

2 Regras para moderação de conteúdo pelas plataformas

As plataformas têm liberdade de iniciativa e de expressão para definirem suas próprias regras e decidirem o tipo de ambiente que desejam criar, bem como moderar conteúdo prejudicial que poderia afastar os usuários. No entanto, porque esses algoritmos de moderação de conteúdo são os novos governantes da esfera pública[60] e definem a capacidade de participar e ser ouvido no discurso público *on-line*, as plataformas devem atender a deveres procedimentais mínimos de transparência, auditoria, devido processo e isonomia.

a. Transparência e auditoria

As medidas de transparência e auditoria têm como principal objetivo garantir que as plataformas sejam responsabilizáveis *(accountable)* pelas decisões de moderação de conteúdo e pelos impactos de seus algoritmos. Elas fornecem aos usuários um maior entendimento e conhecimento sobre a intensidade com que as plataformas regulam o discurso e dão aos órgãos de supervisão e aos pesquisadores informações para entender as ameaças advindas dos serviços digitais e o papel das plataformas em amplificá-las ou minimizá-las.

Impulsionado pelas demandas da sociedade civil, várias plataformas digitais já publicam relatórios de transparência. No entanto, a falta de normas vinculativas significa que esses relatórios têm lacunas relevantes, inexistindo verificação independente das

---

direitos, como compartilhamento de fotos íntimas sem autorização e violação de direitos autorais, entre outras, as plataformas devem remover o conteúdo imediatamente após a notificação da parte interessada. Nos demais casos, sobretudo onde possa haver dúvida razoável, a remoção deve se dar após a primeira ordem judicial.

[59] BALKIN, Jack M. Free Speech is a Triangle. *Columbia Law Review*, v. 118, p. 2011-2056, 2018. Disponível em: https://columbialawreview.org/wp-content/uploads/2018/11/Balkin-FREE_SPEECH_IS_A_TRIANGLE.pdf. Acesso em: 7 maio 2023.

[60] KLONICK, Kate. The new governors: the people, rules, and processes governing online speech. *Harvard Law Review*, v. 131, 2018, p. 1598-1670. Disponível em: https://harvardlawreview.org/2018/04/the-new-governors-the-people-rules-and-processes-governing-online-speech/. Acesso em: 7 maio 2023.

informações fornecidas,[61] tampouco padronização entre as plataformas, o que impede a análise comparativa.[62] Nesse contexto, iniciativas regulatórias que imponham requisitos e padrões mínimos são cruciais para tornar a supervisão mais eficaz. Por outro lado, critérios de transparência excessivamente amplos podem forçar as plataformas a adotarem regras de moderação de conteúdo mais simples para reduzir custos, com impacto negativo na precisão da moderação de conteúdo ou na qualidade da experiência do usuário.[63] Uma abordagem escalonada para a transparência, em que certas informações são públicas e outras informações são limitadas a órgãos de supervisão ou pesquisadores previamente qualificados, garante proteção adequada a interesses contrapostos, como privacidade do usuário e confidencialidade empresarial.[64] O Digital Services Act, aprovado pela União Europeia em 16.11.2022, contém disposições robustas de transparência que, no geral, estão alinhadas com essas considerações.[65]

As informações que devem ser publicamente fornecidas incluem, entre outras coisas, termos de uso claros e inequívocos, as sanções disponíveis para lidar com violações (remoção, redução de amplificação, esclarecimentos, suspensão de conta, etc.) e a divisão de trabalho entre algoritmos e humanos. Mais importante ainda, os relatórios públicos de transparência devem incluir informações sobre a precisão das medidas de moderação automatizada e o número de ações de moderação de conteúdo desagregadas por tipo (remoção, bloqueio, exclusão de conta, etc.).[66] Também deve haver obrigações de transparência para pesquisadores, dando-lhes acesso a informações e estatísticas cruciais, incluindo o conteúdo analisado para as decisões de moderação de conteúdo.[67]

Embora valiosos, os requisitos de transparência são insuficientes para promover a responsabilização adequada porque dependem de usuários e pesquisadores para

---

[61] Human Rights Committee, Report of the Special Rapporteur on the promotion and protection of the right to freedom of opinion and expression. 11 de maio de 2016. UN Doc A/HRC/32/38. Disponível em: https://undocs.org/en/A/HRC/32/38. Acesso em: 8 maio 2023.

[62] LEERSSEN, Paddy. The soap box as a black box: regulating transparency in social media recommender systems. *European Journal of Law and Technology*, v. 11, 2020. Disponível em: https://ssrn.com/abstract=3544009. Acesso em: 7 maio 2023.

[63] KELLER, Daphne. Some humility about transparency. *The Center for Internet and Society Blog*, 19 de mar. 2021. Disponível em: https://cyberlaw.stanford.edu/blog/2021/03/some-humility-about-transparency. Acesso em: 7 maio 2023.

[64] MACCARTHY, Mark. Transparency requirements for digital social media platforms: recommendations for policy makers and industry. *Transatlantic Working Group*, 24 jun. 2020. Disponível em: https://ssrn.com/abstract=3615726 ou http://dx.doi.org/10.2139/ssrn.3615726. Acesso em: 8 maio 2023.

[65] O Ato de Serviços Digitais – DSA (promulgado juntamente com o Ato de Mercados Digitais – DMA) foi aprovado pelo Parlamento Europeu em 5 de julho de 2022 e em 4 de outubro de 2022 o Conselho Europeu deu sua aprovação final à regulamentação. O DSA aumenta a transparência e a responsabilidade das plataformas, fornecendo, por exemplo, a obrigação de "informações claras sobre moderação de conteúdo ou o uso de algoritmos para recomendar conteúdo (os chamados sistemas de recomendação); os usuários poderão contestar decisões de moderação de conteúdo". Disponível em: https://www.europarl.europa.eu/news/en/press-room/20220701IPR34364/digital-services-landmark-rules-adopted-for-a-safer-open-online-environment.

[66] MACCARTHY, Mark. Transparency Requirements for Digital Social Media Platforms: Recommendations for Policy Makers and Industry. *Transatlantic Working Group*, 24 jun. 2020. Disponível em: https://ssrn.com/abstract=3615726 ou http://dx.doi.org/10.2139/ssrn.3615726. Acesso em: 8 maio 2023.

[67] Nesse sentido, o professor da Universidade de Stanford, Nathaniel Persily, apresentou recentemente um projeto de lei ao Congresso americano propondo um modelo para conduzir pesquisas sobre os impactos das comunicações digitais de maneira que proteja a privacidade do usuário. O projeto exige que as plataformas digitais compartilhem dados com pesquisadores previamente autorizados pela Comissão Federal de Comércio (FTC) e divulguem publicamente certos dados sobre conteúdo, algoritmos e publicidade. Disponível em: https://www.coons.senate.gov/imo/media/doc/text_pata_117.pdf. Acesso em: 8 maio 2023.

monitorar ativamente a conduta da plataforma e pressupõem que eles tenham o poder de chamar a atenção para falhas e promover mudanças.[68] A auditoria algorítmica por terceiros é, portanto, um complemento importante para garantir que esses modelos satisfaçam padrões legais, éticos e de segurança, assim como para deixar claras as ponderações feitas, como entre a segurança do usuário e a liberdade de expressão.[69] Como ponto de partida, as auditorias de algoritmos devem considerar questões como sua precisão, qualquer viés ou discriminação potencial incorporada nos dados e em que medida as mecânicas internas são explicáveis para humanos.[70] O Digital Services Act contém uma proposta semelhante.[71]

O mercado de auditoria algorítmica ainda é emergente e cheio de incertezas. Ao tentar navegar esse cenário, os reguladores devem: (i) definir com que frequência as auditorias devem ocorrer; (ii) desenvolver padrões e melhores práticas para os procedimentos de auditoria; (iii) obrigar a divulgação específica para que os auditores tenham acesso aos dados necessários; e (iv) definir como os danos identificados devem ser abordados.[72]

b. Devido processo legal e razoabilidade (*fairness*)

Para garantir o devido processo legal, as plataformas devem informar aos usuários afetados pelas decisões de moderação de conteúdo qual a cláusula dos termos de uso supostamente violada, além de oferecer um sistema interno de recursos contra essas decisões. As plataformas também devem criar sistemas que permitam a denúncia fundamentada de conteúdo, ou contas por outros usuários, e notificar os usuários denunciantes da decisão tomada.

Quanto à razoabilidade (*i.e.* critérios básicos de justiça das decisões), as plataformas devem garantir que as regras sejam aplicadas de maneira igualitária a todos os usuários. Embora seja admissível que as plataformas adotem critérios diferentes para pessoas públicas ou informações de interesse público, essas exceções devem estar claras nos termos de uso. Esse problema tem sido objeto de controvérsia entre o Comitê de Supervisão do *Facebook* e a empresa.[73]

---

[68] NAHMIAS, Yifat; PEREL, Maayan. The oversight of content moderation by AI: impact assessment and their limitations. *Harvard Journal on Legislation*, v. 58, 2021. Disponível em: https://papers.ssrn.com/sol3/papers.cfm?abstract_id=3565025. Acesso em: 8 maio 2023.

[69] Auditing Algorithms: the existing landscape, role of regulator and future outlook. *Digital Regulation Cooperation Forum*, 23 set. 2022. Disponível em: https://www.gov.uk/government/publications/auditing-algorithms-the-existing-landscape-role-of-regulators-and-future-outlook. Acesso em: 7 maio 2023.

[70] KOSHIYAMA, Adriano; KAZIM, Emre; TRELEAVEN, Philip. Algorithm Auditing: Managing the Legal, Ethical, and Technological Risks of Artificial Intelligence, Machine Learning, and Associated Algorithms. *IEEE Transactions on Technology and Society*, v. 3, p. 128-142, Apr. 2022. Disponível em: https://ieeexplore.ieee.org/document/9755237. Acesso em: 8 maio 2023.

[71] No artigo 37, o DSA estabelece que plataformas digitais de determinado tamanho devem ser responsáveis, por meio de auditoria independente anual, pelo cumprimento das obrigações estabelecidas na regulamentação e por quaisquer compromissos assumidos de acordo com códigos de conduta e protocolos de crise.

[72] Auditing Algorithms: the existing landscape, role of regulator and future outlook. *Digital Regulation Cooperation Forum*, 23 set. 2022. Disponível em: https://www.gov.uk/government/publications/auditing-algorithms-the-existing-landscape-role-of-regulators-and-future-outlook. Acesso em: 7 maio 2023.

[73] Em um relatório de transparência publicado ao final de seu primeiro ano de operação, o Facebook Oversight Board (FOB) destacou a inadequação das explicações apresentadas pelo Meta sobre a operação de um sistema

Devido à enorme quantidade de conteúdo publicado nas plataformas e à inevitabilidade do uso de mecanismos automatizados para moderação de conteúdo, as plataformas não devem ser responsabilizadas por uma violação desses deveres em casos específicos, mas somente quando a análise revelar uma falha sistemática no cumprimento.[74]

c. Deveres mínimos para moderar conteúdo ilícito

O quadro regulamentar também deve conter obrigações específicas para lidar com certos tipos de discurso especialmente prejudiciais. As seguintes categorias são consideradas como pertencentes a este grupo: (a) desinformação, (b) discurso de ódio, (c) ataques antidemocráticos, (d) *cyberbullying*, (e) terrorismo e (f) pornografia infantil. É certo que definir e identificar o discurso incluído nessas categorias – exceto no caso da pornografia infantil, naturalmente – é uma tarefa difícil e amplamente subjetiva. Precisamente por esse motivo, as plataformas devem ser livres para definir como os conceitos serão operacionalizados desde que guiados pelas normas internacionais de direitos humanos e de maneira transparente. Isso não significa que todas as plataformas chegarão às mesmas definições nem aos mesmos resultados substantivos em casos concretos, por valorações diferentes e pela impossibilidade de consenso. No entanto, a obrigação de observar parâmetros internacionais de direitos humanos reduz a discricionariedade das empresas, permitindo a diversidade de políticas entre elas. Após definir essas categorias, as plataformas devem estabelecer mecanismos que permitam aos usuários denunciarem violações.

Além disso, as plataformas também devem desenvolver mecanismos para lidar com comportamentos inautênticos coordenados, que envolvem o uso de sistemas automatizados ou meios enganosos para amplificar artificialmente mensagens falsas ou perigosas, usando *bots*, perfis falsos, *trolls* e provocadores.[75] Por exemplo: se uma pessoa publicar uma postagem dizendo que querosene é bom para curar a covid-19 e essa mensagem alcançar seus 20 seguidores, é ruim, mas o efeito é limitado. Contudo, se essa mensagem for amplificada para milhares de usuários, haverá um problema de saúde pública. Ou, em outro exemplo, se a mensagem falsa de que as eleições foram

---

conhecido como *cross-check*, que aparentemente dava a alguns usuários maior liberdade na plataforma. Em janeiro de 2022, o Meta explicou que o sistema *cross-check* concede um grau adicional de revisão a determinados conteúdos que os sistemas internos marcam como violando os termos de uso da plataforma. O Meta submeteu uma consulta à FOB sobre como melhorar o funcionamento desse sistema e a FOB fez recomendações relevantes. Mais informações em: https://www.oversightboard.com/news/501654971916288-oversight-board-publishes-policy-advisory-opinion-on-meta-s-cross-check-program/.

[74] DOUEK, Evelyn. Content Moderation as Systems Thinking. *Harvard Law Review*, v. 2, p. 136, 2022. Disponível em: https://harvardlawreview.org/2022/12/content-moderation-as-systems-thinking/. Acesso em: 8 maio 2023.

[75] O Facebook define comportamento coordenado inautêntico como "o uso de múltiplos recursos do Facebook ou do Instagram, trabalhando em conjunto para se engajar em comportamento inautêntico, onde o uso de contas falsas é central para a operação". Comportamento inautêntico é definido como "o uso de recursos do Facebook ou do Instagram (contas, páginas, grupos ou eventos), para enganar as pessoas ou o Facebook: (i) sobre a identidade, propósito ou origem da entidade que eles representam; (ii) sobre a popularidade do conteúdo ou recursos do Facebook ou do Instagram; (iii) sobre o propósito de uma audiência ou comunidade; (iv) sobre a fonte ou origem do conteúdo; ou (v) para evitar a aplicação das nossas Normas da Comunidade". Disponível em: https://transparency.fb.com/policies/community-standards/inauthentic-behavior/.

fraudadas alcançar milhões de pessoas, há um risco democrático devido à perda de credibilidade nas instituições.

O papel dos órgãos de supervisão deve ser verificar se as plataformas adotaram termos de uso que proíbam o compartilhamento dessas categorias de discurso e garantir que os sistemas de recomendação e moderação de conteúdo estejam treinados para moderar esse conteúdo.

IV O papel da sociedade

Apesar da importância da ação regulatória, a responsabilidade pela preservação da Internet como uma esfera pública saudável reside, acima de tudo, nos cidadãos. A educação midiática e a conscientização dos usuários são etapas fundamentais para a criação de um ambiente livre, mas positivo e construtivo na rede mundial de computadores. Os cidadãos devem estar cientes de que as redes sociais podem ser injustas e perversas, violar direitos fundamentais e regras básicas da democracia. Eles devem estar atentos para não passar informações recebidas sem questionamento crítico. Nas palavras de Jonathan Haidt,[76] "[q]uando nossa esfera pública é governada pela dinâmica da multidão, sem mínima observância do devido processo legal, o resultado não é justiça e inclusão; mas, ao contrário, uma sociedade que ignora o contexto, a proporcionalidade, a misericórdia e a verdade". Os cidadãos são a força mais importante para lidar com essas ameaças.

V Novos desenvolvimentos sobre o tema

1 Estados Unidos: Twitter v. Taamneh e Gonzalez v. Google

Em maio de 2023, a Suprema Corte norte-americana decidiu dois casos relacionados à responsabilização de plataformas digitais. O primeiro, Twitter v. Taamneh,[77] discutiu a responsabilidade do Facebook, do Twitter e da Google por um ataque terrorista executado pelo Estado Islâmico em Istambul no ano de 2017. A família de uma das vítimas fatais processou os réus alegando que eles teriam conhecimento do uso de suas plataformas pela organização terrorista e teriam falhado ao não impedir essas atividades, em violação a dispositivo da Lei de Antiterrorismo (18 U.S.C. §2333(d)(2)).[78] Os autores

---

[76] HAIDT, Jonathan. Why the past 10 years of American life have been uniquely stupid. *The Atlantic*. Disponível em: https://www.theatlantic.com/magazine/archive/2022/05/social-media-democracy-trust-babel/629369/. Acesso em: 8 maio 2023. Tradução livre e ligeiramente editada.

[77] Twitter, Inc. v. Taamneh, 598 US ___ (2023).

[78] "In an action under subsection (a) for an injury arising from an act of international terrorism committed, planned, or authorized by an organization that had been designated as a foreign terrorist organization under section 219 of the Immigration and Nationality Act (8 U.S.C. 1189), as of the date on which such act of international terrorism was committed, planned, or authorized, liability may be asserted as to any person who aids and abets, by knowingly providing substantial assistance, or who conspires with the person who committed such an act of international terrorism." Tradução livre: "Em uma ação processada sob a subseção (a) por dano decorrente de um ato de terrorismo internacional cometido, planejado ou autorizado por uma organização designada como uma organização terrorista estrangeira nos termos da seção 219 da Lei de Imigração e Nacionalidade (8 U.S.C. 1189), a partir da data em que tal ato de terrorismo internacional foi cometido, planejado ou autorizado, a responsabilidade pode ser reconhecida em relação a qualquer pessoa que ajude e incite, conscientemente fornecendo assistência substancial, ou que conspire com a pessoa que cometeu tal ato de terrorismo internacional."

alegaram ainda que os algoritmos de recomendação das plataformas teriam facilitado as atividades de recrutamento, financiamento e propaganda do Estado Islâmico, e que os réus teriam se beneficiado financeiramente de arrecadações publicitárias incluídas nesse material.

Em decisão unânime, a Suprema Corte rejeitou a alegação, concluindo que a mera disponibilização de plataforma digital com algoritmos que recomendam conteúdo a partir de *inputs* e histórico de usuários não caracteriza, por si só, conduta ilícita. A Corte entendeu que a relação dos réus com o Estado Islâmico era igual à mantida com todos os demais usuários: impessoal, passiva e indiferente. Os algoritmos de recomendação são agnósticos quanto ao conteúdo recomendado, sendo influenciados exclusivamente por dados coletados dos usuários, de modo que a Corte entendeu que os requerentes não demonstraram ação deliberada ou vontade consciente de favorecer especificamente a organização terrorista. A capacidade do Estado Islâmico de se beneficiar dessas plataformas foi considerada meramente incidental aos serviços prestados e ao modelo de negócio dos réus.

No segundo caso, Gonzalez v. Google,[79] discutia-se igualmente a responsabilidade da Google pela morte de uma cidadã americana em um atentado terrorista ocorrido em Paris. Os autores da ação, irmãos da vítima, alegaram que a Google seria responsável direta e subsidiariamente pelo ataque terrorista por ter permitido o uso de sua plataforma *YouTube* por integrantes do Estado Islâmico. A Corte, novamente de forma unânime, considerou que a resolução desse caso deveria ser idêntica à conferida ao caso Twitter v. Taamneh. Na decisão de apenas três páginas, porém, ressalvou que nenhum desses dois casos foi proposto para discutir o dispositivo legal que confere às plataformas imunidade por conteúdo publicado por terceiros, deixando aberta a possibilidade de revisão judicial desse modelo de responsabilidade civil, atualmente previsto na Seção 230 do Communications Decency Act.[80]

2 Brasil: não votação do PL nº 2.630

Em maio de 2020, o Senado Federal iniciou discussões sobre o Projeto de Lei nº 2.630/2020, que institui a Lei Brasileira de Liberdade, Responsabilidade e Transparência na Internet. A versão final aprovada no Senado em 30 de junho de 2020 e remetida à Câmara dos Deputados estabelece normas sobre transparência para provedores de redes sociais e serviços de mensageria privada com dois milhões ou mais de usuários registrados no Brasil. Em abril de 2023, depois de quase três anos aguardando votação na Câmara, o Relator, Deputado Orlando Silva, apresentou novo texto e foi aprovado um regime de urgência com previsão de votação em 2 de maio de 2023. Não obstante, no dia previsto para votação, o Relator pediu a retirada de pauta, alegando falta de tempo hábil para examinar todas as sugestões recebidas quanto à nova versão do projeto.

---

[79] Gonzalez v. Google LLC, 598 U.S. ___ (2023).
[80] §230: *"No provider or user of an interactive computer service shall be treated as the publisher or speaker of any information provided by another information content provider."* Tradução livre: "Nenhum provedor ou usuário de um serviço de computador interativo deve ser tratado como o editor ou orador de qualquer informação fornecida por outro provedor de conteúdo de informação".

Dentre os pontos mais controvertidos estão a definição da autoridade responsável pela fiscalização da lei e o compartilhamento de receitas de publicidade com entidades jornalísticas. Desde então, o PL novamente perdeu força.

3 Brasil: declaração de inelegibilidade do ex-Presidente Jair Bolsonaro

Em 30 de junho de 2023, o Tribunal Superior Eleitoral declarou a inelegibilidade do ex-Presidente Jair Bolsonaro por 8 anos por abuso de poder político e uso indevido dos meios de comunicação.[81] A condenação teve como fundamento reunião realizada no Palácio da Alvorada com embaixadores no dia 18 de julho de 2022, na qual o ex-Presidente fez campanha eleitoral direcionada aos seus eleitores atacando o sistema de votação. Dentre outros fundamentos, a Corte equiparou o caso ao julgado no RO 0603975-86 (caso do Deputado Francischini), que já havia reconhecido que a disseminação de fatos inverídicos acerca da lisura do pleito, em benefício do candidato, configura abuso de poder político ou de autoridade e/ou uso indevido dos meios de comunicação quando redes sociais são usadas para esse fim. Esse entendimento decorre da constatação de que a liberdade de expressão não protege a disseminação de desinformação eleitoral, sob pena de a democracia sucumbir ao charlatanismo político.

VI Conclusão

A rede mundial de computadores permitiu o acesso ao conhecimento, à informação e ao espaço público por bilhões de pessoas, mudando o curso da história. No entanto, o uso indevido da Internet e das mídias sociais pode trazer sérias ameaças à democracia e aos direitos fundamentais. Algum grau de regulação, portanto, tornou-se necessário para enfrentar os comportamentos inautênticos e os conteúdos ilegítimos. É essencial, no entanto, agir com transparência, proporcionalidade e procedimentos adequados, para que o pluralismo, a diversidade e a liberdade de expressão sejam preservados. A educação midiática e a conscientização das pessoas de boa-fé – que felizmente constituem a grande maioria – são medidas decisivas para o uso construtivo das novas tecnologias.

Referências

A GLOBAL dialogue to guide regulation worldwide. *Unesco*, 2023. Disponível em: "https://www.unesco.org/en/internet-conference"https://www.unesco.org/en/internet-conference. Acesso em: 8 maio 2023.

AUDITING Algorithms: the existing landscape, role of regulator and future outlook. *Digital Regulation Cooperation Forum*, 23 set. 2022. Disponível em: https://www.gov.uk/government/publications/auditing-algorithms-the-existing-landscape-role-of-regulators-and-future-outlook. Acesso em: 7 maio 2023.

---

[81] Por maioria de votos, TSE declara Bolsonaro inelegível por 8 anos. *Tribunal Superior Eleitoral*, 30 jun. 2023. Disponível em: https://www.tse.jus.br/comunicacao/noticias/2023/Junho/por-maioria-de-votos-tse-declara-bolsonaro-inelegivel-por-8-anos.

BALKIN, Jack M. Free Speech is a Triangle. *Columbia Law Review*, v. 118, n. 7, p. 2011-2056, 2018. Disponível em: https://columbialawreview.org/wp-content/uploads/2018/11/Balkin-FREE_SPEECH_IS_A_TRIANGLE.pdf. Acesso em: 5 maio 2023.

BALKIN, Jack M. How to Regulate (and Not Regulate) Social Media. *Journal of Free Speech Law*, v. 71, 2021, Knight Institute Occasional Paper Series, n. 1, March 2020, Yale Law School, Public Law Research Paper Forthcoming, 20 nov. 2019. Disponível em: https://papers.ssrn.com/sol3/papers.cfm?abstract_id=3484114. Acesso em: 7 maio 2023.

BALKIN, Jack M. Free speech in the algorithmic society: big data, private governance, and new school speech regulation. *University of California, Davis*, v. 51, p. 1149-1210, 2018. Disponível em: https://lawreview.law.ucdavis.edu/issues/51/3/Essays/51-3_Balkin.pdf. Acesso em: 7 maio 2023.

BALZ, Dan. A Year After Jan. 6, Are the guardrails that protect democracy real or illusory? *The Washington Post*, Washington, 6 jan. 2022. Disponível em: https://www.washingtonpost.com/politics/democracy-january-6/2022/01/06/2a1fc41e-6db4-11ec-a5d2-7712163262f0_story.html. Acesso em: 5 maio 2023.

BARROSO, Luís Roberto. O constitucionalismo democrático ou neoconstitucionalismo como ideologia vitoriosa do século XX. *Revista Publicum.*, v. 4, 2018.

BARROSO, Luís Roberto. Technological Revolution, Democratic Recession and Climate Change: The Limits of Law in a Changing World. *International Journal of Constitutional Law*, v. 18, 2020.

BARROSO, Luna van Brussel. *Liberdade de Expressão e Democracia na Era Digital*: o impacto das mídias sociais no mundo contemporâneo. Belo Horizonte: Fórum, 2022.

BEYER, R. Can we fix what's wrong with social media? *Yale Law Report*, verão de 2022.

BREXIT: Reaction from around the UK, *BBC*, Londres, 24 jun. 2016. Disponível em: https://www.bbc.com/news/uk-politics-eu-referendum-36619444. Acesso em: 5 maio 2023.

BUCKMAN, Ian. Hashing it out: how an automated crackdown on child pornography is shaping the Fourth Amendment. *Berkeley Journal of Criminal Law*, Berkeley, 13 abr. 2021. Disponível em: https://www.bjcl.org/blog/hashing-it-out-how-an-automated-crackdown-on-child-pornography-is-shaping-the-fourth-amendment/. Acesso em: 7 maio 2023.

DIAMOND, Larry. Facing up to the Democratic Recession. *Journal of Democracy*, v. 26, 2015.

DICHO, Michael; LOGVINENKO, Igor. Authoritarian Populism, Courts and Democratic Erosion. *Just Security*, 11 fev. 2021. Disponível em: https://www.justsecurity.org/74624/authoritarian-populism-courts-and-democratic-erosion/. Acesso em: 5 maio 2023.

DOUEK, Evelyn. Content Moderation as Systems Thinking. *Harvard Law Review*, v. 2, p. 136, 2022. Disponível em: https://harvardlawreview.org/2022/12/content-moderation-as-systems-thinking/. Acesso em: 8 maio 2023.

DOUEK, Evelyn. Governing online speech. *Columbia Law Review*, v. 121, n. 03, 2021. Disponível em: https://columbialawreview.org/wp-content/uploads/2021/04/Douek-Governing_Online_Speech-from_Posts_As-Trumps_To_Proportionality_And_Probability.pdf. Acesso em: 7 maio 2023.

DWORKIN, Ronald. *Is Democracy Possible Here?* Princeton: Princeton University Press, 2008.

DWORKIN, Ronald. *Taking Rights Seriously*. Cambridge: Harvard University Press, 1997.

ECPS – European Center for Populism Studies. *Digital Populism*. Disponível em: https://www.populismstudies.org/Vocabulary/digital-populism/. Acesso em: 5 maio 2023.

ELKIN-KOREN, Niva; PEREL, Maayan. Speech Contestation by Design: Democratizing Speech Governance by AI. *Florida State University Law Review (forthcoming)*. Disponível em: https://papers.ssrn.com/sol3/papers.cfm?abstract_id=4129341https://papers.ssrn.com/sol3/papers.cfm?abstract_id=4129341. Acesso em: 5 maio 2023.

ENGESSER, Sven *et al*. Populism and Social Media: How Politicians Spread a Fragmented Ideology. *Information, Communication & Society*, v. 20, 2017.

FACEBOOK statistics and trends. *Datareportal*, 19 fev. 2023. Disponível em: https://datareportal.com/essential-facebook-stats. Acesso em: 8 maio 2023.

FAUSTO, Sergio. O desafio democrático. *Revista Piauí*, v. 8, 2022.

FUSSEL, Sidney. Why the New Zealand shooting video keeps circulating. *The Atlantic*, 21 mar. 2019. Disponível em: https://www.theatlantic.com/technology/archive/2019/03/facebook-youtube-new-zealand-tragedy-video/585418/. Acesso em: 7 maio 2023.

GLOBAL Charter of Ethics for Journalists, *The International Federation of Journalists* (junho de 2019). Disponível em: https://perma.cc/7A2C-JD2S. Acesso em: 5 maio 2023.

GOLDSTEIN, Ariel. Brazil leads the third wave of the Latin American far right, *C-REX – Center for Research on Extremism*, 1º mar. 2021. Disponível em: https://www.sv.uio.no/c-rex/english/news-and-events/right-now/2021/brazil-leads-the-third-wave-of-the-latin-american-.html. Acesso em: 5 maio 2023.

HAIDT, Jonathan. Why the past 10 years of American life have been uniquely stupid. *The Atlantic*. Disponível em: https://www.theatlantic.com/magazine/archive/2022/05/social-media-democracy-trust-babel/629369/. Acesso em: 8 maio 2023.

HUMAN Rights Committee, Report of the Special Rapporteur on the promotion and protection of the right to freedom of opinion and expression. 11 de maio de 2016. UN Doc A/HRC/32/38. Disponível em: https://undocs.org/en/A/HRC/32/38. Acesso em: 8 maio 2023.

HUQ, Aziz; GINSBURG, Tom. How to Lose a Constitutional Democracy. *UCLA Law Review*, v. 65, 2018.

ISSACHAROFF, Samuel. *Fragile Democracies*: Contested Power in the Era of Constitutional Courts. Cambridge: Cambridge University Press, 2015.

JACKSON, Vicki C. Knowledge institutions in constitutional democracies: reflections on the "press". *The Jorunal of Meida Law*, v. 14, 2022. Disponível em: https://doi.org/10.1080/17577632.2022.2142733. Acesso em: 5 maio 2023.

JONES, Seth G. The rise of far-right extremism in the United States, *Center for Strategic & International Studies*, novembro de 2018. Disponível em: https://www.csis.org/analysis/rise-far-right-extremism-united-states. Acesso em: 5 maio 2023.

KADRI, Thomas E.; KLONICK, Kate. Facebook v. Sullivan: public figures and newsworthiness in online speech. *Southern California Law Review*, v. 93, 2019. Disponível em: https://scholarship.law.stjohns.edu/faculty_publications/292/. Acesso em: 5 maio 2023.

KELLER, Daphne. Some humility about transparency. *The Center for Internet and Society Blog*, 19 de mar. 2021. Disponível em: https://cyberlaw.stanford.edu/blog/2021/03/some-humility-about-transparency. Acesso em: 7 maio 2023.

KLONICK, Kate. The new governors: the people, rules, and processes governing online speech. *Harvard Law Review*, v. 131, p. 1.598-1.670, 2018. Disponível em: https://harvardlawreview.org/2018/04/the-new-governors-the-people-rules-and-processes-governing-online-speech/. Acesso em: 7 maio 2023.

KOSHIYAMA, Adriano; KAZIM, Emre; TRELEAVEN, Philip. Algorithm Auditing: Managing the Legal, Ethical, and Technological Risks of Artificial Intelligence, Machine Learning, and Associated Algorithms. *IEEE Transactions on Technology and Society*, v. 3, Apr. 2022 p. 128-142. Disponível em: https://ieeexplore.ieee.org/document/9755237. Acesso em: 8 maio 2023.

KUO, Ming-Sung. Against instantaneous democracy. *International Journal of Constitutional Law*, v. 17, 2019, p. 554-575. Disponível em: https://doi.org/10.1093/icon/moz029. Acesso em: 5 maio 2023.

LANDAU, David. Abusive Constitutionalism. *U.C. Davis Law Review*, v. 47, 2013.

LARSON, Erik J. The Myth of Artificial Intelligence: Why Computers Can't Think the Way We Do. *Belknap Press*, abril de 2021.

LEERSSEN, Paddy. The soap box as a black box: regulating transparency in social media recommender systems. *European Journal of Law and Technology*, v. 11, 2020. Disponível em: https://ssrn.com/abstract=3544009. Acesso em: 7 maio 2023.

LEIDIG, Eviane. Hindutva as a Variant of Right-Wing Extremism, *Patterns of Prejudice*, v. 54, n. 3, p. 215-237, 2020.

LESSIG, Lawrence. *They don't represent us*: reclaiming our democracy. Providence: Dey Street Books, 2019.

LEVITSKY, Steven; WAY, Lucan A. The rise of competitive authoritarianism. *Journal of Democracy*, v. 13, 2002.

MACCARTHY, Mark. Transparency requirements for digital social media platforms: recommendations for policy makers and industry. *Transatlantic Working Group*, 24 jun. 2020. Disponível em: https://ssrn.com/abstract=3615726 ou http://dx.doi.org/10.2139/ssrn.3615726. Acesso em: 8 maio 2023.

MAGARIAN, Gregory P. A Internet e as Mídias Sociais. *In:* STONE, Adrienne; SCHAUER, Frederick. *Liberdade de Expressão*. Oxford: Oxford University Press, 2021.

MESEROLE, Chris. How do recommender systems work on digital platforms? *Tech Stream, Brookings*, 21 de set de 2022. Disponível em: https://www.brookings.edu/techstream/how-do-recommender-systems-work-on-digital-platforms-social-media-recommendation-algorithms/. Acesso em: 5 maio 2023.

MINOW, Martha. *Saving the Press:* why the Constitution calls for government action to preserve freedom of speech. Oxford: Oxford University Press, 2021.

MINOW, Martha. *Saving the Press*, 2021.

MUDDE, Cas. The Populist Zeitgeist. *Government and Opposition*. Cambridge: Cambridge University Press, v. 39, 2004.

NAHMIAS, Yifat; PEREL, Maayan. The oversight of content moderation by AI: impact assessment and their limitations. *Harvard Journal on Legislation*, v. 58, 2021. Disponível em: https://papers.ssrn.com/sol3/papers.cfm?abstract_id=3565025. Acesso em: 8 maio 2023.

ORWA, Robert; BINNS, Reuben; KATZENBACH, Christian. Moderação de conteúdo algorítmico: desafios técnicos e políticos na automação da governança de plataformas. *Big Data & Society*, vol. 7, p. 1-15, 2020. Disponível em: https://journals.sagepub.com/doi/full/10.1177/2053951719897945. Acesso em: 7 maio 2023.

RUSSELL, Stuart. *Human Compatible*: artificial intelligence and the problem of control. N. York: Penguin Books, 2019.

SCHEPPELE, Kim Lane. Autocratic Legalism. *University of Chicago Law Review*, v. 85, 2018.

SCHWAB, Klaus. *A Quarta Revolução Industrial*. Trad. Cássio Leite Vieira. v. 1. ed. São Paulo: Edipro, 2018.

SHAFFER, Kris. *Data versus democracy*: how big data algorithms shape opinions and alter the course of history. Colorado: Apress, 2019.

SIYECH, Mohammed Sinan. An Introduction to Right-Wing Extremism in India, *New Eng. J. Pub*. Pol. 1, 2021.

THAKUR, Dhanaraj; LLANSÓ, Emma. Do you see what I see? Capabilities and limits of automated multimedia content analysis. *Center for Democracy & Technology*, Washington, 20 maio 2021. Disponível em: https://cdt.org/insights/do-you-see-what-i-see-capabilities-and-limits-of-automated-multimedia-content-analysis/. Acesso em: 7 maio 2023.

WHATSAPP 2023 User Statistics: How Many People Use WhatsApp? *Backlinko*, 5 jan. 2023. Disponível em: https://backlinko.com/whatsapp-users. Acesso em: 8 maio 2023.

WOOLDRIDGE, Michael. *A Brief History of Artificial Intelligence*: what it is, where we are, and where we are going. New York: Flatiron Book, jan. 2021.

WPFD 2021: Attacks on Press Freedom Growing Bolder Amid Rising Authoritarianism. *International Press Institute*, 30 abr. 2021. Disponível em: https://ipi.media/wpfd-2021-attacks-on-press-freedom-growing-bolder-amid-rising-authoritarianism/. Acesso em: 5 maio 2023.

WU, Tim. Is the First Amendment Obsolete? *In:* POZEN, David E. (ed.). *The Perilous Public Square*. N. York: Columbia University Press, 2020. E-book Kindle.

YOUTUBE User Statistic. *Global Media Insight*, 27 fev. 2023. Disponível em: https://www.globalmediainsight.com/blog/youtube-users-statistics/. Acesso em: 8 maio 2023.

ZAKARIA, Fareed. The rise of illiberal democracies. *Foreign Affairs* 76:22, 1997.

ZITTRAIN, Jonathan. Answering impossible questions: content governance in an age of disinformation. *Harvard Kennedy School – Misinformation Review*, 4 jan. 2020. Disponível em: https://misinforeview.hks.harvard.edu/article/content-governance-in-an-age-of-disinformation/. Acesso em: 8 maio 2023.

Informação bibliográfica deste texto, conforme a NBR 6023:2018 da Associação Brasileira de Normas Técnicas (ABNT):

BARROSO, Luís Roberto; BARROSO, Luna van Brussel. Democracia, mídias sociais e liberdade de expressão: ódio, mentiras e a busca da verdade possível. *In:* JUSTEN, Monica Spezia; PEREIRA, Cesar; JUSTEN NETO, Marçal; JUSTEN, Lucas Spezia (coord.). *Uma visão humanista do Direito*: homenagem ao Professor Marçal Justen Filho. Belo Horizonte: Fórum, 2025. v. 2, p. 227-248. ISBN 978-65-5518-916-2.

APONTAMENTOS SOBRE ESTADO DE DIREITO E DEMOCRACIA: BREVES OBSERVAÇÕES SOBRE A TENSÃO ENTRE SOBERANIA POPULAR E PROTEÇÃO DOS DIREITOS INDIVIDUAIS NA EXPERIÊNCIA JURÍDICA MODERNA

LUIZ EDSON FACHIN

FERNANDA BERNARDO GONÇALVES

Nota prévia

Em número de casos e processos submetidos a julgamento no Supremo Tribunal Federal se faz presente o pensamento do Professor Doutor Marçal Justen Filho. A autoridade da sua doutrina, iluminada por refinada elaboração teórico-pragmática, emergiu reconhecida em mais de uma centena de acórdãos exarados pelo Tribunal Pleno e em dezenas de exames sobre a sistemática da repercussão geral.

A exemplo, nos Temas 472, 918, 402 e 361 da Repercussão Geral, nas Ações Diretas de Inconstitucionalidade 6276, 2946, 4551, 5780, no Mandado de Segurança 35920, no Inquérito 2482 (aqui em questão o tema da dispensa irregular de licitação), dentre tantos outros feitos. Mais recentemente, a sua abalizada formulação teórica se verificou presente na Ação Direta de Inconstitucionalidade 6500, além dos Temas 366 (Recurso Extraordinário 136861 em Repercussão Geral) e 877 (Recurso Extraordinário 93837 também em Repercussão Geral).

No Tema 366, elucidou os limites e as possibilidades do nexo de causalidade, especialmente diante do dever legal específico de agir para impedir a ocorrência do dano, e no Tema 877 delimitou as fronteiras entre entes integrantes da estrutura administrativa estatal e aqueles que são manifestações da própria sociedade civil, mesmo exercitando competências tipicamente estatais; ali debateu-se naquele Recurso Extraordinário a execução de débito de Conselho de Fiscalização e o regime de precatórios.

Já na ADI nº 4.658, oriunda do Estado do Paraná, controvertia-se sobre lei estadual que inovara hipótese de dispensa de licitação, o que foi contrastado com o que denominou o Professor Marçal Justen Filho de "certeza positiva" sobre a "disciplina imposta pela União e de observância obrigatória", referindo-se a requisitos e pressupostos inafastáveis. O modelo regulatório e a variabilidades dos regimes de Direito Público e de Direito Privado receberam suas ponderações na ADI nº 1.868; ali estava em questão o poder normativo das agências regulatórias. Observou-se, nas citações do homenageado, uma lição magistral sobre monopólio do Estado e a concepção regulatória com a inversão da relevância do instrumento interventivo. Estado, mercado e domínio econômico formam ali um acutíssimo tripé de análise, tendo realçado, no Estado regulador, de um lado, a importância do interesse coletivo envolvido, e de outro, os limites do mercado quanto a todos fins a serem realizados pela atividade econômica.

Foi essa perspectiva que nos animou a revisitar um tema clássico, qual seja, a relevância do Estado de Direito, inclusive para os dias correntes, como essencial para compatibilizar valores sociais e os legítimos interesses da sociedade aberta. Além dessa porta que as lições abrem, também ali se depreende pontificar o seu pensamento sobre as linhas essenciais da Introdução do Estado do Direito, da Teoria do Direito e da própria Filosofia Política, quando, para o fenômeno jurídico, vai além da formulação de regras e alcança sua concreta aplicação, logo, não mais uma abstração e sim uma concreção.

O diálogo entre conhecimento e experiência sabe ao Direito que se vivifica mesmo com a contraprova da realidade. Tais perspectivas se coadunam com o que expõe o ilustre autor homenageado:

> O Direito não é algo abstrato. Não se confunde com o texto escrito da Lei. Não se conhece o Direito sem conhecer profundamente a vida real. O Direito integra a vida individual e social e reflete os valores fundamentais da Civilização. Para compreender o Direito, é necessário conhecer o passado. Mas a função do Direito é mudar o futuro, promover a segurança e a justiça e realizar concretamente a dignidade de todo ser humano. Por isso, a vida do operador do Direito é um compromisso com a sociedade em que vive, com o estudo e com a atuação prática.[1]

Para esse fim, isto é, à luz desse compromisso e para tratarmos de uma condição de possibilidade de preservação da própria sociedade aberta, livre, justa e solidária, regressamos neste texto em coautoria, de natureza acadêmica, a um tema de pesquisa cuja atualidade e oportunidade se recolocam. E assim o fazemos para prestar tributo a um grande jurista e doutrinador.

1 Introdução

Comecemos por rememorar conceitos básicos. Uma das temáticas sempre corrente no campo jurídico é a complexa relação entre o constitucionalismo e a democracia,[2]

---

[1] JUSTEN FILHO, Marçal. Disponível em: https://www.justenfilho.com.br/blog/marcal-justen-filho/. Acesso em: 20 ago. 2024.

[2] Cf. NINO, Carlos Santiago. *La Constitución de la Democracia Deliberativa*. Barcelona: Gedisa, 1997; ACKERMAN, Bruce. *We the people*. Foundations. Cambridge, London: The Belknap Press PF Harvard University, 1991; DWORKIN, Ronald. *A matter of principle*. Cambridge: Harvard University Press, 1986; *Law's empire*. Cambridge: Harvard University Press, 1986; *Los derechos en serio*. Trad. Marta Gustavino. Barcelona: Ariel, 2002; ELSTER,

entendidos ambos como elementos constitutivos inafastáveis dos regimes democráticos contemporâneos, que convivem em constante tensão. Nada obstante, grande parte da doutrina sustenta a existência de uma solução – ainda que provisória – para esse conflito, consubstanciada na consagrada fórmula da "democracia constitucional",[3] que, centrada na defesa dos direitos individuais por parte do Judiciário, busca também o respeito ao direito de participação política.

Não apenas na tão atual e propalada tensão entre o Poder Legislativo e o Poder Judiciário, entre o Poder Executivo e os legisladores, como também em relação às controvérsias surgidas quanto à figura da *reserva de administração*, a impedir ou mitigar as possibilidades de intervenção e escrutínio tanto pelo legislador quanto pelo julgador – discussão que continuamente vem à baila quando se trata de perscrutar acerca dos limites da competência normativa das agências reguladoras[4] – fato é que o tema é sempre presente quando se busca analisar o Estado de Direito na contemporaneidade.

Quiçá não seja demasiado lembrar que diferentes articulações entre o poder e o Direito se apresentam de há muito com diferentes respostas dadas à problemática. Nada obstante, a existência de um núcleo mínimo de similitudes permite cogitar o

---

Jon (ed.). *Deliberative democracy*. Cambridge: Cambridge University Press, 1998; ELY, John Hart. *Democracy and Distrust*. A theory of judicial review. Cambridge: Harvard University Press, 1980; HIRSCHL, Ran. *Towards Juristocracy*. The origins and consequences of the new constitutionalism. Cambridge: Harvard Univerity Press, 2004; SUNSTEIN, Cass. *Designing democracy*: what constitutions do. Oxford: Oxford University Press, 2001.

[3] Como assevera NINO, C. S. *Ob. cit.*, p. 15-16, que estabelece uma espécie de "escala", a fim de qualificar o constitucionalismo em termos de *robustez conceitual*, sendo considerado o regime mais robusto aquele que, além de um governo limitado, dentre outras características, também apresenta um "*modelo particular de democracia [...] y sus instituciones específicas, tales como la representación, la democracia directa, la necessidad de contar con um cuerpo legislativo colectivo y elegido popularmente, o com um órgano unipersonal, también popularmente electo, pero que reúna funciones legislativas y ejecutivas*".

[4] De modo não exaustivo, é pertinente a citação dos julgados do Supremo Tribunal Federal que, ao longo dos anos, ajudaram a delinear o Estado regulador e sua concretização nas agências reguladoras, como nos julgamento das Ações Diretas de Inconstitucionalidade nº 1.668, que debatia a configuração da Agência Nacional de Telecomunicações – ANATEL, e nº 4874, que mais detidamente se debruçou sobre a competência normativa da Agência Nacional de Vigilância Sanitária – ANVISA.
No ponto, é pertinente a citação da doutrina do Professor Marçal Justen Filho, que auxiliou a Corte no estabelecimento das atribuições e características da função regulatória no Brasil:
'*O modelo regulatório apresenta algumas modificações essenciais em face dos modelos clássicos de Estado de Providência.
A primeira relaciona-se com o âmbito de abrangência das atividades sujeitas aos regimes de direito público e de direito privado. Por um lado, há transferência para a iniciativa privada de atividades desenvolvidas pelo Estado, desde que dotadas de forte racionalidade econômica. Por outro, há a liberalização de atividades até então monopolizadas pelo Estado, para propiciar a disputa pelos particulares em regime de mercado.
A segunda peculiaridade da concepção regulatória de Estado reside a inversão da relevância do instrumento interventivo. Anteriormente, preconizou-se o exercício direto pelo Estado de funções econômicas. O novo paradigma privilegia a competência regulatória. O Estado permanece presente no domínio econômico, mas não mais como exercente direto de atividades.
A terceira característica reside no fato de a atuação regulatória do Estado se nortear não apenas pela proposta de atenuar ou eliminar os defeitos do mercado. Tradicionalmente, supunha-se que a intervenção estatal no domínio econômico destinava-se a dar suporte ao mecanismo de mercado e a eliminar eventuais desvios ou inconveniências. Já o modelo regulatório admite a possibilidade de intervenção destinada a propiciar a realização de certos valores de natureza política ou social. O mercado não estabelece todos os fins a serem realizados pela atividade econômica. Isso se torna especialmente evidente quanto o mecanismo de mercado passa a disciplinar a prestação de serviços públicos. A relevância dos interesses coletivos envolvidos impede a prevalência da pura e simples busca do lucro.
A quarta característica do Estado Regulador reside na institucionalização de mecanismos de disciplina permanente das atividades reguladas. Passa-se de um estágio de regramento estático para uma concepção de regramento dinâmico. Como apontam Antonio La Spina e Giandomenico Majone, a regulação deve ser entendida 'como um processo, em que interessa não apenas o momento da formulação das regras, mas também aqueles da sua concreta aplicação, e, por isso, não abstrata, mas a concreta modificação dos contextos de ação dos destinatários*' (JUSTEN FILHO, Marçal. *Curso de Direito Administrativo*. 13. ed. São Paulo: Revista dos Tribunais, 2018, p. 588).

"constitucionalismo moderno", porquanto foram diversas as experiências jurídicas englobadas comumente no rótulo *Estado de Direito*, com particularidades relevantes e que não podem ser ignoradas quando se trata da análise do tema, em especial ao se analisar a complexa relação entre essas experiências e a democracia e a apregoada composição entre liberdade e igualdade[5] contemporaneamente.

Há, pois, diferentes significados que a expressão Estado de Direito conheceu nos distintos momentos vivenciados pelas diferentes sociedades políticas modernas. *Rule of law, État de droit, Rechtsstaat*, com efeito, denotam experiências muito particulares, apesar de serem referenciadas sob a mesma tradução, como se apresentassem um mesmo sentido.

É em Danilo Zolo que iremos encontrar uma definição possível de Estado de Direito no seguinte sentido:

> (...) a versão do Estado moderno europeu que, com base em uma filosofia individualista (com o dúplice corolário do pessimismo potestativo e do otimismo normativo) e através de processos de difusão e de diferenciação do poder, atribui ao ordenamento jurídico a função primária de tutelar os direitos civis e políticos, contrastando, com essa finalidade, a inclinação do poder ao arbítrio e à prevaricação.[6]

De que forma esses elementos todos se articulam no surgimento desses modelos analíticos é o objeto desta singela reflexão.

2 As revoluções modernas: qual é o legado?

As denominadas *revoluções* que deram origem à modernidade (no sentido eurocêntrico, e portanto, redutor), ao introduzir no pensamento da época os valores liberal-individualistas, são consideradas momentos históricos cruciais ao estabelecimento do conceito de "Estado de Direito", e por essa razão mostra-se de fundamental relevância traçar alguns aspectos que demonstram, apesar de suas aparentes similitudes, as diferenças entre os movimentos revolucionários que despontaram na França e nos Estados Unidos, bem como perquirir também acerca da influência do modelo de equilíbrio de poderes surgido na Inglaterra, o qual reverberou nos demais países durante o período moderno.

Façamos aqui um percurso *quantum satis* para recuperar noções básicas conhecidas. Note-se o contexto das teorias políticas e jurídicas formuladas a partir da Europa continental e, mais especificamente, dentro das famílias jurídicas romano-germânicas

---

[5] Numa perspectiva similar, há o estudo seminal do Professor Doutor Fernando Facury Scaff sobre igualdade e liberdade ("Da igualdade à liberdade: considerações sobre o princípio jurídico da igualdade"); igualdade ampliada corresponde à liberdade substancial, o que faz todo o sentido, por exemplo, no contexto do orçamento público e os desafios republicanos; a obra foi publicada no Brasil (São Paulo: Editora D'Plácido, 2202) e na Espanha (pela Tirant lo Blanch). A temática também recebeu tese do Professor Jefferson Carús Guedes, publicada pela Editora Revista dos Tribunais com o título "Igualdade e Desigualdade; introdução conceitual, normativa e histórica dos princípios" (São Paulo, 2014).

[6] ZOLO, Danilo. Teoria e crítica do Estado de Direito. *In*: COSTA, Pietro; ZOLO, Danilo (org.). *O Estado de Direito: História, teoria, crítica*. Trad. Carlos Alberto Dastoli. São Paulo: Martins Fontes, 2006, p. 48.

ocidentais. Assim, nessa ambiência, o que antecedeu essa formulação foi uma época denominada por Costa como a "pré-história" da expressão Estado de Direito, no sentido de que este, da forma como pretendeu solucionar a problemática relação entre poder e direito após o período dos Oitocentos, apenas pode ser compreendido se se tiver em conta as contribuições do período revolucionário anterior, vez que, nas palavras do autor:

> (...) começa a se formar, entre os séculos XVII e XVIII, uma nova visão do sujeito, dos direitos, da soberania, desenvolve-se um novo 'discurso da cidadania' que acaba por constituir a condição de surgimento, o terreno de formação da expressão Estado de direito (...).[7]

Antes de adentrar na análise das referidas revoluções, mister se faz apontar que esse início da modernidade apresentou características diversas no que concerne ao fenômeno político e às tentativas de limitação desse poder por parte do Direito. Afinal, referidos movimentos foram fruto de um longo desenrolar de tendências, muitas vezes contrapostas, circunstância que desafia a imagem de linearidade com que muitas vezes o moderno é qualificado.

É certo que todos esses movimentos tiveram como pano de fundo o paradigma jusnaturalista, o qual, ao contrapor-se às características político-filosóficas em voga no anterior período absolutista, vem afirmar a existência de um "sujeito unitário de direitos",[8] que passa a ser o centro das preocupações teóricas, devidamente definido pela liberdade e pela igualdade. Sabemos, seguramente, o que isso fará desaguar mais tarde nos embates do pluralismo no próprio século XX. Sem embargo, fiquemos, por ora, nesse percurso que estamos a percorrer.

Para Costa, essa liberdade encontra guarida na lei por duas razões. A primeira delas é a tutela da própria liberdade, pois somente é livre aquele indivíduo que age nos termos da lei, logo, esta passa a ser a única forma de protegê-lo face ao arbítrio do poder político, salvaguardando a segurança dos sujeitos. De outra parte, a lei também possui a função de servir como uma espécie de "moldura" à ação dos indivíduos, representando as possibilidades de ação dos indivíduos livres. É quando se constroem os princípios da legalidade, da igualdade jurídica, dos quais todos os indivíduos são formalmente (virtualmente) dotados, ainda que essa igualdade não se concretize na realidade.[9]

É nesse contexto que a problemática entre Direito e poder toma corpo, com o deslocamento do soberano político do monarca para um ente coletivo, o povo ou a nação, donde advirem as preocupações com a emergência de uma força política desenfreada; daí a necessidade de se impor limites a esse poder através do Direito e da consequente tutela do indivíduo e dos direitos individuais. É essa resposta, contudo, que ganha diferentes tons nos distintos movimentos *soi-disant* revolucionários.

---

[7] COSTA, Pietro. O Estado de Direito: uma introdução histórica. *In*: COSTA, Pietro; ZOLO, Danilo (org.). *O Estado de Direito*: História, teoria, crítica. Trad. Carlos Alberto Dastoli. São Paulo: Martins Fontes, 2006, p. 102. Costa ainda menciona o período que perpassa a antiguidade, o medievo e o absolutismo como um *horizonte de sentido* ao Estado de Direito, na medida em que aí já seria possível reconhecer sinais que levariam à consolidação dessa fórmula em momentos históricos posteriores. Referida conclusão dá-se, especialmente, em razão do papel desempenhado pela lei nos diversos contextos mencionados.

[8] Cf. *Idem*, p. 103.

[9] Cf. *Idem*, p. 103-104.

É nesse sentido que Fioravanti estabelece modelos teóricos ao que ele denomina de "fundamentos teóricos das liberdades",[10] a fim de identificar as principais características das experiências históricas que ocorreram nos Setecentos, bem como os desdobramentos que resultaram no surgimento da ideia de Estado de Direito. Para ele, três são esses modelos: o *historicista, o individualista e o estatalista*.

O modelo historicista, em síntese, busca localizar as liberdades dentro da própria história, separando-as da dependência do poder político; nesse processo, depreende-se a primazia das liberdades civis (das liberdades negativas), pugnando-se por uma continuidade entre o Medievo e o período moderno – no que tange à afirmação dos direitos individuais – ao sustentar que a Idade Média possuía um modo próprio de garantia dos direitos e liberdades, consistente num Direito inscrito nos costumes e na natureza das coisas.[11] Por sua vez, o modelo individualista pretende estabelecer uma ruptura com o Medievo, afirmando a existência de direitos pré-estatais, fundados num contrato social, ou seja, dependentes da vontade popular, expressa por meio da valorização das liberdades positivas e da atribuição de um *poder constituinte* à Nação.[12] Finalmente, o modelo estatalista, o qual, diferentemente dos demais modelos, valorizar-se-ia positivamente o papel do Estado dentro de uma cultura de direitos e liberdades, concebendo que é a autoridade do Estado que representa uma condição necessária para o surgimento e a proteção desses direitos; assim, desaparece a distinção entre o surgimento da sociedade civil e do Estado, porque nesse modelo eles nascem conjuntamente, dando ensejo a um *pacto*, por meio do qual os indivíduos aceitam subordinar-se ao ente estatal, em troca da necessária segurança para viver em sociedade.[13]

Esses modelos teóricos combinam-se de forma a propiciar os fundamentos teóricos das diferentes experiências históricas. Procedamos aqui a uma *memorabilia* do que nos chegou como herança narrativa de tais eventos históricos, políticos e jurídicos, apenas à guisa de prosseguir nessa toada.

Primeiramente a experiência inglesa, a qual se mostra deveras tributária do modelo historicista. O modelo inglês funda os direitos e liberdades numa base consuetudinária, independentemente dos poderes constituídos. Os direitos, contudo, nessa perspectiva, não estão na natureza, e sim na história, do *common law*, um direito acima de qualquer vontade do soberano.[14] A visão aqui é jusnaturalista, mas não existe, aqui, uma necessidade de afirmação frente aos privilégios estamentais do Medievo; ao revés, para a experiência britânica, havia uma relação de continuidade entre Idade Média e Idade Moderna no que concerne ao Direito. É em John Locke que essa posição deita raízes, pois seu jusnaturalismo não se contrapõe ao passado medieval, que aparece em sua obra sendo adaptado à modernidade, consistindo a sociedade moderna numa espécie "evolutiva" daquelas liberdades caracterizadas como autonomia no Medievo.[15]

---

[10] Para o autor, cada momento histórico propicia uma específica *cultura de liberdades*, "privilegiando un aspecto respecto a otro o poniendo las libertades en su conjunto más o menos en el centro del interés general" (FIORAVANTI, Maurizio. *Los derechos fundamentales:* Apuntes de historia de las constituciones. Trad. Manuel Martínez Neira. Madrid: Trotta, 2007, p. 24).

[11] Cf. *Idem*, p. 26-35.

[12] Cf. *Idem*, p. 35-46.

[13] Cf. *Idem*, p. 46-53.

[14] É nesse sentido que Coke, fundador do constitucionalismo inglês, segundo Costa, compreende a origem dos direitos subjetivos. Cf. COSTA, P. *Democracia Política...*

[15] Cf. *Idem*, p. 34.

Ainda, é Locke quem atribui à liberdade e à propriedade o *status* de direitos inalienáveis e irrenunciáveis, próprios e inatos à esfera de subjetividade de cada indivíduo. Nas palavras de Pietro Costa:

> (...) A partir de Locke, a liberdade-propriedade se propõe como a principal expressão jurídica da subjetividade e, ao mesmo tempo, como a base da ordem social e a condição de legitimidade do esquema político-jurídico: legítimo enquanto respeitoso dos direitos naturais de liberdade-propriedade e funcional à sua tutela e ao seu respeito.[16]

Nesse ínterim, sobreleva em importância aquele que é considerado o primeiro documento de enunciação de direitos, a Carta Magna inglesa, de 1215, que dispunha acerca de direitos de liberdade pessoal que serviam aos propósitos da aristocracia da época, contudo, é considerada a origem dos direitos individuais posteriormente proclamados e do próprio constitucionalismo britânico. Este, entretanto, apresenta características distintas daquele que se desenvolverá em solo francês e na colônia norte-americana. O governo inglês caracteriza-se por ser *moderado*, ou seja, os três poderes da Inglaterra – Monarquia, Lordes e Comuns – equilibravam-se no Parlamento, donde não se concebe a ideia de um grupo decidindo pelos demais. As liberdades positivas, nesse ínterim, possuíam apenas um papel secundário, pois possuem a tarefa de apenas tutelar o exercício das liberdades negativas. Menos o poder político exerce a função de guardião da liberdade e da propriedade, e sim o Judiciário, característica que irá definir o modelo inglês de Estado de Direito posteriormente desenvolvido.

De outra parte, na França, o movimento de formação do Estado Moderno deu-se por vias completamente distintas. A Revolução Francesa representou a consagração dos valores liberal-democráticos e, nas palavras de Fioravanti, encerrou "la ruptura fundamental, la raíz y el origen de *una nueva forma de Estado*".[17] Isso porque a experiência francesa rechaçaria completamente o historicismo, uma vez que não teria pretendido estabelecer qualquer continuidade com o Medievo ou mesmo com o absolutismo, dado que representa uma ruptura em relação a esses períodos; em verdade, o modelo francês combina individualismo e estatalismo, embora não com a mesma intensidade no período revolucionário e pós-revolucionário. De um lado, também aqui se verifica a preocupação com as liberdades e a propriedade, mas, como assevera o autor citado, a influência individualista traz dois fatores que consistem em novidade para o período: o primeiro deles é o fator *legicentrista*, quando a lei se converte em um valor em si mesmo, porque sob sua autoridade tornam-se possíveis os direitos e liberdades; mas, por outro lado, há uma correção do individualismo pelo estatalismo, pois, para se contrapor aos privilégios, era necessário somar a imagem de pré-estatalidade dos direitos com sua tutela pela lei, que os afirma enquanto direitos individuais.[18] A revolução, portanto, mescla os elementos individualista e estatalista, sem conceder a primazia a nenhum deles.

A figura da lei, inclusive, é central no pensamento revolucionário francês, assumindo tanto o sentido de limite ao exercício das liberdades como de garantia de que os

---

[16] COSTA, P. *Ob. cit.*
[17] FIORAVANTI, M. Estado y Constitución. *In*: FIORAVANTI, M. (ed.). *El Estado moderno en Europa*: Instituciones y derecho. Trad. Manuel Martínez Neira. Madrid: Trotta, 2004, p. 22-23.
[18] Cf. FIORAVANTI, M. *Los derechos fundamentales...*, p. 62.

indivíduos somente estariam submetidos a sua autoridade, em suma, à autoridade da vontade geral.[19] Essa dúplice função da lei mostra-se deveras paradoxal. Por um lado, a propalada Declaração de Direitos de 1789 revela direitos inalienáveis dos seres humanos, contudo, entrega sua tutela ao legislador; logo, essas liberdades, inatas aos homens, passam a depender das autoridades públicas para seu efetivo exercício e tutela.[20] Nas palavras de Costa, "a ordem se funda sobre os direitos, mas a ordem é instaurada pela vontade constituinte da nação".[21]

Essa última afirmação traz à tona o grande desafio imposto a si próprio pela Revolução Francesa: a compatibilização entre soberania e direitos. Se Locke foi o grande expoente do modelo inglês analisado, Rousseau é o grande mentor das ideias que tomaram corpo no eclodir da Revolução Francesa. O contratualismo rousseauniano reconhece a importância do indivíduo como elemento fundante do poder político e detentor de direitos inalienáveis, porém o traço mais marcante da teoria – e determinante da herança legada pela Revolução – e que vem a delimitar a própria definição de democracia moderna, parece ser o da soberania popular. Como se tornou corrente, a igualdade surge como um princípio fundamental para os revolucionários, empenhados em contrapor-se aos privilégios estamentais do Antigo Regime.

É o artigo 3º da Declaração dos Direitos do Homem e do Cidadão[22] que trará à baila um novo sujeito histórico, detentor da soberania: a nação. Esse corpo de cidadãos que constitui a nação tem a tarefa de, por meio do poder constituinte, constantemente definir os rumos do governo.[23] Para os revolucionários franceses, a liberdade entendida como limite ao poder estatal não basta; a nação exige indivíduos dotados de uma liberdade como participação – como "cidadania ativa", na expressão de Sieyès – ou seja, que se convertam em cidadãos virtuosos, detentores de direitos políticos e aptos ao exercício da cidadania plena.[24] Na esteira de Rousseau, no momento da eclosão da Revolução, a nação soberana não era vista com desconfiança, e sim praticamente como o lócus protetivo dos direitos civis.

Entretanto, já nos primeiros momentos de consolidação das conquistas da Revolução, direitos e democracia entraram em rota de colisão, e as liberdades "positivas" teriam cedido espaço às liberdades "negativas". O autogoverno seria exercido por um corpo de representantes eleitos, não, portanto, diretamente pelo povo soberano, em contrariedade aos ideais rousseaunianos. Como sustenta Fioravanti, estão presentes na Revolução Francesa duas versões diferentes das liberdades positivas: ora consistindo

---

[19] Cf. *Idem*, p. 58-59.
[20] Cf. *Idem*, p. 70-71.
[21] COSTA, P. *O Estado de Direito...*, p. 107.
[22] "O princípio de toda soberania reside essencialmente na nação. Nenhum corpo, nenhum indivíduo pode exercer uma autoridade que dela não emane expressamente".
[23] Nas palavras de Costa: "(...) *la proclamación de los derechos no se hace a través de la voz de uno u otro filósofo 'ilustrado', legitimado para hablar sólo en nombre de la razón. Ahora tiene la palabra no un individuo concreto, más o menos autorizado, sino un nuevo sujeto colectivo, la nación. La nación es el protagonista simbólico de la revolución; la nación, compuesta, como había escrito Sieyès en la víspera de la revolución, de veinticinco millones de sujetos iguales, no privilegiados (los 'verdaderos' ciudadanos franceses, los miembros del 'Tercer Estado'). Esta nación es anunciada y actúa como auténtico poder constituyente y es propuesta (simbólicamente) como el elemento motor de la revolución y el portavoz de la nueva soberanía*" (Derechos. In: FIORAVANTI, Maurizio (ed.). *El Estado moderno en Europa*: Instituciones y derecho. Trad. Manuel Martínez Neira. Madrid: Trotta, 2004, p. 52).
[24] Cf. *Idem*, p. 53-54.

numa cidadania ativa, tornando a Constituição o espelho das vontades momentâneas da nação, ora com a função de estabilizar as conquistas da revolução, o que requer cidadãos respeitosos das leis, e o exercício do voto consiste em mera delegação das funções públicas.[25]

Outro modelo teórico que faria parte da chamada "pré-história" do conceito de Estado de Direito é o da (assim se pode dizer) Revolução Norte-Americana. Ainda que com raízes no modelo britânico, muitas das preocupações dos (assim ditos) *revolucionários americanos* são comuns àquelas concernentes à Revolução Francesa, especialmente no que tange à necessidade de se enunciar direitos individuais e à positivação da Constituição como forma de garantia dessas liberdades.

Revoltados pela ausência de representação no Parlamento inglês, os colonos (em termos gerais) americanos declararam sua independência em 1776. Para legitimar a separação, a Declaração de Independência fundou-se nas doutrinas dos direitos naturais e do contrato social, proclamando tirano o monarca inglês, a fim de emancipar-se de um legislador que se encontra fora de sua jurisdição. Logo, o inimigo combatido pela Revolução Americana foi o legislador e sua pretensão de representar a vontade geral. A Revolução Americana, portanto, revela-se fortemente anti-estatalista, porque entende que a pátria-mãe ameaça os direitos e liberdades por meio do Parlamento; não se busca um legislador virtuoso; por desconfiar dos legisladores, entrega-se a proteção dos direitos e liberdades à Constituição, uma norma superior a que o legislador deve obediência. Dessa forma, individualismo e historicismo se convertem numa única doutrina, dos *Rights*, ou seja, prioridade dos direitos frente aos poderes políticos – o que, inclusive, explica a utilização de Locke como guia da revolução americana.[26]

Desde sua fundação, portanto, a preocupação entre os constituintes – passado o momento de fervor revolucionário – era resguardar a Constituição e as instituições políticas fundamentais de dois graves perigos: o exercício da democracia direta pelo povo e a tirania da maioria, encarnada em um Poder Legislativo indomável e com respaldo popular para promulgar leis e atos incompatíveis com a garantia das liberdades individuais – especialmente o direito de liberdade.

A solução encontrada residiu no controle das assembleias legislativas dos Estados. Se, por um lado, a Revolução Americana pretendia que os representantes expressassem explicitamente os interesses dos cidadãos, por outro, verifica-se que as constituições estaduais se voltam para o estabelecimento de um governo moderado, inclusive atribuindo o poder de veto ao Executivo. Essa evolução nas relações políticas, conforme assevera Fioravanti, revela uma redefinição da vocação originária da revolução: "a crítica a qualquer forma de onipotência parlamentar".[27] E assim, ante a ameaça de uma democracia nos moldes jacobinos, em face dos legislativos estaduais, opuseram-se juízes independentes e a autonomia do Executivo.

Nesse momento, portanto, instituiu-se a função do Poder Judiciário de assegurar a proteção das minorias, representando um limite ao Legislativo através da guarda da Constituição e dos direitos individuais, posteriormente consagrados no Bill of Rights.

---

[25] Cf. FIORAVANTI, M. *Los derechos...*, p. 68-69.
[26] Cf. *Idem*, p. 77-84.
[27] Cf. FIORAVANTI, M. *Los derechos...*, p. 88.

Sobre a solução institucional norte-americana à tensão entre *voluntas* e *ratio* no momento pós-revolucionário, é pertinente a citação da observação feita por Zolo:

> O regime constitucional estadunidense mostrou bem cedo uma precisa inclinação para soluções inspiradas no liberalismo moderado, revelando-se escassamente sensível ao tema da representatividade democrática e da dinâmica conflitual dos interesses sociais. Ao contrário, foi muito mais sensível ao tema, que estaria no centro do liberalismo aristocrático de Alexis de Tocqueville, da necessidade de prevenir, em termos formais, a ameaça representada pelas maiorias parlamentares hostis às liberdades individuais. E o remédio cogitado, além de um tendencial enrijecimento da Constituição escrita, foi o recurso à *judicial review of legislation* e à atribuição, a partir da sentença do juiz Marshal no processo *Marbury v. Madison*, de 1803, de um controle de constitucionalidade sobre os atos legislativos por parte da Corte Suprema. O poder do parlamento federal, particularmente no tocante ao tema dos direitos subjetivos, foi assim atenuado, em uma negação radical de qualquer possível conexão entre o reconhecimento dos direitos e as reivindicações normativas emergentes do conflito político e motivadas em nome da soberania popular. Julgou-se, de fato, que o profissionalismo e o tecnicismo dos juízes especialistas estivessem em condições de garantir, melhor do que o Parlamento, uma correta interpretação do ditado constitucional e, portanto, uma tutela imparcial e metapolítica dos direitos individuais.[28]

Essa função (digamos) *garantista* da Constituição também se presta a frear os ímpetos soberanos, elevando os direitos contidos no texto constitucional à categoria de inderrogáveis, devidamente tutelados pelo Poder Judiciário.[29]

Em relação ao poder constituinte, este também se mostra relevante na Revolução Americana, embora com outro significado, como a atribuição ao povo de uma autoridade superior aos legisladores, consubstanciada na constituição, ou seja, conjugada à rigidez constitucional para garantia dos direitos e liberdades. É diferente, portanto, da Revolução Francesa, onde o poder constituinte encontra-se conjugado à soberania do povo. Essa diferença, como aponta Fioravanti, tem a ver com a adoção do historicismo pela cultura americana, vinculando-o à noção de governo limitado por um direito histórico indisponível. Nesse sentido, o povo exerce o poder constituinte não apenas para reclamar a soberania, como também para fixar as normas constitucionais, às quais deve obediência o legislador. A Constituição de 1787 concilia o poder constituinte do povo americano com a presença de um Legislativo capaz de representar o povo americano. Ao mesmo tempo, não atribui soberania ao legislador, face ao respeito ao *checks and balances*. Nessa constituição, portanto, tudo é guiado pelo princípio do governo limitado com a finalidade de garantia.[30]

3 O surgimento do Estado de Direito; '*qui prodest*'?

Nesse período da "pré-história" do Estado de Direito, a tensão entre a soberania popular e a proteção dos direitos individuais – notadamente, liberdade e propriedade

---

[28] ZOLO, D. *Ob. cit.*, p. 20-21.
[29] Cf. COSTA, Pietro. *O Estado de Direito...*, p. 111.
[30] Cf. FIORAVANTI, M. *Los derechos...*, p. 89-95.

– já se delineava, ensejando debates e diferentes articulações entre esses dois elementos. Contudo, a resposta construída pela modernidade para esse conflito – qual seja, o Estado de Direito, entendido numa acepção ampla – apresentará contornos definidos no período seguinte, da "história" do conceito.

As diferentes experiências europeias – com foco, especificamente no Rule of Law e no État de Droit – apresentam diversas particularidades que impedem uma simples descrição genérica do fenômeno. Entretanto, todas essas soluções enquadram-se no mesmo panorama, sendo mister, numa primeira abordagem, apresentar alguns pontos em comum entre as diferentes experiências agrupadas sob a mesma denominação, "Estado de Direito". Esse fenômeno consolida-se no cenário europeu moderno na fase de solidificação dos Estados Nacionais, caracterizando-se, basicamente, como um Estado ordenado pelo Direito, e, em especial, por uma Constituição, estes com a explícita tarefa de, dentre outras, limitar o poder político em favor da proteção dos direitos civis.[31] Nas palavras de Zolo:

> (...) O direito como 'lei' pode obter, por meio da imposição de formas e de procedimentos gerais – muito mais do que por meio da prescrição de conteúdos ou fins particulares –, uma drástica redução da discricionariedade política. Um poder obrigado a se expressar segundo regras gerais e no interior de formas predeterminadas é, de fato, um poder mais transparente – ou menos opaco – e por isso mais 'visível' e controlável por parte dos cidadãos. E, portanto, no interior do Estado moderno europeu, o ordenamento jurídico é chamado a desempenhar uma tríplice – problemática e em certa medida ambígua – função: a de instrumento da ordem e da estabilidade do grupo social, enquanto expressão normativa do poder de governo; a de mecanismo legislativo de ritualização-limitação do poder político; e aquela, estritamente correlata e complementar, de garantia dos direitos subjetivos.[32]

Nos Estados Unidos, a solução para a tensão pode ser considerada como uma extensão do desenvolvimento do *rule of law* inglês,[33] não obstante a tradição norte-americana apresente elementos que permitem sua individualização, inclusive frente às demais experiências europeias. A necessidade premente de tutela dos direitos individuais resolve-se, no sistema americano, como visto, mediante a entrega dessas garantias ao Poder Judiciário. Como assevera Costa:

---

[31] Cf. FIORAVANTI, M. *Estado y Constitución...*, p. 26-27.
[32] ZOLO, D. *Ob. cit.*, p. 36. O autor vai mais além, asseverando a plena possibilidade de se identificar um modelo geral nas quatro experiências modernas da "história externa" do Estado de Direito (*Rechtsstaat, rule of law* inglês, *rule of law* norte-americano, e *État de Droit*): "A hipótese aqui sustentada é que os elementos teóricos que emergem dessas quatro experiências podem ser organicamente recompostos em um modelo geral. Deveria, assim, ser possível atribuir uma consistente identidade teórica à noção de 'Estado de Direito', entendido como um Estado moderno no qual ao ordenamento jurídico – não a outros subsistemas funcionais – é atribuída a tarefa de 'garantir' os direitos individuais, refreando a natural tendência do poder político a expandir-se e a operar de maneira arbitrária" (p. 11). A hipótese defendida no presente artigo, contudo, considera que, muito embora todas as mencionadas experiências possuam traços em comum, trata-se de momentos singulares, nos quais as características da formação estatal de cada País interferem significativamente, a ponto de tornar-se mais relevante apontar referidas distinções do que asseverar a existência de similitudes.
[33] Cf. *Idem*, p. 19-22.

Tanto na revolução americana quanto na revolução francesa desenvolve-se o mesmo campo de tensão: a tensão entre a vontade constituinte de um *demos*, da qual depende, em última análise, a base integral da ordem e um sistema de direitos fundamentais (a liberdade-propriedade), dados como irrenunciáveis e imodificáveis. Se o campo de tensão é semelhante, são diversos, no entanto, os contextos e os resultados: na América (cúmplice, dentre outros, da herança do *common law* inglês) chega-se a uma solução que, não obstante salvando o princípio da soberania popular, confia a um órgão jurisdicional a tutela dos direitos fundamentais. Delineia-se muito precocemente uma sinergia entre os diversos componentes do sistema político-jurídico, entre o *legem condere* e o *ius dicere*, entre a *voluntas* e a *ratio*, que na Europa decolará somente após um longo e complicado itinerário.[34]

Essa solução, como já se afirmou, deriva da ideia de que o Parlamento, por sua vinculação à soberania popular, não pode ser o responsável pela tutela dos direitos, sendo mister confiá-los a um órgão imparcial, porque não sujeito às vicissitudes do poder popular. O sistema norte-americano jamais se afastou de uma concepção individualista e contratualista, todavia, naquele país, desde cedo a atribuição de poderes em demasia às Assembleias Legislativas era mais temida que as ações governamentais.[35] A ideia, portanto, é a da soberania da Constituição, e da atribuição ao Judiciário (e, em especial, à Suprema Corte) da guarda dos direitos constitucionalmente assegurados, com plena possibilidade de exercício do controle de constitucionalidade em face dos atos do Legislativo.[36]

A referida experiência (como se sabe das noções correntes) diferencia-se daquela vivenciada no continente europeu, e mesmo do próprio *rule of law* inglês.[37] Já vimos que o aspecto historicista é muito presente na tradição político-jurídica britânica; logo, dentro da *common law*, os direitos individuais provêm do costume institucionalizado, e não da vontade estatal – característica que distingue fundamentalmente o *rule of law* das soluções encontradas em França, dentro dessa "moldura" do Estado de Direito. Nesse ínterim, a flexível e consuetudinária norma de base inglesa também demarca uma distinção fundamental em relação aos demais sistemas. Ressalte-se que, na tradição britânica, a relação entre poder e Direito caracterizava uma soberania compartilhada, naquela ideia de equilíbrio na qual residia a garantia e tutela dos direitos individuais.

---

[34] COSTA, P. *Democracia política...*
[35] Cf. ZOLO, D. *Ob. cit.*, p. 20.
[36] Para Fioravanti, outra distinção entre o liberalismo europeu (que irá se consolidar por meio da concepção de Estado de Direito) e o constitucionalismo americano reside na alternativa entre rigidez e flexibilidade constitucional, já que as constituições liberais são geralmente flexíveis; assim, enquanto nos Estados Unidos o historicismo serve para estabelecer uma Constituição rígida, na Europa continental esse mesmo modelo leva a afastar o domínio do poder constituinte sobre as instituições políticas. Na Europa, portanto, é o Estado de Direito quem tutela os direitos e liberdades, que não se encontram na Constituição, mas no próprio Estado (Cf. FIORAVANTI, M. *Los derechos fundamentales...*, p. 107).
[37] Cf. ZOLO, D. *Ob. cit.*, p. 21-22: "Trata-se de soluções institucionais que, mesmo no interior do paradigma do *rule of law*, distanciam a experiência americana daquela inglesa. Na Inglaterra, nem as Cortes ordinárias de *common law*, nem os organismos judiciários de nível superior jamais tinham sido investidos de uma função de *judicial review* em nome de uma superioridade normativa e irrevogabilidade formal dos princípios constitucionais. A tutela das 'liberdades inglesas' era confiada à efetividade de uma secular tradição jurisprudencial, não a engenhocas institucionais administradas pela alta burocracia judiciária. E também, no continente europeu, no decorrer e para além do século XIX, as cartas constitucionais permaneceriam flexíveis e à disposição do poder legislativo".

Costa ressalta que a soberania, em verdade, residia no Parlamento, porém, esse Parlamento é visto como a expressão de um equilíbrio político e social. É aqui que surge o problema em relação à possibilidade de se colocar limites jurídicos à atuação do Parlamento. Citando Albert Dicey, Costa sustenta que os limites do soberano não estão exatamente na forma da Constituição, entretanto, mais propriamente, no equilíbrio entre a soberania parlamentar e a *law of the land* – que pode ser traduzido como o direito consuetudinário. Aqui residiria, então, a ideia de *rule of law*, expressão que também traz em seu cerne a ideia da fundação e realização das liberdades e dos direitos.[38]

Esse processo tem os juízes como protagonistas, a ressaltar que o conceito de *rule of law* está contido na ideia de *judge-made-law*. Aqui se observa uma distinção em relação ao continente europeu, precisamente em relação às garantias, pois na Inglaterra, dentro desse traçado, elas não são meramente declaradas de forma abstrata, isto porque nascem concretamente por meio da construção jurisprudencial.

O sistema inglês buscaria equalizar a tensão entre o poder e o Direito compreendendo soberania popular e direito jurisprudencial como figuras complementares, pois, mesmo que se considere que a lei aprovada no Parlamento seja absoluta – dada a onipotência deste –, ela será condicionada pela aplicação judicial. Além disso, como a Constituição deita raízes no próprio *rule of law*, o Parlamento encontrar-se-ia impedido de suspendê-la – ou mesmo de suspender os direitos –, pois essa atitude configuraria uma revolução.[39] Isso nem de longe simplifica o conhecido *espírito do Direito inglês*, como bem evidenciado por Gustav Radruch.

Nos demais países europeus, contudo, esse otimismo em relação ao Poder Judiciário é realidade somente a ser conhecida já no século XX, após a II Guerra Mundial. Na consolidação da modernidade política, contudo, aos juízes não prevaleceu uma concepção que lhes outorgasse a função privilegiada que ocupavam na Inglaterra e, mais ainda, nos Estados Unidos. A solução europeia-continental foi diversa, a fim de manter a referência à soberania popular, afirmando, sem embargo, a tutela dos direitos como preocupação central do ordenamento.

A resposta conferida na França apresenta, primeiramente, a afirmação centralidade do Estado em relação à problemática referida, que deve ordenar a sociedade por meio de um instrumental legislativo. Em segundo lugar, está a concepção de que os direitos individuais não provêm mais de uma base jusnaturalista, e sim (numa concepção mais geral) possuiriam como origem o Direito estatal positivado.

Na França, passado o (assim chamado) otimismo revolucionário, centrado (em termos gerais) na soberania popular e nas liberdades positivas valores igualmente relevantes na composição de um sistema jurídico-político, essa configuração já não se mostra mais plausível, eis que, após a emergência do terror jacobino, o liberalismo francês inclina-se à tutela incondicional dos direitos de liberdade e propriedade em face do poder político, elevando-os à posição de fundamento do ordenamento social.

Portanto, o liberalismo político advindo da Revolução, na França, coincide com a ascensão econômica da burguesia e a difusão dos valores que apregoava, especialmente o ideal libertário. Nas palavras de Norberto Bobbio, "por 'liberalismo' entende-se uma

---

[38] Cf. COSTA, P. *O Estado de Direito...*, p. 141-146.
[39] *Idem*, p. 147.

determinada concepção de Estado, na qual o Estado tem poderes e funções limitadas, e como tal se contrapõe tanto ao Estado absoluto quanto ao Estado que hoje chamamos de social".[40]

Percebe-se, com Bobbio, que a vinculação entre democracia e liberalismo, e por extensão entre democracia e Estado de Direito, é mais complexa do que aparenta, em especial naqueles sistemas jurídicos que beberam na fonte dos sistemas referidos, e que esta relação de forma alguma é necessária, inclusive porque, de acordo com o celebrado filósofo italiano, o Estado Liberal entrou em crise quando reivindicações por maior participação política emergiram nas sociedades.[41] Como corolários do conceito de democracia liberal, de outra parte, figuram a liberdade e a igualdade, e sua expressão por meio da Lei. Historicamente, a primazia conferida à primeira mostrou-se evidente.

Esse percurso, recolhido nessa revisita acadêmica, parece-nos proveitoso para compreender as sístoles e as diástoles da temática no tempo contemporâneo, inclusive no Brasil, nos Estados Unidos da América do Norte e da Europa continental, bem como na Inglaterra.

4 Considerações finais

O retorno ao estudo do surgimento do Estado de Direito e suas relações com a soberania popular e com o que hoje compreendemos como democracia demonstra que esse tensionamento não é somente atual, ao revés, é constitutivo e inerente às compreensões de constitucionalismo que analisamos, inclusive e sobretudo no período moderno que se sopesou.

Mesmo a árdua tarefa de lidar cotidianamente com a organização do Estado e as diversas normas, leis, regulamentos, não exime repensar essas categorias, de modo a não perder de vista que todo agir púbico e também particular volta-se à consecução das finalidades do Estado Democrático de Direito, como já alerta Marçal Justen Filho:

> A ordem social e política vigente reflete uma concepção democrática do poder. A Constituição de 1988, considerada como um pacto nacional, consagrou a solução democrática como a única admissível. O direito administrativo reflete a prevalência de concepções democráticas para o Estado – que apenas pode ser concebido como um instrumento para a realização dos valores fundamentais e para o bem comum de todos.
>
> Nenhuma interpretação jurídica ou solução de aplicação de normas jurídicas é admissível quando importar a violação a direitos fundamentais ou ao modelo democrático de organização do poder.[42]

Eis aí o modesto sentido e alcance das reflexões aqui exaradas, com a finalidade de perscrutar a renovada presença do debate sobre limites e possibilidades do Estado, nomeadamente do Estado de Direito, e suas funções na edificação de pontes entre liberdade e igualdade. Recolher compreensões do pretérito contribui para decodificar o presente.

---

[40] BOBBIO, Norberto. *Liberalismo e democracia*. Trad. Marco Aurélio Nogueira. São Paulo: Brasiliense, 1998, p. 7.
[41] *Idem*.
[42] JUSTEN FILHO, Marçal. *Curso de Direito Administrativo*. 13. ed. São Paulo: Thompson Reuters, 2018, p. 17.

Afinal, com inteira razão o homenageado: a ordem política e social democrática é a única formal admissível.⁴³

Referências

BOBBIO, Norberto. *Liberalismo e democracia*. Trad. Marco Aurélio Nogueira. São Paulo: Brasiliense, 1998.

COSTA, Pietro. Derechos. *In*: FIORAVANTI, Maurizio (ed.). *El Estado moderno en Europa*: Instituciones y derecho. Trad. Manuel Martínez Neira. Madrid: Trotta, 2004.

COSTA, Pietro. Estado de Direito e Direitos do Sujeito: o problema dessa relação na Europa moderna. *In*: FONSECA, Ricardo Marcelo; SEELAENDER, Airton Cerqueira Leite (org.). *História do Direito em Perspectiva*: do Antigo Regime à Modernidade. Curitiba; Juruá, 2008.

COSTA, Pietro. O Estado de Direito: uma introdução histórica. *In*: COSTA, Pietro; ZOLO, Danilo (org.). *O Estado de Direito*: História, teoria, crítica. Trad. Carlos Alberto Dastoli. São Paulo: Martins Fontes, 2006.

FIORAVANTI, Maurizio. Estado y Constitución. *In*: FIORAVANTI, Maurizio (ed.). *El Estado moderno en Europa*: Instituciones y derecho. Trad. Manuel Martínez Neira. Madrid: Trotta, 2004.

FIORAVANTI, Maurizio. *Los derechos fundamentales*: apuntes de historia de las constituciones. Trad. Manuel Martínez Neira. Madrid: Trotta, 2007.

JUSTEN FILHO, Marçal. Disponível em: https://www.justenfilho.com.br/blog/marcal-justen-filho/. Acesso em: 20 ago. 2024.

JUSTEN FILHO, Marçal. *Curso de Direito Administrativo*. 13. ed. São Paulo: Thompson Reuters, 2018.

NINO, Carlos Santiago. *La Constitución de la Democracia Deliberativa*. Barcelona: Gedisa, 1997.

ZOLO, Danilo. Teoria e crítica do Estado de Direito. *In*: COSTA, Pietro; ZOLO, Danilo (org.). *O Estado de Direito*: História, teoria, crítica. Trad. Carlos Alberto Dastoli. São Paulo: Martins Fontes, 2006.

Informação bibliográfica deste texto, conforme a NBR 6023:2018 da Associação Brasileira de Normas Técnicas (ABNT):

FACHIN, Luiz Edson; GONÇALVES, Fernanda Bernardo. Apontamentos sobre Estado de Direito e democracia: breves observações sobre a tensão entre soberania popular e proteção dos direitos individuais na experiência jurídica moderna. *In*: JUSTEN, Monica Spezia; PEREIRA, Cesar; JUSTEN NETO, Marçal; JUSTEN, Lucas Spezia (coord.). *Uma visão humanista do Direito*: homenagem ao Professor Marçal Justen Filho. Belo Horizonte: Fórum, 2025. v. 2, p. 249-263. ISBN 978-65-5518-916-2.

---

⁴³ JUSTEN FILHO, Marçal. *Curso de Direito Administrativo*. 15. ed. Rio de Janeiro: Forense, 2024. Item 5, p. 2.

O FENÔMENO CLIMÁTICO-AMBIENTAL E A NEGOCIAÇÃO COLETIVA DE TRABALHO: APLICABILIDADE DOS PRINCÍPIOS DA PRECAUÇÃO DA INFORMAÇÃO E DA FRATERNIDADE

LUIZ EDUARDO GUNTHER

1 Introdução

O relacionamento entre trabalhadores e empregadores, mediado pelas entidades sindicais, buscava sempre, através das negociações coletivas, melhorar a condição de vida daqueles que vivem do trabalho, especialmente pela limitação da jornada, reajustes salariais e obtenção de vantagens adicionais, como planos de saúde, auxílio-alimentação, vale-transporte e demais acrescentamentos aos ganhos pelo labor executado.

Com o avanço da tecnologia, surgiram outras questões a merecer diálogo entre empresa e trabalhador. Dentre as quais avulta a automação, o labor em plataformas digitais, o uso da robótica e a enorme acessibilidade à internet pelo celular.

Juntamente com essas mudanças no modo de se ver o trabalho e de se trabalhar, aspectos relacionados ao meio ambiente passaram a ser debatidos e avaliados como muito relevantes para os seres humanos.

Enchentes, seca, desabamento de prédios onde exercem suas atividades, explosões de barragens de mineradoras, contaminação por produtos tóxicos, há um grande número de aspectos vinculados ao meio ambiente do trabalho.

Chamam atenção, nessa análise, as questões vinculadas ao clima, que estão relacionadas ao papel que o homem desempenha na conservação da natureza.

As chuvas torrenciais, as enchentes, os desabamentos, devem, com certeza, merecer maior atenção com cuidados preventivos e, sim, depois, de recuperar e reconstruir.

Em que medida as empresas e os trabalhadores podem influir na prevenção dos desastres causados pelo clima e para que o meio ambiente seja adequado para uma atividade saudável no trabalho?

O *primeiro ponto* a enfrentar é a necessidade de conscientização dos empresários e dos trabalhadores da importância do clima e do meio ambiente para que seja possível um labor em condições adequadas.

Em *segundo lugar*, não bastam as preocupações e cuidados individuais para as proteções ambientais. Hoje a resposta para o problema climático-ambiental passa pela consciência coletiva que envolve as obrigatórias negociações entre os empresários e os trabalhadores.

O protagonismo sindical pode ser eleito como o *terceiro aspecto* importante nesse papel de conscientizar os trabalhadores e a população e antecipar/prevenir futuros desastres climático-ambientais.

A consciência coletiva de que algo precisa ser feito com urgência para minimizar as consequências catastróficas das tragédias e desastres é acompanhada pela importância das entidades sindicais, em seu viés democrático e de protagonismo nas relações entre trabalhadores e empregadores.

Em *quarto lugar* surge a questão essencial: a) quais aspectos negociar?; b) como negociar?; c) quando negociar?

A negociação coletiva de trabalho é um direito fundamental e há exigência de que seja em caráter permanente, todos os anos, para ajustar questões essenciais nas relações de trabalho. A partir do grande impacto causado pelas enchentes no Rio Grande do Sul (abril, maio e junho de 2024), não se poderá mais ignorar que a coletividade deve participar ativamente na prevenção do meio ambiente para evitar/diminuir ou prevenir os desastres ambientais.

Nesse sentido, a negociação coletiva de trabalho pode se valer de alguns princípios inspiradores como a precaução, a informação e a solidariedade e/ou fraternidade.

2 O fenômeno climático-ambiental e a negociação coletiva de trabalho

A grande diferença entre o direito individual e o coletivo é que este através dos instrumentos da negociação pode criar normas com abrangência e validade para toda uma comunidade, que nós chamamos de categoria.

É enorme o significado da convenção coletiva, conforme já se disse:

> o direito do trabalho só pode existir na medida em que seja reconhecida e protegida a liberdade sindical, mas que só pode viver na medida em que os trabalhadores possam negociar coletivamente com os seus empregadores.[1]

Consigne-se o papel democrático das entidades sindicais, representativas de diversos segmentos da sociedade, especialmente no momento da negociação coletiva do trabalho, quando as demandas da comunidade que trabalha são apresentadas nas propostas que se direcionam a melhorar as condições de trabalho.

---

[1] MOURA, José Barros. *A convenção coletiva entre as fontes de direito do trabalho*: contributo para a teoria da convenção coletiva de trabalho no direito português. Coimbra: Almedina, 1984, p. 83.

Por isso, pode-se dizer quanto ao fenômeno sindical que

> a negociação coletiva revela-se cada vez mais como um processo de tomada de decisões em matéria de política social e alinha entre as formas de participação dos trabalhadores nas decisões a diversos níveis, que lhes digam respeito ou que influenciem os seus interesses. Ela pode ser seguramente um meio de democratização da empresa.[2]

Não é mais possível ignorar os sinais. A mudança climática e a desigualdade estão conectadas e se retroalimentam. As mudanças climáticas aumentam as desigualdades e as desigualdades aumentam a devastação ambiental:

> os dois processos representam um enorme risco para a humanidade. Sinais não faltam: desastres ambientais cada vez mais frequentes e potentes, conflitos cada vez maiores e ameaçadores, crescimento de movimentos políticos extremos e ameaças cada vez maiores às democracias. Ou levamos a sério os sinais e agimos preventivamente ou corremos o risco de chegarmos a uma situação em que seja tarde demais para remediar.[3]

Nesse sentido, muito oportuno que representantes da Corte Interamericana de Direitos Humanos, em Manaus, discutissem sobre o enfrentamento do aquecimento global e efeitos climáticos no mês de maio de 2024. Delineou-se como objetivo debater o papel de cada país envolvido, diante dos fenômenos climáticos gerados pelo aquecimento global e quais "medidas devem ser adotadas para minimizar os danos causados, observando as obrigações previstas na convenção americana".[4]

A Organização das Nações Unidas celebrou o Dia Mundial do Meio Ambiente (05.06) com o tema "restauração de terras, desertificação e resiliência à seca". De acordo com a Convenção das Nações Unidas de Combate à Desertificação, até 40% das terras do planeta estão degradadas, afetando diretamente metade da população mundial. O número e a duração das secas "aumentaram em 29% desde 2000 e, sem uma ação urgente, "as secas podem afetar mais de três quartos da população mundial até 2050".[5]

O Direito do Trabalho surge com a Revolução Industrial e principalmente graças aos movimentos dos trabalhadores, que se reuniam (associações, sindicatos), postulavam melhorias em suas condições de trabalho (negociação coletiva) e paralisavam suas atividades quando houvesse impossibilidade de diálogo com os empresários (greve).

Foi longo o percurso, da proibição dos movimentos operários até chegar à tolerância sem direitos e muito depois à proteção do Estado via leis e Constituição.

Lá no início das organizações operárias, onde o trabalho se fazia em longas jornadas, em ambientes insalubres, não havia preocupação com o meio ambiente.

---

[2] MOURA, José Barros. *Op. cit.*, p. 90.
[3] GRAJEW, Oded. Atenção aos sinais. *Folha de São Paulo*, 31.05.2024, p. A3.
[4] Corte IDH discute, em Manaus, enfrentamento do aquecimento global e efeitos climáticos. *In:* Notícias CJN – Agencia CNJ de Notícias. Disponível em https://www.cnj.jus.br/corte-idh-discute-emmanaus-enfrentamento-do-aquecimento-global-e-efeitos-climaticos/. Acesso em: 5 jun. 2024.
[5] ONU celebra Dia Mundial do Meio Ambiente com foco na restauração de terras. Disponível em https://www.j1diario.com.br/onu-celebra-dia-mundial-do-meio-ambiente-com-foco-na-restauracao-de-terras/. Acesso em: 5 jun. 2024.

Hoje, porém, parece muito claro que a norma coletiva deve, também, se preocupar com o meio ambiente do trabalho, pois, sendo parte integrante do meio ambiente deve ser concebido para garantir a sustentabilidade, de modo que o desenvolvimento econômico da unidade produtiva "deve se coadunar com o desenvolvimento social e humano do trabalhador, pelo que se impõe o respeito à sua saúde e criação de padrões de proteção coletiva, que ultrapassem a simples proteção individual preconizada pela CLT".[6]

Não há qualquer dúvida que a existência digna daquele que labora não é apenas uma questão de proteção individual, mas de defesa coletiva e isso impõe, necessariamente, uma ressignificação do Direito do Trabalho e de sua matriz individualista. Essa ressignificação, demandada pela metaindividualização dos interesses dos trabalhadores e pelo crescente progresso tecnológico e científico não tem sido acompanhada pela norma estatal. Assim,

> considera-se imperiosa a atuação coletiva para garantir a defesa do meio ambiente de trabalho, da saúde do trabalhador e para dar ao Direito Obreiro uma conotação mais atual e condizente com essa nova ideia de proteção da pessoa trabalhadora.[7]

Quando se trata de estudar os instrumentos que concretizaram as negociações coletivas, tanto convenções quanto acordos coletivos, a melhor pesquisa pode ser feita junto ao Sistema Mediador no site do Ministério do Trabalho e Emprego.

Como revela estudo a esse respeito (embora já um pouco desatualizado), o tema do meio ambiente/natureza ainda está pouco presente no resultado da negociação coletiva, como demonstra sua participação em apenas 0,7% dos instrumentos registrados no ano de 2022. Esse percentual

> contrasta com a percepção do assunto nas agendas públicas de empresas, governos e sindicatos. Dito de outra forma, tem-se que ambos os lados da negociação coletiva atuam e expressam posições no tema com frequência e intensidade maiores do que efetivam acordos.[8]

A verdade pura e simples é que os acordos sobre os eixos centrais da política ambiental e a transformação produtiva para a sustentabilidade – como a transição justa, a criação de empregos verdes, a mitigação e a adaptação – ainda não fluem pela via de negociação coletiva. Esses eixos, não custa lembrar, foram gestados e difundidos com o aval da ordem capitalista e, com exceção apenas da adjetivada Transição Justa, não se trata de formulações oriundas da classe trabalhadora.

Quais são, então, os motivos para a pouca efetividade do tema na negociação coletiva nessa área? Segundo explicita o estudo antes referido, a razão está no cálculo que a precede, por meio do qual os empregadores e trabalhadores avaliam a conveniência ou necessidade de trazer um tema novo para a mesa. De parte dos trabalhadores

---

[6] OLIVEIRA, Flávia de Paiva Medeiros de. Competência ambiental para a negociação coletiva: pressupostos para o desenvolvimento humano e para a ressignificação do Direito do Trabalho. *Revista Direito e Desenvolvimento*, João Pessoa, v. 7, n. 2, p. 96-113, p. 112.

[7] OLIVEIRA, Flávia de Paiva Medeiros de. *Op. cit.*, p. 112.

[8] BELZUNCES, Renata; COSTA, Luis Augusto Ribeiro da. O meio ambiente na negociação coletiva de trabalho no Brasil. *Revista Ciências do Trabalho*, n. 24, nov. 2023. p. 1-12. p. 11.

o assunto meio ambiente está em construção, ainda em estágio anterior à tomada de decisão sobre sua inclusão na negociação coletiva. Caso a decisão seja por incluir, haverá ainda a definição de quais demandas devem ser levadas.[9]

Todas as tragédias que aconteceram no Brasil, nos últimos anos, como a da Boate Kiss em Santa Maria/RS, de Mariana e Brumadinho/MG, entre outras, e agora em todo o Estado do Rio Grande do Sul as enchentes mostram, a não mais poder, a necessidade de que existam estudos, pesquisas e monitoramentos prevendo essas possibilidades e, mais do que isso, a participação da comunidade nessa empreitada, como deve acontecer relativamente às negociações coletivas entre trabalhadores e empregadores.

3 O princípio da precaução

Já vem de longe o brocardo popular: "é melhor prevenir do que remediar". Inspira-se esse pensamento na ideia da preocupação com os acontecimentos naturais, ou não, que eventualmente possam ser evitados. Também agora é possível dizer, quanto aos fenômenos climático-ambientais, que se deve ter preocupação e tomar atitudes concretas, a fim de evitar acontecimentos trágicos como no Rio Grande do Sul – uma tragédia de proporções incomensuráveis quanto aos seres humanos, animais, plantas, terra, rios, água, eletricidade, enfim, à própria existência da vida.

Por isso, quando se fala em negociação coletiva de trabalho, deve-se trazer à colação um princípio muito caro ao Direito Ambiental – a precaução.

Afinal de contas, do ponto de vista jurídico, no que consiste a precaução?

Na dicção de Ingo Wolfgang Sarlet e Tiago Fensterseifer, o princípio da precaução, como uma espécie de princípio da prevenção qualificado, ou mais desenvolvido, abre caminho para uma nova racionalidade jurídica, mais abrangente e complexa, vinculando a ação humana presente a resultados futuros.

> Isso faz com que o princípio da precaução seja um dos pilares mais importantes da tutela jurídica do ambiente e, consequentemente, seja reconhecido como um dos princípios gerais do Direito Ambiental moderno.[10]

Em linhas gerais, o seu conteúdo normativo estabelece que, diante da incerteza científica a respeito da segurança e das consequências do uso de determinada substância ou tecnologia, o operador do sistema jurídico deve ter, como fio condutor, uma postura precavida

> Interpretando os institutos jurídicos que regem tais relações sociais com a responsabilidade e a cautela que demanda a importância existencial dos bens jurídicos ameaçados (vida, saúde, qualidade ambiental e até mesmo, em alguns casos, a dignidade da pessoa humana), inclusive em vista das futuras gerações.[11]

---

[9] BELZUNCES, Renata; COSTA, Luis Augusto Ribeiro da. *Op. cit.*, p. 11.
[10] SARLET, Ingo Wolfgang; FENSTERSEIFER, Tiago. *Princípios de Direito Ambiental*. 2. ed. São Paulo: Saraiva, 2017, p. 215.
[11] SARLET, Ingo Wolfgang. FENSTERSEIFER, Tiago. *Op. cit.*, p. 215.

Recorde-se que à empresa não cabe apenas estabelecer o local onde o trabalhador deve executar os seus serviços, mas apresentá-lo em condições adequadas de higiene e segurança. Quando se fala em previsibilidade ou precaução, o primeiro lugar cabe à empresa, que é detentora dos meios de produção; mas, também, aos trabalhadores e às suas entidades sindicais cabem o dever de contribuir, através da negociação coletiva, para que sejam prevenidas situações que envolvam a natureza, ou não, e possam eventualmente configurar tragédias ambientais.

4 O princípio da informação

Não há dúvida de que o dever/direito de informação hoje, no mundo intensamente tecnológico que vivemos, é essencial.

Com os celulares, a internet e agora a inteligência artificial, cada vez mais a informação transformou-se num ativo importante nas relações humanas e também nas relações de trabalho.

É possível, então, reconhecer também na doutrina do Direito Coletivo do Trabalho o princípio (direito/dever) da informação como um dos mais relevantes. Ao tratar do direito de informação, como princípio da negociação coletiva, assevera João de Lima Teixeira Filho que a informação faz parte da natureza mesma do processo de entendimento. Como esclarece,

> para que a pauta de reivindicações possa ser adequadamente formulada, os pleitos devem ser substanciados a fim de permitir a compreensão de suas razões, contrapostas, ou esclarecimentos, e dar início à negociação.[12]

Ao lado de um direito à informação, é possível, igualmente, falar em um dever de informação. Segundo esse princípio (dever de informação), as partes prestarão, reciprocamente, as informações necessárias à justificação de suas propostas e respostas. Não há dúvida de que o princípio interessa mais à representação dos empregados, pois esta, habitualmente, sente forte carência de dados a respeito da situação econômica, financeira e comercial da empresa.

Naturalmente surgem resistências patronais, "mas as informações pertinentes, direta ou indiretamente, à negociação, não podem ser negadas sem que se caracterize má-fé do negociador".[13]

Esse dever de informação pela empresa e direito à informação pelos empregados, quando da negociação coletiva, deve ser mais bem explicitado.

Parece sensato que sejam conhecidas as reais condições econômico-financeiras da empresa, ou dados do segmento econômico, e sua capacidade de conceder determinados pleitos que os representados julgam cabíveis.

---

[12] TEIXEIRA FILHO, João de Lima. Negociação coletiva de trabalho. *In*: SÜSSEKIND, Arnaldo; MARANHÃO, Délio; VIANNA, Segadas, TEIXEIRA, Lima. *Instituições de direito do trabalho*. 22. ed. São Paulo: LTr, março de 2005. v. II, p. 1.185.

[13] BERNARDES, Hugo Gueiros. Princípio da negociação coletiva. *In*: TEIXEIRA FILHO, João de Lima (coord.). *Relações coletivas de trabalho*: estudos em homenagem ao Ministro Arnaldo Sussekind. São Paulo: LTr, 1989. (p. 357-370). p. 361-362.

Essas informações, no entanto, devem ser prestadas não apenas nos momentos de dificuldade financeira (para gerar medidas de superação da crise via negociação coletiva), mas, sempre, mesmo nas épocas de prosperidade.

Pondere-se que, a esse respeito, dois cuidados devem ser tomados:

> a) não é crível o empregador adotar atitude de recusa às reinvindicações, escudando-se em informações pretensamente secretas;
>
> b) mas, também, não é possível exigir a divulgação de informações estratégicas que possam colocar a empresa em risco, a pretexto de terem que ver com o processo negocial.[14]

Sobre essa temática, a Organização Internacional do Trabalho (OIT) editou a Recomendação nº 163, sobre a Promoção da Negociação Coletiva (art. 7.2.a), onde se estabelece que os empregadores, a pedido da organização de trabalhadores, devem pôr à sua disposição informações sobre a situação econômica e social da unidade negociadora e da empresa em geral, se necessária, para negociações significativas. Portanto, essas informações devem ser necessárias.

Por outro lado, pode-se exigir a confidencialidade da informação, isto é: "no caso de vir a ser prejudicial à empresa a revelação e parte dessas informações, sua comunicação pode ser condicionada ao compromisso de que será tratada como confidencial na medida do necessário".[15]

Desse modo, a informação deve guardar pertinência à negociação e às matérias que, nesse campo, serão debatidas, e "o direito de informação não pode servir de escape para, de alguma maneira, frustrar o entendimento direto".[16]

O Conselho de Administração da OIT, em 1977 (com a Emenda de 2000), adotou a Declaração Tripartite de Princípios sobre as Empresas Multinacionais e a Política Social. No título que trata da negociação coletiva, item 7, sugere às empresas multinacionais (o vocábulo usado é "deveriam"):

> proporcionar aos representantes dos trabalhadores as informações necessárias à celebração de negociações eficazes com a entidade em questão e, de conformidade com a legislação e as práticas locais, *deveriam* também proporcionar informações para que os trabalhadores possam dispor de dados adequados e fidedignos sobre as atividades em que trabalham ou, quando apropriado, ao conjunto da empresa.[17]

Outro documento muito importante, para demonstrar a importância do princípio da informação na negociação coletiva de trabalho, é a Recomendação nº 129 da OIT, sobre as comunicações entre a direção e os trabalhadores dentro da empresa, de 1967.

Merece especial atenção o artigo 15.1, ao estabelecer que as informações a serem prestadas pela administração devem, tendo em conta a sua natureza, dirigir-se aos representantes dos trabalhadores ou aos trabalhadores e devem, na medida do possível,

---

[14] TEIXEIRA FILHO, João de Lima. *Op. cit.*, p. 1.185-1.186.
[15] SCALÉRCIO, Marcos; MINTO, Túlio Martinez. *Normas da OIT organizadas por temas*. São Paulo: LTr, 2016. p. 377-378.
[16] TEIXEIRA FILHO, João de Lima. *Op. cit.*, p. 1.186.
[17] GUNTHER, Luiz Eduardo. *A OIT e o Direito do Trabalho no Brasil*. Curitiba: Juruá, 2013. p. 184-190.

incluir todos os assuntos de interesse dos trabalhadores relativos à operação e ao futuro das perspectivas do empreendimento, e da situação presente e futura dos trabalhadores, na medida em que a divulgação da informação não venha a causar prejuízo às partes.[18]

O princípio da boa-fé objetiva representa, sem dúvida, fonte originária do dever de informar, atuando nas fases pré-contratual, de execução contratual e pós-contratual, garantindo, dessa forma, o exercício da liberdade negocial entre o sindicato profissional e determinada empresa ou grupo de empresas, ou mesmo o sindicato econômico da categoria.

Não há qualquer dúvida, assim, que o dever de informação possibilita uma negociação mais justa, consciente, que protege a saúde, a integridade, a segurança da categoria de trabalhadores envolvida, e direciona para as consequências econômicas que a relação laboral pode acarretar, isto é, melhores condições de trabalho, com a certeza de que se fez a melhor negociação.[19]

Como se sabe, distinguem-se, juridicamente, as locuções liberdade de expressão e direito à informação.

Conceitua-se a liberdade de expressão como a possibilidade de exteriorizar pensamentos, crenças, ideias, opiniões e juízos de valor.

No que tange ao direito de informação, compreende-se como o direito de transmitir informações o de colher informações e o de se manter informado. Segundo Arion Sayão Romita, o que a Constituição assegura é o chamado direito de se informar, mas, no caso do Direito Coletivo do Trabalho, "não há garantia de que a representação dos trabalhadores na empresa (sindicais!) tenha o direito de ser informado pelo empregador sobre os assuntos da empresa."[20]

Apesar de não existir uma regra que estabeleça, claramente, a necessidade de observância do princípio da informação, no território brasileiro, quando se trata da negociação coletiva, pode-se extrair como um "dever anexo" da cláusula geral da boa-fé do art. 422 do Código Civil, que se aplicaria a todo o ordenamento jurídico trabalhista, com fundamento no art. 8º da CLT: "aliado a isso, o direito à informação – reverso do dever de informar – é considerado um direito fundamental no ordenamento jurídico brasileiro, consoante prescreve o art. 5º, XIX, da Constituição.[21]

Também no art. 220, *caput*, da Carta Magna do Brasil, de forma transparente, assegura-se o reconhecimento desse princípio: "a manifestação do pensamento, a criação, a expressão e a informação, sob qualquer forma, processo ou veículo, não sofrerão qualquer restrição, observando o disposto nesta Constituição".[22]

No plano das relações coletivas de trabalho, o direito à informação, dada a sua conexão com os mecanismos de autotutela sindical, assume um caráter típico dos institutos, de Direito Coletivo do Trabalho, ou seja, "um caráter instrumental, mediante

---

[18] SERVAIS, Jean Michel. *Derecho Internacional del Trabajo*. Buenos Aires: Heliasta, 2011, p. 124.
[19] DUARTE, Ícaro de Souza. *O reconhecimento de informação na negociação coletiva como decorrência da aplicação do princípio da boa-fé objetiva*. Disponível em: https://repositorio.ufba.br/handle/ri/10769. Acesso em: 10 jun. 2024.
[20] ROMITA, Arion Sayão. *Direitos fundamentais nas relações de trabalho*. 4. ed. rev. e aum. São Paulo: LTr, 2012 p. 301.
[21] PRAGMÁCIO FILHO, Eduardo. *A boa-fé nas negociações coletivas trabalhistas*. São Paulo: LTr, 2011. p. 100.
[22] BRASIL. *Constituição da República Federativa do Brasil*. Promulgada em 5 de outubro de 1988. Disponível em: https://www.planalto.gov.br/ccivil_03/constituicao/constituicao.htm. Acesso em: 10 jun. 2024.

o qual contam as organizações sindicais e unitárias de trabalhadores para o exercício de suas missões constitucionais e legais".[23]

Relativamente à negociação coletiva, inexistindo norma direta e expressa que imponha o dever de informar, torna-se imprescindível fazer com que os entes que negociam, superando traço corporativistas, passem a ter verdadeira representatividade, observando, em todas as fases da negociação, a boa-fé.

No que diz respeito ao empresariado, trata-se de olhar os trabalhadores como parceiros, inclusive na gestão do negócio, o que enseja a abertura de informações para a negociação. Quanto à representação dos trabalhadores, incumbe a guarda do sigilo das informações prestadas.[24]

De fato, não haveria sentido algum que as informações fossem prestadas pelo empregador e os trabalhadores pudessem usá-las em prejuízo da atividade empresarial. É esta que justifica, por sua própria atividade econômica, a existência da negociação coletiva do trabalho.

Nesse sentido, é possível compreender um direito coletivo à informação. Na dicção de César Arese, o reconhecimento do direito de informação na negociação coletiva e, em geral, no tratamento coletivo é a chave da democracia, da cidadania dos trabalhadores na empresa e da construção de um modelo participativo das relações de trabalho. Em suas palavras:

> Toda sociedade democrática verdadeira deve garantir o conhecimento, já que toda forma de tomada de decisão deve estar fundamentada em uma base de informação. A liberdade informativa ou de acesso à informação é uma condição essencial a todo processo participativo.[25]

Na verdade, da obrigação de negociar de boa-fé pode decorrer a necessidade de fornecer informações à outra parte, seja para justificar a prestação apresentada, seja para legitimar a recusa à oferta feita. Isso é absolutamente compreensível, pois o desenvolvimento do processo de negociação supõe conhecimento da situação sobre a qual se discute. Como se pode negociar em torno do desconhecido? Com certeza não pode ser viável...

Com essa perspectiva, a Recomendação nº 163 da Organização Internacional do Trabalho (OIT), que tem o objetivo de estimular a negociação coletiva, enfatizou a necessidade da adoção de medidas para que as partes tenham acesso a informações necessárias, a fim de poder negociar com conhecimento de causa.[26]

Há um setor nas relações de trabalho onde o direito à informação é particularmente sensível. Trata-se do meio ambiente do trabalho, que pode e deve, muitas vezes, ser objeto de negociações coletivas de trabalho.

---

[23] KAUFMANN, Marcus de Oliveira. *A representação dos trabalhadores da empresa*: dogmatização mínima e incompletude sistêmica na tutela do direito à informação e no combate aos atos antirrepresentativos. *Revista LTr*, vol. 84, n. 1, p. 97-119, jan. 2020, p. 110.

[24] PRAGMÁCIO FILHO, Eduardo. *A boa-fé nas negociações coletivas trabalhistas*. São Paulo: LTr, 2011, p. 100-101

[25] ARESE, César. *Direitos humanos trabalhistas*: teoria e prática de um novo Direito do Trabalho. Tradução Luiz Eduardo Gunther e Marco Antônio César Villatore. Curitiba-PR: Instituto Memória, 2020, p. 386-387.

[26] MALLET, Estêvão. A obrigação de negociar de boa-fé no direito coletivo do trabalho norte americano. *Revista da Faculdade de Direito da Universidade de São Paulo*, v. 99, p. 333-348, 2004, p. 334.

Indaga-se, assim, em que medida o direito à informação ambiental constitui um direito coletivo do trabalhador e de que forma esse direito deve/pode ser efetivado.

Considera-se necessário registrar que a informação, tratada como bem ambiental, possui três níveis essenciais:

a) o primeiro é o direito de informar, no qual se compreende a liberdade de transmitir ou comunicar informações a outrem;

b) o segundo é o direito de informar, que se dá pela liberdade de buscar informações e não ser impedido para tanto;

c) o terceiro, e último nível essencial, é o direito de ser informado, a versão positiva do direito de se informar, ser mantido informado (pelos meios de comunicação, pelos poderes públicos e polo empregador, naturalmente!).

Pode-se e deve-se reconhecer que o direito à informação não se restringe ao simples ato de tomar conhecimento sobre determinado fato, mas, evidentemente, ser advertido e deter compreensão sobre o objeto tratado.

5 O princípio da solidariedade e/ou fraternidade

As questões relacionadas aos fenômenos climático-ambientais somente serão resolvidas quando toda a sociedade brasileira estiver consciente da importância dos perigos e custos decorrentes, na oportunidade em que for inobservada a proteção necessária da natureza e do meio ambiente do trabalho.

Uma das maneiras de irradiar essa conscientização, sem dúvida, será sempre a que partir das negociações coletivas de trabalho, onde empresários e trabalhadores conseguirem avançar em discutir e aprovar cláusulas preventivas relativas ao ambiente laboral.

Muito se discute, ainda hoje, sobre o princípio da solidariedade, aplicável ao Direito Ambiental e ao Direito Coletivo do Trabalho. Há quem prefira a expressão fraternidade, por entendê-la mais adequada ao fenômeno negocial, quando as partes (trabalhador e empregador) se levam em consideração, em tratamento respeitoso, cada um conseguindo ver o lado do outro.

Na obra "Princípios do Direito Ambiental", Ingo Wolfgang Sarlet e Tiago Fensterseifer asseveram preferir a expressão solidariedade, que foi retomada da Revolução Francesa, para transformar-se em novo marco jurídico – constitucional dos direitos fundamentais de terceira dimensão, entre eles, o direito ao ambiente, e do Estado Socioambiental do Direito Contemporâneo.[27]

Quanto ao *esquecimento* do princípio da solidariedade, Ricardo Lobo Torres explica:

> em que pese a solidariedade como sinônimo da fraternidade ter sido valor fundante do Estado de Direito e já aparecer na trilogia da Revolução Francesa (liberdade, igualdade e fraternidade), o pensamento jurídico posterior a Kant exacerbou a ideia de liberdade diluindo-a na legalidade, com o que ficaram esquecidas as ideias de justiça e solidariedade.[28]

---

[27] SARLET, Ingo Wolfgang; FENSTERSEIFER, Tiago. *Op. cit.*, p. 87.
[28] TORRES, Ricardo Lobo. *Tratado de direito constitucional, financeiro e tributário*. Vol. II. Valores e princípios constitucionais tributários. Rio de Janeiro/São Paulo/Recife, 2005. p. 180-181.

No mesmo sentido, Peter Häberle afirma a existência de um déficit de elaboração jurídico-positiva e ético-social do postulado da fraternidade de 1789 na atualidade e no futuro Estado constitucional, guardando especial importância a sua aplicação no que tange à proteção ambiental, juntamente com o princípio da responsabilidade.[29]

Há, sim, aqueles que pensam de modo diverso e que o princípio da fraternidade está presente entre nós, sendo aplicado juridicamente.

Como um primeiro passo da fraternidade surge a solidariedade, mas esta e aquela, na verdade, não se confundem. O homem é fraterno na mesma proporção que é livre. A solidariedade é um primeiro momento da fraternidade, como o livre-arbítrio o é da liberdade. Um segundo momento, porém, "é o da reciprocidade, como que um critério para uma política emancipatória, que exige a ação do ser humano".[30]

Quanto a essa afirmação, pode-se indagar: é possível ou desejável alcançar a fraternidade pelo reconhecimento?

A resposta deveria ser afirmativa, pois a fraternidade, sim, pode ser alcançada por meio do processo de reconhecimento, o qual também se constitui em uma atitude, que implica a certeza de

> uma reciprocidade entre os indivíduos que se relacionam entre si. Eu espero do outro o que ele esperaria de mim, exatamente pelo fato de que eu o vejo como um outro eu.[31]

Afirma-se que o trabalho é a manifestação absoluta da fraternidade, pois o intento do homem, ao trabalhar o mundo exterior, de criá-lo como elemento de sua existência, um mundo em que ele está como em sua casa.

Na dialética da fraternidade, o trabalho "é a forma como o homem, como ser humano, reconhece cada consciência de si como livre e igual".[32]

Como se pode entender a fraternidade no âmbito jurídico? A fraternidade, em síntese, é o direito da totalidade social, na comunhão do universal e do particular.

Ocorre a fraternidade quando a razão

> confecciona o *nós* da liberdade efetiva, suportando no direito à vontade livre de ser o que é, ser humano diante do outro reconhecido como seu próprio ser outro ser humano também (...).[33]

Não há dúvida de que o vocábulo fraternidade consta, expressamente, no Direito Positivo brasileiro, embora apenas no preâmbulo da Constituição da República Federativa do Brasil, de 1988.

---

[29] HÄBERLE, Peter. *Libertad, igualdad, fraternidad*: 1789 como história, actualidad y futuro del Estado constitucional. Tradução de Ignacio Gutiérrez Gutiérrez. Madrid: Editorial Trotta, 1998.
[30] ANDRADE, Maria Inês Chaves de. *A fraternidade como direito fundamental entre o ser e o dever ser na dialética dos opostos de Hegel*. Coimbra: Almedina, 2010, p. 81-85.
[31] CÂMARA, Sílvia Beatriz Gonçalves. A concretização da fraternidade nas relações de trabalho: uma abordagem acerca da discriminação e exclusão social. In: BARZOTTO, Luciane Cardoso (coord.). *Trabalho e Igualdade*: tipos de discriminação no ambiente de trabalho. Porto Alegre: Livraria do Advogado, 2012, p. 86-87.
[32] ANDRADE, Maria Inês Chaves de. *Op. cit.* p. 209-210.
[33] ANDRADE, Maria Inês Chaves de. *Op. cit.* p. 241.

Parece razoável, mesmo assim, entender a fraternidade "como princípio inspirador do sistema jurídico, atuando como norte interpretativo ao jurista".[34]

Desse modo, essa consideração ganha amplitude, especial relevo, no âmbito das relações entre patrões e empregados, com maior importância no âmbito coletivo, estendendo-se "no sentido de possibilitar a diminuição dos conflitos sociais trabalhistas, além de dar maior efetividade à legislação em vigor".[35]

Na verdade, é preciso dizer, neste estágio em que estamos, do constitucionalismo fraternal, que, se não for possível um estado genérico de liberdade sem uma aproximativa igualdade entre os homens, também não será possível:

> o alcance de uma vida coletiva em bases fraternais sem o gozo daquela mesma situação de igualdade social (ao menos aproximativamente), pela simples razão de que não pode haver fraternidade senão entre os iguais.[36]

Em apresentação à obra "Um conceito de fraternidade para o Direito", Geralda Magella de Faria Rossetto indica algumas decisões do egrégio Supremo Tribunal Federal (STF) a respeito do tema da fraternidade, que conferem e propõem sua aplicação a casos concretos, de onde fluem as razões de sua eficácia e efetividade:[37]

a) HC nº 82424, sobre antissemitismo;
b) ADIs nºs 3.330 e 3.197 e ADPF nº 186, sobre cotas raciais nas universidades;
c) ADFs nºs 132 e 178, sobre relação homoafetiva;
d) RE nº 423768, sobre imposto progressivo;
e) ADIs nºs 3.105 e 3.128, sobre contribuição previdenciária dos inativos;
f) ADI nº 3.510, sobre células-tronco embrionárias;
g) ADPF nº 54, sobre interrupção de gravidez nos casos de anencefalia;
h) PET nº 3.388, sobre a Raposa Terra do Sol;
i) ADPF nº 101, sobre pneus usados;
j) ADI nº 2.649, sobre passe livre aos portadores de deficiência;
k) ADI nº 3.768, sobre a gratuidade relativa aos transportes públicos urbanos e semiurbanos para idosos;
l) ADI nº 3.096, sobre crimes contra idosos;
m) ADI nº 4.425, sobre a "superpreferência" a credores de verbas alimentares, quando idosos ou portadores de doenças graves;
n) RE nº 567987-MT, sobre renda *per capita* para concessão de LOAS;
o) RE nº 580.963-PR, sobre renda *per capita* de família para cálculo de benefício de LOAS.

A locução "sociedade fraterna" direciona-se a um compromisso do Estado Democrático de Direito, possui relação complementar com o próprio conceito racional-legitimador da democracia. Nesse sentido, pode-se afirmar, com segurança, que

---

[34] CÂMARA, Sílvia Beatriz Gonçalves. *Op. cit.* p. 91.
[35] CÂMARA, Sílvia Beatriz Gonçalves. *Op. cit.* p. 91.
[36] BRITO, Carlos Ayres. *Teoria da Constituição*. Rio de Janeiro: Forense, 2006. p. 217.
[37] VERONESE, Rafael Petry. *Um conceito de fraternidade para o direito*. Rio de Janeiro: Lumen Juris, 2015. p. 7.

o modelo formal de democracia, como um fim em si mesmo, não basta, não podendo ficar reduzido a um poder específico, ou, ainda, uma esfera social específica.[38]

Tendo em conta esses argumentos e fundamentações, a fraternidade poderia ser entendida como uma participação comprometida, conjunta, muito além da simples solidariedade, que, por si só, não bastaria; deve, assim, incluir a fraternidade: o compromisso social com os valores morais de uma determinada sociedade.

Como a negociação coletiva pode "fraternizar" as relações entre os trabalhadores e os empregadores? Qual o efetivo papel da negociação coletiva para a melhoria do relacionamento entre trabalhadores e empresários? Qual a importância desse instituto na melhoria das condições de trabalho no Brasil?

Deve-se, e pode-se, com absoluta convicção, reconhecer que a negociação coletiva de trabalho é de grande valia para a normatização das relações laborais.

José Soares Filho afirma, enfaticamente, que, desde os seus primórdios, a negociação coletiva constitui uma notável experiência, jurídica, a mais expressiva vivenciada pelo Direito em todas as suas fases. Salienta, igualmente, que a negociação coletiva realizou-se primeiro no campo das relações de trabalho e, depois, graças aos resultados positivos apresentados, em outras áreas do Direito, a exemplo da relativa ao consumo.[39]

Como prólogo à importante pesquisa realizada pelo DIEESE – Departamento Intersindical de Estatística e Estudos Econômicos, Nilcéa Freire e Laís Abramo explicam que os direitos efetivos à negociação coletiva e à liberdade sindical e de associação integram a Declaração dos Direitos e Princípios Fundamentais no Trabalho, consoante a Organização Internacional do Trabalho (OIT).

Afirmam, também, que esses direitos constituem elementos centrais da OIT para promover o trabalho decente, cujo significado deve ser "entendido como qualquer ocupação produtiva, adequadamente remunerada, exercida em condições de liberdade, equidade, segurança e que seja capaz de garantir uma vida digna".[40]

Designe-se por solidariedade ou por fraternidade, a verdade é que ambas as palavras destinam-se, na negociação coletiva de trabalho, a construir o caminho do trabalho decente.

6 Considerações finais

O artigo direciona-se a analisar o fenômeno climático-ambiental e como pode a negociação coletiva do trabalho envolver-se nessa temática para evitar desastres/tragédias ou contribuir para uma recuperação após os acontecimentos que causam tantos prejuízos às pessoas, empresas e municípios.

Busca o texto fundamentar-se nos princípios da precaução, informação e solidariedade/fraternidade como basilares para que as normas coletivas possam ser amplamente propositivas e preventivas, especialmente.

---

[38] VERONESE, Rafael Petry. *Op. cit.*, p. 96.
[39] SOARES FILHO, José. As negociações coletivas supranacionais para além da OIT e da União Europeia. *Revista LTr*, São Paulo, v. 71, n. 8, p. 907-915, ago. 2007, p. 907.
[40] ORGANIZAÇÃO INTERNACIONAL DO TRABALHO. *Negociação coletiva de trabalho e equidade de gênero e raça no Brasil*. Brasília: OIT, 2009. p. 5.

Esses princípios são analisados no trabalho, voltados a dar fundamentos sólidos para construir uma negociação coletiva que possa envolver empresas, trabalhadores e entidades sindicais.

Referências

ANDRADE, Maria Inês Chaves de. *A fraternidade como direito fundamental entre o ser e o dever ser na dialética dos opostos de Hegel*. Coimbra: Almedina, 2010.

ARESE, César. *Direitos humanos trabalhistas*: teoria e prática de um novo Direito do Trabalho. Tradução Luiz Eduardo Gunther e Marco Antônio César Villatore. Curitiba: Instituto Memória, 2020.

BELZUNCES, Renata; COSTA, Luis Augusto Ribeiro da. O meio ambiente na negociação coletiva de trabalho no Brasil. *Revista Ciências do Trabalho*, n. 24, nov. 2023.

BERNARDES, Hugo Gueiros. Princípio da negociação coletiva. *In*: TEIXEIRA FILHO, João de Lima (coord.). *Relações coletivas de trabalho*: estudos em homenagem ao Ministro Arnaldo Sussekind. São Paulo: LTr, 1989, p. 357-370.

BRASIL. Constituição da República Federativa do Brasil. Promulgada em 5 de outubro de 1988. Disponível em https://www.planalto.gov.br/ccivil_03/constituicao/constituicao.htm. Acesso em: 10 jun. 2024.

BRITO, Carlos Ayres. *Teoria da Constituição*. Rio de Janeiro: Forense, 2006.

CÂMARA, Sílvia Beatriz Gonçalves. A concretização da fraternidade nas relações de trabalho: uma abordagem acerca da discriminação e exclusão social. *In*: BARZOTTO, Luciane Cardoso (coord.). *Trabalho e Igualdade*: tipos de discriminação no ambiente de trabalho. Porto Alegre: Livraria do Advogado, 2012, p. 86-87.

Corte IDH discute, em Manaus, enfrentamento do aquecimento global e efeitos climáticos. *In*: Notícias CJN – Agencia CNJ de Notícias. Disponível em https://www.cnj.jus.br/corte-idh-discute-emmanaus-enfrentamento-do-aquecimento-global-e-efeitos-climaticos/. Acesso em: 5 jun. 2024.

DUARTE, Ícaro de Souza. O reconhecimento de informação na negociação coletiva como decorrência da aplicação do princípio da boa-fé objetiva. Disponível em: https://repositorio.ufba.br/handle/ri/10769. Acesso em: 10 jun. 2024.

GRAJEW, Oded. Atenção aos sinais. *Folha de São Paulo*, 31.05.2024. p. A3.

GUNTHER, Luiz Eduardo. *A OIT e o Direito do Trabalho no Brasil*. Curitiba: Juruá, 2013.

KAUFMANN, Marcus de Oliveira. A representação dos trabalhadores da empresa: dogmatização mínima e incompletude sistêmica na tutela do direito à informação e no combate aos atos antirrepresentativos. *Revista LTr*, vol. 84, n. 1, p. 97-119, jan. 2020.

HÄBERLE, Peter. *Libertad, igualdad, fraternidad*: 1789 como história, actualidad y futuro del Estado constitucional. Tradução de Ignacio Gutiérrez Gutiérrez. Madrid: Editorial Trotta, 1988.

MALLET, Estêvão. A obrigação de negociar de boa-fé no direito coletivo do trabalho norte americano. *Revista da Faculdade de Direito da Universidade de São Paulo*, v. 99, p. 333-348, 2004.

MOURA, José Barros. *A convenção coletiva entre as fontes de direito do trabalho*: contributo para a teoria da convenção coletiva de trabalho no direito português. Coimbra: Almedina, 1984.

OLIVEIRA, Flávia de Paiva Medeiros de. Competência ambiental para a negociação coletiva: pressupostos para o desenvolvimento humano e para a ressignificação do Direito do Trabalho. *Revista Direito e Desenvolvimento*, João Pessoa, v. 7, n. 2, p. 96-113.

ONU celebra Dia Mundial do Meio Ambiente com foco na restauração de terras. Disponível em: https://www.j1diario.com.br/onu-celebra-dia-mundial-do-meio-ambiente-com-foco-na-restauracao-de-terras/. Acesso em: 5 jun. 2024.

ORGANIZAÇÃO INTERNACIONAL DO TRABALHO. Negociação coletiva de trabalho e equidade de gênero e raça no Brasil. Brasília: OIT, 2009. p. 5.

PRAGMÁCIO FILHO, Eduardo. *A boa-fé nas negociações coletivas trabalhistas*. São Paulo: LTr, 2011.

ROMITA, Arion Sayao. *Direitos fundamentais nas relações de trabalho*. 4. ed. rev. e aum. São Paulo: LTr, 2012.

SARLET, Ingo Wolfgang; FENSTERSEIFER, Tiago. *Princípios de Direito Ambiental*. 2. ed. São Paulo: Saraiva, 2017.

SCALÉRCIO, Marcos; MINTO, Túlio Martinez. *Normas da OIT organizadas por temas*. São Paulo: LTr, 2016.

SERVAIS, Jean Michel. *Derecho Internacional del Trabajo*. Buenos Aires: Heliasta, 2011.

SOARES FILHO, José. As negociações coletivas supranacionais para além da OIT e da União Europeia. *Revista LTr*, São Paulo, v. 71, n. 8, ago. 2007.

TEIXEIRA FILHO, João de Lima. Negociação coletiva de trabalho. *In*: SÜSSEKIND, Arnaldo; MARANHÃO, Délio; VIANNA, Segadas, TEIXEIRA, Lima. *Instituições de direito do trabalho*. 22. ed. São Paulo: LTr, março de 2005. v. II.

TORRES, Ricardo Lobo. *Tratado de direito constitucional, financeiro e tributário*. Vol. II. Valores e princípios constitucionais tributários. Rio de Janeiro/São Paulo/Recife, 2005.

VERONESE, Rafael Petry. *Um conceito de fraternidade para o direito*. Rio de Janeiro: Lumen Juris, 2015.

Informação bibliográfica deste texto, conforme a NBR 6023:2018 da Associação Brasileira de Normas Técnicas (ABNT):

GUNTHER, Luiz Eduardo. O fenômeno climático-ambiental e a negociação coletiva de trabalho: aplicabilidade dos princípios da precaução da informação e da fraternidade. *In*: JUSTEN, Monica Spezia; PEREIRA, Cesar; JUSTEN NETO, Marçal; JUSTEN, Lucas Spezia (coord.). *Uma visão humanista do Direito*: homenagem ao Professor Marçal Justen Filho. Belo Horizonte: Fórum, 2025. v. 2, p. 265-279. ISBN 978-65-5518-916-2.

DA NECESSÁRIA VALORAÇÃO DOS PRINCÍPIOS ADMINISTRATIVOS EM SITUAÇÕES DE CONFLITOS DE INTERESSE ENTRE ADMINISTRAÇÃO PÚBLICA E A TUTELA DA DIGNIDADE HUMANA DAS HIPERVULNERÁVEIS CRIANÇAS COM DEFICIÊNCIA. DIREITO À CONDIÇÃO ESPECIAL DE TRABALHO (CET)

MÁRIO GOULART MAIA

1 Introdução

Buscaremos com esta breve exposição analisar as diversas possibilidades e o consequente aumento, tanto nas esferas administrativas como nas demandas judiciais, dos casos que envolvem interesse da Administração Pública e a tutela da dignidade humana e dos direitos fundamentais, aqui em especial menores de idade (PCD), do ponto de vista humanizado e constitucional, já que sabidamente ambos se encontram respaldados em nosso ordenamento jurídico constitucional.

Marçal Justen Filho, conhecido em razão de seu profundo conhecimento e críticas construtivas ao Direito Administrativo, dedicou grande parte de sua carreira ao estudo da gestão pública e dos princípios que a regem, princípios estes que são fundamentais para assegurar que a Administração Pública atue de forma ética e eficiente, principalmente em situações onde conflitos entre interesses tutelados diversos se chocam.

Assim, observa-se que o direito ao pedido de Condição Especial de Trabalho (CET), no contexto de tutela da dignidade humana, incorpora o espírito programático de nossa Constituição, logo, o seu *status* constitucional com a promulgação da Carta Magna de 1988 é incontestável.

Ocorre que, cega-se a tutela desses direitos e a gravidade de sua proteção nos casos em que se faz necessária a intervenção do Poder Judiciário em atos de gestão administrativa para que se evite o seu perecimento ou até mesmo do acionamento de instâncias superiores em razão da má interpretação dos direitos fundamentais por parte de alguns magistrados. Como por exemplo os julgados que aqui colacionamos:

AUTORIZAÇÃO PARA O EXERCÍCIO DO REGIME DE TELETRABALHO NO EXTERIOR. ACOMPANHAMENTO DE FILHO COM DEFICIÊNCIA. COMPATIBILIDADE DAS ATRIBUIÇÕES DO CARGO COM O TRABALHO A DISTÂNCIA. Em regra, não é dado ao Poder Judiciário interferir nos atos de gestão administrativa, imiscuindo-se na discricionariedade do ente privado para impor a liberação do trabalhador para o regime de teletrabalho, sobretudo quando a lei disciplina textualmente se tratar de faculdade do empregador a realização do trabalho à distância. Ocorre que, quando se está diante de situações excepcionalíssimas de tensão envolvendo o (des)cumprimento de direitos fundamentais, especialmente com risco à garantia da proteção da pessoa com deficiência, não é dado ao Poder Judiciário omitir-se na tarefa de fazer prevalecer o interesse público e a eficácia integrativa dos direitos outorgados aos cidadãos, devendo ser criados os pressupostos fáticos necessários ao exercício dos direitos garantidos no ordenamento jurídico. Com efeito, ante a plena compatibilidade da atividade do autor com o trabalho desenvolvido remotamente, e não havendo outras razões minimamente razoáveis que desaconselhassem a liberação do reclamante para trabalhar a distância, a recusa imotivada não pode impedir esta Justiça Especializada de buscar o equilíbrio necessário entre a livre iniciativa e o valor social do trabalho, garantindo ao autor a possibilidade de destinar os esforços necessários aos cuidados de seu filho autista, sem trazer prejuízos para o tomador dos seus serviços. (TRT 17ª R., ROT 0001208-69.2018.5.17.0008, Divisão da 2ª Turma, DEJT 17/12/2019). (TRT-17 – ROT: 00012086920185170008, Relator: DESEMBARGADORA WANDA LÚCIA COSTA LEITE FRANÇA DECUZZI, Data de Julgamento: 05/12/2019, Data de Publicação: 17/12/2019)

MANDADO DE SEGURANÇA – Servidor Público Estadual – Escrevente Técnico Judiciário – Pedido de teletrabalho fundamentado na existência de dependente legal portador de doença grave – Parecer negativo do gestor e indeferimento pelo juízo assessor da Presidência do Tribunal – Ausência de ilegalidade ou conduta abusiva do gestor, ora impetrado, a quem incumbe emitir parecer quanto ao cabimento do deferimento dos pedidos de teletrabalho – Concessão de teletrabalho que é ato discricionário da Administração e está sujeito ao exame de conveniência e oportunidade – Impetrante que, ademais, não obteve conceito positivo na última avaliação de desempenho, o que, à luz da Resolução nº 850/2021, impede o deferimento do teletrabalho – Alegação de nulidade das intimações e da sentença – Inocorrência – Pedido de condenação do impetrado por litigância de má-fé – Descabimento – Sentença mantida – Recurso não provido. (TJ-SP – AC: 10015044220228260070 SP 1001504-42.2022.8.26.0070, Relator: Luís Francisco Aguilar Cortez, Data de Julgamento: 01/03/2023, 1ª Câmara de Direito Público, Data de Publicação: 01/03/2023)

Portanto a inovação tecnológica introduzida para casos específicos em que se possa conciliar na modalidade trabalho remoto a saúde e proteção da criança e da família, sem trazer prejuízo à Administração Pública deve ser analisada caso a caso e com bons olhos, quando por motivo alheio a sua vontade o magistrado ou o servidor tenha que se encontrar fora da comarca de lotação, para acompanhar o filho ou seu dependente nas terapias que necessitam, que são inúmeras, devendo sempre conciliar e harmonizar com a prestação jurisdicional satisfatória e eficiente, como determina o art. 37 da nossa CF/88.

Nesse sentido, brilhantes considerações realizadas pelo Professor Marçal Justen Filho, por paradigma:

Mas quando se afirma que a atividade estatal é norteada pela eficiência, não se impõe a subordinação da atividade administrativa à pura e exclusiva racionalidade econômica. Eficiência administrativa não é sinônimo de eficiência econômica. Numa empresa privada, busca-se a maior eficiência econômica. A autonomia permite organizar os fatores da produção segundo as finalidades perseguidas egoisticamente pelo empresário – o que autoriza, inclusive, a privilegiar a busca do lucro. Ao contrário, a atividade estatal deverá traduzir valores de diversa ordem, e não apenas aqueles de cunho econômico. Por isso, parte da doutrina tem preferido a expressão "princípio da eficácia administrativa".[1]

...///...

Uma das decorrências do princípio da eficácia reside na exigência de constante adequação das soluções práticas adotadas pela Administração Pública. A satisfação do princípio da eficácia administrativa pressupõe uma avaliação permanente das finalidades a serem atingidas, das necessidades concretas existentes, dos recursos públicos econômicos e não econômicos disponíveis e das soluções técnico-científicas aplicáveis. A realidade é dinâmica e exige a intervenção contínua dos agentes estatais para evitar a cristalização de práticas antiquadas – que podem ter encontrado alguma justificativa no passado, mas que se tornaram obsoletas.

Essa necessidade é ainda mais relevante em vista do ritmo da evolução tecnológica. Há um processo contínuo de inovações, especialmente no campo da informática. Isso exige a incorporação dessas melhoras na prática administrativa.[2]

Logo, em casos em que o pedido de CET é indeferido pelo juiz a um servidor público em razão da possibilidade de tratamento do menor em cidade diferente da apontada para o referido tratamento e da necessidade de atuação presencial deste mesmo servidor na unidade que titulariza ou simplesmente em razão da discricionariedade que o Poder Público tem para deferir a concessão de CET, notório o conflito de interesses, sempre prevalecendo o "interesse público primário", em detrimento do "interesse pessoal" do servidor, afastando por completo os ensinamentos do estudioso Marçal Justen Filho, que nos ensina que "é evidente que a função administrativa sempre se orienta para a realização de interesses de natureza coletiva". Mas isso não significa impossibilidade de produção de efeitos circunscritos a um único indivíduo.[3] Sejam tais sujeitos pessoas com ou sem qualquer vínculo com a Administração Pública.

Conquanto louvável a preocupação dos Tribunais com o interesse da Administração, pensa-se que tal interpretação não guarda pertinência com as normas jurídicas que inspiram o ato ou mesmo se mostra sensível à política de inclusão baixada pelo Conselho Nacional de Justiça (CNJ), voltada a magistrados e servidores com deficiência, necessidades especiais ou doença grave ou que tenham filhos ou dependentes legais na mesma condição.

---

[1] *Curso de Direito Administrativo.* p. 67.
[2] *Curso de Direito Administrativo.* p. 68-69.
[3] *Curso de Direito Administrativo.* p. 185.

2 Da legislação aplicável e necessária ponderação dos direitos fundamentais em discussão nos pedidos de concessão especial de trabalho

A Lei nº 12.764, de 27.12.2012, que instituiu a Política Nacional de Proteção dos Direitos da Pessoa com Transtorno do Espectro Autista (TEA), passou a considerar a pessoa com TEA como pessoa com deficiência, para todos os efeitos legais.

> Art. 1º Esta Lei institui a Política Nacional de Proteção dos Direitos da Pessoa com Transtorno do Espectro Autista e estabelece diretrizes para sua consecução.
>
> §1º Para os efeitos desta Lei, é considerada pessoa com transtorno do espectro autista aquela portadora de síndrome clínica caracterizada na forma dos seguintes incisos I ou II:
>
> I – Deficiência persistente e clinicamente significativa da comunicação e da interação sociais, manifestada por deficiência marcada de comunicação verbal e não verbal usada para interação social; ausência de reciprocidade social; falência em desenvolver e manter relações apropriadas ao seu nível de desenvolvimento;
>
> II – Padrões restritivos e repetitivos de comportamentos, interesses e atividades, manifestados por comportamentos motores ou verbais estereotipados ou por comportamentos sensoriais incomuns; excessiva aderência a rotinas e padrões de comportamento ritualizados; interesses restritos e fixos.
>
> §2º A pessoa com transtorno do espectro autista é considerada pessoa com deficiência, para todos os efeitos legais.

Posteriormente, no ano de 2015, foi editado o Estatuto da Pessoa com Deficiência (Lei nº 13.146/2015), destinado a assegurar e a promover, em condições de igualdade, o exercício dos direitos e das liberdades fundamentais por pessoa com deficiência, visando à sua inclusão social e cidadania.

De acordo com a definição legal, considera-se PCD "aquela que tem impedimento de longo prazo de natureza física, mental, intelectual ou sensorial, o qual, em interação com uma ou mais barreiras, pode obstruir sua participação plena e efetiva na sociedade em igualdade de condições com as demais pessoas" (art. 2º, Lei nº 13.146/2015).

Em 2020, preocupado com a efetivação do princípio da proteção integral à pessoa com deficiência, a vulnerabilidade destas e a imprescindibilidade de especiais cuidados para que pudessem desenvolver suas capacidades e aptidões com vistas ao exercício de seus direitos e liberdades fundamentais, inerentes à cidadania, o CNJ editou a Resolução CNJ nº 343/2020, para regulamentar condições especiais de trabalho para magistrados e servidores com deficiência, necessidades especiais ou com problemas graves de saúde ou que sejam pais ou responsáveis por dependentes na mesma condição.

Os "considerandos" da aludida normativa bem traduzem a inquietude e os anseios do Conselho com a efetivação dos direitos e garantias fundamentais. Destacam-se alguns deles:

> CONSIDERANDO que a Convenção Internacional sobre os Direitos das Pessoas com Deficiência, instrumento assinado no estado americano de Nova Iorque em 30 de março de 2007 e promulgado pelo Brasil em 25 de agosto de 2009, com status de norma constitucional,

à luz do art. 5º, §3º, da CF, incorpora os seguintes princípios: a) o respeito pela dignidade inerente à autonomia individual, inclusive a liberdade de fazer as próprias escolhas, e a independência da pessoa; b) a não discriminação; c) a plena e efetiva participação e inclusão na sociedade; d) o respeito pela diferença e pela aceitação das pessoas com deficiência como parte da diversidade humana e da humanidade; e) a igualdade de oportunidades; f) a acessibilidade; g) a igualdade entre homem e mulher; e h) o respeito pelo desenvolvimento das capacidades das crianças com deficiência e pelo direito das crianças com deficiência de preservar sua identidade;

CONSIDERANDO que a formação e o amadurecimento de equipe multidisciplinar para acompanhar e estimular o desenvolvimento das pessoas com deficiência, necessidades especiais ou doença grave geralmente requer tempo e dedicação, especialmente para que se estabeleça relação de confiança entre assistidos e equipe;

CONSIDERANDO que a família, considerada base da sociedade brasileira, deve receber especial proteção do Estado, conforme determina o art. 226 da Constituição Federal, e que a participação ativa dos pais ou responsáveis legais na construção de um ambiente saudável e propício ao crescimento e bem-estar de seus filhos ou dependentes é imprescindível, especialmente quando esses possuem deficiência, necessidades especiais ou doença grave, de modo que os compromissos assumidos pelo Brasil com a ratificação da Convenção Internacional sobre os Direitos das Pessoas com Deficiência possam ser efetivamente cumpridos;

CONSIDERANDO que cabe à Administração Pública a responsabilidade de assegurar tratamento prioritário e apropriado às pessoas com deficiência, necessidades especiais ou doença grave, devendo, como condição da própria dignidade humana, estender a proteção do Estado à sua família;

CONSIDERANDO que a primazia do interesse público relativamente à moradia do(a) magistrado(a) e do(a) servidor(a) no local de sua lotação não pode preponderar indiscriminadamente sobre os princípios da unidade familiar e da prioridade absoluta aos interesses da criança e do adolescente, especialmente quando o núcleo familiar contenha pessoas com deficiência, necessidades especiais ou doença grave (art. 19 do Estatuto da Criança e do Adolescente – Lei nº 8.069/90);

CONSIDERANDO os graves prejuízos que as mudanças de domicílio podem acarretar no tratamento e desenvolvimento de pessoas com deficiência, necessidades especiais ou doença grave;

CONSIDERANDO a necessidade de regulamentar a concessão de condições especiais de trabalho aos(às) magistrados(as) e aos(às) servidores(as) para acompanhamento eficaz próprio ou de seus dependentes, em tratamentos médicos, terapias multidisciplinares, atividades pedagógicas e da vida cotidiana, conforme autorizado pelo Conselho Nacional de Justiça ao(à) servidor(a) que tenha cônjuge, filho(a) ou dependente com deficiência (arts. 29 e 32 da Resolução CNJ nº 230/2016);

A *mens legis* dos normativos reproduzidos é clara e indene de dúvidas: os direitos das pessoas com deficiência, a proteção à família, a responsabilidade da Administração em propiciar os meios necessários à efetivação de tais direitos e a prioridade absoluta dos interesses da criança e do adolescente, especialmente quando o núcleo familiar contenha PCDs, são valores, direitos e garantias impassíveis de relativização.

Preenchidos os pressupostos, é dever da Administração estender a proteção do Estado à família e à criança (princípios da unidade familiar e da prioridade absoluta da criança).

Portanto, os Tribunais pecam ao invocarem o "interesse público primário" em detrimento do "interesse pessoal" nos casos de indeferimento de pedido de Condição Especial de Trabalho (CET), haja vista que o interesse público primário em tais casos seria justamente a PCD, a criança e a família, tal qual afirmado por Marçal Justen Filho: "a função administrativa estatal é o conjunto de poderes jurídicos destinados a promover a satisfação de interesses essenciais, relacionados com a promoção de direitos fundamentais".[4]

Concessa venia, compreender a Administração como interesse público em tais casos é subverter toda a ordem constitucional e toda a política instituída para a garantia de direitos da pessoa humana, nesse sentido, Marçal Justen Filho:

> O núcleo do direito administrativo reside não no interesse público, mas na promoção dos direitos fundamentais indisponíveis. A invocação ao interesse público toma em vista a realização de direitos fundamentais. O Estado é investido do dever de promover esses direitos fundamentais em casos em que for inviável a sua concretização pelos particulares, segundo o regime de direito privado.
>
> Essa orientação se coaduna com o entendimento prevalente no direito constitucional, que reconhece que todas as posições jurídicas são delimitadas e ordenadas de acordo com os direitos fundamentais. Nenhuma faculdade, proibição ou comando jurídico pode ser interpretado de modo dissociado dos direitos fundamentais.

O jurista alemão Professor Gunther Durig (1920-1996), nascido na Polônia, é um dos campeões mais destacados na defesa dos direitos fundamentais, dentre os quais a dignidade da pessoa humana desponta como a síntese completa de todos os demais direitos. Essa expansão conceitual e eficacial – repita-se – não deriva da leitura, mesmo atenta, de textos legais ou constitucionais, mas do pensamento avançado dos juristas e, sobretudo, dos julgadores.

Por sua vez, o filósofo belga Chaim Perelman (1912-1984) detectou, em livro de 1976, o surgimento, na Alemanha, dessa nova função judicial, vinculada à efetivação dos direitos fundamentais e dos princípios jurídicos. Na opinião desse autor esse movimento brotou não por acaso nesse grande país, porque foi ali que a humanidade sofreu e padeceu duramente os horrores de uma guerra atroz e desumanamente brutal (*Lógica Jurídica. Nova Retórica*. Tradução de Virgínia K. Pupi. São Paulo: Martins Fontes, 1999, p. 117).

Mas, nem por isso, os julgadores de outros países alertam para o surto de autoritarismo – verdadeira pandemia – que assola os seus sistemas judiciais, muitas vezes fazendo vista grossa a investidas estatais contra as plúrimas liberdades das pessoas, os seus direitos fundamentais, a justiça e outros valores perenes da cultura humanística. A Constituição do Brasil menciona a dignidade da pessoa humana como fundamento maior da sua organização, mas a sua efetivação tem ficado a depender da determinação

---

[4] *Curso de Direito Administrativo*. p. 38.

de seus juízes de todas as instâncias, algo como uma coragem de dar concreção àquele direito fundamental, que por vezes fica à mercê da invocação vazia da existência de um interesse público primário.

Importa destacar a redação dos artigos 226, 227 e 229 da Constituição Federal, que estabelecem a família como base da sociedade e de especial atenção do Estado, cuja intensificação é redobrada quando a proteção recai sobre criança PCD.

> Art. 226. A família, base da sociedade, tem especial proteção do Estado.
> [...]
> §7º Fundado nos princípios da dignidade da pessoa humana e da paternidade responsável, o planejamento familiar é livre decisão do casal, competindo ao Estado propiciar recursos educacionais e científicos para o exercício desse direito, vedada qualquer forma coercitiva por parte de instituições oficiais ou privadas.
> §8º O Estado assegurará a assistência à família na pessoa de cada um dos que a integram, criando mecanismos para coibir a violência no âmbito de suas relações.
>
> Art. 227. É dever da família, da sociedade e do Estado assegurar à criança, ao adolescente e ao jovem, com absoluta prioridade, o direito à vida, à saúde, à alimentação, à educação, ao lazer, à profissionalização, à cultura, à dignidade, ao respeito, à liberdade e à convivência familiar e comunitária, além de colocá-los a salvo de toda forma de negligência, discriminação, exploração, violência, crueldade e opressão.
> §1º O Estado promoverá programas de assistência integral à saúde da criança, do adolescente e do jovem, admitida a participação de entidades não governamentais, mediante políticas específicas e obedecendo aos seguintes preceitos:
> I – Aplicação de percentual dos recursos públicos destinados à saúde na assistência materno-infantil;
> II – Criação de programas de prevenção e atendimento especializado para as pessoas portadoras de deficiência física, sensorial ou mental, bem como de integração social do adolescente e do jovem portador de deficiência, mediante o treinamento para o trabalho e a convivência, e a facilitação do acesso aos bens e serviços coletivos, com a eliminação de obstáculos arquitetônicos e de todas as formas de discriminação.
> [...]
> Art. 229. Os pais têm o dever de assistir, criar e educar os filhos menores, e os filhos maiores têm o dever de ajudar e amparar os pais na velhice, carência ou enfermidade.

Essa também é a posição reiteradamente exposta pelo Superior Tribunal de Justiça (STJ):

> O Estatuto da Criança e do Adolescente (art. 18) e a Constituição Federal (art. 227) impõem, como dever de toda a sociedade, zelar pela dignidade da criança e do adolescente, colocando-os a salvo de toda forma de negligência, discriminação, exploração, violência, crueldade e opressão, com a finalidade, inclusive, de evitar qualquer tipo de tratamento vexatório ou constrangedor.
> As leis protetivas do direito da infância e da adolescência possuem natureza especialíssima, pertencendo à categoria de diploma legal que se propaga por todas as demais normas,

com a função de proteger sujeitos específicos, ainda que também estejam sob a tutela de outras leis especiais. (REsp n. 1.783.269/MG, relator Ministro Antônio Carlos Ferreira, Quarta Turma, DJe de 18/2/2022.)

O Estatuto da Pessoa com Deficiência reforça, dentre outros, o dever do Estado em assegurar às pessoas com deficiência a efetivação de direitos referentes à saúde e à família.

> Art. 8º É dever do Estado, da sociedade e da família assegurar à pessoa com deficiência, com prioridade, a efetivação dos direitos referentes à vida, à saúde, à sexualidade, à paternidade e à maternidade, à alimentação, à habitação, à educação, à profissionalização, ao trabalho, à previdência social, à habilitação e à reabilitação, ao transporte, à acessibilidade, à cultura, ao desporto, ao turismo, ao lazer, à informação, à comunicação, aos avanços científicos e tecnológicos, à dignidade, ao respeito, à liberdade, à convivência familiar e comunitária, entre outros decorrentes da Constituição Federal, da Convenção sobre os Direitos das Pessoas com Deficiência e seu Protocolo Facultativo e das leis e de outras normas que garantam seu bem-estar pessoal, social e econômico.

Seguindo essa ordem de ideias, o art. 2º da Resolução CNJ 343/2020 previu os requisitos para o deferimento de condição especial de trabalho, a qual poderá ser requerida em uma ou mais das seguintes modalidades:

> I – designação provisória para atividade fora da Comarca ou Subseção de lotação do(a) magistrado(a) ou do(a) servidor(a), de modo a aproximá-los do local de residência do(a) filho(a) ou do(a) dependente legal com deficiência, assim como do local onde são prestados a si ou aos seus dependentes serviços médicos, terapias multidisciplinares e atividades pedagógicas;
>
> II – Apoio à unidade judicial de lotação ou de designação de magistrado(a) ou de servidor(a), que poderá ocorrer por meio de designação de juiz auxiliar com jurisdição plena, ou para a prática de atos processuais específicos, pela inclusão da unidade em mutirão de prestação jurisdicional e/ou pelo incremento quantitativo do quadro de servidores;
>
> III – concessão de jornada especial, nos termos da lei;
>
> IV – exercício da atividade em regime de teletrabalho, sem acréscimo de produtividade de que trata a Resolução CNJ nº 227/2016.
>
> §1º Para fins de concessão das condições especiais de trabalho, deverão ser considerados o contexto e a forma de organização da família, a necessidade do compartilhamento das responsabilidades, a participação ativa dos pais ou responsáveis legais, com o objetivo de garantir a construção de um ambiente saudável e propício ao crescimento e ao bem-estar de seus(as) filhos(as) ou dependentes, bem assim de todos os membros da unidade familiar.
>
> §2º A existência de tratamento ou acompanhamento similar em outras localidades diversas ou mais próximas daquela indicada pelo requerente não implica, necessariamente, indeferimento do pedido, já que caberá ao magistrado ou servidor, no momento do pedido, explicitar as questões fáticas capazes de demonstrar a necessidade da sua permanência em determinada localidade, facultando-se ao tribunal a escolha de Comarca ou Subseção que melhor atenda ao interesse público, desde que não haja risco à saúde do magistrado ou do servidor, de seu filho ou dependente legal.
>
> §3º A condição especial de trabalho não implicará despesas para o tribunal.

A leitura do §1º supratranscrito também conflui para o entendimento de que o contexto e a forma de organização da família, a necessidade do compartilhamento das responsabilidades e a participação ativa dos pais devem ser considerados.

O §2º, na mesma linha, preconiza que a existência de tratamento ou acompanhamento similar em outras localidades (*in casu*) não implica, necessariamente, indeferimento do pedido, já que caberá ao magistrado explicitar as questões fáticas capazes de demonstrar a necessidade da sua permanência em determinada localidade, facultando-se ao Tribunal a escolha de comarca ou subseção que melhor atenda ao interesse público, desde que não haja risco à saúde do magistrado ou de seu filho.

Os pressupostos para o deferimento do pedido são, portanto: i) o requerimento formulado enumerar os benefícios resultantes da inclusão do magistrado em condição especial de trabalho, acompanhado de justificação fundamentada; e ii) ser instruído o pleito com laudo técnico, a atestar a gravidade da doença ou a deficiência, observada a localidade de residência e de lotação, a teor do art. 4º, Resolução CNJ 343/2020.

Art. 4º [...]

§1º O requerimento deverá enumerar os benefícios resultantes da inclusão do(a) magistrado(a) ou do(a) servidor(a) em condição especial de trabalho para si ou para o(a) filho(a) ou o(a) dependente legal com deficiência, necessidades especiais ou doença grave, devendo ser acompanhado por justificação fundamentada.

§2º O requerimento, que deverá ser instruído com laudo técnico, poderá ser submetido à homologação mediante avaliação de perícia técnica ou de equipe multidisciplinar designada pelo tribunal, facultado ao requerente indicar profissional assistente.

§3º Quando não houver possibilidade de instrução do requerimento com laudo técnico prévio, o requerente, ao ingressar com o pedido, poderá, desde logo, solicitar que a perícia técnica seja realizada por equipe multidisciplinar do tribunal respectivo, onde houver, facultada, caso necessário, a solicitação de cooperação de profissional vinculado a outra instituição pública.

§4º O laudo técnico deverá, necessariamente, atestar a gravidade da doença ou a deficiência que fundamenta o pedido, bem como informar:

a) se a localidade onde reside ou passará a residir o paciente, conforme o caso, é agravante de seu estado de saúde ou prejudicial à sua recuperação ou ao seu desenvolvimento;

b) se, na localidade de lotação do(a) magistrado(a) ou do(a) servidor(a), há ou não tratamento ou estrutura adequados;

c) se a manutenção ou mudança de domicílio pleiteada terá caráter temporário e, em caso positivo, a época de nova avaliação médica.

§5º Para fins de manutenção das condições especiais de que trata o artigo 2º, deverá ser apresentado, anualmente, laudo médico que ateste a permanência da situação que deu ensejo à concessão.

§6º A condição especial de trabalho deferida ao magistrado(a) ou ao servidor(a) não será levada em consideração como motivo para impedir o regular preenchimento dos cargos vagos da unidade em que estiverem atuando.

Também nesse sentido, o STJ se manifestou em caso análogo:

ADMINISTRATIVO. MANDADO DE SEGURANÇA. SERVIDOR PÚBLICO. PROFESSORA UNIVERSITÁRIA. REMOÇÃO ENTRE UNIVERSIDADES FEDERAIS DISTINTAS. MOTIVO DE SAÚDE EM PESSOA DA FAMÍLIA. FILHO MENOR E DEPENDENTE DA SERVIDORA. POSSIBILIDADE. EXEGESE DO ART. 36, PAR. ÚNICO, III, "B", DA LEI N. 8.112/1990. REFORMA DO ACÓRDÃO RECORRIDO. RESTABELECIMENTO DA SENTENÇA DE PARCIAL PROCEDÊNCIA DO PLEITO MANDAMENTAL.

1. Cuida-se de recurso especial interposto contra acórdão do Tribunal Regional Federal da 5ª Região, que, reformando a sentença, julgou improcedente o pedido mandamental de remoção/distribuição da autora, ora recorrente, da Universidade Federal de Campina Grande – UFCG, campus de Sumé/PB, para o Centro de Ciências Humanas, Letras e Artes – CCHLA da Universidade Federal da Paraíba – UFPB, em João Pessoa/PB.

2. "Consoante o entendimento desta Corte, para fins de aplicação do art. 36, §2º, da Lei n. 8.112/1990, o cargo de professor de Universidade Federal deve ser interpretado como pertencente a um quadro único, vinculado ao Ministério da Educação" (AgInt no REsp 1.351.140/PR, Rel. Ministro GURGEL DE FARIA, PRIMEIRA TURMA, DJe 16/4/2019). Nesse mesmo sentido: AgInt no REsp 1.563.661/SP, Rel. Ministro BENEDITO GONÇALVES, PRIMEIRA TURMA, DJe 23/4/2018; REsp 1.703.163/RS, Rel. Ministro HERMAN BENJAMIN, SEGUNDA TURMA, DJe 19/12/2017.

3. Segundo inteligência do art. 36, parágrafo único, III, b, da Lei 8.112/1990, o pedido de remoção de servidor para outra localidade, independentemente de vaga e de interesse da Administração, será deferido quando fundado em motivo de saúde do servidor, de cônjuge, companheiro ou dependente que viva às suas expensas e conste do seu assentamento funcional, condicionada à comprovação por junta médica oficial.

4. Caso concreto em que o pedido de remoção da recorrente se ampara na necessidade de tratamento multidisciplinar para seu filho menor (pediatra, endocrinopediatra, psiquiatra infantojuvenil, psicóloga e assistente social), diagnosticado como portador de Transtorno de Identidade de Gênero (CID 10 – F64; DSM-5), inexistindo controvérsia nos autos quanto à ocorrência desse dado clínico.

5. A genitora recebeu o diagnóstico médico oficial, dando conta do transtorno de seu filho menor, somente no ano de 2017, sendo certo que, nessa ocasião, já lecionava na UFCG, onde tomou posse em 2015, por isso perdendo relevo, para fins da almejada remoção, a circunstância de que já estivesse vivenciando sinais do quadro comportamental de seu filho ainda antes de ingressar na referida instituição universitária.

6. De outro giro, não há controvérsia no sentido de que, como asseverado na petição inicial, "o tratamento especializado, indispensável a enfermidade que acomete o filho (menor e dependente) da impetrante somente se encontra disponível no Sistema Único de Saúde (SUS), apenas em alguns Estados da Federação. De certo o local mais próximo da residência da impetrante que onde há o referido acompanhamento/tratamento funciona exclusivamente na Capital Paraibana (João Pessoa -PB), no Centro Estadual de Referência dos Direitos LGBT e Enfrentamento a Homofobia na Paraíba" (fl. 4).

7. Por fim, sublinhe-se que, conquanto a controvérsia diga respeito a imediato direito subjetivo da recorrente à remoção funcional, a pretensão deduzida em juízo tem por pano de fundo a reflexa necessidade de acesso a tratamento adequado de saúde para o filho

menor da servidora, motivo pelo qual não se deve descurar da concorrente normativa que rege os direitos da criança e do adolescente, que reivindica, no tocante ao seu atendimento, a observância aos primados da prioridade absoluta (art. 227 da CF) e da proteção integral (art. 1º da Lei n. 8.069/1990 – ECA). Nesse rumo, por analogia: HC 648.097/MG, Rel. Ministro ANTONIO CARLOS FERREIRA, QUARTA TURMA, DJe 22/6/2021.

8. Recurso especial conhecido e provido.

(REsp n. 1.937.055/PB, relator Ministro Sérgio Kukina, Primeira Turma, julgado em 26/10/2021, DJe de 3/11/2021)

A respeito dos direitos fundamentais, o professor Robert Alexy nos mostra que:

> Se você aceita o dito até agora, então deve ser partido disto, que em um sistema normativo, suscetível de justificação, existem tantos direitos individuais como bens coletivos com força própria. A experiência mostra que colisões entre ambos é algo cotidiano. A questão sobre a sua solução leva ao problema da ponderação.
>
> a) A colisão entre direitos individuais e bens coletivos
>
> De uma colisão de direitos individuais e bens coletivos somente pode ser falado, se é à medida que eles têm caráter de princípio, portanto, são mandamentos de otimização. Se é à medida que eles têm caráter em regra, somente é possível um conflito de regras, que é algo completamente diferente que uma colisão de princípios. Um exemplo da jurisprudência pode aclarar isso. Na resolução de capacidade de negociação do tribunal constitucional federal, trata-se da admissibilidade da realização de uma negociação principal contra um inculpado que, em virtude do agravamento de um tal procedimento, ameaça o perigo de um ataque apoplético e um enfarte cardíaco. O tribunal comprova uma colisão entre o bem coletivo de uma prática judicial penal funcionante e o direito individual à vida e integridade corporal, que ele soluciona por ponderação no caso concreto. Isso mostra que ele trata o direito individual e o bem coletivo como princípios, o que, como mostrado acima, sem mais, é possível. Se ele partisse de um conflito de regras, então ele deveria, para a solução do caso, declarar inválido ou o direito individual ou o bem coletivo e despedir do ordenamento jurídico ou introduzir em um de ambos uma exceção, que permite considerá-la em todos os outros casos como ou em regra cumprida ou não cumprida. O tribunal escolhe um outro caminho. Ele comprova uma primazia condicionada ao ele, com referência ao caso, indicar condições sob as quais um princípio precede ao outro. Que isso não leva somente a uma casuística-ad hoc deve ser reconhecido nisto, que as condições, sob as quais um princípio precede ao outro, formam o tipo de uma regra –, certamente, relativamente concreta – que expressa a consequência jurídica do princípio precedente. (ALEXY, 2010, p. 194-195)

Diante desse cenário, forçoso reconhecer que a prevalência dos direitos fundamentais em detrimento do interesse da Administração não tem sido observada por alguns magistrados e tribunais.

Sob a justificativa da primazia do interesse público, acabou-se por negar direitos fundamentais à criança PCD e à família, os quais constituem o fundamento do próprio Estado.

Sobre o tema, essencial trazer à baila ensinamentos do Prof. Marçal Justen Filho:

> A ordem jurídica consagra e protege uma pluralidade de direitos fundamentais, o que significa a impossibilidade de adotar uma solução predeterminada e abstrata para eventuais conflitos. A aplicação do direito envolve a avaliação das normas jurídicas pertinentes ao caso concreto. Esse processo de concretização do direito conduzirá à prevalência de um "interesse público" indeterminado e incerto.
>
> [...]
>
> Como visto, existem interesses coletivos múltiplos, distintos, contrapostos – todos eles merecedores de tutela por parte do direito. Bem por isso, o critério da supremacia e indisponibilidade do interesse público apresenta utilidade reduzida, uma vez que não há um interesse público único a ser reputado como supremo. O critério da supremacia e indisponibilidade do interesse público não permite resolver de modo satisfatório os conflitos, nem fornece um fundamento consistente para as decisões administrativas. Mais ainda, a determinação do interesse a prevalecer e a extensão dessa prevalência dependem sempre da avaliação do caso concreto. Trata-se de uma questão de ponderação entre princípios.[5]

Necessário, portanto, a compatibilização de direitos fundamentais com interesses da Administração, ambos de interesse público, ressalvando-se que o controle do ato pelo CNJ não se qualifica ou mesmo se desvia para a substituição do Tribunal na análise de pedidos de CET.

A atuação do CNJ, neste caso, está jungida a corrigir os limites da autonomia do Tribunal, em estrita obediência à função cominada ao CNJ pelo texto constitucional (art. 103-B, CF/88).

3 Conclusão

Há muito se reconhece a dignidade da pessoa humana como supraprincípio de nosso regramento constitucional.

Bem como se considera que não há em nosso regramento princípios absolutos ou que prevaleçam sobre outros, não há também de se considerar que a supremacia do interesse público assim o seja.

Dessa maneira, não é possível invocar a supremacia do interesse público em detrimento da garantia de direitos fundamentais à criança PCD e à família, porquanto a Constituição Federal brasileira expressamente estabelece a família como base da sociedade e de especial atenção do Estado.

Negar a qualquer agente público condições diferenciadas de trabalho, de acordo com as especificidades de cada criança PCD, é negar o direito à vida, à saúde, à alimentação, à educação, ao lazer, à profissionalização, à cultura, à dignidade, ao respeito, à liberdade e à convivência familiar e comunitária desse indivíduo, sendo primordial a realização de valoração dos princípios administrativos em situações de conflitos de

---

[5] *Curso de Direito Administrativo.* p. 59.

interesse entre Administração Pública e a tutela da dignidade humana, principalmente quando envolvidas as hipervulneráveis crianças com deficiência.

Referências

ALEXY, Robert. *Direito, razão, discurso:* estudos para a filosofia do direito. Tradução: Luís Afonso Heck. Porto Alegre: Livraria do Advogado Editora, 2010.

BRASIL. TRT – Tribunal Regional do Trabalho da 17ª Região. ROT 0001208-69.2018.5.17.0008, Relator: Desembargadora Wanda Lúcia Costa Leite França Decuzzi, Dje 17/12/2019. Disponível em: https://www.jusbrasil.com.br/jurisprudencia/trt-17/829483354. Acesso em: 31 jul. 2024.

BRASIL. *CONSTITUIÇÃO DA REPÚBLICA FEDERATIVA DO BRASIL DE 1988 – CF/88,* de 05/10/1988. Disponível em: https://www.planalto.gov.br/ccivil_03/constituicao/constituicao.htm. Acesso em: 29 jul. 2024.

BRASIL. *Lei nº 8.069, de 13 de julho de 1990.* Dispõe sobre o Estatuto da Criança e do Adolescente e dá outras providências. Disponível em: https://www.planalto.gov.br/ccivil_03/leis/l8069.htm. Acesso em: 29 jul. 2024.

BRASIL. *Lei nº 12.764, de 27 de dezembro de 2012.* Institui a Política Nacional de Proteção dos Direitos da Pessoa com Transtorno do Espectro Autista; e altera o §3º do art. 98 da Lei nº 8.112, de 11 de dezembro de 1990. Disponível em: https://www.planalto.gov.br/ccivil_03/_ato2011-2014/2012/lei/l12764.htm. Acesso em: 29 jul. 2024.

BRASIL. *Lei nº 13.146, de 6 de julho de 2015.* Institui a Lei Brasileira de Inclusão da Pessoa com Deficiência (Estatuto da Pessoa com Deficiência). Disponível em: https://www.planalto.gov.br/ccivil_03/_ato2015-2018/2015/lei/l13146.htm. Acesso em: 29 jul. 2024.

BRASIL. *Decreto nº 6.949, de 25 de agosto de 2009.* Promulga a Convenção Internacional sobre os Direitos das Pessoas com Deficiência e seu Protocolo Facultativo, assinados em Nova York, em 30 de março de 2007. Disponível em: https://www.planalto.gov.br/ccivil_03/_ato2007-2010/2009/decreto/d6949.htm. Acesso em: 29 jul. 2024.

BRASIL. CNJ – Conselho Nacional de Justiça. *Resolução nº 227, de 15 de junho de 2016.* Regulamenta o teletrabalho no âmbito do Poder Judiciário e dá outras providências. Disponível em: https://atos.cnj.jus.br/atos/detalhar/2295. Acesso em: 29 jul. 2024.

BRASIL. CNJ – Conselho Nacional de Justiça. *Resolução nº 230, de 22 de junho de 2016.* Orienta a adequação das atividades dos órgãos do Poder Judiciário e de seus serviços auxiliares às determinações exaradas pela Convenção Internacional sobre os Direitos das Pessoas com Deficiência e seu Protocolo Facultativo e pela Lei Brasileira de Inclusão da Pessoa com Deficiência por meio – entre outras medidas – da convolação em resolução a Recomendação CNJ 27, de 16/12/2009, bem como da instituição de Comissões Permanentes de Acessibilidade e Inclusão. Disponível em: https://atos.cnj.jus.br/atos/detalhar/2301. Acesso em: 29 jul. 2024.

BRASIL. CNJ – Conselho Nacional de Justiça. *Resolução nº 343, de 09 de setembro de 2020.* Institui condições especiais de trabalho para magistrados(as) e servidores(as) com deficiência, necessidades especiais ou doença grave ou que sejam pais ou responsáveis por dependentes nessa mesma condição e dá outras providências. Disponível em: https://atos.cnj.jus.br/atos/detalhar/3459. Acesso em: 29 jul. 2024.

BRASIL. STJ – Superior Tribunal de Justiça. *REsp n. 1.783.269/MG,* relator Ministro Antonio Carlos Ferreira, Quarta Turma, DJe de 18/2/2022. Disponível em: https://scon.stj.jus.br/SCON/GetInteiroTeorDoAcordao?num_registro=201702627555&dt_publicacao=18/02/2022. Acesso em: 30 jul. 2024.

BRASIL. STJ – Superior Tribunal de Justiça. *REsp n. 1.937.055/PB,* relator Ministro Sérgio Kukina, Primeira Turma, DJe de 3/11/2021. Disponível em: https://scon.stj.jus.br/SCON/GetInteiroTeorDoAcordao?num_registro=201903124158&dt_publicacao=03/11/2021. Acesso em: 30 jul. 2024.

JUSTEN FILHO, Marçal. *Curso de Direito Administrativo.* 12. ed. São Paulo: Revista dos Tribunais, 2016.

TJ-SP – AC: 10015044220228260070 SP 1001504-42.2022.8.26.0070, Relator: Luís Francisco Aguilar Cortez, Data de Julgamento: 01/03/2023, 1ª Câmara de Direito Público, Data de Publicação: 01/03/2023. Disponível em: https://www.jusbrasil.com.br/jurisprudencia/tj-sp/1772376574. Acesso em: 31 jul. 2024.

Informação bibliográfica deste texto, conforme a NBR 6023:2018 da Associação Brasileira de Normas Técnicas (ABNT):

MAIA, Mário Goulart. Da necessária valoração dos princípios administrativos em situações de conflitos de interesse entre Administração Pública e a tutela da dignidade humana das hipervulneráveis crianças com deficiência. Direito à Condição Especial de Trabalho (CET). *In*: JUSTEN, Monica Spezia; PEREIRA, Cesar; JUSTEN NETO, Marçal; JUSTEN, Lucas Spezia (coord.). *Uma visão humanista do Direito*: homenagem ao Professor Marçal Justen Filho. Belo Horizonte: Fórum, 2025. v. 2, p. 281-294. ISBN 978-65-5518-916-2.

O PAPEL DA COMPARAÇÃO JURÍDICA NA CONSTITUCIONALIZAÇÃO DO DIREITO ADMINISTRATIVO

MATHEUS GOMES SETTI

MELINA GIRARDI FACHIN

1 Introdução

Espetáculo, no mau sentido. É assim que Marçal Justen Filho define o Direito Administrativo no Brasil atual. Suas normas e seus procedimentos têm por finalidade alimentar o imaginário popular e fomentar a imagem de um bom governo, trabalhando com racionalidade pelo bem comum. Na realidade, porém, os verdadeiros fins da Administração Pública são deixados de lado: a proteção e promoção dos direitos fundamentais e princípios constitucionais.[1]

Embora a Constituição de 1988 tenha proclamado o fim dos regimes autoritários em nosso país, a máquina estatal continua permeada de velhos conceitos, jargões e máximas que permitem a continuidade de uma relação entre Estado e cidadão pautada na lógica da autoridade, e não na dignidade humana. Nesse contexto, o Direito Administrativo vem passando por um processo ainda incompleto de constitucionalização, com a superação de noções como supremacia do interesse público sobre o particular e discricionariedade absoluta quanto ao "mérito administrativo".

Para aprimorar e acelerar esse processo, o Direito Comparado pode fornecer um importante guia para os administrativistas brasileiros. A comparação permite sistematizar como diversos outros ordenamentos vêm lidando com desafios similares, quais seus resultados e processos. Permite definir melhor o significado das normas abertas que instituem direitos fundamentais, princípios e valores constitucionais, a partir da

---

[1] JUSTEN FILHO, Marçal. O Direito Administrativo do Espetáculo. In: ARAGÃO, Alexandre Santos do; MARQUES NETO, Floriano de Azevedo. *Direito Administrativo e seus Novos Paradigmas*. 2. ed. São Paulo: Fórum, 2017, p. 63-64.

análise de visões diversas e da inclusão do *outro* em nosso discurso jurídico. Sobretudo, permite compreender melhor nosso próprio direito, nossa identidade constitucional, os fatores que dificultam a mudança e as possibilidades para sua implementação.

O presente trabalho busca explorar como o Direito Comparado pode contribuir para a constitucionalização do Direito Administrativo no Brasil, tanto pelo vislumbre de experiências distintas com problemas similares quanto pela autocompreensão e autoleitura em face do *outro*. Sustentamos que o progresso do Direito Público nacional deve se dar a partir de uma lógica *transconstitucionalista*, na qual os diferentes ordenamentos jurídicos se engajam de modo dialógico e produtivo, levando a sério e respondendo aos posicionamentos uns dos outros. Esses diálogos devem ter como norte, sempre, os direitos jusfundamentais e a dignidade humana.

Iniciaremos com um breve panorama da constitucionalização do Direito Administrativo. Em seguida, trataremos do Direito Público e Constitucional Comparado, suas principais características, objetos e finalidades. Abordaremos as diversas formas pelas quais os ordenamentos jurídicos podem interagir, defendendo a adoção de uma postura engajada e dialógica, sempre com autonomia. Exploraremos algumas peculiaridades à comparação no Direito brasileiro e, nesse contexto, sustentaremos seu maior engajamento com outros países latino-americanos – que têm enfrentado desafios muito semelhantes, em condições equivalentes. Por fim, elencaremos possíveis métodos para a implementação dos estudos, com exemplos práticos de seu uso em temas de Direito Administrativo e constitucional.

2 Constitucionalização do Direito Administrativo

Marçal Justen Filho afirma que a história do Direito Administrativo tem sido de uma evolução do autoritarismo para a democracia, cujo principal aspecto atual é a constitucionalização. A Constituição de 1988 instituiu a supremacia dos direitos fundamentais e ampliou os controles da atividade administrativa, considerando o Estado como um dos principais agentes transformadores para implementar esses direitos.[2]

Apesar disso, há um descompasso entre o atual cenário constitucional e o Direito Administrativo, cujos institutos e doutrina não têm evoluído em conjunto com o restante do Direito Público. Continua seguindo um modelo autoritário, de raízes napoleônicas e desenvolvido na França entre os séculos XIX e XX, o qual tinha por finalidade limitar as possibilidades de controle da atividade da administração, ainda na lógica da Revolução Francesa. Assim, desenvolveu os conceitos de supremacia do interesse público, discricionariedade, poder de polícia, mérito administrativo, entre outros, sempre na direção de submeter os indivíduos e afastar o controle da Administração Pública.[3]

A política brasileira explorou e desenvolveu cada um desses conceitos, que se encaixaram de forma ideal no perfil autoritário, centralizador e personalista nutrido desde a monarquia até a ditadura militar. O Direito Administrativo clássico tem sido usado para possibilitar uma atuação administrativa irrestrita, coibir questionamentos

---

[2] JUSTEN FILHO, 2017, p. 58.
[3] JUSTEN FILHO, 2017, p. 58-59.

às suas ações, inibir o controle pela sociedade e pelo Judiciário e permitir a desconsideração dos direitos fundamentais individuais e coletivos – tudo em nome de um abstrato "interesse público", definido sempre pelos detentores do poder.[4]

Mesmo com a promulgação da Constituição de 1988, o país continua sendo assolado pelos fantasmas autoritários que marcaram os períodos anteriores, em especial por aqueles provenientes do regime ditatorial que a Carta sepultou. A cada tensionamento no sistema, esses fantasmas tomam força e pugnam pelo enfraquecimento da democracia, supressão de direitos fundamentais e retorno ao autoritarismo.[5] Mesmo no cotidiano, a Administração Pública, o Judiciário e os próprios administrativistas continuam se pautando por teorias e conceitos formulados nesses períodos autoritários, muitas vezes com a finalidade específica de embasar e justificar a violência e repressão.[6]

Nesse contexto, Justen Filho afirma que o Brasil vivencia um "Direito Administrativo do espetáculo", em que os conceitos que regem o tema não têm por objetivo a concretização de direitos e valores fundamentais, o respeito à democracia ou a observância dos princípios constitucionais. Seu propósito é fornecer elementos ao imaginário popular, a fim de criar a imagem de um bom governo, explorando o emocional do povo e suprimindo as divergências de opinião.[7]

Superar esse estado de coisas demanda a efetiva constitucionalização do Direito Administrativo. É necessário superar os antigos paradigmas e estruturar a atividade da Administração Pública em vista dos princípios constitucionais e dos direitos fundamentais.[8] Essa visão coloca o ser humano no centro do sistema e pauta a atuação administrativa a partir de sua capacidade de fomentar e proteger os direitos fundamentais de forma democrática. Assim, o Estado deixa de ser visto como um fim em si mesmo, uma entidade superior aos indivíduos, e passa a ser concebido como um meio para a realização de tais direitos. É preciso que a área seja permeada pela força irradiante da Constituição de 1988.[9]

Barroso destaca que essa vinculação axiológica é a marca da constitucionalização do Direito como um todo: a Constituição assume uma supremacia material, axiológica e interpretativa. Tem eficácia irradiante, de modo que todo o ordenamento jurídico deve ser aplicado e interpretado em vista dos valores e dos princípios constitucionais. Como consequência, toda interpretação e aplicação normativa é também constitucional. A constitucionalização do Direito Administrativo, portanto, demanda a releitura de todos os seus conceitos a partir da Constituição, superando tudo aquilo que lhe for contrário.[10]

Nesse sentido, a primeira grande marca do Direito Administrativo constitucionalizado é a ampliação do princípio da legalidade, que deixa de ser legalista e formalista

---

[4] BINENBOJM, Gustavo. *Uma Teoria do Direito Administrativo*. 3. ed. Rio de Janeiro: Renovar, 2014, p. 13-16.
[5] ACUNHA, Fernando José Gonçalves; ARAFA, Mohamed A.; BENVINDO, Juliano Zaiden. The Brazilian Constitution of 1988 and its ancient ghosts: comparison, history and the ever-present need to fight authoritarianism. *Revista de Investigações Constitucionais*, Curitiba, v. 5, n. 3, p. 17-41, set./dez. 2018.
[6] BINENBOJM, Gustavo. *Poder de Polícia*. 3. ed. Belo Horizonte: Fórum, 2020, p. 19-23.
[7] JUSTEN FILHO, 2017, p. 63-64.
[8] BINENBOJM, 2014, *passim*.
[9] JUSTEN FILHO, 2017, p. 75-77.
[10] BARROSO, Luís Roberto. A Constitucionalização do Direito e suas Repercussões no Âmbito Administrativo. In: ARAGÃO, Alexandre Santos do; MARQUES NETO, Floriano de Azevedo. *Direito Administrativo e seus Novos Paradigmas*. 2. ed. São Paulo: Fórum, 2017, p. 39-41.

para abarcar todos os valores e princípios constitucionais, com uma perspectiva axiológica. Para Di Pietro, quando a lei é vista em uma lógica positivista piramidal, a discricionariedade administrativa é maior, pois a obediência à legalidade tem aspectos somente formais. Quando o ordenamento consagra valores específicos, passa a haver uma vinculação axiológica, a qual permite a avaliação das decisões em vista desses valores. Isso complexifica a ação dos agentes públicos e dos juízes, bem como aumenta a sua atuação face aos administradores.[11]

De acordo com Binenbojm, a Constituição passa a regulamentar toda atividade administrativa, de forma direta e indireta. Esta se dá pela imposição de que toda norma seja interpretada e aplicada conforme os ditames constitucionais. Aquela, pela incidência imediata da Carta nas atividades. De um lado, para conformar os regulamentos e instruções normativas produzidas pelo Executivo – que cada vez mais prescinde da lei em sentido formal. De outro, para embasar sua atuação mesmo na ausência de lei específica ou até de forma contrária à lei vigente, quando esta se mostrar incompatível com os valores e princípios constitucionais.[12]

A segunda grande marca é também a mais controversa. Trata-se da necessidade de superar o princípio da supremacia do interesse público sobre os particulares. Sarmento e Binenbojm, em trabalhos diferentes, explicam que a ideia de que existe um interesse público apartado e superior aos particulares decorre de uma visão organicista da sociedade. Nela, cada indivíduo deve cumprir sua função em um grande organismo. Este, por sua vez, é um ente separado e superior às suas partes, que deve ser privilegiado com relação a elas. Todavia, essa lógica é totalmente incompatível com a Constituição de 1988, que erige o ser humano concreto ao centro do sistema, dotado de direitos fundamentais inalienáveis e, ainda, consagra uma estrutura principiológica aberta, sem hierarquização prévia, na qual os mandados se relacionam por meio da ponderação e da proporcionalidade.[13]

Para Justen Filho, não é possível aceitar a primazia *a priori* de um interesse público sobre os particulares. Em primeiro lugar, porque tal interesse é indeterminado e seu conteúdo não pode ser definido no caso concreto. Não existe um interesse público unitário em uma sociedade plural, complexa e multifacetada. Diversos grupos e indivíduos possuem interesses diversos, que podem estar em conflito irresolúvel. Ainda, não se pode considerar como interesse público o resultado de uma síntese dessas contraposições, pois isso esvaziaria a cláusula por completo. Se é necessário definir qual interesse público prevalece em cada caso, um postulado da supremacia do interesse público indeterminado não tem valor algum.[14]

Sarmento destaca que pessoas igualmente instruídas e de boa-fé podem chegar a conclusões diametralmente opostas e inconciliáveis quanto ao conteúdo do interesse público. Noutra ponta, a Constituição confere aos indivíduos direitos invioláveis, protegidos por cláusulas pétreas, que não podem ser suprimidos. Essa realidade é incompatível

---

[11] DI PIETRO, 2012, p. 1-2.
[12] BINENBOJM, 2014, p. 34-38.
[13] BINENBOJM, 2014, p. 30. SARMENTO, Daniel. Supremacia do Interesse Público? As colisões entre direitos fundamentais e interesses da coletividade. *In*: ARAGÃO, Alexandre Santos do; MARQUES NETO, Floriano de Azevedo. *Direito Administrativo e seus Novos Paradigmas*. 2. ed. São Paulo: Fórum, 2017, p. 134-136.
[14] JUSTEN FILHO, Marçal. *Curso de Direito Administrativo*. 15. ed. Rio de Janeiro: Gen Jurídico, 2024, p. 39-40.

com a existência de um interesse público abstrato com prevalência predeterminada, em posição de *supremacia*. Tal lógica, invariavelmente, anula os indivíduos e sacrifica suas liberdades em prol de interesses coletivos indefinidos que, em sua maioria, confundem-se com aqueles dos governantes.[15]

Nesse contexto, Justen Filho aponta que os direitos fundamentais, por definição, têm precedência sobre simples interesses jurídicos. Isso porque conferem direitos subjetivos aos seus titulares, os quais não podem ser contrapostos por um interesse. Pela sua própria natureza jurídica, interesse é uma expectativa por uma conveniência, um benefício. Direito subjetivo é um interesse juridicamente qualificado e protegido acima de qualquer interesse de outra espécie, mesmo que público. Dito isso, ainda que a contraposição ocorra entre um direito subjetivo particular e público, não há prevalência automática e prévia de qualquer um. É necessário ponderá-los para alcançar a solução no caso concreto.[16]

Partindo dessas constatações, Barroso sustenta uma *releitura* do conceito de interesse público. Para ele, deve-se diferenciar o interesse público primário do secundário. Este representa os anseios da própria Administração Pública e de seus agentes. São as pretensões fazendárias, corporativas e estatais, as quais jamais terão precedência *a priori* frente a direitos individuais. O que mantém sua primazia é o interesse primário, que é o resultado do processo de ponderação dos diversos direitos, valores e interesses em jogo em cada caso concreto. Definido o que isso significa em cada situação, deve essa solução prevalecer frente aos direitos individuais em isolado.[17]

Justen Filho ressalta que a noção de interesse secundário nem sequer deveria existir, na medida em que não é legítimo à Administração Pública pautar-se por interesses pecuniários em contraposição aos direitos fundamentais dos cidadãos e dos valores constitucionais.[18] Quanto à supremacia de um interesse primário, Binenbojm e Sarmento apontam que, nos termos postos por Barroso, é uma tautologia. Afinal, um princípio que confere supremacia ao resultado da ponderação pela proporcionalidade equivale à afirmação de que deve prevalecer aquilo que deve prevalecer.[19] Nesse ponto, Sarmento alerta que, embora Barroso não discorde em essência da necessidade de superar o aludido princípio, empresta sua autoridade àqueles que visam a sua manutenção a fim de continuar praticando desmandos em prol de um inexistente "bem comum".[20]

O que se busca não é negar a existência de um interesse público, mas afastar uma supremacia *a priori* sobre os direitos individuais. É preciso determinar o que significa o interesse público em cada caso concreto, e isso demanda a utilização do princípio da proporcionalidade. De fato, a atual ordem constitucional não permite nenhuma hierarquização entre seus princípios e valores. Todos são postos horizontalmente e, em caso de conflito, devem ser ponderados por meio do processo trifásico da proporcionalidade: adequação, necessidade e proporcionalidade em sentido estrito.[21]

---

[15] SARMENTO, 2017, p. 154-159.
[16] JUSTEN FILHO, 2024, p. 41.
[17] BARROSO, 2017, p. 45.
[18] JUSTEN FILHO, 2024, p. 42-43.
[19] BINENBOJM, 2014, p. 103-104; SARMENTO, 2017, p. 166-167.
[20] SARMENTO, 2017, p. 166-167.
[21] BINENBOJM, 2014, p. 108-111.

Parte-se da constatação de Justen Filho de que a indisponibilidade dos direitos envolvidos não decorre do fato de serem de interesse público, mas são de interesse público por serem indisponíveis. Isso impõe que sejam efetivados sempre da melhor forma possível, mesmo diante de conflitos entre si. Assim, a intervenção estatal se justifica quando a atuação particular, por si só, não for capaz de promover a melhor satisfação de todos os direitos, interesses e valores constitucionais em jogo.[22]

Dessa forma, não há discricionariedade acerca da composição desses valores contrapostos. Uma primazia abstrata do "interesse público" permite que a ponderação seja feita sem qualquer critério, como melhor aprouver ao agente público responsável. A lógica constitucional demanda a aplicação do princípio da proporcionalidade, e a única solução aceitável será aquela que der a maior efetividade possível a todos os direitos fundamentais, interesses e valores constitucionais envolvidos.[23] O interesse público será o resultado desse processo ponderativo, que se dê por meio de um processo regular e democrático, com a participação dos interessados e o respeito ao devido processo legal.[24]

Assim, a terceira grande marca do Direito Administrativo constitucionalizado é a restrição à discricionariedade administrativa. Esta não deixa de existir, tampouco algum núcleo de mérito administrativo. No entanto, reconhece-se que o Poder Judiciário tem competência para interpretar conceitos indeterminados e invalidar ações administrativas incompatíveis com os princípios e valores constitucionais. Até mesmo as políticas públicas e os orçamentos tornam-se objeto de controle, em vista dos direitos fundamentais sociais, da positividade dos direitos fundamentais em geral e do caráter vinculativo das determinações da Constituição. A administração pode definir caminhos para alcançar tais objetivos, em conformidade com a ponderação pela proporcionalidade, mas não pode atuar de forma contrária, indiferente ou desproporcional.[25]

Sarmento destaca que a Administração Pública não deve enxergar o ser humano de forma abstrata, mas como inserido dentro de uma sociedade e uma cultura, com seus aspectos sociais e materiais. A partir disso, deve atuar de forma a maximizar suas liberdades, em conjunto com a de todos aqueles em seu entorno, considerando os relacionamentos travados entre si.[26] De modo similar, Justen Filho propõe um Direito Administrativo antifundamentalista, contextualista e consequencialista: que rejeite conceitos abstratos absolutos, fundamente-se na realidade concreta, no contexto econômico, jurídico e sociocultural efetivamente vivenciado em cada momento da sociedade, por seus diferentes segmentos; ainda que considere os efeitos práticos de cada ação, em comparação com outras possibilidades, compreendendo de que maneira influi e pode influir na realidade.[27]

Como alcançar essa mudança de paradigma? De um lado, há uma percepção geral de que a prática do Direito Administrativo continua muito distante desses anseios.

---

[22] JUSTEN, 2024, p. 44-46.
[23] BINENBOJM, 2014, p. 108-111.
[24] JUSTEN FILHO, 2024, p. 48. BACELLAR FILHO, Romeu Felipe. Reflexos da constitucionalização do direito administrativo – Pessoa humana, processo e contrato Administrativo. *Interesse Público*, Belo Horizonte, ano 15, n. 81, p. 6, 2013.
[25] DIPIETRO, 2012, p. 10-12, 16.
[26] SARMENTO, 2017, p. 147.
[27] JUSTEN FILHO, 2024, p. 9.

De outro, é ampla a constatação de que muitos dos vícios autoritários do nosso Direito provêm do ordenamento francês, da mesma forma como o formato proposto de constitucionalização foi concebido pelo constitucionalismo alemão. Ainda, diversos outros Direitos vêm lidando com problemas similares aos enfrentados por aqui, sobretudo nossos vizinhos na América Latina.

O que torna as concepções francesas inadequadas à realidade brasileira atual? Quais soluções foram adotadas com sucesso por países com experiências positivas em termos de um Direito Administrativo constitucionalizado? Quais vêm sendo as soluções propostas em países com desafios semelhantes aos nossos e como elas têm performado em suas realidades? Quais são as peculiaridades do contexto brasileiro, o que nos diferencia, como podemos aprimorar nosso próprio Direito? Para responder essas questões, precisamos do Direito Comparado.

3 Comparação jurídica como vetor da constitucionalização

O Direito Público Comparado está em voga nos tempos recentes, mas isso nem sempre foi assim. De acordo com Mark Tushnet, as comparações constitucionais vinham sendo relegadas a adendos obscuros dos cursos com enfoques mais positivistas até os desenvolvimentos das últimas décadas.[28] Ivo Dantas afirma que a comparação somente adquiriu maior robustez no Brasil a partir do século XXI, inclusive a nível institucional.[29]

De outro lado, Robl Filho e Correa observam que os publicistas nacionais vêm dando importância ao tema desde as obras do Visconde do Uruguay e os trabalhos de Rui Barbosa.[30] Quanto ao Direito Administrativo em específico, Menezes de Almeida demonstra que as fontes estrangeiras sempre foram seu maior catalisador. Foram as categorias formuladas no exterior que pautaram as discussões e estabeleceram as bases sobre as quais até hoje o campo se estrutura. Com o robustecimento dos estudos, os teóricos nacionais passaram a fazer contribuições a partir da realidade interna, mas uma teoria propriamente brasileira se consolidou apenas nos idos da década de 1980.[31]

Giuseppe de Vergottini aponta que a globalização vem impondo uma convivência entre os diversos sistemas jurídicos, o que fomenta o aprofundamento dos estudos comparados.[32] Para Christine Peter da Silva, o principal fator é a necessidade de proteção e promoção dos direitos fundamentais e humanos. Essa centralidade da constituição e dos direitos jusfundamentais torna obsoleta a visão rígida de soberania e hierarquia dos ordenamentos jurídicos nacionais. Esses direitos, por seu caráter aberto e tendências universais, demandam a instituição de diálogos entre sistemas internos para sua concretização, em uma rede *transjusfundamental*. Tal engajamento não é obrigatório, mas é muito fértil, seja por permitir a comparação de diversas perspectivas e experiências

---

[28] TUSHNET, Mark. *Advanced Introduction to Comparative Constitutional Law*. Cheltenham: Edward Elgar, 2014, p. 1.
[29] DANTAS, Ivo. *Direito Constitucional Comparado*. 2. ed. Rio de Janeiro: Renovar, 2006, p. 42.
[30] ROBL FILHO, Ilton Norberto; CORREIA, Atalá. Direito Comparado: Reflexões Metodológicas e Comparações no Direito Constitucional. *Revista do Instituto Histórico e Geográfico Brasileiro*, Rio de Janeiro, v. 183, n. 490, p. 96, set./dez. 2022.
[31] ALMEIDA, Fernando Dias Menezes de. *Formação da Teoria do Direito Administrativo no Brasil*. São Paulo: Quartier Latin, 2015, p. 262-268.
[32] VERGOTTINI, Giuseppe. *Diritto Costituzionale Comparato*. 9. ed. Bolonha: Cedam, 2014, p. 5-6.

para desafios semelhantes, seja para fortalecer a autoleitura de cada sistema a partir dos aspectos que os diferem e aproximam dos outros, em uma lógica de alteridade.[33]

Isso posto, Vicki Jackson sustenta que os ordenamentos jurídicos podem reagir de três formas distintas aos influxos transnacionais: resistência, convergência e engajamento.

Quando há resistência, os agentes ignoram ou diretamente refutam a utilização de inspirações em outros Direitos. Essa postura normalmente surge de visões originalistas ou majoritárias sobre a interpretação constitucional. Utilizar fontes estrangeiras seria antidemocrático, uma vez que não passaram pelo crivo das instituições representativas nacionais. Ainda, há uma preocupação com a discricionariedade do Judiciário, que passa a ter uma miríade de possibilidades para fundamentar decisões em desacordo com o Direito interno. Em sua versão mais grave, o fenômeno é chamado de *cherry picking*, descrevendo a forma como os magistrados escolhem inspirações transnacionais como se estivessem colhendo cerejas, sem uma metodologia adequada.[34] Dois exemplos célebres de resistência são o *justice* Scalia,[35] da Suprema Corte Americana, e Richard Posner.[36]

Na outra ponta, quando se adota uma postura de convergência, costuma-se partir de uma perspectiva universalista, em busca de padrões, *standards* e melhores práticas em termos de direitos. Em geral, os autores que comungam dessas concepções provêm do Direito Internacional e dão especial destaque aos tratados e órgãos dessa natureza.[37] Um exemplo importante é o *justice* da Suprema Corte australiana Michael Kirby. Para ele, as cortes nacionais têm o dever de buscar as melhores práticas em termos de defesa de direitos, aliando-se e harmonizando-se com a ordem internacional dos países democráticos que respeitam os direitos humanos.[38]

O modelo mais adequado e aqui adotado, porém, é o engajamento. Essa vertente propõe que os diálogos entre Direitos têm por finalidade o autoconhecimento e autodesenvolvimento das ordens jurídicas, em um ambiente de cooperação mútua, com respeito às peculiaridades de cada país. As experiências e soluções estrangeiras devem ser consideradas e levadas a sério, sem nunca estabelecer qualquer tipo de hierarquia entre si.[39] É o que Marcelo Neves chama de transconstitucionalismo: um entrelaçamento tenso e produtivo, sempre dialógico, entre os diversos sistemas jurídicos, que cria formas de dois lados, com *inputs* e *outputs*, as quais permitem o desenvolvimento mútuo daqueles que compõem essa rede.[40]

No que toca aos direitos, esse diálogo deve sempre se estabelecer em vista do princípio *pro persona*, isto é, buscando sempre a maximização dos direitos humanos e

---

[33] SILVA, Christine Oliveira Peter da. *Transjusfundamentalidade*. Curitiba: Editora CRV, 2014, passim.
[34] JACKSON, Vicki. *Constitutional Engagement in a Transnational Era*. Oxford: Oxford University Press, 2010, p. 20-22, 32-33.
[35] Um dos principais debates acerca da comparação constitucional foi travado entre os *justices* Scalia e Breyer. Sobre o tema: CHOUDHRY, Sujit. Migration as a New Metaphor in Constitutional Law. *In*: CHOUDHRY, Sujit. *The Migration of Constitutional Ideas*. Cambridge: Cambridge University Press, 2006, p. 1-7.
[36] POSNER, Richard. No Thanks, We Already Have Our Own Law. Legal Affairs. Publicado em 08/2014. Disponível em: https://www.pierre-legrand.com/ewExternalFiles/Posner%20on%20Foreign%20Law.pdf. Acesso em: 5 jul. 2024.
[37] JACKSON, 2010, p. 40-41.
[38] KIRBY, Michael. International Law: the impact on national constitutions. *American University International Law Review*, Washington D.C., v. 21, n. 3, p. 356-359, 2006.
[39] JACKSON, 2010, p. 71.
[40] NEVES, 2009, p. 258-259.

fundamentais envolvidos. Deve-se considerar os seres humanos localizados e contextualizados em cada ordenamento, sem transpor institutos como se a comunidade que os recebe fosse composta de sujeitos abstratos e universalizados. Esse diálogo, então, contém tensões e conflitos que os tornam ainda mais produtivos.[41] Se há mais de uma possibilidade interpretativa, o recurso às experiências estrangeiras fornece material empírico para considerar possíveis soluções aos desafios internos.[42]

Indo adiante no modelo do engajamento, Robl Filho e Correa defendem que esse estudo revela universalidades e peculiaridades, cuja compreensão permite vislumbrar diversas formas de abordar desafios e temas compartilhados ou semelhantes. Assim, a comparação possibilita uma compreensão melhor do próprio sistema interno, por aquilo que tem de comum e de peculiar com outros.[43] Em qualquer análise dessa espécie, é essencial tomar em conta a forma como a previsão legal abstrata interage com a realidade local, cuidando para não assumir uma interpretação equivocada de seu efetivo significado. Principalmente no campo do Direito Público, as normas jurídicas sofrem grande influência dos costumes, práticas e constrições políticas, sociais e culturais. Isso pode criar diferenças substanciais entre o Direito "vigente" e o "vivente", "*law in the books*" e "*law in action*".[44]

Vicki Jackson defende que o confronto do Direito nacional com estrangeiros, além de permitir compreender melhor os aspectos que conformam a realidade interna, fornece fundamentos e caminhos para o seu aprimoramento. Embora a busca por "melhores práticas" promovidas por muitos pesquisadores possa não ser a melhor visão sobre o tema, a análise de experiências semelhantes em outros países pode ser muito útil, principalmente no tocante aos direitos fundamentais e humanos. Com relação a estes, é impossível evitar conflitos, sendo sempre necessário ponderá-los entre si. Para tanto, o engajamento com soluções e opiniões diversas, assim como seus efeitos práticos nos outros países, confere maior legitimidade e fundamento às decisões.[45]

George Fletcher sustenta que o Direito Comparado tem alta capacidade subversiva: permite um olhar transformador sobre a realidade nacional. Os estudiosos não devem buscar depurar os conceitos de seus vieses ideológicos, filosóficos e linguísticos. A comparação deve revelar quais desses vieses operam sobre o Direito interno, como nossas visões implícitas e até inconscientes afetam nossas práticas e quais são os pontos de resistência a mudanças. Tomando consciência desses fatores, podemos constatar a contingência histórica e política do atual estado jurídico. Dessa forma, expondo esses mecanismos e demonstrando possíveis alternativas, o Direito Comparado abre as portas à mudança.[46]

Em sentido similar, Marcelo Neves argumenta que o engajamento dialógico entre ordens jurídicas é uma forma importante de superar "paralisias narcisistas" que surgem

---

[41] FACHIN, Melina Girardi; CAMBI, Eduardo; PORTO, Letícia de Andrade. *Constituição e Direitos Humanos*. São Paulo: Almedina, 2022, p. 231.
[42] SILVA, 2014, p. 100-101.
[43] ROBL FILHO; CORREA, 2022, p. 82.
[44] VERGOTTINI, 2014, p. 76-78.
[45] JACKSON, Vicki. Transnational Challenges to Constitutional Law: Convergence, Resistance, Engagement. *Federal Law Review*, Camberra, v. 35(2), p. 528, 2007.
[46] FLETCHER, George. Comparative Law as a Subversive Discipline. *The American Journal of Comparative Law*, v. 46, n. 4, p. 691-695, 1998.

ao se recusar olhar além de si. Os agentes internos devem ter certa contenção diante de fontes estrangeiras, mas se manter abertos a se surpreender com as soluções adotadas no exterior. O estudo dessas respostas a problemas semelhantes permite a rearticulação e otimização do Direito Nacional, o qual passa a se beneficiar de "descobertas" normativas promovidas a nível mundial.[47]

Considerando o caráter dialógico da comparação, as experiências estrangeiras não podem ser simplesmente sobrepostas à realidade nacional, tampouco tomadas como parâmetro inquestionável de conduta. Especialmente quanto aos ordenamentos fora do eixo anglo-europeu, Günter Frankenberg alerta que com frequência os pesquisadores adotam visões hegemônicas e homogeneizantes sobre os Direitos e institutos, a partir da observação de alguns poucos países desenvolvidos da Europa e América do Norte. Forma-se uma visão unitária do constitucionalismo, a qual é imposta como filtro e paradigma para a análise das demais. Isso impõe um olhar normativo sobre o *outro*: este pode ser exótico, curioso, diferente, mas nunca recebe a mesma dignidade conferida às ordens "de referência".[48]

Emílio Peluso Meyer destaca que, no Brasil, isso é agravado pela desconsideração dos demais países do sul global. Os pesquisadores costumam promover comparações com alguns poucos ordenamentos anglo-europeus e quase nunca consideram experiências com as quais a realidade nacional tem muito mais em comum. Essa imposição de conceitos jurídicos e experiências sociais incondizentes com as nossas representa um novo tipo de imperialismo jurídico, em que as formas do Direito nacional são artificialmente forçadas e se encaixar em categorias e generalizações formuladas sem consideração às peculiaridades e aos influxos da maioria dos membros da rede de constitucionalismo.[49]

Para Neves, um entrelaçamento entre as ordens constitucionais – transconstitucionalismo – pressupõe a consideração a sério das experiências e opiniões dos outros e produz resultados frutíferos a todos os membros da rede. Afinal, todo observador possui "pontos cegos", os quais somente podem ser vistos se assumidas outras perspectivas.[50] Assim, Virgílio Afonso da Silva destaca que o método comparado denota um compromisso com a autocompreensão a partir das experiências alheias. Tem por finalidade aprimorar o conhecimento sobre a própria identidade, história e desafios, assumindo a visão do outro, por meio da alteridade.[51]

Partindo dessa noção, faz sentido buscar experiências semelhantes, ordenamentos que vêm enfrentando desafios análogos e, conjuntamente, dialogar sobre formas de solucioná-los dentro de cada realidade nacional – em uma lógica transconstitucional. É em vista disso que diversos teóricos vêm propondo o fortalecimento de uma rede de constitucionalismo latino-americana.

---

[47] NEVES, 2009, p. 274-275.
[48] FRANKENBERG, Günter. *Comparative constitutional studies*: between magic and deceit. Cheltenham; Northampton: Edward Elgar, 2018, p. 67.
[49] MEYER, Emílio Peluso Neder. Repensando o Direito Constitucional Comparado no Brasil. *Revista de Investigações Constitucionais*, Curitiba, n. 2, v. 6, p. 2-3, 2019.
[50] NEVES, 2009, p. 278-279.
[51] SILVA, Virgílio Afonso da. Integração e diálogo constitucional na América do Sul. In: BOGDANDY, Armin von; PIOVESAN, Flávia; ANTONIAZZI, Mariela Morales (org.). *Direitos humanos, democracia e integração jurídica na América do Sul*, Rio de Janeiro: Lumen Juris, 2010. p. 80-82.

Segundo essa perspectiva, nos países latino-americanos, é necessário construir e fortalecer um constitucionalismo transformador, uma vez que os problemas de desigualdade extrema e violações a direitos humanos e fundamentais na região são inaceitáveis. Nesse contexto, o Direito, por meio não só da Constituição, mas do ordenamento jurídico como um todo, deve assumir o papel de ser um dos catalisadores dessa transformação no sentido da proteção e do fomento da dignidade humana e dos direitos jusfundamentais.[52]

A região compartilha o passado colonial e a superação recente de regimes autoritários, os quais levaram a problemas igualmente compartilhados de pobreza e desigualdade extremas, concentração de riqueza e poder, violação sistemática a direitos fundamentais, populismo, autoritarismo e hiperpresidencialismo. As constituições locais, contudo, previram objetivos ambiciosos e propõem-se a endereçar tais desafios, irradiando seus efeitos nos ordenamentos jurídicos como um todo, a fim de produzir mudanças concretas e profundas nas sociedades. Em conjunto a isso, o sistema regional de proteção de direitos humanos, com a Convenção Americana de Direitos Humanos e a Corte Interamericana de Direitos Humanos, fornece outro catalisador da integração dialógica e construtiva, sempre em vista dos direitos e da dignidade humana.[53]

Assim, essa rede de constitucionalismo transformador regional se apoia sobre os princípios da supraestatalidade, do pluralismo dialógico e da atuação judicial. O sistema regional serve como elo para o diálogo entre os ordenamentos jurídicos internos. Não há hierarquização, e sim uma rede horizontal, em que os diferentes membros podem promover intercâmbios entre si, com a instância supraestatal servindo como mediadora das pretensões quase utópicas e generalistas internacionais e as realidades idiossincráticas locais.[54]

A visão do constitucionalismo latino-americano, por evidente, não sustenta que as comparações devem se dar *apenas* entre os países da região. Busca demonstrar que essa integração seria frutífera, na medida em que compartilhamos realidades e desafios semelhantes, além de estarmos integrados em um mesmo sistema regional de proteção de direitos humanos. Logo, se buscamos comparar iniciativas, por exemplo, para o fornecimento adequado de serviços públicos, a melhora da eficiência da máquina pública, o controle mais adequado dos zoneamentos urbanos e da favelização, as experiências de países como o Chile e a Colômbia podem nos fornecer uma espécie de espelho que não seria encontrado em países como a Alemanha ou os Estados Unidos.

Nesse sentido, Ferreira, Mazzei e Geraige Neto promoveram interessantíssimo estudo comparado acerca do direito ao acesso a informações públicas na Colômbia – em que há garantias muito maiores de transparência – e no Brasil, que ainda peca nesse quesito.[55]

---

[52] BOGDANDY, Armin Von. *Ius Constitutionale Commune* na América Latina. Uma reflexão sobre um constitucionalismo transformador. *Revista de Direito Administrativo*, Rio de Janeiro, v. 269, p. 49, 2015.

[53] BOGDANDY, Armin von; PIOVESAN, Flávia; ANTONIAZZI, Mariela Morales; MAC GREGOR, Eduardo Ferrer; SOLEY, Ximena. *Ius constitutionale commune* en América Latina: a regional approach to transformative constitutionalism. *MPIL Research Paper Series*, n. 21, 2016, p. 2. Ainda: FACHIN; CAMBI; PORTO, 2022, p. 225-228.

[54] MELLO, Patrícia Perrone Campos. Constitucionalismo, transformação e resiliência democrática no Brasil: o *Ius Constitutionale Commune* na América Latina tem uma contribuição a oferecer? *Revista Brasileira de Políticas Públicas*, Brasília, v. 9, n. 2, p. 254-256, 2019.

[55] FERREIRA, Alexsandro Fonseca; MAZZEI, Marcelo Rodrigues; GERAIGE NETO, Zaiden. O direito coletivo de acesso à informação pública – Um estudo comparado entre a legislação brasileira e a colombiana. *Revista de Direito Administrativo e Constitucional*, Belo Horizonte, ano 13, n. 53, 2013.

Como efetuar essas comparações? Entre os comparatistas, há uma percepção generalizada de que a área não tem sido capaz de formular metodologias práticas para efetivamente produzir conhecimento. De acordo com Ran Hirschl, a comparação precisa seguir o exemplo das ciências sociais e adotar métodos que permitam chegar a conclusões quanto a relações causais, observadas a partir de variáveis relevantes, falseáveis e testáveis. Trata-se da concepção básica de que o *cientista* deve buscar inferências causais replicáveis para além dos casos concretos analisados.[56]

Hirschl, então, propõe cinco modalidades de estudos que incorporam e possibilitam essa análise de variáveis relevantes entre os casos estudados: casos mais parecidos, mais diferentes, casos prototípicos, casos mais difíceis e casos mais favoráveis.[57]

No modelo dos casos mais parecidos, o pesquisador deve procurar cenários em que todas as variáveis sejam iguais, exceto aquela cujos efeitos se busca considerar. Sendo todo o restante similar, qual o resultado da mudança nessa variável específica? Um princípio de estudo nesse sentido foi promovido por Acunha, Arafa e Benvindo. De forma breve, os autores comparam as experiências brasileira, egípcia e de outros países latino-americanos após a destituição de seus respectivos regimes militares. Embora diversas características sejam similares, os três grupos analisados tiveram resultados bastante diferentes. Diante disso, buscam identificar os motivos que levaram a tal divergência.[58]

Nos casos mais diferentes, busca-se o oposto. Situações em que tudo é diverso, exceto a variável cujos efeitos se busca verificar. Como exemplo, o próprio Hirschl promoveu um estudo sobre os efeitos da jurisprudência secularizante em três países totalmente diversos, exceto quanto à profunda influência da religião na política e a tentativa do Judiciário de promover a sua separação: Egito, Israel e Turquia. Como essa iniciativa performou em cada situação?[59]

No modelo dos casos prototípicos, procura-se uma situação que possa servir de modelo para certo fenômeno, que guarda diversas similaridades com os outros casos que se encaixem na mesma categoria. A partir de sua análise, é possível estender as observações encontradas a outros ordenamentos em situações semelhantes.[60] Por exemplo, tomar a França como modelo de jurisdição administrativa, ou tomar a Alemanha como modelo de constitucionalização do Direito Administrativo.

Por fim, nos casos mais difíceis, busca-se a situação em que todas as circunstâncias se colocam contrárias a certo resultado, com exceção da variável de interesse. Se a sua presença acarreta o resultado pretendido por si só, a teoria sobre a relação causal fica muito fortalecida. No modelo oposto, do caso mais favorável, promove-se a análise contrária, em que tudo é favorável. Se o resultado não ocorrer, a causalidade se enfraquece.[61]

Em perspectiva que não exclui as metodologias propostas por Hirschl, Tushnet elenca três vieses que podem ser assumidos pelos pesquisadores a fim de guiar seus estudos comparados: universalismo normativo, funcionalismo e contextualismo.[62]

---

[56] HIRSCHL, 2006, p. 39-40.
[57] HIRSCHL, 2006, p. 47.
[58] ACUNHA; ARAFA; BENVINDO, 2018.
[59] HIRSCHL, 2006, p. 50-51.
[60] HIRSCHL, 2006, p. 54.
[61] HIRSCHL, 2006, p. 56.
[62] TUSHNET, Mark. Some reflections on method in comparative constitutional law. In: CHOUDHRY, Sujit (ed.). *The migration of constitutional ideas*. Cambridge: Cambridge University Press, 2006. p. 67-83. *Passim.*

Os universalistas normativos presumem que todos os sistemas de Direito Público possuem certas características em comum. A partir disso, buscam analisar como cada ordenamento lida com esses temas, o que teoricamente permite enriquecer a compreensão sobre as diferentes formas de abordar certos institutos.[63] Por exemplo, Fulvio Machado Faria analisa o que chama de grandes sistemas acerca da relação entre os servidores públicos e a administração, em vista dos conceitos de função pública adotados em cada um, bem como da opção pelo regime estatutário ou contratual. Assim, compara e sistematiza percepções, por exemplo, da França, Alemanha, Estados Unidos, entre outros.[64]

A abordagem funcionalista inverte essa lógica. Nessa perspectiva, os estudiosos reconhecem que os diferentes ordenamentos precisam solucionar problemas semelhantes e, a partir disso, buscam identificar como cada sistema endereça determinados desafios. Isso permite classificar as soluções entre as mais e menos adequadas, bem como formular *standards* de melhores práticas – embora essa nem sempre seja a intenção.[65]

A título de exemplo, Victor Aguiar de Carvalho parte da constatação de que todos os países devem lidar com restrições indevidas à concorrência em contratações públicas. Diante disso, busca compreender como diversos ordenamentos lidam com esse desafio, comparando suas propostas.[66] Por sua vez, Marcus Abraham constata que o Brasil e a União Europeia lidam com problemas semelhantes quanto à governança fiscal e sustentabilidade financeira. A partir disso, compara as soluções adotadas pelo Pacto Orçamental Europeu e sua aplicação em Portugal com as normas brasileiras, visando a compreender como a experiência continental pode servir de guia para o aprimoramento das práticas nacionais.[67] Ambas as modalidades sofrem críticas similares. Afirma-se que os estudos com esses vieses desconsideram as peculiaridades socioculturais de cada ordenamento jurídico, fecha-se às complexidades da interação dos direitos com as sociedades em que vigem. Assim, obrigatoriamente, simplifica em excesso a análise, ao "depurá-la" desses aspectos culturais que, em verdade, são essenciais para compreender o fenômeno jurídico. Dessa forma, recaem com facilidade nos riscos alertados quanto à imposição de generalizações forçadas aos ordenamentos objetos de estudo, baseadas nas experiências de alguns poucos países anglo-europeus, que não levam a sério suas peculiaridades próprias.[68]

Em resposta a essa alegada deficiência, alguns estudiosos buscam formular métodos que considerem o profundo inter-relacionamento existente entre as normas jurídicas e o contexto cultural, jurídico, histórico e socioeconômico em que elas estão inseridas. Ressalta-se a importância de entender essa complexidade, sob pena de alcançar conclusões formalistas e equivocadas sobre o verdadeiro significado e os verdadeiros efeitos dos institutos estudados – e até mesmo dos conceitos criados no estrangeiro e

---

[63] TUSHNET, 2006, p. 68-69.
[64] FARIA, Fulvio Machado. *Fundamentos do Estatuto do Servidor Público*. Belo Horizonte: Fórum, 2022.
[65] TUSHNET, 2006, p. 72-73.
[66] CARVALHO, Victor Aguiar de. Restrições à Concorrência em Contratações Públicas: uma preocupação global. *In:* MOURA, Emerson Affonso da Costa. *Direito Administrativo Comparado*. Rio de Janeiro: Lumen Iuris, 2020, p. 131-168.
[67] ABRAHAM, Marcus. *Governança fiscal e sustentabilidade financeira*: os reflexos do Pacto Orçamental Europeu em Portugal como exemplos para o Brasil. Belo Horizonte: Fórum, 2019.
[68] As críticas são expostas, e não necessariamente encampadas, em: PRIGOL; MELEK, 2022, p. 270. Especificamente quanto ao caráter hegemônico do funcionalismo: FRANKENBERG, 2018, p. 70-71.

adotados pelo Direito nacional, por meio da doutrina, lei ou jurisprudência.[69] Realmente, esse formato tem particular relevância para analisar de forma adequada a maneira como conceitos estrangeiros são compreendidos e aplicados pelos juristas nacionais. Essa transferência tem sido chamada de migrações de ideais constitucionais, para enfatizar as inúmeras adaptações que o conceito "migrante" sofre ao ser transposto de um ordenamento para outro.[70]

Dois exemplos pertinentes: Daniel Wunder Hachem analisou o conceito de *faute de service*, formulado na França e adotado pelo Direito Administrativo brasileiro, para demonstrar que, na origem, ele possui aplicações muito diversas quanto à responsabilidade por omissão.[71] Em artigo recente, nós fizemos uma abordagem semelhante acerca do conceito da reserva do possível, esmiuçando os motivos jurídicos, econômicos e socioculturais que levaram à sua criação na Alemanha, a forma como atualmente vem sendo aplicado, e comparando com o formato adotado pelo Brasil.[72]

Como podemos perceber, o Direito Comparado fornece diversas ferramentas para compreender melhor o atual estado do nosso Direito Administrativo e os principais desafios para sua constitucionalização. Ainda, propicia meios de estudarmos e vislumbrarmos maneiras de superar tais obstáculos, beneficiando-nos das experiências de outros países com os direitos fundamentais, suas constituições e seus próprios Direitos Administrativos. Essa análise nunca deve ocorrer de modo hierárquico, como se tivéssemos obrigação de adotar soluções formuladas no estrangeiro. Sua finalidade é dialógica, a fim de nos fornecer subsídios para compreender e aprimorar nosso Direito Administrativo.

4 Conclusão

A Constituição de 1988 proclamou o fim do autoritarismo que impregnou a Administração Pública brasileira desde os tempos coloniais. Em particular, derrogou a ordem ditatorial antecedente, durante a qual os direitos e liberdades individuais eram sistematicamente violados em prol de abstrato "bem comum", "interesse nacional" e "interesse público". Contudo, o Direito Administrativo brasileiro continua "assombrado" por conceitos, teorias e práticas criadas e nutridas durante períodos de autoritarismo, as quais seguem uma lógica de autoridade, e não de liberdade.

Marçal Justen Filho sempre foi um dos grandes propulsores da mudança nesse cenário. Seu trabalho vem sendo um pilar para a reconstrução constitucionalizada do Direito Administrativo. Este deve deixar de ser um mero "espetáculo", distante das pessoas reais e sem efeitos concretos sobre suas vidas. Seu centro deve passar a ser

---

[69] TUSHNET, 2006, p. 75-76.

[70] Tivemos a oportunidade de discorrer sobre o tema com alguma profundidade em: SETTI, Matheus Gomes; FACHIN, Melina Girardi. Entre Resistência, Convergência e Engajamento: direito constitucional comparado e migrações constitucionais. *Direito e Práxis*, Rio de Janeiro, v. 15, n. 1, p. 1-25.

[71] HACHEM, Daniel Wunder. Responsabilidade do Estado por Omissão: uma proposta de releitura da teoria da *faute de service*. In: MARQUES NETO, Floriano de Azevedo *et al*. *Direito da Administração Pública*. São Paulo: Atlas, 2013, p. 1131-1155.

[72] SETTI, Matheus Gomes; FACHIN, Melina Girardi. A migração constitucional da reserva do possível entre a Alemanha e o Brasil. *Revista de Direito Brasileira*, Florianópolis, v. 15, n. 1, p. 75-105, 2023.

os direitos fundamentais e a dignidade humana, os quais são a razão para a própria existência da Administração Pública.

É necessário, então, promover a permeabilidade dessa área do Direito aos efeitos irradiantes da Constituição, que tem eficácia imediata e vincula a interpretação e a aplicação de todas as normas jurídicas. Essa constitucionalização do Direito Administrativo tem se manifestado em três principais eixos: a substituição do princípio formalista da legalidade pelo princípio da juridicidade, a superação do princípio da supremacia do interesse público sobre o privado e a restrição da discricionariedade administrativa.

Por sua vez, o Direito Comparado pode ser a chave para superar as inércias autoritárias e catalisar o processo de constitucionalização. Seus exemplos sempre foram partes importantes para o pensamento de Justen Filho. Com efeito, a comparação permite entender como ordenamentos diversos lidam com problemas similares, confrontando os resultados obtidos. Ainda, possibilita definir com mais clareza as normas de conteúdo mais amplo, como os direitos fundamentais e os princípios constitucionais, a partir de diálogos entre diversos agentes buscando efetuar as mesmas definições. Sobretudo, permite compreender melhor o próprio Direito nacional, os fatores que o levam a ter as características atuais, os pontos de resistência à mudança e as principais alternativas para avanço.

Essa comparação não deve se dar a partir de uma lógica isolacionista, mas de uma integração *transconstitucional*, isto é, visando ao engajamento dialógico entre os ordenamentos constitucionais. As experiências e contribuições de cada um devem ser levadas a sério e consideradas pelos demais, sem hierarquia ou predefinições, sempre visando à promoção e proteção dos direitos jusfundamentais e da dignidade humana. Para o Brasil, a maior integração dialógica com os países latino-americanos pode oferecer particular benefício, especialmente considerando a similaridade dos desafios e das condições enfrentadas na região.

Para a aplicação prática dos estudos comparados em Direito Público, podem-se usar as ferramentas da análise de casos mais parecidos, casos mais diferentes, casos prototípicos, casos mais favoráveis ou casos mais difíceis. Ainda, pode-se partir de uma perspectiva universalista normativa, funcionalista ou contextualista. Cada uma oferece vantagens e desvantagens próprias, mas todas são valiosas para o avanço da comparação jurídica.

Um dos grandes legados do professor Marçal Justen Filho é a sua defesa de que o Direito Administrativo deve se adequar à Constituição de 1988. Deve abandonar suas premissas autoritárias e reconhecer que a Constituição e o ser humano compõem o centro do ordenamento jurídico. O Direito Comparado pode ser uma das pontes que une os direitos em sua humanidade e catalisar o avanço em direção à constitucionalização.

Referências

ABRAHAM, Marcus. *Governança fiscal e sustentabilidade financeira*: os reflexos do Pacto Orçamental Europeu em Portugal como exemplos para o Brasil. Belo Horizonte: Fórum, 2019.

ACUNHA, Fernando José Gonçalves; 'ARAFA, Mohamed A.; BENVINDO, Juliano Zaiden. The Brazilian Constitution of 1988 and its ancient ghosts: comparison, history and the ever-present need to fight authoritarianism. *Revista de Investigações Constitucionais*, Curitiba, v. 5, n. 3, p. 17-41, 2018.

AZEVEDO NETO, Floriano de. *Direito Administrativo e seus Novos Paradigmas*. 2. ed. São Paulo: Fórum, 2017.

BACELLAR FILHO, Romeu Felipe. Reflexos da constitucionalização do Direito Administrativo – Pessoa humana, processo e contrato Administrativo. *Interesse Público*, Belo Horizonte, ano 15, n. 81, 2013.

BARROSO, Luís Roberto. A Constitucionalização do Direito e suas Repercussões no Âmbito Administrativo. In: ARAGÃO, Alexandre Santos do; MARQUES NETO, Floriano de Azevedo. *Direito Administrativo e seus Novos Paradigmas*. 2. ed. Belo Horizonte: Fórum, 2017, p. 31-56.

BINENBOJM, Gustavo. *Uma Teoria do Direito Administrativo*. 3. ed. Rio de Janeiro: Renovar, 2014.

BOGDANDY, Armin von; PIOVESAN, Flávia; ANTONIAZZI, Mariela Morales; MAC GREGOR, Eduardo Ferrer; SOLEY, Ximena. *Ius constitutionale commune* en América Latina: a regional approach to transformative constitutionalism. *MPIL Research Paper Series*, n. 21, 2016.

BOGDANDY, Armin Von. *Ius Constitutionale Commune* na América Latina. Uma reflexão sobre um constitucionalismo transformador. *Revista de Direito Administrativo*, Rio de Janeiro, v. 269, p. 13-66, 2015.

CARVALHO, Victor Aguiar de. Restrições à Concorrência em Contratações Públicas: uma preocupação global. In: MOURA, Emerson Affonso da Costa. *Direito Administrativo Comparado*. Rio de Janeiro: Lumen Iuris, 2020, p. 131-168.

CHOUDHRY, Sujit. Migration as a New Metaphor in Constitutional Law. In: CHOUDHRY, Sujit. *The Migration of Constitutional Ideas*. Cambridge: Cambridge University Press, 2006. p. 1-36.

DANTAS, Ivo. *Direito Constitucional Comparado*. 2. ed. Rio de Janeiro: Renovar, 2006.

DI PIETRO, Maria Sylvia Zanella. Da constitucionalização do Direito Administrativo – Reflexos sobre o princípio da legalidade e a discricionariedade administrativa. *Atualidades Jurídicas*: Revista do Conselho Federal da Ordem dos Advogados do Brasil – OAB, Belo Horizonte, ano 2, n. 2, 2012.

FACHIN, Melina Girardi; CAMBI, Eduardo; PORTO, Letícia de Andrade. *Constituição e Direitos Humanos*. São Paulo: Almedina, 2022.

FARIA, Fulvio Machado. *Fundamentos do Estatuto do Servidor Público*. Belo Horizonte: Fórum, 2022.

FERREIRA, Alexsandro Fonseca; MAZZEI, Marcelo Rodrigues; GERAIGE NETO, Zaiden. O direito coletivo de acesso à informação pública – Um estudo comparado entre a legislação brasileira e a colombiana. *Revista de Direito Administrativo e Constitucional*, Belo Horizonte, ano 13, n. 53, 2013.

FLETCHER, George. Comparative Law as a Subversive Discipline. *The American Journal of Comparative Law*, v. 46, n. 4, p. 683-700, 1998.

FRANKENBERG, Günter. *Comparative constitutional studies*: between magic and deceit. Cheltenham; Northampton: Edward Elgar, 2018.

HACHEM, Daniel Wunder. Responsabilidade do Estado por Omissão: uma proposta de releitura da teoria da *faute de service*. In: MARQUES NETO, Floriano de Azevedo et al. *Direito da Administração Pública*. Atlas: São Paulo, 2013, p. 1131-1155.

HIRSCHL, Ran. On the blurred methodological matrix of comparative constitutional law. In: CHOUDHRY, Sujit (ed.). *The migration of constitutional ideas*. Cambridge: Cambridge University Press, 2006. p. 39-66.

JACKSON, Vicki. *Constitutional Engagement in a Transnational Era*. Oxford: Oxford University Press, 2010.

JACKSON, Vicki. Transnational Challenges to Constitutional Law: Convergence, Resistance, Engagement. *Federal Law Review*, Camberra, v. 35, n. 2, 2007.

JUSTEN FILHO, Marçal. *Curso de Direito Administrativo*. 15. ed. Rio de Janeiro: Gen Jurídico, 2024.

JUSTEN FILHO, Marçal. O Direito Administrativo do Espetáculo. In: ARAGÃO, Alexandre Santos do; MARQUES NETO, Floriano de Azevedo. *Direito Administrativo e seus Novos Paradigmas*. 2. ed. São Paulo: Fórum, 2017, p. 57-79.

KIRBY, Michael. International Law: the impact on national constitutions. *American University International Law Review*, Washington D.C., v. 21, n. 3, 2006.

MELLO, Patrícia Perrone Campos. Constitucionalismo, transformação e resiliência democrática no Brasil: o *Ius Constitutionale Commune* na América Latina tem uma contribuição a oferecer? *Revista Brasileira de Políticas Públicas*, Brasília, v. 9, n. 2, p. 253-285, 2019.

MEYER, Emílio Peluso Neder. Repensando o Direito Constitucional Comparado no Brasil. *Revista de Investigações Constitucionais*, Curitiba, v. 6, n. 2, 2019.

NEVES, Marcelo. *Transconstitucionalismo*. São Paulo: Martins Fontes, 2009.

PEGORARO, Lucio; RINELLA, Angelo; HERMES, Manuellita (trad.). *Sistemas Constitucionais Comparados*. Curitiba: Contracorrente, 2021.

PRIGOL, Natália Munhoz Machado; MELEK, Marcelo Ivan. O Direito Constitucional Comparado e a busca por um método de pesquisa único. *Revista de Estudos Constitucionais, Hermenêutica e Teoria do Direito*, São Leopoldo, v. 14, n. 2, p. 259-278, maio/ago. 2022.

ROBL FILHO, Ilton Norberto; CORREIA, Atalá. Direito Comparado: Reflexões Metodológicas e Comparações no Direito Constitucional. *Revista do Instituto Histórico e Geográfico Brasileiro*, Rio de Janeiro, v. 183, n. 490, p. 81-104, set./dez. 2022.

SARMENTO, Daniel. Supremacia do Interesse Público? As colisões entre direitos fundamentais e interesses da coletividade. *In:* ARAGÃO, Alexandre Santos do; MARQUES SETTI, Matheus Gomes; FACHIN, Melina Girardi. Entre Resistência, Convergência e Engajamento: direito constitucional comparado e migrações constitucionais. *Direito e Práxis*, Rio de Janeiro, v. 15, n. 1, p. 1-25, 2023.

SETTI, Matheus Gomes; FACHIN, Melina Girardi. A migração constitucional da reserva do possível entre a Alemanha e o Brasil. *Revista de Direito Brasileira*, Florianópolis, v. 15, n. 1, p. 75-105, 2023.

SILVA, Christine Oliveira Peter da. *Transjusfundamentalidade*. Curitiba: Editora CRV, 2014.

SILVA, Virgílio Afonso da. Integração e diálogo constitucional na América do Sul. *In:* BOGDANDY, Armin von; PIOVESAN, Flávia; ANTONIAZZI, Mariela Morales (org.). *Direitos humanos, democracia e integração jurídica na América do Sul*. Rio de Janeiro: Lumen Juris, 2010. p. 515-530.

TUSHNET, Mark. *Advanced Introduction to Comparative Constitutional Law*. Cheltenham: Edward Elgar, 2014.

TUSHNET, Mark. Some reflections on method in comparative constitutional law. *In:* CHOUDHRY, Sujit (ed.). *The migration of constitutional ideas*. Cambridge: Cambridge University Press, 2006. p. 67-83.

Informação bibliográfica deste texto, conforme a NBR 6023:2018 da Associação Brasileira de Normas Técnicas (ABNT):

SETTI, Matheus Gomes; FACHIN, Melina Girardi. O papel da comparação jurídica na constitucionalização do Direito Administrativo. *In:* JUSTEN, Monica Spezia; PEREIRA, Cesar; JUSTEN NETO, Marçal; JUSTEN, Lucas Spezia (coord.). *Uma visão humanista do Direito*: homenagem ao Professor Marçal Justen Filho. Belo Horizonte: Fórum, 2025. v. 2, p. 295-311. ISBN 978-65-5518-916-2.

O *AMICUS CURIAE* NO STF: ENTRE UM TRIBUNAL FECHADO E A SELETIVIDADE ARBITRÁRIA

MIGUEL GUALANO DE GODOY

Proêmio: a sorte de ter sido aluno do Prof. Marçal Justen Filho e o privilégio de ter trabalhado com ele

    Eu tive a sorte de ter sido aluno do Prof. Marçal Justen Filho. Na Faculdade de Direito da UFPR, em Curitiba, e também bem depois dela. O Prof. Marçal é alguém que forma e transforma. Ao menos para mim foi assim. Eu aprendi muito sendo aluno do Prof. Marçal. Aprendi mesmo. Com profundidade teórica, rigor normativo, reflexão crítica. Eu aprendi não só como o Direito se formava, no que ele se fundamentava, em que previsão normativa ele se baseava, mas se tudo isso, no mundo real, se verificava, quando, como, por que, ou por que não. E quando não se verificava, por que não e o que fazer. Foram lições que me formaram na matéria, e também para além dela – os modos do Direito de ser, exercer e corrigir. Mais além do conteúdo, a postura do Prof. Marçal me marcou profundamente. Eu era um ótimo aluno, e mesmo assim achava a matéria difícil e ele não dava muita abertura para uma troca de ideias. Mas, que ideia mais ingênua eu tinha também sobre o papel de um professor. O papel de um professor não é o de "trocar ideias". Pode até ser que isso porventura aconteça, mas não é seu papel. Eu queria conversar sobre a matéria, mas ficava receoso e então apenas fazia a minha parte: lia, ouvia, estudava. Fui tirar dúvida com o Prof. Marçal apenas duas vezes. Nas duas oportunidades ele me atendeu superbem, mas com uma seriedade e uma rigidez que deixavam claro o abismo que existia entre Professor e aluno. Era como chegar ao pé de uma grande montanha e olhar para cima, ver e entender toda a imponência. E, ao mesmo tempo, ouvir as explicações com esmero para que a dúvida fosse devidamente sanada. E pronto, acabava ali. Eu passei na disciplina e a vida seguiu. Ele sendo um gigante, eu tomando notas e guardando o exemplo. Nunca esqueci a disciplina, o Professor, o rigor e a postura. E encontrei novamente o Prof. Marçal quando estava em Brasília, trabalhando no STF como assessor de ministro. Se eu tive a sorte de ser aluno do Prof. Marçal, em seguida tive o privilégio de trabalhar com ele em seu Escritório – Justen, Pereira, Oliveira & Talamini Advogados Associados. Sem dúvida nenhuma o melhor Escritório em Direito Público e em Direito da infraestrutura do Brasil. O curioso é que o Escritório do Prof. não é o maior, nem está nos *trending toppics* do X, mas é, reafirmo, o melhor do Brasil. Todos são extremamente bem formados, especialistas, mestres, doutores, professores. Se esforçam e se destacam em suas áreas de atuação. Levam à risca aquilo que o Prof. Marçal tem e se reflete em todo o seu trabalho, em seu Escritório – profundidade teórica, rigor normativo, soluções pragmáticas e resolutivas. Todo mundo que entra no Escritório fica. São raríssimos os casos de gente que entrou e saiu. É bom trabalhar lá. Eu digo isso porque eu trabalhei lá e vi tudo isso. E ainda tive o privilégio de trabalhar diretamente com o Prof. Marçal. E como aprendi tanto com ele, com as conversas, as orientações sobre as causas, os casos e, especialmente, sobre a vida. Foi um sonho transformado em realidade. Mas a vida fez uma curva e eu tive de ir. Nunca quis partir, mas tomei a decisão e fui. Hoje volto aqui, agora como Professor de Direito Constitucional da UFPR, atualmente na UnB, para escrever um trabalho que homenageie tudo o que o Prof. Marçal é – para o Direito brasileiro e, particularmente, para mim. Minha forma, então, de homenageá-lo é escrever um trabalho que reflita aquilo que aprendi com ele – um trabalho que seja teoricamente bem fundamentado, normativamente rigoroso, com reflexão crítica e solução pragmática. Por isso, resolvi tratar da figura do *amicus curiae* no STF. Ou melhor, sobre o que o Supremo tem feito do *amicus*. Como enfrentar os entendimentos recentes sobre irrecorribilidade da decisão de inadmissão? A quem se presta a atuação do *amicus*? Ao Supremo ou a partes interessadas? Por que pessoa física não pode ser *amicus curiae*? E por que não pode o *amicus* admitido opor embargos de declaração? Existe saída para os medos e receios do STF contra uma atuação procrastinatória do *amicus*?

Se o trabalho não ficar a contento, ao menos a Introdução registra meu imenso respeito, minha mais sincera admiração, meu reconhecimento pelo que o Prof. Marçal fez, pelo que faz e pelo ser humano que é. E, por fim, registro aqui também todo o meu carinho por tudo o que está para além do Direito e se reflete em minha formação e minha vida.

1 *Amicus curiae*

Amicus curiae, em uma tradução literal do latim, significa "amigo da corte" ou "amigo do tribunal" (e *amici curiae* é o plural de *amicus curiae*). O *amicus curiae* é alguém que, mesmo sem ser parte, em razão de sua representatividade ou especialidade, é chamado ou se oferece para intervir em processo relevante com o objetivo de apresentar ao Tribunal a sua opinião sobre o debate que está sendo travado nos autos, fazendo com que a discussão seja amplificada e o órgão julgador possa ter mais elementos para decidir de forma legítima.

A previsão normativa do *amicus curiae* é dúplice: uma previsão geral e uma especial.

A previsão normativa geral é aquela disposta no art. 138 do Código de Processo Civil:

Art. 138, CPC: O juiz ou o relator, considerando a relevância da matéria, a especificidade do tema objeto da demanda ou a repercussão social da controvérsia, poderá, por decisão irrecorrível, de ofício ou a requerimento das partes ou de quem pretenda manifestar-se, solicitar ou admitir a participação de pessoa natural ou jurídica, órgão ou entidade especializada, com representatividade adequada, no prazo de 15 (quinze) dias de sua intimação.

§1º A intervenção de que trata o caput não implica alteração de competência nem autoriza a interposição de recursos, ressalvadas a oposição de embargos de declaração e a hipótese do §3º.

§2º Caberá ao juiz ou ao relator, na decisão que solicitar ou admitir a intervenção, definir os poderes do amicus curiae.

§3º O amicus curiae pode recorrer da decisão que julgar o incidente de resolução de demandas repetitivas.

A previsão normativa especial é aquela específica prevista em lei e no Regimento Interno do STF.

A previsão normativa especial prevista em lei é aquela disposta no art. 7º, §2º, da Lei nº 9.868/1999, que estabelece que não se admitirá intervenção de terceiros na ADI. Ou seja, ainda que alguém manifeste interesse, sua participação não será admitida. Isso porque a análise é feita em abstrato e de modo objetivo, sem decidir caso ou interesse concreto.

A previsão normativa especial prevista no Regimento Interno do STF é aquela disposta no art. 323, §3º, do RISTF:

Art. 323, RISTF: Quando não for caso de inadmissibilidade do recurso por outra razão, o(a) Relator(a) ou o Presidente submeterá, por meio eletrônico, aos demais ministros, cópia de sua manifestação sobre a existência, ou não, de repercussão geral. (Redação dada pela Emenda Regimental n. 42, de 2 de dezembro de 2010)

(...)

§3º Mediante decisão irrecorrível, poderá o(a) Relator(a) admitir de ofício ou a requerimento, em prazo que fixar, a manifestação de terceiros, subscrita por procurador habilitado, sobre a questão da repercussão geral. (Redação dada pela Emenda Regimental n. 42, de 2 de dezembro de 2010)

Temos, assim, previsões normativas gerais e específicas sobre o *amicus curiae*, ambas com disposições que, interpretadas e aplicadas em conjunto, conferem um quadrante jurídico substantivo sobre o papel, a importância e as possiblidades de atuação do *amicus*.

Mas e o Supremo? Como tem interpretado e aplicado recentemente as normativas relativas ao *amicus curiae*?

2 O Plenário tapando os ouvidos: a irrecorribilidade da decisão que não admite o ingresso de *amicus curiae*

O entendimento consolidado do Supremo Tribunal Federal sempre foi o de que a decisão de admissão de *amicus curiae* é irrecorrível, conforme previsão expressa do art. 7º, §2º, da Lei nº 9.868/1999, mas a decisão de inadmissão comportaria recurso de agravo regimental.[1]

No entanto, na sessão extraordinária de 17 de outubro de 2018, o Plenário do Supremo Tribunal Federal reviu seu entendimento e decidiu que é irrecorrível a decisão do ministro relator que inadmite participação de *amicus curiae*.

A decisão foi tomada no Agravo Regimental no Recurso Extraordinário nº 602.584, de relatoria do ministro Marco Aurélio Mello.

No caso, a Associação dos Procuradores do Estado de São Paulo (APESP) havia pedido seu ingresso no RE como *amicus curiae*. Diante da decisão do ministro relator de inadmissão, a APESP interpôs agravo regimental para o Plenário do STF.

A maioria do STF decidiu que o agravo regimental interposto contra a decisão de inadmissão da APESP como *amicus curiae* no RE sequer deveria ser conhecido. Os argumentos utilizados pelos ministros no novo entendimento foram os de que:

(i) a Lei nº 9.868/1999, em seu art. 7º, §2º, e o art. 138, *caput*, do Código de Processo Civil estabeleceram de forma expressa a irrecorribilidade da decisão de admissão do *amicus curiae*. Assim, compete exclusivamente ao relator analisar a admissão ou inadmissão do *amicus curiae*;

(ii) o *amicus curiae* não é parte e, portanto, não tem interesse na causa, não lhe sendo conferido nenhum tipo de legitimidade recursal, excetuadas as previsões expressas do art. 138 do CPC;

(iii) não cabendo intervenção de terceiros, a admissão de *amicus curiae* é a exceção, e não a regra (art. 7º, *caput*, Lei nº 9.969/99);

(iv) há um excessivo número de pedidos de ingresso como *amicus curiae*, os quais, no mais das vezes, representam interesses das partes, e não auxílio ao Tribunal.

No entanto, os fundamentos invocados pelos ministros do STF, se bem vistos, encontram limites nas próprias regras legais que invocaram, bem como nos princípios constitucionais básicos que deveriam informar uma jurisdição constitucional aberta, plural e democrática e a atuação do próprio Supremo.

De fato, a Lei nº 9.868/1999, em seu art. 7º, §2º, e o art. 138, *caput*, do Código de Processo Civil estabeleceram indiscutivelmente a irrecorribilidade da decisão de admissão do *amicus curiae*. Contudo, note-se, a impossibilidade de recurso é da decisão que admite o *amicus curiae*, e não da decisão que o inadmite. E faz sentido que assim seja, pois, se ao ministro relator cabem a ordem e direção do processo (art. 21, I, RISTF), o juiz natural desse tipo de ação é o Plenário do STF – órgão colegiado. Assim, interessa não apenas ao ministro relator, mas sim ao Plenário do STF a verificação de efetiva contribuição a ser dada pelo aspirante a amigo da corte.

Dessa forma, a admissão de *amicus curiae* é irrecorrível, porque, se o *amicus curiae* tiver algo a acrescentar, sua participação já estará garantida pelo ministro relator e o Plenário também poderá se beneficiar dessa participação. Por outro lado, se o *amicus curiae* admitido se mostrar desnecessário ou a sua participação for infrutífera, esse não acréscimo não resultará em prejuízo algum para a causa ou para o Tribunal.

Todavia, a inadmissão de *amicus curiae* pelo ministro relator poderá cercear do Plenário possível contribuição do amigo da corte aos demais ministros. Sendo o

---

[1] STF. Plenário. ADI nº 5.022 AgR/RO, Rel. Min. Celso de Mello, julgado em 18.12.2014 – Informativo STF 772.

Plenário o juiz natural da causa, deve ser ele quem detém a última palavra sobre a importância ou não da participação do *amicus curiae* requerente que teve seu pedido de ingresso negado. Daí o cabimento de agravo regimental/interno da decisão do relator que inadmite a participação de *amicus curiae*. A previsão expressa da Lei nº 9.868/99 e do Código de Processo Civil sobre a irrecorribilidade da decisão de admissão só pode levar à conclusão de que da inadmissão cabe o recurso de agravo regimental/interno, pois, havendo dúvida sobre a contribuição ou não do aspirante a *amicus curiae*, será o Plenário, juiz natural, o definidor último da controvérsia.

A decisão tomada pelo STF tem como efeito o incremento e a potencialização de uma atuação monocrática dos ministros, e ao mesmo tempo apequena a atuação colegiada da corte e fecha as portas do Tribunal para um possível e bem-vindo arejamento com diferentes ideias e perspectivas. Impedir que o Plenário do Supremo conheça quem pede habilitação como *amicus curiae* é tapar seus ouvidos para contribuições que possivelmente lhe poderiam ser úteis para o deslinde da questão em análise.

Os ministros do Supremo por diversas vezes afirmaram durante o julgamento que *amicus curiae* não é parte e, portanto, não tem interesse direto e imediato na causa. Dessa forma, não apenas não lhe é conferido poder recursal (excetuadas as previsões do art. 138, CPC), como sua admissão deve ser excepcional. É discutível e está em aberto a questão sobre se os *amici curiae* devem ser apenas amigos da corte, e não das partes.[2] De todo modo, é indiscutível que eles devem trazer contribuições ao Tribunal, e para além daquelas já trazidas pelas partes e informantes ouvidos pela corte. Por essas razões é que a sua admissão deveria ser excepcional, apenas nos casos em que se vislumbre efetiva possibilidade de contribuição, e não apenas mais uma defesa de um dos lados em disputa. O problema está no fato de que é o próprio STF quem permite que os *amici curiae* sejam amigos das partes, e não da corte. Os ministros reclamam de um problema para o qual eles mesmos contribuem, e de forma sistemática, ao admitirem como regra a intervenção de *amici curiae* e sem rigor nos critérios de admissão.

A solução para esse embaraço é uma atuação rigorosa na exigência de representatividade e capacidade de contribuição dos postulantes a *amicus curiae*. Para isso, basta que os ministros passem a utilizar um instrumento até agora muito pouco empregado: a definição dos poderes e limites de atuação do *amicus curiae*, conforme prevê o art. 138, §2º, do CPC.

Se a decisão de admissão é irrecorrível, tanto mais aquela que estabelece o alcance e limite de atuação do *amicus curiae*. É assim que os ministros poderão evitar que os *amici curiae* queiram atuar apenas como partes e reprodutores de argumentos já conhecidos, fazendo com que a intervenção pretendida seja então uma atuação excepcional, qualificada e em benefício do Tribunal.

---

[2] COLEHO, Damares Medina. *Amicus Curiae*: amigo da Corte ou Amigo da Parte? São Paulo: Saraiva, 2010. GODOY, Miguel Gualano de. As audiências públicas e os amici curiae influenciam as decisões dos ministros do Supremo Tribunal Federal? E por que isso deve(ria) importar? In: *Revista da Faculdade de Direito da UFPR*, v. 60, 2015, p. 137-159. GODOY, Miguel Gualano de. *Devolver a Constituição ao Povo*: crítica à supremacia judicial e diálogos institucionais. Belo Horizonte: Fórum, 2017. ALMEIDA, Eloísa Machado de. Capacidades institucionais dos amici curiae no Supremo Tribunal Federal: acessibilidade, admissibilidade e influência. In: *Revista Direito e Praxis*, v. 10, n. 1, p. 678-707, 2019. GUIMARÃES, Lívia Gil. Participação Social no STF: repensando o papel das audiências públicas. In: *Revista Direito e Praxis*, v. 11, n. 1, p. 236-271, 2020.

Uma atuação rigorosa já teria o potencial de diminuir o excessivo número de pedidos de ingresso de *amici curiae* (caberia aqui a indagação de Juliana Cesário Alvim – em que dados a afirmação do "excessivo número" se baseia? qual é o parâmetro para configurar uma quantidade excessiva e com base em que critérios ele seria estabelecido?). De toda maneira, ainda que os agravos regimentais/internos continuassem a proliferar, o Plenário poderia, em alguns julgamentos, definir parâmetros ou endossar aqueles estabelecidos pelos relatores. Por fim, pode-se cogitar ainda que, tendo em vista a uniformização dos recursos de agravo promovida pelo CPC (art. 1.070), seria possível a imposição de multa ao agravo regimental/interno desprovido por unanimidade (art. 1.021, §4º, do CPC). Existem, portanto, instrumentos aptos a promover um desincentivo ao excessivo número de pedidos de ingresso como *amicus curiae*.

O ministro Luiz Fux chegou a dizer durante o julgamento que os *amici curiae* estão sendo mais realistas que o rei. Todavia, como se viu, o grande número de pedidos de ingresso de *amici curiae* e o suposto uso desvirtuado do instituto se devem à falta de rigor na observância das regras referente aos *amici curiae* pelo STF e ao alegado uso abusivo que o próprio Tribunal tem admitido dessa figura.

Para aumentar a confusão sobre o tema, em 06.08.2020, o Supremo Tribunal Federal tomou decisão diversa: admitiu recurso, agravo regimental, na ADI nº 3.396, para impugnar denegação de participação de *amicus curiae*.[3] Mas, tampouco apontou a superação de sua jurisprudência defensiva fixada em outubro de 2018, de modo que há em vigor decisões em sentido contrário sobre o mesmo tema. Ou seja, até 17.10.2018 se entendia pelo cabimento de recurso contra decisão que indefere a participação de *amicus curiae*. A partir de outubro de 2018, passou-se a entender pela irrecorribilidade da decisão que denega participação de *amicus curiae* (RE 602.584 AgR/DF). Porém, em agosto de 2020, tem-se uma decisão que retoma o entendimento antigo e admite recurso para impugnar decisão que negou participação de *amicus curiae* (ADI nº 3.396 AgR/DF), mas sem superar o entendimento anterior de impossibilidade de recurso.

Diante desse imbróglio, uma coisa é certa: a solução desse problema não virá com a potencialização da atuação monocrática de ministros, a restrição do instituto, o tamponamento dos ouvidos do Plenário e o seu consequente enfraquecimento. Ao contrário, a solução passa por uma uniformização de entendimento, uma atuação mais rigorosa nos critérios de admissão, sobretudo nos de representatividade e contribuição, bem como na definição dos poderes e limites de atuação do *amicus curiae*, ao invés de se tapar os ouvidos, permitir que o Plenário tenha sempre a palavra final sobre a admissão de *amicus curiae*, ouvir bem e selecionar bem quem se vai escutar.

3 Um tribunal fechado: por que pessoa física não pode ser *amicus curiae* perante o STF?

Até o advento do Código de Processo Civil de 2015, não se admitia *amicus curiae* pessoa física, apenas pessoa jurídica. Com o advento CPC de 2015, o art. 138 passou a prever expressamente a participação de pessoa física (natural).

---

[3] STF. Plenário. ADI nº 3.396 AgR/DF, Rel. Min. Celso de Mello, julgado em 06.08.2020. Vide, inclusive, o Informativo 985 do Supremo Tribunal Federal.

A despeito da previsão legal do CPC no art. 138, o Supremo Tribunal Federal decidiu em 2020 que pessoa física não tem representatividade adequada para intervir como *amicus curiae* em ação direta perante o STF.[4]

Os principais argumentos para essa restrição *são* os de que:

i) o art. 138 do CPC não é aplicável às ações de controle abstrato de constitucionalidade em razão da existência de normas especiais sobre a matéria;

ii) a pessoa física carece de representatividade adequada para figurar como *amicus curiae* nas ações de controle abstrato, de modo a evitar que se discutam situações individuais e interesses concretos.

Mas e o art. 138 do CPC/2015, que fala em "pessoa natural"?

Para os ministros, o principal fundamento para a sua inaplicabilidade *é o* de que, embora o Código de Processo Civil seja norma posterior, as leis que regulamentam o controle abstrato de constitucionalidade seriam normas de caráter especial e prevaleceriam sobre a previsão geral do art. 138 do CPC.

O ministro Edson Fachin, em seu voto, afirmou que o art. 7º, §2º, da Lei nº 9.868/99 *é expresso ao* dizer que apenas "órgãos e entidades" poderiam ter sua representatividade aferida pelo Relator, de modo que a pessoa física estaria excluída da participação como *amicus curiae*.

Por que fechar o Supremo à participação de especialistas se o Código de Processo Civil previu tal participação expressamente? Sua aplicação não deveria ser conjunta com as previsões especiais da Lei nº 9.868/1999? Se tomarmos em conta a evolução do instituto do *amicus curiae* no ordenamento jurídico brasileiro, quanto mais qualificada for a participação, melhor é a possível contribuição a ser oferecida à corte. Nesse sentido, o ministro Celso de Mello ressaltou a importância da admissão de *amicus curiae* nos processos de controle abstrato como um fator de legitimação democrática, conferindo pluralidade ao debate constitucional.

Nesse ponto, é relevante o apontamento feito pelo ministro Celso, pois compete aos intérpretes da Constituição expor os direitos e justificá-los sob a sua melhor luz. Se o sentido de um texto não é definido pelo próprio texto, mas sim pelo intérprete, a tarefa de interpretar e aplicar a Constituição consiste em um grande desafio, dados os razoáveis e profundos desacordos morais sobre os conteúdos das normas constitucionais. Justamente por essa razão, a interpretação e aplicação da Constituição devem ser tarefa compartilhada.[5]

Sob a perspectiva de um Estado Democrático de Direito e de uma *hermenêutica constitucional adequada*, a interpretação da Constituição não pode ser feita por uma sociedade fechada de intérpretes, de tal forma que a interpretação da Constituição seja feita por uns poucos sujeitos e geralmente direcionada aos juízes dos tribunais e cortes constitucionais.[6]

---

[4] STF. Plenário. ADI nº 3.396 AgR/DF, Rel. Min. Celso de Mello, julgado em 06/08/2020. Vide, inclusive, o Informativo 985 do Supremo Tribunal Federal.

[5] GODOY, Miguel Gualano de. *Devolver a Constituição ao povo*: crítica à supremacia judicial e diálogos institucionais. Belo Horizonte: Fórum, 2017, p. 226.

[6] HÄBERLE, Peter. *Hermenêutica constitucional* – a sociedade aberta dos intérpretes da constituição: contribuição para a interpretação pluralista e procedimental da constituição. Porto Alegre: Sérgio Antônio Fabris Editor, 2002.

Segundo Peter Häberle, uma sociedade plural, hipercomplexa, com diversos projetos de vida e conceitos de bem em seu interior, exige uma sociedade aberta de intérpretes, na qual cada sujeito é destinatário e também intérprete da norma constitucional, num constante processo ativo de construção de sentido da Constituição.

Assim, partes, experts, juízes, tribunais, mas também professores, partidos políticos, jornalistas e tantos outros atores sociais são ao mesmo tempo também intérpretes e destinatários da Constituição. Se o mérito de Häberle está em retirar a interpretação constitucional do monopólio exclusivo do Estado e dos juízes e das cortes, o mérito da nossa jurisdição constitucional está justamente no conjunto de previsões normativo-processuais (art. 138, CPC; art. 7º, Lei nº 9.868/1999) que permitem essa abertura para participações que possam aportar importantes contribuições aos casos a serem decididos pelo STF. Com isso, nada mais adequado às ações de controle abstrato de constitucionalidade do que permitir que a pessoa física (natural) seja ouvida em plenário, desde que aprovada pelo crivo da representatividade adequada e contribuição relevante a ser prestada.

Assim, não é correto basear-se em uma interpretação literal de dispositivo presente numa legislação mais antiga (art. 7º, §2º, da Lei nº 9.868/99), em detrimento da interpretação que permite a abertura e pluralização do debate sobre os temas mais importantes da vida de nossa comunidade. Ademais, a norma presente no art. 138 do CPC não se limita a ser geral, mas sim complementar à disciplinada pela lei específica, com vistas a proporcionar uma jurisdição constitucional mais democrática, ampliando o debate e promovendo uma maior abertura de intérpretes da Constituição.

Portanto, mostra-se necessária uma interpretação sistemática do art. 7º, §2º, da Lei nº 9.868/99, em conjunto com o art. 138 do CPC, de modo a admitir a pessoa física (natural) como *amicus curiae* nos processos objetivos de controle de constitucionalidade.

No que concerne à suposta ausência de representatividade adequada da pessoa física, o próprio Supremo Tribunal Federal, em decisão monocrática proferida pelo ministro Luís Roberto Barroso na ADI nº 6.855, admitiu o ingresso do Senador Renan Calheiros (relator da CPI da covid-19) como *amicus curiae*, sob o argumento da "relevância da matéria" e da "representatividade do postulante".[7] Tal incongruência mostra a fragilidade da fundamentação das decisões que inadmitem ou limitam ilegalmente a participação de *amicus curiae* nas ações de controle abstrato, cujos argumentos são escolhidos a dedo e não encontram respaldo dentro da própria jurisprudência do tribunal.

4 Por que *amicus curiae* não pode opor embargos de declaração?

Não bastassem os entendimentos *contra legem* sobre a irrecorribilidade da decisão de inadmissão de *amicus curiae* e sobre a impossibilidade de pessoa física ser *amicus curiae*, o Supremo criou mais uma barreira. E, novamente, contra previsão expressa da lei.

Segundo o Supremo Tribunal Federal, o *amicus curiae* não possui legitimidade para opor embargos de declaração em sede de controle concentrado de constitucionalidade,

---

[7] STF – ADI nº 6855 RN 0054874-11.2021.1.00.0000, Relator: Roberto Barroso, Data de Julgamento: 17.06.2021, Data de Publicação: 22.06.2021.

entendendo, assim, inaplicável o art. 138, §1º, do CPC, que expressamente prevê tal possibilidade.[8]

Em recente decisão proferida em 04.04.2024 no bojo dos embargos de declaração dos Temas 881 e 885, o Supremo Tribunal Federal, em questão de ordem, reiterou seu entendimento, além de ampliar essa suposta ilegitimidade também para os processos de controle difuso de constitucionalidade julgados sob o regime de repercussão geral.

O argumento inicial, capitaneado pelo ministro Luís Roberto Barroso, é o de que se equipara o rito dos processos de controle abstrato com os do concreto em razão da sistemática da repercussão geral, motivo pelo qual seria igualmente incabível a possibilidade de oposição de embargos de declaração por *amicus curiae* em sede de recurso extraordinário.

No entanto, restou claro que o pano de fundo da argumentação nesse sentido é a preocupação com a quantidade de recursos interpostos que eventualmente deverá ser apreciada pela corte. O ministro ressaltou que, apesar de reconhecer a importância da figura do *amicus* para conferir participação democrática às decisões, seria conveniente restringir a possibilidade de interposição de embargos de declaração, a fim de se evitar recursos meramente procrastinatórios.

O ministro Cristiano Zanin seguiu a posição do ministro Barroso, consignando pela impossibilidade de interposição dos embargos de declaração por *amicus* tanto em controle abstrato como em controle concreto em repercussão geral. Nesse sentido também é o entendimento do ministro Flávio Dino, argumentando que o "microssistema processual" do controle de constitucionalidade não admite os embargos de declaração interpostos por *amicus*.

Os ministros Luiz Fux e Edson Fachin divergiram e se posicionaram no sentido da prevalência do contido no art. 138 do CPC, que seria plenamente aplicável aos processos de controle concreto, de tal sorte que declarar, em Plenário, a sua inaplicabilidade seria o mesmo que, por via reflexa, declarar a sua inconstitucionalidade. Também seguiu esse entendimento o ministro Dias Toffoli que, em seu voto-vista, destacou que restringir a possibilidade de interpor embargos ao *amicus curiae* em controle concreto equivaleria a tolher o direito de participação dos jurisdicionados que tiveram seus recursos extraordinários sobrestados para o julgamento da repercussão geral.

Na mesma esteira, o ministro André Mendonça afirmou que a resolução da problemática acerca dos recursos protelatórios perpassa pelo controle de admissibilidade do *amicus*, de modo que o STF deveria, na realidade, concentrar seus esforços na pertinência da admissão da figura do amigo da corte, e não restringir a sua possibilidade de opor embargos. Nesse sentido, o ministro Edson Fachin afirmou que a patologia da defesa de interesses próprios dos *amici curiae* não deve comprometer a saúde do processo, que deve respeitar a vertente do processo dialógico contemporâneo.

Apesar dos votos divergentes terem sido substantivos tanto no aspecto processual do *amicus curiae* quanto em seu sentido material, ao final, firmou-se maioria no sentido de não existir legitimidade do *amicus curiae* para interpor embargos de declaração em

---

[8] Vide: STF. Plenário. ADI nº 3.884-ED, Rel. Min. Marco Aurélio, Redator para o acórdão Min. Dias Toffoli, julgado em 08.04.2021. Vide também: STF. Plenário. ADI-ED 6.811/PE, Rel. Min. Alexandre de Moraes, julgado em 05.12.2022; DJE 16.02.2023. Vide ainda: STF. Plenário. ADI nº 4.233 ED, Rel. Min. Alexandre de Moraes, julgado em 21.11.2023. STF. Plenário. ADC nº 49 ED-ED, Rel. Min. Edson Fachin, julgado em 30.10.2023.

sede de repercussão geral, ressalvada sua eventual manifestação admitida na forma do art. 323, §3º, do Regimento Interno do STF.

No entanto, esse entendimento do Supremo é errado, pois viola o art. 138 do CPC e o próprio sentido do *amicus curiae* como auxiliar à corte em seu julgamento. A corte admite o *amicus curiae* em seu auxílio, com as contribuições relevantes que ele lhe pode oferecer. Assim, quando o *amicus* aponta alguma contradição, omissão ou obscuridade, a corte deveria ouvi-lo para verificar se há, de fato, algum ponto a ser sanado. Todavia, ao decidir simplesmente não aceitar seus embargados, o STF viola o processo cooperativo que se espera dele, mas não por iniciativa do *amicus curiae* (como temidos pelos ministros em seus votos restritivos), e sim por iniciativa do próprio Plenário do STF. É um erro normativo e também um erro institucional.

Ademais disso, a menção a eventual "microssistema processual" de regras específicas a serem aplicadas aos processos de controle de constitucionalidade concentrado e concreto (também chamado pelos ministros de difuso) sob regime de repercussão geral pressupõe a existência de regras especiais que não existem. Não há no Regimento Interno do STF, tampouco nas Leis nº 9.868/1999 e nº 9.882/1999, nenhum dispositivo que vede a possibilidade de oposição de embargos de declaração por *amicus curiae*.

Ora, a própria noção de microssistema perpassa pelo objetivo de "atualizar" o regime de proteção conferido por leis mais antigas, com vistas a otimizar a prestação jurisdicional, sendo, portanto, uma técnica de disciplina da sucessão de leis no tempo, a exemplo do que ocorre com o microssistema de tutela coletiva.[9] Nesse contexto, é um verdadeiro contrassenso com a ideia de modernização, que, frisa-se, é a razão de ser de um microssistema jurídico, argumentar pela inaplicabilidade de uma norma mais atual como a disposta no CPC, em detrimento da efetividade da jurisdição.

Ainda que se cogite pela existência desse microssistema processual que regeria as ações de controle de objetivo e as de controle concreto com repercussão geral, a *ratio* desse instituto sempre foi e sempre será assegurar a efetividade da jurisdição relacionada a determinado direito material. Ou seja, não se pode cogitar de um microssistema e de uma leitura integrativa sem que isso resulte, incontestavelmente, em uma maior efetividade do procedimento,

Nesse sentido, primorosa é lição dos Professores Sérgio Cruz Arenhart e Gustavo Osna: "inexistindo restrição ou limitação específica para determinada técnica processual, não podem lhe ser aplicadas – por subsidiariedade ou analogia – travas previstas para outro procedimento".[10]

Cogitar-se de um microssistema (que sequer existe) sem se utilizar do cânone da máxima efetividade do procedimento, impondo restrições ao exercício do direito de ação, viola a própria razão de ser de um microssistema, principalmente se tratando de ações de controle de constitucionalidade.

Uma jurisdição constitucional que profere decisões com efeito vinculante e eficácia *erga omnes* é tanto mais efetiva quanto mais dialógica e aberta à pluralidade de debates e

---

[9] ARENHART, Sérgio Cruz; OSNA, Gustavo. *Curso de Processo Civil Coletivo*. 4. ed. São Paulo: Revista dos Tribunais, 2022, p.176.
[10] ARENHART, Sérgio Cruz; OSNA, Gustavo. *Curso de Processo Civil Coletivo*. 4. ed. São Paulo: Revista dos Tribunais, 2022, p. 176.

pontos de vista, de forma que essa deverá ser sempre a bússola interpretativa e decisória do Supremo, sem e principalmente dentro de um suposto microssistema.

O que se mostra, na realidade, é a construção de uma argumentação *"ad hoc"*, escolhida a dedo, sem previsão legal e que colide frontalmente tanto com a literalidade do CPC como com a Constituição. Restringir a ampliação e pluralidade do debate em sede de jurisdição constitucional vai na contramão do que se espera de uma suprema corte – a abertura da interpretação da Constituição, conferindo fundamento e legitimidade democrática às suas decisões.

Não obstante, impedir a oposição de embargos pelo *amicus* viola também o sistema de precedentes. Sabe-se que os demais recursos afetos à matéria ficam sobrestados até o julgamento da repercussão geral, cuja tese terá efeito vinculante para as demais instâncias do Judiciário.

Assim, de forma a compensar o déficit democrático em razão da ausência do contraditório, amplia-se a participação na formação da decisão, no qual o *amicus curiae* tem papel crucial, possibilitando que os afetados pela decisão contribuam com seu processo de construção, dispondo, assim, de todos os poderes que lhes são conferidos constitucionalmente e legalmente, como o de opor embargos de declaração.[11]

Nesse sentido, privar o *amicus curiae* de opor embargos, condicionando sua manifestação a eventual admissão pelo relator na forma do art. 323, §3º, do RISTF, coloca em risco o próprio direito de acesso à justiça, submetendo um direito previsto constitucional e legalmente a um mero juízo de conveniência do relator, colocando em cheque pilares primordiais do controle de constitucionalidade brasileiro, quais sejam a formação de uma jurisdição dialógica e democrática.

Ademais, tal entendimento vai de encontro à própria razão de ser dos embargos de declaração. Nesse sentido, negar ao *amicus* a possibilidade de corrigir eventual omissão, contradição, obscuridade ou corrigir erro material é equivalente a negar a sua própria participação no processo, em clara afronta ao processo cooperativo e ao acesso à justiça.

Ainda que se contradite o argumento citado com o apontamento de que muitas das vezes os *amici curiae* não funcionam como amigos da corte, mas como amigos da parte, ou mesmo como entidades diretamente interessadas (como se partes diretas fossem), como bem apontaram os ministros André Mendonça e Edson Fachin em seus votos, a eventual utilização da figura do *amicus curiae*, quando não empregada para auxiliar a corte na tomada de decisão, mas para a defesa de interesses próprios, não deve pautar a regra geral e muito menos servir de argumento para restringir um direito expressamente previsto na legislação.

Ao contrário do que sustenta o entendimento vencedor no STF quando do julgamento da questão de ordem, existem dois tipos de *amicus curiae*. O primeiro é o *amicus* especialista, imparcial, o clássico "amigo da corte", enquanto o segundo é aquele que defende certa posição relevante para determinado grupo, categoria ou classe, e, portanto, parcial.[12]

---

[11] MUNHOZ, Manoela Virmond. *Questão de ordem no Tema 881 do STF*: a indevida restrição de interposição de embargos de declaração pelo *amicus curiae* na repercussão geral. 2024. Disponível em: https://www.jota.info/opiniao-e-analise/artigos/questao-de-ordem-no-tema-881-do-stf-21042024/amp#respond. Acesso em: 1 maio 2024.

[12] MARINONI, Luiz Guilherme; ARENHART, Sérgio Cruz; MITIDIERO, Daniel. *Curso de Processo Civil*: tutela dos direitos mediante procedimento comum. 7. ed. São Paulo: Revista dos Tribunais, 2021.

Ocorre que ambos são igualmente importantes dentro da perspectiva de um processo cooperativo, cuja relevância se mostra mais latente ainda nos processos de controle abstrato (e concreto quando sob regime de repercussão geral) de constitucionalidade, ante a iminência da prolação de uma decisão de efeito vinculante e de eficácia *erga omnes*.

A saída mais adequada para o eventual problema dos embargos procrastinatórios, e em consonância com a vertente da jurisdição constitucional dialógica de que a corte, ao menos em tese, declara-se comprometida, passa precipuamente tanto pelo crivo da admissão do *amicus* quanto dos próprios embargos de declaração.

Um filtro acurado, possibilitando que mais vozes sejam ouvidas, sobretudo aquelas que têm pouca visibilidade, sem prejuízo da análise da representatividade adequada do *amicus* "parcial", cuja participação também é relevante e contribui para a adequada solução da controvérsia, é o meio mais democrático e dialógico para que se evite um processo maculado por embargos protelatórios.

A própria lei já oferece outra solução adequada para a controvérsia, que são os próprios filtros de admissibilidade do recurso, além da possibilidade de inadmissão de novos embargos quando os dois anteriores houverem sido considerados protelatórios, conforme o art. 1.026, §4º, do CPC.

5 Conclusão: rigor normativo e legitimidade democrática andam juntos, não separados

Rigor normativo e legitimidade democrática andam juntos, não separados. Essa é também uma das lições que aprendi do Prof. Marçal Justen Filho – um jurista normativamente muito rigoroso, mas que segue um rigor que não se esgota em si e nem por si, e sim para a concretização da Constituição, dos direitos fundamentais.

O Supremo Tribunal Federal, quando veda o recurso contra a decisão que inadmite o *amicus curiae*, assim como quando não permite que a pessoa natural o seja em processos de controle objetivo de constitucionalidade e ainda inadmite os embargos de declaração dos *amici*, mostra-se um tribunal muito pouco dialógico, a despeito de se valer, quando tem vontade e na medida dela, de instrumentos dialógicos.[13]

Tomando as lições do Prof. Marçal para o rigor que podemos e devemos exigir do Supremo Tribunal Federal no trato do instituto do *amicus curiae*, é possível, então, concluirmos que, a despeito dos equívocos de entendimento do Supremo, existem caminhos e rotas de saída no horizonte.

O que se espera do Supremo Tribunal Federal é uma atuação jurisdicional normativamente rigorosa e democraticamente legítima. O rigor normativo se verifica na observação dos imperativos constitucionais e legais que devem lhe reger. A interpretação e aplicação das normas, sobretudo as processuais, deve ser aquela que mais eficácia dê à Constituição, além de uma atuação mais plural, cooperativa e, portanto, democrática ao Supremo Tribunal Federal.

---

[13] GODOY, Miguel Gualano de. *Devolver a Constituição ao povo*: crítica à supremacia judicial e diálogos institucionais. Belo Horizonte: Fórum, 2017, p. 235.

É esse tipo de atuação que se deseja e espera do STF diante de um importante instituto que permite o exercício de uma jurisdição constitucional mais aberta, plural, democrática e dialógica, pois é esse tipo de intervenção, excepcional, qualificada, bem orientada, que possibilita a participação de importantes agentes nos processos de discussão e decisão, corrigindo déficits, desigualdades e vícios que possam afetar esses processos e que, nesse auxílio ao Tribunal, conferem maior legitimidade democrática às suas decisões.[14]

Mudar é preciso. E urgente.

Referências

ALMEIDA, Eloísa Machado de. Capacidades institucionais dos *amici curiae* no Supremo Tribunal Federal: acessibilidade, admissibilidade e influência. In: *Revista Direito e* Praxis, v. 10, n. 1, 2019.

ARENHART, Sérgio Cruz; OSNA, Gustavo. *Curso de Processo Civil Coletivo*. 4. ed. São Paulo: Revista dos Tribunais, 2022.

COLEHO, Damares Medina. *Amicus Curiae*: amigo da Corte ou Amigo da Parte? São Paulo: Saraiva, 2010.

GODOY, Miguel Gualano de. *STF e Processo Constitucional*: caminhos possíveis entre a ministrocracia e o plenário mudo. Belo Horizonte: Arraes, 2021.

GODOY, Miguel Gualano de. *Devolver a Constituição ao povo*: crítica à supremacia judicial e diálogos institucionais. Belo Horizonte: Fórum, 2017.

GODOY, Miguel Gualano de. As audiências públicas e os *amici curiae* influenciam as decisões dos ministros do Supremo Tribunal Federal? E por que isso deve(ria) importar? In: *Revista da Faculdade de Direito da UFPR*, v. 60, 2015.

HÄBERLE, Peter. *Hermenêutica constitucional* – a sociedade aberta dos intérpretes da constituição: contribuição para a interpretação pluralista e procedimental da constituição. Porto Alegre: Sérgio Antônio Fabris Editor, 2002.

MARINONI, Luiz Guilherme; ARENHART, Sérgio Cruz; MITIDIERO, Daniel. *Curso de Processo Civil*: tutela dos direitos mediante procedimento comum. 7. ed. São Paulo: Revista dos Tribunais, 2021.

MUNHOZ, Manoela Virmond. *Questão de ordem no Tema 881 do STF*: a indevida restrição de interposição de embargos de declaração pelo amicus curiae na repercussão geral. 2024. Disponível em: https://www.jota.info/opiniao-e-analise/artigos/questao-de-ordem-no-tema-881-do-stf-21042024/amp#respond. Acesso em: 1 maio 2024.

Informação bibliográfica deste texto, conforme a NBR 6023:2018 da Associação Brasileira de Normas Técnicas (ABNT):

GODOY, Miguel Gualano de. O *amicus curiae* no STF: entre um tribunal fechado e a seletividade arbitrária. In: JUSTEN, Monica Spezia; PEREIRA, Cesar; JUSTEN NETO, Marçal; JUSTEN, Lucas Spezia (coord.). *Uma visão humanista do Direito*: homenagem ao Professor Marçal Justen Filho. Belo Horizonte: Fórum, 2025. v. 2, p. 313-325. ISBN 978-65-5518-916-2.

---

[14] GODOY, Miguel Gualano de. *STF e Processo Constitucional*: caminhos possíveis entre a ministrocracia e o plenário mudo. Belo Horizonte: Arraes, 2021.

DA SÚMULA PERSUASIVA
À RELEVÂNCIA DA QUESTÃO FEDERAL

ROBERTO ROSAS

1. A homenagem a Marçal Justen Filho é devida por sua longa contribuição à Academia como emérito professor, às letras com seus consagrados estudos de Direito Administrativo e à advocacia no capítulo licitação, acima de tudo o ser humano produtivo e discreto realiza-se nas aulas e nos escritos.

Aqui a colaboração trata de um tema caro ao homenageado – o congestionamento da justiça, a demora nas soluções e a difícil saída da parte no Judiciário. Como resolveram, como resolvem, e o que fazer, soluções foram apresentadas, aqui algumas.

2. Nos idos de 50 e 60 discutiu-se amplamente a crise do Supremo Tribunal, por extensão a crise do Judiciário, consistente no congestionamento e na demora de soluções. Tempos de predomínio do papel e trabalho pessoal do juiz sem os instrumentos pessoais e materiais de hoje, assim mesmo, o debate continua, o número de feitos cresce.

3. O tema aqui insere-se no âmbito constitucional como está no art. 103, A, da Constituição Federal – a súmula.

4. Em 1963 o Supremo Tribunal editou as primeiras súmulas da jurisprudência predominante. Era um início de colaboração com a fixação de teses (boas ou não) para determinados temas, sem idas e voltas na jurisprudência dos tribunais estaduais. Críticas choveram, e vários Ministros do STF foram contra a súmula, e até pronunciamento de não aplicação dos enunciados.

5. A súmula vingou, e a Lei nº 5.010 (Justiça Federal – art. 63) criou a súmula, e daí em diante, o CPC/74 – art. 479, e o atual (art. 926).

O número avultado de verbetes no STF, no STJ e nos tribunais estaduais revela o prestígio desse instrumento, como se vê em Francisco Amaral – Precedentes e Súmulas na Problemática Metodológica da realização do Direito, em *Súmulas, Teses e Precedentes, Estudos em homenagem a Roberto Rosas*, p. 167.

A doutrina não mais critica as súmulas, apenas observações pontuais na aceitação de textos ou diretrizes, não na solução, como se vê no livro – *Súmulas, Teses e Precedentes, Estudos em homenagem a Roberto Rosas*, Editora GZ, 2023.

6. Tínhamos apenas a súmula persuasiva, valia por sua autoridade, não impositiva, mas a Lei nº 9.882/99 tornou possível a súmula com efeito vinculante na ADIN, confirmada no art. 102, §2º, da Constituição Federal.

7. Passo adiante a Emenda Constitucional nº 45, que criou a súmula vinculante, assim entendida em qualquer matéria, não só na ADIN (CF – art. 103-A), e o STF já editou súmulas vinculantes.

8. A Emenda Constitucional nº 45 instituiu a repercussão geral como pressuposto para a admissibilidade do recurso extraordinário (Constituição Federal – art. 102, §3º). Melhorou a crise, não foi debelada.

9. Em 1977 foi instituída a arguição de relevância para o recurso extraordinário. Além da relevância da questão federal, desde logo o Regimento Interno do STF excluía inúmeras causas e situações para a não admissibilidade do recurso extraordinário.

10. Novamente outra solução para a crise – a relevância da questão federal para a admissão do recurso especial (STJ) instituído pela Emenda Constitucional nº 125/2022, no aguardo de lei (maio de 2024).

Nesta etapa institui-se um tipo fechado e rígido, na indicação dos casos relevantes, cabendo a pergunta – outras hipóteses?

Eis o texto (art. 105, §2º):

> No recurso especial, o recorrente deve demonstrar a relevância das questões de direito federal infraconstitucional discutidas no caso, nos termos da lei, a fim de que a admissão do recurso seja examinada pelo Tribunal...

Vê-se um conceito indeterminado, com o objetivo de exame dos fins sociais e o bem comum. Por sua estrutura é discricionário.

11. Enfim, nesses 60 anos buscamos soluções para a crise do Judiciário, aqui apareceram, outras são instituídas por regras e ritos criados nos regimentos, na impopular expressão – jurisprudência defensiva.

O excesso de soluções tal qual o excesso de remédios para um paciente pode causar outros males ou a morte.

12. Em 20.05.2004 o STJ comemorou seus 15 anos de vida. Falei em nome do Conselho Federal e nesses 20 anos estamos assustados pela crise, basta rememorar aquelas palavras tão em atualidade:

> Pela primeira vez ouviu-se na crise do Supremo Tribunal. Andava-se pela década de 40, e algo clamava por soluções, na verdade crise do Recurso Extraordinário, do que da Corte Suprema. Em 1946, quando da edição da Constituição, o Supremo recebeu menos de 2000 processos, por isso, a Carta Magna criou o Tribunal Federal de Recursos, com 9 ministros, principalmente para julgar os recursos nas causas de interesse da União, antes apreciadas pelo STF.

> De 1947 a 1987, 40 anos, verificou-se que o STF não saiu da crise, e o TFR entrou na crise. Novamente, soluções, e a mais contundente foi a criação do Superior Tribunal de Justiça, para conciliar as crises do STF e do TFR. Não bastava a criação de um tribunal, e sim lhe dar ossatura, feição própria, e mensagem de otimismo aos militantes no Judiciário. Abriu-se a grande oportunidade do acesso das demandas a Brasília, na conciliação do poder local, com o federalismo e a isenção de uma Corte longe dos embates locais. O cidadão

acredita na Justiça, e quer acesso, mas também quer a saída, no dilema entre a prestação jurisdicional – segura e rápida, e isso não é resolvido nas eternas reformas do Judiciário, porque sem reforma estrutural da Justiça, a desburocratização processual, e reforma do Judiciário com objetividade, estaremos enganando a sociedade, os juízes, os advogados e os jurisdicionados, como ocorre na presente reforma, ora em exame no Congresso, simplesmente cosmética e superficial. Sem reforma processual profunda e objetiva para a massa das demandas nada será feito. Processo para todas as camadas, e não processo complexo que não atinge aos milhões de demandas em curso no Brasil, e não solução para os órgãos de cúpula do Judiciário, vítima das consequências de um intrincado sistema processual, vazio de soluções para resolver, somente na cidade de São Paulo, mais de dois milhões de processos que lá circulam.

Esta Corte foi criada para ajudar no combate à crise. Tem lutado tenazmente para superá-la, e atender ao cidadão, que respeita a Justiça, acredita no Judiciário, o mais respeitado, e acatado dos poderes, aqui, e no mundo. Necessita de meios, de fórmulas, mas o mundo jurídico agradece a este Tribunal pelo que fez, e fará, mas nos unamos numa cruzada, para evitar uma chamada crise do Superior Tribunal de Justiça.

13. Esperemos nas próximas décadas surjam medidas para sanar a crise do Judiciário – excesso de processos, demora nos julgamentos, justiça lenta.

14. Saímos do clássico julgamento nos tribunais – relatório/voto/acórdão, com sustentação oral. Criamos obstáculos e limites à recursobilidade, todas as medidas ou soluções expostas, sem sucesso na extirpação da crise do Judiciário, assim entendida a demora do julgamento e o acúmulo de processos. Continuamos sem solução, preocupados.

Informação bibliográfica deste texto, conforme a NBR 6023:2018 da Associação Brasileira de Normas Técnicas (ABNT):

ROSAS, Roberto. Da súmula persuasiva à relevância da questão federal. In: JUSTEN, Monica Spezia; PEREIRA, Cesar; JUSTEN NETO, Marçal; JUSTEN, Lucas Spezia (coord.). *Uma visão humanista do Direito*: homenagem ao Professor Marçal Justen Filho. Belo Horizonte: Fórum, 2025. v. 2, p. 327-329. ISBN 978-65-5518-916-2.

PRINCÍPIOS FUNDAMENTAIS DO DIREITO BRASILEIRO. SOBRE O BEM-ESTAR DOS ANIMAIS

SERGIO FERRAZ

1. Por toda minha já longa existência, tenho seguido, nos livros e ensaios que publiquei, certas balizas metodológicas que me parecem úteis, quando não essenciais, para a melhor relação comunicacional entre autor e leitor (ou ouvinte). Dentre tais marcos, priorizo o oferecimento prévio de um conjunto de precisões semânticas, de sorte a jamais gerar confusões ou contradições na busca da melhor comunicação.

Com tal preocupação em mente, apresso-me a estabelecer os significados que adotei, para a escolha do título do presente trabalho.

Para iniciar: por "princípios fundamentais" tenho em vista aqui o que nossa Constituição de 1988 determina, explícita ou implicitamente, como ideias, ideais e indicadores indeclináveis no relacionamento entre o ser humano e os demais animais. E com isso já estou a antecipar que, neste texto, irei ocupar-me do que outros ramos do Direito brasileiro disponham sobre o tema escolhido, apenas no que diretamente derivado da Constituição. Até porque essas derivações têm de, necessariamente, decorrer dos *princípios fundamentais* (isto é, da Constituição), não os ignorando, afastando, arranhando ou violando, nem mesmo sub-repticiamente. Para exemplificar: nosso Direito Civil cuida das consequências patrimoniais dos danos que um gato, "pertencente" a alguém, cause a um vizinho ou seu lar. Nosso Direito Penal aplica sanções severas ao "dono" de um cão, adestrado para vigiar uma propriedade, se, por engano ou não, ele ataca e fere um passante ou um visitante. Nosso Direito Ambiental protege e defende espécies raras ou em risco de extinção, podendo até levar à prisão seres humanos que as maltratem ou delas se apoderem. Mas minha finalidade central é explicitar o que a Constituição brasileira, no particular, nos ensina e de nós exige no trato dos animais em geral.

Por último, "animais", no título do trabalho, se refere ao ser vivo, do reino animal, que não seja humano.

Como já podem observar, rejeito a antiga fórmula binária "animais racionais" e "animais irracionais". Mais à frente voltarei ao ponto.

2. Mas, antes dos marcos constitucionais e normativos, passo ao exame das diretrizes argumentativas que, ao término deste trabalho, embasarão as conclusões a serem submetidas ao juízo dos eventuais interessados.

Deixo de lado o século 20 e parto, por comodidade até, para o século em curso (21).

Estamos vivendo *perigosamente*. Premidos pelos imperativos do que se considera progresso, temos agredido duramente o único planeta que nos hospeda. Efeito estufa, destruição de florestas, esgotamento de reservas hídricas, abundância de emissões tóxicas, derretimento das camadas de neve e gelo, aquecimentos das temperaturas – tudo isso vem sendo praticado, não obstante um e outro tratado, protocolo, etc., nacional e internacional, busquem atenuar as ameaças antes referidas. Alguns poucos (ainda) resultados benéficos já foram até conquistados: por exemplo, generalização na aceitação de geração energética eólica ou solar, ampliação na criação de reservas vegetais, etc. Mas o desequilíbrio entre criação e extinção continua seguindo vivo.

Atendo-me exclusivamente à questão animal, parto da constatação, que me parece inequívoca, de ameaças crescentes a inúmeras espécies notáveis. No entanto, na evolução planetária, a *biodiversidade* representou (e representa) um extraordinário papel no estabelecimento do equilíbrio ecológico e sua manutenção, para nós e para as futuras gerações. Por muito tempo (séculos), as espécies animais tiveram, como fator de eliminação, sobretudo as realidades da formação das cadeias alimentares. Com isso, aliado à conservação da vida vegetal, o equilíbrio sempre se manteve em níveis adequados. Somente acontecimentos catastróficos naturais (como a extinção dos megarrépteis por choques planetários) assumiram, efetivamente, um protagonismo trágico no tema da extinção da biodiversidade.

O panorama hoje é outro. Os espaços ainda reservados à chamada vida selvagem são cada vez mais restringidos. A população humana cresce na escala dos bilhões, o que significa um consumo alimentar sempre maior, animal e vegetal. Adite-se a essas preocupações o fato de que um número assustador de países vive em condições agudas de pobreza econômica e tecnológica; e são países que, de regra, contam com populações numerosas, com escassos recursos, e que naturalmente, para sua sobrevivência, não haverão de colocar a matança da biodiversidade em patamares prioritários de suas percepções. Do outro lado, os países desenvolvidos e hegemônicos não cessam de aumentar o ritmo de utilização extensiva dos recursos naturais (animal e vegetal), apropriando-se desse patrimônio para fins alimentares, farmacêuticos, econômicos, industriais, científicos, etc. Frequentemente a essa atividade exploratória se unem programas de recomposição, replantio, reprodutividade de espécies, etc. Mas até aqui é inevitável que os números da destruição suplantam os da conservação e da restauração.

Compare-se o que expus até aqui com o artigo 2º da Convenção sobre Diversidade Biológica, concertada no magno Congresso Internacional Rio-1992. Ali e então se proclamou: a diversidade biológica consiste na existência de uma variedade dos organismos vivos de qualquer fonte, bem como dos ecossistemas terrestres e aquáticos, compreendendo a manutenção, interna e externamente, das espécies vivas e dos ambientes em que vivem.

Estamos muito distantes dessa meta.

Apresento, a partir deste momento, os pilares de minha *exposição* e correlatas conclusões.

Nas relações entre o ser humano e as demais espécies animais a *conservação* da BIODIVERSIDADE há de ser uma diretriz indispensável. Ela só não exige a conservação de espécies nocivas à saúde e à sobrevivência dos ecossistemas equilibrados. Assim, a extinção de algumas espécies de vírus, bactérias, etc., não se encontra *totalmente* prestigiada (alguns exemplares deverão ser conservados, se fundamentadamente comprovado que assim o requer a pesquisa científica e histórica). Mas mesmo alguns tipos, por exemplo, de insetos, que causam receio ou repulsa a alguns seres humanos, devem ter sua conservação assegurada, inclusive porque, com frequência, são fatores de eliminação de exemplares de outras espécies prejudiciais ao homem (como lembrança banal: alguns tipos de aranhas podem parecer assustadoras, mas colaboram na eliminação de cepas de mosquitos transmissores de doenças).

Daí a necessidade, agora, de abordar minha *premissa ética*.

3. Há um poderoso conteúdo *ético*, a ser cuidadosamente cogitado, quando cuidamos das relações entre os seres humanos e os demais animais.

Todo homem é um ser *moral*. Já assim dizia Sócrates, segundo refere Platão, em seu *Críton*. E por Moral se deve entender a ciência (ou arte?) de agir segundo os padrões gerais, consagrados em certo tempo e lugar, condicionadores da retidão dos atos humanos. E *ética* é a *prática da moral*. Pelo menos para os propósitos práticos do presente trabalho, creio que se pode parar na distinção estabelecida (não oculto que há intensa controvérsia teórica sobre tais conceitos e suas eventuais e recíprocas distinções. Mas aqui não é o lugar próprio para essa polêmica).

Sendo a ética a prática da moral, tem-se que, em toda e qualquer relação intersubjetiva do ser humano, inclusive, com os demais seres vivos, o comportamento ético é exigível. Pessoalmente, estou convencido de que o núcleo da conduta ética, entre as espécies vivas, há de tomar em conta o atributo da *dignidade*. Detalhando a proclamação: o homem, nas interações com os demais animais, deve atuar de sorte a sustentar um padrão de *dignidade*, que haverá de ser observada relativamente a todos os envolvidos no contato em questão.

É indiscutível, porém, que fatores particulares às diferentes espécies envolvidas tornam por vezes complexa a tarefa de identificar, *in concreto*, o padrão de dignidade a ser observado. Mais se agigantam tais dificuldades, quando se tem em vista, logo em primeiro lugar, a realidade da ocupação, pelo homem, da posição suprema na cadeia alimentar. Mas não só: o homem cria, para deleite ou por necessidade, atividades científicas, educacionais, culturais e lúdicas, em que outros seres vivos não humanos são coativamente envolvidos, o que pode conduzir, em situações específicas, a fundadas dúvidas quanto a estar sendo respeitada a chamada "dignidade animal". Não tenho dúvida: as considerações que, pertinentemente à "dignidade animal", irei estender não têm a vocação da unanimidade de aceitação. Todavia ainda quando eventual e parcialmente combatidas, terão o condão, sempre útil, de *provocação*. A tais eventualidades contraponho, desde já, as realidades que pelo mundo se espalham, valendo como exemplos:

– o aparecimento, e crescimento acelerado em seus números, de entidades de cuidados e proteção aos animais, de seus tratamentos médicos, de pesquisas de sua relevância ecológica, de criação de "santuários" para perpetuação das espécies, de núcleos de observadores (não intrusivos) da vida animal na natureza, de educação (a partir das crianças) para rejeição à crueldade e reconhecimento de que todos os animais são conscientes de suas felicidade, dor ou sofrimento nos nossos irmãos animais;

– a existência de iniciativas judiciais, e de decisões que as acolhem, de liberação de animais explorados em circos, espetáculos públicos e exibições sensacionalistas, tudo isso sem considerar as necessidades e conveniências vitais dos seres vivos assim transformados em simples coisas ou objetos;

– a difusão a cada dia mais ampla, entre os cientistas e pesquisadores, de regras de vedação a experiências inúteis e à criação de espécies inexistentes e/ou monstruosas, por isso mesmo incapazes de constituir uma providência em favor da preservação ecológica equilibrada;

– no que se trata de animais destinados à alimentação humana, a busca por métodos não dolorosos, ou de demorada consumação, de abate;

– o reestudo das concepções finalísticas dos zoológicos, em busca de neles recriar ambientes o mais próximo possível de seus *habitats* naturais.

Nesse conjunto de exemplos, parece-me que se consolidam verdades às quais os homens muitas vezes fecharam os olhos.

NÃO HÁ animais *irracionais*. Com toda sua vaidade e onipotência, o Homem tem reservado para si o atributo da racionalidade e da consciência. Para os animais, tais atributos são substituídos pela concepção de *instintos*. Ora, o Homem sequer conhece o próprio cérebro e somente utiliza cerca de 30% (trinta por cento) de suas aptidões. Como ousa então supor nos demais animais a ausência de raciocínio, embora praticamente todos disponham de órgãos coordenadores de suas ações? Animais racionais e irracionais? NÃO!

Um número imenso dos impropriamente denominados irracionais é dotado de identidade, afetividade, variações empíricas de humores, emotividade, conhecimento e reconhecimento de fatos e pessoas, aprendizados, *planejamento* e opções das atitudes que devam tomar. E isso não se limita aos ditos animais domesticados ou domesticáveis. Em respeito a essa *identidade* e *autoidentidade* a eles devemos respeito, dedicação e valorização. Eles são nossos parceiros na prevenção ecológica equilibrada do mundo em que todos, nós homens inclusive, vivemos. E é nessa atitude respeitosa, dedicada e valorativa que se consagra a *dignidade animal*, bem como o *compromisso humano* de assegurar, ao máximo possível, a garantia de *bem-estar*.

É por crer firmemente em tudo quanto até aqui posto (e também no que ainda há por vir) que não hesito em dizer que, de forma geral, granjas, abatedouros, indústrias alimentícias e criadores em geral (com as honrosas exceções de praxe) estão longe, muito longe, de procedimentos *éticos*, relativamente aos animais com que lidam. Não faltam sequer, na busca de lucro sem escrúpulos, os confinamentos de aves em locais cruéis, a mutilação de animais (muito frequentemente quando ainda vivos!), a separação insensível dos filhotes, até mesmo as modificações fisiológicas e morfológicas dessas pobres vítimas (para que tenham desenvolvimento acelerado e preferencial de carnes nobres em seus corpos, por exemplo).

Já em 2016, o filósofo e escritor espanhol Jordi Pigem via publicada na imprensa de seu país (La Vanguardia, 04/04/16, página 16) instigante entrevista em que advertia: "Não somos os únicos seres dotados de inteligência", reportando-se aliás a similares conclusões que remontam a Charles Darwin. Não se olvide, doutra parte, que dentre as conclusões de um seminário científico realizado na Universidade de Cambridge, em 2012, a que aliás presente Stephen Hawking, se firmou uma Declaração sobre a Consciência, que afirmou a presença incontestável de tal atributo em todos os tipos de mamíferos e de pássaros, deixando para estudos futuros a extensão da pesquisa para outras espécies animais.

Nos fundamentos argumentativos aqui esposados, parece-me irresistível afirmar que a análise ética das relações, tais como até hoje existentes, entre o ser humano e os demais animais, carrega uma enfática censura sobre o que nós, "reis da criação", temos até aqui considerado adequado.

TODOS os seres vivos, SEM HIERARQUIAS, são protagonistas, atores, fiscais e vigilantes na luta pela conservação ecológica equilibrada do mundo em que vivemos. Nossas interações respondem pela própria sobrevivência do planeta único (pelo menos de nosso conhecimento, até agora) que alberga VIDA. Aliás, de tais protagonistas, apenas o Homem pratica, extensa e conscientemente, invocando "valores" outros, atuações predatórias sobre o ambiente.

Uma reiteração: não somos os *reis* absolutos do planeta, mas somente *condôminos* de um bem valiosíssimo, passível de exaurimento e até extinção. Estamos, sim, no topo da cadeia alimentar, mas na imensa e multimilenar história do planeta nem sempre foi assim. A autoatribuição que fazemos, de encarnarmos o papel de seres superiores, é uma falácia, quando não uma desculpa para nossas ambições materiais ou delírios de autovalorização. TODOS os animais (inclusive nós) são importantes na perspectiva da persistência da vida na Terra: nós todos, seus habitantes vivos, somos dotados de *dignidade, identidades* e *individualidades*. Daí *nossa* OBRIGAÇÃO de dispensar aos demais animais medidas de proteção, segurança, amparo, respeito: aí está o núcleo do conceito de *bem-estar animal*, tarefa indeclinável e meta indispensável imposta a nós todos.

É claro que a ciência ainda não nos proporciona substitutivos alimentícios que nos permitam abolir o conceito de sermos o clímax da cadeia alimentar. Como também é claro que existem espécies animais que ameaçam a vida humana, o que, pelos imperativos da preservação, nos permite combatê-las até sua extinção.

O respeito à dignidade nos *obriga* a repensar atos absolutamente adversos à ética, mas que mantemos em voga. Exemplifiquemos, com a possível brevidade:
– na pesquisa científica, sem dúvida alguma a maior parte das utilizações que aí fazemos de animais pode ser substituída pelo trabalho em células e tecidos criados em laboratórios. Admitindo que haja setores em que a experimentação animal ainda seja indisponível, a prevenção à dor, a atenuação dos sofrimentos e a eliminação do emprego massivo, há de ser abolida. Tenho conhecimento de inoculações de cavalos, por anos a fio, de diferentes tipos de venenos, vírus, bactérias, micróbios em geral: isso é nada mais que *tortura*;
– seria altamente desejável a adoção de linhas de educação alimentar, que, ao término de algum tempo, induzisse à substituição de muitos animais por vegetais ou, até mesmo, nutrientes sintéticos;
– os zoológicos, segundo antes já expus, devem ser repensados em suas finalidades e nas concepções de suas instalações;
– nos espetáculos (não só os circenses) o maltrato não pode ter lugar. Espetáculo animal com crueldade não passa de remontagem das letais arenas da antiguidade

romana. As touradas são abomináveis e devem ser extintas. As caçadas "esportivas" são meros *ersatz* "civilizados" de nossos mais primitivos instintos de ferocidade (o mesmo digo da "pesca esportiva");

– as rinhas de galo, brigas entre cães (ou outros animais) e outros "divertimentos" do mesmo jaez são autênticos "casos de polícia".

Dessa resenha, parece-me resultar, claramente, uma declaração: *os animais não humanos* têm DIREITOS, são titulares de *direitos subjetivos* (na exata acepção eidética da expressão). E é a esse ponto que dedicarei o próximo segmento.

4. A anterior afirmação e constatação de que, tal qual o ser humano, os demais animais têm *identidade e dignidade* implica, necessariamente, a assunção de que eles são dotados de *direitos*. E este segmento cuidará exatamente dessas *premissas jurídicas* de minhas futuras conclusões.

De fato: no mundo cristão TODOS os sistemas jurídicos atribuem *direitos* a quem tenha *vida* (às vezes até mesmo em casos de vidas futuras – o embrião – e vidas já encerradas – por exemplo o respeito à honra dos falecidos). A impossibilidade de comunicação entre o homem e os demais animais NÃO constitui obstáculo a reconhecer-lhes *direitos*.

No curso dos milênios, o homem assumiu um papel protagônico no atributo de ser o ápice de toda cadeia vital. Essa liderança lhe confere, por certo, prerrogativas e faculdades de amplitude, generalidade e profundidade consideráveis. Mas como ele é um ser transitório – já que aqui a morte não contempla exceções –, não lhe cabe qualquer direito a degradar ou a extinguir todas as demais formas e espécies de vida. Somos simples *gestores* do ambiente ecologicamente equilibrado, assegurando sua conservação e possível melhoria para as gerações vindouras.

Das considerações desenroladas decorrem os *direitos animais*, salientando tratar-se aqui de expressão um tanto inadequada. O que temos em mente são os direitos de que titulares os animais não humanos, que pelos homens, atuando em nome e representação dos demais animais, devem ser promovidos, ampliados, difundidos e protegidos. Para mim, *três* (3) são os *direitos fundamentais do animal não humano*, pouco importando tratar-se de animais domésticos ou de animais na natureza (habitualmente denominados *selvagens*, mas abarcando também aqueles que vivem sem tutela humana, em reservas, ou na natureza livre):

– direito à vida, com integridade física e mental e saúde;
– direito a não serem sujeitos à crueldade ou a lesões ou a dores evitáveis;
– direito à liberdade.

No direito à vida incidem aquelas reservas, antes descritas, que decorrem da posição pinacular do homem na cadeia alimentícia.

No direito à não crueldade incidem as vedações, também antes descritas, que lamentavelmente persistem em nossos dias, sejam com regulação legal (exemplo: a caça "esportiva", as touradas), sejam sem tal regulação (as lutas entre cães, galináceos, etc.; os espetáculos circenses; os confinamentos e outras práticas industriais abusivas; etc.).

No direito à liberdade considero ser a livre locomoção e os livres deslocamentos atributos conaturais aos animais não humanos. Não olvido, contudo: as necessidades de confinamento para animais sem proteção materna ou com doenças e lesões, que impeçam sua sobrevivência na natureza; as necessidades da pesquisa científica, a que regressarei adiante; as necessidades da alimentação humana, o que também adiante será considerado; os relacionamentos sinérgicos, isto é, aquelas hipóteses em que o bem-estar humano, com o máximo possível do respeito ao bem-estar dos outros animais, requeira uma vida em interação.

Com essas precisões semânticas, creio chegado o momento de examinar como a questão do bem-estar animal não humano e de seus direitos se encontra equacionada no Direito Constitucional brasileiro.

A Constituição do Brasil consagra um alentado espectro normativo de rejeição a *qualquer* modalidade de violência, crueldade e tortura (determinando inclusive que esses tipos são punidos independentemente do tempo decorrido desde a prática do delito).

Uma observação se impõe: nos pontos em que a Constituição revela toda sua repulsa à crueldade e à imposição de sofrimentos, físicos e/ou emocionais, não se faz distinção entre os seres assim protegidos. E daí extraio a conclusão de que as proibições, ali contidas, são benéficas para o homem e para todos os outros animais.

Mais uma observação: a dedicação da Constituição, à integridade e à vida dos animais, se encontra concentrada no capítulo constitucional referente ao meio ambiente. É dizer, para a Constituição o ambiente ecológico equilibrado, como proteção à vida dos homens e dos outros animais, é tido como requisito indispensável à salvaguarda da própria existência em nosso planeta.

Não irei transcrever inteiramente os textos constitucionais cujo conteúdo já explicitei, tendo em vista sua considerável extensão. Focalizarei, contudo, aqueles que mais de perto interessam aos propósitos desta exposição.

Conquanto toda a temática aqui implicada se insira num só artigo constitucional (o 225), esse preceito se desdobra em 7 (sete) parágrafos e mais 7 (sete) subitens. E nessa extensa codificação se estampam os princípios fundamentais referentes à vida e ao bem-estar animal. Sigo então para o detalhamento recomendável.

Em primeiro lugar, a regra fundamental do artigo 225, aliás reprodução ampliada da célebre Declaração do Meio Ambiente de Estocolmo, ponto de partida histórico para toda a conscientização do tema, nas últimas décadas. Nele, dentre outros importantes preceitos, se encontra declarada uma política pública de direito a um ambiente ecologicamente equilibrado, em benefício da presente e das futuras gerações:

> Art. 225. Todos têm direito ao meio ambiente ecologicamente equilibrado, bem de uso comum do povo e essencial à sadia qualidade de vida, impondo-se ao Poder Público e à coletividade o dever de defendê-lo e preservá-lo para as presentes e futuras gerações.

Completam-no sete *deveres* impostos ao Poder Público, dos quais sublinhamos os mais diretamente referentes ao presente trabalho:

> I - preservar e restaurar os processos ecológicos essenciais e prover o manejo ecológico das espécies e ecossistemas;
> Obs.: sua clareza dispensa comentários adicionais;
> II - preservar a diversidade e a integridade do patrimônio genético do País e fiscalizar as entidades dedicadas à pesquisa e manipulação de material genético;

Obs.: aqui se introduz o tópico da *pesquisa científica* com animais, assunto a que voltarei mais à frente;

III - definir, em todas as unidades da Federação, espaços territoriais e seus componentes a serem especialmente protegidos, sendo a alteração e a supressão permitidas somente através de lei, vedada qualquer utilização que comprometa a integridade dos atributos que justifiquem sua proteção;

Obs.: aqui se aplicam as mesmas observações deduzidas quanto aos itens anteriores, cabendo contudo destacar que, em acréscimo, se proíbe a experimentação para criação de espécies animais monstruosos ou potencialmente agressivos ao equilíbrio ecológico;

V - controlar a produção, a comercialização e o emprego de técnicas, métodos e substâncias que comportem risco para a vida, a qualidade de vida e o meio ambiente;

Obs.: surge agora o alerta à indústria e ao comércio alimentar. A crueldade no abate de animais, que integram a cadeia alimentar humana, tem aqui seu *fundamento constitucional*. Ou seja, ao lado dos PRINCÍPIOS FUNDAMENTAIS de 1) reconhecimento à *identidade* e à *integridade* da *vida* dos animais, bem como de sua 2) *liberdade* de se inserirem *naturalmente* no meio ambiente sadio, comparece a 3) *proibição da crueldade* na manipulação das espécies utilizadas na alimentação do homem;

VI - promover a educação ambiental em todos os níveis de ensino e a conscientização pública para a preservação do meio ambiente;

Obs.: neste ponto, outro PRINCÍPIO FUNDAMENTAL: 4) a *promoção da educação ambiental*, em todos os níveis e estratos sociais brasileiros. Cite-se um exemplo banal e corriqueiro, para comprovar a importância da regra ora enfatizada: não só na indústria ou no comércio, mas também em praticamente todas as casas, pelo país todo, galinhas, porcos e bezerros, dentre outros animais, são mortos com o uso do seccionamento de vasos sanguíneos até o advento da morte; morte lenta e cruel. A *educação*, quem sabe, poderá um dia dar cabo dessa estúpida prática;

VII - proteger a fauna e a flora, vedadas, na forma da lei, as práticas que coloquem em risco sua função ecológica, provoquem a extinção de espécies ou submetam os animais a crueldade;

Obs.: preceito *fundamental*, até porque *enfatiza*, com letras expressas que não se "submetam os animais à crueldade";

§2º Aquele que explorar recursos minerais fica obrigado a recuperar o meio ambiente degradado, de acordo com solução técnica exigida pelo órgão público competente, na forma da lei.

Obs.: aqui *a sede dos direitos dos animais*. A violação aos *princípios fundamentais* (por isso que *constitucionais*), que são a base dos direitos dos animais, acarreta aos infratores obrigações de restauração e punições criminais, administrativas e pecuniárias.

Não obstante pautas tão claras, em realidade estamos ainda muito longe de uma ambiência, jurídica e filosófica, de respeito aos direitos fundamentais dos animais. Nas linhas seguintes destacaremos alguns problemas decorrentes dessa panorâmica.

Fixo-me, para começar, no "privilégio" dos humanos, de abaterem gado e vários outros animais para sua alimentação.

Retome-se, logo a princípio, minha aspiração no sentido de que o panorama atual se modifique, pelo progresso da tecnologia e da ciência, bem como pela difusão da reeducação dos homens em relação aos animais não humanos (os dois tópicos aliás, como já visto expressamente, consagrados em nossa Constituição, como direitos dos animais). Mesmo longe, ainda, da concretização de tais aspirações, o certo é que, no plano infraconstitucional, há em vigor a Lei Federal nº 12.505, de 1995, que obriga todos os matadouros de gado bovino a utilizarem, no sacrifício dos animais, pistolas pneumáticas, proibindo expressamente o emprego de marretas e varas de metal. Ressalvados alguns estabelecimentos de abate no sudeste e no sul do país, nos 353 (trezentos e cinquenta e três) matadouros municipais, espalhados pelo Brasil, a regra ainda é a imposição de crueldades e sofrimentos aos animais a serem sacrificados, a isso frequentemente se somando a total ignorância a preceitos básicos de higiene e saúde, que existem inclusive em defesa dos próprios empregados de tão sinistros locais e do futuro público consumidor. E a fiscalização governamental é extremamente deficiente em sua atuação nos locais visados, concentrando-se muito mais na edição de regras regulamentares do que na sua real aplicação.

Entidades como a Mercy for Animals e a Animal Equality têm lutado com vigor, inclusive no Brasil, para que essa inominável crueldade não ocorra. Mas o sofrimento animal continua a ser a regra entre nós. Chega-se ao cúmulo, muitas vezes, de iniciar o corte do pescoço do gado enquanto ainda conscientes os animais, o que bem pode atestar que a dor não é levada em conta por boa parte da indústria de produtos de origem animal em nosso país.

Desde nosso primeiro Código Civil, que data de 1916 (hoje substituído por um novo Código, posto em vigor pela Lei nº 10.406, de 2002), sempre tivemos algumas poucas e esparsas regras legais atinentes à caça. A nosso ver esse "esporte" nefando sempre esteve prestigiado como emanação de costumes anacrônicos das realezas e das nobrezas – embora não passe de cruel prepotência dos homens que a praticam.

Temos até mesmo em vigor um "Código de Caça", como tal se designando habitualmente a Lei nº 5.197, de 1967, que curiosamente, ou levianamente em verdade, traz como apresentação cuidar da "proteção à fauna"! Vejamos alguns de seus pontos mais expressivos:

– os animais não humanos, vivendo naturalmente fora do cativeiro, são "propriedades" (então tais seres vivos são *coisas, objetos*?) do Estado;

– mas podem ser objeto de caça, desde que o interessado obtenha uma permissão formal do Poder Público;

– a caça é um esporte, podendo ser criados clubes e sociedades para sua prática, incluindo o tiro a aves em voo;

– curioso: qualquer um que obtenha a permissão referida pode caçar. No entanto é proibida a "caça profissional". Em termos de proteção à fauna, por que a distinção?

– permite-se também o "esporte" da pesca, desde que não se utilizem agrotóxicos e produtos danosos à água ou às espécies animais, explosivos e produtos químicos de qualquer espécie. Admite-se, porém, a pesca profissional, salvo nos períodos de desova e reprodução.

Mas o que dizer de tantos e tantos programas de televisão e filmes que, após retirarem o peixe de seu meio natal (a água), o deixam ficar expostos asfixiando (embora depois devolvendo-os ao meio hídrico) – sofrendo portanto – para destacar seu colorido, seu tamanho, etc. E que dizer da pesca de marlins e tubarões, dentre outros, apenas para aplaudir a vaidade do "esportista" predador?

Note-se que a caça não permitida e a pesca destrutivas de espécies são consideradas crimes, com a perda até da liberdade pessoal e dos produtos da atividade proibida. Mas, sinceramente, quem conhece casos concretos, no Brasil, em que tais penas tivessem sido sistematicamente aplicadas?

Aliás, a liberação de maus-tratos, sob a desculpa de estarmos a falar de "esportes", ou de "tradições culturais" ("cultura" é palavra frequentemente utilizada sem respeito ao que realmente significa) é uma lástima que permanece viva: rodeios, touradas, corridas, equitação, polo, tudo isso, é o que desejamos, um dia cessará de existir. A tolerância em questão levou à consagração, INFELIZMENTE, em nossa Constituição, de um *parágrafo 7º* (ao artigo 225), assim redigido:

> §7º - para fins do disposto na parte final do inciso VII do §1º deste artigo, não se consideram cruéis as práticas desportivas que utilizem animais, desde que sejam manifestações culturais, conforme o §1º do art. 215 desta Constituição Federal, registradas como bem de natureza imaterial integrante do patrimônio cultural brasileiro, devendo ser regulamentadas por lei específica que assegure o bem-estar dos animais envolvidos.

A leitura fria, do comando em questão, poderá levar o leitor desavisado à conclusão de que a regra teve exatamente em vista rodeios e vaquejadas (ainda bem que a tourada não é um hábito brasileiro). Puro engano. O preceito em questão teve origem no fato de que foi requerido a nossa Corte Suprema que dissesse da licitude, ou não, da chamada "Farra do Boi", festividade celebrada no Estado brasileiro de Santa Catarina, por isso que o evento envolve imposição de sofrimentos aos animais nele utilizados. Cumpre então brevemente dizer o que é a "Farra do Boi".

Trata-se de uma "tradição cultural" introduzida pelos portugueses, em Santa Catarina, em meados do século 18. Ela se concretiza nas imediações dos festejos da Páscoa. Para tanto, engorda-se um boi e em certa data e local, determinados pelos organizadores, o animal é solto. Começam então as corridas, perseguições e agressões, com os inaceitáveis participantes, com mãos/pés e pedaços de madeira, surrando o pobre boi até que ele, cansado, não possa mais levantar-se. É o fim da "Farra". O boi é abandonado, mas geralmente, pela gravidade de suas lesões, termina sendo sacrificado pelas autoridades públicas. Cultura? Tradição? NÃO! Apenas *crueldade*, infelizmente garantida pelo anteriormente transcrito parágrafo 7º do artigo 225 da Constituição, editado exatamente para contornar a posição até então nitidamente indicada pela Corte Suprema, de que iria proibir tais eventos.

Resta esperar que o tempo e a educação progridam a ponto de encerrar a selvageria descrita.

Anote-se, nessa aspiração de *civilização* do animal humano, que copiosa é nossa legislação (conforme já temos dito e detalhado). Assim por exemplo:

– o Decreto Federal nº 4.339, de 2002, estipula medidas não só educativas, mas também de "sensibilização", para que cada cidadão se torne um fiscal e um garantidor da integridade da biodiversidade ambiental;

– a Lei Federal nº 9.605, de 1998, particularmente, pune severamente (inclusive com a privação da liberdade individual) quem maltratar animais.

Que os animais humanos terminem com sua crueldade, é nosso desejo (e também esperança).

Um derradeiro tópico que desejamos abordar diz respeito à utilização de animais não humanos em pesquisas e procedimentos científicos (particularmente ligados à saúde humana).

Aqui também a centralidade do homem, na escala do poder animal, desde há muito impele a ciência a experimentos em outros animais, em busca de novos instrumentos, medicamentos e técnicas curativas, afora pesquisas em geral. A extrapolação dessas práticas, aliadas ao fanatismo ideológico e à institucionalização (inclusive e sobretudo estatal) da crueldade, conduziu-nos aos horrores indescritíveis dos médicos nazistas, fazendo dos judeus campo de seu sadismo pseudocientífico. Hoje se sabe que NENHUM dos "experimentos", largamente então desenvolvidos, trouxe qualquer lição ou ensinamento terapêutico. Mas ainda que isso, hipoteticamente, tivesse ocorrido, continuaria sendo inadmissível o exercício da crueldade com o pretexto de avançar a ciência.

É de conhecimento geral que muitos animais não humanos continuam sendo usados, no ensino e na pesquisa científica. Aqui, porém, há alguma luz no horizonte e uma certa margem de crescente esperança de que tais fatos não mais ocorrerão, em certo momento futuro. É que a ciência vem obtendo resultados antes impensáveis, na criação de tecidos e células, órgãos e clones, que replicam as características de animais não humanos, assim possibilitando utilizações que não se revistam de crueldade e que poupem os aludidos animais de sofrimentos muitas vezes indescritíveis.

Em passagens iniciais deste trabalho aludimos inclusive à existência de formas de vida agressivas, quando não mesmo letais, ao homem, particularmente no reino dos insetos e em inúmeras modalidades microscópicas existentes. Admitimos então a busca da eliminação de tais agentes, sempre contudo alertando para a necessidade de medidas que impedissem o desequilíbrio ecológico e que, até mesmo, para finalidades de estudo e pesquisa, conservassem, sob rígidos controles, espécies nocivas. Até porque, lembremos, no mundo das bactérias, por exemplo, há não só aquelas que nos adoecem ou matam, mas também aquelas essenciais ao bom funcionamento de nosso aparelho digestivo.

Enquanto ainda não alcançamos o ideal da não experimentação em animais, há de prevalecer a necessidade de adoção de medidas atenuadoras ou eliminadoras de dores e sofrimentos. Nesse sentido, dispomos da Lei nº 11.794, que disciplina a experimentação com animais não humanos (particularmente em seus artigos 11 a 16). O descumprimento de seus preceitos pode levar, de acordo com a gravidade e eventual caráter repetitivo, a penalidades administrativas severas, à proibição das experiências e, até mesmo, à privação da liberdade individual do agressor.

Na forma da lei citada, as experiências têm de ser formalmente licenciadas pelo Poder Público, que fiscalizará (o que nem sempre ocorre, infelizmente) a observância da licitude e da utilidade/necessidade da atividade. Os animais empregados na pesquisa serão alvo de cuidados especiais, devendo ser devolvidos à vida normal e entregues a pessoas aptas e idôneas ou entidades protetoras de animais, após o término das experiências. Se estas puderem causar dores ou angústias, serão desenvolvidas sob sedação, analgesia ou anestesia. Se apesar de todos esses cuidados o animal continuar acusando intenso sofrimento, de difícil ou inviável reversão, poderá ser praticada a eutanásia.

E, sempre que possível, as práticas deverão ser fotografadas, filmadas ou gravadas para ilustração de práticas futuras, evitando-se a repetição de procedimentos penosos. Por fim, o Poder Público deverá fixar, com revisões e atualizações recomendáveis, o número de animais a serem utilizados e a duração de cada experimento (recomendação legal nem sempre, contudo e infelizmente, observada).

Estendemo-nos, consideravelmente, em nossas considerações: aconselhável, então, partirmos para as manifestações finais.

5. No decorrer deste texto caminhamos por duas vias paralelas: uma consistente na indicação dos princípios fundamentais da Constituição brasileira (ampliados e explicitados na legislação infraconstitucional) que devem ser observados na relação entre o homem e os demais animais; outro consistente na revelação de nossa realidade (brasileira ao menos) da pragmática desse relacionamento.

Começando pela referida segunda via, indicamos que o panorama do cotidiano é ainda marcado de preconceitos, abusos e crueldades. Aqui, somente a educação, o esclarecimento civilizatório, o progresso científico e as adequadas políticas públicas poderão abrir caminhos para uma realidade decente.

Na primeira via, constatamos a existência de uma elogiável malha normativa, disseminada por todo o ordenamento legal, que, sendo de boa qualidade e inspiração, ainda comporta melhoramentos, mas, sobretudo, exige instrumentos da fiscalização de sua aplicação para que se transformem em atitudes.

Se o homem deixar de lado a vã pregação de que é o rei da criação, dispondo livremente da vida e das dores dos demais animais, continuaremos a trilhar os caminhos da crueldade e da vaidade. Prosseguiremos vendo cães sendo treinados para se introduzirem, com explosivos atados a seus corpos, sob tanques de guerra, para fazê-los explodir. Ou, similarmente, golfinhos aproximando-se dos cascos de navios e submarinos. E não aproveitaremos a notável sinergia entre nós e os demais animais, nós e eles dotados de suas particulares racionalidades, dentre as quais as emocionantes interações representadas pelos cães-guias e os seres humanos desprovidos de visão, ou dos cavalos e cães entrosando-se com os portadores de autismo, trazendo-os para o convívio social.

Tudo isso passa naturalmente – e assim voltamos à primeira via de nossas presentes conclusões – pela adoção e observância estrita dos *três princípios fundamentais* (porque *constitucionais*) que haverão de reger o complexo de liames entre o homem e os demais animais. Já os expusemos e desenvolvemos antes. E agora os repetimos, a título de encerramento.

a) Os animais não humanos, dotados que são de identidade e dignidade, têm direito à vida, à integridade física e mental e à saúde.

b) Como consequência, têm direito a não serem submetidos a crueldades, lesões ou dores evitáveis.

c) E, por fim, assiste-lhes direito à liberdade de ação e locomoção, com observância dos padrões de convivência adequados em se tratando de animais domésticos, à devolução à natureza quando ainda aptos ao provimento de suas necessidades, com a proteção à sua subsistência e sobrevivência quando não mais capacitados à plena reintrodução em seus ambientes naturais ou de origem.

Enfim, se o homem é o ser protagônico da escala animal, a ele cabe a maior parcela dos ônus para que se mantenham íntegros e salutares os sistemas ecológicos equilibrados, com ênfase na preservação da biodiversidade planetária, tudo isso confluindo para a preservação da vida na Terra.

Informação bibliográfica deste texto, conforme a NBR 6023:2018 da Associação Brasileira de Normas Técnicas (ABNT):

FERRAZ, Sergio. Princípios fundamentais do Direito brasileiro. Sobre o bem-estar dos animais. *In*: JUSTEN, Monica Spezia; PEREIRA, Cesar; JUSTEN NETO, Marçal; JUSTEN, Lucas Spezia (coord.). *Uma visão humanista do Direito*: homenagem ao Professor Marçal Justen Filho. Belo Horizonte: Fórum, 2025. v. 2, p. 331-343. ISBN 978-65-5518-916-2.

LICITAÇÕES E CONTRATAÇÕES ADMINISTRATIVAS

(Coordenadores: Alexandre Wagner Nester
e Egon Bockmann Moreira)

AS REPERCUSSÕES DA PRIVATIZAÇÃO NAS LICITAÇÕES E CONTRATOS DA EMPRESA ESTATAL

ALÉCIA PAOLUCCI NOGUEIRA BICALHO

1 Introdução

O tema escolhido para este trabalho parece não despertar maiores indagações.

É de fato simples, porque uma vez privatizada, a empresa deixa de ser estatal, passando a operar estritamente no quadrante do Direito Privado: não haverá mais licitações, e os contratos serão regidos pelo Direito Privado – regime segundo o qual, de resto, foram originariamente celebrados, por força da Lei nº 13.303/2016.

Mas o período que antecede a transição do controle público-privado nas privatizações[1] é sensível no que se refere às relações já estabelecidas ou potenciais, entre a empresa estatal e particulares.

O *status* em que estas relações se encontrarem no hiato de tempo situado entre o início e a consumação do processo de desestatização pode gerar fundadas dúvidas por parte dos agentes privados que mantêm contratos com a empresa, ou que assim o pretendam, por força de licitações concluídas ou ainda em curso ao tempo do encerramento da privatização.

Essa janela temporal merece ser tateada ao estilo propositivo do nosso homenageado, entre cujos talentos se destaca a proficiência na arte de fazer boas perguntas,

---

[1] Ao longo deste texto referimo-nos à privatização como espécie do gênero desestatização. As variações dos conceitos de desestatização e privatização são conhecidas desde a Lei nº 8.031/1990, que instituiu o primeiro Programa Nacional de Desestatização (PND), cujo texto empregou estas expressões como sinônimas (art. 2º, *caput* e seu §1º, e art. 4º c/c arts. 13 e 17). A primeira versão do Programa teve por conteúdo-alvo as ações de privatização *stricto sensu*, definida no §1º do art. 2º da Lei nº 8.031/1990. A referência a estas expressões na lei como se se tratasse de um único e mesmo instituto tornou corriqueira a referência à privatização como desestatização, e vice-versa, gerando uma noção reducionista do instituto da desestatização, que não equivale nem se resume àquela. Foi como anos depois assentou a Lei nº 9.491/1997, ao expandir sua abrangência a outros objetos, eliminando de vez a possibilidade de uma leitura estreita do conteúdo da desestatização. *Vide* BICALHO, Alécia Paolucci Nogueira, *Desestatizações*: privatizações, delegações, desinvestimentos e parcerias. 2. ed. Belo Horizonte: Fórum, 2023, 70.

cujas respostas nos revelam as mais acuradas interpretações das normas sobre licitações e contratos, como área de seu especial interesse de estudo.

2 Delimitação do tema

Pois bem.

No transcurso dos processos de desestatização a empresa estatal opera sem restrições, dando regular andamento a seus negócios com terceiros e gerando legítimas expectativas e direitos vinculados aos interesses daqueles que com ela transacionam sob a égide da Lei nº 13.303/2016 e do Regulamento de Licitações e Contratos, para o fornecimento de bens, serviços e a execução de obras.

A partir desse enfoque, interessa-nos investigar como ficam estas relações no *"day after"*, ou seja, no momento da consumação da privatização, assim entendido como aquele do aperfeiçoamento da perda do controle acionário pelo ente público, quando "a alienação do controle estatal a acionista privado ... transmuta a natureza jurídica da companhia, que deixa de deter, sob a ótica societária, a condição de sociedade de economia mista".[2]

Nessa transição, a empresa deve se posicionar o quanto antes perante seus *stakeholders* sobre como pretende se haver com as relações travadas ou iniciadas pela estatal no transcurso do processo de desestatização – cujos destinos se deslocam para a esfera decisória de gestão, e jurídica, estritamente privada.

Especificamente no terreno das licitações e contratações devem ser endereçados nesse contexto: (i) os contratos em execução; (ii) aqueles na iminência de formalização, em decorrência de licitações com objeto adjudicado e resultado homologado, antes de consumada a privatização; (iii) as licitações em curso ao tempo da privatização, com propostas apresentadas, cujos atos finais não se completaram antes da mudança do controle acionário; e (iv) as licitações iniciadas pela estatal, ainda em fase incipiente, cujo desfecho também não tenha se definido antes de concluída a privatização.

3 Marco jurídico-corporativo da privatização

Em termos objetivos, a privatização se materializa no ato de liquidação das ações, que são então transferidas da propriedade pública para aquela privada, causando o afastamento do ente público de sua posição de controlador.

Nesse momento a empresa se transmuta, de sociedade anônima integrante da Administração Pública Indireta para sociedade anônima sem controle acionário estatal, totalmente privada.

Para ilustrar como se consolida esse momento de corte, ou seja, o marco da transição público-privada nos processos de privatização, podem ser citadas como referência

---

[2] DA CUNHA, Cláudia Polto; MASTROBUONO, Cristina M. Wagner, 12. Privatizações, Participações Minoritárias e Subsidiárias. *In:* PINTO JUNIOR, Mario Engler; MASTROBUONO, Cristina M. Wagner; MEGNA, Bruno Lopes, *Empresas Estatais* – Regime Jurídico e Experiência Prática na Vigência da Lei n. 13.303/2016, São Paulo: Almedina Brasil, 2023, p. 377.

as indicações desta fase do processo contidas no conjunto da documentação pública de desestatização da Companhia de Saneamento Básico do Estado de São Paulo – Sabesp.

O *Prospecto Preliminar* informa que, consumada a desestatização, o acionista vendedor (no caso, então, o Estado de São Paulo) deixa de deter, direta ou indiretamente, pelo menos 50% mais uma ação ordinária com direito a voto do capital social da Companhia.

Segundo o *Acordo de Investimento*, o *investidor de referência* assume a obrigação irrevogável e irretratável de adquirir e liquidar ações correspondentes a 15% do capital social votante e total da Companhia; a eficácia do *Acordo* se condiciona à efetiva liquidação da oferta global.[3]

Entre as definições trazidas no documento, constam as expressões "ação vinculada" ou "ações vinculadas", que são todas as ações de propriedade dos acionistas, imediatamente após a liquidação física e financeira da oferta, na data de liquidação da oferta; "data de liquidação da oferta", que significa a data da liquidação das ações da oferta... conforme definido no Prospecto Preliminar; e "Estatuto Social", representado pelo Estatuto Social da Companhia aprovado em Assembleia Geral Extraordinária sob condição suspensiva de liquidação da oferta.

O *Prospecto* prevê ainda que "a partir da data de liquidação, as ações conferirão aos seus titulares os mesmos direitos, vantagens e restrições conferidos aos demais titulares de ações ordinárias de emissão da Companhia, nos termos da Lei das Sociedades por Ações, do Regulamento do Novo Mercado e do estatuto social da Companhia, incluindo" (...).

Finalmente, o documento indica a data da entrega das ações como aquela da liquidação, nos seguintes termos:

> (vi) a entrega das Ações da Oferta Brasileira deverá ser realizada na Data de Liquidação, mediante pagamento à vista, em moeda corrente nacional e em recursos imediatamente disponíveis do resultado da multiplicação do Preço por Ação pela quantidade de Ações da Oferta Brasileira alocada ao respectivo Investidor Profissional de acordo com sua intenção de investimento. (...).[4]

Em suma, a desestatização se consuma na data da liquidação das ações, fixada no cronograma do processo.

4 As licitações e contratos da empresa estatal em processo de privatização

4.1 Contratos em execução

Os contratos em execução ao tempo da desestatização decorrem de licitações realizadas pela estatal anteriormente à desestatização, com regência pela Lei nº 13.303/2016 e pelo Regulamento Interno de Licitações e Contratos.

---

[3] Cláusula II – *Compromisso de Investimento da Minuta do Acordo de Investimento*, Item 2.1; *vide* ainda pág. 142 do Prospecto Preliminar.
[4] Prospecto Preliminar, p. 36 e 96.

Estes contratos foram celebrados sob a regência de direito privado, nos termos dos arts. 68 e 72 da Lei nº 13.303/2016, segundo os quais: "Os contratos de que trata esta Lei regulam-se pelas suas cláusulas, pelo disposto nesta Lei e pelos preceitos de direito privado"; "Os contratos regidos por esta Lei somente poderão ser alterados por acordo entre as partes, vedando-se ajuste que resulte em violação da obrigação de licitar".[5]

Estas relações devem seguir válidas, segundo o mesmo regime jurídico de direito privado, conforme originariamente formalizadas pela empresa estatal.

Mas seja em razão da cultura historicamente instalada ou da inadequada interpretação da lei, notam-se na prática frequentes distorções desta essência genuinamente privada que o legislador imprimiu aos contratos das empresas estatais.

Isto porque a escolha da aplicação do regime contratual privado a estes contratos foi feita de forma titubeante, quase mitigada, pois embora a lei contratualize a relação em temas como a alocação de riscos em matriz, a alteração condicionada ao acordo das partes, por outro lado o texto mantém esparsos indícios do regime público, como se observa do bloco de dispositivos dedicados às sanções administrativas por atraso injustificado e inexecução total ou parcial do contrato.[6]

Ou seja, a mesma lei que instituiu textualmente o regime jurídico de direito privado dos contratos das empresas estatais promoveu-lhe subliminares derrogações pontuais, abrindo espaço para que estas empresas mantivessem em suas relações contratuais – ainda que por inferência inadequada – a presunção, quiçá a pretensão, do exercício de prerrogativas típicas dos contratos administrativos, estranhas ao regime da Lei nº 13.303/2016.

O Professor Marçal Justen Filho comenta essa inadequação por vezes notada nas empresas estatais na lida com seus contratos:

> A ausência de titularidade de competências anômalas
>
> As relações jurídicas estabelecidas entre as sociedades estatais e terceiros se subordinam ao direito privado (ainda que seja obrigatória a observância da licitação prévia em muitas hipóteses de contratações). Apesar disso, é usual as sociedades estatais invocarem a titularidade de competências extraordinárias, pretendendo valer-se de poderes reservados apenas aos sujeitos de direito público. A natureza privada das sociedades estatais é incompatível com essa orientação e os arts. 58 da Lei nº 8.666/1993 e 104 da Lei nº 14.133/2021 não se aplicam aos contratos por elas praticados.[7]

---

[5] A referência a estas normas é feita apenas para fins didáticos e históricos de identificação do regime jurídico de direito privado dos contratos das empresas estatais, aplicável já no momento da formação dos contratos.

[6] BICALHO, Alécia Paolucci Nogueira, *Desestatizações ....*, cit., 2. ed. Belo Horizonte: Fórum, 2023, p. 164; E SOUSA, Guilherme Carvalho, Contratos: Formalização, Alteração, Responsabilidade, Subcontratação, In: NORONHA, João Otávio; FRAZÃO, Ana; MESQUITA, Daniel Augusto (coord.). *Estatuto Jurídico das Estatais* – Análise da Lei nº 13.303/2016, p. 303-304. Em sentido contrário vide FERRAZ, Sérgio, Dos contratos das empresas estatais, in: FERRAZ, Sérgio (org.), DALLARI, Adilson ... et al., *Comentários sobre a Lei das Estatais*, São Paulo: Malheiros, 2019, p. 218. Em correlação com o tema vide ARAGÃO, Alexandre dos Santos. *Empresas estatais*: o regime jurídico das empresas públicas e sociedades de economia mista. 2. ed. Rio de Janeiro: Forense, 2018, p. 185.

[7] JUSTEN FILHO, Marçal, *Curso de Direito Administrativo*, 14. ed. Rio de Janeiro: Forense, 2023, p. 138. *Vide* EIRAS, Guilherme A. Vezaro, As regras aplicáveis aos contratos celebrados no âmbito do Estatuto das Empresas Estatais (Lei 13.303/2016), In: JUSTEN FILHO, Marçal (org.), *Estatuto Jurídico das Empresas Estatais*, São Paulo: Revista dos Tribunais, 2016, p. 480 e seguintes.

Esta discussão não é destituída de relevância no ambiente da empresa recém-privatizada, porque de uma forma ou de outra, uma vez consumada a desestatização, não há qualquer margem para mitigação do regime privado de seus contratos.

Portanto, os contratos em vigor ao tempo em que consumada a desestatização: (i) permanecem válidos sob o regime de direito privado, deixando de se submeter à Lei nº 13.303/2016 e ao Regulamento da empresa, não mais aplicáveis, de resto, a esta própria; (ii) eventuais disposições contratuais que transponham os limites deste regime devem ser reputadas não escritas, independentemente de alteração formal do instrumento; e (iii) quaisquer práticas que excedam estes mesmos limites deverão ser igualmente contidas, em razão da ausência de fundamento legal e constitucional para o exercício de prerrogativas públicas por empresas privadas – interditadas às próprias estatais.[8]

Finalmente, os contratos em execução ao tempo da privatização podem ser alterados por interesse mútuo das partes, para refletirem possíveis renegociações; ou rescindidos, amigável ou unilateralmente, neste caso mediante o pagamento das pertinentes indenizações.

Todos os contratos formalizados antes da data de corte da privatização, mais remotos ou mais recentes, ainda que às vésperas da transição público-privada, devem gozam deste tratamento.

4.2 Licitações homologadas

4.2.1 Direito à contratação

Segundo o rito processual das licitações, a etapa externa do certame se inicia com a publicação do edital e se exaure com a adjudicação do objeto e a homologação do resultado, que precedem a contratação.[9]

Na sequência dos atos de encerramento da licitação, a Lei nº 13.303/2016 prevê que após julgados os eventuais recursos, abrem-se ao gestor as seguintes alternativas: adjudicação do objeto; homologação do resultado; ou revogação por razões de interesse público decorrente de fato superveniente que constitua óbice manifesto e incontornável à contratação.[10]

A anulação por ilegalidade será cabível de ofício ou por provocação de terceiros, salvo quando for viável a convalidação do ato ou do procedimento viciado.[11]

No que se refere ao conteúdo, a adjudicação é o ato pelo qual o objeto da licitação é atribuído ao licitante vencedor para subsequente contratação. Com a homologação, a autoridade superior reconhece que todos os atos praticados no curso da licitação estão de acordo com a lei e o edital e ratifica a legalidade de todo o procedimento.

---

[8] Vide GUIMARÃES, Bernardo Strobel; DE SOUZA, Caio Augusto Nazário; DE VITA, Pedro Henrique Braz, Opinião: Privatização de estatais sobre vínculos preexistentes (conjur.com.br,) acesso em: 8 jul. 2024.

[9] BICALHO, Alécia Paolucci Nogueira. Licitação. In: MOTTA, Carlos Pinto Coelho (coord.). Curso Prático de Direito Administrativo, 3. ed. Belo Horizonte: Del Rey, 2011, p. 301. Em seu conjunto, estas providências – adjudicação seguida da homologação – são os derradeiros atos das licitações.

[10] Lei nº 13.303/2016: "Art. 51. As licitações de que trata esta Lei observarão a seguinte sequência de fases: (...) VIII – interposição de recursos; IX – adjudicação do objeto; X – homologação do resultado ou revogação do procedimento".

[11] Lei nº 13.303/2016, arts. 51 e 62.

Em seu conjunto, estes atos sequenciais e regularmente expedidos têm efeitos jurídicos bem definidos e relevantes, indicando que o processo seletivo: (i) teve desfecho positivo em relação a seus objetivos, alcançando sua finalidade da obtenção de resultado válido em favor de determinado proponente, o adjudicatário; e (ii) está apto a gerar a contratação.

Neste estudo interessam-nos os efeitos destes atos quando tenham sido expedidos pela empresa estatal em momento anterior à consumação da privatização; ou seja, quando tenham sido editados no âmbito de licitação que, não tendo sido revogada ou anulada, ao tempo da desestatização apresentava *status* de processo nestas condições concluído pela empresa estatal, ou seja, com objeto adjudicado ao vencedor e resultado homologado.

As licitações encontradas neste estágio ao tempo da privatização produzem efeitos em relação à empresa privatizada, que devem ser por esta reconhecidos e implementados, entre os quais se destaca notadamente a obrigação de formalizar o correspondente contrato com o adjudicatário.

A esse respeito, ao contrário do que observa no sistema tradicional das contratações públicas, o art. 60 da Lei nº 13.303/2016 prevê que a homologação nas empresas estatais constitui para o licitante vencedor não mera expectativa, mas o direito à contratação: "A homologação do resultado implica a constituição de direito relativo à celebração do contrato em favor do licitante vencedor".

Em comentário ao art. 90 da Nova Lei de Licitações, a Lei nº 14.133/2021, o Professor Marçal Justen Filho afirma que a orientação clássica quanto à faculdade, apenas, de se convocar o adjudicatário para contratação, deve ser revista e aplicada de forma muito limitada, pois não se admite que a Administração ignore os efeitos jurídicos dos próprios atos, produzindo uma licitação como uma manifestação destituída de seriedade ou inútil.[12]

Neste ponto o autor faz menção justamente à pertinência da solução dada ao tema pelo legislador da Lei nº 13.303/2016 – que reconhece ao licitante vencedor de licitação homologada não a mera expectativa, mas o direito à contratação, concluindo a respeito do assunto que "essa orientação legislativa apenas confirma a única interpretação compatível com os princípios constitucionais que disciplinam a atividade administrativa do Estado".[13]

Na mesma linha, os Professores Edgar Guimarães e José Anacleto Abduch Santos aprofundam as consequências da homologação do certame de empresa estatal:

> O conteúdo taxativo da norma deixa extreme de qualquer dúvida uma das consequências jurídicas da homologação: criar o direito de ser contratado em favor do licitante a quem foi adjudicado o objeto.
>
> De muito, a doutrina e os tribunais pátrios debatiam quais os efeitos concretos da adjudicação e da homologação. A partir da LRE, a homologação produz direito à contratação. Esta norma tem profundos e significativos efeitos jurídicos, inclusive no plano do direito indenizatório.

---

[12] JUSTEN FILHO, Marçal, *Comentários à Lei de Licitações e Contratações Administrativas*. 2. ed. São Paulo: Thomson Reuters Brasil, 2023, p. 1252-1253.
[13] *Idem, ibidem*.

Uma vez homologado o certame, deve haver contratação como direito subjetivo do licitante vencedor. Caso contratação não haja, há direito de indenização em favor da pessoa a quem foi adjudicado o objeto. A indenização deve abranger o dano emergente e os lucros cessantes.[14]

Não fosse por isso – o que se admite apenas para argumentar – o princípio da boa-fé impediria qualquer alegação no sentido de que em sua nova condição a empresa privatizada estaria desvinculada dos efeitos dos atos constitutivos de direitos a terceiros praticados pela estatal em momento anterior à privatização, ao tempo em que a empresa ainda se submetida à Lei nº 13.303/2016.

Os efeitos obrigacionais decorrentes destes atos – ainda que emanem de legislação a que a empresa deixa de se submeter com a superveniência da privatização – devem ser honrados em toda a sua latitude, na condição de atos jurídicos perfeitos geradores de direitos ao adjudicatário, conforme lhe assegurava a lei aplicável ao tempo de sua produção, neste caso, a Lei nº 13.303/2016.

Portanto, nas licitações que sejam encontradas pela empresa privatizada com adjudicação homologada deve ser assegurado ao adjudicatário o exercício de seu direito à contratação; por inferência lógica, pelas mesmas razões, esta é também a situação dos contratos que se encontravam na iminência de formalização, com convocação expedida ao tempo em que a privatização tenha sido consumada.

Como visto, a obrigação da empresa privatizada de aperfeiçoar estas relações contratuais está diretamente atrelada à situação jurídica constituída por força das licitações exitosamente concluídas pela estatal, mediante a expedição dos atos de adjudicação e homologação – cujo conjunto confere ao adjudicatário perante a empresa privatizada o direito adquirido, subjetivo público, à contratação.[15]

Nota-se nesse ponto que, assim como fez ao inovar a orientação tradicional em relação ao conteúdo jurídico da homologação, assegurando ao adjudicatário o direito à contratação, a Lei nº 13.303/2016 alterou essa orientação também em relação aos deveres do vencedor da licitação.

Historicamente, como ensina a Professora Lucia Valle Figueiredo, a adjudicação faz surgir para o vencedor direitos e deveres: "a) direito de não ser preterido; b) direito de exigir que se fundamentem as razões, se o contrato não se aperfeiçoar; c) dever de sustentar a proposta para assinatura do contrato; d) dever de firmar contrato nos termos em que se obrigou".[16]

Ao adjudicatário cabe, em princípio, a obrigação de assumir o encargo a que se propôs ao apresentar proposta em licitação, de contratar.

Diz-se em princípio porque, segundo o sistema da Lei nº 13.303/2016, o direito do adjudicatário à contratação é um direito potestativo que comporta renúncia expressa

---

[14] GUIMARÃES, Edgar; SANTOS José Anacleto Abduch, *Lei das Estatais* – Comentários ao regime jurídico licitatório e contratual da Lei nº 13.303/2016. Belo Horizonte: Fórum, 2017, p. 212. *Vide* BICALHO, Alécia Paolucci Nogueira, Desestatizações ... *cit.*, p. 90.

[15] Decreto-Lei nº 4.657/1942 – LINDB, "Art. 6º (...) §2º Consideram-se adquiridos assim os direitos que o seu titular, ou alguém por êle, possa exercer, como aquêles cujo começo do exercício tenha têrmo pré-fixo, ou condição pré-estabelecida inalterável, a arbítrio de outrem". *Constituição Federal*, "Art. 5º (...), XXXVI – a lei não prejudicará o direito adquirido, o ato jurídico perfeito e a coisa julgada; (...)".

[16] FIGUEIREDO, Lucia Valle. *Direitos dos licitantes*. São Paulo: Malheiros, 1992, p. 80.

ou tácita, representada pela não assinatura do contrato, quando tenha sido para tanto convocado – circunstância cuja consequência é tão somente a decadência em relação ao direito não exercido.

Esta foi uma mudança significativa em relação à Lei nº 8.666/1993: enquanto de acordo com esta última a recusa injustificada do adjudicatário em assinar o contrato caracterizava (e ainda caracteriza, segundo a Lei nº 14.133/2021) o descumprimento total da obrigação, sujeitando-o às penalidades estabelecidas, e à perda da garantia de proposta, a Lei das Estatais deu tratamento distinto à hipótese legal, no âmbito destas empresas.

O art. 75 *caput* da Lei nº 13.303/2016 impõe ao adjudicatário omisso no atendimento à convocação para assinatura do contrato apenas os efeitos da decadência ao direito de contratação, deixando de conferir à recusa injustificada a mesma densidade jurídica tradicional, já mencionada, mas se limitando a prever a possibilidade de convocação dos licitantes remanescentes para contratar, em igual prazo e nas mesmas condições do vencedor; ou revogar a licitação (art. 75, §2º, I e II).

Mesmo que assim não fosse, ou seja, ainda que o sancionamento[17] fosse alternativa para a não assinatura do contrato pelo adjudicatário – o que não é o caso –, de toda forma, a empresa já desestatizada não teria legitimidade para o exercício de competência desta natureza, como abordamos em tópico anterior.

Atente-se que, no caso da empresa privatizada, a manutenção das mesmas condições de contratação oferecidas pelo vencedor não decorreria do texto da Lei nº 13.303/2016 – àquela não mais aplicável –, mas em função da necessária preservação das condições paritárias que nortearam a disputa originária, cujo resultado culminou em adjudicação e homologação; no que se refere à alteração, para fins de contratação, dos parâmetros adotados na licitação homologada, o assunto é abordado mais adiante.

Em síntese recapitulativa: nas licitações com adjudicação homologada antes da privatização, caso a contratação não tenha sido ultimada até a data da liquidação, caberá à empresa privatizada convocar o adjudicatário para fazê-lo; este, a seu turno, poderá renunciar ao direito à contratação, sem penalização, exceto a decadência àquele direito, dando azo à contratação de licitante remanescente que se disponha a contratar nos mesmos termos.

Anote-se à margem que a recusa ou renúncia do adjudicatário à contratação encontraria, com esteio nos arts. 431 e 427 da Lei nº 10.406//2002 (CC),[18] legítima justificativa na própria superveniência da privatização, posterior à adjudicação e homologação.

Os licitantes remanescentes encontrariam igualmente o mesmo apoio nestes dispositivos para retirar suas propostas, com fundamento na mudança substancial do controle acionário da empresa, em razão da desestatização.

De toda forma, na eventualidade de a empresa privatizada não se interessar pelo aproveitamento do resultado da licitação homologada, nestes termos, mas preferir buscar um terceiro estranho àquele processo para negociar e contratar, poderá, alternativamente,

---

[17] Sanções de multa, suspensão temporária do direito a participar de licitação e impedimento de contratar com a entidade sancionadora, art. 83 da Lei nº 13.303/2016.

[18] Lei nº 10.406//2002, "Art. 431 – A aceitação fora do prazo, com adições, restrições, ou modificações, importará nova proposta". "Art. 427 – A proposta de contrato obriga o proponente, se o contrário não resultar dos termos dela, da natureza do negócio, ou das circunstâncias do caso."

revogar o procedimento, deixando de contratar o adjudicatário – que nesse caso fará jus à indenização pelas perdas e danos e lucros cessantes.

4.2.2 Sobre a alteração das condições contratuais licitadas

Uma indagação que pode ser suscitada a respeito da contratação decorrente de licitação com adjudicação homologada se refere à liberdade (ou não) da empresa privatizada efetivá-la em condições distintas daquelas que orientaram a disputa.

Estas alterações poderiam ser cogitadas em relação a diversos aspectos da contratação, tais como, ilustrativamente, o conteúdo, a descrição do objeto e suas possíveis alternativas técnicas não consideradas na licitação em âmbito de projetos, planilhas, quantitativos, orçamento; ou a modificação das condições contratuais em temas como a matriz de risco, os prazos de execução, cronograma e obrigações em geral.

Estas intervenções poderiam ser cogitadas, ainda, via implementação unilateral pela empresa privatizada ou de comum acordo entre esta e o adjudicatário (ou seus remanescentes).

A nosso ver, independentemente dos motivos ou da origem da iniciativa, a contratação realizada pela empresa privatizada com fundamento em licitação homologada pela estatal não comporta alteração das bases e dos elementos – de processo e contrato – em torno dos quais a disputa se instalou, se desenvolveu e se encerrou com êxito, culminando com a homologação.

Se contratação houver – do adjudicatário, ou dos remanescentes, como abordado –, suas condições devem refletir as mesmas premissas de seleção e de contratação adotadas no cenário da licitação que lhe tenha dado causa e suporte.

Situação diversa desaguaria em desconfiguração do resultado da própria adjudicação homologada e autorizativa da contratação, cujo lastro restaria definitivamente comprometido.

Nessa hipótese, a liberdade de contratar das empresas privadas, pós-privatização, será mitigada pelos efeitos jurídicos constituídos pela adjudicação homologada anteriormente à desestatização, pois estes atos de encerramento do certame indicam a conclusão de todo um procedimento estruturado – nos aspectos técnico, contratual e econômico-financeiro – para aquela disputa licitatória específica, cujas premissas de precificação e julgamento devem ser preservadas caso se pretenda contratar.

A consolidação desta conjuntura da licitação processada em momento anterior à privatização, refletida nos atos regularmente praticados pela empresa estatal sob a égide da Lei nº 13.303/2016, é fato jurídico impeditivo da modificação, unilateral ou consensual, das condições do contrato vinculado à licitação homologada, cujos termos não comportariam livre renegociação ou alteração.

Isto porque nesse contexto, a licitação homologada materializa ato jurídico perfeito, já "... consumado segundo a lei vigente ao tempo em que se efetuou", conforme art. 6º, §1º, do Decreto-Lei nº 4.657/1942, a LINDB.

Sob a ótica do adjudicatário (ou seus remanescentes) a pretensão da empresa privatizada de alterar unilateralmente os termos da contratação violaria seu direito adquirido cujo ponto focal é aquela própria e específica – e não outra – contratação, gerando legítimo efeito liberatório das propostas, com fulcro nos já mencionados arts. 431 e 427 da Lei nº 10.406/2002.

Sob outra ótica, a alteração dos termos da contratação por consenso entre a empresa privatizada e o adjudicatário, ou, em caso de renúncia deste, entre aquela primeira e o(s) licitante(s) remanescente(s) que, convocado(s), tenha(m) interesse em contratar, seria duplamente vedada: (i) primeiro porque a contratação dos remanescentes apenas se legitima, de qualquer forma, nas mesmas condições ofertadas pelo vencedor, como abordamos antes; (ii) em segundo lugar, porque a contratação fora dos padrões da disputa originária poderia ser desafiada – por um ou pelos outros, conforme o caso – pelos motivos apresentados, como burla ao princípio da licitação, a que a empresa (enquanto estatal) ainda se submetia, e com base no qual realizou a licitação cujo resultado conduziu à homologação apta a gerar a contratação.

Portanto, diante da intenção da empresa privatizada de renovar os critérios que parametrizaram a licitação homologada – em termos de demanda, das condições da disputa ou da contratação –, caberá àquela renovar a própria disputa *ab initio*, segundo suas próprias referências, conferindo aos interessados com quem deseje contratar nova oportunidade de precificação, competição e negociação, segundo as regras que para tanto lhe convierem.

A exceção ficaria por conta da manifestação unânime dos participantes da licitação homologada quanto a sua não oposição à alteração dos parâmetros da disputa para fins de contratação do adjudicatário, ou de seus remanescentes.

5 Licitações em curso

A última hipótese a ser analisada são as licitações divulgadas pela empresa estatal logo antes de consumada a privatização, que, ao tempo da transição, se encontrem em fase inicial – ou nem tanto, podendo estar inclusive com propostas apresentadas e vencedor identificado.

Sobre estes processos a empresa privatizada terá irrestrita gestão, podendo, a seu exclusivo critério, encerrá-los, sem qualquer aproveitamento de conteúdo, e sem ônus, exceto quanto às pertinentes providências formais de devolução de documentos, das garantias de propostas e providências correlatas; ou aproveitá-los, tanto quanto possível, total ou parcialmente, a partir da fase em que se encontrem, informando os participantes das condições para tanto.

Na hipótese de aproveitamento do processo, a empresa deve adotar duas ordens de providências, conforme o caso: (i) dar seguimento ao procedimento segundo os mesmos elementos anteriormente postos pela estatal na licitação, e esclarecendo sobre a forma de processamento da disputa, no caso de modificação apenas das regras de procedimento (*e.g.*: negociações e critérios de seleção) até o encerramento da disputa com identificação do vencedor; ou (ii) preferindo modificar os elementos de conteúdo, uma vez informadas tais condições aos participantes (ou novos interessados) estes poderão apresentar suas propostas, segundo os parâmetros reformatados, ou caso já as tenham apresentado, estarão livres para mantê-las e prosseguir na disputa, ou dela se retirarem, desobrigados que são de aderir às novas diretrizes de ampla "reedição" do processo.

Ou seja, as licitações iniciadas pela estatal, que ao tempo da privatização não tenham tido seu resultado homologado – ainda que com propostas apresentadas, disputa encerrada e vencedor identificado –, não vinculam a empresa, que delas poderá dispor conforme sua conveniência.

O aproveitamento destes processos estará sujeito a condições circunstanciais no que se refere ao seu estado na fase em que se encontrem, porque a reformulação das bases da disputa ou da contratação pode já não ser viável sem que se altere a configuração do julgamento efetivado a partir das propostas apresentadas, norteadas pelas regras originalmente postas.

Caberá à empresa avaliar, em cada caso concreto, as vantagens de prosseguir, e em que termos, informando os participantes[19] da manutenção, ou das inovações pretendidas, consultando-lhes sobre seu interesse em manter suas propostas, ou retirá-las, com amparo nos arts. 427 e 431 do CC.

Ao contrário do que se anotou sobre a licitação homologada, no caso de licitação em curso, havendo interesse da empresa em contratar, e do vencedor em manter a proposta, a contratação poderá ser ultimada mesmo que mediante ampla renegociação de suas bases e inovação das condições da disputa.

Ou seja, não tendo havido adjudicação do objeto e homologação do resultado, não há impedimentos para que a empresa negocie com o detentor da melhor proposta, ou com demais participantes, condições de contratação não aderentes aos parâmetros iniciais da licitação, que podem ser inovados conforme sua conveniência – situação na qual os interessados poderão seguir o procedimento proposto ou retirar suas propostas.

Esta hipótese corresponderia praticamente ao refazimento das licitações não homologadas, sob novas condições, perfeitamente admissível após a privatização, diante da liberdade de contratação inerente às empresas privadas, que dispõem de critérios seletivos próprios de contratação.

Finalmente, considerando que estes certames não geram compromissos recíprocos entre a empresa e os licitantes, em não subsistindo o interesse daquela em contratar, ou não sendo viável aproveitar os atos realizados, a empresa privatizada poderá encerrar o procedimento sem que caiba direito de reparação aos proponentes ou aos participantes insatisfeitos – inclusive o detentor da melhor proposta, eventualmente já identificado – e abortar a contratação ou reiniciar a seleção em novas bases.

6 Conclusões

Neste trabalho abordamos as repercussões da privatização em relação às expectativas e direitos de terceiros que transacionam com as empresas estatais, sob a égide da Lei nº 13.303/2016, para o fornecimento de bens, serviços e a execução de obras.

---

[19] A título de exemplo cite-se edital contendo aviso sobre os efeitos da desestatização sobre o processo de licitação então em curso, que poderia ter suas condições *revisitadas* após a privatização – Licitação Sabesp CSM 03859-23_Aditamento Parte 1, p. 35. "8 – Considerando que Lei estadual nº 17.853/2023 autorizou o Poder Executivo do Estado de São Paulo a promover medidas de desestatização da Companhia de Saneamento Básico do Estado de São Paulo – Sabesp, as quais se encontram em andamento, sob condução do Poder Executivo estadual, caso ocorra a conclusão do processo de desestatização em meio a esta licitação, as condições deste certame poderão revisitadas pela SABESP e o regime de contratação será integralmente de direito privado".

O assunto foi abordado sob a ótica do momento de consumação da privatização, com a liquidação das ações, quando o acionista público perde o controle acionário da empresa, que deixa de pertencer à Administração Pública Indireta na condição de sociedade de economia mista.

Dissemos que no deslocamento do poder decisório para o âmbito estritamente privado a empresa deve endereçar com cautela situações pré-constituídas por força de atos jurídicos perfeitos regularmente editados pela estatal, precedentes à privatização, no que se refere aos possíveis direitos constituídos em favor de terceiros ou aos limites e consequências da modificação do *status quo*, em determinadas circunstâncias.

Em grande suma, concluímos, quanto aos contratos em execução, que estes permanecem válidos sob a regência do Direito Privado, conforme originariamente celebrados, por força do art. 68 da Lei nº 13.303/2016, podendo ser alterados por interesse mútuo das partes, para refletirem possíveis renegociações; ou rescindidos, mediante o pagamento das pertinentes indenizações.

No que se refere às licitações com objeto adjudicado e resultado homologado antes de consumada a privatização, afirmamos que os contratos a estas vinculados devem ser aperfeiçoados, por força do conteúdo e efeitos jurídicos decorrentes destes atos finais de encerramento do certame, sob pena de indenização do adjudicatário pelas perdas e danos e lucros cessantes.

Finalmente, quanto às licitações em curso ao tempo da privatização, em fase incipiente, ou com propostas apresentadas e vencedores identificados, que poderão ser gerenciados conforme a conveniência da empresa, tratamos de seus possíveis destinos e consequências das alternativas nas diversas circunstâncias abordadas.

Referências

ARAGÃO, Alexandre dos Santos. *Empresas estatais*: o regime jurídico das empresas públicas e sociedades de economia mista. 2. ed. Rio de Janeiro: Forense, 2018.

BICALHO, Alécia Paolucci Nogueira. Licitação. In: MOTTA, Carlos Pinto Coelho (coord.). *Curso Prático de Direito Administrativo*. 3. ed. Belo Horizonte: Del Rey, 2011, p. 301.

DA CUNHA, Cláudia Polto; MASTROBUONO, Cristina M. Wagner. Privatizações, participações minoritárias e subsidiárias. In: PINTO JUNIOR, Mario Engler; MASTROBUONO, Cristina M. Wagner; MEGNA, Bruno Lopes. *Empresas Estatais* – Regime jurídico e experiência prática na vigência da Lei n. 13.303/2016. São Paulo: Almedina, 2022.

EIRAS, Guilherme A. Vezaro. As regras aplicáveis aos contratos celebrados no âmbito do Estatuto das Empresas Estatais (Lei 13.303/2016). In: JUSTEN FILHO, Marçal (org.). *Estatuto Jurídico das Empresas Estatais*. São Paulo: Revista dos Tribunais, 2016.

FERRAZ, Sérgio. Dos contratos das empresas estatais. In: FERRAZ, Sérgio; DALLARI, Adilson et al. (org.). *Comentários sobre a Lei das Estatais*. São Paulo: Malheiros, 2019, p. 218.

FIGUEIREDO, Lucia Valle. *Direitos dos licitantes*. São Paulo: Malheiros, 1992.

GUIMARÃES, Bernardo Strobel; DE SOUZA, Caio Augusto Nazário; DE VITA, Pedro Henrique Braz. *Opinião*: privatização de estatais sobre vínculos preexistentes (conjur.com.br,) acesso em: 8 jul. 2024.

GUIMARÃES, Edgar; SANTOS José Anacleto Abduch. *Lei das Estatais* – Comentários ao regime jurídico licitatório e contratual da Lei nº 13.303/2016. Belo Horizonte: Fórum, 2017.

JUSTEN FILHO, Marçal. *Curso de Direito Administrativo*. 14. ed. Rio de Janeiro: Forense, 2023.

JUSTEN FILHO, Marçal. *Comentários à Lei de Licitações e Contratações Administrativas*. 2. ed. São Paulo: Thomson Reuters Brasil, 2023.

SOUSA, Guilherme Carvalho e. Contratos: formalização, alteração, responsabilidade, subcontratação. *In:* NORONHA, João Otávio; FRAZÃO, Ana; MESQUITA, Daniel Augusto (coord.). *Estatuto Jurídico das Estatais* – Análise da Lei nº 13.303/2016. Belo Horizonte: Fórum, 2018.

Informação bibliográfica deste texto, conforme a NBR 6023:2018 da Associação Brasileira de Normas Técnicas (ABNT):

BICALHO, Alécia Paolucci Nogueira. As repercussões da privatização nas licitações e contratos da empresa estatal. *In:* JUSTEN, Monica Spezia; PEREIRA, Cesar; JUSTEN NETO, Marçal; JUSTEN, Lucas Spezia (coord.). *Uma visão humanista do Direito*: homenagem ao Professor Marçal Justen Filho. Belo Horizonte: Fórum, 2025. v. 2, p. 347-359. ISBN 978-65-5518-916-2.

O PREGÃO E O FENÔMENO DA SELEÇÃO ADVERSA

ALEXANDRE WAGNER NESTER

1 Desbravando o Direito Público

Marçal Justen Filho é um desbravador do Direito Público brasileiro. Sua atuação, tanto acadêmica quanto profissional, tem sido fundamental para o desenvolvimento do nosso Direito Administrativo.

Especificamente no campo das licitações e contratações públicas, o seu destaque é inegável. Sua obra mais conhecida, os *Comentários à Lei de Licitações e Contratos Administrativos* (Editora Dialética), foi editada pela primeira vez em 1993, imediatamente após a publicação da Lei nº 8.666/1993, e reeditada diversas vezes ao longo dos anos. A 18ª edição (de 2019) foi a última. Em seguida, após a publicação da nova Lei Geral de Licitações (Lei nº 14.133/2021), Marçal desenvolveu um novo livro intitulado *Comentários à Lei de Licitações e Contratações Administrativas*, que foi editado pela primeira vez em maio de 2021 (Thompson Reuters Revista dos Tribunais) e atualmente encontra-se na 2ª edição (de 2023).

Esse livro foi essencial para a evolução do regime de contratações administrativas instaurado já no contexto da Constituição de 1988. Contribuiu com o aprimoramento do processo licitatório e com a prática diária dos profissionais envolvidos na realização de licitações públicas, em todas as esferas: agentes públicos na condição de contratantes, agentes privados na condição de licitantes, advogados, procuradores públicos, agentes de controle e juízes.

Não foi diferente com o pregão. Assim que essa modalidade de licitação foi incorporada ao ordenamento jurídico brasileiro, por meio de medida provisória e decretos federais, Marçal se dedicou a escrever um livro específico sobre o assunto. Assim nasceu o livro *Pregão: comentários à legislação do pregão comum e eletrônico* (Editora Dialética). A primeira edição foi lançada em 2001. Dois anos depois, logo após a publicação da Lei nº 10.520/2002 (Lei do Pregão), o livro ganhou sua segunda edição, revista e atualizada de acordo com a nova legislação. Posteriormente, foi reeditado mais quatro vezes até a sexta edição (de 2013).

Nesta obra, Marçal revelou otimismo e comprometimento com a evolução e o aperfeiçoamento das contratações públicas, desembaraçando o emaranhado de normas que foram editadas para disciplinar o pregão e desvendando todas as suas particularidades.

Desde a primeira edição, o livro foi contundente ao apontar a indeterminação do conceito jurídico de "objeto comum", único passível de contratação por meio de pregão, bem como a enorme dificuldade de defini-lo a partir de um elemento intrínseco.[1]

Na quinta edição (de 2009), depois de alguns anos observando os problemas concretos decorrentes dessa modalidade, Marçal alterou significativamente o livro e apontou, logo no início, as vantagens e as desvantagens paradoxais do emprego do pregão para as contratações públicas.[2]

Entre as vantagens, indicou: a potencial ampliação das vantagens econômicas (diante do incentivo à redução dos preços); a ampliação do universo de licitantes (decorrente da facilitação da participação do certame); e a simplificação do procedimento em razão da inversão de fases (que permite um ganho de eficiência decorrente da possibilidade de analisar os documentos de habilitação apenas do licitante classificado em primeiro lugar).

Quanto às desvantagens, destacou: a preponderância das empresas com maior potencial econômico (que podem oferecer preços mais competitivos em razão da economia de escala e da consequente redução de custos); a redução da segurança da Administração Pública quanto à idoneidade do licitante (em decorrência da inversão de fases); e a dificuldade relacionada com a qualidade da prestação (em decorrência do fenômeno da seleção adversa).

Essa última desvantagem (o risco da seleção adversa do pregão), que foi identificada com especial perspicácia e anunciada de modo inédito por Marçal, é o objeto central do presente texto.

2 O pregão no Direito brasileiro

O pregão foi introduzido no Direito brasileiro em 1997 pela Lei Geral de Telecomunicações (Lei nº 9.472/1997), que permitiu à Anatel utilizar esse procedimento (bem como a consulta) para contratações que não envolvessem obras e serviços de engenharia civil.

Algum tempo depois, o pregão foi incorporado à legislação sobre licitações, por meio da Medida Provisória nº 2.026, de 4 de maio de 2000, que adicionou a nova modalidade licitatória para aquisição de bens e serviços comuns no âmbito da União, nos termos do art. 37, inc. XXI, da Constituição.

Essa medida provisória foi reeditada sucessivas vezes, com diversas alterações, o que gerava enorme insegurança jurídica na utilização do pregão. A última versão foi a Medida Provisória nº 2.182/2018, de 23 de agosto de 2021.

---

[1] JUSTEN FILHO, Marçal. *Pregão*: comentários à legislação do pregão comum e eletrônico. São Paulo: Dialética, 2001, p. 18-20.

[2] JUSTEN FILHO, Marçal. *Pregão*: comentários à legislação do pregão comum e eletrônico. 5. ed. São Paulo: Dialética, 2009, p. 18-19.

Paralelamente, foram editados tanto o Decreto Federal nº 3.555/2000, que regulamentou o pregão presencial, quanto o Decreto Federal nº 3.697/2000, que regulamentou o pregão na forma eletrônica (posteriormente substituído pelo Decreto Federal nº 5.450/2005). A precariedade desses atos normativos contribuía para gerar ainda mais insegurança jurídica.

Em 17 de julho de 2002, a última medida provisória foi finalmente convertida na Lei nº 10.520/2002, consolidando o regime do pregão para todas as esferas federativas. Iniciou-se assim uma fase de maior estabilidade, que permitiu a evolução e a consolidação do pregão, tanto pela sua aplicação prática quanto por meio da interpretação conferida pela doutrina e pela jurisprudência para a solução dos problemas concretos que foram surgindo.

Mais recentemente, com a publicação da nova Lei Geral de Licitações e Contratações Administrativas (Lei nº 14.133/2021) e a revogação expressa das Leis nºs 10.520/2002 e 8.666/1993, todas as modalidades de licitação passaram a ser disciplinadas conjuntamente pelo mesmo texto legal, inclusive o pregão.

Nesse novo cenário, o procedimento do pregão passou a ser regulamentado no âmbito federal pela Instrução Normativa SEGES/ME 73/2022, que dispõe sobre as licitações promovidas pelo critério de julgamento por menor preço ou maior desconto, na forma eletrônica, para contratação de bens, serviços e obras, no âmbito da Administração Pública federal direta, autárquica e fundacional.[3]

3 O objetivo do pregão

A modalidade licitatória do pregão foi adotada com o objetivo de desburocratizar a contratação pública e possibilitar a obtenção do menor preço possível em determinadas contratações, destinadas à aquisição de bens e prestação serviços menos complexos, identificados como *comuns*.

A finalidade do pregão, portanto, está vinculada à busca pela maior eficiência possível nas contratações que visam à satisfação de necessidades corriqueiras da Administração Pública – ou seja, nos casos em que o mais relevante para o ente contratante é obter o melhor preço, do modo mais célere possível, considerando a padronização do bem ou do serviço a ser contratado e a sua pronta disponibilidade no mercado.

Obviamente, isso não significa que as características técnicas das propostas sejam irrelevantes. O edital da licitação deve especificar com precisão e objetividade o bem ou serviço a ser contratado. Contudo, o aspecto principal está no preço: no pregão, a Administração Pública busca obter a maior redução de preço possível para aquisição de bens e serviços qualificados como *comuns*.

Para tanto, a ideia era que o pregão seguisse um procedimento menos complexo que o da concorrência, focado na predefinição do objeto a ser contatado, por meio de

---

[3] Essa instrução normativa assim como a relação completa e atualizada dos atos normativos que regulamentam a Lei nº 14.133/2021 podem ser acessadas no Portal de Compras do Governo Federal: https://www.gov.br/compras/pt-br/nllc/lista-de-atos-normativos-e-estagios-de-regulamentacao-da-lei-14133-de-2021.pdf (acesso em: 18 ago. 2024).

especificações de qualidade mínimas estabelecidas pelo edital, com a possibilidade de os licitantes competirem em um leilão invertido, apresentando lances sucessivos até atingir o menor preço possível.

Para um sistema de contratação que estava baseado na modalidade de concorrência da Lei nº 8.666/1993, a adoção do pregão pretendia, senão uma verdadeira revolução nas contratações públicas, ao menos uma virada de cenário.

E foi o que aconteceu. Atualmente, a maior parte das licitações públicas é feita por meio de pregão (presencial ou eletrônico). O número exato pode ser obtido a partir das licitações divulgadas no Portal Nacional de Compras Públicas (PNCP).[4]

A título de exemplo: até 19.08.2024, das 209.589 contratações divulgadas no PNCP que foram realizadas por meio de licitação ou procedimentos auxiliares (isto é, sem considerar as 372.922 realizadas por dispensa de licitação e as 104.676 realizadas por inexigibilidade de licitação), 177.259 foram realizadas por meio de pregão eletrônico e 4.745 por meio de pregão presencial, ao passo que 25.446 foram realizadas por meio de concorrência eletrônica e 2.072 por concorrência presencial. As demais foram realizadas por meio de credenciamento (6.755), leilão eletrônico (506), leilão presencial (207), manifestação de interesse (115), concurso (98), pré-qualificação (28), diálogo competitivo (2) inaplicabilidade de licitação (1).[5]

4 A definição de pregão

A definição adotada por Marçal Justen Filho na última edição do livro *Pregão*, considerando todas as nuances apreendidas ao longo dos anos, foi a seguinte:

> Pregão é uma modalidade de licitação de tipo menor preço. Destinada à seleção da proposta mais vantajosa de contratação de bem ou serviço comum, caracterizada pela existência de uma fase competitiva inicial, em que os licitantes dispõem do ônus de formular propostas sucessivas, e de uma fase posterior de verificação dos requisitos de habilitação e de satisfatoriedade das ofertas.[6]

A Lei nº 14.133/2021, que adotou a técnica de estipular um significado próprio para diversas expressões utilizadas no seu texto, consignou a seguinte definição:

> Art. 6º Para os fins desta Lei, consideram-se:
>
> [...]
>
> XLI - pregão: modalidade de licitação obrigatória para aquisição de bens e serviços comuns, cujo critério de julgamento poderá ser o de menor preço ou o de maior desconto;

---

[4] Ver: https://www.gov.br/pncp/pt-br/acesso-a-informacao/painel-pncp-em-numeros.
[5] Essas informações são atualizadas constantemente e podem ser consultadas no próprio PNCP: https://www.gov.br/pncp/pt-br/acesso-a-informacao/painel-pncp-em-numeros.
[6] JUSTEN FILHO, Marçal. *Pregão*: comentários à legislação do pregão comum e eletrônico. 6. ed. São Paulo: Dialética, 2013, p. 9.

Ou seja, em ambas as definições existem dois elementos essenciais: o objeto comum e o menor preço (ou maior desconto). Marçal ainda acrescenta outro diferencial: a dissociação da fase competitiva, que conta com uma primeira etapa de propostas abertas, seguida de uma etapa de lances sucessivos.

5 A primeira dificuldade: definição do objeto comum

O primeiro problema com o qual nos deparamos ao tratar do pregão é a dificuldade de definir (em tese) e identificar (na prática) o *objeto comum* que pode ser contratado por meio dessa modalidade. Ou seja, a dificuldade de se estabelecer em que situações, precisamente, a Administração Pública está diante de bens e serviços comuns que atraem a modalidade do pregão.

Esse é um aspecto fundamental, pois é a partir da noção de objeto comum que se revela a característica mais importante do pregão: a seleção da proposta focada no critério do menor preço (ou maior desconto).

5.1 A diferença entre as modalidades legalmente previstas

O art. 28 da Lei nº 14.133 admite cinco modalidades de licitação e veda a sua utilização combinada. Estabelece a *concorrência* para a contratação (compra ou locação) de bens e serviços não qualificados como comuns, bem como para a contratação de obras. E prevê o *pregão* para a contratação de bens e serviços qualificados como comuns (inclusive serviços comuns de engenharia, tal como qualificados pelo art. 6º, inc. XXI, "a").[7]

Estabelece ainda o *concurso* para a seleção de obras e serviço de natureza artística e objetos de qualidade diferenciada. O *leilão* para alienação e bens e direitos. E o *diálogo competitivo* para a contratação de objetos altamente complexos, com especificações e modo de execução que somente podem ser definidos pela Administração Pública mediante a colaboração com particulares especializados, previamente selecionados.

Essas cinco modalidades de licitação – que não se confundem com os cinco procedimentos auxiliares previstos no art. 78 (credenciamento, pré-qualificação, manifestação de interesse, registro de preços e registro cadastral) – apresentam estruturações de procedimento próprias, adequadas ao objeto a ser contratado. Não existe um critério de escolha baseado no valor da contratação. O critério do valor para escolha da modalidade licitatória, que estava presente na Lei nº 8.666/1993 (mas não na Lei nº 10.520/2002), não foi utilizado pela Lei nº 14.133/2021.

---

[7] Art. 6º Para os fins desta Lei, consideram-se:
[...]
XXI - serviço de engenharia: toda atividade ou conjunto de atividades destinadas a obter determinada utilidade, intelectual ou material, de interesse para a Administração e que, não enquadradas no conceito de obra a que se refere o inciso XII do *caput* deste artigo, são estabelecidas, por força de lei, como privativas das profissões de arquiteto e engenheiro ou de técnicos especializados, que compreendem:
a) serviço comum de engenharia: todo serviço de engenharia que tem por objeto ações, objetivamente padronizáveis em termos de desempenho e qualidade, de manutenção, de adequação e de adaptação de bens móveis e imóveis, com preservação das características originais dos bens;
b) serviço especial de engenharia: aquele que, por sua alta heterogeneidade ou complexidade, não pode se enquadrar na definição constante da alínea "a" deste inciso;

A escolha da modalidade licitatória, portanto, varia de acordo com a necessidade a ser satisfeita pela Administração Pública. No tocante à contratação de bens e serviços (inclusive de engenharia), a opção acaba sendo feita por exclusão: quando o objeto não for qualificado como comum, passível de contratação por meio de pregão, será contratado por meio de concorrência.

5.2 Os bens e serviços comuns

A Lei define os bens e serviços comuns como "aqueles cujos padrões de desempenho e qualidade podem ser objetivamente definidos pelo edital, por meio de especificações usuais de mercado" (art. 6º, inc. XIII). E define os bens e serviços especiais como aqueles que, por sua alta heterogeneidade ou complexidade, não podem ser descritos como comuns (art. 6º, inc. XIV).

Contudo, a definição legal é insatisfatória.[8]

Primeiro, porque bens e serviços complexos também podem (e devem) ser descritos objetivamente no edital da licitação – e isso se faz, necessariamente, com base nas definições usuais do mercado, isto é, com base nas características dos bens e serviços que estão disponíveis no mercado, por mais complexas que sejam.

Segundo, porque bens e serviços comuns também podem apresentar alta complexidade ou heterogeneidade. É complicado definir o objeto comum aludindo à baixa complexidade, já que computadores, automóveis e até mesmo aeronaves, assim como serviços de engenharia, podem ser contratados por meio de pregão.

Terceiro, porque não basta aludir à disponibilidade do bem ou serviço no mercado, já que existe mercado para os bens e serviços altamente complexos, disponíveis para pronta entrega, que podem ser contratados por meio de concorrência (os serviços de engenharia servem como exemplo). Afinal, se não houvesse mercado, não haveria competição e, nesse caso, a contratação poderia ser feita por inexigibilidade. Por outro lado, também existem objetos qualificados como comuns que não estão disponíveis para pronta entrega, pois demandam tempo para serem produzidos e até mesmo customizados (um automóvel que será utilizado como viatura policial, por exemplo).

Ou seja, a tentativa de definição do objeto comum apenas com base nos elementos descritos nos incisos XIII e XIV do art. 6º da Lei nº 14.133/2021 acaba sendo ineficaz ou redundante.

Sob outro enfoque, também é insuficiente a tentativa de diferenciar bens e serviços "padronizados" (ou "de prateleira") dos bens e serviços "sob encomenda". Esse critério diferenciador foi muito utilizado no início, logo após o surgimento da modalidade de pregão, mas se revelou insuficiente. Isso porque muitos objetos não comuns também comportam certa padronização, especialmente em razão da evolução tecnológica (***), ao passo que determinados objetos comuns também podem demandar, eventualmente, algum nível de customização (***).

Em suma, não existe um atributo essencial que qualifique um objeto como comum. A qualificação decorre mais da circunstância em que o objeto está inserido.

---

[8] JUSTEN FILHO, Marçal. *Comentários à Lei de Licitações e Contratações Administrativas*. 2. ed. São Paulo: Thompson Reuters Revista dos Tribunais, 2023, p. 457.

Essencialmente, um objeto (bem ou serviço) não *é* comum. Ele *pode ser* comum, em determinadas situações, a depender da finalidade a que se destina.

A solução para o impasse, portanto, pode ser obtida a partir da *necessidade* que a Administração Pública pretende satisfazer e de *quem* tem condições de satisfazê-la. Nessa linha, o fundamental não é observar o objeto em si, mas a natureza e as peculiaridades da necessidade a ser atendida com a contratação e, consequentemente, o sujeito que tem condições de atendê-la.

Essa foi a conclusão alcançada por Marçal Justen Filho no livro do *Pregão*, ainda antes da Lei nº 14.133/2021:

> O conceito de objeto 'comum' relaciona-se com duas questões específicas, cuja consideração é indispensável para compreender a natureza e as características do pregão. A primeira relaciona-se cm a natureza da necessidade estatal a ser satisfeitas. A segunda vincula-se ao universo de possíveis fornecedores.[9]

Também foi a conclusão a que prevaleceu após a edição da Lei nº 14.133/2021, no livro de *Comentários à Lei de Licitações e Contratações Administrativas*:

> Comum não é propriamente o objeto, mas a necessidade administrativa. Nesse sentido, alude-se a objeto comum nas hipóteses em que a necessidade administrativa pode ser satisfeita mediante a prestação executada por qualquer fornecedor, desde que preenchidos certos requisitos mínimos de qualidade, e segundo as soluções disponíveis de modo amplo no mercado. Isso conduz à adequação da seleção fundada no menor preço ou no maior desconto.[10]

O objeto comum (bem ou serviço comum), portanto, será aquele destinado a atender uma *necessidade comum* da Administração Pública, que não comporta uma variação significativa de qualidade em decorrência da atuação do sujeito que vai ser contratado para satisfazê-la – ou seja, quando a prática de mercado já tiver estabelecido um nível de padronização do produto ou serviço a tal ponto que a qualificação do sujeito deixa de ser o critério mais relevante.

Assim, o objeto da contratação será um objeto comum se a necessidade da Administração Pública, objetivamente descrita no edital com base nas especificações usuais do mercado, puder ser satisfeita por *qualquer sujeito* (qualquer fornecedor, qualquer prestador). Nesse caso, a escolha do contratado poderá ser feita primordialmente com base no melhor preço (menor preço ou maior desconto), desde que preenchidos determinados requisitos mínimos de qualidade, segundo as soluções disponíveis no mercado. Por isso, a licitação pode ser processada na modalidade de pregão, de modo mais simplificado.

Em contrapartida, não se estará diante de um objeto comum se a necessidade da Administração Pública, também objetivamente descrita no edital com base nas

---

[9] JUSTEN FILHO, Marçal. *Pregão*: comentários à legislação do pregão comum e eletrônico. 6. ed. São Paulo: Dialética, 2013, p. 51.
[10] JUSTEN FILHO, Marçal. *Comentários à Lei de Licitações e Contratações Administrativas*. 2. ed. São Paulo: Thompson Reuters Revista dos Tribunais, 2023, p. 458.

especificações usuais do mercado, puder ser satisfeita apenas por sujeitos detentores de características especiais, com qualificação e experiência anterior especiais, adequadas à satisfação daquela necessidade. Nesse caso, o preço da contratação não deixa de ser relevante, obviamente, mas é imprescindível verificar (antes ou depois da disputa de preço) se o sujeito a ser contratado detém efetivas condições (qualificação jurídica, econômico-financeira e, principalmente, qualificação técnica) de executar o objeto. Logo, a licitação deverá ser processada na modalidade de concorrência, cujo procedimento permite essa verificação de habilitação.

Em última análise, portanto, o essencial é examinar se o procedimento típico do pregão permitirá à Administração Pública, em vista do caso concreto, obter uma solução adequada à satisfação de suas necessidades.[11] E é precisamente a isso que remete o estudo do pregão para outra dimensão de problemas.

6 A segunda dificuldade: a seleção adversa

O segundo problema, certamente o mais grave, está na dificuldade de se obter uma solução adequada à satisfação da necessidade (comum) da Administração Pública por meio de um procedimento de contratação que prioriza o menor preço em detrimento da qualidade do bem ou serviço que está sendo contratado.

Essa questão está relacionada com o fenômeno da *seleção adversa*, cujo risco de ocorrência no âmbito da licitação por pregão foi apontado de forma inédita por Marçal Justen Filho na 5ª edição do livro *Pregão* (de 2009).[12]

Tendo por base um estudo econômico produzido na década de 1970 por George Arthur Akerlof acerca da assimetria de informações entre comprador e vendedor,[13] Marçal destacou que a adoção isolada do critério de escolha pelo menor preço pode resultar em contratações desastrosas.

Esse risco tem sido ignorado na avaliação do cabimento do pregão. Nessas contratações, a configuração do objeto pode variar conforme vontade e conveniência do licitante durante a disputa de preços, sem conhecimento por parte do ente contratante. Ao final, a Administração Pública paga pouco, mas o contratado não cumpre a obrigação tal como era esperado pelos gestores públicos.

6.1 Falhas de mercado e assimetria de informações

Dificilmente um sistema de mercado funciona de modo perfeito e eficiente por conta própria. A experiência concreta demonstra que a livre-iniciativa e a livre concorrência, embora em tese tendam ao equilíbrio, não raramente geram ineficiência (alocação ineficiente de recursos).

---

[11] JUSTEN FILHO, Marçal. *Comentários à Lei de Licitações e Contratações Administrativas*. 2. ed. São Paulo: Thompson Reuters Revista dos Tribunais, 2023, p. 458.

[12] JUSTEN FILHO, Marçal. *Pregão*: comentários à legislação do pregão comum e eletrônico. 5. ed. São Paulo: Dialética, 2009, p. 18-19.

[13] AKERLOF, George. The Market for "Lemons": Quality Uncertainty and the Market Mechanism. *The Quarterly Journal of Economics*, 3/488-500, vol. 84, Aug. 1970.

Essas situações ocorrem em qualquer mercado real, em qualquer sociedade complexa, e são explicadas pela teoria econômica com base na noção de falhas de mercado (ou deficiências de mercado).

Essas falhas podem ser resumidas em: (i) deficiência na concorrência; (ii) bens coletivos; (iii) externalidades (custos de transação); (iv) assimetrias de informação; e (v) desemprego, inflação e desequilíbrio.[14]

As assimetrias de informação, especificamente, traduzem o problema da desigualdade de conhecimento entre os agentes de determinado mercado a respeito dos bens ou serviços disponibilizados. Significa que determinados agentes detêm, em função da sua posição no mercado, informações mais privilegiadas do que outros acerca dos fatores fundamentais para a tomada de decisões.[15]

Em regra, os agentes envolvidos no processo produtivo têm acesso a uma gama de informações que maximizam as suas possibilidades de escolha e de obtenção de vantagens econômicas, mas que a grande massa consumidora simplesmente desconhece. Dessa forma, as decisões dos compradores acabam sendo imperfeitas e inadequadas, ou ainda, direcionadas de acordo com a vontade dos vendedores.

A assimetria de informações pode demandar intervenção estatal para tentar assegurar o equilíbrio, seja por meio da regulação (estabelecimento de normas que limitam ou orientam a atuação dos agentes – com o risco inerente de gerar ainda mais externalidades), seja através do direito da concorrência (controlando as estruturas de mercado e as condutas dos agentes econômicos).[16]

6.2 O estudo de George Akerlof: *the market for "lemons"*

No início da década de 1970, o economista estadunidense George Arthur Akerlof apresentou um artigo intitulado *The Market for Lemons: Quality Uncertainty and the Market Mechanism* (Quarterly Journal of Economics), acerca da incerteza que afeta os mercados em que existem produtos com níveis muito diferentes de qualidade.

O estudo que deu base ao artigo rendeu a Akerlof o Prêmio Nobel da Economia de 2001, juntamente com Michael Spence e Joseph Stiglitz, por suas análises de mercados com informação assimétrica.

A alusão ao "mercado de limões" tem relação com o mercado de automóveis usados nos Estados Unidos, onde o automóvel de qualidade duvidosa, com defeitos que não são perceptíveis à primeira vista, é apelidado de "limão" – o que no Brasil corresponderia ao "abacaxi" ou ao "pepino".

No mercado dos limões, o comprador não detém informação suficiente para diferenciar entre os carros de alta qualidade e os de baixa qualidade. Existem vendedores dispostos a reduzir o preço para vender carros de baixa qualidade. Isso afasta os vendedores de carros bons, que não estão dispostos a praticar essa redução. Consequentemente,

---

[14] Este elenco de *falhas de mercado* foi adotado por Marçal Justen Filho no livro *O Direito das Agências Reguladoras Independentes*. São Paulo: Dialética, 2002, p. 33.

[15] O tema foi desenvolvido em: NESTER, Alexandre Wagner. *Regulação e Concorrência*: compartilhamento de infraestruturas e redes. São Paulo: Dialética, 2006, p. 27-30.

[16] *Idem*.

predominam os vendedores de carros ruins, que continuam procurando um bom negócio se alguém (desprovido de informação) estiver disposto a pagar algum preço pelos seus "limões".

Isso acarreta o fenômeno da seleção adversa: a situação de mercado em que, em razão do baixo preço praticado, os bons vendedores são afastados e os maus vendedores são atraídos, ofertando produtos de baixa qualidade, com o potencial de destruir o próprio mercado.

A seleção adversa, portanto, é uma consequência da assimetria de informações, ou da dificuldade de resolver esse problema em um mercado específico, em que "os agentes com melhores bens (mas com fatores não observáveis) decidem não ofertar e o mercado fica repleto dos piores ofertantes".[17]

6.3 O fenômeno da seleção adversa no pregão

O risco da seleção adversa está presente nas contratações públicas, pois a Administração Pública, como qualquer comprador, geralmente não detém informações suficientes acerca dos produtos e serviços ofertados pelos licitantes. E o risco é especialmente relevante no caso do pregão, em que os licitantes disputam acirradamente pelo direito de ser contratados, ofertando o menor preço possível.

Conforme resumido por Marçal, nessas situações "o comprador não dispõe de conhecimento preciso e exato sobre a qualidade do objeto ofertado no mercado. Se o critério de escolha for simplesmente o menor preço, o resultado será a aquisição do pior produto possível".[18]

O problema maior surge quando o preço ultrapassa a barreira da exequibilidade. Até um determinado limite, a redução do preço em razão dos lances sucessivos não produz alteração na qualidade do produto ou serviço, desde que o padrão de qualidade fixado no edital seja compatível com o orçamento estimado.

Nesse cenário, o fornecedor com produtos de baixa qualidade ("limões") sempre terá a alternativa de reduzir o preço a um patamar impraticável para o fornecedor que tem produtos de boa qualidade. Consequentemente, vencerá o pregão e a Administração Pública terá que aceitar o produto de baixa qualidade ou, pior, terá que contratar novamente.

6.4 A mutação dinâmica da proposta

Em uma situação ideal, deve existir uma margem para a redução do preço durante a fase de lances, sem prejuízo para a qualidade do objeto, pois os critérios do edital devem ser respeitados. Contudo, na prática nem sempre isso ocorre. Nem sempre existe margem suficiente para a redução do preço sem perda de qualidade.

---

[17] CAMELO, Bradson; NÓBREGA, Marcos; TORRES, Ronny Charles L. de. *Análise Econômica das Licitações e Contratos*: de acordo com a Lei nº 14.133/2021 (Nova Lei de Licitações). Belo Horizonte: Fórum, 2022, p. 38.

[18] JUSTEN FILHO, Marçal. *Pregão*: comentários à legislação do pregão comum e eletrônico. 6. ed. São Paulo: Dialética, 2013, p. 21.

Salvo em situações muito excepcionais, em que o vendedor elimina o seu lucro para ganhar posição no mercado, ele não vai eliminar a sua margem de lucro. Antes, ele vai recalcular o preço e reduzir o custo, substituindo insumos, reduzindo cautelas, suprimindo atributos de qualidade ou até mesmo deixando de pagar encargos e tributos.[19]

Como visto, usualmente o fornecedor conhece muito bem o seu produto e sabe o quanto pode alterá-lo para reduzir o custo. O comprador geralmente não detém o mesmo nível de informações e, portanto, não tem condições de verificar se, ou até que ponto, a redução do preço interfere na redução da qualidade do produto ou até mesmo na alteração das suas características essenciais.

Em um mercado muito competitivo, os licitantes podem ultrapassar o limite da exequibilidade com o incentivo da própria Administração Pública, que parte do princípio de que os particulares têm uma margem grande para cortes. Consequentemente, ao mesmo tempo em que reduzem o preço, também reduzem a qualidade do bem ou do serviço a ser oferecido.

Essa prática é conhecida como mutação dinâmica da proposta. A consequência é, novamente, a contratação de um produto ou serviço por preço baixo, mas com péssima qualidade.

6.5 O risco moral (*moral hazard*)

Outra situação, ainda mais grave do que a seleção adversa e a mutação dinâmica da proposta, é a do risco moral (ou *moral hazard*).

O risco moral também tem origem na assimetria de informações e ocorre quando o vendedor adota conduta oportunista, com desvio ético, manipulando a prestação de um modo que escapa ao controle do comprador.

Conforme alertado por Marçal Justen Filho, o problema do desvio ético nas contratações provenientes de pregão será observado quando for exigida uma aposta do produto para comprovação da sua qualidade e, mesmo assim, o licitante vencedor apresentar de uma amostra satisfatória que não corresponde ao produto que ele efetivamente pretende fornecer.[20]

Ou seja, o licitante engana a Administração Pública com uma amostra de boa qualidade, que acaba sendo descartada. Posteriormente, no momento da execução do contrato, fornece algo completamente diverso, de péssima qualidade, que não pode mais ser aferido porque a amostra já foi descartada.

A consequência, nesses casos, não pode ser outra senão o sancionamento do contratado, por meio do processo administrativo próprio, com respeito às garantias inerentes ao devido processo legal.

---

[19] JUSTEN FILHO, Marçal. *Comentários à Lei de Licitações e Contratações Administrativas*. 2. ed. São Paulo: Thompson Reuters Revista dos Tribunais, 2023, p. 460.

[20] *Idem*, p. 460-461.

6.6 Os mecanismos de mitigação do problema

O risco da seleção adversa impõe o dever de precaução. A Administração Pública contratante deve adotar medidas incisivas para mitigação do problema. Essas medidas devem ocorrer em três etapas do processo licitatório, com o objetivo de identificar e evitar a contratação de objetos imprestáveis ou de baixa qualidade.

Na fase preparatória da licitação, é necessário elaborar o edital de modo preciso e adequado, definindo com objetividade os parâmetros de qualidade mínima que devem ser atendidos pelo futuro contratado. Uma descrição muito concisa pode dar margem a variações indesejadas na configuração do objeto. Logo, é mais adequado que a descrição do objeto seja a mais completa possível. Da mesma forma, o edital deve exigir dos licitantes requisitos de habilitação mínimos que sejam adequados ao objeto pretendido.

Durante o procedimento licitatório, cabe ao ente contratante averiguar o preenchimento, pelo licitante vencedor, das exigências de qualidade mínima descritas no edital. A solicitação de amostras é uma ferramenta útil que pode contribuir com essa verificação. Se for tecnicamente possível, o ente contratante deve inclusive promover o armazenamento da amostra para futura verificação durante a fase de execução do contrato. Eventual insuficiência deve acarretar a desclassificação da proposta.

Por fim, durante a fase de execução do contrato, é imprescindível exigir do contratado a entrega de bens ou prestação de serviços com qualidade compatível com a descrição do edital e com a proposta vencedora, sob pena de extinção do contrato e punição do contratado inadimplente.[21]

Mas acima de tudo, a solução passa pela alteração da mentalidade do gestor público que acredita que pode (porque não conhece os limites para tanto) reduzir o preço a níveis excessivamente baixos, mas que acabam comprometendo a própria execução do objeto pelo contratado.

Trata-se de alterar a perspectiva do gestor público para evitar que sucumba ao encanto de uma excelente contratação, por um preço muito baixo e aparentemente vantajoso, mas que posteriormente vai revelar uma péssima escolha. Para tanto, é fundamental compreender que o gestor público pode (e deve), em determinadas situações, relevar o fator preço, mesmo que aparentemente mais vantajoso, e atentar para o efetivo cumprimento das exigências mínimas de qualidade e dos requisitos mínimos de qualificação do licitante.

É com esse espírito que deve ser lido o disposto no art. 23 da Lei nº 14.133, segundo o qual o "valor previamente estimado da contratação deverá ser compatível com os valores praticados pelo mercado, considerados os preços constantes de bancos de dados públicos e as quantidades a serem contratadas, observadas a potencial economia de escala e as peculiaridades do local de execução do objeto".

---

[21] Sobre a qualidade nas compras públicas, ver: OLIVEIRA, Fernão Justen de. Qualidade das Compras Públicas na Lei 14.133/2021. *In*: NIEBUHR, Karlin Olbertz; POMBO, Rodrigo Goulart de Freitas (org.). *Novas Questões em Licitações e Contratos*: Lei 14.133/2021. Rio de Janeiro: Lumen Juris, 2023, p. 113-142.

7 O objetivo de eficiência como desafio do pregão

Um dos objetivos do processo licitatório, nos termos do art. 11 da Lei nº 14.133, consiste precisamente no balizamento do preço da contratação pública. Para assegurar a contratação mais vantajosa (inc. I), com isonomia entre os licitantes (inc. II), deve-se "evitar contratações com sobrepreço ou com preços manifestamente inexequíveis e superfaturamento na execução dos contratos" (inc. III).

A eficiência que se exige da atuação do gestor público visa a evitar desperdício de recursos públicos escassos. Essa preocupação deve considerar a adoção de medidas concretas não apenas para impedir o sobrepreço e o superfaturamento, mas também a prática de preços inexequíveis – ou seja, valores insuficientes para cobrir até mesmo os custos necessários para a execução do contrato.

Não por acaso, a Lei exige uma atuação positiva da Administração Pública nesse sentido, ao estabelece que a "alta administração do órgão ou entidade é responsável pela governança das contratações e deve implementar processos e estruturas, inclusive de gestão de riscos e controles internos, para avaliar, direcionar e monitorar os processos licitatórios e os respectivos contratos, com o intuito de alcançar os objetivos estabelecidos no *caput* deste artigo, promover um ambiente íntegro e confiável, assegurar o alinhamento das contratações ao planejamento estratégico e às leis orçamentárias e promover eficiência, efetividade e eficácia em suas contratações" (art. 11, parágrafo único).

Em tese, o pregão gera eficiência. Definido o objeto, basta iniciar a busca pelo menor preço possível, que tudo estará resolvido. E não são raros os casos de agentes públicos que enaltecem uma contratação promovida por valor baixíssimo, sem perceber que esse valor será insuficiente para obter o produto ou serviço inicialmente pretendido (útil para satisfazer a sua necessidade).

Na prática, contudo, a disputa de lances para atingir o menor preço possível, sem atenção para os critérios mínimos de qualidade, gera enorme ineficiência para a Administração Pública: não recebe o produto ou serviço pretendido e, ao final, terá que direcionar mais esforços e recursos tanto para punir o contratado inadimplente quanto para promover nova contratação.

A redução da qualidade do produto é consequência (fenômeno econômico) inevitável da redução do preço quando não existe um modo de assegurar um padrão mínimo de qualidade.

Esta é a maior vulnerabilidade da modalidade do pregão: como existe assimetria de informações entre a Administração Pública e os licitantes, a ênfase ao menor preço e à simplificação do procedimento pode acarretar um resultado completamente insatisfatório, com a contratação de produtos ou serviços de baixa qualidade ou até mesmo inúteis. Quem compra muito barato acaba comprando duas vezes.

O desafio, portanto, consiste em selecionar, por meio do procedimento simplificado do pregão, com base no critério de menor preço, sujeitos qualificados para o fornecimento de bens ou prestação de serviços de qualidade satisfatória, que sejam efetivamente executados nos termos definidos no edital.

Referências

AKERLOF, George. The Market for "Lemons": Quality Uncertainty and the Market Mechanism. *The Quarterly Journal of Economics*, 3/488-500, vol. 84, Aug. 1970.

CAMELO, Bradson; NÓBREGA, Marcos; TORRES, Ronny Charles L. de. *Análise Econômica das Licitações e Contratos:* de acordo com a Lei nº 14.133/2021 (Nova Lei de Licitações). Belo Horizonte: Fórum, 2022.

JUSTEN FILHO, Marçal. *Pregão*: comentários à legislação do pregão comum e eletrônico. São Paulo: Dialética, 2001.

JUSTEN FILHO, Marçal. *Pregão*: comentários à legislação do pregão comum e eletrônico. 5. ed. São Paulo: Dialética, 2009.

JUSTEN FILHO, Marçal. *O Direito das Agências Reguladoras Independentes.* São Paulo: Dialética, 2002.

JUSTEN FILHO, Marçal. *Pregão*: comentários à legislação do pregão comum e eletrônico. 6. ed. São Paulo: Dialética, 2013.

JUSTEN FILHO, Marçal. *Comentários à Lei de Licitações e Contratações Administrativas.* 2. ed. São Paulo: Thompson Reuters Revista dos Tribunais, 2023.

NESTER, Alexandre Wagner. *Regulação e Concorrência*: Compartilhamento de Infraestruturas e Redes. São Paulo: Dialética, 2006.

OLIVEIRA, Fernão Justen de. Qualidade das Compras Públicas na Lei 14.133/2021. *In*: NIEBUHR, Karlin Olbertz; POMBO, Rodrigo Goulart de Freitas (org.). *Novas Questões em Licitações e Contratos: Lei 14.133/2021.* Rio de Janeiro: Lumen Juris, 2023, p. 113-142.

Informação bibliográfica deste texto, conforme a NBR 6023:2018 da Associação Brasileira de Normas Técnicas (ABNT):

NESTER, Alexandre Wagner. O pregão e o fenômeno da seleção adversa. *In*: JUSTEN, Monica Spezia; PEREIRA, Cesar; JUSTEN NETO, Marçal; JUSTEN, Lucas Spezia (coord.). *Uma visão humanista do Direito*: homenagem ao Professor Marçal Justen Filho. Belo Horizonte: Fórum, 2025. v. 2, p. 361-374. ISBN 978-65-5518-916-2.

A RELATIVIDADE DO TEMPO NO REAJUSTE EM SENTIDO ESTRITO: É POSSÍVEL REAJUSTE SAZONAL?

BRADSON CAMELO

LINDINEIDE OLIVEIRA CARDOSO

1 Introdução

A Lei nº 14.133/2021, que institui normas para licitações e contratos administrativos no Brasil, trouxe diversas inovações e adequações necessárias ao contexto atual das contratações públicas. Entre essas inovações, defendemos uma interpretação nova para reajustes em contratos de fornecimento de bens e serviços não contínuos.

O reajustamento em sentido estrito, como um dos instrumentos legais destinados a garantir a manutenção "das condições efetivas da proposta", decorre da álea ordinária, definida no inciso LVIII, do artigo 6º da Lei nº 14.133/2021, como forma de manutenção do equilíbrio econômico-financeiro. Este mecanismo consiste na aplicação do índice de correção monetária previsto no contrato, que deve retratar a variação efetiva do custo de produção, admitida a adoção de índices específicos ou setoriais.[1] Vários fatores podem afetar o custo de produção, como o preço da matéria-prima, a remuneração da mão de obra, o uso e a manutenção de maquinários, a logística, impostos, taxas, tributos, entre outros. Entender sobre os custos de produção é determinante para a manutenção da saúde financeira do negócio.

O reajuste em sentido estrito pode ser definido como cláusula contratual prefixada, que objetiva neutralizar o impacto de um fato esperado, como o aumento ou a redução geral dos preços de bens e serviços que repercutem no equilíbrio da relação contratual (inflação ou deflação), aplicável por simples cálculo que considere o valor a ser corrigido atualizado pelo fator acumulado do índice de referência, seja ele positivo ou negativo.

---

[1] Art. 6º [...] LVIII - reajustamento em sentido estrito: forma de manutenção do equilíbrio econômico-financeiro de contrato consistente na aplicação do índice de correção monetária previsto no contrato, que deve retratar a variação efetiva do custo de produção, admitida a adoção de índices específicos ou setoriais.

Na antiga Lei Geral de Licitações, essa modalidade de reequilíbrio constava como forma de retratar a variação efetiva do custo de produção, admitida a adoção de índices específicos ou setoriais, desde a data prevista para apresentação da proposta, ou do orçamento a que ela se referir, até a data do adimplemento de cada parcela.[2]

Sob a ótica econômica, a flexibilidade para realizar reajustes em períodos menores que um ano pode ser particularmente vantajosa em setores sujeitos a sazonalidades significativas. Nessas situações, manter revisões anuais pode não capturar adequadamente as variações de custos ao longo do tempo, levando a desequilíbrios contratuais. Por exemplo, em contratos agrícolas, onde os preços de insumos podem variar substancialmente de acordo com a estação do ano, reajustes mais frequentes permitem uma correção mais precisa e oportuna dos preços, refletindo melhor os custos reais. Esta possibilidade de reajustes mais curtos reduz o risco associado à variação de preços, tanto para a Administração Pública quanto para os contratados. Com reajustes anuais, as partes podem incluir prêmios de risco em seus preços para se proteger contra possíveis flutuações adversas. No entanto, com a introdução de reajustes mais frequentes, esse risco pode ser mitigado, resultando em propostas mais competitivas e potencialmente menores custos globais para a Administração Pública.

Uma leitura da Lei nº 14.133/2021 que permita a flexibilidade de reajustes em períodos mais curtos favorece uma gestão contratual mais eficiente e ajustada às realidades econômicas específicas de cada setor. Isso promove uma maior sustentabilidade financeira e operacional dos contratos públicos, contribuindo para o equilíbrio econômico-financeiro e, consequentemente, para a otimização do uso dos recursos públicos.

No presente artigo, fazemos uma reflexão sobre o fato de que o legislador da Lei nº 14.133/2021, mais alinhado às características e peculiaridades econômicas dos contratos, não fixou expressamente a anualidade do reajuste para os contratos de serviços não contínuos (ou celebrados por escopo) e de fornecimento de bens, possibilitando, nesses casos, que a Administração Pública, diante de cenário atípico e justificadamente, adote cláusula de reajuste com marco temporal inferior à anualidade. Este texto busca explorar essa possibilidade, analisando os fundamentos legais e econômicos que podem justificar reajustes em prazos inferiores a um ano, especialmente em contratos nos quais os preços são sujeitos a variações sazonais.

Serão analisados os aspectos legais e econômicos dos reajustes sazonais, a partir de uma perspectiva crítica e propositiva. Pretende-se apresentar argumentos jurídicos robustos que fundamentem essa prática, além de discutir os benefícios econômicos de sua aplicação. Ao final, espera-se contribuir para um entendimento mais claro e operacional da questão, oferecendo subsídios tanto para a prática administrativa quanto para futuras discussões legislativas.

---

[2] Art. 40 [...] XI - critério de reajuste, que deverá retratar a variação efetiva do custo de produção, admitida a adoção de índices específicos ou setoriais, desde a data prevista para apresentação da proposta, ou do orçamento a que essa proposta se referir, até a data do adimplemento de cada parcela.

2 Fundamentos Legais para o reajustamento em sentido estrito sazonal

A Lei nº 14.133/2021 prioriza "o interregno mínimo de 1 (um) ano, para as licitações e contratos de serviços contínuos" (§8º do art. 25 c/c §4º do art. 92), silenciando, contudo, quanto ao prazo para o reajuste em sentido estrito das licitações e contratos não contínuos de fornecimento de bens e de serviços. A falta de uma diretriz específica pode ser vista como uma oportunidade para adaptar os prazos de reajuste às peculiaridades de cada contrato, desde que fundamentados na necessidade de manter o equilíbrio econômico-financeiro, conforme previsto no inciso LVIII do artigo 6º da lei.

A periodicidade anual é uma prática estabelecida que visa simplificar a administração dos contratos e assegurar uma correção regular e previsível dos valores contratados. Para contratos de fornecimento de bens e serviços não contínuos, a Lei nº 14.133/2021 não estabelece um prazo específico para os reajustes. De acordo com o §3º do artigo 92, independentemente da duração do contrato, é obrigatória a previsão de índice de reajustamento de preço, tanto no edital quanto no instrumento de contrato, com data-base vinculada à data do orçamento estimado. Essa flexibilidade pode ser particularmente útil em contratos sujeitos a variações sazonais de preços, permitindo que os reajustes sejam feitos em prazos inferiores a um ano para refletir melhor as mudanças nos custos de produção.

Assim, surge a seguinte questão jurídica merecedora de exame: em relação às licitações e aos contratos de fornecimento de bens e de serviços não contínuos, poderia haver estipulação de prazo inferior a um ano, contado da data do orçamento estimado, para a aplicação do reajuste em sentido estrito? A nosso ver, a resposta parece ser afirmativa, embora não seja simples de esclarecer, por duas razões principais: a Lei nº 10.192/2001 ainda está em vigor e permite a estipulação de correção monetária ou de reajuste apenas por índices de preços gerais, setoriais ou que reflitam a variação dos custos de produção ou dos insumos utilizados, em contratos com duração igual ou superior a um ano; além disso, o §1º do artigo 2º dessa lei afirma que é "nula de pleno direito qualquer estipulação de reajuste ou correção monetária de periodicidade inferior a um ano".

A Lei nº 10.192/2001, que dispõe sobre medidas complementares ao Plano Real, estabelece que os reajustes contratuais devem ser feitos anualmente. Para os que apregoam a aplicação irrestrita da Lei nº 10.192/2001 aos contratos celebrados sob a égide da Lei nº 14.133/2021, chama-se a atenção para os seguintes conflitos:

Tabela 1 – Conflitos entre a Lei nº 10.192/2001 e a Lei nº 14.133/2021

Conflito	Lei nº 10.192/2001	Lei nº 14.133/2021
1	Estabelece no *caput*, do artigo 2º, que o reajuste por índices de preços gerais, setoriais ou que reflitam a variação dos custos de produção ou dos insumos só tem cabimento para os contratos de prazo de duração igual ou superior a um ano.	Estabelece que, qualquer que seja a duração do contrato, é obrigatória a previsão de índice de reajustamento de preço, tanto no edital quanto no instrumento de contrato, em conformidade com a realidade dos respectivos insumos, podendo, inclusive, valer-se de mais de um índice específico ou setorial (§3º do art. 92).
2	Assevera no §1º, do artigo 2º, ser "nula de pleno direito qualquer estipulação de reajuste ou correção monetária de periodicidade inferior a um ano".	Estabelece em seu artigo 147 que "constatada irregularidade no procedimento licitatório ou na execução contratual, caso não seja possível o saneamento, a decisão sobre a suspensão da execução ou sobre a declaração de nulidade do contrato somente será adotada na hipótese em que se revelar medida de interesse público, com avaliação, entre outros, dos seguintes aspectos: (...)".

Fonte: Elaborada pelos autores.

A Lei nº 14.133/2021 oferece um marco regulatório que, embora claro em alguns aspectos, deixa espaço para interpretações que favoreçam a flexibilidade e a adaptação às realidades econômicas dos contratos administrativos. Esta flexibilidade é fundamental para assegurar que os contratos reflitam adequadamente as variações de mercado e mantenham o equilíbrio econômico-financeiro ao longo do tempo. A comparação entre a Lei nº 10.192/2001 e a Lei nº 14.133/2021 destaca a evolução normativa e a necessidade de uma abordagem mais dinâmica e específica para atender às demandas atuais das contratações públicas.

Reafirma-se que a regra da anualidade para a aplicação do reajuste em sentido estrito, imposta pela Lei nº 10.192/2001, não foi, a rigor, a mesma assentada na Lei nº 14.133/2021 para as licitações e contratos de fornecimento de bens e de serviços não contínuos, as quais podem, antecipadamente (após criteriosa apuração na fase preparatória) e, ainda, de forma justificada, conter prazo para a aplicação do critério de reajuste em prazo inferior à anualidade, tendo como marco para a aplicação a data do orçamento estimado realizado pela administração.

Trata-se, na verdade, de aplicar previamente à construção da cláusula de reajuste "a realidade de mercado dos respectivos insumos". Isso significa "conhecer o mercado", explorar, em relação ao objeto que se pretende contratar, as circunstâncias e inclusive as "falhas de mercado",[3] trazendo para a fase de execução contratual cláusula de reajuste efetivamente exequível.

Para exemplificar, imaginemos um edital cujo objeto seja a aquisição de medicamentos. Durante a fase preparatória, o agente público constata que, em razão do aumento de casos de determinada doença (dengue, por exemplo), há escassez de insumos para a produção em massa de medicamentos no mercado, ocorrendo uma majoração mensal dos preços em aproximadamente 15%. *In casu*, seria razoável o estabelecimento de cláusula de reajuste que observe a anualidade do orçamento estimado em total desacato à realidade do mercado?

É evidente que o estabelecimento de tais disposições teria o condão de afastar potenciais fornecedores, porque o critério de reajuste a ser escolhido e adotado pela administração não condiz com a realidade do mercado, gerando, na melhor das hipóteses, impugnações ao edital e, na pior delas, ausência de interessados, em total prejuízo ao interesse público.

Isso ocorre porque a elaboração do orçamento estimado e a determinação do prazo para aplicação do critério de reajuste vão muito além de uma irrefletida pesquisa de preços[4] e da adoção inconsciente de velhas práticas que insistentemente são replicadas de forma automática, sem qualquer critério de ponderação.

Se a construção do preço passa por uma pesquisa criteriosa que sinalize "como o mercado está estruturado em torno do produto ou serviço que se pretende licitar",[5] o prazo para a concessão do reajuste, a ser estabelecido nos editais e/ou nos contratos de fornecimento de bens e insumos, também merece especial atenção, notadamente diante de situações pontuais que conduzam a administração a, justificadamente, reduzir o prazo para a sua concessão.

Não basta argumentar que determinada circunstância superveniente que provoque desequilíbrio, abalando a relação contratual, ensejaria o reequilíbrio (revisão) contratual, porque essa é a regra basilar de recomposição do equilíbrio econômico-financeiro para todo e qualquer contrato, que decorre de mandamento constitucional, pressupõe fato superveniente e habita na álea extraordinária e extracontratual.

O reajuste em sentido estrito reside em sede ordinária, como forma de manutenção do equilíbrio econômico-financeiro de contrato que deve originar-se de ampla pesquisa mercadológica, consistente na aplicação do índice de correção monetária previsto no contrato, que retrate a variação efetiva do custo de produção, admitindo-se, inclusive, a adoção de índices específicos ou setoriais e de mais de um índice para a mesma relação contratual.

---

[3] CAMELO; NÓBREGA; TORRES, *op. cit.*: "A falha de mercado é aquela situação em que a realidade se distancia do mercado de concorrência perfeita, pois, nesse cenário, as ferramentas não garantem que as partes consigam chegar a um ponto ótimo (eficiente), onde (*sic*) preço e quantidade seriam o socialmente desejável. Nesses casos, justifica-se a intervenção do Estado, mas vale lembrar que existem falhas de governo, o que pode distorcer ainda mais a relação".

[4] Importante destacar a lição do professor Abimael Torcate, "A pesquisa de preços é um dos momentos mais sensíveis da fase de planejamento de uma compra pública. Por esse motivo é necessário que o agente responsável por a executar, desenvolva competências específicas ligadas a essa atividade". *In*: TORCATE, Abimael. *Pesquisa de preços para licitações públicas*: 15 erros que você deve evitar (a qualquer custo). Edição do Kindle. p. 9.

[5] *Ibid.*, p. 100.

Há que se considerar que "as licitações e contratações públicas, em geral, tentam simular uma relação de mercado"⁶ e que "o preço é uma consequência da oferta e da procura; tentar ir contra essa lógica equivale às tentativas de revogar a Lei da Gravidade com um decreto municipal".⁷

Oportuno colacionar o artigo 20 da LINDB:

> Art. 20. Nas esferas administrativa, controladora e judicial, não se decidirá com base em valores jurídicos abstratos sem que sejam consideradas as consequências práticas da decisão.
> Parágrafo único. A motivação demonstrará a necessidade e a adequação da medida imposta ou da invalidação de ato, contrato, ajuste, processo ou norma administrativa, inclusive em face das possíveis alternativas.

Por fim, há de se refletir que, diante de realidades incontornáveis, pairam sobre a conduta do gestor público normas que permitem uma atuação pragmática, amplamente vinculada aos fatos e às consequências, autorizando "que o direito busque eficiência econômica mediante argumentos consequencialistas".⁸

3 Aspectos econômicos dos contratos e dos reajustes sazonais

As decisões dos agentes econômicos são baseadas nas informações disponíveis, nos riscos envolvidos e na disposição de assumi-los (aversão ao risco). Vamos analisar esses aspectos no contexto dos contratos públicos de fornecimento de bens e de serviços não contínuos, com a possibilidade de reajustamento sazonal em vez de anual.

A sazonalidade de preços refere-se às flutuações nos preços de bens e serviços que ocorrem em intervalos regulares devido a fatores sazonais, como variações climáticas, períodos de alta demanda ou oferta específica, eventos culturais ou ciclos econômicos. Essas flutuações podem resultar em aumentos ou diminuições significativas nos custos de produção ou fornecimento durante determinados períodos do ano. Exemplos de bens e serviços com variação sazonal de preços são numerosos e incluem, entre outros, produtos agrícolas, onde os preços podem variar significativamente com as estações do ano. Por exemplo, frutas e vegetais frescos frequentemente apresentam variações de preços devido às colheitas sazonais e às condições climáticas. Serviços relacionados ao turismo também mostram variações sazonais pronunciadas, com preços de hotéis e passagens aéreas subindo durante os períodos de férias e feriados e caindo durante a baixa temporada.

Em outras palavras, as decisões dos agentes econômicos devem incorporar a avaliação de evento futuro (alea) que pode ser periódico, isso tem claro impacto na precificação e nos custos de transação.

---

⁶ CAMELO; NÓBREGA; TORRES, op. cit.
⁷ Ibid.
⁸ PONTES, José Antônio. Direito e Economia: rumo a uma concepção dialético-realista para além do "law and economics". Revista do Direito, Santa Cruz do Sul, v. 2, n. 46, p. 3-33, 2015. p. 5-9. Citado por GABARDO, Emerson; SOUZA, Pablo Ademir de. O consequencialismo e a LINDB: a cientificidade das previsões quanto às consequências práticas das decisões. A&C – Revista de Direito Administrativo & Constitucional, Belo Horizonte, ano 20, n. 81, p. 97-124, jul./set. 2020.

3.1 Dos riscos e incertezas

Como já discutido, contratos diferidos no tempo exploram os conceitos de risco e incerteza, essenciais na economia e que influenciam significativamente tanto o comportamento dos agentes econômicos quanto o sistema de preços. Em 1921, Frank Knight[9] distinguiu claramente esses conceitos. O risco refere-se a situações em que as probabilidades dos resultados possíveis são conhecidas e quantificáveis, permitindo que empresas e investidores façam previsões mais precisas e gerenciem potenciais perdas por meio de instrumentos financeiros, como seguros e derivativos. Por outro lado, a incerteza surge quando essas probabilidades não podem ser determinadas, obrigando os agentes econômicos a basear suas decisões em julgamentos subjetivos e expectativas, o que pode levar a decisões mais conservadoras ou arriscadas, dependendo da percepção de risco.

Nos mercados de preços, tanto o risco quanto a incerteza desempenham papéis importantes. O risco[10] geralmente se reflete na volatilidade dos preços dos ativos, onde os investidores exigem um prêmio de risco para compensar possíveis perdas, causando flutuações substanciais nos preços. A incerteza pode ter um impacto ainda maior, especialmente durante eventos raros, mas de alto impacto, conhecidos como cisnes negros. Historicamente, o risco é visto como uma justificativa para a obtenção de lucros e um fator determinante de quanto lucro pode ser alcançado. A imperfeição no conhecimento e a aversão ao risco criam oportunidades para a diferenciação de preços e lucro, conforme destacado por Knight, essenciais para a dinâmica dos mercados reais, onde a informação nunca é perfeitamente simétrica ou totalmente disponível.

No contexto dos contratos públicos de fornecimento de bens e serviços não contínuos, os riscos e incertezas podem surgir de diversas fontes: flutuações nos preços dos insumos, problemas logísticos, mudanças nas políticas econômicas e infraestrutura precária. A imposição de reajustes anuais pode não capturar adequadamente essas flutuações sazonais, levando a desalinhamentos entre os preços contratados e os preços de mercado durante boa parte do ano. A flexibilidade para realizar reajustes sazonais permite uma resposta mais precisa e rápida a essas variações, reduzindo a necessidade de renegociações frequentes e, consequentemente, diminuindo os custos de transação. Isso promove uma gestão mais eficiente do equilíbrio econômico-financeiro dos contratos públicos, garantindo uma melhor utilização dos recursos.

As incertezas contratuais são as áleas extraordinárias, cabendo reequilíbrio econômico-financeiro quando de sua ocorrência (o que não é objeto de análise deste estudo). Aqui, estamos a analisar apenas os riscos periódicos aptos a ensejar alteração das condições negociadas, o que se materializa no reajustamento em sentido estrito.

3.2 Da aversão ao risco

Na economia, a aversão ao risco é um conceito central frequentemente analisado por meio de funções de utilidade. Essas funções ajudam a medir a satisfação ou utilidade

---

[9] KNIGHT, Frank H. *Risk, Uncertainty, and Profit*. Boston and New York: Houghton, Mifflin Company, 1921.
[10] HANSEN, Lars Peter. Challenges in Identifying and Measuring Systemic Risk. *In*: BRUNNERMEIER, M; KRISHNAMURTHY, A (ed.). *Risk Topography*: Systemic Risk and Macro Modeling" University of Chicago Press, 2014.

que uma pessoa obtém ao tomar decisões em condições de incerteza. A forma dessas funções – côncava, linear ou convexa – revela o nível de aversão ao risco de um indivíduo.[11] Uma função côncava indica uma aversão ao risco, sugerindo que cada unidade adicional de riqueza é valorizada menos que a anterior, fazendo com que a pessoa prefira um resultado seguro a uma aposta com o mesmo valor esperado, mas arriscada. Uma função linear demonstra neutralidade ao risco, onde o indivíduo é indiferente entre um resultado certo e uma aposta com valor esperado equivalente. Já uma função convexa reflete uma propensão ao risco, indicando que a pessoa prefere arriscar em apostas mesmo quando estas oferecem o mesmo valor esperado de um resultado certo.

Diz-se que uma relação de preferência mostra aversão ao risco se o valor esperado de uma loteria[12] é sempre mais desejado que a própria loteria.[13] Por exemplo, uma pessoa avessa ao risco não gostaria de fazer uma aposta em que tem 50% de chance de perder R$ 100,00 (cem reais) ou 50% de probabilidade de ganhar R$ 100,00 (cem reais), pois o valor esperado desta aposta é zero.

Essas preferências de risco influenciam a categorização dos agentes econômicos: avessos ao risco, neutros ao risco e propensos ao risco. Aqueles avessos ao risco tendem a preferir investimentos mais seguros com retornos menores, mas previsíveis. Indivíduos neutros ao risco aceitam riscos desde que o retorno esperado compense adequadamente o risco assumido.[14] Já os agentes propensos ao risco são atraídos por oportunidades de alto risco que prometem retornos substanciais, como é comum entre investidores de capital de risco e operações de seguradoras.

A presença desses diferentes tipos de agentes afeta a alocação de recursos, a formação de preços, a volatilidade dos mercados e a taxa de inovação econômica. A aversão ao risco, mais do que uma característica psicológica, é uma variável econômica que molda as decisões de investimento e as dinâmicas de mercado. Por exemplo, as pessoas valorizam os seguros devido à aversão ao risco: preferem pagar um prêmio para estabilizar seu consumo entre diferentes estados do mundo, evitando a incerteza, mesmo quando o valor esperado do seguro é equivalente a não o ter.

No contexto dos contratos públicos de fornecimento de bens, a aversão ao risco é evidente. Os fornecedores geralmente preferem garantir um preço fixo para seus produtos, evitando a exposição às flutuações de mercado. A possibilidade de reajustamento sazonal nos contratos públicos atua como uma forma de seguro, melhorando a satisfação geral ao permitir que os riscos sejam negociados. No entanto, a necessidade de reajustamento apenas anual pode gerar, em alguns contratos, problemas como risco moral e seleção adversa, que complicam a gestão eficaz.

3.3 Problemas de informação: risco moral e seleção adversa

O risco moral[15] é um conceito econômico que surge quando uma das partes de um contrato pode adotar comportamentos excessivamente arriscados sem arcar diretamente

---

[11] MAS-COLELL, A.; WHINSTON, M. D.; GREEN, J. R. *Microeconomic Theory*. New York: Oxford University Press, 1995.
[12] Uma loteria é uma distribuição de probabilidade da ocorrência de um evento C.
[13] VARIAN, H. R. *Microeconomic Analysis*. 3. ed. New York: W.W. Norton, 1992.
[14] EATON, B. C.; EATON, D. F. *Microeconomia*. São Paulo: Saraiva, 1999
[15] Usando a definição trabalhada por Yeung e Camelo (2023).

com as consequências desses riscos. Nos contratos públicos de fornecimento de bens e serviços não continuados, isso pode ocorrer quando fornecedores desviam dos termos estabelecidos, apostando na possibilidade de renegociar ou até mesmo invalidar o contrato, alegando onerosidade excessiva.

Quando uma das partes de um contrato se sente protegida contra as consequências de suas ações, pode ser incentivada a tomar decisões que impactam negativamente a outra parte ou o mercado como um todo.[16] Esse problema é exacerbado em mercados onde as variações de preço são frequentes e significativas, desafiando a previsão e gestão dos riscos inicialmente calculados. Um exemplo desse problema é o *"hold-up"*, ou *"espera maliciosa"*,[17] que ocorre quando uma das partes explora vulnerabilidades ou investimentos específicos da outra para renegociar o contrato em condições mais favoráveis. Nos contratos públicos aqui estudados, isso pode acontecer quando, em relações com sazonalidade, mas com previsão de mero reajuste anual, os fornecedores esperam o momento que lhes seja favorável para reajustar o contrato a fim de aproveitar condições mais vantajosas, prejudicando a Administração Pública, que contava com a estabilidade do acordo inicial para seu planejamento e execução de serviços.

Essa abordagem oportunista não só coloca em risco a sustentabilidade do sistema, mas também gera um problema de seleção adversa. Esse problema ocorre quando a Administração Pública, ao não conseguir identificar o fornecedor "maldoso", acaba pagando pelo menor preço e afastando os licitantes mais corretos.

Além disso, a expectativa de litígios e os preços desequilibrados podem desestimular novos participantes a entrar no mercado ou incentivar os atuais a buscar alternativas menos reguladas ou mais estáveis. Isso pode reduzir a diversidade e a competição no mercado, concentrando os riscos em um número menor de grandes fornecedores que podem absorver ou gerenciar melhor as flutuações de preço e os riscos. Esse cenário contribui para uma forma de seleção adversa, onde apenas agentes capazes de lidar com alto risco e incerteza permanecem ativos no mercado, enquanto pequenos fornecedores, mais vulneráveis a choques de preço e custos legais, podem ser forçados a sair do mercado, reduzindo a eficiência do sistema e potencialmente levando a uma concentração prejudicial de poder de mercado entre poucos grandes participantes.

3.4 O critério de reajuste e a estrutura mercadológica

A forma como os mercados se estruturam e suas especificidades, ainda que circunstanciais, podem facilitar ou mesmo dificultar as transações, aumentando ou diminuindo os benefícios diretamente envolvidos nas relações contratuais e impactando na tomada de decisão em busca de maior nível de eficiência.

A doutrina moderna dos contratos reconhece que os contratos administrativos de longo prazo são, por natureza, incompletos e dinâmicos. Eles são fortemente impactados

---

[16] BROUSSEAU, E.; GLACHANT, J.; FARES, M. The economics of contracts and the renewal of economics. In: BROUSSEAU, E.; GLACHANT (ed.). *The Economics of Contracts*: Theories and Applications. Cambridge: Cambridge University Press, 2002. p. 3-42.

[17] Termo usado por Camelo, Nobrega e Torres (2022).

por fatores presentes na sua formação, durante a fase de preparação do contrato, e ainda mais por fatores que surgem durante a execução, tais como falhas de mercado, problemas climáticos, variação de preços de insumos e falta de gestão de processos. Além disso, os custos de transação, que incluem negociação, monitoramento e execução dos contratos, tendem a ser altos nesses contratos de longo prazo devido à necessidade de renegociações frequentes e ajustes para lidar com mudanças imprevistas nas condições de mercado. Quando essas variações são sazonais ou frequentes, a imposição de reajustes rígidos, como os anuais, pode aumentar significativamente esses custos. Por exemplo, em um contrato agrícola sujeito a grandes variações sazonais nos preços dos insumos, a exigência de revisões anuais pode levar a um desalinhamento entre os preços contratados e os preços de mercado durante boa parte do ano. Isso não só aumenta o risco para ambas as partes, como também eleva os custos de transação devido à necessidade de renegociações frequentes.

Os desequilíbrios e as assimetrias tendem a não se esgotar no momento do planejamento e da celebração do contrato, ressurgindo, e com possibilidade de causar maior impacto, durante a relação contratual. Por isso, há necessidade de atentarmos para o estabelecimento dos chamados "critérios de reajuste", por meio de acurada análise do mercado, em busca de uma compreensão mais abrangente, realista e pragmática, alinhada à percepção de que o mercado tende a apresentar variações nos preços, as quais, em algum momento ou em relação a determinados bens e serviços, comprometem o seu funcionamento, afetando, inexoravelmente, e, em curto espaço de tempo, a equação econômico-financeira dos contratos.

O legislador da Lei nº 14.133/2021, literalmente, apenas invoca a regra da anualidade para as licitações e contratos de serviços contínuos, o que não faz, na mesma medida, para os contratos de serviços não contínuos e de fornecimento de bens.

Essa é a compreensão da redação do §8º do artigo 25 e do §4º do artigo 92, da Nova Lei de Licitações:

> Art. 25. O edital deverá conter o objeto da licitação e as regras relativas à convocação, ao julgamento, à habilitação, aos recursos e às penalidades da licitação, à fiscalização e à gestão do contrato, à entrega do objeto e às condições de pagamento.
>
> [...]
>
> §8º Nas licitações de serviços contínuos, observado o interregno mínimo de 1 (um) ano, o critério de reajustamento será por:
>
> I – reajustamento em sentido estrito, quando não houver regime de dedicação exclusiva de mão de obra ou predominância de mão de obra, mediante previsão de índices específicos ou setoriais;
>
> II – repactuação, quando houver regime de dedicação exclusiva de mão de obra ou predominância de mão de obra, mediante demonstração analítica da variação dos custos.
>
> Art. 92. São necessárias em todo contrato cláusulas que estabeleçam:
>
> [...]
>
> §4º Nos contratos de serviços contínuos, observado o interregno mínimo de 1 (um) ano, o critério de reajustamento de preços será por:

I – reajustamento em sentido estrito, quando não houver regime de dedicação exclusiva de mão de obra ou predominância de mão de obra, mediante previsão de índices específicos ou setoriais;

II – repactuação, quando houver regime de dedicação exclusiva de mão de obra ou predominância de mão de obra, mediante demonstração analítica da variação dos custos.[18]

De notar que a nova lei adota posição no sentido de que, inobstante o prazo de duração, "o contrato deverá conter cláusula que estabeleça o índice de reajustamento de preço" indicando, em regra, como data-base para aplicação do reajuste: a data do orçamento estimado.[19]

Logo, conforme a previsão contida nos artigos supracitados, cogitando apenas o reajustamento em sentido estrito, podemos afirmar que:

- Qualquer que seja a duração do contrato, é obrigatória a previsão de índice de reajustamento de preço, tanto no edital quanto no instrumento de contrato.

- Para fins de reajustamento dos preços, deve ser considerada, em regra, como data-base, a data do orçamento estimado elaborado pela Administração, a qual deve ser informada no edital e no contrato.

- Em conformidade com a realidade de mercado dos respectivos insumos, é possível que a Administração estabeleça mais de um índice setorial ou específico.

- Nos contratos de fornecimento de bens ou de escopo predefinido, independentemente de sua duração, é obrigatória a cláusula de reajuste, com data base vinculada à data do orçamento estimado elaborado pela Administração.

- Nos contratos de serviços contínuos, observado o interregno mínimo de um ano, o critério de reajustamento de preços será por: a) reajustamento em sentido estrito, quando não houver regime de dedicação exclusiva de mão de obra ou predominância de mão de obra, mediante previsão de índices específicos ou setoriais; b) repactuação, quando houver regime de dedicação exclusiva de mão de obra ou predominância de mão de obra, mediante demonstração analítica da variação dos custos.

Conclusão

O reajustamento em sentido estrito delineado pela Lei nº 14.133/2021 se apresenta como uma ferramenta crucial para manter a estabilidade financeira nos contratos públicos, adaptando-se às flutuações reais dos custos de produção. Este mecanismo, que visa mitigar os impactos de eventos esperados como a inflação ou deflação, é vital para garantir a sustentabilidade financeira das empresas, considerando a ampla gama de fatores que podem influenciar os custos operacionais.

---

[18] BRASIL. Lei nº 14.133, de 1º de abril de 2021. Lei de Licitações e Contratos Administrativos. Brasília, DF: Presidência da República, 2021. Disponível em: https://www.planalto.gov.br/ccivil_03/_ato2019-2022/2021/lei/l14133.htm. Acesso em: 15 mar. 2024.

[19] BRASIL. Lei nº 14.133, de 1º de abril de 2021. Lei de Licitações e Contratos Administrativos. Brasília, DF: Presidência da República, 2021. Disponível em: https://www.planalto.gov.br/ccivil_03/_ato2019-2022/2021/lei/l14133.htm. Acesso em: 15 mar. 2024.

A compreensão das particularidades dos mercados e das especificidades contratuais é essencial para entender a dinâmica de reajustes. Contratos de longo prazo, especialmente os administrativos, são suscetíveis a desequilíbrios causados por variáveis previsíveis desde sua concepção até a execução. Nesse contexto, a regra da anualidade para o reajuste em sentido estrito, estabelecida pela Lei nº 10.192/2001, não foi replicada na Lei nº 14.133/2021 para licitações e contratos de fornecimento de bens e serviços não contínuos. A nova legislação permite que esses contratos sejam reajustados em períodos menores que um ano, conforme justificado pela realidade do mercado. Essa flexibilidade é fundamentada em uma análise criteriosa na fase preparatória, com base no orçamento estimado pela Administração.

Além disso, a Lei nº 14.133/2021 se alinha melhor às práticas contemporâneas de gestão contratual, oferecendo uma resposta mais ágil e precisa às variações sazonais dos custos. Isso não apenas reduz os custos de transação associados à necessidade de frequentes renegociações, mas também promove um ambiente contratual mais eficiente e competitivo.

É importante destacar as diferenças entre os contratos de serviços continuados e os contratos de fornecimento de bens e serviços não contínuos. Os primeiros, que envolvem atividades como limpeza, segurança e manutenção, geralmente não são afetados por sazonalidades significativas. Nesses casos, os reajustes anuais são adequados, pois refletem os ajustes salariais anuais e outras variações previsíveis. Por outro lado, contratos de fornecimento de bens, como alimentos, material de construção e produtos agrícolas, são diretamente impactados por variações sazonais nos preços dos insumos. Por exemplo, o fornecimento de frutas e legumes pode ser significativamente influenciado pelas estações do ano, enquanto a produção de material de construção pode ser afetada por mudanças na demanda devido a ciclos de obras e infraestrutura.

Em conclusão, a transição de uma abordagem rígida de reajustes anuais para um modelo mais flexível e ajustado à realidade do mercado representa um avanço significativo na gestão dos contratos públicos. Esta mudança não só protege a Administração Pública contra variações de custos inesperadas, mas também favorece um ambiente de negócios mais estável e previsível para os fornecedores. Assim, a Lei nº 14.133/2021 estabelece um novo paradigma de equilíbrio econômico-financeiro, demonstrando que a adaptabilidade e a precisão são fundamentais para a eficiência e sustentabilidade dos contratos públicos no cenário atual.

Referências

BASTOS, Estêvão Kopschitz Xavier; PALMA, Andreza Aparecida. *Panorama da economia mundial*. Carta de Conjuntura. Rio de Janeiro: IPEA, 4 maio 2023.

BRASIL. Lei nº 8.666, de 21 de junho de 1993. Regulamenta o art. 37, inciso XXI, da Constituição Federal, institui normas para licitações e contratos da Administração Pública e dá outras providências. Brasília, DF: Presidência da República, 1993. Disponível em: https://www.planalto. gov.br/ccivil_03/leis/l8666cons.htm. Acesso em: 15 mar. 2024.

BRASIL. Lei nº 10.192 de 14 de fevereiro de 2001. Dispõe sobre medidas complementares ao Plano Real e dá outras providências. Brasília, DF: Presidência da República, 2001.Disponível em: https://www.planalto.gov.br/ccivil_03/leis/leis_2001/l10192.htm. Acesso em: 15 mar. 2024.

BRASIL. Lei nº 14.133, de 1º de abril de 2021. Lei de Licitações e Contratos Administrativos. Brasília, DF: Presidência da República, 2021. Disponível em: https://www.planalto.gov.br/ccivil_03/_ato2019-2022/2021/lei/l14133.htm. Acesso em: 15 mar. 2024.

BROUSSEAU, E.; GLACHANT, J.; FARES, M. The economics of contracts and the renewal of economics. In: BROUSSEAU, E.; GLACHANT (ed.). *The Economics of Contracts*: Theories and Applications. Cambridge: Cambridge University Press, 2002.

CAMELO, Bradson; NÓBREGA, Marcos; TORRES, Ronny Charles Lopes de. Análise Econômica das Licitações e Contratos: de acordo com a Lei nº 14.133/2021 (Nova Lei de Licitações). Belo Horizonte: Fórum, 2022 [Edição do Kindle].

CARDOSO, Lindineide Oliveira. *Contratos Administrativos na nova lei de licitações* – teoria e prática. 2. ed. rev., atual. e ampl. São Paulo: Juspodivm, 2024.

Cláusula de reajuste com data-base inferior à anualidade do orçamento estimado: É possível? Disponível em: https://ronnycharles.com.br/clausula-de-reajuste-com-data-base-inferior-a-anualidade-do-orcamento-estimado-e-possivel/. Acesso em: 15 mar. 2024.

EATON, B. C.; EATON, D. F. *Microeconomia*. São Paulo: Saraiva, 1999.

GABARDO, Emerson; SOUZA, Pablo Ademir de. O consequencialismo e a LINDB: a cientificidade das previsões quanto às consequências práticas das decisões. *A&C – Revista de Direito Administrativo & Constitucional*, Belo Horizonte, ano 20, n. 81, p. 97-124, jul./set. 2020.

HANSEN, Lars Peter. Challenges in Identifying and Measuring Systemic Risk. *In*: BRUNNERMEIER, M.; KRISHNAMURTHY, A. (ed.). *Risk Topography*: Systemic Risk and Macro Modeling. University of Chicago Press, 2014.

KNIGHT, Frank H. *Risk, Uncertainty, and Profit*. Boston and New York: Houghton, Mifflin Company, 1921.

MAS-COLELL, A.; WHINSTON, M. D.; GREEN, J. R. *Microeconomic Theory*. New York: Oxford University Press, 1995.

PONTES, José Antônio. Direito e Economia: rumo a uma concepção dialético-realista para além do "law and economics". *Revista do Direito*, Santa Cruz do Sul, v. 2, n. 46, p. 3-33, 2015. p. 5-9.

Reajuste contratual em sentido estrito: a polêmica da periodicidade anual. Disponível em: https://zenite.blog.br/reajuste-contratual-em-sentido-estrito-a-polemica-da-periodicidade-anual/?doing_wp_cron=1707875198.6703879833221435546875. Acesso em: 15 mar. 2024.

TORCATE, Abimael. *Pesquisa de preços para licitações públicas*: 15 erros que você deve evitar (a qualquer custo). Edição do Kindle.

VARIAN, H. R. *Microeconomic Analysis*. 3. ed. New York: W.W. Norton, 1992.

YEUNG, Luciana; CAMELO, Bradson. *Introdução à Análise Econômica do Direito*. 1. ed. São Paulo: Juspodivm, 2023.

Informação bibliográfica deste texto, conforme a NBR 6023:2018 da Associação Brasileira de Normas Técnicas (ABNT):

CAMELO, Bradson; CARDOSO, Lindineide Oliveira. A relatividade do tempo no reajuste em sentido estrito: é possível reajuste sazonal? *In*: JUSTEN, Monica Spezia; PEREIRA, Cesar; JUSTEN NETO, Marçal; JUSTEN, Lucas Spezia (coord.). *Uma visão humanista do Direito*: homenagem ao Professor Marçal Justen Filho. Belo Horizonte: Fórum, 2025. v. 2, p. 375-387. ISBN 978-65-5518-916-2.

O TERMO ADITIVO E O APOSTILAMENTO NA NOVA LEI DE LICITAÇÕES: HIPÓTESE PRÁTICA DE DISTINÇÃO

CAROLINA ZANCANER ZOCKUN

MAURÍCIO ZOCKUN

I Introdução

O presente artigo visa a traçar a distinção entre o termo aditivo e o apostilamento na Lei nº 14.133, de 1º de abril de 2021, bem como indicar hipóteses contratuais para o uso do apostilamento.

Os instrumentos impactados com a referida cláusula serão os contratos de terceirização de serviços com dedicação exclusiva de mão de obra, cuja planilha de custos e formação de preços contém o valor do vale-transporte como insumo necessário.

Embora a Lei nº 14.133, de 2021, tenha optado por indicar o termo aditivo para as alterações contratuais, entende-se que esse mesmo diploma admite a utilização do apostilamento para algumas ocorrências preestabelecidas pelas partes.

Analisemos brevemente o vale-transporte e os instrumentos que dão suporte às alterações contratuais.

II A questão do vale-transporte

A Nova Lei de Licitações e Contratos – Lei nº 14.133, de 1º de abril de 2021 – estabeleceu as hipóteses de alterações dos contratos e dos preços no Capítulo VII, artigos 124 a 136.

A questão que ora se analisa é como deve ser tratado o aumento/redução no valor do vale-transporte na nova Lei de Licitações.

Inicialmente, esclareça-se que a alteração do valor do vale-transporte é reflexo direto da majoração/redução da tarifa do transporte público municipal.

O montante da tarifa de ônibus não se vincula a um reajuste periódico anual, como comumente costuma-se pensar.

Não se trata, pois, de alteração com periodicidade fixa, como ocorre nos casos de reajustamento na aplicação de índices anuais ou mesmo em decorrência de convenção, acordo ou dissídio coletivo de categoria envolvida em contrato de terceirização.

Na hipótese de transporte coletivo de passageiro, a relação entre a Administração Pública (concedente ou permitente) e a empresa de ônibus (concessionária ou permissionária) não é uma relação contratual pura e simples, em que duas partes conseguem negociar mais facilmente determinado desequilíbrio-contratual.

De fato, considerando que existe uma relação de concessão ou permissão subjacente ao serviço público de transporte de passageiros, o aumento da tarifa de ônibus depende de diversos fatores para a manutenção do equilíbrio econômico-financeiro da relação jurídica formada pelo Poder Público e a concessionária/permissionária.

Explica-se: a concessão de serviço público segue regime diferente do contrato administrativo.

A raiz da distinção entre concessão (Lei nº 8.987/95) e os contratos administrativos (Lei nº 14.133/21) reside justamente no fato de que a concessão não é um contrato propriamente dito, mas uma *relação jurídica complexa*, com três atores principais, a saber, (i) o poder concedente, (ii) o concessionário e (iii) o elemento fundamental da relação: o usuário do serviço público, que remunera e se beneficia da prestação do serviço público.

Celso Antônio Bandeira de Mello explica a relação jurídica complexa instaurada na concessão de serviço público nos seguintes termos:

> A concessão é uma relação jurídica complexa, composta de um ato regulamentar do Estado que fixa unilateralmente condições de funcionamento, organização e modo de prestação do serviço, isto é, as condições em que será oferecido aos usuários; de um ato-condição, por meio do qual o concessionário voluntariamente se insere debaixo da situação jurídica objetiva estabelecida pelo Poder Público, e de contrato, por cuja via se garante a equação econômico-financeira, resguardando os legítimos objetivos de lucro do concessionário.[1]

Vê-se, pois, que: em um contrato administrativo (Lei nº 14.133/21), a relação jurídica instaurada é bilateral (contratante – contratado); ao passo que na concessão de serviço público (Lei nº 8.987/95) a relação é trilateral (poder concedente – concessionário – usuário).

Desta forma, obviamente não há como tratar da mesma forma um contrato, cujas bases para manutenção do equilíbrio econômico-financeiro impactam duas partes, e uma concessão, cuja equação econômico-financeira é muito mais complexa, já que dependente de alguém que não participou das diretrizes remuneratórias (usuário).

Um dos principais pontos que poderia levar ao desequilíbrio dessa relação encontra-se justamente na figura daquele que paga pelos serviços prestados, a saber, o usuário do transporte público, além – é claro – de alterações imprevisíveis sobre os insumos ditos primordiais, como é o caso dos combustíveis.

Assim, em tempos de crise, as tarifas podem (i) não ser reajustadas[2] ou (ii) ser reajustadas mais de uma vez ao ano.

---

[1] BANDEIRA DE MELLO, Celso Antônio. *Curso de Direito Administrativo*. 35. ed. São Paulo: Malheiros Editores, 2021, Cap. XII, item 13.

[2] Por exemplo, no Município de São Paulo, a tarifa de ônibus ficou sem ser reajustada por mais de dois anos (https://exame.com/brasil/sp-pode-aumentar-tarifa-de-onibus-apos-dois-anos-sem-reajuste/).

Logo, inexiste uma periodicidade para a majoração[3] das passagens de ônibus, o que nos leva à conclusão de que não há previsibilidade no tocante ao *quantum* majorado, nem ao momento de sua efetiva revisão.

E não há essa previsibilidade acerca do momento ou do valor porque a alteração do vale-transporte depende de cálculos realizados pelo Poder Concedente, que, após aprovados, alteram o valor da passagem de ônibus por decreto municipal ou lei municipal.

Trata-se, portanto, de hipótese de revisão contratual, já que não se consegue estabelecer uma programação financeira para saber a partir de quando irá incidir o novo valor da tarifa de ônibus.

Como alerta Joel de Menezes Niebuhr:

> A revisão, por outro lado, não é condicionada a nenhuma espécie de interregno mínimo. O contrato pode ser revisto no mesmo dia de sua assinatura, uma semana depois, ou quando for, desde que comprovada a ocorrência dos seus pressupostos.[4]

Vê-se, portanto, que a alteração no valor do vale-transporte é objeto de revisão contratual, já que a sua possibilidade de ocorrência está atrelada a fatores externos à relação entre a Administração Pública e a empresa terceirizada.

Desta forma e adentrando na relação contratual existente entre a Administração Pública e a empresa contratada (Lei nº 14.133/21), deve-se considerar o aumento do vale-transporte como um evento fora do calendário de reajustes previstos no edital e no contrato.

Eventos desse porte encontram-se na seara da álea extraordinária:

> No campo da álea extraordinária estão os eventos derivados de atos de outra ou da própria pessoa pública contratante, qualificados como fato do príncipe, fato da Administração ou exercício do poder de modificação unilateral, tanto como os eventos da álea econômica, é dizer, as circunstâncias imprevisíveis externas ao contrato que despertam a teoria da imprevisão.[5]

Dentro da álea extraordinária, a alteração do valor do vale-transporte pode ser considerada hipótese de fato do príncipe, já que sua incidência se dá por ato – comumente decreto – do Poder Público Municipal, que atua como gestor da vida em sociedade.

Celso Antônio Bandeira de Mello explana a figura do fato do príncipe:

> O fato do príncipe não é um comportamento ilegítimo. Outrossim, não representa o uso de competências extraídas da qualidade jurídica de contratante, mas também não se constitui em inadimplência ou falta contratual. É o meneio de uma competência pública cuja utilização repercute diretamente sobre o contrato, onerando, destarte, o particular.

---

[3] Embora não seja corriqueiro, a redução do valor da tarifa de ônibus também pode ocorrer. A título de exemplo: http://www5.sefaz.mt.gov.br/-/governo-do-estado-concede-isencao-em-icms-para-reduzir-preco-da-tarifa-de-onibus

[4] NIEBUHR, Joel Menezes de. *Licitação Pública e Contrato Administrativo*. 5. ed. Belo Horizonte: Fórum, 2022, p. 1141.

[5] ALMEIDA, Pericles Ferreira de. Reajuste, repactuação e restabelecimento na Nova Lei de Licitações e Contratos Administrativos. In: PRUDENTE, Juliana Pereira Diniz; MEDEIROS, Fábio Andrade; COSTA, Ivanildo Silva da. *Nova Lei de Licitações sob a ótica da Advocacia Pública*: reflexões temáticas. Belo Horizonte: Fórum, 2022. p. 108.

Seria o caso, e.g., da decisão oficial de alterar o salário-mínimo, afetando, assim, decisivamente, o custo dos serviços de limpeza dos edifícios públicos contratados com empresas especializadas neste mister.[6]

Assim, fato do príncipe é um evento tomado pela Administração Pública, fora da relação contratual instaurada (Lei nº 14.133/21), que desequilibra a relação jurídica existente entre as partes, com ônus para a contratada.

O fato de a contratada arcar com um ônus não previsto no contrato, ou ao menos não previsto em tal magnitude, remete à necessidade de restabelecimento da equação econômico-financeira do contrato.

Repise-se: "admite-se a configuração do fato do príncipe quando um ato estatal, de qualquer origem, afetar os encargos ou as vantagens inerentes à execução do contrato".[7]

Com relação à necessidade de manutenção da equação econômico-financeira, a Constituição de 1988 expressamente aludiu à obrigatoriedade de "serem mantidas as condições efetivas da proposta" (art. 37, XXI), o que significa que as condições de pagamento ao particular deverão ser respeitadas segundo as condições reais e concretas contidas na proposta.

O particular, desta forma, não poderá ser prejudicado por cambiáveis alterações que ocorram no curso do contrato em virtude de decisões tomadas pela Administração Pública como gestora da sociedade, que reflexamente atingem a avença firmada.

A Lei nº 14.133, de 1º de abril de 2021, prevê, no artigo 124, II, "d", a possibilidade de alteração bilateral do contrato na hipótese de fato do príncipe. Nos dizeres da lei:

> Art. 124. Os contratos regidos por esta Lei poderão ser alterados, com as devidas justificativas, nos seguintes casos:
>
> II - por acordo entre as partes:
>
> d) para restabelecer o equilíbrio econômico-financeiro inicial do contrato em caso de força maior, caso fortuito ou *fato do príncipe* ou em decorrência de fatos imprevisíveis ou previsíveis de consequências incalculáveis, que inviabilizem a execução do contrato tal como pactuado, respeitada, em qualquer caso, a repartição objetiva de risco estabelecida no contrato. (grifamos)

Logo, a majoração de tarifa de ônibus, hipótese de fato do príncipe, dá ensejo ao reequilíbrio econômico-financeiro do contrato firmado, a ser realizado mediante acordo entre as partes.

A consequência disto é que o instrumento cabível para a manutenção do equilíbrio econômico-financeiro é o termo aditivo e não o simples apostilamento, já que se está, efetivamente, diante de alteração de base contratual que visa, pois, à recomposição do valor incialmente pactuado.

---

[6] BANDEIRA DE MELLO, Celso Antônio. *Curso de Direito Administrativo*. 35. ed. São Paulo: Malheiros Editores, 2021, p. 597.

[7] JUSTEN FILHO, Marçal. *Comentários à Lei de Licitações e Contratações Administrativas*. São Paulo: Revista dos Tribunais, 2021, p. 1549.

III Distinção entre termo aditivo e apostilamento

O termo aditivo deve ser utilizado quando houver alteração nas condições e cláusulas do contrato, uma vez que, neste caso, inovam-se as bases contratuais. O aditivo objetiva a inclusão de algo novo, que não estava presente no instrumento do contrato, ou a retirada de algo previsto.

> O registro de alteração de contrato deve ser feito por intermédio de termo aditivo contratual, considerando-se que há um pacto a ser firmado, que necessita da aquiescência de ambas as partes, contratante e contratado. Porém, quando os registros a serem realizados não alteram as condições anteriormente estabelecidas no contrato, não cabe aditá-lo, mas somente proceder o apontamento do ocorrido realizando uma anotação.[8]

Desta forma, o termo aditivo é o instrumento utilizado para concretizar uma alteração contratual. A regra legal, conforme leciona Hamilton Bonatto, é a utilização desse expediente:

> As alterações contratuais são formalizadas, como regra, por meio da celebração de termo aditivo (art. 130, *caput*). É que, nos precisos termos da lei, a formalização do termo aditivo é condição para a execução, pelo contratado, das prestações determinadas pela Administração no curso da execução do contrato (art. 132, *caput*). Assim, a formalização do termo aditivo deve anteceder os efeitos das alterações contratuais cogitadas (regra geral).[9]

O apostilamento é apenas a anotação da implementação de uma condição já prevista no contrato.

Marçal Justen Filho, em síntese lapidar, lecionou:

> Quando se tratar de reajuste contratual ou outras providências a serem implementadas de modo automático é dispensável a elaboração de um termo aditivo. Cabe à Administração promover lançamento nos registros pertinentes à contratação, o que é usualmente indicado como apostila.
>
> O apostilamento consiste na inscrição do instrumento contratual, por atuação exclusiva da Administração, da notícia da ocorrência de evento pertinente ao contrato, com a indicação das alterações daí decorrentes. Essa solução se aplica ao reajustamento e também a outras hipóteses similares tais como os casos de impedimento, ordem de paralisação ou suspensão do contrato.[10]

Deste modo, quando se concede o reajuste do preço previsto no contrato ou a repactuação nos contratos com dedicação exclusiva de mão de obra, o novo valor do contrato deve ser formalizado via apostilamento, e não por termo aditivo, pois as cláusulas de reajuste/repactuação já estavam indicadas no contrato.

---

[8] BONATTO, Hamilton. *In*: FORTINI, Cristiana; OLIVEIRA, Rafael Sérgio Lima de; CAMARÃO, Tatiana (coord.). *Comentários à Lei de Licitações e Contratos Administrativos*. Volume 2. Belo Horizonte: Fórum, 2022, p. 405.

[9] MADUREIRA, Claudio. *Licitações, Contratos e Controle Administrativo*. Belo Horizonte: Fórum, 2021, p. 405.

[10] JUSTEN FILHO, Marçal. *Comentários à Lei de Licitações e Contratações Administrativas*. São Paulo: Revista dos Tribunais, 2021, p. 1549.

Joel Menezes de Niebuhr explica:

> O legislador preferiu seguir forma simples para promover o reajuste, dispensando a confecção de termo aditivo, que exige uma série de formalidades. O apostilamento é sinônimo de registro. Ou seja, em vez de promover aditivo, a Administração apenas registra o preço reajustado, sem maiores formalidades.[11]

No mesmo sentido, o Tribunal de Contas da União, à luz da Lei nº 8.666, de 1993, averbou:

> Ademais, a utilização de apostilamento não vem a suprir a exigência legal, vez que tal instrumento não se presta ao propósito de formalizar alterações quantitativas e qualitativas ao objeto licitado. *Serve, tão somente, para efeitos de fazer constar o reajuste de seu valor inicial, que visa compensar os efeitos da desvalorização da moeda, e, para assentamento de medidas de ordem meramente burocráticas* previstas no art. 65, § 8º, da Lei de Licitações". Com base nesse entendimento, o TCU negou provimento aos recursos, mantendo a pena de multa aplicada aos gestores com fundamento no art. 58, inc. I, da Lei nº 8.443/92. (TCU, Acórdão nº 7.487/2015, 1ª Câmara, Rel. Min. Bruno Dantas, j. em 17.11.2015)

> "É pacífica a jurisprudência do TCU no sentido de que as alterações realizadas em projeto de obra pública, com as consequentes alterações na planilha de quantitativos e quaisquer outras alterações porventura necessárias, devem ser registradas em termos aditivos, juntamente com as justificativas técnicas para tanto". Diante de tais premissas e entendendo que, no caso, as alterações tiveram "impacto relevante na concepção do objeto contratado", o TCU exarou a seguinte deliberação à entidade fiscalizada: "9.1.6. doravante, observe que as eventuais alterações de projeto devem ser precedidas de procedimento administrativo no qual fique adequadamente consignada a motivação das alterações tidas por necessárias, que devem ser embasadas em pareceres e estudos técnicos pertinentes". No mesmo sentido: Acórdão nº 3.053/2016, do Plenário. (TCU, Acórdão nº 2.053/2015, Plenário, Rel. Min. Benjamin Zymler, julgado em 19.08.2015)

Assim, "apostilar, como assentou o TCU, é anotar ou registrar, administrativamente, modificações contratuais que não alteram a essência da avença ou que não modificam as bases contratuais".[12]

Dito isso, o apostilamento deve ser utilizado em situações menos complexas e com uma dinâmica previamente estabelecida no contrato.

A questão, então, parece solucionada: no caso de alteração do valor do vale-transporte – repita-se: hipótese de fato do príncipe – o instrumento a ser utilizado é o termo aditivo.

Pois bem, esta é mesmo a solução preconizada pela lei, salvo quando não houver sido prevista outra em instrumento contratual. Vejamos.

---

[11] NIEBUHR, Joel Menezes de. *Licitação Pública e Contrato Administrativo*. 5. ed. Belo Horizonte: Fórum, 2022, p. 1132.

[12] BITTENCOURT, Sidney. *Nova Lei Licitações* – passo a passo. Belo Horizonte: Fórum, 2021, p. 802.

IV Do apostilamento para a alteração do vale-transporte

A Lei nº 14.133, de 2021, traz, no artigo 136, as situações em que o apostilamento poderá ser utilizado.

Transcreve-se o dispositivo:

> Art. 136. Registros que não caracterizam alteração do contrato podem ser realizados por simples apostila, dispensada a celebração de termo aditivo, como nas seguintes situações:
> I - variação do valor contratual para fazer face ao reajuste ou à repactuação de preços previstos no próprio contrato;
> II - atualizações, compensações ou penalizações financeiras decorrentes das condições de pagamento previstas no contrato;
> III - alterações na razão ou na denominação social do contratado;
> IV - empenho de dotações orçamentárias.

Pela redação do *caput* do artigo supratranscrito, percebe-se que existem hipóteses de uso do apostilamento que não estão descritas na lei, já que o dispositivo se utiliza da locução "como nas seguintes situações", a denotar, portanto, que podem surgir situações em que o apostilamento também seja aplicável.

Ademais, o inciso II dispõe sobre o uso do apostilamento nas "atualizações decorrentes das condições de pagamento previstas no contrato".

Vê-se, portanto, que é possível prever hipóteses de atualizações diferenciadas conforme condições previstas no contrato.

Isto quer dizer que o contrato pode estabelecer situações que dispensem a celebração de termo aditivo ao instituir cláusula de atualização contratual por apostilamento.

O aumento do vale-transporte, em que pese ser hipótese de fato do príncipe, possui um caráter cogente, quase que "automático" após a sua instituição.

Explica-se: uma vez que a planilha de custos e formação de preços contempla esse encargo, a alteração no valor do vale-transporte deve ser considerada para fins de manutenção do equilíbrio econômico-financeiro do contrato.

Nesse sentido, prescreve o artigo 134 da Lei nº 14.133, de 2021:

> Art. 134. Os preços contratados *serão alterados*, para mais ou para menos, conforme o caso, se houver, após a data da apresentação da proposta, criação, alteração ou extinção de quaisquer tributos ou encargos legais ou a superveniência de disposições legais, com comprovada repercussão sobre os preços contratados.

Assim, por força da dicção legal, sempre que houver majoração da tarifa de ônibus e esta estiver contemplada sob a rubrica "vale-transporte" nos custos da contratada, a revisão contratual se impõe.

Leandro Sarai nos traz didático exemplo de registro que, em princípio, dispensa termo aditivo. Trata-se, pois, da:

> (...) revisão de preço decorrente de majoração ou redução de tributos, hipótese mencionada no art. 134. Note-se que, se mesmo na repactuação, em que se exige comprovação da majoração dos custos, pode-se registrar por simples apostila, com muito mais razão

uma alteração dos tributos, que é imposta por lei. Essa alteração da carga tributária e sua incorporação nos contratos é mera aplicação do regime jurídico contratual, que independe da vontade das partes, até porque ambas já se submetem esse regime por força da lei. Não havendo alteração da vontade das partes, não há alteração contratual. Por isso, cabível o apostilamento. O mesmo raciocínio poderia ser aplicado ao reequilíbrio previsto no art. 124, II, "d", da Lei, embora na prática ambas as hipóteses venham sendo tratadas por meio de termos aditivos. O que importa para se saber se cabe aditivo ou apostilamento é verificar se houve no caso alteração da vontade das partes, alteração do que foi negociado.[13]

Dito isso, pode-se afirmar que, embora não haja previsibilidade no que tange ao momento ou ao *quantum* da alteração do vale-transporte, todas as vezes que ela ocorrer, a revisão contratual será devida.

Desta forma, há a incidência de um dispositivo legal com pouca – ou nenhuma – margem para discussão.

Por causa disso, é possível estabelecer que as alterações – majorações ou reduções – no valor do vale-transporte, por serem situações que envolvam atualizações decorrentes de condições passíveis de estipulação em contrato, podem ser registradas por mero apostilamento.

Com efeito, se – e somente se – houver estipulação contratual fixando que a alteração do valor do vale-transporte seja realizada por apostilamento, essa condição atenderá aos ditames legais.

De fato, a Lei nº 14.133, de 2021, autoriza a utilização do apostilamento quando o contrato trouxer cláusulas para atualização dos valores cuja incidência se dá de modo simplificado.

Ademais, considerando que o apostilamento é o instrumento mais célere e eficiente para alterações que não guardam complexidade, bem como não há qualquer perda em termos de gestão contratual com o uso deste expediente no caso versado nesse artigo, recomenda-se inserir, nas minutas de contratos de prestação de serviços com dedicação exclusiva de mão de obra, cláusula estipulando que as alterações no valor do vale-transporte serão registradas por apostilamento.

V Conclusões

Diante do quanto exposto, pode-se concluir que, nos contratos de prestação de serviços com dedicação exclusiva de mão de obra, a alteração – majoração ou redução – do preço da tarifa de ônibus, que reflete no valor do vale-transporte, comporta revisão contratual por ser considerada fato do príncipe, nos termos do art. 124, II, "d", da Lei nº 14.133, de 2021.

Por comportar revisão contratual, o instrumento a ser utilizado para a alteração pretendida é o termo aditivo.

Entretanto, se houver previsão contratual, poderá ser utilizado o apostilamento para realizar a alteração do valor do vale-transporte.

---

[13] SARAI, L. Comentário ao art. 136. *In*: SARAI, L. (org.). *Tratado da Nova Lei de Licitações e Contratos Administrativos*: Lei 14.133/21 comentada por advogados públicos. 2. ed. Salvador: Juspodivm, 2022, p. 1267.

Referências

ALMEIDA, Pericles Ferreira de. Reajuste, repactuação e restabelecimento na Nova Lei de Licitações e Contratos Administrativos. *In*: PRUDENTE, Juliana Pereira Diniz; MEDEIROS, Fábio Andrade; COSTA, Ivanildo Silva da. *Nova Lei de Licitações sob a ótica da Advocacia Pública*: reflexões temáticas. Belo Horizonte: Fórum, 2022.

BANDEIRA DE MELLO, Celso Antônio. *Curso de Direito Administrativo*. 35. ed. São Paulo: Malheiros Editores, 2021.

BITTENCOURT, Sidney. *Nova Lei Licitações* – passo a passo. Belo Horizonte: Fórum, 2021.

BONATTO, Hamilton. *In*: FORTINI, Cristiana; OLIVEIRA, Rafael Sérgio Lima de; CAMARÃO, Tatiana (coord.). *Comentários à Lei de Licitações e Contratos Administrativos*. Volume 2. Belo Horizonte: Fórum, 2022.

JUSTEN FILHO, Marçal. *Comentários à Lei de Licitações e Contratações Administrativas*. São Paulo: Revista dos Tribunais, 2021.

MADUREIRA, Claudio. *Licitações, Contratos e Controle* Administrativo. Belo Horizonte: Fórum, 2021.

NIEBUHR, Joel Menezes de. *Licitação Pública e Contrato Administrativo*. 5. ed. Belo Horizonte: Fórum, 2022.

SARAI, L. Comentário ao art. 136. *In*: SARAI, L. (org.). *Tratado da Nova Lei de Licitações e Contratos Administrativos*: Lei 14.133/21 comentada por advogados públicos. 2. ed. Salvador: Juspodivm, 2022.

Informação bibliográfica deste texto, conforme a NBR 6023:2018 da Associação Brasileira de Normas Técnicas (ABNT):

ZOCKUN, Carolina Zancaner; ZOCKUN, Maurício. O termo aditivo e o apostilamento na Nova Lei de Licitações: hipótese prática de distinção. *In*: JUSTEN, Monica Spezia; PEREIRA, Cesar; JUSTEN NETO, Marçal; JUSTEN, Lucas Spezia (coord.). *Uma visão humanista do Direito*: homenagem ao Professor Marçal Justen Filho. Belo Horizonte: Fórum, 2025. v. 2, p. 389-397. ISBN 978-65-5518-916-2.

DISPENSA DE LICITAÇÃO EM RAZÃO DO VALOR: PLANEJAMENTO, FRACIONAMENTO DE DESPESA E A INTERPRETAÇÃO DO ART. 75, §1º, INCISO I, DA LEI Nº 14.133/2021

CHRISTIANNE DE CARVALHO STROPPA

GABRIELA VERONA PÉRCIO

I Introdução

As contratações diretas são objeto de discussão com certa frequência e isso não ocorre à toa. A regra basilar acerca das compras públicas, estabelecida pelo art. 37, inc. XXI, da CR/1988 deixa claro que contratar diretamente é medida excepcional, a ser tomada nos estritos termos da lei que a autoriza. Por essa razão, é comum encontrarmos gestores temerosos que, mesmo diante de hipóteses legais de cabimento, não se sentem confortáveis com a decisão.[1]

A Lei nº 14.133/2021 manteve a mesma lógica de sua antecessora, a Lei nº 8.666/1993, trazendo a contratação direta por dispensa ou inexigibilidade como exceção ao dever de realizar licitação. Porém, trouxe novidades que estão despertando polêmicas e exigindo respostas que se mostram fundamentais a uma atuação segura.

Especificamente acerca da hipótese de dispensa de licitação em razão do valor da contratação, a majoração do valor limite alargou significativamente sua utilização e, consequentemente, aumentou a preocupação com a legalidade concreta do ato administrativo que a autoriza. Nesse contexto, o assunto do fracionamento de despesa ganhou destaque, pois, enquanto na Lei nº 8.666/1993 não havia diretrizes para o seu afastamento, na Lei nº 14.133/2021 as disposições que possuem tal finalidade não são

---

[1] Os riscos da Administração Pública associados ao medo inibem a criatividade, conduzem o administrador a não assumir nenhum risco, nem mesmo o risco do erro não proposital, ou, na expressão destacada por Marcos Juruena: dorme tranquilo quem indefere (SANTOS, Rodrigo Valgas dos. *Direito administrativo do medo*: risco e fuga da responsabilização dos agentes públicos. 3. ed. São Paulo: Thomson Reuters Brasil, 2023).

claras a ponto de eliminar quaisquer dúvidas. Nitidamente, foram elas incorporadas no texto legal a partir de orientações exaradas pelo Tribunal de Contas da União, porém, de uma forma que não reflete, rigorosamente, o entendimento daquele órgão, permitindo outras interpretações.

Tal ambiente de incertezas, a toda evidência, é extremamente prejudicial ao gestor público, favorecendo a prevalência do medo sobre a racionalidade e levando a tomada de decisões que não refletem a melhor solução para a satisfação do interesse público. O presente artigo abordará os principais aspectos desta celeuma, buscando trazer luz sobre o assunto e sugerindo, ao final, uma interpretação devidamente fundamentada.

II O planejamento como pilar de sustentação das contratações públicas

O dever de planejar sempre esteve presente na atuação administrativa relacionada às contratações públicas.[2] Sem planejamento não há como atender ao princípio da eficiência administrativa, expresso no *caput* do art. 37 da CR/1988, nem como obter eficácia suficiente para a satisfação do interesse público envolvido, necessária ao cumprimento dos fins institucionais. O planejamento, quando executado de forma competente, permite que a Administração Pública alcance seus objetivos de maneira mais ágil, econômica e eficaz.

Evidenciando sua importância, a Lei nº 14.133/2021 inseriu o planejamento no rol de princípios a serem observados na sua aplicação, constantes de seu art. 5º, indicando-o, ainda, no seu art. 18, como a diretriz que deve orientar a fase preparatória do processo de contratação, que passou a ser "caracterizada" pelo dever de planejamento. Os diversos artefatos da fase preparatória, especialmente o estudo técnico preliminar e o termo de referência, contribuem para concretizá-lo.

Importante novidade nessa seara é a referência a um instrumento fundamental ao planejamento, o plano de contratações anual (PCA), institucionalizando, para toda a Administração Pública, prática que já vinha sendo adotada no âmbito do Poder Executivo Federal. De acordo com o disposto no seu art. 12, inc. VII, o PCA tem o objetivo de racionalizar as contratações dos órgãos e entidades, garantir o alinhamento com o planejamento estratégico e subsidiar a elaboração das leis orçamentárias de cada ente federativo. O Decreto Federal nº 10.947/2022, que regulamenta o PCA no âmbito da Administração Pública direta, autárquica e fundacional, estabelece, ainda, que o instrumento possui como objetivo, entre outros, evitar o fracionamento de despesas (art. 5º, inc. IV), irregularidade sabidamente decorrente de falhas no planejamento das contratações.

A Lei nº 14.133/2021 não obriga à elaboração do PCA, deixando a decisão a critério de cada ente federativo. Contudo, em nosso sentir, o PCA é elemento fundamental ao planejamento integrado da Administração Pública, juntamente com o planejamento

---

[2] Conforme lembra Angelina Leonez, "não obstante as bases legais do planejamento estarem na Constituição e já serem evidenciadas no Decreto-Lei nº 200 de fevereiro de 1967, a Nova Lei de Licitações e Contratos Administrativos – NLLC trouxe o planejamento como um princípio, enfatizando a importância dessa etapa para o alcance dos resultados pretendidos pela Administração" (LEONEZ, Angelina. O que é planejamento? *Sollicita*. Disponível em: https://portal.sollicita.com.br/Noticia/18609. Acesso em: 5 ago. 2024).

estratégico institucional, a lei orçamentária anual e o plano plurianual. Tem potencial para produzir avanços significativos na governança das contratações públicas, com impactos diretos na minimização de problemas frequentes, a exemplo do próprio fracionamento de despesas, o que acabará por torná-lo indispensável como medida de boa governança.[3]

III Os impactos da LINDB na aplicação da lei

O Decreto-Lei nº 4.657/1942, atualmente denominado de Lei de Introdução às Normas do Direito Brasileiro, contém normas basilares à aplicação das leis brasileiras. Suas disposições regulamentam outras normas, ou seja, é uma lei que trata de outras leis.[4] Assim, sem adentrar no mérito, é inolvidável que tal diploma legal incide, também, sobre a aplicação da Lei nº 14.133/2021, independentemente de qualquer disposição expressa nesse sentido. Não obstante, a Lei nº 14.133/2021 trouxe, de forma explícita, em seu art. 5º, o dever de observar as disposições da LINDB na sua aplicação, tornando ainda mais clara sua influência sobre os atos praticados em razão das contratações públicas.

Neste cenário, destacam-se as alterações produzidas pela Lei nº 13.655/2018, acrescentando ao Decreto-Lei nº 4.657/1942 disposições que conferem ao gestor público maior autonomia e segurança jurídica frente aos atos de controle. Dois artigos são especialmente importantes: o art. 22, que estabelece que "a interpretação de normas sobre gestão pública deverá considerar os obstáculos e as dificuldades reais do gestor e as exigências das políticas públicas a seu cargo" e que decisão sobre regularidade de conduta ou validade de ato, contrato, ajuste, processo ou norma administrativa deverá considerar as "circunstâncias práticas que houverem imposto, limitado ou condicionado a ação do agente",[5] e o art. 28, que restringe a responsabilidade pessoal do agente público por decisões ou opiniões técnicas aos casos de dolo ou erro grosseiro, devidamente comprovado.

Na prática, significa que as decisões do gestor, assim como sua responsabilidade, serão avaliadas, sempre, considerando os elementos da motivação do ato, que devem ser suficientes para demonstrar que o caminho seguido, mesmo quando diverso do esperado, foi favorável ao interesse público, diante das condições existentes.

Vale ressaltar, ainda, o teor do art. 30 da LINDB, que estabelece, para as autoridades públicas, o dever de "atuar para aumentar a segurança jurídica na aplicação das normas, inclusive por meio de regulamentos, súmulas administrativas e respostas a consultas". Diante de disposição legal que traga dúvida quanto ao seu conteúdo

---

[3] O plano de contratações anual está previsto como instrumento de governança no art. 6º, inc. II, da Portaria SEGES nº 8.678/2021, que dispõe sobre a governança das contratações públicas no âmbito da Administração Pública federal direta, autárquica e fundacional.

[4] SANTI, Eurico Marcos Diniz de; SANTIN, Lina; NETO, João Alho; CYPRIANO, Gabriel Franchito. LINDB: objetivando os princípios estruturantes do Direito. *Consultor Jurídico*. Disponível em: https://www.conjur.com.br/2018-set-28/neffgv-lindb-objetivando-principios-estruturantes-direito/. Acesso em: 5 ago. 2024.

[5] Representativa do denominado princípio da deferência, implica (i) uma orientação de autocontenção do controlador e (ii) o reconhecimento de um espaço de liberdade para o administrador, decorrente de hipóteses de indeterminação normativa (JORDÃO, Eduardo. O que significa deferência? *Jota*. Disponível em: https://www.jota.info/opiniao-e-analise/colunas/publicistas/o-que-significa-deferencia-28062022. Acesso em: 5 ago. 2024.

normativo, a ausência de tais orientações deverá, também, ser considerada pelo controle, quando da análise da legalidade do ato ou decisão administrativa, como atenuante de responsabilidade.

IV Legalidade, ilegalidade e necessidade de atendimento do interesse público

O princípio da legalidade não significa a necessidade de autorização legislativa explícita, expressa e exaustiva para a decisão administrativa. A legalidade não é incompatível com a discricionariedade, até porque deve ser interpretada em conjugação com a necessidade de adequação das previsões legislativas às circunstâncias da realidade. Há muitos casos em que as necessidades ou conveniências não encontram respaldo na experiência anterior e a disciplina legal não contempla uma determinação específica para a questão. Assim, a adoção, pela Administração, de práticas inovadoras ou distintas do usual não implica, de modo automático, infração à legalidade, sendo fundamental avaliar se a solução adotada é compatível com as finalidades e com os valores consagrados na legislação existente.[6] Fala-se, pois, no princípio da *juridicidade*, que consagra o "dever de obediência do poder público à integralidade do sistema jurídico" e é extraído do tecido constitucional e do ordenamento jurídico globalmente considerado.[7]

Na esteira das considerações feitas no tópico anterior, é possível vislumbrar, a partir das disposições da LINDB, um reforço ao conceito de *juridicidade* em face do conceito de legalidade, para o fim de classificar um ato administrativo como "legal" ou "ilegal". Assim, não será ilegal o ato administrativo que, respeitados os limites da razoabilidade e da moralidade administrativa, atender ao interesse público, ainda que não o faça nos estritos termos de normas postas, quando escorado em circunstâncias concretas impositivas de um agir distinto. Em verdade, o ato estará de acordo *com o ordenamento jurídico*, que exige que o gestor tome a melhor decisão.

Não é nova essa linha de raciocínio, já presente em julgados do Tribunal de Contas da União, especialmente relacionados a contratações emergenciais em situações de desídia administrativa. Já em 2014, a Corte entendeu que o gestor que deixasse de adotar as medidas emergenciais, mesmo diante de incúria administrativa, estaria incorrendo em duplo erro.[8] Portanto, mesmo que a adoção da contratação emergencial, neste caso, não

---

[6] JUSTEN FILHO, Marçal. *Curso de direito administrativo*. 15. ed. Rio de Janeiro: Forense, 2024, p. 252.

[7] Nesse sentido ensina Romeu Felipe Bacellar Filho: "O princípio da *legalidade* administrativa encontra suporte no art. 37, *caput*, da Constituição, representando a subordinação dos atos administrativos aos ditames da lei em sentido formal, impondo uma exigência de atuação *secundum legem*, ao passo que o princípio da *juridicidade*, igualmente condicionante do agir administrativo, extrai-se de todo o tecido constitucional e do ordenamento jurídico globalmente considerado – aí incluídos os direitos humanos e os princípios constitucionais não expressos – traduzindo-se como o dever de obediência do poder público à integralidade do sistema jurídico" (BACELLAR FILHO, Romeu Felipe. *Processo administrativo disciplinar*. 4. ed. São Paulo: Saraiva, 2013, p. 169). Ainda, conforme Fabrício Motta: "O princípio da juridicidade altera a concepção clássica da legalidade administrativa e faz *desnecessária* regra legal específica (leia-se: lei formal) para habilitar toda e qualquer ação administrativa" (MOTTA, Fabrício. *Função normativa da Administração Pública*. Belo Horizonte: Fórum, 2007, p. 129).

[8] TCU. Acórdão nº 1.607/2014 – Plenário. Rel. Min. Augusto Sherman.

ocorresse regularmente, nas situações idealizadas pela Lei,[9] o gestor não seria, por ela, responsabilizado, pois, diante das circunstâncias, era a melhor solução; a investigação de responsabilidade para fins de responsabilização, sua ou de outros gestores, ocorreria quanto à atuação anterior, que deu causa, "artificialmente", à contratação emergencial. A mesma premissa pode ser encontrada nas disposições do §1º do art. 124 da Lei nº 14.133/2021, que prevê a possibilidade de responsabilização do responsável técnico, mas não impede o aditamento contratual para corrigir falha de projeto, ainda que, por definição, as alterações contratuais tenham como supedâneo situações supervenientes imprevisíveis ou que não puderam ser previstas na fase preparatória do processo de contratação.[10]

Isto posto, é certo que as questões relacionadas à aplicação concreta do art. 75, inc. I e II, deverão se submeter, também, a tais parâmetros, em caso de eventual apuração de responsabilidades.

V A nova hipótese de dispensa *em razão* do valor

Tal como na vigência da Lei nº 8.666/1993, as hipóteses descritas pelos incisos I e II do art. 75 da Lei nº 14.133/2021 são fruto de uma condicionante fática de cunho econômico.[11] Sob outro enfoque, a lei estabelece ser dispensável a licitação segundo o valor do objeto a ser contratado.[12]

Contudo, a Lei nº 14.133/2021 alterou significativamente os limites de valor para dispensa de licitação, aumentando em mais de seis vezes os limites anteriores. Assim, as hipóteses previstas no seu art. 75, incisos I e II,[13] não podem, em absoluto, ser rotuladas de "dispensa em razão *do baixo* valor", especialmente considerando as características da maioria dos órgãos e entidades submetidos ao seu regime, tratando-se, apenas,

---

[9] No exemplo dado por Felipe Boselli, em comentários ao inc. VIII do art. 75 da Lei nº 14.133/2021: "[A] emergência não pode ser gerada pela desídia dos gestores que deixaram de tomar as providências necessárias para a realização do procedimento licitatório a tempo de formalizar o novo contrato antes do encerramento do anterior" (BOSELLI, Felipe. *In*: FORTINI, Cristiana; OLIVEIRA, Rafael Sérgio Lima de; CAMARÃO, Tatiana (coord.). *Comentários à Lei de Licitações e Contratos Administrativos* – Lei nº 14.133, de 1º de abril de 2021. Belo Horizonte: Fórum, 2021, p. 143).

[10] "§1º Se forem decorrentes de falhas de projeto, as alterações de contratos de obras e serviços de engenharia ensejarão apuração de responsabilidade do responsável técnico e adoção das providências necessárias para o ressarcimento dos danos causados à Administração."

[11] GUIMARÃES, Edgar; SAMPAIO, Ricardo. *Dispensa e inexigibilidade de licitação*: aspectos jurídicos à luz da Lei nº 14.133/2021. 1. ed. Rio de Janeiro: Forense, 2022, p. 116.

[12] JACOBY FERNANDES, Ana Luiza; JACOBY FERNANDES, Jorge Ulisses; JACOBY FERNANDES, Murilo. *Contratação direta sem licitação na nova lei de licitações*: Lei nº 14.133/2021. 11. ed. Belo Horizonte: Fórum, 2021, p. 176.

[13] "Art. 75. É dispensável a licitação:
I – para contratação que envolva valores inferiores a R$ 100.000,00 (cem mil reais), no caso de obras e serviços de engenharia ou de serviços de manutenção de veículos automotores;
II – para contratação que envolva valores inferiores a R$ 50.000,00 (cinquenta mil reais), no caso de outros serviços e compras;
...
§ 2º Os valores referidos nos incisos I e II do *caput* deste artigo serão duplicados para compras, obras e serviços contratados por consórcio público ou por autarquia ou fundação qualificadas como agências executivas na forma da lei."

de dispensa *em razão* do valor.[14] Portanto, está-se falando de somas que não passarão despercebidas quando do planejamento, exceto se a Administração atuar mal.

É neste aspecto que, conforme já destacado, o plano de contratações anual servirá como medida de prevenção do risco de fracionamento de despesas, garantindo que, com o prévio levantamento das necessidades no ano de sua elaboração, a utilização da hipótese de dispensa de licitação no ano de sua execução se dará nos limites legais, ressalvando-se as necessidades supervenientes que não puderam ser, oportunamente, consideradas.[15]

VI O fracionamento de despesa

Quando se divide uma compra, serviço ou obra, que poderia ser objeto de uma única licitação, em várias compras, serviços ou obras menores, com o intuito de se enquadrar em uma modalidade de licitação mais simplificada ou até mesmo dispensá-la, se está perante a ideia de fracionamento de despesa.[16] Na vigência da Lei nº 8.666/1993, o risco era maior, pois o critério principal para a escolha da modalidade licitatória era o valor estimado da contratação. Na Lei nº 14.133/2021, o tema tem relevância para o enquadramento da contratação nas hipóteses de dispensa em razão do valor, nos termos do seu art. 75, inc. I e II.[17]

A caracterização do fracionamento de despesas envolve os seguintes aspectos:
a) Condição: refere-se a objetos de mesma natureza, semelhança ou afinidade, que vierem a ser classificados na mesma atividade ou projeto contido no respectivo orçamento anual;
b) Objetivo: busca evitar os limites estabelecidos por lei, que obrigam a realização de licitação; e

---

[14] Outros aspectos que não serão aqui abordados tornam a nova dispensa em razão do valor muito distinta da prevista na Lei nº 8.666/1993, conforme previsto no §3º do art. 75: "As contratações de que tratam os incisos I e II do *caput* deste artigo serão preferencialmente precedidas de divulgação de aviso em sítio eletrônico oficial, pelo prazo mínimo de 3 (três) dias úteis, com a especificação do objeto pretendido e com a manifestação de interesse da Administração em obter propostas adicionais de eventuais interessados, devendo ser selecionada a proposta mais vantajosa".

[15] Nesse sentido já orientava o Tribunal de Contas da União, ainda na vigência da Lei nº 8.666/1993: "Exemplo de controle que pode ser adotado para evitar a ocorrência de fracionamento é a elaboração de plano anual de aquisições, por meio do qual as organizações podem identificar possíveis compras recorrentes" (Acórdão nº 1796/2018-Plenário).

[16] TCU. Acórdão nº 1276/2012 – 2ª Câmara: O fracionamento de despesa restringe o caráter competitivo do certame, sendo irregularidade punível com a aplicação de multa. (SENAC/DF). TCU. Acórdão nº 1193/2007 – 1ª Câmara: A realização de mais de uma contratação direta para aquisição de objetos idênticos, com base no art. 24, inciso II, da Lei 8.666/1993, pode configurar ocorrência de fracionamento ilegal de despesas, com fuga ao procedimento licitatório. TCU. Acórdão nº 1540/2003 – Plenário: ... programe com antecedência as licitações (...), com a adequada previsão quantitativa e qualitativa dos bens e ou serviços a serem adquiridos, adotando a modalidade de licitação cabível (...).

[17] Fabrício Motta destaca que, a despeito da inexistência de modalidades de licitação definidas em razão do valor do objeto na Lei nº 14.133/2021, a vedação ao fracionamento persiste diante dos diversos instrumentos de planejamento que materializam, para as contratações públicas, a regra da anualidade do orçamento (MOTTA, Fabrício. Contratação Direta: Inexigibilidade e Dispensa de Licitação. In: *Licitações e contratos administrativos*: inovações da Lei 14.133/21. GUIMARÃES, Edgar; Edgar Guimarães *et al.*; coordenação Maria Sylvia Zanella Di Pietro. 1. ed. Rio de Janeiro: Forense, 2021, p. 137).

c) Responsabilidade: é considerado ilegal, por contrariar os princípios da competição e da obtenção da proposta mais vantajosa.

O Manual de Licitações e Contratos do Tribunal de Contas da União (TCU)[18] descreve o fracionamento de despesas como um risco relacionado à dispensa de licitação em razão do valor. Segundo a Corte de Contas, o "[D]esconhecimento das demandas da organização para o ano subsequente, levando à realização por uma unidade gestora, no exercício financeiro, de várias contratações diretas de objetos de mesma natureza, que, quando somadas, ultrapassam os limites estabelecidos pelo art. 75, incisos I e II, da Lei nº 14.133/2021, com consequente ilegalidade por fracionamento de despesa e afastamento indevido da licitação".

Por outro lado, caracteriza-se como *parcelamento* do objeto[19] a sua divisão em partes menores ou lotes, seja por questões técnicas, econômicas ou de eficiência (objetos divisíveis, complexos ou de naturezas distintas), onde cada parcela corresponda a uma licitação isolada. O objeto é dividido e individualizado em itens, devendo cada item ser considerado uma licitação distinta e, cada uma dessas licitações poderá ser realizada:

a) em procedimentos licitatórios distintos: licitação individual e distinta para cada item do objeto ou;
b) em um único procedimento, uma única licitação, com adjudicação por itens.

O parcelamento do objeto da contratação, desde que devidamente justificado, tem como objetivo a obtenção de melhores resultados para a Administração Pública, como a ampliação da competitividade, aproveitamento de mercado ou mesmo adequação às capacidades de fornecedores. Assim, enquanto parcelar o objeto é a regra, o fracionamento pode caracterizar crime, por ocasionar restrição de competição ante a ocorrência de contratação direta ao invés de processo competitivo.[20]

A Lei nº 14.133/2021 trouxe uma importante novidade ao eliminar as restrições presentes nos incisos I e II do art. 24 da Lei nº 8.666/1993. De acordo com o inciso I, era dispensável a licitação para contratar obras e serviços de engenharia que atendessem ao valor limite definido, *desde que não se referissem a parcelas de uma mesma obra ou serviço ou a obras e serviços da mesma natureza e no mesmo local que pudessem ser realizados conjunta*

---

[18] BRASIL. Tribunal de Contas da União. *Licitações e contratos*: orientações e jurisprudência do TCU. 5. ed. rev., atual. e ampl. Brasília: TCU, Secretaria Geral da Presidência: Senado Federal, Secretaria Especial de Editoração e Publicações, 2023. p. 686.

[19] TCU. Súmula nº 247: É obrigatória a admissão da adjudicação por item e não por preço global, nos editais das licitações para a contratação de obras, serviços, compras e alienações, cujo objeto seja divisível, desde que não haja prejuízo para o conjunto ou complexo ou perda de economia de escala, tendo em vista o objetivo de propiciar a ampla participação de licitantes que, embora não dispondo de capacidade para a execução, fornecimento ou aquisição da totalidade do objeto, possam fazê-lo com relação a itens ou unidades autônomas, devendo as exigências de habilitação adequar-se a essa divisibilidade.
TCU. Acórdão nº 2796/2013 – Plenário: A adjudicação por grupo ou lote não é, em princípio, irregular. A Administração, de acordo com sua capacidade e suas necessidades administrativas e operacionais, deve sopesar e optar, motivadamente, acerca da quantidade de contratos decorrentes da licitação a serem gerenciados.

[20] Conforme destacam Edgar Guimarães e Ricardo Sampaio: "É importante salientar que a vedação legal fica circunscrita ao fracionamento indevido de despesa, isto é, ao fato de não se considerar o encargo financeiro gerado pela contratação da totalidade do objeto pretendido/necessário para fins do cabimento da dispensa em razão do valor. Logo, não implica a impossibilidade de parcelar o objeto das contratações. É nítido, assim, que a verificação do cabimento da dispensa em razão do valor não permite ao gestor público considerar as despesas contratuais de modo individual, ou seja, como se cada contrato fosse próprio e independente. Ao contrário, a questão está diretamente ligada ao dever de planejamento que incide sobre a administração" (GUIMARÃES, Edgar; SAMPAIO, Ricardo. *Dispensa e inexigibilidade de licitação*: aspectos jurídicos à luz da Lei nº 14.133/2021. 1. ed. Rio de Janeiro: Forense, 2022, p. 116).

e concomitantemente. O objetivo dessa ressalva era evitar o fracionamento indevido das despesas, impedindo que uma contratação de maior vulto fosse dividida em várias contratações menores para se enquadrar na dispensa de licitação por valor. De acordo com o inciso II, a dispensa de licitação poderia ocorrer para outros serviços e compras que atendessem ao valor limite, *desde que não se referissem a parcelas de um mesmo serviço, compra ou alienação de maior vulto*.

Eram muitas as dificuldades de interpretação e aplicação concreta de tais disposições, predominando a insegurança em relação à interpretação diante da ausência de definição legal sobre o que se deveria entender por "parcelas de uma mesma obra ou serviço ou a obras e serviços da mesma natureza e no mesmo local que possam ser realizados conjunta e concomitantemente" e "parcelas de um mesmo serviço, compra ou alienação de maior vulto que possa ser realizada de uma só vez".[21] Naquele contexto, para solucionar a divergência causada pela omissão da Lei nº 8.666/1993, o Tribunal de Contas da União consolidou entendimento de que "deve ser evitado o fracionamento da despesa *como expediente de fuga*[22] ao devido procedimento licitatório".[23] Em complemento: "o uso indiscriminado e vicioso de dispensas de licitação caracteriza o fracionamento de despesas e, consequentemente, fuga ao necessário procedimento licitatório".[24] Assim, a resposta consiste em programar "a despesa pelo total para todo o exercício financeiro, em atenção ao princípio da anualidade do orçamento, evitando fracionamentos ilícitos de despesa. O parcelamento não pode conduzir à fuga ao procedimento de licitação".[25]

A Lei nº 14.133/2021 trouxe, expressamente, os critérios para evitar o fracionamento indevido das despesas, estabelecendo, no §1º do art. 75, que a aferição dos valores para efeito de contratação direta deve observar "o somatório do que for despendido no exercício financeiro pela respectiva unidade gestora" (inciso I) e também "o somatório da despesa realizada com objetos de mesma natureza, entendidos como tais aqueles relativos a contratações no mesmo ramo de atividade" (inciso II).[26]

A opção adotada pelo legislador revela-se lógica. Isso porque a atividade de planejamento contratual deve se alinhar com os instrumentos de planejamento orçamentário impostos constitucionalmente à Administração Pública. E, como esse é definido pela LOA (Lei Orçamentária Anual), nada mais coerente do que a Administração identificar o valor estimado a ser despendido com objetos de mesma natureza que serão necessários ao longo do exercício orçamentário e aferir o cabimento da dispensa em razão desse valor.[27]

---

[21] GUIMARÃES, Edgar; SAMPAIO, Ricardo. *Idem*.

[22] Jacoby Fernandes já preconizava tal entendimento, definindo o fracionamento de despesa como a "conduta do administrador que, pretendendo definir a modalidade de licitação inferior à devida ou deixar de realizar a licitação – com fundamento no art. 24, incisos I e II –, reduz o objeto para alcançar valor inferior e realiza várias licitações ou dispensas para o mesmo objeto" (JACOBY FERNANDES, Jorge Ulisses. *Contratação direta sem licitação*. 10. ed. Belo Horizonte: Fórum, 2016, p. 123).

[23] TCU. Acórdão nº 2.087/2012 – Primeira Câmara.

[24] TCU. Acórdão nº 2.643/2008 – Plenário.

[25] TCU. Acórdão nº 3.373/2006 – Primeira Câmara. No mesmo sentido: TCU. Acórdão nº 3.550/2008 – Primeira Câmara. TCU. Acórdão nº 743/2009 – Plenário. TCU. Acórdão nº 1.046/2009 – Segunda Câmara.

[26] De acordo com o §7º do art. 75, "Não se aplica o disposto no § 1º deste artigo às contratações de até R$ 8.000,00 (oito mil reais) de serviços de manutenção de veículos automotores de propriedade do órgão ou entidade contratante, incluído o fornecimento de peças".

[27] GUIMARÃES, Edgar; SAMPAIO, Ricardo. *Dispensa e inexigibilidade de licitação*: aspectos jurídicos à luz da Lei nº 14.133/2021. 1. ed. Rio de Janeiro: Forense, 2022, p. 128.

Por fim, destaca-se sobre o assunto o importante alerta de Marçal Justen Filho, no sentido de que "estabelecer regras intransigentes e rigorosas propicia distorções insuportáveis", sendo a melhor interpretação "afastar o somatório previsto no §1º nas hipóteses em que o gestor tiver atuado de modo diligente, adotando todas as precauções no tocante ao planejamento de suas contratações". Ainda, o autor ensina que "a ocorrência de evento superveniente, imprevisível ou de consequências não estimáveis originalmente, deve ser reconhecida como causa de ruptura entre as diversas contratações", tratando-se, em tais hipóteses, "a contratação posterior de modo dissociado das anteriores".[28]

VII Parâmetros legais para a identificação do valor da dispensa

VII.1 A problemática

A grande dificuldade relacionada à hipótese de dispensa de licitação em razão do valor era, ao tempo da Lei nº 8.666/1993, e continua sendo, com a superveniência da Lei nº 14.133/2021, a aferição do valor limite. Mas por razões distintas.

Na Lei nº 8.666/1993 não havia parâmetros objetivos que pudessem ser considerados pelo gestor, levando a questão aos tribunais de contas, que firmavam seus entendimentos de acordo com suas convicções. A Lei nº 14.133/2021, por sua vez, traz parâmetros que, aparentemente, incorporaram o entendimento do Tribunal de Contas da União sobre o assunto, mas a redação dos dispositivos tem gerado controvérsias quanto a sua interpretação, especialmente o inciso I do §1º do art. 75.

O primeiro ponto a ser destacado é que os parâmetros são cumulativos, ou seja, complementares entre si e devem ser utilizados de forma conjunta, não isolada. Em relação ao inciso II, a definição de "objetos de mesma natureza" como aqueles "relativos ao mesmo ramo de atividade" é insuficiente, razão pela qual os entes federativos devem editar regulamentação que confira maior objetividade à norma e segurança à atuação do gestor, tal como o fez a União, por meio da Instrução Normativa SEGES nº 67/2021.[29] Em relação ao inciso I, a expressão "for despendido no exercício financeiro" tem despertado celeuma e também merece atenção, para aumentar a segurança jurídica na aplicação da norma. Porém, a complexidade do assunto é, sem dúvida, maior.

Com efeito, além de contratos prorrogáveis por exercícios financeiros sucessivos, já previstos pela lei anterior, a Lei nº 14.133/2021 contempla a possibilidade de *celebrar contratos plurianuais*, com vigência abrangendo mais de um exercício financeiro. A hipótese que deverá ser a mais corrente na realidade das Administrações refere-se aos contratos de fornecimentos e serviços continuados, que poderão ser celebrados por até cinco anos, podendo chegar a dez, nos termos dos arts. 106 e 107 da Lei.

---

[28] JUSTEN FILHO, Marçal. *Comentários à lei de licitações e contratações administrativas* (livro eletrônico). 2. ed. São Paulo: Thomson Reuters Brasil, 2023, p. RL1.22.

[29] Art. 4º, §2º: "Considera-se ramo de atividade a linha de fornecimento registrada pelo fornecedor quando do seu cadastramento no Sistema de Cadastramento Unificado de Fornecedores (Sicaf), vinculada: (Redação dada pela IN Seges/MGI nº 8 de 2023).
I – à classe de materiais, utilizando o Padrão Descritivo de Materiais (PDM) do Sistema de Catalogação de Material do Governo federal; ou
II – à descrição dos serviços ou das obras, constante do Sistema de Catalogação de Serviços ou de Obras do Governo federal" (NR).

Diante disso, emergiu a seguinte indagação: para essas situações, a definição da possibilidade de contratação via dispensa em razão do valor poderia ocorrer a partir do valor do contrato *por exercício financeiro*? Melhor dizendo, se o valor previsto para *cada exercício* ficasse abaixo do limite legal, seria possível contratar diretamente por prazo maior, mesmo que a soma dos valores de todos os exercícios superasse esse teto?[30]

No cenário da Lei nº 8.666/1993, de contratos cuja regra era a vigência adstrita ao respectivo crédito orçamentário, a Advocacia-Geral da União (AGU) possuía o entendimento de que, para o enquadramento da situação concreta na hipótese de dispensa em razão do valor, a definição do *valor da contratação* levaria em conta o período inicial de vigência do contrato e as possíveis prorrogações (Orientação Normativa nº 10/2009). No mesmo sentido eram algumas decisões do Tribunal de Contas da União,[31] que ainda recomendava, de forma explícita, que *fosse realizado o planejamento prévio dos gastos anuais* para evitar o fracionamento de despesas de mesma natureza, entendendo que *o valor limite para as modalidades licitatórias era cumulativo ao longo do exercício financeiro* e que a prorrogação do contrato administrativo não deveria resultar em valor total superior ao permitido para a modalidade utilizada.[32] A problemática, como dito, perdeu o sentido em relação à escolha das modalidades licitatórias, que não são mais eleitas a partir do valor da contratação, mas permanece viva para o enquadramento de situações concretas na hipótese de dispensa em razão do valor.

Tudo indica que, assim como inúmeras outras encontradas ao longo do texto da Lei nº 14.133/2021, as disposições do art. 75, §1º, inc. I, pretenderam refletir entendimento já consolidado na jurisprudência do TCU, a partir dos contratos prorrogáveis da Lei nº 8.666/1993. Nessa lógica, o parâmetro legal do "exercício financeiro" produziria o mesmo efeito sobre os contratos plurianuais, ou seja, considerando o planejamento das contratações, somente poderiam ser celebrados via dispensa de licitação em razão do valor se o valor total para a sua vigência não superasse o respectivo limite legal.[33]

---

[30] Para Flávio Garcia Cabral, a resposta a essa indagação parece ser positiva quando afirma que "nova lei colocou como balizador o montante gasto por exercício financeiro, independentemente do prazo de duração do contrato" (CABRAL, Flávio Garcia. In: SARAI, Leandro (org.). *Tratado da nova lei de licitações e contratos administrativos* – Lei 14.133/2021 comentada por Advogados Públicos. São Paulo: Juspodivm, 2021, p. 937).

[31] As decisões, a exemplo do Acórdão nº 745/2011 – Segunda Câmara, acompanhavam o entendimento que já era defendido pelo professor Marçal Justen Filho em edições anteriores: "Outra questão que desperta dúvida envolve os contratos de duração continuada, que comportam prorrogação. A hipótese se relaciona com o disposto no art. 57, inc. II. Suponha-se previsão de contrato por doze meses, prorrogáveis até sessenta meses. Imagine-se que o valor estimado para doze meses conduz a uma modalidade de licitação, mas a prorrogação produzirá superação do limite previsto para a modalidade. Em tais situações, parece que a melhor alternativa é adotar a modalidade compatível com o valor correspondente ao prazo total possível de vigência do contrato. Ou seja, adota-se a modalidade adequada ao valor dos sessenta meses. Isso não significa afirmar que o valor do contrato, pactuado por doze meses, deva ser fixado de acordo com o montante dos sessenta meses. São duas questões distintas. O valor do contrato é aquele correspondente aos doze meses. A modalidade de licitação deriva da possibilidade da prorrogação" (JUSTEN FILHO, Marçal. *Comentários à Lei de Licitações e Contratos Administrativos*: Lei 8666/1993. 18. ed. rev., atual. e ampl. São Paulo: Thomson Reuters Brasil, 2019, p. 444).

[32] Acórdão nº 1.084/2007 – Plenário TCU.

[33] Este é o entendimento da equipe técnica da Consultoria Zênite, para a qual a adequada análise envolvendo o fracionamento indevido de despesas pressupõe considerar o potencial econômico efetivo do contrato. Não basta que o ajuste, por exercício financeiro, observe o limite legal da dispensa em razão do valor. Para que seja possível firmar contratos plurianuais ou que admitam prorrogação via dispensa em razão do valor (art. 75, inc. I e II da Lei nº 14.133/21), o montante total envolvido, em toda a possível vigência, deve observar o limite legal. Dispensa em razão do valor na Lei nº 14.133/21: contratos plurianuais e que admitem prorrogação. *Blog Zênite*. Disponível em: https://zenite.blog.br/dispensa-em-razao-do-valor-na-lei-no-14-133-21-contratos-plurianuais-e-que-admitem-prorrogacao/. Acesso em: 7 ago. 2024.

VII.2 A proposta de interpretação

Em nosso entender, as disposições da Lei nº 14.133/2021 acerca do tema requerem a construção de uma interpretação própria, que observe as peculiaridades dos contratos administrativos celebrados sob suas regras.

De acordo com o art. 75, incs. I e II, a dispensa de licitação será possível quando a *contratação* envolver valores inferiores aos limites indicados. A "contratação" é o negócio jurídico nos termos em que celebrado. Em uma contratação anual ou plurianual, o valor envolvido é o correspondente ao seu prazo de vigência. Em uma contratação com possibilidade de prorrogação do prazo de vigência, o valor envolvido é o correspondente ao prazo inicial do contrato, somado aos valores das prorrogações previstas.

Observe-se que o fundamento da hipótese de dispensa de licitação em questão é o *valor* da contratação e que o limite de valor imposto pela lei é o único critério, absolutamente objetivo, que permite o afastamento do dever de licitar. Não cabem, portanto, no espírito desta norma, contratações que possam, ordinariamente, chegar a valores superiores, sob pena de afronta à ideia de vantajosidade da contratação.[34] Nesses casos, prevalece o dever de licitar, diante do significativo montante total, possível e provável, da contratação.[35] Assim, qualquer interpretação que se dê ao parâmetro "exercício financeiro", contido no inc. I do §1º do art. 75, deve se dar à luz das disposições do art. 75, inc. I, sem comprometer os objetivos centrais da norma.

Diante do exposto, será possível que, a cada novo exercício, a Administração realize nova dispensa de licitação em razão do valor, celebrando um contrato por ano, quando os valores correspondentes ficarem abaixo do limite legal. Mas, pretendendo celebrar um único contrato, com possibilidade de prorrogação ou com prazo plurianual, deverá observar se o *valor da contratação* ultrapassará, ou não, o limite estabelecido nos incisos I ou II, conforme o caso.

Situação peculiar é a dos contratos celebrados pelo prazo de 12 meses, abarcando dois exercícios financeiros. A hipótese deve ser considerada uma vez que não há restrições legais à sua concretização, cabendo à Administração indicar, no edital ou instrumento forma de contratação direta, que as despesas correrão por conta de ambos os orçamentos. Nesses casos, apesar da expressão "exercício financeiro", não haverá óbice à contratação direta se a soma dos dispêndios de ambos os exercícios não superar o limite legal para a dispensa em razão do valor. Outra interpretação, no sentido de que o limite legal seria atinente a cada um dos exercícios,[36] levaria a contratos com valores finais que poderiam ser muito superiores ao teto. Assim seria, por exemplo, em um contrato de 12 meses que tivesse o dispêndio de R$ 48.000,00 em um exercício e R$ 47.000,00 em outro, somando R$ 95.000,00 contratados por dispensa em razão do valor, apesar do limite de

---

[34] Nesse mesmo sentido, Ronny Charles Lopes de Torres escreve que "em interpretação mais restritiva, o que se faz por ser a dispensa uma exceção à constitucional obrigatoriedade de licitar, embora aferição do fracionamento ilícito leve em conta a anualidade, não parece que o legislador tenha admitido o uso desta dispensa (de pequeno valor) para firmar desde já contratos com vigência plurianual e valor superior ao limite por ele estabelecido" (TORRES, Ronny Charles Lopes de. *Leis de licitações públicas comentadas*. 15 ed. rev., atual. e ampl. São Paulo: Juspodivm, 2024, p. 473).

[35] O argumento se sustenta, inclusive, frente às contratações diretas realizadas de forma eletrônica.

[36] Não obstante, o Enunciado 50, do 2º Simpósio de Licitações e Contratos da Justiça Federal, segue nesta linha.

R$ 50.000,00 previsto pela Lei.[37] Tal situação incorreria no mesmo vício já apontado, de desvirtuamento dos objetivos centrais da norma principal.

VIII Conclusão

O planejamento adequado e a aplicação correta da LINDB são fundamentais para garantir segurança jurídica e eficiência nas contratações públicas. A Lei nº 14.133/2021 introduz avanços importantes, mas exige uma interpretação cuidadosa para evitar o fracionamento indevido de despesas e assegurar que as contratações sejam sempre direcionadas ao interesse público.

A nova lei reforça a necessidade de um planejamento robusto, exemplificado pelo Plano de Contratações Anual (PCA), que alinha as contratações com o planejamento estratégico e orçamentário, prevenindo irregularidades. Além disso, as disposições da LINDB conferem maior autonomia aos gestores públicos, permitindo que suas decisões sejam avaliadas com base nas dificuldades práticas enfrentadas e não apenas na literalidade das normas.

De outro giro, as hipóteses de dispensa elencadas nos incisos do art. 75 da Lei nº 14.133/2021 são taxativas e se submetem ao princípio da legalidade estrita. Muitas dessas hipóteses, no entanto, não significam que a realização da licitação seja materialmente impossível. Ao contrário, a maioria sugere que a licitação não apenas é viável, mas perfeitamente passível de ser instaurada.

Nesse sentido, é possível afirmar que os valores para dispensa devem considerar o somatório das despesas no exercício financeiro e objetos de mesma natureza. Contratos plurianuais e contínuos devem respeitar os limites legais, evitando interpretações que permitam contratos em valores superiores ao permitido pela Lei. Isso garante a implementação de práticas planejadas e fundamentadas, alinhadas com os princípios estabelecidos pela nova legislação, o que é essencial para uma governança eficaz e segura nas contratações públicas. Compreender e aplicar corretamente essas disposições contribuirá significativamente para a melhoria da eficiência administrativa e para a realização do interesse público.

Referências

BACELLAR FILHO, Romeu Felipe. *Processo administrativo disciplinar*. 4. ed. São Paulo: Saraiva, 2013.

BOSELI, Felipe. Artigo 75. In: FORTINI, Cristiana; OLIVEIRA, Rafael Sérgio Lima de; BRASIL. Tribunal de Contas da União. *Licitações e contratos*: orientações e jurisprudência do TCU. 4. ed. rev., atual. e ampl. Brasília: TCU, Secretaria Geral da Presidência: Senado Federal, Secretaria Especial de Editoração e Publicações, 2010.

CABRAL, Flávio Garcia. In: SARAI, Leandro (org.). *Tratado da nova lei de licitações e contratos administrativos –* Lei 14.133/2021 Comentada por Advogados Públicos. São Paulo: Juspodivm, 2021.

CAMARÃO, Tatiana (coord.). *Comentários à Lei de Licitações e Contratos Administrativos* – Lei nº 14.133, de 1º de abril de 2021. Belo Horizonte: Fórum, 2021.

---

[37] Para fins ilustrativos, não estão sendo considerados os valores atualizados.

GUIMARÃES, Edgar; SAMPAIO, Ricardo. *Dispensa e inexigibilidade de licitação*: aspectos jurídicos à luz da Lei nº 14.133/2021. 1. ed. Rio de Janeiro: Forense, 2022.

JACOBY FERNANDES, Jorge Ulisses. *Contratação direta sem licitação*. 10. ed. Belo Horizonte: Fórum, 2016.

JACOBY FERNANDES, Ana Luiza; JACOBY FERNANDES, Jorge Ulisses; JACOBY FERNANDES, Murilo. *Contratação direta sem licitação na nova lei de licitações*: Lei nº 14.133/2021. 11. ed. Belo Horizonte: Fórum, 2021.

JORDÃO, Eduardo. O que significa deferência? *Jota*. Disponível em: https://www.jota.info/opiniao-e-analise/colunas/publicistas/o-que-significa-deferencia-28062022 . Acesso em: 5 ago. 2024.

JUSTEN FILHO, Marçal. *Comentários à Lei de Licitações e Contratos Administrativos*: Lei 8666/1993. 18. ed. rev., atual. e ampl. São Paulo: Thomson Reuters Brasil, 2019.

JUSTEN FILHO, Marçal. *Comentários à lei de licitações e contratações administrativas* (livro eletrônico). 2. ed. São Paulo: Thomson Reuters Brasil, 2023, p. RL1.22.

JUSTEN FILHO, Marçal. *Curso de direito administrativo*. 15. ed. Rio de Janeiro: Forense, 2024.

LEONEZ, Angelina. O que é planejamento? *Sollicita*. Disponível em: https://portal.sollicita.com.br/Noticia/18609. Acesso em: 5 ago. 2024.

MOTTA, Fabrício. *Função normativa da Administração Pública*. Belo Horizonte: Fórum, 2007.

MOTTA, Fabrício. Contratação Direta: Inexigibilidade e Dispensa de Licitação. *In:* DI PIETRO, Maria Sylvia Zanella (coord.). *Licitações e contratos administrativos*: inovações da Lei 14.133/21. GUIMARÃES, Edgar; Edgar Guimarães *et al*. 1. ed. Rio de Janeiro: Forense, 2021.

SANTI, Eurico Marcos Diniz de; SANTIN, Lina; ALHO NETO, João; CYPRIANO, Gabriel Franchito. LINDB: objetivando os princípios estruturantes do Direito. *Consultor Jurídico*. Disponível em: https://www.conjur.com.br/2018-set-28/neffgv-lindb-objetivando-principios-estruturantes-direito/. Acesso em: 5 ago. 2024.

SANTOS, Rodrigo Valgas dos. *Direito administrativo do medo*: risco e fuga da responsabilização dos agentes públicos. 3. ed. São Paulo: Thomson Reuters Brasil, 2023.

TORRES, Ronny Charles Lopes de. *Leis de licitações públicas comentadas*. 15. ed. rev., atual. e ampl. São Paulo: Juspodivm, 2024.

Informação bibliográfica deste texto, conforme a NBR 6023:2018 da Associação Brasileira de Normas Técnicas (ABNT):

STROPPA, Christianne de Carvalho; PÉRCIO, Gabriela Verona. Dispensa de licitação em razão do valor: planejamento, fracionamento de despesa e a interpretação do art. 75, §1º, inciso I, da Lei nº 14.133/2021. *In*: JUSTEN, Monica Spezia; PEREIRA, Cesar; JUSTEN NETO, Marçal; JUSTEN, Lucas Spezia (coord.). *Uma visão humanista do Direito*: homenagem ao Professor Marçal Justen Filho. Belo Horizonte: Fórum, 2025. v. 2, p. 399-411. ISBN 978-65-5518-916-2.

BREVE RETROSPECTIVA DOS 100 ANOS DE REGULAÇÃO FINALÍSTICO-LEGAL DAS LICITAÇÕES E SUA IMBRICAÇÃO COM O DESENVOLVIMENTO SUSTENTÁVEL NO BRASIL

DANIEL FERREIRA

Introdução

Faz mais de 100 anos que se exige, no Brasil, algum tipo de processo administrativo prévio às contratações públicas, de modo a, pelo menos, se garantir isonomia de acesso e seleção da proposta mais vantajosa, inicialmente prevista como a "mais barata".

Ocorre que a vantajosidade almejada na lei se alterou ao longo do tempo, sendo paulatinamente revista para incorporar variáveis qualitativas (tecnológicas, ambientais etc.), até o ponto de se dever considerar o ciclo de vida do objeto da licitação, mas sem jamais descurar da vantajosidade calçada no melhor dispêndio de recursos públicos, o que levou a uma mais detida reflexão acerca da solução ótima para satisfação da necessidade ou da utilidade, administrativa ou coletiva.

Para além disso, mais recentemente, isto é, a partir de 2010, a promoção do desenvolvimento nacional sustentável passou a figurar como nova finalidade da licitação, o que causou verdadeira revolução na praxe administrativa e trouxe a lume manifestações doutrinárias variadas, sendo algumas bastante críticas, notadamente naquela década.

Hoje não mais se discute se a licitação pode ou não validamente cumprir uma função social (também dita regulatória), pois assim se dá por força de lei (e de variadas determinações constitucionais), cabendo à Lei nº 14.133/2021 (Nova Lei Geral de Licitações e Contratações Públicas – NLGL) disciplinar como e em que medida isso pode ou deve acontecer com vistas a "incentivar a inovação e o desenvolvimento nacional sustentável" (inc. IV do *caput* do art. 11).

O presente artigo tem por objetivos primordiais (i) examinar as alterações legislativas no que diz com as finalidades explícitas (e implícitas) da licitação desde o Código de Contabilidade da União até a atualmente vigente NLGL à luz da melhor doutrina (de cada época); (ii) demonstrar que os especialistas nem sempre incorporaram, pelo menos de modo imediato, as inovações, seja por não concordarem com elas mediante juízos de reprovação por inconstitucionalidade, seja por desbordarem daquilo que acreditam deva representar uma licitação; e (iii) suscitar a possibilidade de que manifestações dessa ordem podem concorrer para uma mais dificultosa aplicação da lei pela Administração Pública, notadamente quando faltar regulamentação para tanto.

1 As finalidades legais da licitação pública no contexto pré-constitucional

São poucos os estudiosos do Direito que ainda se lembram dos marcos regulatórios das licitações e dos contratos administrativos que vigeram no Brasil até o advento da Constituição Federal de 1988.

De todo modo, não se olvida que em todas as "leis" – anteriores e posteriores à Constituição da República (CR) vigente veiculando normas gerais – a licitação sempre foi apresentada como dedicada à obtenção do maior grau possível de vantajosidade da proposta primordialmente com vistas à execução de obras, prestação de serviços e aquisição de bens junto ao mercado, competindo ao contrato administrativo satisfazer a necessidade ou a utilidade, administrativa ou coletiva, mediante regular execução do seu objeto.

O primeiro repositório normativo dos últimos 100 anos,[1] e que vigeu por 45 (de 1922 a 1967, ainda que sem revogação expressa), é o Código de Contabilidade da União (CCU – Decreto nº 4.536/1922), responsável pelo trato das licitações e das contratações públicas em apenas dez artigos (arts. 49 a 58), então inseridos no Capítulo IV – Da Despesa Pública.

Themístocles Brandão Cavalcanti, tratando do assunto com base nesse estatuto, apontou três princípios fundamentais para as concorrências em geral:[2] "a) uma restrição para a administração na escolha de seus fornecedores; b) o direito de todos ao fornecimento em igualdade de condições; e c) a necessidade da escolha daquele que em melhores condições oferece o serviço ao Estado".[3]

Com efeito, as licitações realizadas à época tinham por finalidades garantir isonomia de acesso e selecionar a proposta "mais barata" (arts. 51 e 52), o que, entretanto, não inibiu o estabelecimento de preferência à contratação de empresa nacional quando em igualdade de condições com estrangeira (art. 53).[4]

---

[1] "A primeira norma com finalidade para licitações e contratos foi editada no Império, datada de 14 de maio de 1862, com a 1ª Constituição de 1824 vigente, e perdurou até 1922, com a 2ª Constituição, já no Brasil República. O Decreto nº 2.926/1862 regulamentava as arrematações de serviços a cargo do Ministério da Agricultura, Comércio e Obras Públicas, foi assinado pelo ministro Manoel Felizardo de Souza e Mello e rubricado pelo imperador Pedro II" (ALVES, Ana Paula Gross. A evolução histórica das licitações e o atual processo de compras públicas em situação de emergência no Brasil. *Revista de Gestão, Economia e Negócios – REGEN*, vol. I, n. II, p. 40-60, 2020, p. 42).

[2] Dentre as públicas, abertas a quaisquer sujeitos, e as administrativas, das quais apenas poderiam participar os previamente cadastrados.

[3] CAVALCANTI, Themístocles Brandão. *Curso de Direito Administrativo*. 5. ed. Rio de Janeiro/São Paulo: Livraria Freitas Bastos S.A., 1955. p. 86.

[4] "Art. 51. Será dispensavel a concurrencia: (...)

A ele deu lugar o Decreto-Lei nº 200/67, que dispõe sobre a organização da Administração Federal e estabelece diretrizes para a Reforma Administrativa, e perdurou vigendo, nessa temática, por quase 20 anos. Ainda que em parcos dispositivos (arts. 125 a 144), situados no Título XII – Das Normas Relativas a Licitações para Compras, Obras, Serviços e Alienações, ele fixou novo regime jurídico aplicável às licitações e contratações públicas, no qual previu, de partida, a própria licitação como princípio (art. 126). Nele estabeleceu, ainda, como finalidade (também implícita) da licitação, a seleção da melhor proposta, mediante critérios de julgamento que levassem em conta condições de qualidade, rendimento, preços, condições de pagamento, prazos e outras (art. 133, *caput*), para as quais seria de se atribuir "pontos ou pesos",[5] superando o paradigma anterior, o que foi assim retratado: por Hely Lopes Meirelles – "proposta mais vantajosa é a que melhor atende ao interesse do serviço público. Nem sempre será a de menor preço, pois este fator, que já fora decisivo no sistema anterior, cedeu lugar para vantagens de qualidade e rendimento no atual regime do Decreto-lei 200/67";[6] e por Oswaldo Aranha Bandeira de Mello: "Para *adquirir* os bens mediante compra ou para *acordar* com terceiros a execução de obras públicas ou a prestação de serviços públicos, cumpre à Administração Pública, a fim de obter a melhor proposta, fazê-la através do instituto, ora denominado, pelo legislador pátrio, de licitação".[7]

Quanto à preferência por fornecedores nacionais, desde que em igualdade de condições, o Decreto-Lei nº 200/67 nada previu, o que não evitou seu estabelecimento por norma "infralegal", isto é, pelo Decreto nº 73.140/1973 – que o regulamentou.[8]

Ademais, impende registrar que estados e municípios foram obrigados a obedecer aos seus ditames por força da Lei nº 5.456/1968, que apenas "permitiu" aos estados – e não aos municípios, porque não integrantes da federação na Constituição de 1967 – suplementarem o códex tendo relativamente às particularidades regionais e locais.

Na sequência, coube ao Decreto-Lei nº 2.300/1986, dividido em seis capítulos e 90 artigos, reger as licitações e os contratos administrativos nacionais por seis anos e

---

§1º Verificada, em primeiro logar, a idoneidade dos concurrentes, será escolhida, salvo outras razões de preferencia antecipadamente assignaladas no edital, a proposta mais barata, que não poderá exceder de 10% os preços correntes da praça. (...)
Art. 52. Para os fornecimentos ordinarios ás repartições publicas, poderá o Governo estabelecer o regimen de concurrencias permanentes, inscrevendo-se, nas contabilidades dos Ministerios e nas repartições interessadas nos fornecimentos, os nomes dos negociantes que se propuzerem a fornecer os artigos de consumo habitual, com a indicação dos preços offerecidos, qualidade e mais esclarecimentos reputados necessarios. (...)
§4º O fornecimento de qualquer artigo caberá ao proponente que houver offerecido preço mais barato, não podendo, em caso algum, o negociante inscripto recusar-se a satisfazer a encommenda, sob pena de ser excluido o seu nome ou firma do registro ou inscripção e de correr por conta delle a diferença.
Art. 53. Em todos os fornecimentos feitos ás repartições publicas federaes serão preferidos, em igualdade de condições, os proponentes nacionaes" (redação original).

[5] DALLARI, Adilson Abreu. *Aspectos jurídicos da licitação*. 3. ed. São Paulo: Saraiva, 1992. p. 98; OLIVEIRA, Régis Fernandes de. *Licitação*. São Paulo: Revista dos Tribunais, 1981. p. 66.
[6] MEIRELLES, Hely Lopes. *Licitação e contrato administrativo*. São Paulo: Revista dos Tribunais, 1973. p. 140.
[7] BANDEIRA DE MELLO, Oswaldo Aranha. *Da licitação*. São Paulo: José Bushatsky, 1978. p. 16.
[8] "Art. 38. Verificada absoluta igualdade de condições entre duas ou mais propostas, poderá a Administração proceder a nova licitação entre os autores das propostas empatadas. Se nenhum quiser ou puder apresentar propostas mais vantajosa para a Administração do que as anteriormente oferecidas ou caso se verifique novo empate, será a licitação decidida por sorteio.
Parágrafo único. Em igualdade de condições, as licitações nacionais terão preferência sobre os estrangeiros."

meio, pelo menos no que diz com as *normais gerais*, e, pois, de aplicabilidade compulsória nas três esferas (federal, estadual e municipal) e no Distrito Federal.[9]

Ou seja, ele espraiou seus efeitos no território nacional antes e depois da CR e, aparentemente, sem qualquer consideração desta. Ainda assim, uma grande novidade adveio com o art. 3º do Decreto-Lei nº 2.300/1986, que estipulou, com caráter de norma geral,[10] o seguinte:

> A licitação destina-se a selecionar a proposta mais vantajosa para a Administração e será processada e julgada em estrita conformidade com os princípios básicos da igualdade, da publicidade, da probidade administrativa, da vinculação ao instrumento convocatório, do julgamento objetivo e dos que lhe são correlatos.

Com isso, literalmente separou-se a finalidade legal da licitação – de selecionar a proposta mais vantajosa para a Administração – de suas condições de validade, isto é, dos princípios (e das regras) que haveriam de obrigatoriamente informar sua realização, dentre os quais o da igualdade. Daí Celso Antônio Bandeira de Mello ter assim assentado:

> Licitação é o procedimento administrativo pelo qual uma pessoa governamental, pretendendo alienar, adquirir ou locar bens, realizar obras ou serviços, segundo condições por ela estipuladas previamente, convoca interessados na apresentação de propostas, a fim de selecionar a que se revele mais conveniente [= mais vantajosa] em função de parâmetros antecipadamente estabelecidos e divulgados.[11]

Hely Lopes Meirelles aparentemente fez o mesmo juízo, ao aceitar a literalidade "da lei": "Desde que a finalidade legal da licitação é selecionar a proposta mais vantajosa (Decreto-lei 2.300/86, art. 3º), nem sempre se dá preeminência ao preço sobre os demais fatores, que podem ser preponderantes em determinados casos".[12]

Por sua vez, o §2º do mesmo art. 3º garantiu a manutenção da preferência "por bens e serviços produzidos, no país, por empresas nacionais" em sua redação original e, mediante reforma, implementada pelo Decreto-Lei nº 2.360/87, "aos bens e serviços produzidos no país".

Outra importantíssima novidade foi a estipulação de quatro "tipos de licitação" (de menor preço, de técnica e preço, de melhor técnica e de preço-base), por meio dos quais seria perseguida a proposta mais vantajosa. Entretanto, o seu cabimento apenas foi definido pelo Decreto nº 30/1991 em quatro simplórios artigos, que, de sua parte, pouco contribuíram para garantir a regularidade dos certames licitatórios, haja vista que

---

[9] "Art. 85. Aplicam-se aos Estados, Municípios; Distrito Federal e Territórios as normas gerais estabelecidas neste decreto-lei.
Parágrafo único. As entidades mencionadas neste artigo e no artigo seguinte não poderão ampliar os casos de dispensa de licitação, nem os limites máximos de valor fixados para convite, tomada de preços e concorrência" (na versão original).

[10] GRAU, Eros Roberto. *Licitação e contrato administrativo* (estudos sobre a interpretação da lei). São Paulo: Malheiros Editores, 1995. p. 15.

[11] BANDEIRA DE MELLO, Celso Antônio. *Elementos de direito administrativo*. 3. ed. São Paulo: Malheiros Editores, 1992. p. 176.

[12] MEIRELLES, Hely Lopes. *Licitação e contrato administrativo*. 10. ed., atualizada por Eurico de Andrade Azevedo e Célia Marisa Prendes. São Paulo: Revista dos Tribunais, 1991. p. 22.

a estipulação dos parâmetros (quesitos, pontos e pesos) ficou implicitamente destinada a ser fixada mediante normas gerais de índole inferior ou mesmo nos instrumentos convocatórios, como, aliás, já ocorria sob a égide do Decreto-Lei nº 200/67.

Em síntese, de 1922 até 1993 as licitações tiveram por finalidade "legal" comum a seleção da proposta "mais barata" (de 1922 a 1967) e, na sequência, da "mais vantajosa" (de 1967 a 1993), sem prejuízo de se estipular que, em igualdade de condições (de acesso, competição e propostas), dar-se-ia preferência às empresas nacionais.

2 Os fins licitatórios no contexto pós-Constituição da República até 2006

A Constituição de 1967 silenciou acerca das licitações públicas, competindo à CR vigente revigorar o assunto, o que restou assim feito no inciso XXI do art. 37:

> Ressalvados os casos especificados na legislação, as obras, serviços, compras e alienações serão contratados mediante processo de licitação pública que assegure igualdade de condições a todos os concorrentes, com cláusulas que estabeleçam obrigações de pagamento, mantidas as condições efetivas da proposta, nos termos da lei, o qual somente permitirá as exigências de qualificação técnica e econômica indispensáveis à garantia do cumprimento das obrigações.

De conseguinte, no plano constitucional do ordenamento jurídico brasileiro não se noticia, pelo menos explicitamente, o que se deve compreender por licitação pública em termos finalísticos. A observação quanto a se dever assegurar a igualdade de condições (tanto quanto as limitações antevistas para os requisitos de habilitação), repita-se, exprime condição de validade, não de existência da licitação propriamente dita.

Portanto, o novo salto regulatório deu-se com a robusta Lei nº 8.666/1993 (dita Lei Geral das Licitações e Contratações Pública – LGL), que, em 125 artigos, regulamentou o inc. XXI do art. 37 da CR e assim estipulou (em sua redação original):

> Art. 3º A licitação destina-se a garantir a observância do princípio constitucional da isonomia e a selecionar a proposta mais vantajosa para a Administração e será processada e julgada em estrita conformidade com os princípios básicos da legalidade, da impessoalidade, da moralidade, da igualdade, da publicidade, da probidade administrativa, da vinculação ao instrumento convocatório, do julgamento objetivo e dos que lhes são correlatos.

Disso se infere que a licitação passou a ser textual e legalmente encarada como instrumento para a promoção da isonomia de tratamento no ordinário acesso às contratações públicas[13] e para seleção da proposta mais vantajosa (incorporando o cenário do Decreto-Lei nº 2.300/86).

---

[13] "Os casos de contratação direta, arrolados primeiramente no Decreto-lei 200/67, posteriormente no Decreto-lei 2.300/86 e, atualmente, na Lei 8.666/93, na realidade, no mais das vezes, não impedem a Administração de licitar. Na verdade existe a faculdade de contratar diretamente, desde que se verifiquem os pressupostos legais, salvo as hipóteses de inexigibilidade" (FIGUEIREDO, Lucia Valle. *Direitos dos licitantes*. 4. ed. São Paulo: Malheiros Editores, 1994. p. 18.)

Portanto, com duas finalidades normativas, que, de sua parte, igualmente figuravam como condição de validade. Isto é, licitação que não se concretizasse com isonomia e que não repercutisse na seleção da proposta mais vantajosa haveria de ser fulminada.

De todo modo, Marçal Justen Filho argutamente sustentou, examinando a LGL nos seus primórdios, que "a licitação destina-se a selecionar a proposta mais vantajosa para a Administração Pública (com observância do princípio da isonomia)",[14] deixando aparentemente assentado o seu entendimento de que a isonomia não se prestaria a distinguir o instituto (da licitação) pelo seu fim[15] e que "a vantagem se caracteriza em face da adequação e satisfação ao interesse público por via da execução do contrato. (...) A maior vantagem possível corresponde à situação de menor custo e maior benefício para a Administração".[16]

Similarmente ao disposto nos marcos que a antecederam, a LGL previu, no §2º do art. 3º, desempate mediante preferência, sucessiva, a bens e serviços: (a) produzidos ou prestados por empresas brasileiras de capital nacional; produzidos no País; e produzidos ou prestados por empresas brasileiras.[17] E, ainda, que a vantajosidade da proposta seria obtida por meio de diferentes tipos de licitação (menor preço,[18] técnica e preço, melhor técnica e maior lance ou oferta) e distintos critérios de desempate (arts. 45 e 46). Isso persistiu até o dia 15 de dezembro de 2006, data da publicação do Estatuto Nacional da Microempresa e da Empresa de Pequeno Porte.

3 A assaz criticada Lei Complementar nº 123/2006 e o tratamento favorecido conferido às microempresas e às empresas de pequeno porte

Como apontado alhures,

> A virada normativa, em âmbito infraconstitucional imediato, deu-se com a edição da Lei Complementar nº 123/2006, que estabeleceu normas gerais relativas ao tratamento diferenciado e favorecido a ser dispensado às microempresas e empresas de pequeno porte – no âmbito dos Poderes da União, dos Estados, do Distrito Federal e dos Municípios – e deu concreção ao disposto no art. 179 da Constituição da República. Do seu teor extraem-se significativas vantagens para o facilitado acesso das microempresas e das empresas de

---

[14] JUSTEN FILHO, Marçal. *Comentários à lei de licitações e contratos administrativos* (de acordo com a Emenda Constitucional nº 19, de 4 de junho de 1998, e com a Lei federal nº 9.648, de 27 de maio de 1998). 5. ed. São Paulo: Dialética, 1998. p. 55.

[15] Toshio Mukai segue o mesmo entendimento, assim pontificado: "A finalidade da licitação é o de permitir que o Poder Público consiga a proposta que lhe seja mais vantajosa. Mas esse desiderato não pode ser alcançado com infração aos princípios referidos no art. 3º" (MUKAI, Toshio. *O novo estatuto jurídico das licitações e contratos públicos:* comentários à Lei 8.666/93, com as alterações promovidas pela Lei nº 8.883/94. 3. ed. São Paulo: Revista dos Tribunais, 1994. p. 24.

[16] JUSTEN FILHO, Marçal. *Comentários à lei de licitações e contratos administrativos* (de acordo com a Emenda Constitucional nº 19, de 4 de junho de 1998, e com a Lei federal nº 9.648, de 27 de maio de 1998). 5. ed. São Paulo: Dialética, 1998. p. 55.

[17] Crítica MJF...

[18] O menor preço também restou adotado como critério de seleção da proposta mais vantajosa na Lei do Pregão (Lei nº 10.520/2002).

pequeno porte ao mercado das contratações públicas, dentre as quais a possibilidade de regularização de pendências tributárias apenas antecedendo a contratação (arts. 42 e 43), a preferência de contratação na ocorrência de empate com empresas de grande porte (art. 44) e a facultada (sic) realização de licitações exclusivas (art. 48, inciso I).[19]

Em que pese não tenha alterado o teor da LGL, a Lei Complementar nº 123/2006 (LC nº 123) rompeu com o sistema anterior, pois passou a "orientar" a realização de licitações beneficiando microempresas (ME) e empresas de pequeno porte (EPP).

Ou seja, o tratamento (neutro e) formalmente isonômico a ser concedido aos licitantes de outrora foi substituído por outro, materialmente preocupado em equalizar oportunidades sem as quais jamais poderia haver competição entre desiguais.

Com isso veio a lume outra finalidade para as licitações públicas, determinada por lei e expressiva de verdadeira "função social", isto é, de simultânea persecução de outros interesses coletivos – que não guardem relação direta e imediata com a execução do futuro contrato – para além da seleção da proposta mais vantajosa,[20] o que, até então, parecia incogitável para a grande maioria dos estudiosos.[21]

"Aqui, o diferencial é utilizado justamente com o intuito de fomentar a criação de empresas dessa natureza, como verdadeiro mecanismo de indução e de desenvolvimento dessas empresas, que empregam expressivo número de trabalhadores no Brasil",[22] como muito bem e primeiramente apontado por Luciano Ferraz (em 2009).

Também tratando das disposições da LC nº 123 em relação às aquisições públicas, Celso Antônio Bandeira de Mello reconhece que "estas distintas providências correspondem a um exemplo paradigmático da aplicação *positiva* (ou seja, não meramente negativa) do princípio da igualdade",[23] as quais se justificariam não apenas à luz da CR (art. 170, inc. IX), mas pelo fato de haver "uma correlação entre o pequeno porte econômico de uma empresa e a justeza de se lhe atribuir benefícios em sua atividade empresarial".[24]

---

[19] FERREIRA, Daniel; GIUSTI, Anna Flávia Camilli Oliveira. A licitação pública como instrumento de concretização do direito fundamental ao desenvolvimento nacional sustentável. *A&C – Revista de Direito Administrativo & Constitucional*, Belo Horizonte, ano 12, n. 48, p. 177-193, abr./jun. 2012. p. 185-186.

[20] Aliás, que jamais se deu ou pode se dar no interesse "da Administração", pois, a bem da verdade, o melhor gasto público favorece a preservação do erário, que pode ser compreendido como a totalidade dos recursos (públicos, financeiros e econômicos) disponíveis para satisfação dos interesses da coletividade.

[21] "Anômala ou não, a possibilidade de se conferir às licitações um caráter instrumental não é exclusiva de brasileiros, porque assim já foi revelada, no ano de 1999 e sob os auspícios da UNAM, por León CORTIÑAS-PELÁEZ, no seu 'Estudio Preliminar. Del horizonte mexicano del derecho de la licitación pública': '*La discutida instrumentalización.* Partiendo de la postura intervencionista de la administración nacional, tendente al aprovechamiento de masas ingentes de capital capaces de transformar horizontal y verticalmente resortes determinantes del mercado, de la sociedad y de la economía de un país, se ha planteado y aún se discute la posibilidad de *instrumentalización de las compras* del Estado. Así, destinando ingresos, por ejemplo, para la adquisición o promoción de empresas en zonas deprimidas, para la lucha contra la contaminación, para el fomento del pleno empleo de las mujeres en el mercado de trabajo, (...)'". (FERREIRA, Daniel; GIUSTI, Anna Flávia Camilli Oliveira. A licitação pública como instrumento de concretização do direito fundamental ao desenvolvimento nacional sustentável. *A&C – Revista de Direito Administrativo & Constitucional*, Belo Horizonte, ano 12, n. 48, p. 177-193, abr./jun. 2012. p. 187-188).

[22] FERRAZ, Luciano. Função regulatória da licitação. *A&C – Revista de Direito Administrativo & Constitucional*, Belo Horizonte, ano 9, n. 37, p. 133-142, jul./set. 2009. p. 137.

[23] BANDEIRA DE MELLO, Celso Antônio. *Curso de direito administrativo.* 22. ed. São Paulo: Malheiros Editores, 2007. p. 513.

[24] BANDEIRA DE MELLO, Celso Antônio. *Curso de direito administrativo.* 22. ed. São Paulo: Malheiros Editores, 2007. p. 514.

Contudo, até hoje a sua aceitação – e incorporação à praxe administrativa – encontra embaraços, inclusive doutrinários,[25] na pressuposição de que essa verdadeira política pública (dentre outras) não pode se sobrepor à vantajosidade passível de obtenção, pela via licitatória, no mercado aberto (isto é, "sem privilégios") e nem violar os princípios da isonomia e da livre-iniciativa.[26]

4 As múltiplas finalidades da licitação a partir da Medida Provisória nº 495/2010 e seus impactos na promoção indireta e mediata do desenvolvimento nacional sustentável

Aos 20 de julho de 2010 foi publicada a Medida Provisória nº 495/2010 (MP 495), responsável por requalificar a licitação como um instrumento vocacionado a promover o desenvolvimento nacional, ao lado de garantir a isonomia e de selecionar a proposta mais vantajosa.

Para que assim fosse possível, ela alterou o *caput* e os §§1º (inc. I) e 2º e inseriu os §§5º a 12[27] no mesmo art. 3º da LGL, mudando os critérios de desempate e estipulando

---

[25] Em 2007, assim se posicionava Joel Menezes Niebhur: "Sem embargo, afora a questão tributária, o legislador resolveu imiscuir-se na seara da licitação pública, prescrevendo normas abertamente estranhas ao regime jurídico que lhes é próprio, já bastante complicado, diga-se de passagem, o que causa espécie e dificuldades de toda sorte" (NIEBHUR, Joel de Menezes. Repercussões do Estatuto das Microempresas e das Empresas de Pequeno Porte em Licitação Pública. *ILC – Informativo de Licitações e Contratos*, n. 157, p. 233, mar. 2007). Com a devida vênia, pensa-se o contrário, até o ponto de se sustentar, desde 2010, que os arts. 47 e 48 não previam faculdades, mas verdadeiras obrigações, o que veio a ser sacramentado pela Lei Complementar nº 147/2014. Confira-se: "Uma ressalva, contudo, há de ser feita: pelo ineditismo da recente lei nacional, sujeita a especialização legal e regulamentar nos âmbitos estadual e municipal, várias de suas disposições ainda vêm sendo (infelizmente) entendidas como 'discricionárias', supostamente habilitando a adoção de suas especiais disposições mediante juízos de oportunidade e de conveniência (*sic*). Juízos esses, ademais, que em nada revelam a adequada valoração dos interesses públicos *sub examen* ou da própria viabilidade material do direcionamento *in concreto*, mediante sua regular interpretação e aplicação de sorte a fazer cumprir as extraordinárias e deliberadas finalidades contidas na LC 123" [FERREIRA, Daniel. Função social da licitação pública: o desenvolvimento nacional sustentável (no e do Brasil, antes e depois da MP n. 495/2010). *Fórum de Contratação e Gestão Pública – FCGP*, Belo Horizonte, v. 9, n. 107, p. 49-64, nov. 2010].

[26] Edgar Guimarães e Ricardo Sampaio comungam do mesmo entendimento de Marçal Justen Filho, no sentido de que "o §9º do art. 25 da Lei nº 14.133/2021, não obstante possua um caráter nobre, conflita com a garantia constitucional assegurada pelo princípio da livre iniciativa" [GUIMARÃES, Edgar; SAMPAIO, Ricardo. O edital da licitação: aspectos gerais. *In*: HARGER, Marcelo (org.). *Aspectos polêmicos sobre a Nova Lei de Licitações e Contratos Administrativos*: Lei nº 14.133/2021. Belo Horizonte: Fórum, 2022. p. 102-103].

[27] Art. 3º A licitação destina-se a garantir a observância do princípio constitucional da isonomia, a seleção da proposta mais vantajosa para a administração *e a promoção do desenvolvimento nacional*, e será processada e julgada em estrita conformidade com os princípios básicos da legalidade, da impessoalidade, da moralidade, da igualdade, da publicidade, da probidade administrativa, da vinculação ao instrumento convocatório, do julgamento objetivo e dos que lhes são correlatos. (...)
I – admitir, prever, incluir ou tolerar, nos atos de convocação, cláusulas ou condições que comprometam, restrinjam ou frustrem o seu caráter competitivo e estabeleçam preferências ou distinções em razão da naturalidade, da sede ou domicílio dos licitantes ou de qualquer outra circunstância impertinente ou irrelevante para o específico objeto do contrato, *ressalvado o disposto nos §§5º a 12 deste artigo e no art. 3º da Lei nº 8.248, de 23 de outubro de 1991*. (...)
§9º As disposições contidas nos §§5º, 6º e 8º deste artigo não se aplicam quando não houver produção suficiente de bens manufaturados ou capacidade de prestação dos serviços no País.
§10. *A margem de preferência a que se refere o §6º* será estendida aos bens e serviços originários dos Estados Partes do Mercado Comum do Sul – *Mercosul, após a ratificação do Protocolo de Contratações Públicas do Mercosul, celebrado em 20 de julho de 2006, e poderá ser estendida, total ou parcialmente, aos bens e serviços originários de outros países, com os quais o Brasil venha assinar acordos sobre compras governamentais.*

margens de preferência a "produtos manufaturados e para serviços nacionais que atendam a normas técnicas brasileiras" (inc. I do §5º), "limitada a até vinte e cinco por cento acima do preço dos produtos manufaturados e serviços estrangeiros" (§6º), mediante consideração, dentre outros fatores (§7º): (i) da geração de emprego e renda; (ii) do efeito na arrecadação de tributos federais, estaduais e municipais; e (iii) do desenvolvimento e da inovação tecnológica realizados no país, sem prejuízo de adicional margem de preferência "para os produtos manufaturados e para os serviços nacionais resultantes de desenvolvimento e inovação tecnológica realizados no País" (§8º).

Ademais, no caso de contratações envolvendo "sistemas de tecnologia de informação e comunicação considerados estratégicos, a licitação poderia ser restrita a bens e serviços com tecnologia desenvolvida no País e produzidos de acordo com o processo produtivo básico" (§12).

É dizer, desde 2010, a LGL passou de "neutra" a ostensivamente preocupada em garantir o crescimento econômico socialmente justo e benigno do ponto de vista ambiental, o que reflete a promoção do desenvolvimento "integral", como mentada por Ignacy Sachs.[28]

Registre-se, ainda, que, por ocasião da conversão da medida provisória, operada pela Lei nº 12.349/2010, a LGL quase não sofreu alterações, mas teve a novidadeira finalidade aditada para a promoção do desenvolvimento nacional "sustentável" – dando enfoque à sustentabilidade ambiental – e a margem de preferência "total" limitada a 25%.

Essas inovações, contudo, foram criticadas até mesmo pela melhor doutrina. Representando a maioria deles, estão os apontamentos de Marçal Justen Filho,[29] que, a

---

§11. *Os editais de licitação para a contratação de bens, serviços e obras poderão exigir que o contratado promova, em favor da administração pública ou daqueles por ela indicados, medidas de compensação comercial, industrial, tecnológica ou acesso a condições vantajosas de financiamento, cumulativamente ou não, na forma estabelecida pelo Poder Executivo Federal* (inserções em itálico).

[28] SACHS, Ignacy; VIEIRA, Paulo Freire (org.). *Rumo à ecossocioeconomia*: teoria e prática do desenvolvimento. São Paulo: Garcez, 2007. p. 294.

[29] Apontamentos esses feitos em abril de 2011, portanto, antes mesmo da regulamentação geral das margens de preferência (operada por meio do Decreto nº 7.546/2011, que vigeu até janeiro de 2024) e da expedição do primeiro decreto federal estabelecendo dita margem para o fornecimento de retroescavadeiras, motoniveladoras etc. para produtos manufaturados nacionais. Confiram-se:
"O contrato administrativo é um instrumento para a Administração satisfazer necessidades imediatas, tais como a aquisição do domínio de bens móveis ou imóveis, a obtenção de serviços e assim por diante. Mas o contrato administrativo também propicia à Administração o atingimento de fins mediatos, de modo que a avença é um instrumento da realização de políticas públicas mais amplas. (...)
Segundo a concepção tradicional, as contratações públicas seriam destinadas exclusivamente a prover os entes estatais dos bens, serviços e obras necessários ou a dar um destino aos bens de que os entes administrativos não necessitassem. Sob esse enfoque, as contratações públicas eram destinadas a promover a satisfação direta e imediata das necessidades estatais. (...)
Mas é inquestionável que a contratação pública apresenta uma relevância socioeconômica. A atividade contratual do Estado não pode ser concebida como um simples instrumento para atender necessidades administrativas.
A afirmação de um Estado intervencionista acarretou uma função promocional de satisfação de direitos. O Estado assumiu o dever de satisfazer uma ampla gama de necessidades coletivas e individuais. Isso significa que o Estado necessita realizar contratações frequentes, que envolvem valores muito elevados. O Estado, individualmente considerado, torna-se o maior contratante na economia. (...)
A cada ano, o Estado brasileiro desembolsa bilhões de reais em contratos com os objetos mais variados.
Isso significa que o setor privado acaba sendo modelado para atender às necessidades estatais. Se o Estado cessasse repentinamente de promover contratações, o resultado seria o caos – não apenas pelo colapso dos serviços estatais, mas também pela ociosidade do setor produtivo. (...)
A Lei 12.349 visou, então, a disciplinar uma dimensão macroeconômica das contratações públicas.

despeito de explicitamente reconhecer a dimensão macroeconômica das licitações públicas, não deixou de demonstrar sua preocupação com o incremento de custo decorrente de contratações sustentáveis (na perspectiva de proteção da indústria nacional e do meio ambiente) e a escassez de recursos públicos, acabando por concluir pela necessidade de soluções equilibradas e customizadas em cada caso.[30] Logo, objurgando disposições

---

Determinou que o Estado, ao promover uma contratação, busque não apenas obter um serviço ou um bem, mas promover a realização de um valor prestigiado constitucionalmente – o desenvolvimento nacional sustentado. (...)
A Lei 12.349 determina que a contratação administrativa funcione como um incentivo ao desenvolvimento nacional sustentado. Isso significa a existência de uma relação de causalidade, cuja intensidade pode ser variada, entre a contratação administrativa e objetivos relacionados ao desenvolvimento nacional. (...)
O contrato administrativo é concebido como um instrumento para fomentar atividades no Brasil.
Tanto podem ser atividades materiais realizadas aqui como o desenvolvimento de ideias, no âmbito do conhecimento, da ciência e da tecnologia.
Isso significa, em última análise, assegurar um tratamento preferencial às empresas estabelecidas no Brasil. Haverá uma preferência pela contratação de empresas aptas a assegurar empregos, a pagar tributos e a manter a riqueza nacional no Brasil. (...)
A outra dimensão normativa envolve a adoção de soluções ambientalmente corretas. A contratação administrativa deve buscar práticas amigáveis ao meio ambiente, reduzindo ao mínimo possível os danos ou o uso inadequado dos recursos naturais. (...)
Ocorre que a promoção do desenvolvimento nacional sustentado pode envolver contradição com a adoção da solução economicamente mais vantajosa, considerada sob o prisma da eficiência no desembolso dos recursos públicos. A contratação administrativa deve assegurar o uso mais eficiente possível dos recursos econômicos de titularidade estatal. (...)
Ora, a promoção do desenvolvimento nacional sustentado pode acarretar a elevação dos custos para os cofres públicos. Aliás, esse resultado foi explicitamente previsto e autorizado nos §§5º e seguintes do art. 3º da Lei 8.666. Em outras palavras, passou a ser legislativamente previsto que a Administração Pública poderá ser constrangida a desembolsar valores superiores aos possíveis para aprovisionar-se dos bens e serviços necessários. (...)
Ora, a proposta economicamente mais vantajosa pode ser inadequada a assegurar a realização dos fins indiretos buscados pela contratação administrativa. Ou seja, a eficiência econômica pode comprometer a realização de outros fins buscados pelo Estado. Quando assim se passar, estarão presentes os pressupostos da aplicação das regras legais que autorizam afastar a supremacia da vantajosidade econômica.
Por tudo isso, é imperiosa a plena consciência da Administração Pública de que a realização de outras finalidades apresenta um custo econômico, a ser arcado pelos cofres públicos e pela Nação. (...)
Logo, o desembolso de valores superiores aos possíveis envolve uma escolha dramática para o Estado brasileiro. Significa o consumo de recursos que poderiam ser utilizados para atender a outras necessidades, relacionadas com a realização de outros interesses igualmente relevantes. (...)
Isso significa que o Estado está juridicamente constrangido a adotar as práticas que assegurem a realização concomitante e harmoniosa, do modo mais intenso possível, de todas as finalidades protegidas constitucionalmente. (...)
O Estado está constitucionalmente subordinado a adotar, em cada caso concreto e no conjunto de suas decisões e políticas, as práticas e as decisões mais compatíveis com a promoção da dignidade de todos. (...)
A solução de equilíbrio deve ser produzida em face das circunstâncias concretas, sem a afirmação apriorística, abstrata e teórica de decisões que ignorem as características do mundo real." (JUSTEN FILHO, Marçal. Desenvolvimento nacional sustentado: contratações administrativas e o regime introduzido pela lei 12.349. *Informativo Justen, Pereira, Oliveira e Talamini*, Curitiba, n. 50, abr. 2011, disponível em: https://edisciplinas. usp.br/pluginfile.php/1788209/mod_resource/content/1/mar%C3%A7al%20justen%20filho%20-%20 desenvolvimento%20nacional%20sustentado%20%20.......pdf. Acesso em: 10 ago. 2024).

[30] Todavia, essa não era a realidade observada no plano federal no biênio 2015/2016 na capital do Estado de Santa Catarina: "Sobre a aderência da Administração Pública na questão da contratação sustentável, o estudo de caso sobre a adoção de critérios de sustentabilidade ambiental limitou-se aos órgãos públicos federais localizados em Florianópolis (SC), no biênio 2015/2016, a partir da coleta e análise quantitativa e qualitativa de 50 (cinquenta) editais de licitações, a fim de verificar a especificação de cada material ou serviço constante do termo de referência, no que toca à inserção de critérios de sustentabilidade. A pesquisa leva à conclusão que a referida inserção foi realizada de maneira tímida. Do ponto de vista quantitativo, correspondeu a apenas 47,74% do potencial que poderia ser explorado, sendo que qualitativamente a maioria dos critérios foi inserida de maneira genérica nos editais, carecendo de uma individualização na descrição de cada objeto. O Governo é o indutor dessa nova perspectiva, porém precisa superar os entraves que ainda permeiam a atividade licitatória. Entre as possíveis razões para o baixo grau de adesão às licitações sustentáveis por parte da Administração Pública indica-se o receio de impugnações e recursos no processo licitatório; a cobrança por agilidade dos processos de

promocionais generalizadas e apriorísticas, assim desarrazoadamente inseridas na legislação específica a partir de 2010.[31]

Nada obstante isso, a LGL, em sua versão *desenvolvimentista*, vigeu plena e solenemente por mais de uma década, tratando de buscar a satisfação de diferentes interesses coletivos – envolvidos com a promoção do desenvolvimento nacional sustentável – por meio das parcerias contratualmente instaladas, até a nova Lei Geral de Licitações e Contratações Públicas (NLGL, a Lei nº 14.133/2021), com quase 200 artigos, entrar em vigor, em caráter obrigatório e exclusivo,[32] a partir de janeiro de 2024.

No entanto, desde abril de 2021 as licitações e contratações públicas no âmbito federal já vinham sendo realizadas com base na NLGL, que, de sua parte, prevê o seguinte:

> Art. 5º Na aplicação desta Lei, serão observados os princípios da legalidade, da impessoalidade, da moralidade, da publicidade, da eficiência, do interesse público, da probidade administrativa, da igualdade, do planejamento, da transparência, da eficácia, da segregação de funções, da motivação, da vinculação ao edital, do julgamento objetivo, da segurança jurídica, da razoabilidade, da competitividade, da proporcionalidade, da celeridade, da economicidade e do desenvolvimento nacional sustentável, assim como as disposições

---

contratações pelos respectivos gestores; e a insuficiente qualificação dos respectivos servidores para a atuação em matéria de licitações sustentáveis" [CRISTÓVAM, José Sérgio da Silva; FERNANDES, Hulisses. Licitações públicas e sustentabilidade: uma análise da aplicação de critérios ambientais nas compras de órgãos públicos federais em Florianópolis (SC). *Rev. Direito Econ. Socioambiental*, Curitiba, v. 9, n. 2, p. 370-392, maio/ago. 2018. p. 388-389].

[31] Ademais, registre-se, na passagem, o contido na conclusão final do relatório intitulado "Avaliação de Impacto das Margens de Preferência nas Compras Governamentais", elaborado pela Secretaria de Política Econômica – Ministério da Fazenda: "A análise empreendida a partir dos dados do sistema Comprasnet permitiu descrever vários aspectos dos efeitos da política de margens de preferência. Em particular, foi possível verificar que a política nacional de margem de preferência efetivamente gerou a alocação de recursos públicos adicionais para aquisição de produtos de procedência nacional em medidas diversas entre os diferentes setores alcançados pelos decretos. Tendo em vista certos resultados previstos pela teoria dos leilões, também se poderia esperar que o acirramento da competição nos certames licitatórios entre fornecedores de produtos nacionais e estrangeiros fosse indutor de um aumento da produção industrial local, com desdobramentos positivos em variáveis econômicas que possam compensar o custo adicional incorrido. Os exercícios econométricos realizados não foram capazes, contudo, de identificar uma redução do preço das compras públicas como consequência da política de margens de preferência. Parte da racionalidade da política de margens de preferência se deve ao seu potencial de gerar acirramento da competição de concorrentes estrangeiros a partir da sua constatação de que passam a competir com concorrentes domésticos favorecidos pelas margens. Com isso, obter-se-ia simultaneamente um direcionamento de parte da demanda pública para os concorrentes domésticos e uma redução do preço esperado a ser pago pelo governo pelos bens licitados, com relação aos resultados dos certames na ausência da política de margens. (...)
A análise dos dados do Comprasnet revelou que, em geral, houve pouco recurso ao instrumento. Nas licitações realizadas de 2012 até julho de 2015, houve um baixo índice de utilização da margem de preferência nos certames. De acordo com os dados levantados, o valor total das compras com previsão de aplicação de margem de preferência foi R$ 8,04 bilhões, enquanto no mesmo período as aquisições do Governo Federal registradas no SISG/Comprasnet totalizaram R$ 280,8 bilhões. O custo adicional incorrido com a aplicação efetiva da margem de preferência, alcançou R$ 62,4 milhões no período analisado, ou R$ 17,3 milhões por ano, que corresponde a 0,77% do total das licitações realizadas com previsão de aplicação da margem. Destaque-se também a reduzida participação nas licitações realizadas no período. (...)
Os dados mostraram que as margens efetivamente têm efeito de induzir a seleção competitiva de fornecedores nacionais em um número significativo de certames e setores. Os impactos positivos sobre o emprego e a renda puderam ser calculados com base no volume de compras induzido diretamente pelas margens" (BRASIL. Ministério da Fazenda. Secretaria de Política Econômica. Avaliação de impacto das margens de preferência nas compras governamentais. Relatório final, 15.12.2015. Disponível em: https://www.conjur.com.br/wp-content/uploads/2023/09/avaliacao-impacto-compras-governamentais.pdf. Acesso em: 10 ago. 2024. p. 110-113).

[32] É dizer, revogando a um só tempo as Leis nº 8.666/93 (LGL), nº 10.520/2002 (Lei do Pregão) e nº 12.462/2011 (Lei do Regime Diferenciado de Contratações Públicas – RDC), relativamente aos arts. 1º a 47-A).

do Decreto-Lei nº 4.657, de 4 de setembro de 1942 (Lei de Introdução às Normas do Direito Brasileiro). (...)

Art. 11. O processo licitatório tem por objetivos:

I – assegurar a seleção da proposta apta a gerar o resultado de contratação mais vantajoso para a Administração Pública, inclusive no que se refere ao ciclo de vida do objeto;

II – assegurar tratamento isonômico entre os licitantes, bem como a justa competição;

III – evitar contratações com sobrepreço ou com preços manifestamente inexequíveis e superfaturamento na execução dos contratos;

IV – incentivar a inovação e o desenvolvimento nacional sustentável. (...)

Com efeito, a NLGL aumenta para quatro as finalidades legais para as licitações, sendo que as três primeiras se revelam como ordinárias condições de validade para o regular desdobramento do processo administrativo, restando para a última a vocação finalística, propriamente dita, de incentivar a inovação e o desenvolvimento nacional sustentável.

Ocorre que inovação e desenvolvimento (nacional) estão relacionados, como antecipado por Jessé Torres Pereira Junior e Marinês Restelatto Dotti:

> A Lei Complementar nº 123/2006 e o Decreto nº 6.204/07, no intuito de estimular a inovação tecnológica nomeada no Capítulo X do Estatuto Nacional da Microempresa e da Empresa de Pequeno Porte, guindaram-na a diretriz nas contratações dessas empresas para a execução de compras, obras e serviços pela Administração Pública. (...)
>
> Deduz-se que se trata de adoção de métodos de produção tecnologicamente novos ou significativamente aperfeiçoados. Esses métodos podem abranger mudanças em equipamentos ou na organização da produção, ou uma combinação de ambos, ou podem derivar do uso de conhecimento novo.[33]

E nem poderia ser diferente, pois, como bem definido no art. 64 da LC nº 123, a inovação pressupõe "a concepção de um novo produto ou processo de fabricação, bem como a agregação de novas funcionalidades ou características ao produto ou processo que implique melhorias incrementais e efetivo ganho de qualidade ou produtividade, resultando em maior competitividade no mercado", assim contribuindo para "sustentar o desenvolvimento e melhorar o padrão de renda".[34]

De conseguinte, por conta de o desenvolvimento integral pressupor inovação, especialmente com vistas à paulatina mitigação das externalidades negativas derivadas do crescimento econômico, o inc. IV do art. 11 da NLGL pode ser hermeneuticamente reduzido a incentivar o desenvolvimento nacional sustentável.

Não soa estranho, pois, que a NLGL tenha dado continuidade ao regime anterior, novamente (i) prevendo margens de preferência e (ii) incrementando as soluções para desempate de propostas e, caso insuficientes, para preferência na contratação.[35]

---

[33] PEREIRA JUNIOR, Jessé Torres; DOTTI, Marinês Restelatto. *Políticas públicas nas licitações e contratações administrativas*. 2. ed. Belo Horizonte: Fórum, 2012. p. 83.

[34] IPEA (Instituto de Pesquisa Econômica e Aplicada). *Brasil*: o estado de uma nação. IPEA: Brasília, 2005. p. 79.

[35] Art. 26. No processo de licitação, poderá ser estabelecida margem de preferência para:

Desta vez, a riqueza de detalhes demonstra o deliberado uso do poder de compra para a realização residual de diferentes políticas públicas, merecendo destaque (i) a possibilidade de estipulação de margem de preferência (de até 10%) para bens reciclados, recicláveis ou biodegradáveis, conforme regulamento (ao lado de bens manufaturados e serviços nacionais que atendam a normas técnicas brasileiras) e a (ii) previsão contida no inc. III do *caput* do art. 60, que visa diminuir a desigualdade de oportunidades entre homens e mulheres no mercado de trabalho. Esta política afirmativa foi também regulamentada pelo Decreto nº 11.430/2023, igualmente responsável por dar concreção ao disposto no inc. I do §9º do art. 25 da NLGL, que trata da possibilidade de o edital exigir reserva de cotas para mulheres vítimas de violência doméstica na execução do objeto do contrato.

Em suma, explícita e particularmente desde 2010, as licitações se prestam, por imposição legal, a outros fins que não apenas garantir a igualdade de acesso às contratações e a selecionar a proposta mais vantajosa – aferida, tão só, a partir do desembolso inicial.[36]

Portanto, para intervenção do Estado (através de leis) e da Administração Pública (mediante definições regulamentares e editalícias) no domínio econômico, estimulando potenciais parceiros contratuais a se engajarem, voluntariamente, na promoção do desenvolvimento nacional sustentável em todas as suas vertentes; antes mesmo da participação em licitações ou, pelo menos, para fins de formalização do contrato, o que deve ser mantido durante a sua integral execução.[37]

I – bens manufaturados e serviços nacionais que atendam a normas técnicas brasileiras;
II – bens reciclados, recicláveis ou biodegradáveis, conforme regulamento.
§1º A margem de preferência de que trata o *caput* deste artigo:
I – será definida em decisão fundamentada do Poder Executivo federal, no caso do inciso I do *caput* deste artigo;
II – poderá ser de até 10% (dez por cento) sobre o preço dos bens e serviços que não se enquadrem no disposto nos incisos I ou II do *caput* deste artigo; (...).
§2º Para os bens manufaturados nacionais e serviços nacionais resultantes de desenvolvimento e inovação tecnológica no País, definidos conforme regulamento do Poder Executivo federal, a margem de preferência a que se refere o *caput* deste artigo poderá ser de até 20% (vinte por cento).
(...)
Art. 60. Em caso de empate entre duas ou mais propostas, serão utilizados os seguintes critérios de desempate, nesta ordem:
I – disputa final, hipótese em que os licitantes empatados poderão apresentar nova proposta em ato contínuo à classificação;
II – avaliação do desempenho contratual prévio dos licitantes, para a qual deverão preferencialmente ser utilizados registros cadastrais para efeito de atesto de cumprimento de obrigações previstos nesta Lei;
III – desenvolvimento pelo licitante de ações de equidade entre homens e mulheres no ambiente de trabalho, conforme regulamento;
IV – desenvolvimento pelo licitante de programa de integridade, conforme orientações dos órgãos de controle.
§1º Em igualdade de condições, se não houver desempate, será assegurada preferência, sucessivamente, aos bens e serviços produzidos ou prestados por:
I – empresas estabelecidas no território do Estado ou do Distrito Federal do órgão ou entidade da Administração Pública estadual ou distrital licitante ou, no caso de licitação realizada por órgão ou entidade de Município, no território do Estado em que este se localize;
II – empresas brasileiras;
III – empresas que invistam em pesquisa e no desenvolvimento de tecnologia no País;
IV – empresas que comprovem a prática de mitigação, nos termos da Lei nº 12.187, de 29 de dezembro de 2009.
§2º As regras previstas no *caput* deste artigo não prejudicarão a aplicação do disposto no art. 44 da Lei Complementar nº 123, de 14 de dezembro de 2006.

[36] É dizer, desde então é exigido levar-se em consideração custos diretos e indiretos, econômicos, sociais e ambientais, o que se vislumbra, nesta feição, no inc. I do art. 11, no inc. VIII do art. 18 e no §1º do art. 34 da NLGL.

[37] Por exemplo:
Art. 25. O edital deverá conter o objeto da licitação e as regras relativas à convocação, ao julgamento, à habilitação, aos recursos e às penalidades da licitação, à fiscalização e à gestão do contrato, à entrega do objeto e às condições de pagamento. (...)

Considerações finais

Como visto, as finalidades legais da licitação variaram ao longo dos últimos 100 anos no Brasil, notadamente a partir de 2010, quando se internalizou a intencional utilização do poder de compra público para transformar a realidade econômica, social e ambiental em parceria voluntária com a iniciativa privada.

Essa inovação finalística – de promoção do desenvolvimento nacional sustentável (DNS) – inicialmente criou embaraços na praxe administrativa, o que fez com que a sua integração aos processos licitatórios e, ainda mais importante, sua adequada implementação demorassem a acontecer até mesmo no plano federal.

O detalhe é que juristas de escol chegaram a colocar em xeque a legitimidade dessa pretensão, o que, cogita-se, tenha igualmente contribuído para retrair iniciativas no sentido de incorporar as novidades nos editais de licitação e nas minutas de contrato.

Afinal de contas, ninguém menos do que Marçal Justen Filho sustenta, por exemplo, que a desatinada inserção de variantes ambientais na definição do objeto licitado ou na escolha da solução pode comprometer a seleção da proposta mais vantajosa e adequadamente apta para satisfazer a necessidade ou utilidade, administrativa ou coletiva. E nisso lhe acode induvidosa razão, pois será preciso esmiuçar, motivada e tecnicamente, as razões pelas quais se prefere esta ou aquela solução, mais ou menos amigável ao meio ambiente, de modo a justificar, *a priori*, o maior desembolso dos parcos recursos públicos.

De todo modo, não mais se pode olvidar de que toda e qualquer licitação e contratação administrativa na atualidade pode e deve promover o DNS na medida do que jurídica, material e orçamentariamente exigível e aceitável em cada caso, de modo a contribuir, ainda que de forma indireta e mediata, para o crescimento econômico socialmente justo e benigno do ponto de vista ambiental, tanto do Brasil como de todos os brasileiros.

Referências

ALVES, Ana Paula Gross. A evolução histórica das licitações e o atual processo de compras públicas em situação de emergência no Brasil. *Revista de Gestão, Economia e Negócios – REGEN*, vol. I, n. II, p. 40-60, 2020.

BANDEIRA DE MELLO, Celso Antônio. *Elementos de direito administrativo*. 3. ed. São Paulo: Malheiros Editores, 1992.

BANDEIRA DE MELLO, Celso Antônio. *Curso de direito administrativo*. 22. ed. São Paulo: Malheiros Editores, 2007.

BANDEIRA DE MELLO, Oswaldo Aranha. *Da licitação*. São Paulo: José Bushatsky, 1978.

CAVALCANTI, Themístocles Brandão. *Curso de Direito Administrativo*. 5. ed. Rio de Janeiro/São Paulo: Livraria Freitas Bastos S.A., 1955.

---

§2º Desde que, conforme demonstrado em estudo técnico preliminar, não sejam causados prejuízos à competitividade do processo licitatório e à eficiência do respectivo contrato, o edital poderá prever a utilização de mão de obra, materiais, tecnologias e matérias-primas existentes no local da execução, conservação e operação do bem, serviço ou obra.

CRISTÓVAM, José Sérgio da Silva; FERNANDES, Hulisses. Licitações públicas e sustentabilidade: uma análise da aplicação de critérios ambientais nas compras de órgãos públicos federais em Florianópolis (SC). *Rev. Direito Econ. Socioambiental*, Curitiba, v. 9, n. 2, p. 370-392, maio/ago. 2018.

DALLARI, Adilson Abreu. *Aspectos jurídicos da licitação*. 3. ed. São Paulo: Saraiva, 1992.

FERRAZ, Luciano. Função regulatória da licitação. *A&C – Revista de Direito Administrativo & Constitucional*, Belo Horizonte, ano 9, n. 37, p. 133-142, jul./set. 2009.

FERREIRA, Daniel. Função social da licitação pública: o desenvolvimento nacional sustentável (no e do Brasil, antes e depois da MP n. 495/2010). *Fórum de Contratação e Gestão Pública – FCGP*, Belo Horizonte, v. 9, n. 107, p. 49-64, nov. 2010.

FERREIRA, Daniel; GIUSTI, Anna Flávia Camilli Oliveira. A licitação pública como instrumento de concretização do direito fundamental ao desenvolvimento nacional sustentável. *A&C – Revista de Direito Administrativo & Constitucional*, Belo Horizonte, ano 12, n. 48, p. 177-193, abr./jun. 2012.

FIGUEIREDO, Lúcia Valle. *Direitos dos licitantes*. 4. ed. São Paulo: Malheiros Editores, 1994.

GRAU, Eros Roberto. *Licitação e contrato administrativo* (estudos sobre a interpretação da lei). São Paulo: Malheiros Editores, 1995.

GUIMARÃES, Edgar; SAMPAIO, Ricardo. O edital da licitação: aspectos gerais. In: HARGER, Marcelo (org.). *Aspectos polêmicos sobre a Nova Lei de Licitações e Contratos Administrativos*: Lei nº 14.133/2021. Belo Horizonte: Fórum, 2022.

JUSTEN FILHO, Marçal. *Comentários à lei de licitações e contratos administrativos* (de acordo com a Emenda Constitucional nº 19, de 4 de junho de 1998, e com a Lei federal nº 9.648, de 27 de maio de 1998). 5. ed. São Paulo: Dialética, 1998.

JUSTEN FILHO, Marçal. Desenvolvimento nacional sustentado: contratações administrativas e o regime introduzido pela lei 12.349. *Informativo Justen, Pereira, Oliveira e Talamini*, Curitiba, n. 50, abr. 2011, disponível em: https://edisciplinas.usp.br/pluginfile.php/1788209/mod_resource/content/1/mar%C3%A7al%20justen%20filho%20-%20desenvolvimento%20nacional%20sustentado%20%20.......pdf. Acesso em: 10 ago. 2024.

MEIRELLES, Hely Lopes. *Licitação e contrato administrativo*. São Paulo: Revista dos Tribunais, 1973.

MEIRELLES, Hely Lopes. *Licitação e contrato administrativo*. 10. ed., atualizada por Eurico de Andrade Azevedo e Célia Marisa Prendes. São Paulo: Revista dos Tribunais, 1991.

MUKAI, Toshio. *O novo estatuto jurídico das licitações e contratos públicos*: comentários à Lei 8.666/93, com as alterações promovidas pela Lei nº 8.883/94. 3. ed. São Paulo: Revista dos Tribunais, 1994.

NIEBHUR, Joel de Menezes. Repercussões do Estatuto das Microempresas e das Empresas de Pequeno Porte em Licitação Pública. *ILC – Informativo de Licitações e Contratos*, n. 157, mar. 2007.

OLIVEIRA, Régis Fernandes de. *Licitação*. São Paulo: Revista dos Tribunais, 1981.

PEREIRA JUNIOR, Jessé Torres; DOTTI, Marinês Restelatto. *Políticas públicas nas licitações e contratações administrativas*. 2. ed. Belo Horizonte: Fórum, 2012.

SACHS, Ignacy; VIEIRA, Paulo Freire (org.). *Rumo à ecossocioeconomia*: teoria e prática do desenvolvimento. São Paulo: Garcez, 2007.

Informação bibliográfica deste texto, conforme a NBR 6023:2018 da Associação Brasileira de Normas Técnicas (ABNT):

FERREIRA, Daniel. Breve retrospectiva dos 100 anos de regulação finalístico-legal das licitações e sua imbricação com o desenvolvimento sustentável no Brasil . In: JUSTEN, Monica Spezia; PEREIRA, Cesar; JUSTEN NETO, Marçal; JUSTEN, Lucas Spezia (coord.). *Uma visão humanista do Direito*: homenagem ao Professor Marçal Justen Filho. Belo Horizonte: Fórum, 2025. v. 2, p. 413-427. ISBN 978-65-5518-916-2.

DA ALOCAÇÃO DE RISCOS À LUZ DA LEI Nº 14.133/2021[1]

DINORÁ ADELAIDE MUSETTI GROTTI
JOSÉ ROBERTO PIMENTA OLIVEIRA

1 Introdução

Explicar a lógica do equilíbrio econômico-financeiro é de certo modo fácil e intuitivo. Entretanto, seu conteúdo não pode ser definido de maneira genérica e abstrata, tampouco de forma apriorística.

A indeterminação é intrínseca ao conceito de equilíbrio econômico-financeiro. Como consequência, o equilíbrio econômico-financeiro (ou equação econômico-financeira) é descrito no plano abstrato, de maneira bastante genérica, como "a relação de igualdade formada, de um lado, pelas obrigações assumidas pelo contratante no momento do ajuste e, de outro lado, pela compensação econômica que lhe corresponderá. A equação econômico-financeira é intangível".[2] Tem suas bases fixadas antes do contrato. Resulta da proposta.

A descrição abstrata do equilíbrio delimita o princípio, cabendo, contudo, à situação concreta precisar esse quadro; o equilíbrio econômico-financeiro dependerá das particularidades de cada contrato.

A análise de riscos deve preceder qualquer contratação, mas não se confunde com matriz de riscos. Em cada caso concreto, a depender da natureza e da complexidade do objeto a ser contratado, pode ser necessária a alocação formal dos riscos, por meio de cláusula contratual denominada pela Lei nº 14.133/2021 como "matriz de riscos", cujo objetivo primordial é fixar parâmetros para o restabelecimento do equilíbrio econômico-financeiro do contrato e mesmo para sua extinção.

---

[1] Este trabalho é dedicado ao Professor Marçal Justen Filho, pelo seu singular brilho intelectual, sua inteligência privilegiada e pelo exemplo de caráter, de seriedade, de competência e por sua valiosa contribuição para o desenvolvimento do Direito, embasado em ideais éticos, democráticos e de realização dos direitos fundamentais.

[2] BANDEIRA DE MELLO, Celso Antônio. *Curso de Direito Administrativo*. 36. ed. Belo Horizonte: Fórum, 2023, p. 561.

Apesar de não prevista na Lei nº 8.666/1993 – o que acabava gerando litigiosidade e muitas disputas judiciais em decorrência da falta de referências que indicassem previamente a distribuição de riscos entre as partes contratantes,– a matriz de riscos já vinha sendo utilizada em diversas contratações públicas.

A Lei das Parcerias Público-Privadas (Lei nº 11.079/2004) não apenas estabeleceu a repartição objetiva de riscos entre as partes como uma de suas diretrizes fundamentais (artigo 4º, inciso VI), como definiu como cláusula essencial de um contrato de PPP "a repartição de riscos entre as partes, inclusive os referentes a caso fortuito, força maior, fato do príncipe e álea econômica extraordinária" (artigo 5º, inciso III). É "perceptível que o interesse na realização de contratos mais eficientes conduziu o legislador da PPP a não apenas autorizar como a estimular a alocação racional de riscos, inclusive daqueles ditos extraordinários", como anota Fernando Vernalha Guimarães.[3]

No âmbito do Regime Diferenciado de Contratações Públicas – RDC, a matriz de alocação de riscos era reconhecida pelo art. 9º, §5º, da Lei nº 12.462/2011, incluído pela Lei nº 13.190/2015, no campo da contratação integrada. Teve previsão expressa na Lei nº 13.303/2016, que dispõe sobre o estatuto jurídico da empresa pública, da sociedade de economia mista e de suas subsidiárias, no âmbito da União, dos Estados, do Distrito Federal e dos Municípios (artigos 42, inciso X, e 69, inciso X).

A Lei nº 14.133/2021 reitera a noção da matriz de riscos inserida no inciso X do artigo 42 da Lei nº 13.303/2016 (Lei das Estatais) e no inciso XXVII do artigo 6º, *in verbis*: "cláusula contratual definidora de riscos e de responsabilidades entre as partes e caracterizadora do equilíbrio econômico-financeiro inicial do contrato, em termos de ônus financeiro decorrente de eventos supervenientes à contratação", contendo, no mínimo, as informações especificadas nas alíneas "a", "b" e "c" do mesmo dispositivo legal.[4]

O novo diploma de regência da matéria admite a repartição objetiva de riscos nos contratos administrativos que se opera pela cláusula da matriz de riscos, cujo objetivo é alocar e distribuir "riscos contratuais previstos e presumíveis" (e correlatos encargos) às partes, definindo previamente a responsabilidade pelos ônus financeiros deles derivados, após a formalização do instrumento.

---

[3] GUIMARÃES, Fernando Vernalha. Repartição objetiva de riscos nas parcerias público-privadas. *In:* NUNES JÚNIOR, Vidal Serrano; ZOCKUN, Maurício; ZOCKUN, Carolina Zancaner; FREIRE, André Luiz (coord.). *Enciclopédia Jurídica da PUC-SP*: Direito Administrativo e Constitucional. 2. ed. São Paulo: Pontifícia Universidade Católica de São Paulo. t. II, 2022. p. 2.

[4] Artigo 6º Para os fins desta Lei, consideram-se:
XXVII – matriz de riscos: cláusula contratual definidora de riscos e de responsabilidades entre as partes e caracterizadora do equilíbrio econômico-financeiro inicial do contrato, em termos de ônus financeiro decorrente de eventos supervenientes à contratação, contendo, no mínimo, as seguintes informações:
a) listagem de possíveis eventos supervenientes à assinatura do contrato que possam causar impacto em seu equilíbrio econômico-financeiro e previsão de eventual necessidade de prolação de termo aditivo por ocasião de sua ocorrência;
b) no caso de obrigações de resultado, estabelecimento das frações do objeto com relação às quais haverá liberdade para os contratados inovarem em soluções metodológicas ou tecnológicas, em termos de modificação das soluções previamente delineadas no anteprojeto ou no projeto básico;
c) no caso de obrigações de meio, estabelecimento preciso das frações do objeto com relação às quais não haverá liberdade para os contratados inovarem em soluções metodológicas ou tecnológicas, devendo haver obrigação de aderência entre a execução e a solução predefinida no anteprojeto ou no projeto básico, consideradas as características do regime de execução no caso de obras e serviços de engenharia;

2 Planejamento da contratação e cláusula de matriz de riscos

Diferentemente da Lei nº 8.666/1993, a Lei nº 14.133/2021, além de elevar o planejamento à categoria de princípio jurídico das licitações e contratações públicas (artigo 5º), determina que na fase preparatória da licitação a entidade promotora do certame analise os riscos que possam comprometer o sucesso da licitação e a boa execução do contrato.

A Lei nº 14.133/2021 não contém regras, diretrizes ou o tipo de documento que deve ser efetuado na fase preparatória da contratação para materializar a análise de risco. Registra Edgar Guimarães que "ela pode se apresentar por meio de parecer, informação, mapa, gráfico ou qualquer outro expediente que identifique os eventuais incidentes na contratação e as medidas a serem adotadas visando evitá-los ou atenuá-los". E acrescenta que a previsão da matriz de risco no instrumento convocatório e na condição de cláusula do contrato, se implementada, poderá ser idealizada a partir de elementos e informações constantes da análise de riscos.[5]

Com o propósito de conferir segurança jurídica às partes contratantes é de fundamental importância a previsão contida no artigo 22 da Lei nº 14.133/2021,[6] de acordo com a qual o instrumento convocatório poderá contemplar a matriz de alocação de riscos entre o contratante e o contratado, medida que muito pode colaborar na preparação de propostas pelos licitantes.

Da redação desse dispositivo resulta claro que a inclusão, no edital, de cláusula definindo a matriz de riscos é facultativa, salvo para as contratações de obras e serviços de grande vulto ou se forem adotados os regimes de contratação integrada e semi-integrada (§3º). Interpretando, conjuntamente, o §3º do artigo 22 e o inciso IX do artigo 92, sem sombra de dúvidas que a matriz de riscos não é obrigatória para todo e qualquer tipo de contrato administrativo.

Isto ocorre porque a elaboração de matriz de risco exige conhecimento técnico adequado, demanda utilização coordenada e profissional de recursos humanos e materiais do contratante, devendo ser afastada em casos em que se revelar inadequada (excesso de burocratização), desnecessária (nada acrescenta em tutela de interesses públicos) ou desproporcional (extrapola no seu conteúdo em vista do contexto decisório contratual que rege *in concreto*).

A elaboração de cláusula específica de matriz de riscos deve ser suscitada em contratações em que a alocação e/ou compartilhamento de riscos efetivamente favorece o atendimento aos interesses públicos, subjacentes à contratação administrativa, ensejando maior segurança jurídica na execução contratual, protegendo-se o equilíbrio econômico financeiro.

É interessante perceber que não se instituíram hipóteses restritivas de cabimento da matriz de riscos, sob o critério objetivo (objeto do contrato), ou sob o critério subjetivo (categoria de ente contratante), ou sob o critério formal (modalidade de regime jurídico aplicável ao contrato). A forma de regramento induz ao experimentalismo na

---

[5] GUIMARÃES, Edgar. Da fase interna das contratações. *In*: GUIMARÃES, Edgar *et al.* Coordenação de Maria Sylvia Zanella Di Pietro. *Licitações e contratos administrativos*: inovações da Lei nº 14.133/21. Rio de Janeiro: Forense, 2021. p. 53-61, p. 59.

[6] Art. 22. O edital poderá contemplar matriz de alocação de riscos entre o contratante e o contratado, hipótese em que o cálculo do valor estimado da contratação poderá considerar taxa de risco compatível com o objeto da licitação e com os riscos atribuídos ao contratado, de acordo com metodologia predefinida pelo ente federativo.

matéria, que, todavia, deverá considerar as regras nacionais estabelecidas, bem como o princípio constitucional da manutenção da equação econômico-financeira dos contratos administrativos.

É extremamente amplo e aberto o âmbito material de contratações a que a Lei nº 14.133/2021 se destina reger, conforme se depreende de seus artigos 1º e 3º, dentre outros, o que exige um dever de análise contextual, não só dos riscos envolvidos em cada forma de contratação, como também da necessidade de elaboração de matriz, como fragmento específico de cada marco contratual.

Esta situação destaca e reforça o vínculo entre planejamento da contratação e gestão de riscos contratuais e estipulação de matriz contratualizada de riscos.

Não existe administração sem planejamento, organização, direção (ou gestão), controle e monitoramento. Suscitar celebração de contrato administrativo pressupõe fazer irromper toda uma cadeia de providências administrativas que redundarão, ao final, na melhor solução aos interesses públicos preconizados pela via contratual.

A Lei nº 14.133/2021 erigiu o planejamento como valor fundamental de suas estruturas, que passam a disciplinar a atividade de contratação administrativa, conforme o artigo 5º, *caput*. O planejamento adquire *status* normativo superior à singela técnica administrativa, para exsurgir como diretriz estruturante da contratação, sobremodo da sua fase preparatória (artigo 18). É deveras salutar exigir que órgãos e entidades submetidas à nova Lei elaborem "planos de contratação anual" (artigos 12 e 18), o que é imprescindível para que se desenvolva a "governança das contratações" (artigo 11, parágrafo único).

Será no bojo da atividade administrativa anterior à contratação que se desenvolverá a apreciação própria sobre riscos e eventual correlata elaboração de matriz como cláusula específica (da minuta do edital e/ou do contrato). Será na denominada "fase preliminar" que se levará a contento a primeira análise formalizada dos riscos inerentes à futura execução contratual, à luz das obrigações previstas no contrato.

A fase preparatória do processo licitatório (o que se estende às contratações diretas) é caracterizada pelo planejamento e deve compatibilizar-se com o plano de contratações anual, sempre que elaborado, e com as leis orçamentárias, bem como abordar todas as considerações técnicas, mercadológicas e de gestão que podem interferir na contratação, compreendida a "análise dos riscos que possam comprometer o sucesso da licitação e a boa execução contratual" (artigo 18, inciso X). É obrigatório proceder a este escrutínio, o que pode ou não redundar na elaboração de cláusula específica no edital (artigo 22) ou no contrato (artigo 92, inciso IX).

É inegável que este tratamento legal pretende superar o modelo anterior da Lei nº 8.666/1993, em que, na execução dos contratos administrativos, problemas derivados de eventos posteriores impactantes da economia contratual eram resolvidos pela análise fundamentalmente dicotômica entre áleas ordinárias e áleas extraordinárias, enquadrando-se nesta última categoria institutos classicamente estudados como fato da administração, fato do príncipe, sujeições imprevistas e teoria da imprevisão, não olvidando situações de caso fortuito e força maior, análise esta que doutrina e jurisprudência associavam ao regime de alteração contratual perfilhado no artigo 65 da Lei nº 8.666/1993.

Este alinhamento conceitual pressupunha que o artigo 37, inciso XXI, da Constituição Federal assegura o equilíbrio econômico-financeiro das contratações administrativas, e que dele se poderia vislumbrar as soluções, verificadas situações instabilizadoras das relações contratuais.

As novas regras exigirão mudanças nos paradigmas de interpretação. O legislador constrói o novo modelo sob a perspectiva de que, conforme as possibilidades legais (abertas em legislação nacional, *ex vi* artigo 22, inciso XXVII, da CF), há espaço decisório no desenho da identificação, alocação e compartilhamento de riscos nas contratações, influenciando ou delimitando com maior precisão ou concretude situações a ensejar reequilíbrio econômico-financeiro, conforme a matriz contratualizada.

Ao assim fazê-lo, introduz maior complexidade na preparação e execução de contratações administrativas, exigindo atividade administrativa planejada para que, conforme o caso, disciplinas matriciais adotadas sejam legitimadas, sobremodo pelo alcance e realização da eficiência, como princípio constitucional.

3 Hipóteses de obrigatoriedade legal da cláusula de matriz de risco

Interpretando, conjuntamente, o §3º do artigo 22 e, especialmente, o inciso IX do artigo 92, indene de dúvidas que a matriz de riscos não é obrigatória para todo e qualquer tipo de contrato administrativo. O §3º do artigo 22 da Lei nº 14.133/2021 fixou hipóteses de vinculação, encerrando a ponderação administrativa sobre sua inclusão em determinados contratos ao estabelecer a obrigatoriedade da cláusula de matriz de riscos nas situações em que a contratação envolver obras e serviços de grande vulto ou forem adotados os regimes de contratação integrada (em que o contratado executa os projetos básico e executivo) e semi-integrada (em que o contratado executa o projeto executivo).

A definição de "obras, serviços e fornecimentos de grande vulto" consta do artigo 6º, inciso XXII, circunscrita às contratações "cujo valor estimado supera R$ 200.000.000,00 (duzentos milhões de reais)".[7] Esta exigência está adequada ao regime licitatório e contratual diferenciado para contratos vultosos, sob o prisma do critério objetivo do valor estimado da contratação. Segue na esteira da previsão do artigo 25, §4º, que impõe a obrigatoriedade de programas de integridade, incluindo a previsão de sanção específica em caso de inobservância, bem como do artigo 99, que autoriza, em obras e serviços de engenharia de grande vulto, a exigência de garantia, na modalidade seguro-garantia, em percentual equivalente a até 30% (trinta por cento) do valor inicial do contrato.

Nas contratações de grande vulto a exigência de matriz de riscos representa medida adicional de proteção ao erário, o que se justifica como medida preventiva contra eventos que possam interferir no equilíbrio econômico-financeiro do contrato, em razão de riscos previsíveis que podem materializar-se no curso de sua execução e redundar em dispêndios complementares de recursos públicos.

Toda a legislação licitatória e contratual visa defender o erário e evitar "superfaturamento" em contratações públicas (artigo 11, inciso III). Esta patologia é definida no artigo 6º, inciso LVII, da Lei nº 14.133/2021, e nele se considera superfaturamento

---

[7] Valor atualizado para R$ 239.624.058,14 pelo Decreto nº 11.871/ 2023.

quaisquer alterações de cláusulas financeiras que gerem indevidamente "custos adicionais para a Administração" na execução da contratação. A elaboração de matriz objetiva, suficiente e congruente de riscos previsíveis, é um corolário lógico desta proteção legal, haja vista a indisponibilidade dos interesses públicos a que se preordena a contratação, em face do emprego de recursos públicos.

Nesta primeira hipótese legal de obrigatoriedade, o valor estimado, por si só, demanda a presença de cláusula de matriz de risco como indispensável para construção e manutenção do "ambiente íntegro e confiável", que deve nortear a relação jurídico-administrativa contratual, de que trata o parágrafo único do artigo 11. Refere-se a "obras, serviços e fornecimentos de grande vulto", e, portanto, desde que legitimada sob os princípios da eficiência e da proporcionalidade, não poderá ser ignorada por decisão administrativa.

Independentemente do valor, também será obrigatória a matriz de riscos, se adotado o regime de execução da contratação integrada. Trata-se de regime de execução indireta de obras e serviços de engenharia "em que o contratado é responsável por elaborar e desenvolver os projetos básico e executivo, executar obras e serviços de engenharia, fornecer bens ou prestar serviços especiais e realizar montagem, teste, pré-operação e as demais operações necessárias e suficientes para a entrega final do objeto", conforme artigos 6º, inciso XXXII, e 46, inciso V, da Lei nº 14.133/2021.

A Lei nº 14.133/2021 incorporou os regimes de contratação integrada e semi-integrada, originalmente esboçados na Lei nº 12.462/2011 (RDC), ao novo marco geral de licitações e contratos, superando a exigência prevista na Lei nº 8.666/1993 de que a licitação e/ou contratação de obras e serviços de engenharia dependiam de projeto básico ou executivo. A atual legislação admite tais objetos tão somente com a elaboração de "anteprojeto de acordo com metodologia definida em ato do órgão competente, observados os requisitos estabelecidos no inciso XXIV do art. 6º da Lei".

Para que se possa licitar objeto com este escopo (obras e serviços de engenharia), pela sua relevância no contexto das contratações públicas, é imperioso que órgãos e entidades tenham (e divulguem através dos atos convocatórios) informações adequadas e necessárias para que se viabilize a disputa licitatória, sob a égide da isonomia e competitividade, em certames públicos. Sem atender esta diretriz, coloca-se em risco os objetivos da licitação, em destaque os previstos nos incisos I e II do artigo 11.

Utilizando-se os atos administrativos técnicos, previstos na Lei nº 14.133/2021, a contratação de obras e serviços de engenharia pressupõe estudo técnico preliminar (artigo 6º, inciso XX), anteprojeto (artigo 6º, incido XXIV), projeto básico (artigo 6º, inciso XXV) e projeto executivo (artigo 6º, inciso XXV). Em cada atividade técnica subjacente à produção destes atos, observa-se claramente uma progressão no aprofundamento do conteúdo sobre a delimitação do objeto licitado ou contratado, e das prestações atinentes à sua realização.

Considerando o nível de informações, a Lei nº 14.133/2021 incorporou o regime de contratação integrada, que habilita o setor público a contratar apenas com base em anteprojetos. Houve inequívoca flexibilização, em face do panorama da Lei nº 8.666/1993. É racional e razoável impor a formulação de cláusula de matriz de riscos na contratação integrada, porque ela admite "liberdade para os contratados inovarem em soluções metodológicas ou tecnológicas, em termos de modificação das soluções previamente delineadas no anteprojeto", na dicção do artigo 6º, XXVII, alínea "b", da Lei nº 14.133/2021. Os riscos derivados desta "liberdade" – em rigor, margem decisória na execução contratual – devem ser expressamente tratados em matriz, para que se preserve a lógica econômica do regime de execução citado.

O anteprojeto é um ato administrativo que visa oferecer todos os subsídios necessários à elaboração do projeto básico, sendo que a lei cuida de estabelecer seus elementos mínimos: a) demonstração e justificativa do programa de necessidades, avaliação de demanda do público-alvo, motivação técnico-econômico-social do empreendimento, visão global dos investimentos e definições relacionadas ao nível de serviço desejado; b) condições de solidez, de segurança e de durabilidade; c) prazo de entrega; d) estética do projeto arquitetônico, traçado geométrico e/ou projeto da área de influência, quando cabível; e) parâmetros de adequação ao interesse público, de economia na utilização, de facilidade na execução, de impacto ambiental e de acessibilidade; f) proposta de concepção da obra ou do serviço de engenharia; g) projetos anteriores ou estudos preliminares que embasaram a concepção proposta; h) levantamento topográfico e cadastral; i) pareceres de sondagem; j) memorial descritivo dos elementos da edificação, dos componentes construtivos e dos materiais de construção, de forma a estabelecer padrões mínimos para a contratação (inciso XXIV do artigo 6º da Lei nº 4.1343/2021).

Esta determinação legal do conteúdo mínimo do anteprojeto indica o grau mínimo de informações fundamentais para deflagrar processo licitatório. Verifica-se que são todos elementos técnicos genéricos sobre o objeto, com induvidosa indeterminação ou imprecisão ("programa de necessidades", "visão global de investimentos", "parâmetros de adequação ao interesse público", "proposta de concepção" etc.), o que demarca a finalidade pública do ato, sob normas de engenharia, em "estabelecer padrões mínimos para a contratação".

O regime diferenciado da contratação integrada autoriza a obrigatoriedade legal da cláusula de matriz de riscos, prevista no artigo 22, §3º, da Lei nº 14.133/2021. Serve de contraponto necessário à discricionariedade existente e decorrente da ausência de projeto básico para compensar ou reduzir o grau de insegurança do contratante na execução do objeto. Se o contratante delibera pela contratação integrada na fase preliminar, terá de dedicar-se a elaborar uma matriz de risco que tutele a equação econômico-financeira de modo adequado sobre riscos previsíveis na execução do contrato, assegurando as vantagens legalmente obtidas pelo contratante com o regime diferenciado utilizado e robustecendo a previsibilidade dos ônus e encargos atribuídos ao contratado.

O anteprojeto não oferece o "conjunto de elementos necessários e suficientes, com nível de precisão adequado para definir e dimensionar a obra ou o serviço, ou o complexo de obras ou de serviços objeto da licitação", o que é legalmente preconizado para o projeto básico (artigo 6º, XXV). A vantagem que disto deriva para o contratante não significa indeterminação ou impossibilidade sobre a alocação ou compartilhamento de riscos na execução do contrato, ressaltando-se que os projetos básico e executivo na contratação integrada estão na órbita do contratado.

Conforme artigo 22, §4º, "nas contratações integradas ou semi-integradas, os riscos decorrentes de fatos supervenientes à contratação associados à escolha da solução de projeto básico pelo contratado deverão ser alocados como de sua responsabilidade na matriz de riscos". A "integração" que marca a elaboração dos projetos básico e executivo na atribuição do contratado constitui o fundamento para a matriz de riscos que deve ser formulada, assegurando as responsabilidades de cada parte na execução do regime contratual.

Na matriz de riscos da contratação integrada o contratante deve esmiuçar os "fatos supervenientes associados à escolha da solução do projeto básico pelo contratado" dentro da margem de previsibilidade aplicável em cada contratação. Descabe simplesmente reproduzir a expressão legal no catálogo de riscos previsíveis. Diversamente, por força da legalidade, a matriz é obrigatória e seu escopo deve enfrentar esta alocação legalmente estipulada para o contratado.

A terceira hipótese de obrigatoriedade da cláusula de matriz de riscos envolve a adoção do regime de execução da contratação semi-integrada. As razões suscitadas na hipótese de contratação integrada também estão presentes neste caso.

A contratação semi-integrada implica relação jurídico-contratual em que "o contratado é responsável por elaborar e desenvolver o projeto executivo, executar obras e serviços de engenharia, fornecer bens ou prestar serviços especiais e realizar montagem, teste, pré-operação e as demais operações necessárias e suficientes para a entrega final do objeto", na dicção do inciso XXXIII do artigo 6º da Lei nº 14.133/2021.

A diferença entre contratação integrada e semi-integrada está no tratamento legal conferido ao projeto básico, e sua possibilidade de alteração ao longo da execução contratual. Na primeira, trata-se de encargo do contratado; na segunda, trata-se de encargo do contratante, modificável pelo contratado.

Nos termos do artigo 46, §5º,

> mediante prévia autorização da Administração, o projeto básico poderá ser alterado, desde que demonstrada a superioridade das inovações propostas pelo contratado em termos de redução de custos, de aumento da qualidade, de redução do prazo de execução ou de facilidade de manutenção ou operação, assumindo o contratado a responsabilidade integral pelos riscos associados à alteração do projeto básico.

Esta mutabilidade de projeto conduz a regime meio integrado, ou quase integrado, o que justifica a aplicação de regras comuns entre a contratação plenamente integrada e semi-integrada, dentre elas, a imposição de atividade administrativa cuidadosamente planejada que versa sobre o estudo, elaboração, modelagem e inclusão de matriz de riscos no edital e no contrato administrativo.

A atribuição plena ou alternativa de formulação ou alteração do projeto básico, consagrando "soluções" ou "inovações" pelo contratado, é o que justifica os novos regimes de execução, demandando matriz de risco para proteção de indevidos pleitos de recomposição do equilíbrio perante o contratante por eventos cujo gerenciamento eficiente está na órbita do contratado.

Contratação administrativa submetida à obrigatoriedade de matriz de riscos, celebrada sem a devida cláusula contratual, em desatendimento manifesto das normas da Lei nº 14.133/2021, precedida ou não de licitação, deve ser considerada nula (sendo inaplicável o rótulo de mera irregularidade), submetendo-se aos artigos 148 e 149 do referido diploma legal.

4 Matriz de riscos e formulação do ato convocatório

A relevância do ato convocatório (Edital) também está devidamente reconhecida no regime geral sobre a matriz de riscos. Uma vez imposta (por lei) ou incluída (por decisão administrativa), o seu inteiro teor deve constituir parte integral do Edital (contratações com prévia licitação) ou da minuta contratual (contratações diretas). Publicizá-la no edital é assegurar moralidade, impessoalidade e isonomia ao longo de todo o processo administrativo licitatório e contratual.

Os artigos 22, 92, inciso IX, e 103 da Lei nº 14.333/2021 indicam que, em sendo adotada, sob ponderado juízo administrativo ou por decorrência de mandamento legal, a cláusula de matriz de risco deve integrar o edital da licitação e o instrumento contratual que regerá as obrigações das partes.

Inexiste possibilidade de cláusula implícita de matriz de riscos. Na ausência da cláusula específica no edital e no contrato, questões relacionadas com a manutenção do equilíbrio econômico-financeiro serão solucionadas à luz da legislação geral aplicável e normas singulares da contratação constantes do edital e do contrato.

Firmada a cláusula de matriz de riscos, por exigência do princípio da vinculação ao edital (artigo 5º), ela deverá ser observada ao longo da execução contratual. Por esta razão, o artigo 22, §2º, estabelece que "o contrato deverá refletir a alocação realizada pela matriz de riscos".

Deflui das normas da Lei nº 14.133/2021[8] que, em termos de conteúdo normativo, a cláusula necessita versar expressamente sobre: (i) listagem de possíveis eventos supervenientes à assinatura do contrato que possam causar impacto em seu equilíbrio econômico-financeiro; (ii) indicação da necessidade (ou não) de elaboração de termo aditivo para cada evento listado; (iii) responsabilidade que caiba a cada parte contratante relativamente a cada evento listado (alocação com ou sem compartilhamento); (iv) quantificação ou mensuração financeira dos riscos considerados; (v) medidas possíveis e adequadas de prevenção, eliminação ou redução dos riscos, ou que afastem a ocorrência do sinistro, indicando-se a parte responsável por estas e sua forma de implementação; (vi) medidas que mitiguem os efeitos dos eventos que impactem o equilíbrio econômico-financeiro, indicando-se a parte responsável e sua forma de implementação; (vii) organização e procedimentos administrativos a serem utilizados pelas partes na aplicação da cláusula.

A relevância da matriz está na sua aptidão de formalizar o equilíbrio econômico-financeiro da contratação, que se considera atendido ou mantido, cumprida a alocação ou compartilhamento de riscos, conforme os parâmetros fixados no contrato. O artigo 103 é expresso ao ordenar que "a matriz de alocação de riscos definirá o equilíbrio econômico-financeiro inicial do contrato em relação a eventos supervenientes e deverá ser observada na solução de eventuais pleitos das partes".

Como pressuposto de atendimento à sua finalidade legal, a cláusula deve ser formulada com objetividade, atributo que também se estende à sua justificação na fase preliminar da contratação. Conforme ABNT ISO Guia 73, "processo de gestão de

---

[8] Cf. inciso XXVII, artigo 6º, da Lei nº 14.133/2021.

riscos" corresponde à "aplicação sistemática de políticas, procedimentos e práticas de gestão para as atividades de comunicação, consulta, estabelecimento do contexto, e na identificação, análise, avaliação, tratamento, monitoramento e análise crítica dos riscos".

O fim perseguido é que o setor público, através da cláusula, transmita, de forma objetiva, a percepção de risco, que envolve o desenvolvimento do contrato. Para tanto, é fundamental a adoção de linguagem clara no reconhecimento e descrição dos riscos (contendo fontes, eventos, causas e consequências). Da mesma forma, inclui a definição objetiva do nível de risco, revelando a sua magnitude, em termos de consequências e probabilidades

O artigo 103, *caput*, refere-se a "riscos contratuais previstos e presumíveis", determinando-se a "repartição objetiva de riscos", no artigo 124, inciso II, alínea "d". A expressão "presumíveis" é ambígua e, em verdade, quer designar riscos previsíveis.

Matriz de risco cuja compostura permanece ao exclusivo critério subjetivo de quem a aplica, ao longo da vigência contratual, é desprovida de conteúdo objetivo exigido por lei, que requer termos inteligíveis, compreensíveis, com aptidão para oferecer prévia orientação das condutas das partes, em face de eventos que agravam a economia contratual.

De todo modo, pode-se objetar que a linguagem jurídica é caracterizada pela sua vagueza e indeterminação, mas isto não exclui o dever de objetivização da cláusula, na medida da situação contratual por ela regida.

Se a vinculatividade da matriz é decorrência do princípio da legalidade, a objetividade é fruto do império da impessoalidade, com os seus corolários de atuação e apreciação isenta, neutra, imparcial e transparente dos fatos jurídicos contratuais que devem ser adequadamente colhidos pela matriz. Esta mesma impessoalidade que governará, verificada a ocorrência de eventos, no plano da execução fática do contrato e da gestão monitorada dos riscos, a aplicação regular da matriz na solução de questões atinentes à equação econômico-financeira.

Para lograr objetividade, a Lei nº 14.133/2021 confere potestade regulamentadora sobre a metodologia, padrões e procedimentos que devem ser observados na construção e arquitetura da matriz contratual de riscos. Nesta matéria,

> poderão ser adotados métodos e padrões usualmente utilizados por entidades públicas e privadas, e os ministérios e secretarias supervisores dos órgãos e das entidades da Administração Pública poderão definir os parâmetros e o detalhamento dos procedimentos necessários à sua identificação, alocação e quantificação financeira.

Procedimentalizar a atividade técnico-administrativa de formulação de matrizes de risco é exigência imposta pelos princípios da segurança jurídica e da isonomia, em termos de gestão contratual submetida ao império da Lei nº 14.133/2021. Por força do artigo 30 da Lei de Introdução às Normas do Direito Brasileiro, com as alterações efetuadas pela Lei nº 13.655/2018, "as autoridades públicas devem atuar para aumentar a segurança jurídica na aplicação das normas, inclusive por meio de regulamentos, súmulas administrativas e respostas a consultas". Este artigo foi incluído nas normas gerais da nova Lei de Licitações e Contratações, agasalhado pelo seu artigo 5º.

A possibilidade regulamentar na temática abordada abre janelas de oportunidade para aperfeiçoamento da participação de administrados na modelagem de contratações administrativas, possibilitando o acolhimento de contribuições deles na melhor definição, ao nível infralegal, mas em grau abstrato e geral, de modelos de matrizes de riscos adequadas a cada contexto contratual, em face das necessidades de entes públicos e governamentais contratantes.

Deveras, não basta exigir mais governança nas contratações públicas – o que é atendido pela gestão de riscos e pela cláusula da matriz de riscos – se os instrumentos não estiverem regularmente tratados e dimensionados em normas gerais, em nível infralegal, com aptidão para gerar uniformidade de critérios na montagem de matrizes e sua execução no âmbito administrativo.

A possibilidade de repartir antecipadamente riscos entre as partes como medida de eficiência econômica, celeridade, eficácia e efetividade tem um custo estatal, qual seja, o custo da governança e da efetiva gestão de riscos.

A gestão de riscos pode ser considerada uma das diretrizes da governança pública e já era obrigatória no Poder Executivo Federal, por imposição do Decreto Federal nº 9.203/2017. É preciso diferenciar a gestão de riscos (diretriz associada à governança) da alocação de riscos (artigo 103) entre contratante e contratado, materializada por meio da elaboração de matriz de risco específica para determinados ajustes. A Lei nº 14.133/2021 impõe a adoção de gestão de riscos para as contratações públicas.

A relação de eventos supervenientes à assinatura do contrato (artigo 6º, inciso XXVII, alínea "a") pressupõe a criação de uma estrutura orgânica de gestão de riscos em matéria de contratações administrativas, um arranjo institucional responsável pela concepção, implementação, monitoramento, análise crítica e melhoria contínua da gestão de riscos.

Resta, assim, evidenciada não só a necessária estrutura, mas também a indispensável procedimentalização da gestão de riscos, abrangendo práticas de gestão para as atividades de comunicação, consulta, estabelecimento do contexto, e na identificação, análise, avaliação, tratamento, monitoramento, mensuração e análise crítica dos riscos.

Em rigor, a adoção da gestão de riscos em matéria contratual acaba por submeter o contratante ao dever de elaborar uma política de gestão de riscos, no sentido de editar provimentos e diretrizes gerais da organização relacionadas à gestão de riscos, o que implica a indeclinável tarefa de elaborar plano de gestão de riscos, a que se atribui a missão de especificar a abordagem, os componentes de gestão e os recursos a serem aplicados para gerenciar riscos.

Em termos de formalização de atos jurídicos no curso da contratação, a definição legal para assegurar transparência e controle ressalta que a cláusula deve versar sobre a "eventual necessidade de prolação de termo aditivo por ocasião de sua ocorrência". Com efeito, alterando-se o equilíbrio econômico-financeiro, a regra é modificação correlata no contrato, mediante aditivo que explicite as razões, justificativas, motivos para a solução adotada, em face da materialização do risco cuja probabilidade foi considerada. A aditivação do contrato consta de outras regras da Lei nº 14.133/2021, mas é conveniente mostrar o vínculo da aplicação da matriz e a publicização da forma como ela é aplicável.

5 Alocação de riscos e eficiência

Sob o ponto de vista econômico, a explícita indicação contratual de encargos, relativamente a eventos desequilibradores da economia de vínculos contratual, é medida de racionalidade, otimização de recursos, induzindo maior produtividade e melhor gestão contratual.

Nos termos do artigo 22, §1º, a matriz "deverá promover a alocação eficiente dos riscos de cada contrato e estabelecer a responsabilidade que caiba a cada parte contratante". Na mesma linha, conferindo maior concretude ao dever de eficiência na matéria, a Lei nº 14.133/2021 exige que a alocação de riscos "considerará, em compatibilidade com as obrigações e os encargos atribuídos às partes no contrato, a natureza do risco, o beneficiário das prestações a que se vincula e a capacidade de cada setor para melhor gerenciá-lo" (artigo 103, §1º).

Elaborar matriz com alocação eficiente de riscos contratuais atende ao princípio da eficiência (artigo 37, *caput*, da CF), no que a norma constitucional demanda, no desempenho de função administrativa, uma atuação otimizada, relativamente a meios e fins. A otimização é diretriz regente da alocação, pois esta não só exige a seletividade de riscos juridicamente relevantes dentro de determinado contexto contratual, como também a apreciação de sua alocação, exclusiva ou compartilhada, às partes contratuais.

A alocação eficiente vem ao encontro do princípio da economicidade (artigo 70, da CF), visto que, concretizada adequadamente, sua observância implicará tutela de recursos públicos vinculados ao contrato. A matriz, por si só, já constitui uma forma de prevenção de danos que podem afetar o patrimônio público.

Riscos relevantes são eventos futuros e incertos que, com previsibilidade e probabilidade adequada e razoável, podem afetar negativamente o equilíbrio econômico-financeiro de determinada contratação administrativa ao longo de sua execução. Neste contexto, alocação corresponde a distribuição ou endereçamento das consequências desses eventos para determinada parte contratual. Esta destinação pode ser exclusiva (somente uma das partes) ou compartilhada (ambas, com proporções iguais ou variadas). Governa-se esta alocação pela métrica da proporcionalidade.

A matriz de riscos é construída para orientar, em termos de probabilidade e impacto negativo, o gerenciamento necessário para identificar e determinar o perfil e a dimensão de riscos e possibilitar as ações de impedimento ou controle, pelas partes contratantes. A alocação eficiente reduz incertezas na execução contratual, para ambas as partes, o que reflete também no dispêndio ou economia de recursos na contratação. Contribui, por conseguinte, para a formulação de propostas mais vantajosas, pois ensejará uma adequada consideração econômica dos riscos assumidos na contratação, passíveis de mensuração. Também resultará na melhor satisfação de interesses públicos preconizados pela contratação, na medida em que resguarda a execução contratual, oferecendo tratamento normativo previsível para ocorrências que podem desestabilizá-la.

É importante recordar que, no curso do contrato, o equilíbrio econômico-financeiro pode ser afetado, exigindo reequilíbrio, ora em favor do contratado, ora em favor do contratante, mesmo que esta situação seja incomum.

O processo de análise e gestão de risco pode ser representado em fases: i) identificação do risco; ii) análise do risco; iii) avaliação do risco, iii) alocação/estruturação do risco; iv) monitoramento e controle do risco; e v) análise crítica do risco.

A identificação abrange a busca, conhecimento e descrição dos riscos relevantes e atinentes a determinada contratação. A análise envolve a compreensão da natureza do risco e determinação do nível de risco. É pressuposto para avaliação e tratamento dos riscos. Na etapa de análise averigua-se a probabilidade, a exposição, a consequência, a frequência, a vulnerabilidade. Após a análise, exsurge a avaliação, quando se verifica e se delibera sobre a aceitação ou tolerabilidade do risco, após o seu tratamento. A avaliação é o aprofundamento das consequências dos riscos levantados para o equilíbrio econômico-financeiro. O tratamento do risco corresponde à sua abordagem, avaliando-se medidas preventivas ou mitigadoras, assunção, compartilhamento ou transferência de riscos.

Na matriz de riscos de contratações administrativas a alocação é sua atribuição para determinado sujeito de direito envolvido na relação contratual.

A Lei nº 14.133/2021 acolhe, em seu artigo 103, §1º, a diretriz que será a "capacidade de cada setor para melhor gerenciá-lo" (público ou privado), o critério fundamental de regência da atividade administrativa alocativa. Capacidade de gerenciar é aptidão de gerir ou administrar a produção do evento ou seus efeitos, incluindo a capacidade de evitá-los, mitigá-los ou suportá-los, relativamente ao quadro contratual estabelecido. Haverá riscos em que esta capacidade se concentrará em um dos polos contratuais, e haverá riscos em que, de forma legítima, o ordenamento (Constituição e legislação) pode indicar o seu compartilhamento.

A disciplina legal da alocação objetiva está fundada na capacidade de intervenção da parte contratante para gerir o advento (fonte do risco) ou as consequências do risco materializado e considerado relevante na contratação administrativa.

Este princípio norteador da repartição objetiva de riscos em contratações administrativas não está somente a serviço da eficiência, mas também deve ser substantivamente delineado pela observância da moralidade administrativa como princípio constitucional do exercício da função administrativa (artigo 37, *caput*).

De fato, o sistema republicano e democrático que embasa o Estado Democrático de Direito recusa validade a qualquer fórmula pela qual consequências gravosas a contratados originadas em fatos produzidos pelo Estado, de forma voluntária ou involuntária, por medidas gerais ou concretas, no curso de contratos administrativos, sejam transferidas ou alocadas para o contratado. Esta alocação seria inconstitucional, pois implicaria proveitos econômicos em favor do próprio Estado, atentatórios dos parâmetros de moralidade pública que são constituídos pelos valores constitucionais. De igual modo, contraria o mesmo princípio, a distribuição de consequências gravosas que se originem exclusivamente da atividade do contratado, buscando custeá-las com recursos públicos (total ou parcialmente), através de indevidas transferências de riscos que devem ser suportados pelo contratado.

Isto revela que a alocação de riscos, através da construção de matrizes de riscos, está balizada por uma compreensão econômica dos encargos e prestações atinentes à contratação administrativa, mas não está fora do alcance de limitações ético-jurídicas próprias dos princípios republicano e democrático, que são princípios estruturantes do Estado (artigo 1º da CF).

6 Matriz de riscos e modificações unilaterais contratuais

A Lei nº 14.133/2021 segue a esteira da Lei nº 8.666/1993, esmiuçando regime legal para alterações contratuais, bilaterais (consensuais) e unilaterais, sejam estas quantitativas, sejam qualitativas (artigo 103). As diversas formas de alterações de contratações administrativas não poderiam ser ignoradas nas diretrizes gerais impostas à disciplina da matriz de riscos.

O §5º do mesmo artigo 103 estabelece que, uma vez atendidas as condições do contrato e da matriz de riscos, será considerado mantido o equilíbrio econômico-financeiro do contrato mesmo na ocorrência de circunstâncias imprevisíveis, "renunciando as partes aos pedidos de restabelecimento do equilíbrio relacionados aos riscos assumidos", ressalvadas as hipóteses de alterações unilaterais determinadas pela Administração e de aumento ou redução, por legislação superveniente, dos tributos diretamente pagos pelo contratante em decorrência do contrato (incisos I e II), cuja responsabilidade, naturalmente, permanece atribuída à Administração Pública.

Celso Antônio Bandeira de Mello, Carolina Zancaner Zockun e Maurício Zockun alertam que

> se deve entender *cum grano salis* a renúncia tácita ao pedido de reequilíbrio econômico-financeiro prescrita no art.103, §5º da nova lei. Isso porque sempre haverá possibilidade de os envolvidos procurarem aferir se a situação concretamente verificada se subsume ao risco descrito na referida "matriz" para, assim, reconhecer a ocorrência ou não da noticiada "renúncia tácita".[9]

Não pode o contratado sofrer agravos econômicos no curso da execução contratual derivados de determinações que exigem, de forma unilateral, a adequação qualitativa (artigo 124, inciso I, alínea "a") ou quantitativa (artigo 124, inciso I, alínea "b") da contratação para o melhor atendimento de interesses públicos.

Sabe-se que a alteração unilateral da contratação administrativa é legalmente qualificada como prerrogativa do contratante. Em outros termos, trata-se de potestade, fórmula de dever-poder que legitima a mutabilidade do contrato, afastando o *pacta sunt servanda* (força obrigatória dos contratos). A nova LGLC mantém conjunto denso de prerrogativas (artigo 104), que são conceitualmente concebidas como instrumentos para que se realizem, de forma ótima, os interesses públicos, em aspectos essenciais da produção jurídica contratual. Não à toa que a Lei rege os "contratos administrativos", cujo regime é delineado pelos preceitos de Direito Público, aplicando-se-lhes, supletivamente, os princípios da teoria geral dos contratos e as disposições de Direito Privado (artigo 89).

Seria contrário aos princípios da proporcionalidade e da razoabilidade imaginar a outorga da potestade de alteração unilateral, conjuntamente com a distribuição possível dos correlatos ônus financeiros em detrimento do contratado. Haveria violação manifesta da moralidade administrativa (artigo 37, *caput*) e do princípio constitucional

---

[9] BANDEIRA DE MELLO, Celso Antônio; ZOCKUN, Carolina Zancaner; ZOCKUN, Maurício. Artigo 103. In: DAL POZZO, Augusto Neves; CAMMAROSANO, Márcio; ZOCKUN, Maurício (coord.). *Lei de licitações e contratos administrativos comentada*: Lei nº 14.133/21. São Paulo: RT- Thomson Reuters Brasil, 2021. p. 523.

da manutenção do equilíbrio econômico-financeiro do contrato administrativo (artigo 37, inciso XXI).

Seria equivocado igualmente concluir que o dispositivo (artigo 103, §5º, inciso I) apenas excepciona a aplicação da regra de renúncia legalmente imposta ao pedido de reequilíbrio, o que poderia significar que, recebido o pedido, este seria apreciado, conforme a matriz de risco contratual, mesmo configurada mutabilidade unilateral do contrato. Esta interpretação conduz à negativa de aplicação do artigo 104, §§1º e 2º.

7 Matriz de riscos e fato do príncipe

Seguindo a tradição do Direito brasileiro, a Lei nº 14.133/2021 apresenta normas gerais sobre o que a doutrina qualifica como "fato do príncipe" na teoria do contrato administrativo.

A Lei nº 14.133/2021 nada dispõe sobre o fato do príncipe nos dispositivos que disciplinam a elaboração da matriz de riscos. Como já assinalado, a legislação específica de PPPs admite a repartição objetiva de riscos associados a "fato do príncipe". Por sua vez, a Lei nº 14.133/2021 prevê nesse caso alteração contratual por acordo entre as partes, visando a recomposição do equilíbrio econômico-financeiro (artigo 124, inciso II, alínea "d").

Segundo Celso Antônio Bandeira de Mello, Carolina Zancaner Zockun, e Maurício Zockun, "não parece possível onerar o contratado com o encargo de repartir riscos oriundos do fato do príncipe", pois o Poder Público é que teria que assumir as consequências de seu ato pelo princípio constitucional da responsabilidade do Estado.[10]

Situações gravosas ao equilíbrio econômico-financeiro da contratação, decorrentes de medidas gerais do Poder Público, no exercício de competências legislativas ou administrativas, diversas das potestades inerentes à relação contratual, não podem ser atribuídas ao contratado, que não possui nenhuma interferência na sua produção jurídica, encontrando-se este apenas na situação de sujeição a observá-las, o que lhe acarreta dispêndio de recursos econômicos não abalizado pela equação econômica contratual. De modo que, nestas hipóteses de "fato do príncipe", materializado o evento com repercussão negativa contratual, o risco deve permanecer com o contratante, que terá a responsabilidade de reequilibrar a avença.

Esta interpretação é da tradição do Direito Administrativo brasileiro, como se observa no artigo 65, §5º, da Lei nº 8.666/1993, artigo 9º, §3º, da Lei nº 8.987/1995 (Concessões Comuns), seguida na implementação de parcerias público-privadas no Brasil (apesar do artigo 5º, inciso III, da Lei nº 11.079/2004), ora cristalizada no artigo 134 da Lei nº 14.133/2021, pelo qual

> os preços contratados serão alterados, para mais ou para menos, conforme o caso, se houver, após a data da apresentação da proposta, criação, alteração ou extinção de quaisquer tributos ou encargos legais ou a superveniência de disposições legais, com comprovada repercussão sobre os preços contratados.

---

[10] BANDEIRA DE MELLO, Celso Antônio; ZOCKUN, Carolina Zancaner; ZOCKUN, Maurício. Artigo 103. In: DAL POZZO, Augusto Neves; CAMMAROSANO, Márcio; ZOCKUN, Maurício (coord.). *Lei de licitações e contratos administrativos comentada*: Lei nº 14.133/21. São Paulo: RT- Thomson Reuters Brasil, 2021, p. 523.

É certo que o fato do príncipe pode advir de medida tomada em esfera federativa distinta daquela a que se vincula o contratante, mas esta situação também não legitima a distribuição ou, mesmo, o compartilhamento do risco com o contratado. Mesmo nestas situações singulares, a imprevisibilidade superveniente da medida estatal ou governamental seguirá sendo a característica do evento e exigirá o cuidadoso tratamento consensual na recomposição do equilíbrio econômico rompido com o "fato do príncipe".

8 Matriz de riscos e caso fortuito/ força maior

A Lei nº 14.133/2021 nada dispõe sobre eventos caracterizadores como de força maior ou caso fortuito nos dispositivos que disciplinam a elaboração da matriz de riscos. Como visto, a legislação específica de PPPs admite a repartição objetiva de riscos associados a "força maior e caso fortuito".

Quando deles trata a Lei nº 14.133/2021, invoca como tema a ser objeto de alteração por acordo entre as partes, visando a recomposição do equilíbrio econômico-financeiro (artigo 124, inciso II, alínea "d"). Também, reporta-se a estes quando se enquadram como fatos jurídicos justificadores de rescisão contratual, "regularmente comprovados, impeditivos da execução do contrato", nos termos do artigo 137, inciso V, mantendo disciplina ambígua se esta rescisão poderá ser unilateral, consensual ou arbitral.

É certo que haverá inúmeras situações de força maior e caso fortuito que não conduzirão ao impedimento da execução do contrato, mas gerarão agravos econômicos às partes, conforme o caso concreto. Veja-se o art. 133, inciso I, da Lei nº 14.133/2021, que expressamente invoca caso fortuito ou força maior como causa legítima de alteração de valores contratuais em contratações integradas ou semi-integradas.

No Direito Civil, vigora o artigo 393 do Código Civil, pelo qual "o devedor não responde pelos prejuízos resultantes de caso fortuito ou força maior, se expressamente não se houver por eles responsabilizado". O mesmo dispositivo acrescenta que os conceitos verificam-se "no fato necessário, cujos efeitos não era possível evitar ou impedir", havendo divergência sobre os conceitos, mantidas as características de imprevisibilidade e inevitabilidade.

Na contratação administrativa a doutrina mantém controvérsia sobre as consequências de eventos enquadráveis como força maior e caso fortuito, no sentido de acolher (ou não) o dever de recomposição integral dos prejuízos regularmente comprovados pelo contratado, por força do princípio constitucional da manutenção da equação econômico-financeira (artigo 37, inciso XXI).

Todavia, acolhendo a diretriz do artigo 9º, §4º, inciso I, da Lei nº 12.462/2011 (RDC), o artigo 133, inciso I, da Lei nº 14.133/2021 oferece fundamento para acolher a possibilidade de compartilhamento de risco associado a força maior e caso fortuito, que impacta o equilíbrio contratual. Com efeito, este último dispositivo protege o equilíbrio contratual de contratações integradas e semi-integradas, autorizando o restabelecimento nestas situações extraordinárias.

Como a origem do desequilíbrio não pode ser imputada ao contratante ou contratado, não há causa a justificar que o risco seja concentrado exclusivamente no setor público contratante, que também não interferiu na sua produção ou propiciou a sua ocorrência.

Logo, a moralidade administrativa preconiza a possibilidade de estabelecimento *ex ante* destes riscos para ambas as partes, mediante compartilhamento, observando o critério de proporcionalidade.

9 Matriz de riscos e fatos imprevisíveis ou previsíveis de consequências incalculáveis

A Lei nº 14.133/2021 também agasalha a alteração contratual para a promoção do reequilíbrio econômico-financeiro, "em decorrência de fatos imprevisíveis ou previsíveis de consequências incalculáveis, que inviabilizem a execução do contrato tal como pactuado" (artigo 124, inciso II, alínea "d"). Na Lei nº 8.666/1993, o texto salienta a superveniência do fato e o seu caráter de "álea econômica extraordinária e extracontratual" (artigo 65, inciso II, alínea "d").

Encontra-se esse regramento no campo próprio da consagrada teoria da imprevisão, que ampara a aplicabilidade da cláusula *rebus sic standibus*, nos contratos administrativos. De fato, contratação administrativa é forma institucional de engendrar uma colaboração da parte contratada (sujeitos privados) para parte contratante (representativa de interesses da coletividade). Logo, há uma lógica própria de equilíbrio nas relações jurídico-contratuais administrativas. Não é por outra razão que a teoria da imprevisão exsurge no Direito Administrativo. Imprevisão diz respeito a eventos extraordinários, com graves consequências econômicas, sem fonte vinculada a ação ou omissão de sujeitos contratuais, desafiando-os a resolver o problema da manutenção/encerramento do vínculo no porvir.

Registram Celso Antônio Bandeira de Mello, Carolina Zancaner Zockun e Maurício Zockun que os riscos

> provenientes das situações caracterizáveis como imprevisão podem ser divididas entre os contraentes, se é essa a determinação legal. O mesmo, entretanto, nem sempre valeria, a nosso ver, no caso das "sujeições imprevistas". Se o contratado atuou sobre informações técnicas oferecidas e afiançadas como bastantes pelo Poder Público, o surgimento de situação imprevista resultará de responsabilidade de quem as forneceu. Não havendo tal circunstância, aí, sim, caberá repartição dos prejuízos.[11]

Como não são eventos produzidos pelas partes contratantes, a solução é o compartilhamento de riscos e de responsabilidades, adotando-se o critério objetivo de proporcionalidade. Isto já vem previsto na Lei nº 11.079/2004, em seu artigo 5º, inciso III, o que suscitaria que só haverá repartição deste risco em contratações complexas regidas pela Lei das PPPs. Todavia, esta repartição pode ser estendida às contratações administrativas regidas pela Lei Geral, conforme as circunstâncias ou singularidades de cada caso.

---

[11] BANDEIRA DE MELLO, Celso Antônio; ZOCKUN, Carolina Zancaner; ZOCKUN, Maurício. Artigo 103. *In*: DAL POZZO, Augusto Neves; CAMMAROSANO, Márcio; ZOCKUN, Maurício (coord.). *Lei de licitações e contratos administrativos comentada:* Lei nº 14.133/21. São Paulo: RT- Thomson Reuters Brasil, 2021, p. 523.

Na Lei nº 14.133/2021, o novo regime de duração dos contratos administrativos, somado à diversidade e complexidade de objetos passíveis de contratação, bem como a diversidade de regimes de execução conduzem à aplicação de mecanismos contratuais transparentes na estrutura alocativa de riscos, na temática de áleas econômicas extraordinárias. Trata-se de conferir maior previsibilidade aos efeitos que estas hipóteses excepcionais produzem na economia contratual.

O recurso à expressão "fatos imprevisíveis ou previsíveis de consequências incalculáveis" é mais adequado, mas não retira a necessidade de que os fatos sejam alheios às partes, que sejam imprevisíveis e inevitáveis, que revelem caráter extraordinário, de modo a autorizar o reequilíbrio, conforme distribuição do risco constante da matriz contratual. Obviamente que o conceito legal não pode ser deturpado pela atividade administrativa na modelagem da matriz. Caso isto ocorra, merecerá a devida impugnação e controle de legalidade.

Assim, a matriz deverá detalhar, de forma objetiva, possíveis eventos lesivos à equação econômico-financeira, desdobrando as mais diversas e possíveis hipóteses relevantes de álea econômica extraordinária, que justifiquem o compartilhamento do risco.

A previsão expressa da possibilidade ou obrigatoriedade de matriz de riscos em contratações administrativas vem ao encontro do fortalecimento da teoria da imprevisão, como moderna cláusula *rebus sic standibus*, porque significa o reconhecimento das limitações próprias à contratualização sobre determinado objeto ou solução a atender específica demanda de interesse público, vínculo que, vigente ao longo de prazo razoável, exige esta forma de abertura para que se assegure a sua execução regular.

10 Matriz e riscos securitizáveis para o contratado

Contratações de seguros é medida racionalizadora no desenho da economia contratual, tornando-se aspecto relevante, no tema da matriz de riscos.

Nos termos do artigo 103, §2º, da Lei nº 14.133/2021, "os riscos que tenham cobertura oferecida por seguradoras serão preferencialmente transferidos ao contratado". Atente-se que a lei indica preferência na alocação ao setor privado, e não obrigatoriedade automática de que, quando segurável, o risco deve ser, em todos os casos, suportado pelo contratado, mediante seguro. A razão está na necessidade de avaliação cuidadosa da vantajosidade econômica da contratação de seguro para cobertura de determinado risco.

A contratação de seguro pelo setor privado pode, ou, não ser instrumento eficiente, do ponto de vista econômico, de atribuição ou transferência de risco.

Preceitua o artigo 22, §2º, inciso III, que o contrato deverá refletir a alocação realizada pela matriz de riscos, especialmente quanto "à contratação de seguros obrigatórios previamente definidos no contrato, integrado o custo de contratação ao preço ofertado". Deliberando pela sua introdução na matriz de risco, de um lado, o seguro impactará e incrementará os preços contratuais. De outro lado, não se nega que a contratação do seguro representará maior segurança ao contratado pela proteção que sua cobertura engendrará caso se materialize o sinistro.

Está implícito nas disposições citadas que a Lei nº 14.133/2021 só trata de riscos seguráveis. De forma absoluta, riscos não seguráveis não podem ser listados na matriz de riscos, sob pena de ilegalidade ou desvio de finalidade. Caberá ao contratado, para se desincumbir da obrigação retratada na matriz de risco, eleger a melhor forma de contratação do seguro dos riscos seguráveis, nela previstos, conforme as normas regulatórias aplicáveis (destacando-se a atual Circular SUSEP nº 621/2021).

Por outro lado, não basta que existam seguradoras, como indicaria a literalidade da norma. Por razões de economicidade e eficiência, a hipótese demanda que haja oferta razoável e disponível por pluralidade de agentes do setor de seguros da contratação indicada na matriz de riscos.

A inclusão legítima de riscos seguráveis em matriz de riscos também não afasta os deveres contratuais do contratado, que se mantêm íntegros, exigindo a adimplência de suas obrigações contratuais, perante o contratado.

Por exigência de boa-fé contratual é certo que, na contratação do seguro, o contratado-segurado não pode comportar-se diferentemente do que faria se estivesse inteiramente exposto ao risco. Do primeiro exige-se atitude de prudência e prevenção constante, que visa reduzir o risco ao máximo razoavelmente possível. O contratado não se exonera do dever de evitar condutas que facilitem a ocorrência de sinistro em razão da previsão de seguro.

11 Quantificação dos riscos e valor estimado da contratação

O artigo 103 incorpora à atividade administração de gestão de contratos a necessidade de que, na governança pública, seja implementado novo paradigma de gestão de riscos nas contratações administrativas, o que redunda na possibilidade ou obrigatoriedade de cláusula expressa de matriz de riscos contratuais, com vistas à preservação do equilíbrio econômico-financeiro da relação contratual.

A governança exige o desenvolvimento de planejamento como técnica de administração. Este planejamento está reforçado pela Lei nº 14.133/2021 pelo plano anual de contratações, ao nível macro, e culmina com a atividade planejada especializada da elaboração de matriz de riscos, ao nível micro, como exigência diferenciada em determinados contratos, legitimada por imperativo de eficiência, racionalidade, segurança e proporcionalidade nos casos em que deve ser estipulada. Há ostensiva vinculação entre governança, planejamento contratual global e planejamentos contratuais específicos, redundando na avaliação das condições de cada contratação, para se providenciar uma matriz balizadora da gestão de eficiência em certos contratos.

Como técnica administrativa a gestão de riscos encontra diversas normas técnicas indicativas de metodologia e procedimento da melhor forma de ser implementada. Por seu caráter genérico, a Norma ABNT ISO 31000 merece referência por oferecer parâmetros técnicos mais atuais sobre princípios, estrutura e processos de gerenciamento de riscos em organizações públicas ou privadas. Essa norma destaca, na parte dedicada aos princípios da gestão de risco, que esta gestão deve revelar-se integrada, estruturada e abrangente, personalizada, inclusiva, dinâmica, amparada na melhor informação disponível, sob o influxo de melhorias contínuas na sua implementação.

Além desta normativa, deve-se aludir à Norma ABNT NBR ISO/IEC 31010:2012, que versa sobre as técnicas para o processo de avaliação de riscos nas organizações, onde consta que o processo de gestão de riscos inclui a aplicação de métodos lógicos e sistemáticos para: (i) comunicação e consulta ao longo de todo processo;

(ii) estabelecimento do contexto para identificar, analisar, avaliar e tratar o risco associado a qualquer atividade, processo, função ou produto; (iii) monitoramento e análise crítica de riscos; (iv) reporte e registro dos resultados de forma apropriada.

Estabelece o artigo 103, §3º, da Lei nº 14.133/2021 que "a alocação dos riscos contratuais será quantificada para fins de projeção dos reflexos de seus custos no valor estimado da contratação". Esta disposição assegura uma das funcionalidades principais da matriz de risco, em termos de efeitos econômicos pretendidos.

Trata-se de apresentar, mediante quantificação pecuniária ou financeira, os reflexos da matriz no custo do valor estimado do contrato, ensejando a formulação ou recebimento de propostas, que podem e devem ser fundadas nas estimativas disponibilizadas aos interessados. De nada adiantaria construir uma matriz e não informar o seu reflexo na estimação de custos contratuais. Ela serve para nortear a precificação de custos assumidos conforme o quadro matricial. A lei obriga a quantificação financeira, para que se possa extrair o máximo proveito das informações sobre a gestão de risco da contratação.

No tocante aos contratos administrativos, a lei torna obrigatório que, na avaliação e tratamento dos riscos, não deixe de apontar a repercussão financeira da composição da matriz, em termos de estimativa da contratação.

12 Restabelecimento do equilíbrio econômico-financeiro e observância da matriz contratual

Nos termos do artigo 103, §5º, "a matriz de alocação de riscos definirá o equilíbrio econômico-financeiro inicial do contrato em relação a eventos supervenientes e deverá ser observada na solução de eventuais pleitos das partes".

A Constituição Federal assegura o direito de petição perante os Poderes Públicos (artigo 5º, XXXIV, alínea "a", da CF), e isto também deve ser resguardado em favor de contratados, ao longo da execução contratual, sobretudo quando está em jogo pretensão relativa à recomposição do equilíbrio econômico-financeiro, constitucionalmente tutelado no artigo 37, inciso XXI.

A Lei nº 14.133/2021 impõe a processualização de pleitos relacionados com o direito do contratado à manutenção do equilíbrio econômico-financeiro do contrato administrativo, o que abre espaço para a aplicação subsidiária de eventual lei geral de processo administrativo da unidade federativa a que se vincula o contrato administrativo. Em termos de norma geral, o contrato deve conter prazo de resposta a estes pleitos (artigo 92, inciso XI, da Lei nº 14.133/2021). A previsão de alteração consensual em norma endereçada exatamente para a recomposição do equilíbrio (artigo 124, inciso II, alínea "d") confirma a obrigatoriedade não só de instaurar o processo, mas igualmente de apreciá-lo, conforme princípios e regras do regime jurídico-administrativo aplicáveis.

Não é dado às partes eximirem-se de cumprir a matriz de riscos estabelecida e em vigor, que discipline o pleito do contratado, como parte interessada. Projeta-se aqui a vinculatividade da matriz de riscos, sendo certo que o contratante não pode agir contra sua própria definição e decisão alocativa, revelada na matriz. Esta cláusula não trará norma passível de aplicação por ponderação, mas apenas norma contratual passível de subsunção, e governará o destino da pretensão do contratado.

A Lei nº 14.133/2021, em seu artigo 151, assegura a utilização de "meios alternativos de prevenção e resolução de controvérsias, notadamente a conciliação, a mediação, o comitê de resolução de disputas e a arbitragem", regra em que há expressa referência "às controvérsias relacionadas a direitos patrimoniais disponíveis, como as questões relacionadas ao restabelecimento do equilíbrio econômico-financeiro do contrato".

Independentemente da natureza da forma de resolução da controvérsia, se unilateral ou consensual, o fato é que a matriz de risco não poderá ser descumprida, visto que, "sempre que atendidas as condições do contrato e da matriz de alocação de riscos, será considerado mantido o equilíbrio econômico-financeiro", preceitua o artigo 103, §5º.

A processualização, já referida, é corolário do desenvolvimento do devido processo legal, na órbita administrativa. Logo, o pleito deverá ser conduzido em processo submetido a todos os corolários do *due process*, destacadamente ampla defesa, contraditório, motivação, julgamento objetivo, recorribilidade, boa-fé, acessibilidade aos autos etc.

13 Renúncia e pedidos de recomposição de equação econômico-financeira

O artigo 103, §5º, da Lei nº 14.133/2021 refere-se à renúncia ao pedido de restabelecimento de equilíbrio relacionado ao risco assumido pela parte no contrato administrativo. E também assinala que haveria duas exceções, relativas: (i) às alterações unilaterais determinadas pela Administração, nas hipóteses do inciso I do *caput* do artigo 124 da referida Lei; (ii) ao aumento ou à redução, por legislação superveniente, dos tributos diretamente pagos pelo contratado em decorrência do contrato.

A norma merece interpretação contextual e sistemática. Se o contratado assume determinado risco listado na matriz como de sua responsabilidade, não pode evadir-se desta, pugnando por uma recomposição do equilíbrio. Cogita-se da materialização de dano ao prejuízo, relativo ao evento, mas as normas contratuais alocam regularmente a responsabilidade ao contrato, que, por conseguinte, deverá suportar as consequências fixadas no contrato. Afeta-se o equilíbrio, mas não há pretensão legal e contratualmente fundamentada a ser amparada. Isto não é renúncia. Em rigor, é cumprimento de obrigação onerosa, prevista no contrato, e conforme sua equação econômico-financeira.

Neste contexto, as exceções devem ser interpretadas como disposições legais, que reforçam a impossibilidade da matriz de riscos servir de violação ao equilíbrio econômico-financeiro, nas duas hipóteses clássicas de álea administrativa (alteração unilateral e fato do príncipe, na sua configuração tributária).

Com efeito, não é válido imaginar que, em um Estado Democrático, quem tem a potestade de elaborar as regras do certame público e da própria contratação pública, incluindo a matriz de risco, possa também se aproveitar para se evadir de consequências contratuais de medidas administrativas ou governamentais unilaterais que afetem esta contratação, em prejuízo do contratado, alegando singelamente que este anuiu com este tratamento.

14 Resolução contratual, riscos securitizáveis e agravos anormais à execução contratual

Nos termos do artigo 22, §2º, o contrato deverá refletir a alocação realizada pela matriz de riscos, especialmente quanto "à possibilidade de resolução quando o sinistro majorar excessivamente ou impedir a continuidade da execução contratual" (inciso II).

A matriz de riscos é uma ferramenta de gerenciamento de riscos (eventos futuros e incertos) que pode gerar efeitos negativos à execução contratual, relativamente à expressão econômica da sua equação financeira estrutural. Constitui relevante e proveitosa ferramenta para ser utilizada na recomposição da equação.

Mas a circunstância de determinado evento ser reconhecido, identificado, analisado, tratado e distribuído como risco na matriz contratual não implica que o evento não possa gerar uma causa legítima que produzirá a extinção do contrato administrativo.

A regra supracitada autoriza esta hipótese de extinção, quando *o sinistro (leia-se o evento, mesmo segurável) majorar excessivamente* a execução contratual. Por exemplo, situação de força maior, em que, mesmo compartilhada como risco alocado ao contratante e contratado, venha a ganhar uma dimensão extraordinária, compelindo o contratado a pleitear a extinção do contrato.

Também é autorizada a extinção quando o risco materializado impede a *continuidade da execução contratual.* Pode-se restringir esta segunda previsão e interpretá-la como impedimento fático da execução contratual. Seria, novamente, caso de força maior, que tivesse este delineamento fáctico, impedindo a execução contratual.

A regra traz referência, de forma equivocada, à "resolução". Todavia, não se trata de resolução, que conceitualmente se atrela a descumprimento ou inadimplemento de obrigações contratuais. No caso, ocorre a extinção do contrato pela impossibilidade superveniente de executá-lo, decorrente da materialização de risco, o qual, mesmo regularmente enquadrado na matriz de riscos, implicou a inviabilidade de manutenção do contrato.

As hipóteses ora descortinadas ensejam a extinção do contrato, que deverá ser "consensual, por acordo entre as partes, por conciliação, por mediação ou por comitê de resolução de disputas", nos termos do artigo 138 da Lei nº 14.133/2021, não cabendo ao contratado alegar ausência de interesse. Não se pode afirmar que o contratado terá direito à extinção, nestes casos.

Importante registrar que a alteração por ato unilateral e escrito do contratante (artigo 138, inciso I) não é aplicável a estas duas situações inesperadas, porque não se vislumbra igualmente culpa do contratado no descumprimento de suas obrigações contratuais.

A única solução será extrair da disciplina legal que o artigo 22, §2º, agasalha uma situação específica de necessária rescisão consensual do contrato administrativo, seja pela "onerosidade superveniente excessiva" (mesmo que adotada a cláusula de matriz de risco), seja pela impossibilidade fática superveniente, de manter a continuidade da execução contratual.

15 Alteração contratual da cláusula de matriz de riscos

A Lei nº 14.133/2021 não responde se é possível alterar-se a cláusula de matriz de riscos, originariamente formulada no contrato administrativo.

A leitura do capítulo dedicado à alteração do contrato e dos preços (artigos 124 a 136) não consigna, expressa ou implicitamente, a previsão de que a matriz de riscos, uma vez formulada e incluída no contrato, poderá ser alterada. Também não trata do problema o capítulo dedicado à previsão de prerrogativas da Administração nos contratos administrativos (artigo 104).

É certo que, nos termos do artigo 104, §2º, preceitua-se que "as cláusulas econômico-financeiras e monetárias dos contratos não poderão ser alteradas sem prévia concordância do contratado". Mas este enunciado normativo se torna ambíguo, quando se busca inserir a matriz de risco como "cláusula econômico-financeira e monetária", no significado atribuído pela norma.

A possibilidade de alteração da cláusula de matriz de riscos deve ser norteada pelo artigo 103, §4º, pelo qual ela "definirá o equilíbrio econômico-financeiro inicial do contrato em relação a eventos supervenientes". Estes termos indicam que a matriz não é estática. Que sua formulação inicial pode ser modificada, por diversos fatores, mas todos de conhecimento, aferição, avaliação e análise supervenientes. Entretanto, esta dinamicidade não pode redundar na sua modificação unilateral, pois não há esta prerrogativa outorgada à Administração pela Lei nº 14.133/2021. A necessidade de alteração superveniente exigirá discussão e participação plena do contratado.

Disto se extrai a necessidade inafastável de abertura de processo administrativo específico para processar e avaliar a eventual alteração necessária de cláusula de matriz de risco, que só poderá ser incluída no marco contratual, mediante modificação necessariamente consensual, com efeitos futuros. Este processo administrativo deve observar os princípios do devido processo, em especial, contraditório, ampla defesa, instrução regular, apreciação imparcial, objetividade, motivação e recorribilidade.

16 Considerações finais

Diversos dispositivos da Lei nº 14.133/2021 tratam da alocação de riscos, com especial relevância para os artigos 6º, XXVII, 22 e 103.

A análise de riscos é ato obrigatório para toda e qualquer licitação, mesmo nas hipóteses de dispensa e inexigibilidade, a ser elaborada na fase preparatória da contratação. Por sua vez, a inclusão, no edital, de cláusula definindo a matriz de riscos é facultativa, nos termos do artigo 22, salvo para as contratações de obras e serviços de grande vulto ou se forem adotados os regimes de contratação integrada e semi-integrada.

A repartição de riscos é um dos temas fundamentais dos contratos de longo prazo, que, sujeitos a muitos reveses, dependem de uma apropriada distribuição de riscos para tenham maior eficiência ao longo de seu ciclo de vida. "A racionalidade dessa partilha é o que permitirá gerar estruturas de custos mais eficientes e propiciar maior estabilidade contratual. Daí a relevância cada vez maior que o tema vem adquirindo na formatação de programas estruturantes".[12]

---

[12] GUIMARÃES, Fernando Vernalha. Repartição objetiva de riscos nas parcerias público-privadas. *In*: NUNES JÚNIOR, Vidal Serrano; ZOCKUN, Maurício; ZOCKUN, Carolina Zancaner; FREIRE, André Luiz (coord.). *Enciclopédia Jurídica da PUC-SP*: Direito Administrativo e Constitucional. 2. ed. São Paulo: Pontifícia Universidade Católica de São Paulo. t. II, 2022, p. 2.

Nota-se, por parte do legislador, um claro empenho quanto à mitigação dos riscos que podem comprometer a exequibilidade do negócio jurídico firmado. Feita adequadamente, a alocação de riscos contratuais pode dar muito mais segurança à execução dos contratos administrativos; em caso contrário, pode se revelar extremamente problemática para a Administração, com a obtenção de propostas mais onerosas, conflitos contratuais e contratações malsucedidas. Alocar de forma exagerada ou inadequada os riscos para o particular pode gerar desinteresse na licitação, conflitos contratuais e até mesmo a impossibilidade superveniente de execução do contrato.

Já a alocação exagerada ou inadequada de riscos para a Administração Pública pode acarretar danos ao erário por meio de superfaturamento.

A cláusula da matriz de risco não é obrigatória, nem deve ser banalizada na prática administrativa. É obrigatória em hipóteses específicas. Exige formação profissional do corpo administrativo em sua elaboração, gestão e implementação.

Quando adotada, há dúvida se poderá ser alterada na vigência contratual. Admite-se, única e exclusivamente, sua alteração bilateral consensual, jamais unilateral.

Quando regularmente adotada, a matriz de risco reduz margem de valoração e decisão em favor de ambas as partes (contratante e contratado)

Quando não adotada, os agravos verificados na equação econômico-financeira devem ser resolvidos pela aplicação do regime constitucional e legal;

Por fim, fraude em matriz de risco é infração administrativa grave.

A lei trouxe balizas que devem nortear a repartição dos riscos contratuais, impondo a alocação a quem tem melhor condição de gerenciá-los. Há o dever administrativo da Administração planejar a contratação em atenção aos princípios da eficiência e da motivação, o que importa no dever de fundamentação adequada e racional na definição da matriz de riscos, bem como na adoção de criativas possibilidades de maior participação de administrados na fase preliminar de certames e de contratações.

Por conta da Lei nº 14.133/2021, houve relevante avanço normativo-institucional na disciplina geral das contratações administrativas, pelo regramento da cláusula de matriz de riscos, em aderência às tendências contemporâneas e internacionais na matéria.

Resta, pois, implementar as novas diretrizes legais, demarcando e limitando a discricionariedade inerente ao regime legal, de modo a utilizar-se a cláusula da matriz de riscos para promover a tutela efetiva de interesses públicos subjacentes à atuação da parte pública contratante e de interesses privados da parte contratada.

Referências

ASSIS, Luiz Eduardo Altenburg de. Alteração dos contratos administrativos. *In*: NIEBUHR, Joel de Menezes et al. *Nova Lei de Licitações e contratos administrativos*. 2. ed. Curitiba: Zênite, 2021. p. 198. Disponível em: https://www.zenite.com.br/books/nova-lei-de-licitacoes/nova_lei_de_licitacoes_e_contratos_administrativos.pdf (E-book).

BANDEIRA DE MELLO, Celso Antônio. *Curso de Direito Administrativo*. 36. ed. Belo Horizonte: Fórum, 2023.

BANDEIRA DE MELLO, Celso Antônio; ZOCKUN, Carolina Zancaner; ZOCKUN, Maurício. Artigo 103. *In*: DAL POZZO, Augusto Neves; CAMMAROSANO, Márcio; ZOCKUN, Maurício (coord.). *Lei de licitações e contratos administrativos comentada*: Lei 14.133/21. São Paulo: RT- Thomson Reuters Brasil, 2021, p. 519-524.

BAPTISTA, Patrícia. O equilíbrio econômico-financeiro dos contratos administrativos. *Revista de Direito Administrativo e Infraestrutura*, São Paulo, v. 22, p. 127-140, jul./set. 2022.

BELÉM, Bruno; CARVALHO, Matheus; CHARLES, Ronny (coord.). *Temas Controvertidos da Nova Lei de Licitações e Contratos*. São Paulo: Juspodivm, 2021.

CARVALHO, Fábio Lins de Lessa *et al.* (coord.). *Novo Direito das Licitações e Contratos Administrativos de acordo com a Lei 14.133/2021 (Nova Lei de Licitações)*. Curitiba: Juruá, 2021.

FERRAZ, Sérgio. Das regras de governança corporativa, transparência e gestão de riscos. *Revista de Direito Administrativo e Infraestrutura*, São Paulo, v. 7, p. 109-137, out./dez. 2018.

FREIRE, André Luiz. *Direito dos contratos administrativos*. São Paulo: Thomson Reuters Brasil-RT, 2023.

FREITAS, Rafael Véras de; ALTOÉ JUNIOR, José Egidio. Comentário Geral ao Capítulo III- Da Alocação de riscos. *In*: CUNHA FILHO, Alexandre Jorge Carneiro da; PICCELLI, Ricomini, Roberto; ARRUDA, Carmen Silvia de (coord.). *Lei de Licitações e Contratos Comentada*: Lei 14.133/2021. São Paulo: Quartier Latin, 2022. v. II. p. 629-652.

GUIMARÃES, Edgar. Da fase interna das contratações. *In*: GUIMARÃES, Edgar *et al*. Coordenação de Maria Sylvia Zanella Di Pietro. *Licitações e contratos administrativos*: inovações da Lei 14.133/21. Rio de Janeiro: Forense, 2021. p. 53-61.

GUIMARÃES, Fernando Vernalha. Repartição objetiva de riscos nas parcerias público-privadas. *In*: NUNES JÚNIOR, Vidal Serrano; ZOCKUN, Maurício; ZOCKUN, Carolina Zancaner; FREIRE, André Luiz (coord.). *Enciclopédia Jurídica da PUC-SP*: Direito Administrativo e Constitucional. 2. ed. São Paulo: Pontifícia Universidade Católica de São Paulo. t. II, 2022. p. 2-25.

JUSTEN FILHO, Marçal. *Comentários à Lei de Licitações e Contratações Administrativas*. 2. ed. rev., atual. e ampl. São Paulo: Thomson Reuters Brasil, 2023.

LEMBO, Carolina Maria. Alocação de riscos em contratos de parcerias público-privadas em metrôs: as experiências das linhas 4 e 6 de São Paulo. *Revista de Direito Administrativo e Infraestrutura*, São Paulo, v. 9, p. 63-97, abr./jun. 2019.

MARQUES NETO, Floriano Peixoto de Azevedo. Equilíbrio econômico-financeiro em contrato de concessão. *Revista Tributária e de Finanças Públicas*, São Paulo, v. 46, p. 251-270, set./out. 2002.

NOHARA, Irene Patrícia Diom. *Nova Lei de Licitações e Contratos comparada*. 2. ed. rev. atual. e ampl. São Paulo: Revista dos Tribunais, 2024.

OLIVEIRA, Rafael Carvalho Rezende. *Nova Lei de Licitações e Contratos Administrativos comparada e comentada*: Lei 14.133, de 1º de abril de 2021. Rio de Janeiro: Forense, 2021.

OLIVEIRA, Rafael Carvalho Rezende; MARÇAL, Thaís (coord.). *Estudos sobre a Lei 14.133/2021*: nova Lei de Licitações e Contratos Administrativos. São Paulo: Juspodivm, 2021.

PESTANA, Márcio. A exorbitância nos contratos administrativos. *Revista de Direito Administrativo e Infraestrutura*, São Paulo, v. 1, p. 141-161, abr./ jun. 2017.

Informação bibliográfica deste texto, conforme a NBR 6023:2018 da Associação Brasileira de Normas Técnicas (ABNT):

GROTTI, Dinorá Adelaide Musetti; OLIVEIRA, José Roberto Pimenta. Da alocação de riscos à luz da Lei nº 14.133/2021. *In*: JUSTEN, Monica Spezia; PEREIRA, Cesar; JUSTEN NETO, Marçal; JUSTEN, Lucas Spezia (coord.). *Uma visão humanista do Direito*: homenagem ao Professor Marçal Justen Filho. Belo Horizonte: Fórum, 2025. v. 2, p. 429-453. ISBN 978-65-5518-916-2.

BREVES APONTAMENTOS SOBRE O EDITAL DAS LICITAÇÕES À LUZ DA LEI Nº 14.133/2021

EDGAR GUIMARÃES

I Introdução

Na atualidade, em razão de uma de uma interpretação sistemática do novo regime jurídico das licitações e contratos instituído pela Lei nº 14.133/2021, temos sustentado que o processo de contratação se estrutura em três fases interligadas entre si: o planejamento (fase preparatória ou interna), a seleção do fornecedor (fase externa) e a execução do contrato. Cada uma dessas fases possui grande relevância e finalidades específicas para a realização completa e adequada da contratação pública.

Para os fins que pretendemos atingir com o presente ensaio, importa salientar que, especificamente, quanto ao processo de licitação, a Lei nº 14.133/2021, no seu artigo 17, estabeleceu seis fases a serem levadas a efeito, quais sejam: preparatória; divulgação do edital de licitação; apresentação de propostas e lances; julgamento; habilitação; recursal; e, homologação.

De acordo com o ensinamento de Adilson Abreu Dallari[1] "na fase preparatória do procedimento estariam os atos destinados a formar a intenção da Administração em abrir um chamamento público; fixar precisamente o objeto do futuro contrato; estabelecer as condições do certame; em caso de dúvida, proceder a uma avaliação estimativa da eventual despesa; em se tratando de órgão ou entidade cuja movimentação contábil seja regida pelas normas da contabilidade pública, verificar a existência de recursos orçamentários; determinar ou autorizar a abertura da licitação, bem como designar agentes administrativos especificamente encarregados do seu processamento etc.".

---

[1] A análise deste autor foi realizada à luz da revogada Lei nº 8.666/1993, mas, perfeitamente cabível em face do atual regime jurídico das licitações e contratos. DALLARI, Adilson Abreu. *Aspectos Jurídicos da Licitação*, 7. ed. São Paulo: Saraiva, 2007, p. 103.

Nos termos de nossa manifestação registrada em obra anteriormente publicada,[2] "é preciso chamar a atenção para a expressa prescrição do *caput* do artigo 18 da Lei nº 14.133/2021 no sentido de que a fase preparatória é marcada pelo planejamento e deve compatibilizar-se com o plano de contratação anual e com as leis orçamentárias, bem como abordar todas as considerações técnicas, mercadológicas e de gestão que podem interferir na contratação".

A nosso ver a fase preparatória é, sem dúvida alguma, a mais importante de todo o processo licitatório, pois, nesta etapa são praticados todos os atos necessários e indispensáveis, não apenas para o desencadeamento da competição, mas, sobretudo, para a seleção de uma proposta apta a gerar o resultado de contratação mais vantajoso para a Administração Pública.[3] São atos *"interna corporis"*, ou seja, baixados pela própria entidade promotora do certame no seu âmbito de atuação e competência.

Do conjunto de atos a serem praticados nesta etapa, destacamos a elaboração do respectivo edital, também denominado de instrumento convocatório, onde deverão ser fixadas as regras e condições a serem observadas, não apenas por parte dos eventuais particulares interessados em participar da competição, mas, também, pela própria entidade promotora da licitação.

II Natureza jurídica do edital

Inicialmente, se faz necessário fixar a premissa no sentido de que a licitação é um processo consubstanciado num conjunto de atos administrativos praticados de forma ordenada e sucessiva, visando à seleção de uma proposta mais vantajosa para a Administração Pública, em razão de um negócio jurídico que pretende celebrar por meio de um contrato. Cada ato desse conjunto cumpre uma função específica no contexto geral.

Neste cenário, tem-se a elaboração de um edital ou instrumento convocatório. De acordo com Celso Antônio Bandeira de Mello,[4] "pode-se definir o edital da seguinte forma: é o ato por cujo meio a Administração faz público seu propósito de licitar um objeto determinado, estabelece os requisitos exigidos dos proponentes e das propostas, regula os termos segundo os quais os avaliará e fixa as cláusulas do eventual contrato a ser travado".

No mesmo sentido do autor antes mencionado, Marçal Justen Filho[5] assinala que "o edital é um ato administrativo unilateral, destinado a assegurar o conhecimento público e a disciplinar o procedimento administrativo destinado a selecionar a proposta mais vantajosa de contratação para a Administração Pública e as condições da futura contratação".

---

[2] GUIMARÃES, Edgar. Fase preparatória do processo licitatório. *In: Manual de licitações e contratos administrativos*: Lei 14.133/21, de 1º de abril de 2021. Edgar Guimarães *et al.* Coordenação Maria Sylvia Zanella Di Pietro, 3. ed. Rio de Janeiro, Forense, 2023, p. 84.

[3] Nos termos do que dispõe o artigo 11 da Lei nº 14.133/21, "assegurar a seleção da proposta apta a gerar o resultado de contratação mais vantajoso para a Administração Pública" é um dos objetivos a ser atingido por meio de um processo licitatório.

[4] BANDEIRA DE MELLO, Celso Antônio. *Curso de Direito Administrativo*. 35. ed. São Paulo: Malheiros, 2021, p. 484-485.

[5] JUSTEN FILHO, Marçal. *Comentários à Lei de Licitações e Contratações Administrativas*: Lei 14.133/2021. São Paulo: Thomson Reuters Brasil, 2021, p. 409.

Trata-se, em verdade, de um ato administrativo normativo, por meio do qual a Administração Pública estabelece regras gerais e abstratas, destinadas a uma situação específica, qual seja, uma competição licitatória seguida de uma contratação.

Na qualidade de ato administrativo normativo, o edital, em razão desta natureza jurídica, tem, por si só, um amplo efeito vinculante, ou seja, deve ser observado e respeitado não apenas por todos aqueles particulares que se apresentarem à licitação, mas, também, pela própria entidade promotora do certame.

É clássica na doutrina a afirmação de que o "edital é a lei da licitação; é preferível dizer que é a lei da licitação e do contrato",[6] pois tudo aquilo que fora inicialmente nele estabelecido não poderá, a princípio, ser alterado ou até mesmo inovado por ocasião da efetiva contratação.

Há muito temos sustentado que o edital cumpre papel de fundamental importância em qualquer licitação, na medida em que todos os atos que venham a ser praticados no curso do certame deverão estar em consonância com as regras ali estabelecidas. E nem poderia ser diferente, afinal, seria inconcebível a Administração fixar determinada regra e, no curso da competição, ignorar ou simplesmente modificar o que foi estabelecido ou, até mesmo, inovar.

Em consonância com essas razões e, ainda, considerando a natureza jurídica do edital como sendo ato administrativo normativo com efeito vinculante, o princípio da vinculação ao instrumento convocatório, insculpido no artigo 5º da Lei nº 14.133/2021, assume papel relevante no processamento das licitações. De acordo com a manifestação do Tribunal de Contas da União,[7] este princípio jurídico "obriga a Administração e os licitantes a observarem as normas e condições estabelecidas no edital, desde que estejam em conformidade com a legislação aplicável em vigor. Nada poderá ser criado ou feito sem que haja previsão no instrumento convocatório".

III Competência para elaborar e assinar editais

Primeiramente, é preciso fazer uma distinção entre *elaborar* e *assinar* o edital, pois, em geral, a tomada de certas providências com a prática de atos administrativos demanda a outorga de uma específica competência legal ou regulamentar.

A *elaboração* de um edital de licitação implica basicamente em redigir, preparar, estruturar, estabelecer as regras que irão nortear a competição. De uma interpretação sistemática da Lei nº 14.133/2021 é possível constatar a inexistência de qualquer previsão legal a respeito da competência para a realização desta atribuição.

No nosso entendimento, sequer seria razoável a Lei nº 14.133/2021 conter previsão nesse sentido, pois ao legislador cabe definir normas gerais sobre licitação e contratação a respeito dessa matéria, enquanto a organização interna e a distribuição de competências e atribuições no âmbito de cada órgão e entidade administrativa envolvem norma de caráter específico e não geral.

---

[6] Neste sentido, DI PIETRO, Maria Sylvia Zanella. *Direito Administrativo*, 32. ed. Rio de Janeiro: Forense, 2019, p. 458.

[7] BRASIL, Tribunal de Contas da União. *Licitações & Contratos*: orientações e jurisprudência do TCU. Tribunal de Contas da União. 5. ed. Brasília: TCU, Secretaria-Geral da Presidência, 2023, p. 145.

Não se deve perder de vista que, na forma prevista pelo §3º do artigo 8º da Lei nº 14.133/2021, "as regras relativas à atuação do agente de contratação e da equipe de apoio, ao funcionamento da comissão de contratação (...), serão estabelecidas em regulamento, (...) para o desempenho das funções essenciais à execução do disposto nesta Lei".

No âmbito federal essa questão, de certa forma, foi regulamentada pelo Decreto nº 11.246/2022, ao estabelecer que "a atuação do agente de contratação na fase preparatória deverá ater-se ao acompanhamento e às eventuais diligências para o fluxo regular da instrução processual, estando ele desobrigado da elaboração de estudos preliminares, de projetos e de anteprojetos, de termos de referência, de pesquisas de preço e, preferencialmente, de minutas de editais".[8]

Em que pese a Lei nº 14.133/2021 não ter previsto a elaboração do edital como uma das atribuições do agente de contratação, do pregoeiro, ou da comissão de contratação, julgamos não haver impedimento nesse sentido. Todavia, com base no princípio da segregação de funções, o qual compreendemos ser "princípio inerente ao controle interno, que estabelece o dever de assegurar a separação de atribuições entre servidores distintos nas várias fases de um determinado processo, em especial as funções de autorização, aprovação, execução, controle e contabilização das operações",[9] em nossa ótica, caberá ao regulamento assegurar que o agente de contratação e o pregoeiro não sejam competentes para assinar o edital.

No que diz respeito à competência para *assinar*, cabe, primeiramente, repisar nosso entendimento no sentido de que o edital de uma licitação é um *ato administrativo normativo* que deve ser baixado por autoridade competente.

Para Marçal Justen Filho[10] "o direito administrativo estabelece requisitos de competência e capacidade para o sujeito do ato administrativo, (...) a competência administrativa é a atribuição normativa da legitimação para a prática de um ato administrativo". E mais adiante o autor sustenta que "o direito atribui as competências não às pessoas físicas, mas aos sujeitos de direito integrantes da Administração Pública (...)".

Por sua vez, de acordo com o saudoso Diogenes Gasparini,[11] "o agente público há de ser competente, isto é, ser dotado de força legal para produzir esse ato. Agente público competente é o que recebe da lei o devido dever-poder para o desempenho de suas funções. (...) A competência ou o poder para praticar o ato decorre da lei e é por ela delimitado. Assim, diz Caio Tácito que não é competente quem quer, mas quem pode, segundo a norma de direito".

Assim, com fundamento nas lições doutrinárias antes referidas, se um agente destituído de competência legal pratica um ato administrativo, é forçoso concluir que tal ato é inválido.

---

[8] Decreto Federal nº 11.246/2022, artigo 14, §§2º e 3º.
[9] GUIMARÃES, Edgar; SAMPAIO, Ricardo. *Dispensa e inexigibilidade de licitação:* aspectos jurídicos à luz da Lei nº 14.133/2021. Rio de Janeiro: Forense, 2022. p. 29.
[10] JUSTEN FILHO, Marçal. *Curso de Direito Administrativo.* 11. ed. rev., atual. e ampl. São Paulo: Editora Revista dos Tribunais, 2015, p. 387.
[11] GASPARINI, Diogenes. *Direito Administrativo.* 17. ed. atualizada por Fabricio Motta. São Paulo: Saraiva, 2012, p. 113-114.

A Lei nº 8.666/1993, ao tratar da questão sob análise, dispunha no §1º do artigo 40 que o "original do edital deverá ser datado, rubricado em todas as folhas e assinado pela autoridade que o expedir". Pela dicção legal percebe-se que o legislador não atribuiu uma competência para um agente específico. No nosso modo de ver, nem poderia fazê-lo, em razão da autonomia administrativa, orçamentária e financeira das pessoas políticas que integram a federação, aliada à possibilidade de certos órgãos e entidades públicas promoverem um distribuição interna de competências.

Especificamente com relação à competência para assinar editais de licitação, o regime jurídico instituído pela Lei nº 14.133/2021 foi silente a esse respeito, não contemplando nenhuma disposição legal semelhante à da Lei nº 8.666/93.

Assim, diante dessa lacuna normativa, para ser possível identificar o agente responsável pela assinatura de um edital de licitação, faz-se necessária uma análise das disposições legais e regulamentares aplicáveis ao órgão ou entidade promotora da licitação.

Nos termos do que sustenta Joel de Menezes Niebuhr,[12] "órgãos e entidades administrativas gozam de liberdade para dispor de regras para distribuir internamente as suas funções, por imperativo de racionalidade administrativa, desde que não contrarie os dispositivos legais, definindo os agentes responsáveis pelos atos produzidos no transcurso de processo de licitação pública, entre os quais, os de titularidade da autoridade competente".[13]

A competência para assinar editais pode ser atribuída para apenas um agente ou para vários, que também poderão exercê-la nos limites estabelecidos para cada caso. Nesta hipótese, temos, por exemplo, a fixação de alçadas de competências, na maioria das vezes, estabelecidas em razão do valor a ser licitado e contratado.

Não raras vezes as regras internas não indicam, expressamente, um agente com poderes para assinar editais. Nesta hipótese, considerando tratar-se de um ato administrativo de caráter normativo que irá nortear todo o processamento de uma licitação, bem como balizar as condições do futuro contrato, temos sustentado que tal competência é da autoridade dotada de poderes para contrair direitos e obrigações em nome de cada órgão ou entidade.

Nem sempre um agente que recebe competência para assinar editais a exerce no cotidiano administrativo das contratações públicas, ocorrendo, em alguns casos, o trespasse para outro ou outros agentes. Tal circunstância é levada a efeito por meio de uma delegação. Delegar, nos termos da lição de Diogenes Gasparini,[14] significa que "as competências recebidas são atribuídas a outrem, geralmente um subordinado, com o objetivo de assegurar maior rapidez e eficiência às decisões, colocando-se, desse modo, na proximidade dos fatos o agente competente para dar o necessário atendimento".

Por força do princípio da legalidade, não havendo vedação legal para a delegação da competência para assinar editais, tal providência deverá ocorrer por meio de um ato administrativo formal, devidamente publicado, devendo ser estabelecidos,

---

[12] NIEBUHR, Joel de Menezes. *Licitação pública e contrato administrativo*. 5. ed. Belo Horizonte: Fórum, 2022, p. 551.
[13] A Lei nº 14.133/2021, nos termos do inciso VI, do artigo 6º, conceitua autoridade como sendo o "agente público dotado de poder de decisão".
[14] GASPARINI, Diogenes. *Direito Administrativo*. 17. ed. atualizada por Fabricio Motta. São Paulo: Saraiva, 2012, p. 105.

expressamente, os limites a serem observados pelo delegado no cumprimento dos deveres-poderes recebidos.

No âmbito federal essa competência originária não pode ser delegada, em razão de que a Lei nº 9.784/1999 – lei que regula o processo administrativo no âmbito da Administração Federal direta e indireta –, no seu artigo 13, inciso I, contém a seguinte disposição "Não podem ser objeto de delegação: I - a edição de atos de caráter normativo;".

Uma vez assinado o edital pela autoridade competente, o ato torna-se perfeito, válido, porém, ineficaz. Perfeito, pois está completo e devidamente formado, contendo motivo, conteúdo, finalidade, forma, causa e assinatura, nada lhe falta, sendo denominado de ato existente, pois completou seu ciclo de formação. Considera-se válido, em razão da presunção de ter sido editado nos termos do regime jurídico que lhe é aplicável. Ineficaz, em razão de não estar produzindo efeitos no mundo jurídico, regulando as relações com os seus destinatários, com efeito vinculante. A plena eficácia deste ato, com o seu consequente efeito, somente se dará com a publicidade da licitação, na forma e na intensidade previstas em lei.

IV Prerrogativas e limites na elaboração do edital

A Lei nº 14.133/2021, nos incisos do artigo 18, estabelece um rol de atos a serem praticados na fase preparatória de uma licitação, deixando claro que a elaboração do edital e dos seus anexos integram esta etapa do processo.

De uma análise dos elementos que devem compor a fase preparatória do processo licitatório e, com base na compreensão da maneira pela qual se estrutura o processo licitatório,[15] podemos afirmar que o edital deve ser construído a partir de informações constantes em documentos produzidos anteriormente, em especial naquele que materializa a demanda, no estudo técnico preliminar, no termo de referência ou projeto básico e na análise de riscos.

Neste contexto, é possível afirmar que, na elaboração do edital, o agente encarregado desta atribuição se encontra no exercício de um poder, em larga medida vinculado, vinculado aos elementos constantes da base documental até então produzida, bem como às normas constitucionais, legais e regulamentares acerca da matéria licitatória e contratual aplicáveis em cada caso concreto.

Na visão de Marçal Justen Filho,[16] "O edital traduz o exercício de competências vinculadas e de competências discricionárias. Isso significa que muitas das disposições a serem previstas no edital encontram-se disciplinadas em extensão variável na Lei, existindo margem mais reduzida de autonomia para sobre elas dispor".

Desde logo, é importante registrar que, diferentemente da Lei nº 8.666/1993, que definia a estrutura e cláusulas a serem observadas na elaboração do edital de licitação,[17]

---

[15] Art. 17. O processo de licitação observará as seguintes fases, em sequência: I - preparatória; II - de divulgação do edital de licitação; III - de apresentação de propostas e lances, quando for o caso; IV - de julgamento; V - de habilitação; VI - recursal; VII - de homologação.

[16] JUSTEN FILHO, Marçal. *Comentários à Lei de Licitações e Contratações Administrativas*: Lei 14.133/2021. São Paulo: Thomson Reuters Brasil, 2021, p. 409.

[17] A Lei nº 8.666/93 continha a seguinte prescrição: Art. 40. O edital conterá no preâmbulo o número de ordem em série anual, o nome da repartição interessada e de seu setor, a modalidade, o regime de execução e o tipo

a Lei nº 14.133/2021 não traz previsão similar, apenas se limita a indicar no *caput* do artigo 25, de modo não taxativo, o conteúdo sobre o qual deve versar o instrumento convocatório.

Esta opção do legislador de 2021 nos parece mais salutar, pois permite que o edital seja construído nos termos da base documental produzida na fase preparatória, de acordo com os elementos e especificidades que norteiam cada caso concreto, restando pouquíssima margem de discricionariedade para o agente encarregado desta atribuição.

V A utilização de minutas-padrão de editais

Diversamente da Lei nº 8.666/1993, que não tratou de questões relativas à padronização de documentos, o legislador de 2021 estabeleceu uma obrigação imposta aos órgãos da Administração com competências regulamentares ligadas às atividades de administração de materiais, de obras e serviços, de licitações e contratos, de criarem um catálogo eletrônico de padronização, contendo modelos de minutas de editais, de termos de referência e de contratos. É o que se depreende do contido no *caput* do artigo 19 e do seu inciso IV da Lei nº 14.133/2021.

De uma interpretação do artigo 19, combinado com o §1º, do artigo 25 da Lei nº 14.133/2021, depreendemos que nasce para o administrador público um dever jurídico de adotar minutas padronizadas de editais e contratos a serem utilizadas nos processos de contratação.

A propósito da previsão contida no §1º do art. 25 da Lei nº 14.133/2021, importa registrar as considerações de José Anacleto Abduch Santos:[18] "Sempre que o objeto permitir, deverão ser adotadas minutas padronizadas de instrumento convocatório (art. 25, §1º). Assim, no caso de objetos semelhantes e homogêneos, deverá haver a elaboração de modelos de instrumento convocatório que sejam passíveis de reprodução. Esta conduta se dá também no cumprimento do princípio da celeridade previsto no art. 5º da Lei. Parece evidente que, adotados modelos padronizados, haverá mais celeridade e agilidade no processo licitatório".

Com a padronização de editais, de termos de referência, de contratos e outros documentos comumente utilizados no cotidiano da Administração Pública, temos, em última análise, uma racionalização das atividades dos agentes, propiciando maior celeridade, eficiência e economicidade aos processos de contratação.

Contudo, cabe observar que a utilização de minutas de edital e contrato padronizados não dispensará, jamais, a respectiva juntada nos autos do processo administrativo de contratação, das justificativas da necessidade e de adequação do objeto e dos termos licitatórios e contratuais àquela situação.

Considerando que, no nosso entendimento, padronizar é um dever, uma regra geral que reflete, em larga medida, a observância e o respeito aos princípios jurídicos da celeridade, eficiência e economicidade, a não utilização de modelos de minutas de

---

da licitação, a menção de que será regida por esta Lei, o local, dia e hora para recebimento da documentação e proposta, bem como para início da abertura dos envelopes, e indicará, obrigatoriamente, o seguinte: (...).

[18] ABDUCH SANTOS, José Anacleto. Zênite Fácil. Disponível em: http://www.zenitefacil.com.br. Categoria Anotações, Lei nº 14.133/2021, nota ao art. 25, §1º, acesso em: 31 jul. 2024.

editais, de termos de referência e contratos[19] deverá ser justificada pela autoridade competente e anexada ao respectivo processo licitatório.

VI Controle prévio de legalidade

Objetivando garantir práticas contínuas e permanentes de gestão de riscos e de controle preventivo, a Lei nº 14.133/2021 estabeleceu três linhas de defesa, sendo a segunda delas integrada pelas unidades de assessoramento jurídico e de controle interno do próprio órgão ou entidade produtora do ato ou processo a ser controlado (art. 169, inciso II).

A partir de uma interpretação sistemática das disposições do atual regime jurídico das licitações, vislumbramos que o Advogado Público ganhou papel de destaque, tendo em vista o alto grau de responsabilidade decorrente das várias atribuições a ele conferidas.

A primeira delas – talvez a de maior relevância – está prevista no artigo 53 da Lei nº 14.133/2021, segundo o qual, "ao final da fase preparatória, o processo licitatório seguirá para o órgão de assessoramento jurídico da Administração, que realizará controle prévio de legalidade mediante análise jurídica da contratação".

Diferentemente da Lei nº 8.666/1993, que, ao menos textualmente, determinava em seu artigo 38, parágrafo único, que apenas "as minutas de editais de licitação, bem como as dos contratos, acordos, convênios ou ajustes devem ser previamente examinadas e aprovadas por assessoria jurídica da Administração", a Lei nº 14.133/2021 prevê, expressamente, a necessidade de o órgão de assessoramento jurídico da Administração realizar o controle prévio de legalidade de todo o processo de contratação, o que, sem dúvida, amplia as atribuições do advogado público, na medida em que sua análise deve incidir e envolver desde o seu ato inaugural até a minuta de edital e/ou contrato.

A ampliação desse controle é deveras salutar e merece especial atenção, notadamente se consideradas as repercussões no processo de contratação. Trata-se de um verdadeiro filtro que possibilita a correção de eventuais falhas ou vícios, afastando, preliminarmente, os riscos ao interesse público norteador de toda atividade administrativa.

Conforme disposição do §4º, do artigo 53, referido controle incide, de igual forma e intensidade, em processos de contratações diretas,[20] acordos, termos de cooperação, convênios, ajustes, adesões a atas de registro de preços, outros instrumentos congêneres e de seus termos aditivos".

---

[19] A propósito dos riscos relacionados à não utilização de modelos de documentos, o Tribunal de Contas da União faz a seguinte advertência: "Não utilização de minutas de edital padronizadas, levando à multiplicidade de esforços para realizar contratações semelhantes em diferentes organizações públicas e na mesma organização, com consequente ineficiência administrativa e repetição de erros" (BRASIL, Tribunal de Contas da União. *Licitações & Contratos*: orientações e jurisprudência do TCU. Tribunal de Contas da União. 5. ed., Brasília: TCU, Secretaria-Geral da Presidência, 2023, p. 409).

[20] Na forma prevista pelo §5º do artigo 53, em situações excepcionais definidas em ato da autoridade jurídica máxima competente, admite-se dispensar a realização do controle prévio de legalidade em determinados processos de contratação direta, como por exemplo, em razão do baixo valor, da baixa complexidade da contratação, da entrega imediata do bem ou da utilização de minutas de editais e instrumentos de contrato, convênio ou outros ajustes previamente padronizados pelo órgão de assessoramento jurídico.

Subtrai-se das disposições da lei que a análise jurídica deve ser ampla, efetiva, devendo abranger todos os atos praticados na fase preparatória e indispensáveis para a contratação. Dita análise deverá se limitar aos aspectos legais, ser realizada em linguagem simples e compreensível, e, sobretudo, a manifestação jurídica deverá ser conclusiva.

Com o intuito de facilitar a realização deste controle prévio de legalidade, o Tribunal de Contas da União "tem incentivado o uso de listas de verificação (*checklists*), de modo a tornar essas análises mais eficientes, evitar a repetição de erros e proporcionar maior segurança aos agentes envolvidos".[21]

Um aspecto que merece destaque diz respeito à competência para o exercício de tal controle. Não remanesce dúvida de que compete ao órgão de assessoramento jurídico da Administração, todavia, por se tratar de uma verdadeira filtragem de eventuais irregularidades e de nulidades existentes no processo de contratação, a efetiva análise deve ser realizada por agente público investido em cargo, emprego ou função pública de advogado.

Em vista desse contexto, entendemos ser imprescindível garantir ao advogado público uma atuação com absoluta autonomia e independência, com liberdade para compreender e interpretar o Direito aos seus olhos, sem medo de desagradar seus superiores e sem correr o risco de ser cooptado por interesses político-partidários.

VII Publicidade do edital

O princípio constitucional da publicidade, corroborado por normas gerais informadoras das licitações, exige a publicação integral do edital, instrumento de abertura do certame, condição para a sua plena eficácia.

Constitui-se em um chamamento público para que particulares interessados apresentem suas ofertas, promessas de contratos formuladas, dentre as quais será escolhida pela Administração aquela que lhe for mais vantajosa, sendo assim, faz-se necessário conferir ampla divulgação de seus termos.

Uma das principais novidades da Lei nº 14.133/2021 foi a criação do Portal Nacional de Contratações Públicas – PNCP, que nos termos do seu artigo 174, inciso I, consiste em um sítio eletrônico oficial destinado à divulgação centralizada e obrigatória dos atos exigidos por essa lei.

Com base nesse dispositivo legal, compreendemos que todos os atos para os quais a Lei nº 14.133/2021 exige publicidade deverão ter seu inteiro teor disponibilizado no Portal Nacional de Contratações Públicas, independentemente de previsão legal que imponha a publicação em outros veículos ou mesmo da opção de cada órgão ou entidade de adotar espontaneamente seus próprios meios de divulgação.

Inclusive, no que se refere às licitações, o artigo 54 da Lei nº 14.133/2021 estabelece, claramente, que "a publicidade do edital de licitação será realizada mediante divulgação e manutenção do inteiro teor do ato convocatório e de seus anexos no Portal Nacional de Contratações Públicas – (PNCP)".

Na medida em que todos os órgãos e entidades da Administração Pública, de todos os entes federativos, são obrigados a divulgar e manter o inteiro teor do ato convocatório

---

[21] BRASIL, Tribunal de Contas da União. *Licitações & Contratos: Orientações e Jurisprudência do TCU*. Tribunal de Contas da União. 5. edição, Brasília: TCU, Secretaria-Geral da Presidência, 2023, p. 472).

e de seus anexos no Portal Nacional de Contratações Públicas, entendemos que a Lei nº 14.133/2021 acabou por criar o verdadeiro mercado público de contratações. A ideia de mercado na sua acepção física, ou seja, um lugar, um espaço público que reúne todas as ofertas de contratação com a Administração Pública.

Dita previsão legal é merecedora de críticas, sob o argumento de que a União invadiu a competência dos Estados, do Distrito Federal e dos Municípios para legislar sobre normas específicas.

Cabe assinalar que compete à União legislar sobre normas gerais de licitação/contratação e que tal competência não abrange os meios a serem utilizados para a publicidade de atos emanados por todos os entes da federação.

A Constituição Federal de 1988 cria níveis de poderes políticos com autonomia para se auto-organizarem administrativa, financeira e orçamentariamente. Assim, cada uma das pessoas políticas integrantes da federação dispõe de competência para definir o meio a ser utilizado para a publicidade das suas licitações e contratações, o órgão de imprensa oficial, sítios eletrônicos oficiais, enfim, definir a forma de divulgação dos seus próprios atos.

Cabe anotar que, em razão da rejeição ao veto inicialmente imposto pelo Presidente da República ao §1º do artigo 54 da Lei nº 14.133/2021, a previsão contida nesse dispositivo foi restabelecida. Assim, em termos práticos, além de divulgar o inteiro teor do edital de licitação e de seus anexos no Portal Nacional de Contratações Públicas – PNCP, a Administração também é obrigada a promover "a publicação de extrato do edital no Diário Oficial da União, do Estado, do Distrito Federal ou do Município, ou, no caso de consórcio público, do ente de maior nível entre eles, bem como em jornal diário de grande circulação".

Ademais, conforme estabelece o §2º do artigo 54 em exame, "É facultada a divulgação adicional e a manutenção do inteiro teor do edital e de seus anexos em sítio eletrônico oficial do ente federativo do órgão ou entidade responsável pela licitação ou, no caso de consórcio público, do ente de maior nível entre eles, admitida, ainda, a divulgação direta a interessados devidamente cadastrados para esse fim".

Os dispositivos citados deixam claro o caráter facultativo e complementar de se promover a divulgação do inteiro teor do edital e de seus anexos em sítio eletrônico oficial do ente federativo do órgão ou entidade responsável pela licitação.

Por fim, cumpre destacar a previsão contida no §3º do artigo 54 da Lei nº 14.133/2021, segundo a qual, "após a homologação do processo licitatório, serão disponibilizados no Portal Nacional de Contratações Públicas (PNCP) e, se o órgão ou entidade responsável pela licitação entender cabível, também no sítio referido no §2º deste artigo, os documentos elaborados na fase preparatória que porventura não tenham integrado o edital e seus anexos".

VIII Prazos mínimos

Tendo em vista a necessária e efetiva divulgação do inteiro teor do edital e de seus anexos, a Lei nº 14.133/2021 fixa prazos mínimos de publicidade.

De forma diversa daquela prevista na Lei nº 8.666/1993, que, como regra, definia os prazos de publicidade para as licitações com base na modalidade escolhida, o atual regime jurídico adota como parâmetro a conjugação da natureza do objeto e do critério de julgamento ou, então, apenas o critério de julgamento. É o que se depreende das disposições do artigo 55.

Acrescente-se, ainda, que, para a modalidade diálogo competitivo, a Lei nº 14.133/2021 define no §1º do seu artigo 32 que "a Administração apresentará, por ocasião da divulgação do edital em sítio eletrônico oficial, suas necessidades e as exigências já definidas *e estabelecerá prazo mínimo de 25 (vinte e cinco) dias úteis* para manifestação de interesse na participação da licitação".

Outro aspecto que merece destaque diz respeito à novidade implementada pela regra constante do §2º do artigo 55, segundo o qual "os prazos previstos neste artigo poderão, mediante decisão fundamentada, ser reduzidos até a metade nas licitações realizadas pelo Ministério da Saúde, no âmbito do Sistema Único de Saúde (SUS)".

Ainda, cumpre registrar que, diferentemente da Lei nº 8.666/1993, a Lei nº 14.133/2021 não prevê, ao menos textualmente, que os prazos de publicidade do edital "serão contados a partir da última publicação do edital resumido ou da expedição do convite, ou ainda da efetiva disponibilidade do edital ou do convite e respectivos anexos, prevalecendo a data que ocorrer mais tarde" (artigo 21, §3º).

A propósito do termo inicial para a contagem dos prazos mínimos de publicidade, a Lei nº 14.133/2021 dispõe no §3º do seu artigo 54 que "todos os elementos do edital, incluídos minuta de contrato, termos de referência, anteprojeto, projetos e outros anexos, deverão ser divulgados em sítio eletrônico oficial na mesma data de divulgação do edital, sem necessidade de registro ou de identificação para acesso".

Com base em interpretação finalística da norma legal e com amparo nos princípios da publicidade, da competitividade e da isonomia, entendemos que a contagem do prazo de publicidade da licitação somente se inicia com a divulgação do inteiro teor do edital, incluídos minuta de contrato, termos de referência, anteprojeto, projetos e outros anexos, em todos os veículos exigidos pela Lei nº 14.133/2021, prevalecendo para efeito de início da contagem a data que ocorrer mais tarde. Caso contrário, sem que o pleno alcance da informação fosse assegurado, poderia ter início a contagem dos prazos legais, o que, obviamente, frustraria a eficácia da divulgação da licitação.

Por fim, a efetiva publicidade estimula a participação de interessados no certame, aumentando a competição, possibilitando, assim, a contratação de uma proposta mais vantajosa. Ademais, garante a transparência dos atos da Administração Pública, ao permitir o acesso público aos documentos da licitação, bem como diminui a possibilidade de conluios, fraudes e de favorecimentos indevidos.

IX Mutabilidade do edital e suas consequências

O edital e seus anexos podem sofrer alterações, todavia, elas apenas poderão ser realizadas no curso do prazo de publicidade. Após o decurso deste prazo, qualquer alteração nas regras preestabelecidas, implicará a violação aos princípios jurídicos da publicidade, da vinculação ao instrumento convocatório e da isonomia,[22] com a consequente anulação da licitação.

---

[22] Neste sentido decidiu o Tribunal de Contas da União, conforme se extrai do Acórdão nº 2032/2021 – Plenário.

As modificações podem ser de ofício, ou seja, por iniciativa da própria entidade promotora da licitação, fruto da constatação da necessidade de corrigir, acrescentar ou suprimir algum detalhe ou informação no edital ou em seus anexos. Ainda, poderão ocorrer em razão de uma impugnação ao edital julgada procedente, de uma resposta a um pedido de esclarecimentos, por sugestão do órgão de controle interno ou até mesmo determinação do órgão de controle externo.

Havendo alteração no edital ou em seus anexos, alguns aspectos merecem registro. O primeiro deles cinge-se ao disposto no §1º do artigo 55, o qual estabelece que "eventuais modificações no edital implicarão nova divulgação na mesma forma de sua divulgação inicial, além do cumprimento dos mesmos prazos dos atos e procedimentos originais, exceto quando a alteração não comprometer a formulação das propostas".

Dita regra já constava da Lei nº 8.666/1993 e tal como na aplicação daquele regime jurídico, entendemos que a interpretação literal desse dispositivo não se sustenta. Isso porque, com base nesse método interpretativo, somente se faria necessário promover nova divulgação na mesma forma daquela inicialmente realizada, além do cumprimento dos mesmos prazos dos atos e procedimentos originais, se a alteração comprometesse a formulação das propostas.

Consideramos ser igualmente indispensável promover nova divulgação na mesma forma anterior, bem como o cumprimento dos mesmos prazos de publicidade originais, quando a alteração do edital afetar não apenas as propostas, mas, também, os requisitos de habilitação, as condições para participação no certame ou, ainda, os requisitos essenciais para execução do contrato.

Ainda, modificações editalícias que, independentemente de afetar propostas, habilitação ou condições contratuais, possam despertar o interesse de particulares na licitação, aumentando o número de participantes, devem ser divulgadas pela mesma forma que se deu a original.

Assim, em todas as hipóteses antes mencionadas, a modificação pode impactar a efetiva disputa e afrontar o princípio jurídico da competitividade, exigindo, nestes casos, as providências que a lei determina.

X Conclusões

Concluímos que o edital constitui ato administrativo normativo, cujas principais finalidades consistem em divulgar a realização da licitação e definir de modo concreto e objetivo todas as regras e condições que serão aplicadas para o processamento do certame e do contrato dele decorrente, razão pela qual assume relevante importância.

Ainda que a Lei nº 14.133/2021 não especifique a estrutura para esse documento, entendemos ser possível e útil manter aquela consagrada pela Lei nº 8.666/1993, qual seja, o edital de licitação deverá ser construído a partir de um preâmbulo, um corpo e seus anexos.

Na elaboração do edital, o agente responsável se encontra, em larga medida, vinculado à base documental produzida na fase preparatória, não podendo ignorar as prescrições que constam da Constituição Federal, das leis e demais atos normativos aplicados a cada caso. Contudo, para além de resguardar o atendimento das regras gerais e abstratas que devem ser observadas para o processamento das licitações e desenvolvimento dos contratos administrativos, o edital deve conter as regras específicas para determinado certame.

Ademais, concluímos que o conteúdo indicado no *caput* do artigo 25 da Lei nº 14.133/2021 não assume natureza taxativa, ou seja, os elementos ali constantes são mínimos e indispensáveis para elaboração do edital de licitação, sem prejuízo de outros que, em que pese não tenham sido expressamente prescritos, igualmente deverão ser contemplados.

Por fim, a prática da advocacia nos tem demonstrado que um edital mal elaborado, com inconsistências jurídicas e, muitas vezes, marcado por divergências com as informações constantes dos documentos produzidos na fase de planejamento da contratação, é um claro sinal de que o processo licitatório não atingirá o seu desiderato e, muito provavelmente, não terá êxito.

Referências

ABDUCH SANTOS, José Anacleto. Zênite Fácil. Disponível em: http://www.zenitefacil.com.br. Categoria Anotações, Lei nº 14.133/2021, nota ao art. 25, §1º, acesso em: 31 jul. 2024.

BANDEIRA DE MELLO, Celso Antônio. *Curso de Direito Administrativo*. 35. ed. São Paulo: Malheiros, 2021.

BRASIL, Tribunal de Contas da União. *Licitações & Contratos: Orientações e Jurisprudência do TCU*. Tribunal de Contas da União. 5. ed. Brasília: TCU, Secretaria-Geral da Presidência, 2023.

DALLARI, Adilson Abreu. *Aspectos Jurídicos da Licitação*. 7. ed. São Paulo: Saraiva, 2007.

DI PIETRO, Maria Sylvia Zanella. *Direito Administrativo*. 32. ed. Rio de Janeiro: Forense, 2019.

GASPARINI, Diogenes. *Direito Administrativo*. 17. ed. atualizada por Fabricio Motta. São Paulo: Saraiva, 2012.

GUIMARÃES, Edgar; SAMPAIO, Ricardo. *Dispensa e inexigibilidade de licitação*: aspectos jurídicos à luz da Lei nº 14.133/2021. Rio de Janeiro: Forense, 2022.

GUIMARÃES, Edgar. Fase preparatória do processo licitatório. *In*: GUIMARÃES, Edgar *et al*. DI PIETRO, Maria Sylvia Zanella (coord.). *Manual de licitações e contratos administrativos*: Lei 14.133/21, de 1º de abril de 2021. DI 3. ed. Rio de Janeiro, Forense, 2023.

JUSTEN FILHO, Marçal. *Comentários à Lei de Licitações e Contratações Administrativas*: Lei 14.133/2021. São Paulo: Thomson Reuters Brasil, 2021.

JUSTEN FILHO, Marçal. *Curso de Direito Administrativo*. 11. ed. São Paulo: Revista dos Tribunais, 2015.

NIEBUHR, Joel de Menezes. *Licitação pública e contrato administrativo*. 5. ed. Belo Horizonte: Fórum, 2022.

Informação bibliográfica deste texto, conforme a NBR 6023:2018 da Associação Brasileira de Normas Técnicas (ABNT):

GUIMARÃES, Edgar. Breves apontamentos sobre o edital das licitações à luz da Lei nº 14.133/2021. *In*: JUSTEN, Monica Spezia; PEREIRA, Cesar; JUSTEN NETO, Marçal; JUSTEN, Lucas Spezia (coord.). *Uma visão humanista do Direito*: homenagem ao Professor Marçal Justen Filho. Belo Horizonte: Fórum, 2025. v. 2, p. 455-467. ISBN 978-65-5518-916-2.

COMPLEMENTARIDADE E DISCRICIONARIEDADE PARA A CELEBRAÇÃO DE CONTRATOS DE GESTÃO COM ORGANIZAÇÕES SOCIAIS DE SAÚDE

FERNANDO BORGES MÂNICA

> *"É fundamental eliminar o preconceito de que as organizações estatais possuem justificativa de existência em si mesmas. O Estado não existe para satisfazer suas estruturas burocráticas internas nem para realizar interesses exclusivos de uma classe dominante (qualquer que seja ela). (...)*
>
> *O direito administrativo – e o Estado, assim como outras instituições não governamentais que desempenham atividades similares – somente se justificam como instrumentos para a realização de direitos fundamentais, entre os quais avulta a dignidade humana. (...)*
>
> *O direito administrativo disciplina a atividade administrativa de satisfação dos direitos fundamentais, seja ela desempenhada pelo Estado ou por entidades não estatais. O relevante, portanto, é a natureza da atividade e os fins a que ela se norteia, não a qualidade do sujeito que a desenvolve".*[1]

1 Introdução

É possível que um município seja obrigado a realizar concurso público para contratação de médicos e equipe de enfermagem para um hospital municipal, uma unidade de pronto atendimento ou uma unidade básica de saúde em vez de celebrar contrato de gestão para que uma organização social gerencie a unidade?

---

[1] JUSTEN FILHO, Marçal. *Curso de direito administrativo.* São Paulo: Saraiva, 2005. p. 3-4.

O Supremo Tribunal Federal respondeu recentemente a essa pergunta ao julgar um recurso extraordinário interposto em face de decisão do Tribunal de Justiça do Rio de Janeiro que havia determinado, em ação civil pública, que o Município do Rio de Janeiro suprisse o déficit de pessoal em determinado hospital por meio da realização de concurso público.

A resposta do STF foi dada por meio da tese de repercussão geral relativa ao Tema 698, segundo a qual, nos serviços públicos de saúde, o déficit de profissionais pode ser suprido por concurso público ou, por exemplo, pelo remanejamento de recursos humanos e pela contratação de organizações sociais e OSCIPs.[2]

Apesar da clareza e especificidade da decisão do Supremo Tribunal Federal, ainda persistem dúvidas sobre a aplicação de restrições normativas relacionadas à participação privada complementar no Sistema Único de Saúde. Essas dúvidas dizem respeito à viabilidade de o Poder Público celebrar contratos de gestão com organizações sociais no setor de saúde.

Nesse cenário, são frequentemente ajuizadas ações civis públicas, bem como são propostos termos de ajustamento de conduta, representações e tomadas de contas com fundamento em suposto impedimento normativo à celebração de contratos de gestão. O pressuposto de direito de tais iniciativas reside na natureza complementar da participação privada nos serviços públicos de saúde, prevista no parágrafo primeiro do artigo 199 da Constituição Federal e que, supostamente, limita a margem de discricionariedade do gestor público em optar pela gestão de unidades de saúde por organizações sociais.

O presente artigo objetiva analisar em que medida a disciplina constitucional, legal e infralegal da complementaridade da participação da iniciativa privada no SUS restringe a competência discricionária do gestor público em adotar o modelo de gestão por meio de organizações sociais. Para tanto, busca-se interpretar os dispositivos normativos que tratam do tema em sintonia com a jurisprudência do Supremo Tribunal Federal, representada, sobretudo, pela Ação Direta de Inconstitucionalidade (ADI) nº 1.923, pelo Recurso Extraordinário com Repercussão Geral (RE) nº 581.488 e pelo Tema 698 da Repercussão Geral, anteriormente colacionado.

2 A complementaridade na CF/88 e na Lei Orgânica do SUS

A relação público-privada na prestação de serviços de saúde é tratada pelos artigos 197 e 199, §1º, da Constituição Federal,[3] cuja interpretação conjugada traz as seguintes hipóteses de atuação no setor de saúde:

---

[2] Tema 698: "1. A intervenção do Poder Judiciário em políticas públicas voltadas à realização de direitos fundamentais, em caso de ausência ou deficiência grave do serviço, não viola o princípio da separação dos poderes. 2. A decisão judicial, como regra, em lugar de determinar medidas pontuais, deve apontar as finalidades a serem alcançadas e determinar à Administração Pública que apresente um plano e/ou os meios adequados para alcançar o resultado. 3. No caso de serviços de saúde, o déficit de profissionais pode ser suprido por concurso público ou, por exemplo, pelo remanejamento de recursos humanos e pela contratação de organizações sociais (OS) e organizações da sociedade civil de interesse público (OSCIP)." BRASIL, Supremo Tribunal Federal. *Repercussão Geral no Recurso Extraordinário nº 684.612/RJ*. Relator: Min. Ricardo Lewandowski, 3 de julho de 2023. Disponível em: https://portal.stf.jus.br/jurisprudenciaRepercussao/verAndamentoProcesso.asp?incidente=4237089&numeroProcesso=684612&classeProcesso=RE&numeroTema=698. Acesso em: 19 jul. 2024.

[3] Art. 197. São de relevância pública as ações e serviços de saúde, cabendo ao Poder Público dispor, nos termos da lei, sobre sua regulamentação, fiscalização e controle, devendo sua execução ser feita diretamente ou através

1) Conforme o artigo 197, compete ao Poder Público atuar direta (pela própria Administração Pública) ou indiretamente ('através de terceiros') na execução de ações e serviços públicos de saúde.

2) Conforme prevê o parágrafo único do artigo 199, na atuação estatal 'indireta', as instituições privadas podem participar de modo 'complementar' ao SUS, por meio de contratos de direito público ou de convênios.

3) Conforme parte final do artigo 197 e *caput* do artigo 199, as pessoas físicas e jurídicas de direito privado ('iniciativa privada') podem prestar serviços de saúde de modo autônomo ao Poder Público, sendo por ele regulamentados, fiscalizados e controlados.

Serviços de saúde configuram, pois, atividade econômica de natureza social ('relevância pública'), cuja titularidade é compartilhada entre o Poder Público e a iniciativa privada. Sua execução pode ser efetivada (i) autonomamente pelo Poder Público, (ii) autonomamente pela iniciativa privada e (iii) consensualmente por ambas. Isso ocorre porque quanto mais prestadores houver, mais bem atendido, tendencialmente, será o direito fundamental à saúde.[4]

No que toca à prestação consensual, a primeira questão a ser respondida refere-se à existência ou não de uma preferência constitucional pela execução direta dos serviços públicos de saúde. Isso porque, se de um lado, a dicção do artigo 197 apenas prevê as duas hipóteses ('diretamente ou através de terceiros'), de outro, o parágrafo primeiro do artigo 199 dispõe que a participação privada ocorrerá 'de forma complementar ao SUS'. Assim sendo, essa forma complementar implica preferência pela prestação estatal direta em detrimento da indireta?

Para responder essa questão, deve-se ter em mente que a locução 'complementar' indica em termos linguísticos algo que se adiciona a uma coisa já existente. Nesse sentido, considerando que o sistema único de saúde é integrado por uma série de competências e órgãos encarregados das atividades de planejamento, gestão, fiscalização, controle, regulação e prestação de serviços assistenciais, é natural que qualquer participação privada complemente esse sistema criado pela própria Constituição em seu artigo 198.[5]

Nesse sentido, a participação privada complementar ao SUS não tem a conotação de que os serviços de saúde serão prestados preferencialmente pelo Poder Público e, tampouco, que a iniciativa privada poderá participar de forma subsidiária do SUS. Em suma, a participação privada nos serviços de saúde será sempre complementar ao sistema único de saúde, independentemente da proporção dos serviços púbicos assistenciais prestados indiretamente pela iniciativa privada (1% ou 99%).

---

de terceiros e, também, por pessoa física ou jurídica de direito privado. (...) Art. 199. A assistência à saúde é livre à iniciativa privada. § 1º - As instituições privadas poderão participar de forma complementar do sistema único de saúde, segundo diretrizes deste, mediante contrato de direito público ou convênio, tendo preferência as entidades filantrópicas e as sem fins lucrativos.

[4] Sobre as esferas de titularidade na CF/88, conferir: MÂNICA, Fernando; MENEGAT, Fernando. *Teoria Jurídica da Privatização*. Rio de Janeiro: Lumen Juris, 2017, p. 11-26. Disponível em: https://fernandomanica.com.br/nossos-livros/. Acesso em: 14 maio 2024.

[5] Art. 198. As ações e serviços públicos de saúde integram uma rede regionalizada e hierarquizada e constituem um sistema único, organizado de acordo com as seguintes diretrizes: I - descentralização, com direção única em cada esfera de governo; II - atendimento integral, com prioridade para as atividades preventivas, sem prejuízo dos serviços assistenciais; III - participação da comunidade.

Esse raciocínio restou acolhido no julgamento pelo Supremo Tribunal Federal, tanto em 2015 no julgamento da ADI nº 1.923, que questionava a lei federal de organizações sociais, quanto em 2016 no julgamento do RE nº 581.488, em que se discutia a possibilidade de diferenciação de classes em serviços próprios do Estado e em serviços prestados pela iniciativa privada vinculada ao SUS.[6]

Já no plano infraconstitucional, a complementaridade possui outros contornos. Isso ocorre porque a regulamentação do parágrafo primeiro do artigo 199 da CF/88, dada pelo artigo 24 da Lei Orgânica da Saúde – LOS (Lei Federal nº 8.080/90), bem como sua disciplina infralegal, traz alguns requisitos específicos a serem preenchidos para que reste autorizada a celebração de ajustes com entidades privadas para a prestação de serviços públicos de saúde.

Aqui reside o tema central para a compreensão da complementaridade no SUS. É dizer, os requisitos da complementaridade trazidos pela Lei nº 8.080/90 referem-se à hipótese distinta daquela materializada pelos contratos de gestão com organizações sociais – e, também pelas concessões administrativas, disciplinadas pela Lei Federal nº 11.079/04 (Lei das Parcerias Público-Privadas – PPPs).

3 Os dois modelos de complementaridade

Sob a perspectiva histórica, a complementaridade prevista na Constituição Federal diz respeito a uma das hipóteses da participação privada no SUS. Por meio dela, o Poder Público celebra ajustes contratuais ou conveniais com o objetivo de agregar serviços privados já existentes ao sistema único de saúde.

Após longas discussões na VIII Conferência Nacional de Saúde e na Assembleia Nacional Constituinte, prevaleceu o entendimento de que as estruturas privadas de saúde, à época da CF/88 muito mais numerosas que as estruturas públicas, poderiam colaborar com o Poder Público no atendimento de pacientes SUS. Restou expressamente prevista, portanto, a possibilidade de complementação das ações e serviços disponibilizados diretamente pelo SUS por meio da contratualização com a iniciativa privada.[7]

---

[6] Confira-se o entendimento do Supremo Tribunal Federal exarado na ADI nº 1.923 acerca da proporção entre a prestação estatal e privada dos serviços de saúde: "Disso se extrai que cabe aos agentes democraticamente eleitos a definição da proporção entre a atuação direta e a indireta, desde que, por qualquer modo, o resultado constitucionalmente fixado – a prestação dos serviços sociais – seja alcançado. Daí porque não há inconstitucionalidade na opção, manifestada pela Lei das OSs, publicada em março de 1998, e posteriormente reiterada com a edição, em maio de 1999, da Lei nº 9.790/99, que trata das Organizações da Sociedade Civil de Interesse Público, pelo foco no fomento para o atingimento de determinados deveres estatais." BRASIL. Supremo Tribunal Federal. *Ação Direta de Inconstitucionalidade nº 1.923/DF*. Rel. designado: Min. Luiz Fux, 17 de dezembro de 2015. Disponível em: https://portal.stf.jus.br/processos/detalhe.asp?incidente=1739668. Acesso em: 19 jul. 2024. De igual modo, os objetivos da atuação complementar privada no SUS foram assim referidos no voto vencedor do RE nº 581.488, que analisou a possibilidade de diferenciação de classes nos atendimentos prestados pelo SUS em instituições públicas e privadas: "A ação complementar não implica que o privado se torne público ou que o público se torne privado. Cuida-se de um processo político e administrativo em que o Estado agrega novos parceiros com os particulares, ou seja, com a sociedade civil, buscando ampliar, completar, ou intensificar as ações na área da saúde. (...) Isso não implica que haja supremacia da Administração sobre o particular, que pode atuar, em parceria com o setor público, obedecendo sempre, como mencionado, os critérios da consensualidade e da aderência às regras públicas. BRASIL. Supremo Tribunal Federal. *Recurso Extraordinário nº 581.488/RS*. Relator: Min. Dias Toffoli, 8 abril 2016. Disponível em: https://portal.stf.jus.br/processos/detalhe.asp?incidente=2604151. Acesso em: 19 jul. 2024.

[7] BRASIL. Ministério da Saúde. VIII Conferência Nacional de Saúde. *Relatório final*. Brasília: Ministério da Saúde, 1986. Disponível em: http://portal.saude.gov.br/portal/ arquivos/pdf/8_CNS_Relatorio% 20Final.pdf. Acesso em: 22 maio 2024.

Esse modelo originário de complementaridade, segundo o Texto Constitucional, materializa-se por meio da celebração de:

1) Contratos administrativos (denominados no texto constitucional de 'contratos de direito público') com empresas ou instituições privadas que passam a vender serviços ao SUS, como consultas, exames e procedimentos; e

2) Convênios celebrados com entidades filantrópicas e sem fins lucrativos, para que elas passem a atender em suas unidades de saúde, integral ou parcialmente, pacientes do SUS. Esta última hipótese corresponde ao caso típico dos convênios com as Santas Casas e hospitais filantrópicos, que atuam no Brasil desde o século XVI.

Esse modelo original de participação privada no SUS é aqui denominado 'complementaridade externa ou de serviços', pois tem como objetivo agregar novas estruturas públicas e oferecer novos serviços aos pacientes do SUS.

A complementaridade externa ou de serviços materializou-se durante algum tempo apenas por meio dos contratos administrativos e dos convênios. Mais recentemente foram criados outros modelos de ajuste com a mesma finalidade dos convênios, como os termos de parcerias com OSCIPs e os termos de colaboração, termos de fomento e acordos de cooperação com OSCs. Tais ajustes instrumentalizam parcerias caracterizadas pela soma de esforços com vistas ao atingimento de uma finalidade comum, mediante incentivo financeiro do Poder Público para que OSCIPs ou OSCs atendam em suas próprias estruturas pacientes do SUS.[8]

Hipótese diversa ocorre com os contratos de gestão com Organizações Sociais (espécie do gênero 'convênios') e com as concessões administrativas (espécie do gênero 'contratos de direito público').[9] A grande novidade desses dois novos modelos de ajuste consiste justamente no trespasse da gestão de toda uma estrutura pública de saúde – já existente ou a ser construída/reformada/equipada – a uma entidade privada sem fins ou com fins lucrativos, respectivamente. Como dito, tais instrumentos de gestão pública apenas recentemente foram instituídos por lei e, ainda mais recentemente, reconhecidos pela doutrina e jurisprudência como instrumentos passíveis de utilização no setor de saúde pública.[10]

---

[8] Alguns entes federativos têm utilizado os termos de colaboração com OSCs como sucedâneos dos contratos de gestão. O objetivo declarado para tal opção consiste na suposta restrição à competitividade trazida pelo processo de qualificação como organização social, o que restringiria a competitividade. Não obstante, entende-se neste trabalho que a qualificação é etapa fundamental do processo de escolha de uma entidade parceira; que a ampliação irrestrita da competitividade não sempre traz benefícios à prestação de serviços no SUS, pois permite a participação de entidades sem a devida aptidão; que a Lei nº 13.019/14 não prevê a cessão de uso de bens públicos, muito menos afasta o dever de licitação para que isso ocorra; que o Poder Legislativo de cada ente federativo precisa discutir o tema do trespasse de estruturas públicas para gerenciamento privado, o que demanda lei local própria. Portanto, tem-se neste trabalho a concepção de que há diversas hipóteses de parcerias a serem adotadas pelo Poder Público, mas finalidades específicas a cada uma delas, não restando ao gestor público autonomia discricionária para celebrar uma por outra, em afronta à própria legislação de cada uma delas.

[9] Sobre o tema: MÂNICA, Fernando Borges. Taxonomia da contratualização pública no Brasil: uma proposta de sistematização das parcerias com o terceiro setor. *RDPE – Revista de Direito Público da Economia*, Belo Horizonte, ano 17, n. 66, p. 119-137, abr./jun. 2019.

[10] O principal divisor de águas sobre o tema foi o julgamento de mérito da ADI nº 1.923, ocorrido em 2015.

O contrato de gestão materializa, portanto, não uma complementação de serviços, mas uma modernização dos mecanismos de ação estatal em suas próprias unidades de saúde. Dentre as hipóteses aventadas no excerto já colacionado, o contrato de gestão nem sempre visa "ampliar ou completar", mas "intensificar" os serviços de saúde no âmbito do SUS.

Ainda que ambas as hipóteses envolvam a participação privada complementar ao SUS, a causa do negócio jurídico nos contratos de gestão difere dos demais modelos de relação convenial. Por isso, o contrato de gestão não instrumentaliza 'complementaridade externa ou de serviços', mas 'complementaridade interna ou de gestão', por meio da qual os serviços próprios do Poder Público passam a ser gerenciados por instituições privadas, mantendo seu atendimento integralmente dedicado a pacientes SUS.

Nesse cenário, os critérios da Lei nº 8.080/90 incidem apenas sobre a complementaridade externa ou de serviços. Isso porque os condicionamentos trazidos pela regulamentação do SUS apresentam incompatibilidade histórica, lógica e jurídica em face da celebração de contratos de gestão com organizações sociais.

4 A Lei Orgânica da Saúde (LOS) e sua regulamentação: a complementaridade externa ou de serviços

Logo após a promulgação da CF/88, a Lei Orgânica da Saúde regulamentou o parágrafo primeiro do artigo 199 da Constituição, trazendo um condicionamento à contratação de serviços privados em caráter complementar ao SUS. Trata-se da 'insuficiência de disponibilidades do SUS para garantir a cobertura assistencial à população de uma determinada área'. Veja-se:

> Art. 24. Quando as suas disponibilidades forem insuficientes para garantir a cobertura assistencial à população de uma determinada área, o Sistema Único de Saúde (SUS) poderá recorrer aos serviços ofertados pela iniciativa privada.
> Parágrafo único. A participação complementar dos serviços privados será formalizada mediante contrato ou convênio, observadas, a respeito, as normas de direito público.

Como se percebe, a LOS trouxe uma restrição em sua hipótese legal ('insuficiência da disponibilidade') para fins de incidência de seu mandamento ('recorrer aos serviços ofertados pela iniciativa privada').

Dessa análise, pode-se concluir, sem qualquer margem de dúvida, que uma vez configurada no mundo fático a hipótese de insuficiência da disponibilidade para garantir a cobertura assistencial à população de uma determinada área, incide no mundo jurídico o mandamento segundo o qual é possível que o Sistema Único de Saúde recorra aos serviços ofertados pela iniciativa privada.

A dicção legal é clara. A Lei nº 8.080/90 condiciona a hipótese de contratação pelo SUS de 'serviços ofertados pela iniciativa privada'. Se os serviços são ofertados pela iniciativa privada, eles logicamente são prestados em sua própria estrutura privada, cuja estrutura passa, por meio do contrato de direito público ou do convênio, a atender parcial ou integralmente pacientes do SUS ampliando sua capacidade instalada.

Essa interpretação é reforçada pela Portaria MS nº 1.034/10, que regulamentou o artigo 24 da Lei nº 8.080/90, trazendo novos requisitos para a contratação de serviços privados complementares ao SUS.

> Art. 2º Quando as disponibilidades forem insuficientes para garantir a cobertura assistencial à população de uma determinada área, o gestor estadual ou municipal poderá complementar a oferta com serviços privados de assistência à saúde, desde que:
> I - comprovada a necessidade de complementação dos serviços públicos de saúde; e
> II - haja a impossibilidade de ampliação dos serviços públicos de saúde.

Na mesma linha, a Portaria de Consolidação MS 1/2017, resultado da conversão da Portaria MS nº 2.567/16, que revogou a Portaria nº 1.034/10, assim dispõe:

> Art. 130. Nas hipóteses em que a oferta de ações e serviços de saúde pública próprios forem insuficientes e comprovada a impossibilidade de ampliação para garantir a cobertura assistencial à população de um determinado território, o gestor competente poderá recorrer aos serviços de saúde ofertados pela iniciativa privada.

Resta evidenciado, como se percebe, que a regulamentação legal e infralegal da complementaridade na saúde corresponde à contratação de serviços privados de assistência à saúde pelo SUS. Essa contratação pode ocorrer apenas quando as disponibilidades do SUS forem insuficientes para garantia da cobertura assistencial (Lei nº 8.080/90) e desde que comprovada a impossibilidade de ampliação dos serviços públicos de saúde (atual Portaria de Consolidação nº 01/17).

Para que não haja dúvidas em relação à racionalidade da regulamentação sob análise, o artigo 129 da Portaria de Consolidação MS nº 01/17, por exemplo, trata de visita técnica a ser realizada pelo poder público anteriormente à contratação complementar de serviços privados, com o objetivo de identificar e avaliar a capacidade física e operacional e a qualidade das ações e dos serviços prestados. Capacidade essa que será, eventualmente, agregada ao SUS com o objetivo de ampliar ou completar sua disponibilidade de serviços. Daí a denominação aqui proposta de qualificar essa complementaridade como 'externa ou de serviços'.

Apresenta-se, pois, lógica e racional a exigência de que a contratação de um serviço externo ao SUS – seja um hospital filantrópico ou um laboratório, por exemplo – apenas ocorra (i) quando haja necessidade da incorporação de tais serviços ao SUS, e (ii) após avaliação quanto à impossibilidade de criação ou ampliação de um serviço próprio do Poder Público na respectiva região de saúde. Afinal, como se sabe, um dos grandes problemas enfrentados no processo de criação do SUS foi a contratação de serviços privados pelo INAMPS, os quais eram rentáveis às empresas contratadas, mas nem sempre necessários à população atendida. Entrementes, não é o que ocorre nos contratos de gestão.

5 Complementaridade interna ou de gestão: os contratos de gestão com organizações sociais

O contrato de gestão corresponde ao vínculo por meio do qual uma entidade privada qualificada como organização social recebe o repasse de recursos financeiros, humanos e materiais para gerir estruturas públicas em setores como o de saúde.[11]

Os contratos de gestão com organizações sociais não têm, portanto, como função agregar serviços privados ao SUS de modo a complementá-lo. Ao revés, eles instrumentalizam o particular a assumir a gestão de um serviço público, financiado com recursos públicos, prestado em estrutura pública, para usuários 100% públicos e com observância de todos os princípios do serviço público.

Em tal hipótese, o poder público não recorre aos serviços privados ofertados pela iniciativa privada, como se refere textualmente o artigo 24 da Lei nº 8.080/90, a antiga Portaria nº 1.034/10 e a Portaria de Consolidação nº 01/17, mas celebra com entidade privada e sem fins lucrativos um modelo de ajuste por meio do qual atribui a ela bens, equipamentos, recursos e, por vezes, pessoal para a gestão de uma unidade pública de saúde.

O próprio Cadastro Nacional de Entidades de Saúde – CNES de uma unidade de saúde gerenciada por uma organização social permanece sob a titularidade do poder público, assim como a estrutura gerenciada pela organização social segue sendo pública. É dizer, um contrato de gestão com organização social não complementa o SUS com serviços privados, mas altera o modelo de gestão interna dos serviços públicos, que seguem sendo próprios do poder público. Em muitos casos os pacientes sequer sabem que o hospital público que lhe prestou assistência é gerenciado por uma Organização Social.

Daí que a participação das organizações sociais no SUS por meio de contratos de gestão materializa 'complementaridade interna ou de gestão', a qual não atrai a incidência do artigo 24 da Lei nº 8.080/90. Neste caso não são agregados serviços ao SUS, mas adotado modelo de gestão tida por mais eficiente.

Eficiência essa reconhecida pelo ordenamento brasileiro como ínsita às Organizações Sociais. Nesse sentido, é importante assinalar que o STF reconheceu não apenas a constitucionalidade do modelo de gestão da saúde por organizações sociais, mas também os motivos pelos quais tal modelo foi incorporado ao ordenamento jurídico brasileiro. Confira-se passagem do voto vencedor do Min. Luiz Fux na ADI nº 1.923:

> Na essência, preside a execução deste programa de ação institucional a lógica, que prevaleceu no jogo democrático, de que a atuação privada pode ser mais eficiente do que a pública em determinados domínios, dada a agilidade e a flexibilidade que marcam o regime de direito privado. (...)
>
> (...) o Poder Público não renunciou aos seus deveres constitucionais de atuação nas áreas de saúde, educação, proteção ao meio ambiente, patrimônio histórico e acesso à ciência, mas apenas colocou em prática uma opção válida por intervir de forma indireta para o cumprimento de tais deveres, através do fomento e da regulação. Na essência, preside a

---

[11] MÂNICA, Fernando. *Instituições do Terceiro Setor*. Belo Horizonte: Fórum, 2022, p. 129.

execução deste programa de ação a lógica de que a atuação privada será mais eficiente do que a pública em determinados domínios, dada a agilidade e a flexibilidade que dominam o regime de direito privado.[12]

É dizer, a lógica subjacente à adoção do modelo de organizações sociais foi acolhida pelo ordenamento jurídico brasileiro, de modo que a opção pela intervenção indireta do Estado na prestação de serviços de saúde por meio do contrato de gestão independe de um ônus especial de motivação por parte do gestor público. Nesse plano, o ordenamento jurídico brasileiro não exige, para a tomada de decisão quanto à celebração de um contrato de gestão no setor de saúde, a comprovação, em cada caso concreto, da inviabilidade da execução direta dos serviços de saúde pelo próprio Poder Público.

Assim, as condicionantes de 'insuficiência dos serviços próprios' e 'indisponibilidade de sua ampliação' logicamente não se aplicam à celebração de contratos de gestão com organizações sociais. Afinal, por meio deles a Administração Pública busca intensificar a prestação de seus próprios serviços, que continuam integrando a própria capacidade instalada estatal. Por essa ordem de ideias, o contrato de gestão configura hipótese de complementaridade interna ou de gestão não submetida aos condicionantes da Lei nº 8.080/90 e de sua regulamentação.

A decisão administrativa pela adoção do modelo de gestão por Organizações Sociais deve seguir o procedimento previsto na própria lei federal e nas leis locais que disciplinam os contratos de gestão com organizações sociais, com observância das exigências de índole contratual, financeira e orçamentária.

Em relação ao mérito da decisão, deve atentar que a Lei de Introdução às Normas do Direito Brasileiro – LINDB (Decreto-Lei nº 4.657/42), em seu artigo 20, dispõe que o gestor público não pode decidir com base em valores jurídicos abstratos sem que sejam consideradas as consequências práticas da decisão, a qual deve ser motivada mediante demonstração da necessidade e adequação da medida adotada, inclusive diante de possíveis alternativas. Esse ônus, contudo, não é mais vultoso que a decisão, por exemplo, pelo abandono do modelo de gestão por organização social para a retomada da prestação direta dos serviços públicos de saúde em um hospital. Da complementaridade da participação privada no SUS não decorre qualquer exigência de tentativas prévias e infrutíferas voltadas à solução do desafio de garantir a universalização do atendimento prestado pelo SUS.

Já em relação ao processo de celebração de um contrato de gestão na área da saúde, o processo administrativo deve conter todas as considerações técnicas, mercadológicas e de gestão que podem interferir na contratação, incluído o estudo técnico preliminar, nos moldes disciplinados pelo art. 18 e seu §1º da nova Lei Licitações e Contratos (Lei nº 14.133/21).

Contratos de gestão com Organizações Sociais não complementam o sistema de saúde de um ente federativo, como fazem os contratos administrativos e as outras modalidades de convênios (convênio em sentido estrito, termo de parceria, termo de

---

[12] BRASIL. Supremo Tribunal Federal. *Ação Direta de Inconstitucionalidade nº 1.923/DF*. Rel. designado: Min. Luiz Fux, 17 de dezembro de 2015. Disponível em: https://portal.stf.jus.br/processos/detalhe.asp?incidente=1739668. Acesso em: 19 jul. 2024.

colaboração e termo de fomento). Contratos de gestão materializam a gestão pública indireta de serviço próprios do Poder Público, podendo recair sobre qualquer unidade de saúde, em qualquer nível de atenção, em qualquer ente federativo que possua lei própria de organização social e decida motivadamente pela adoção do modelo.

6 Conclusão: complementaridade interna e a motivação necessária para o ato que decide pela celebração de um contrato de gestão no setor de saúde

A tese de que o contrato de gestão no setor de saúde seria inconstitucional por implicar substituição do Poder Público, que teria o dever constitucional de prestação direta de serviços de saúde, não prevaleceu no ordenamento jurídico brasileiro. Tal tese, levada ao Poder Judiciário por meio da ADI nº 1.923, ancorava-se justamente na alegação de que a participação privada no SUS poderia ocorrer apenas de forma 'complementar' e não 'substitutiva', sendo que a celebração de contratos de gestão configuraria verdadeira 'fraude à Constituição' e 'burla ao concurso público'. Ao julgar improcedentes tais argumentos, o Supremo Tribunal Federal reconheceu uma nova forma de participação complementar ao SUS, que não pode ser reconduzida à hipótese anterior de complementaridade disciplinada pela Lei nº 8.080/90 e aqui denominada 'complementaridade externa ou de serviços'.

A nova forma de participação privada no SUS trouxe a possibilidade, até então desconhecida no ordenamento jurídico brasileiro, de transferência da gestão dos serviços de saúde próprios do Poder Público. Tal transferência, conforme o STF, não implica enfraquecimento do Estado, mas mudança de sua forma de intervenção, que passa a ocorrer de modo indireto, por meio de fomento acompanhado de intensa regulação dos serviços, que prosseguem sendo públicos e gratuitos. Esse novo modelo de participação privada no SUS difere do anterior, razão pela qual é aqui denominado de 'complementaridade interna ou de gestão'.

A disciplina jurídica desse novo modelo de ação estatal não é dada, por incompatibilidade lógica, histórica e jurídica, pelo artigo 24 da Lei nº 8.080/90, mas pela própria lei das organizações sociais, bem como pela legislação orçamentária e financeira, pela LINDB e pela disciplina geral das contratações públicas (Lei nº 14.133/21).

Impor ao gestor público o esvaimento de uma série de tentativas precedentes, como a realização de concurso público para médicos e enfermeiros, como se houvesse uma escala de preferência na qual o contrato de gestão fosse a última opção possível para a provisão de serviços de saúde SUS, implica desrespeito ao Texto Constitucional, à Lei das Organizações Sociais, à própria Lei Orgânica da Saúde e, ainda, ao princípio democrático e à separação de poderes.

Ao decidir no Tema 698 da Repercussão Geral que o déficit de profissionais de saúde pode ser suprido por concurso público, pelo remanejamento de recursos humanos ou pela contratação de organizações sociais, o Supremo Tribunal Federal acolheu implicitamente todas as razões que integram sua jurisprudência, a qual deve servir como paradigma para análise e interpretação de leis, atos normativos, outras decisões judiciais e opiniões doutrinárias. A compreensão das duas hipóteses de complementaridade no SUS pode ajudar nessa tarefa.

Referências

BRASIL. Ministério da Saúde. *VIII Conferência Nacional de Saúde. Relatório final*. Brasília: Ministério da Saúde, 1986. Disponível em: http://portal.saude.gov.br/portal/ arquivos/pdf/8_CNS_Relatorio% 20Final.pdf. Acesso em: 22 maio 2024.

BRASIL. Supremo Tribunal Federal. *Ação Direta de Inconstitucionalidade nº 1.923/DF*. Rel. designado: Min. Luiz Fux, 17 de dezembro de 2015. Disponível em: https://portal.stf.jus.br/processos/detalhe.asp?incidente=1739668. Acesso em: 19 jul. 2024.

BRASIL. Supremo Tribunal Federal. *Recurso Extraordinário nº 581.488/RS*. Relator: Min. Dias Toffoli, 8 abril 2016. Disponível em: https://portal.stf.jus.br/processos/detalhe.asp?incidente=2604151. Acesso em: 19 jul. 2024.

BRASIL, Supremo Tribunal Federal. *Repercussão Geral no Recurso Extraordinário nº 684.612/RJ*. Relator: Min. Ricardo Lewandowski, 3 de julho de 2023. Disponível em: https://portal.stf.jus.br/jurisprudenciaRepercussao/verAndamentoProcesso.asp?incidente=4237089&numeroProcesso=684612&classeProcesso=RE&numeroTema=698. Acesso em: 19 jul. 2024.

JUSTEN FILHO, Marçal. *Curso de direito administrativo*. São Paulo: Saraiva, 2005.

MÂNICA, Fernando; MENEGAT, Fernando. *Teoria Jurídica da Privatização*. Rio de Janeiro: Lumen Juris, 2017. Disponível em: https://fernandomanica.com.br/nossos-livros/. Acesso em: 14 maio 2024.

MÂNICA, Fernando. *Instituições do Terceiro Setor*. Belo Horizonte: Fórum, 2022.

MÂNICA, Fernando. *O setor privado nos serviços públicos de saúde*. Belo Horizonte: Fórum, 2010. Disponível em: https://fernandomanica.com.br/nossos-livros/. Acesso em: 14 maio 2024.

MÂNICA, Fernando Borges. Taxonomia da contratualização pública no Brasil: uma proposta de sistematização das parcerias com o terceiro setor. *RDPE – Revista de Direito Público da Economia*, Belo Horizonte, ano 17, n. 66, p. 119-137, abr./jun. 2019.

Informação bibliográfica deste texto, conforme a NBR 6023:2018 da Associação Brasileira de Normas Técnicas (ABNT):

MÂNICA, Fernando Borges. Complementaridade e discricionariedade para a celebração de contratos de gestão com organizações sociais de saúde. *In*: JUSTEN, Monica Spezia; PEREIRA, Cesar; JUSTEN NETO, Marçal; JUSTEN, Lucas Spezia (coord.). *Uma visão humanista do Direito*: homenagem ao Professor Marçal Justen Filho. Belo Horizonte: Fórum, 2025. v. 2, p. 469-479. ISBN 978-65-5518-916-2.

O TRATAMENTO DO EQUILÍBRIO ECONÔMICO-FINANCEIRO DOS CONTRATOS ADMINISTRATIVOS PELA LEI Nº 14.133/2021

FERNANDO VERNALHA GUIMARÃES

1 Nota sobre a importância do pensamento de Marçal Justen Filho para o tema das licitações e contratos administrativos no Brasil

Marçal Justen Filho é um dos juristas mais influentes em temas de contratação pública no Brasil. Seu pensamento inspirou a evolução da doutrina e da jurisprudência brasileiras sobre a matéria, contribuindo para a construção das principais vertentes hermenêuticas e aperfeiçoamentos legislativos incorporados nas últimas décadas no Direito da contratação pública. Não é exagero afirmar que muito do que há de racional nestas construções foi, direta ou indiretamente, influenciado pela obra do jurista.

Este texto trata de um dos temas fundamentais da contratação pública, abordado com profundidade em diversas passagens da obra de Marçal. Para ele, o princípio da tutela à equação econômico-financeira do contrato administrativo tem raiz em postulados assegurados pela Constituição Federal. A indisponibilidade do interesse público, a preservação da isonomia na repartição dos ônus sociais, a proteção da propriedade privada e a promoção da própria eficiência, na acepção da contenção de custos transacionais, são, no seu entendimento, fundamentos constitucionais à tutela do equilíbrio contratual.[1] A partir disso, Marçal construiu diversos entendimentos sobre o tratamento do equilíbrio econômico-financeiro, com vistas a contribuir com a sua hermenêutica para a elucidação de questões como os pressupostos e requisitos para o exercício desse direito e as formas jurídicas para implementar as respectivas compensações.

As abordagens deste texto, que pretendem explorar novos enfoques sobre o tratamento do equilíbrio econômico-financeiro do contrato administrativo a partir da disciplina trazida com a Lei nº 14.133/2021, dialogam com o pensamento de Marçal e são permeadas por muitas das concepções presentes em sua obra.

---

[1] Vide *Teoria Geral das Concessões de Serviço Público*. São Paulo: Dialética, 2003, p. 74 a 76.

2 Evolução da noção de equilíbrio econômico-financeiro na experiência brasileira

O tratamento do equilíbrio econômico-financeiro dos contratos administrativos no Brasil foi fortemente influenciado pela "teoria das áleas". A ideia de que os riscos capazes de interferir na execução dos contratos administrativos pudessem ser segregados em riscos *ordinários* e riscos *extraordinários*[2] para os fins da repartição de responsabilidade entre as partes esteve na gênese do desenvolvimento da teoria do equilíbrio econômico-financeiro do contrato administrativo. Ao contratado da Administração atribuía-se a responsabilidade pelos impactos provocados nos custos da execução do contrato administrativo em face da ocorrência de eventos próprios do universo empresarial, considerados riscos ordinários; apenas nascia o direito ao restabelecimento ao equilíbrio contratual quando aqueles custos fossem modificados pela ocorrência de eventos relacionados à álea extraordinária.

Esta taxonomia dualista refletiu-se no já revogado dispositivo do artigo 65, II, "d", da Lei nº 8.666/93, que amparava a preservação do equilíbrio contratual num contexto em que os contratos públicos não contavam com uma alocação de riscos mais avançada. Face a essa circunstância, grande parte das discussões sobre a preservação do equilíbrio contratual relacionava-se à aplicação da *teoria da imprevisão*, a partir de uma exegese influenciada pelo Direito francês e que exigia a demonstração de uma *onerosidade excessiva* para se verificar o desequilíbrio contratual. Como decorrência, ganhou prestígio na jurisprudência dos órgãos de controle a visão de que o restabelecimento do equilíbrio contratual, em grande parte dos casos, consistiria num mecanismo voltado a *mitigar perdas* do contratado, ao invés de se traduzir numa compensação indenizatória pela integralidade dos prejuízos decorrentes de riscos alocados ao Poder Público. Há diversos exemplos dessa concepção enviesada na jurisprudência dos órgãos de controle inspirados numa configuração da *teoria da imprevisão* originada e desenvolvida no Direito francês, mas que não encontrava acolhida no Direito positivo brasileiro.[3]

Nos últimos anos, a evolução da prática da distribuição de riscos nos contratos administrativos tem se refletido na redução do espaço para compensações por prejuízos gerados em virtude da ocorrência de eventos extracontratuais. Isso tem sido acompanhado do desenvolvimento de uma regulação (seja no plano dos contratos, seja no plano da regulamentação) voltada à definição de metodologias e parâmetros econômico-financeiros para a recomposição do equilíbrio contratual. Embora o Direito tenha avançado em relação a estas definições, ainda não se alcançou um estágio de maturidade regulatória sobre a questão.

---

[2] A noção de álea extraordinária é abrangente tanto do risco de interferências administrativas (álea administrativa) como do risco de eventos econômicos e sujeições imprevistas (álea econômica). Esta álea compreenderia as hipóteses de: i) modificação unilateral; (ii) fato do príncipe; (iii) fato da Administração; (iv) demais eventos imprevisíveis ou de consequências incalculáveis (teoria da imprevisão).

[3] Marçal Justen Filho explicou as diferenças importantes entre o Direito francês e o Direito brasileiro em relação ao tratamento do equilíbrio econômico-financeiro dos contratos públicos. Enquanto na França as diversas categorias de eventos hábeis a acarretar o desequilíbrio contratual (relacionados à álea extraordinária) estavam submetidas a tratamento distinto, o Direito brasileiro unificou o seu tratamento jurídico, atribuindo a responsabilidade sobre as consequências da ocorrência destes eventos à Administração Pública, conforme os termos da norma do já revogado artigo 65, II, "d", da Lei nº 8.666/93 – alocação que foi reproduzida no artigo 124, II, "d", da Lei nº 14.133/2021. Vide JUSTEN FILHO, Marçal. *Teoria Geral das Concessões de Serviço Público*. São Paulo: Dialética, 2003, p. 387.

Diversamente da legislação anterior, a Lei nº 14.133/2021 não apenas se preocupou em conferir um tratamento aos riscos extracontratuais, como também aos riscos contratuais, a partir do acolhimento de uma série de normas voltadas a orientar a distribuição de riscos no plano do contrato. O seu equilíbrio econômico-financeiro, como se verá adiante, foi definido como um estado de preservação da delimitação de riscos definida em contrato.

Essa concepção desmerece os entendimentos históricos que viam no mecanismo de recomposição do equilíbrio apenas um remédio para amortecer prejuízos derivados de riscos extraordinários, voltado a assegurar uma certa equivalência dinâmica entre ônus e bônus, custos e receitas verificados na execução do contrato. Sob a nova lei, a recomposição do equilíbrio contratual consiste num instrumento voltado a promover compensação indenizatória pelos prejuízos suportados pelas partes em decorrência da materialização de riscos contratuais ou extracontratuais, como se verá adiante.

3 A noção de equilíbrio econômico-financeiro do contrato administrativo extraída da Lei nº 14.133/2021

O *equilíbrio econômico-financeiro* do contrato administrativo é uma expressão utilizada pela Lei nº 14.133/2021 para se referir ao estado de preservação da alocação de riscos estabelecida contratualmente. Esta noção extrai-se das disposições da norma do artigo 6º, XXVII, da Lei nº 14.133/2021, que define a cláusula da matriz de riscos como caracterizadora do equilíbrio econômico-financeiro do contrato administrativo, assim como da regra do artigo 103, §4º, que prevê que "a matriz de alocação de riscos definirá o equilíbrio econômico-financeiro inicial do contrato em relação a eventos supervenientes e deverá ser observada na solução de eventuais pleitos das partes".[4]

O conteúdo jurídico do equilíbrio contratual é determinado pela atribuição de responsabilidade às partes do contrato em relação às consequências da materialização dos riscos delimitados juridicamente. Nesse sentido, o contrato administrativo se manterá equilibrado sempre que as partes estiverem sofrendo (apenas) as consequências econômicas e financeiras da materialização dos riscos que lhes foram alocados pelo contrato, pela legislação e pela regulamentação. O rompimento do equilíbrio, por sua vez, ocorrerá sempre que houver a materialização de um risco alocado a uma parte como evento hábil a ensejar a obrigação de compensação de seus efeitos econômicos e financeiros à outra.

O conteúdo econômico do equilíbrio contratual inicial é constituído pela relação entre os custos projetados e a remuneração prevista para a execução das prestações contratuais, considerada a distribuição dos riscos estabelecida. Os custos e a remuneração esperados refletem a totalidade dos elementos contratuais que possuem expressão econômica e financeira, como o conjunto de encargos atribuídos à responsabilidade do contratado (e da Administração), os preços definidos, o sistema de remuneração

---

[4] Esta mesma concepção é extraída da norma no artigo 22, §2º, "I", da Lei nº 14.133/2021, ao estabelecer que o contrato deverá refletir as hipóteses de alteração para o restabelecimento da equação econômico-financeira do contrato nos casos em que o sinistro seja considerado na matriz de riscos como causa de desequilíbrio não suportada pela parte que pretenda o restabelecimento.

e a forma de pagamento, os prazos estipulados, os indicadores de desempenho, os riscos assumidos pelas partes etc. A relação entre os ônus e bônus previstos compõe a equação que deve ser restabelecida na hipótese de rompimento do equilíbrio contratual, de acordo com a metodologia e com os parâmetros estabelecidos por meio da lei, do regulamento e do contrato.

4 Comandos jurídicos veiculados na Lei nº 14.133/2021 condicionantes da composição do equilíbrio contratual

A Lei nº 14.133/2021 contém uma série de normas gerais que alocam riscos às partes do contrato administrativo, isto é: normas que delimitam a responsabilidade das partes em relação às consequências derivadas da ocorrência de certos riscos.

No art. 6º, inciso LVIII, e no art. 92, inciso V, §3º, da Lei nº 14.133/21, há regras que alocam à Administração Pública o risco inflacionário ordinário, por meio da exigência de aplicação de indexadores inflacionários sobre os preços contratados. Estas normas estabelecem a obrigatoriedade de os contratos administrativos preverem índices de reajustes que reflitam a efetiva variação nos preços contratados.

Já por meio das normas do art. 103, §5º, inciso II, e do art. 134, da Lei nº 14.133/2021, à Administração são alocados os riscos decorrentes da criação, da alteração ou da extinção de quaisquer tributos ou encargos legais materializados após a data de apresentação da proposta no âmbito da licitação.

Além destas, a Lei também deu tratamento aos riscos decorrentes de alterações unilaterais impostas sobre o contrato (art. 103, §5º, inciso I) ou de superveniência de disposições legais, com comprovada repercussão sobre o contrato (art. 134).

Outros exemplos de alocação prévia de riscos pelo legislador podem ser encontrados nos artigos 119 e 120 da Lei nº 14.133/21, que atribuem à responsabilidade da contratada a obrigação de reparar, corrigir, remover, reconstruir ou substituir, às suas expensas, o objeto em que se verificarem vícios, defeitos ou incorreções resultantes da execução contratual, assim como a compensação pelos danos decorrentes causados diretamente à Administração ou a terceiros.

5 Normas definidoras de critérios para a alocação dos riscos no plano do contrato

A Lei nº 14.133/2021 também veicula normas gerais voltadas a orientar a Administração Pública em relação à distribuição dos riscos no plano do contrato. Segundo a norma do artigo 22, §1º, a distribuição de riscos deve-se fazer de modo a maximizar a eficiência na execução do contrato. Para isso, a alocação de riscos deverá considerar "a compatibilidade com as obrigações e os encargos atribuídos às partes no contrato, a natureza do risco, o beneficiário das prestações a que se vincula e a capacidade de cada setor para melhor gerenciá-lo" (art. 103, §1º, da Lei nº 14.133).

A racionalidade subjacente a esta regra está em propiciar um alinhamento de interesses com vistas a gerar incentivos a que as partes adotem comportamentos voltados ao cumprimento das obrigações principais do contrato e à racionalização de seus custos, assim como a evitar a geração de incentivos ao comportamento oportunista.

Logo e como decorrência da disposição da norma do art. 103, §1º, da Lei nº 14.133/2021, será juridicamente inviável atribuir-se à responsabilidade do contratado riscos que não estão sob o seu controle. Se o contratado não tiver capacidade de influir preponderantemente sobre a prevenção da ocorrência de certo risco ou sobre a mitigação dos prejuízos que possam ser gerados como decorrência de sua materialização, ele deve ser alocado à Administração Pública. Uma alocação de riscos que contrarie essa lógica deve ser reputada ilegal.

5.1 A aplicação extensiva da regra do art. 103, §1º, da Lei nº 14.133/2021

A regra do art. 103, §1º, não é de aplicação restrita às hipóteses em que a incorporação da matriz de riscos no contrato administrativo seja de caráter obrigatório (art. 22, §3º), mas deve ser observada também na alocação dos riscos nos contratos administrativos em geral submetidos à disciplina da Lei nº 14.133/2021.

A alocação de riscos não é uma necessidade apenas em contratos de grande vulto ou quando o regime de execução for o de contratação integrada ou semi-integrada. Todo e qualquer contrato administrativo (assim como os contratos privados) se constitui a partir da distribuição de riscos, obrigações e direitos às partes. Sua alocação de riscos pode ser mais ou menos específica, de modo que o nível de detalhamento do catálogo de riscos é variável, e geralmente o é em função das complexidades técnicas inerentes e da sua dimensão econômico-financeira. Precisamente por isso é que para contratos de grande vulto ou sob regime de contratação integrada e semi-integrada a lei exigiu a incorporação de uma cláusula de "matriz de riscos" que reflita o conteúdo regulatório mínimo previsto na regra do art. 6º, XXVII, da Lei nº 14.133/2021. Isso significa que, fora destas hipóteses típicas, a alocação de riscos definida nos contratos administrativos está desobrigada de refletir todas aquelas definições.

Já a norma do art. 103, §1º, acolhe os critérios que deverão orientar a distribuição de riscos no plano do contrato. Estes critérios legais não se justificam no caráter de maior ou menor valor da contratação ou na natureza de seu regime de execução, mas no objetivo de se conferir maior eficiência e economicidade à execução do contrato administrativo. Daí por que tais critérios são de observância obrigatória à distribuição de riscos nos contratos administrativos em geral e não apenas nas hipóteses em que a Lei exigiu a incorporação da cláusula de matriz de riscos.

5.2 A definição de obrigações de resultado e de obrigações de meio

Nos termos da norma do artigo 6º, XXVII, da Lei nº 14.133/2021, a cláusula de matriz de riscos poderá definir certas características técnicas ou soluções metodológicas e tecnológicas inerentes à execução do contrato como *obrigações de meio*, as quais deverão ser obrigatoriamente atendidas pelo contratado. São definições do projeto ou do anteprojeto que não poderão ser alteradas pelo contratado para fins da execução do contrato, sendo que os riscos inerentes à sua inadequação técnica estão automaticamente atribuídos à Administração.

Será possível também demarcar parcelas do objeto cuja execução seja definida como *obrigação de resultado*, assegurando ao contratado autonomia para a definição dos meios e das soluções técnicas mais apropriadas para o seu cumprimento. Neste caso, os riscos inerentes a estas escolhas técnicas são atribuídos ao contratado.

A definição de parcelas do objeto como obrigações de resultado não elimina a necessidade de o projeto indicar, de modo não vinculante, as soluções técnicas e metodológicas instrumentais à sua execução. Estas indicações são necessárias em muitos casos para possibilitar a confecção do orçamento público. Mas elas não vinculam o contratado, que poderá adoptar solução distinta, hipótese em que não haverá direito ao restabelecimento do equilíbrio contratual por qualquer das partes. Trata-se de um risco alocado ao contratado como decorrência de sua autonomia para a realização das escolhas técnicas inerentes.

Observe-se que essa hipótese não se confunde com a possibilidade de o contratado propor modificações no projeto básico como decorrência da adoção do regime de contratação semi-integrada. Em regimes desta natureza, a substituição das soluções técnicas indicadas no projeto apenas será possível se atendidos os pressupostos estabelecidos e mediante aprovação administrativa, o que provocará o necessário restabelecimento do equilíbrio contratual. Enquanto as alterações das indicações técnicas definidas como instrumentais ao cumprimento de *obrigações de resultado* não geram o direito de recomposição do equilíbrio contratual, aquelas autorizadas nos termos do §5º do art. 46 da Lei nº 14.133/2021 o ensejam, conforme disposto no artigo 133, III, da mesma lei.

5.3 O tratamento contratual do risco da elevação expressiva do custo inflacionário

Uma hipótese muito recorrente de desequilíbrio contratual diz respeito às altas inflacionárias imprevisíveis no preço de insumos utilizados na execução do contrato, que podem onerar expressivamente os seus custos de produção. Isso ocorre quando insumos com alta representatividade na estrutura de custos do contrato sofrem elevação de preços para além das previsões inflacionárias, que dificilmente são refletidas nos indexadores inflacionários utilizados para o reajustamento.

Quando este risco não é definido em contrato, compensações desta natureza têm sido buscadas pelos contratados por meio da revisão de preços do contrato, com fundamento na tutela dos riscos extracontratuais (art. 124, II, "d", Lei nº 14.133/2021). Mas essas discussões em torno do direito à revisão de preços são permeadas de controvérsias em razão da dificuldade em se demarcar no mundo prático a fronteira entre as variações inflacionárias previsíveis e aquelas consideradas imprevisíveis.

Em razão disso, uma solução satisfatória e mitigadora desses impasses está em antecipar a delimitação desses riscos para o plano do contrato, definindo-se em sua matriz de riscos as bandas de variação no preço de insumos que constituem risco da Administração Pública e risco do contratado. O contrato poderá determinar, por exemplo, qual a variação percentual no preço de insumos que deverá ser suportada pelo contratado e a partir de quais limites ela deverá ensejar o restabelecimento do equilíbrio contratual.

Previsão desta ordem elimina a necessidade de demonstração da imprevisibilidade do evento, dispensando-se a aplicação da norma do artigo 124, II, "d", da Lei nº 14.133/2021. O simples enquadramento da variação concretamente verificada segundo os parâmetros definidos no contrato é o bastante para ensejar a revisão dos preços, de acordo com a metodologia definida. Essa é uma solução regulatória que contribui para ampliar a segurança jurídica em torno da revisão contratual, reduzindo os custos de transação incidentes nesses processos e o seu grau de litigiosidade.

6 A tutela dos riscos extracontratuais veiculada no artigo 124, II, "d", da Lei nº 14.133/2021

A Lei nº 14.133/2021 também confere tratamento a riscos extracontratuais, estabelecendo uma alocação de riscos *subsidiária* àquela estipulada contratualmente. A norma do artigo 124, II, "d", prevê como hipótese de restabelecimento do equilíbrio contratual a ocorrência de caso fortuito, força maior, fato do príncipe, ou, ainda, de fatos imprevisíveis ou previsíveis de consequências incalculáveis, que provoquem ônus a alguma das partes do contrato administrativo ao longo de sua execução, respeitada a alocação de riscos definida contratualmente. A materialização destes eventos, portanto, deverá ensejar o restabelecimento do equilíbrio contratual, com vistas a compensar integralmente a parte onerada, desde que outra não tenha sido a alocação de riscos prevista no contrato.

Esta norma aloca o risco da ocorrência desses eventos da álea extraordinária e imprevisível à responsabilidade da Administração Pública. Isso significa que caso eles se materializem e gerem impactos econômicos ou financeiros à execução do contrato, deverá proceder-se ao restabelecimento de seu equilíbrio. Mas essa alocação não prevalecerá se outra tiver sido a distribuição de riscos definida em contrato. Isto é: a norma do artigo 124, II, "d", terá aplicação apenas *subsidiária* à alocação de riscos definida em contrato ou em normas legais e regulamentares que aloquem riscos específicos.

A recomposição do equilíbrio econômico-financeiro, fundamentado na norma da alínea "d" do inciso II do artigo 124, deverá demonstrar: (i) a *superveniência* do fato à apresentação da proposta na licitação; (ii) a *imprevisibilidade,* ao tempo da apresentação das propostas licitação, da ocorrência do fato ou de sua consequências; (iii) a *onerosidade*, em qualquer grau, gerada em função do impacto econômico ou financeiro na estrutura de custos do contrato; e (iv) a sua *extracontratualidade*, caracterizada pela ausência de alocação contratual do risco materializado.

Uma dificuldade marcante na aplicação desta norma aos casos concretos diz respeito à demonstração da imprevisibilidade do evento. Essa caracterização deverá estar fundamentada em dados empíricos e estatísticos que justifiquem a imprevisibilidade do evento ao tempo da contratação.

Note-se também que, para os fins da recomposição do equilíbrio contratual fundamentado na norma da alínea "d" do inciso II do artigo 124 da Lei nº 14.133/2021, não se exige que o concessionário tenha experimentado uma "onerosidade excessiva" decorrente da materialização de eventos de força maior, de caso fortuito ou de eventos imprevisíveis ou de consequências incalculáveis. Este requisito da onerosidade excessiva, embora tenha prestígio na nossa jurisprudência para legitimar o reequilíbrio contratual como decorrência da aplicação da teoria da imprevisão, não tem respaldo no tratamento legal da matéria. Aquela norma não prevê pressuposto ou requisito desta ordem para autorizar o reequilíbrio contratual em vista da ocorrência das hipóteses típicas.

7 O direito das partes à preservação do equilíbrio contratual

As partes do contrato administrativo possuem o direito de preservação do equilíbrio contratual originalmente estabelecido. Este direito está enraizado no princípio da *lex inter partes*, refletido na norma do artigo 37, XXI, da Constituição Federal, no que se refere à contratação pública. Ele se constitui a partir da contratualização da alocação de riscos, assim como do arbitramento legal da responsabilidade das partes em relação às consequências decorrentes da materialização de riscos específicos.

7.1 Pressupostos ao exercício do direito à compensação

Há dois pressupostos jurídicos essenciais à caracterização do direito da parte à recomposição do equilíbrio econômico-financeiro do contrato administrativo: (i) a ocorrência de um fato cuja responsabilidade pelas suas consequências geradas à execução do contrato administrativo foi alocada contratualmente, pela legislação ou pela regulamentação à responsabilidade da outra parte; e (ii) a existência de ônus de qualquer dimensão à execução do contrato.

7.2 Delimitação temporal da responsabilidade das partes em relação à alocação de riscos

Embora o equilíbrio contratual constitua-se juridicamente com a formalização do contrato administrativo, ele se forma já na fase pré-contratual, mais precisamente no momento da apresentação das propostas no âmbito da licitação, ou no âmbito do processo de contratação direta, conforme o caso. Segundo os termos da norma do art. 89, §2º, da Lei nº 14.133/2021, os direitos, as obrigações e as responsabilidades das partes deverão ser definidos contratualmente em conformidade com os termos do edital de licitação e os da proposta vencedora, ou com os termos do ato que autorizou a contratação direta e os da respectiva proposta.

Isso significa que a delimitação da responsabilidade das partes em relação aos riscos que lhe são juridicamente atribuídos abrange o período entre o momento da apresentação da proposta pelo contratado e o encerramento do contrato administrativo.

7.3 Direito à recomposição do equilíbrio contratual e decadência

Como referido, o direito ao restabelecimento do equilíbrio contratual nasce a partir da ocorrência dos eventos previstos na alocação de riscos do contrato e definidos na legislação. O exercício deste direito tem por objeto o adimplemento de uma obrigação contratual ou legal, conforme o caso. A delimitação das hipóteses de decadência e prescrição de direito desta natureza devem seguir a disciplina jurídica geral aplicável aos contratos. A legislação brasileira contém uma série de regras vocacionadas a regular a decadência e a prescrição relacionadas a direitos contratuais, que são perfeitamente aplicáveis aos contratos administrativos.

É importante ressaltar que a regra do parágrafo único do artigo 131 da Lei nº 14.133/2021, que estabelece que o pedido de restabelecimento do equilíbrio econômico-financeiro deverá ser formulado durante a vigência do contrato e antes de eventual prorrogação para contratos de prestação contínua, não constitui um limite decadencial ao exercício do direito à indenização devida em face do desequilíbrio contratual verificado.

A criação de prazo decadencial desta natureza afronta a norma do artigo 37, XXI, da Constituição federal, que estabelece o direito à preservação do equilíbrio contratual. A norma constitucional assegura aos contratados da Administração o direito de preservação do conteúdo econômico do contrato, cujo exercício não pode ser tolhido ou excessivamente restringido pela norma legal. Tal não significa que a lei não possa criar hipótese específica de decadência para o direito de recompor o equilíbrio contratual, mas a limitação a que o exercício deste direito se realize dentro do período de vigência do contrato e antes de sua prorrogação reduz a sua dimensão conferida pela norma constitucional.

Segundo Marçal Justen Filho, essa garantia instituída pela norma constitucional não comporta limitação por meio de dispositivo legal que torne inviável o exercício da pretensão do particular. Para o jurista, a solução pretendida pela regra do parágrafo único do artigo 133, isto é: a hipótese de criação de prazo decadencial reduzido para o exercício da pretensão do particular violaria a isonomia, uma vez que idêntico tratamento não é reservado para as pretensões da Administração. Neste sentido, "o tratamento das pretensões de particulares e da Administração obedece ao princípio da similaridade, que é uma manifestação da isonomia". Indo além, Marçal afirma que "se a regra for orientada a impedir também o acesso à jurisdição, haverá violação à garantia constitucional do direito de ação. Ter-se-ia instituído prazo prescricional específico, cujo dimensionamento tornaria inviável o exercício do direito de ação".[5]

Logo, a inércia do contratado em postular o seu direito ao restabelecimento do equilíbrio contratual durante o prazo de vigência original do contrato administrativo não lhe subtrai o direito de obter a compensação indenizatória correspondente, nos termos da norma do *caput* do referido artigo 133.

Agregue-se que a hipótese da criação de prazo decadencial reduzido teria reflexos práticos relevantes a ponto de inviabilizar o direito do contratado em instruir adequadamente o pedido indenizatório. Em muitos casos, a postulação do restabelecimento do equilíbrio contratual envolverá o levantamento de informações e a produção de cálculos complexos, o que demanda tempo razoável de preparação. Se o evento de desequilíbrio ocorrer no estágio final da execução do contrato, esses levantamentos e providências podem restar inviabilizados. A instituição de prazo reduzido para tanto poderá limitar o exercício do direito constitucionalmente assegurado do contratado em obter a devida compensação pelos prejuízos suportados.

---

[5] *Comentários à Lei de Licitações e Contratações Administrativas*. São Paulo: RT, 2021, p. 1434.

8 A extensão da compensação pela recomposição do equilíbrio contratual

A compensação implementada por meio do restabelecimento do equilíbrio contratual consiste numa via *indenizatória*, cuja função é neutralizar todos os prejuízos gerados à parte no âmbito da execução do contrato, restabelecendo o estado de coisas anterior.[6] A compensação deverá ser abrangente de todos os prejuízos suportados pela parte contratual onerada, quantificada a partir da metodologia definida em contrato, na lei ou na regulamentação.

A recomposição do equilíbrio contratual deverá realizar-se tanto sob um prisma econômico como financeiro. Isso significa que a compensação deverá resultar em neutralizar economicamente os ônus gerados, levando-se em consideração, inclusive, os impactos financeiros sofridos.

Será ônus da parte lesada a demonstração da dimensão do prejuízo ocasionado, nos termos da metodologia estabelecida. Isso se fará segundo um princípio de liberdade probatória, observada a disciplina do contrato. É certo que os prejuízos elegíveis a esta compensação passarão pelo filtro da metodologia definida para a recomposição do equilíbrio contratual. Daí que o estabelecimento de metodologias e fórmulas para a quantificação do valor de compensação delimita a abrangência da compensação devida. Mas isso não descaracteriza a natureza indenizatória da recomposição do equilíbrio contratual, que deve se prestar a neutralizar os prejuízos suportados em razão dos riscos ocorridos, ainda que a partir dos parâmetros e metodologias definidos previamente.

Note-se que a Lei nº 14.133/2021, ao estabelecer que a matriz de riscos do contrato administrativo define o equilíbrio contratual, está a exigir que a parte responsável pelo risco compense os prejuízos gerados à outra pela sua materialização, restabelecendo o estado de coisas anterior. As metodologias definidas contratualmente para a quantificação do valor de compensação são instrumentais à realização do direito da parte em ser indenizada pelo desequilíbrio verificado. Sua função é eleger parâmetros e indicadores voltados a compor o valor de indenização. Por isso, elas devem buscar refletir a dimensão do ônus suportado pela parte lesada.

A quantificação do valor de compensação para a recomposição do equilíbrio contratual deverá observar a metodologia e o rito do procedimento definidos (*ex ante*) no contrato, na lei ou no regulamento. Essa quantificação resultará de um processo administrativo que comporte a participação do contratado. O ato administrativo que decide o pedido de recomposição do equilíbrio econômico-financeiro deverá estar devidamente motivado.

8.1 As altas inflacionárias extraordinárias e a falácia da recomposição do *equilíbrio global* do contrato

Tal como afirmado atrás, as altas inflacionárias extraordinárias no preço de insumos utilizados na execução do contrato administrativo tem sido um caso recorrente de desequilíbrio contratual. Quando estes insumos possuem alta representatividade

---

[6] Sua natureza indenizatória é afirmada no artigo 131 da Lei nº 14.133/2021.

na estrutura de custos dos contratos, elevações expressivas em seus preços não são compensadas pela aplicação dos índices de reajustamento, que se prestam à reposição setorial e geral dos preços contratados (refletindo, geralmente, uma cesta de insumos). Isso provoca o encarecimento dos custos de produção do contrato, que pode ensejar o rompimento do equilíbrio contratual.

Em situações desta natureza, haverá desequilíbrio econômico-financeiro caso o risco de *altas extraordinárias* no preço de insumos tenha sido alocado, pelo contrato, ou, subsidiariamente, pela legislação, à responsabilidade da Administração Pública. Caso assim seja, o contratado terá direito a obter a respectiva recomposição do equilíbrio econômico-financeiro, com vistas a compensá-lo pelos prejuízos verificados. Na omissão do contrato, incidirá o disposto na alínea "d", inciso II, do artigo 124 da Lei nº 14.133/2021.

Logo, é preciso verificar primariamente como o contrato alocou este risco à responsabilidade das partes. É comum que os contratos o aloquem à responsabilidade da Administração Pública, por não ser um risco plenamente gerenciável pelo contratado. Afinal, uma regra elementar que deve reger a alocação de riscos é a sua atribuição à responsabilidade da parte mais capacitada para exercer a prevenção do risco ou mitigar os prejuízos na hipótese de sua materialização. Como o risco de *altas inflacionárias imprevisíveis* no preço de insumos não é controlável pelo contratado, não deve ser alocado à sua esfera de responsabilidade. Do contrário, o contratado tenderia a provisionar custos maiores em sua proposta para lidar com a aleatoriedade própria destas oscilações, o que acabaria por encarecer o preço pago pela própria Administração.

Daí por que, na prática das contratações públicas, esse risco tem sido alocado direta ou indiretamente à Administração Pública. Na grande maioria dos casos, o tratamento deste risco se dá ou por meio de mera remissão a dispositivos legais que o alocam à responsabilidade do Poder Público (como a alínea "d" do inciso II do artigo 124 da Lei nº 14.133/2021) ou por meio da alocação do risco de *força maior*. Ainda são poucos os contratos que delimitam esse risco de modo mais específico, como referido atrás, estabelecendo bandas de variação de preços de insumos para definir o direito à recomposição do equilíbrio contratual (o que seria uma solução mais satisfatória para a alocação de risco, por propiciar maior segurança jurídica às partes).

Já quando o contrato for omisso, incidirá a alocação de riscos estabelecida na legislação de contratos públicos. A responsabilidade em relação às consequências destas variações no preço de insumos deverá observar o disposto na alínea "d" do inciso II do artigo 124 da Lei nº 14.133/2021, que a atribui à Administração Pública.

Seja como for, nos casos em que inexistirem parâmetros rígidos fixados em contrato, na regulamentação ou na legislação para distinguir as alterações extraordinárias das ordinárias, tais parâmetros terão de ser definidos em cada caso, a partir de dados históricos relacionados à evolução no preço destes insumos, com vistas a possibilitar a verificação do desequilíbrio contratual. Uma vez delimitada a dimensão da variação que deve ser considerada ordinária, variações que ultrapassarem esses limites, para mais e para menos, deverão ensejar a recomposição do equilíbrio contratual. Já as variações que se contenham dentro da dimensão da *ordinariedade* não ensejarão o direito ao restabelecimento do equilíbrio contratual, por qualquer das partes, em linha com o que dispõe o art. 22, §2º, I, da Lei nº 14.133/2021.

A despeito disso, é perceptível um "cacoete" das Administrações – estimulado por orientações dos tribunais de contas – de se compensar a *elevação extraordinária* no preço de certos insumos com a *redução ordinária* de preços havida em outros insumos. A finalidade, como justificam as Cortes de Contas, é preservar o "equilíbrio global" do contrato, computando-se não apenas os itens cujo preço se elevou, mas também insumos cujo preço sofreu redução, ainda que esta redução não se afigure como extraordinária. Assim se faz com o objetivo de mitigar o valor de compensação devido como decorrência da alta extraordinária no preço dos insumos.[7]

Com o devido respeito a esse entendimento, a recomposição do *equilíbrio global* do contrato é uma prática que desafia a distribuição de riscos do contrato, por embutir na conta da revisão de preços uma compensação à Administração por *variações ordinárias* no preço de insumos. E essas variações, salvo disposição contratual em sentido contrário, são um risco atribuído ao contratado, sendo que sua ocorrência não provoca o rompimento do equilíbrio contratual.

8.2 Responsabilidade indenizatória decorrente de interferências administrativas e de sua mora no cumprimento de obrigações instrumentais à execução das obrigações do contratado

Nas hipóteses em que o desequilíbrio decorrer de alteração administrativa das condições de execução do contrato, assim como da inexecução de obrigação da Administração prevista como instrumental à execução das obrigações do contratado, a respectiva compensação não estará adstrita aos parâmetros econômicos e financeiros predeterminados pela metodologia estabelecida em contrato, mas poderá refletir outros prejuízos concretamente demonstrados. São casos em que ações ou omissões administrativas expõem o contratado ao risco de mudanças nas circunstâncias envolvidas na execução do contrato, responsabilizando-se pelos prejuízos gerados.

Figure-se o exemplo da implementação de extensão de prazo como decorrência de atraso injustificado da Administração no cumprimento de providência que lhe tenha sido atribuída pelo contrato. O prolongamento do período de execução contratual poderá ensejar mudanças nas condições mercadológicas, sujeitando o contratado a adquirir insumos a preços mais elevados do que aqueles que seriam praticados dentro do prazo originário. Mesmo que o risco de variação nestes preços tenha sido atribuído contratualmente ao contratado, os prejuízos decorrentes destas diferenças no preço de insumos devem ser compensados em razão dos efeitos jurídicos da mora administrativa. O mesmo se passa quando houver discrepâncias entre os preços referenciais fixados no contrato para compor os cálculos de reequilíbrio (por exemplo: os preços fixados na planilha de composição de custos divulgada com a licitação) e aqueles efetivamente praticados sob os efeitos da mora administrativa. O tratamento da responsabilidade indenizatória nestas hipóteses deve seguir a disciplina jurídica da mora, nos termos do artigo 389 do Código Civil brasileiro.

---

[7] Exemplo deste entendimento está retratado no Acórdão nº 566/2021-Plenário, de relatoria do Ministro Augusto Sherman.

9 Prazo para a recomposição do equilíbrio contratual

A norma do artigo 92, VI, da Lei nº 14.133/2021 previu como cláusula essencial do contrato administrativo o prazo para resposta ao pedido de restabelecimento do equilíbrio econômico-financeiro. O prazo referido não condiciona apenas a resposta administrativa quanto ao direito do contratado de obter a recomposição do equilíbrio, mas a sua efetiva implementação, o que pressupõe a quantificação do valor a ser compensado e a definição da sua forma jurídica. A quantificação do valor de compensação deverá considerar os custos financeiros incidentes entre o período da ocorrência do fato gerador do desequilíbrio e a sua efetiva compensação econômica e financeira.

Esta norma é cogente e impõe à Administração o dever de incorporar previsão desta ordem nos editais e nas minutas de contratos administrativos. A omissão de previsão deste prazo nos documentos da licitação não elimina o dever da Administração em defini-lo posteriormente. A qualquer momento, o contratado poderá requerer a incorporação no conteúdo do contrato de prazo máximo razoável para a manifestação de resposta a pedidos de recomposição do equilíbrio contratual.

9.1 A mora administrativa e a extensão do dever indenizatório correspondente

Uma vez procedente a recomposição do equilíbrio contratual, o atraso no provimento da resposta administrativa e da própria implementação da recomposição do equilíbrio contratual ensejará o direito do contratado a obter adicionalmente as compensações decorrentes de prejuízos experimentados durante o período da mora.

O descumprimento do prazo certo previsto para esta providência constitui a Administração Pública em mora, impondo-lhe o dever de indenizar o contratado pelos prejuízos experimentados no período. Aplica-se à hipótese o disposto no artigo 395 do Código Civil brasileiro, que obriga o devedor a responder pelos prejuízos que sua mora der causa. Lembre-se que aos contratos administrativos, nos termos do artigo 89 da Lei nº 14.133/2021, aplicam-se supletivamente os princípios da teoria geral dos contratos e as disposições do Direito Privado.

Durante o período da mora administrativa, o contratado poderá experimentar prejuízos diversos, cuja compensação indenizatória não estará adstrita aos limites inerentes à metodologia, aos parâmetros e referências de valores definidos previamente para as compensações contratuais de reequilíbrio. As compensações indenizatórias relativas à mora administrativa têm natureza *extracontratual*, cuja quantificação será determinada pela demonstração dos prejuízos concretamente experimentados pelo contratado, segundo um princípio de liberdade de prova.

10 As formas possíveis para a compensação indenizatória

A recomposição do equilíbrio contratual poderá realizar-se sob formas jurídicas diversas. A legislação geral de contratos não define um elenco das vias possíveis para isso, deixando esta definição à regulação contratual. As formas possíveis para contratos administrativos ordinários de desembolso são: (i) ampliação ou redução no valor da remuneração; (ii) supressão ou ampliação de encargos; (iii) alteração do prazo contratual; e (iv) cessão de direitos com valor patrimonial. É perfeitamente possível a combinação de mais de uma forma para a implementação da compensação.

A efetividade do direito ao restabelecimento do equilíbrio econômico-financeiro passa pela definição da forma de compensação. É evidente que "a delimitação das formas de reequilíbrio terá impacto na formação do conteúdo econômico do contrato, contribuindo para a definição do equilíbrio contratual. As vias de reequilíbrio podem ter distinta repercussão financeira no fluxo de caixa do projeto (embora sempre se possa buscar a sua compensação econômica. Isto é: não se duvida que o custo financeiro possa ser compensado economicamente). Logo, a definição por uma ou outra forma de reequilíbrio pode significar distinta percepção de riscos e custos para o contratado. Por isso é que as eventuais limitações da forma de reequilíbrio apenas serão viáveis desde que previamente estabelecidas em lei ou em contrato. Quando decretadas supervenientemente, afiguram-se violadoras da regra da imutabilidade das cláusulas econômico-financeiras do contrato".[8]

A definição nos casos concretos da forma de reequilíbrio deverá considerar a legislação e a disposição contratual sobre a questão. A lei brasileira, como pontuou Marçal Justen Filho, não impõe alternativa determinada como solução obrigatória a ser seguida, cuja "escolha depende das circunstâncias concretas".[9]

A escolha da via para o reequilíbrio dependerá de sua vocação para compensar econômica e financeiramente os desvios gerados no fluxo de caixa do contrato, face às circunstâncias concretas. Uma boa prática está em definir contratualmente um repertório de formas para compensação, deixando-se a escolha da via apropriada para ser definida consensualmente no caso concreto. Em muitos casos, os contratos e eventualmente a própria regulamentação têm reservado à Administração a prerrogativa de defini-la. Essa não se afigura uma solução regulatória satisfatória, dado que, como referido, cada forma de compensação poderá ter repercussão financeira distinta no âmbito da execução do contrato, não sendo indiferente à percepção de risco do contratado.

Idealmente, a forma de reequilíbrio deverá ser definida consensualmente entre contratado e Administração a partir das circunstâncias concretas. Em qualquer caso, deve-se levar em consideração o princípio da proporcionalidade, elegendo a via mais eficaz e menos onerosa à execução contratual, considerando-se os impactos socioeconômicos gerados aos usuários do bem ou serviço objeto do contrato.

11 Equilíbrio contratual e regime de execução

Como regra, a definição do regime de execução não importa repercussões relevantes no tratamento do equilíbrio contratual, à exceção dos riscos relacionados às

---

[8] GUIMARÃES, Fernando Vernalha. Apontamentos sobre o Decreto nº 10.710/2021 e a comprovação da capacidade econômico-financeira dos prestadores de serviço de saneamento básico para viabilizar a sua universalização. *In*: GUIMARÃES, Fernando Vernalha (coord.). *O Novo Direito do Saneamento Básico*. Belo Horizonte: Fórum, 2022, p. 172.

[9] JUSTEN FILHO, Marçal. *Teoria geral das concessões de serviços públicos*. São Paulo: Dialética, 2003. p. 402.

consequências de falhas de projetos e anteprojetos, nos termos referidos adiante. De resto, a identificação das hipóteses de restabelecimento do equilíbrio contratual dependerá da alocação de riscos contratada.

A legislação customizou o tratamento do equilíbrio contratual em contratos sob regime de execução de contratação integrada e semi-integrada. Para esses regimes, o restabelecimento do equilíbrio contratual será viável exclusivamente nas hipóteses de ocorrência de caso fortuito ou força maior, de alteração administrativa do projeto e de suas especificações (à exceção de modificações motivadas por erros de projetos elaborados pelo contratado), assim como de evento superveniente alocado na matriz de riscos como de responsabilidade da Administração (art. 133, Lei nº 14.133/2021). Para o regime de contratação semi-integrada, adicionalmente, se acolheu a hipótese de restabelecimento do equilíbrio econômico-financeiro decorrente de alteração do projeto proposta pelo contratado.

Estas hipóteses não se diferenciam substancialmente daquelas previstas para os demais regimes de execução. O restabelecimento do equilíbrio contratual será viável em decorrência de riscos extracontratuais, como *caso fortuito* e *força maior*, conceitos abrangentes da álea extraordinária (o que inclui as hipóteses de *fato do príncipe*), assim como da materialização dos riscos alocados em contrato. É preciso lembrar que a regra do §4º do artigo 22 da Lei nº 14.133/2021 estabelece que o contrato deverá alocar os riscos decorrentes de fatos supervenientes à contratação associados à escolha da solução de projeto básico pelo contratado à sua responsabilidade.

É compreensível que os riscos inerentes às falhas de projeto ou de anteprojeto sejam alocados à responsabilidade de quem os elaborou. Essa é uma solução compatível com a racionalidade da distribuição de riscos extraída das normas do artigo 103, §1º, e do artigo 22, §1º, da Lei nº 14.133/2021. Disso decorre que, em regime de contratação integrada, os riscos relacionados a erros, imprecisões e falhas técnicas de anteprojeto ensejarão direito do contratado ao restabelecimento do equilíbrio contratual, pois que são riscos atribuíveis à responsabilidade da Administração. Afinal, em regimes desta natureza, o anteprojeto é um documento obrigatoriamente disponibilizado com o processo licitatório, devendo o contratado observá-lo para os fins de elaboração do projeto básico, à exceção das parcelas explicitamente definidas como *obrigações de resultado*, nos termos da regra do art. 6º, XXVII, alínea "b", da Lei nº 14.133/2021.

Seria, inclusive, contraintuitivo que as consequências derivadas de falhas do projeto elaborado por uma parte fossem atribuídas à responsabilidade da outra. Se os erros de anteprojeto, por exemplo, não ensejassem o restabelecimento do equilíbrio econômico-financeiro, a Administração não teria qualquer incentivo para elaborar anteprojetos confiáveis e tecnicamente adequados.

Referências

GUIMARÃES, Fernando Vernalha. Apontamentos sobre o Decreto nº 10.710/2021 e a comprovação da capacidade econômico-financeira dos prestadores de serviço de saneamento básico para viabilizar a sua universalização. *In*: GUIMARÃES, Fernando Vernalha (coord.). *O Novo Direito do Saneamento Básico*. Belo Horizonte: Fórum, 2022.

JUSTEN FILHO, Marçal. *Teoria Geral das Concessões de Serviço Público*. São Paulo: Dialética, 2003.

JUSTEN FILHO, Marçal. *Comentários à Lei de Licitações e Contratações Administrativas*. São Paulo: RT, 2021.

Informação bibliográfica deste texto, conforme a NBR 6023:2018 da Associação Brasileira de Normas Técnicas (ABNT):

GUIMARÃES, Fernando Vernalha. O tratamento do equilíbrio econômico-financeiro dos contratos administrativos pela Lei nº 14.133/2021. *In*: JUSTEN, Monica Spezia; PEREIRA, Cesar; JUSTEN NETO, Marçal; JUSTEN, Lucas Spezia (coord.). *Uma visão humanista do Direito*: homenagem ao Professor Marçal Justen Filho. Belo Horizonte: Fórum, 2025. v. 2, p. 481-496. ISBN 978-65-5518-916-2.

O CONCEITO JURÍDICO DE VANTAJOSIDADE FORMULADO POR MARÇAL JUSTEN FILHO

FERNÃO JUSTEN DE OLIVEIRA

> "Das palavras, as mais simples;
> entre as mais simples, a menor."
> Winston Churchill
> Prêmio Nobel de Literatura 1953

1 Introdução

A vasta contribuição de Marçal Justen Filho para o Direito consolidou-se por meio de atividades de natureza advocatícia, acadêmica e doutrinária.

Paralelamente a suas aulas, palestras, pareceres, petições e sustentações orais, vigora amplo reconhecimento acerca das obras que escreve e publica desde a década de 1980 sobre Propedêutica, Filosofia do Direito, Direito Tributário, Direito Empresarial, Direito Constitucional, Direito Regulatório, Direito Econômico e Direito Administrativo.

A sua exposição nesses formatos e sobre tais matérias assume, para o interlocutor iniciante e também o experiente, um original caráter de profundidade e exatidão técnica aliado a nitidez e inusitada singeleza: uma combinação potente que conduz à assimilação perene da mensagem.

O domínio da linguagem e o resultado da aplicação dela ao discurso jurídico qualificam o seu modo de exposição como profissional (ou especial), técnico-científico, lógico, em nível culto, claro, preciso, conciso e harmônico.[1] Esses predicados compõem uma habilidade necessária ao doutrinador, que "busca influenciar e convencer os demais da sua posição. Por isso, há uma relevância comunicativa essencial na atividade

---

[1] São características citadas em classificação divulgada por: COAN, Emerson Ike. Atributos da linguagem jurídica. In: *Revista de Direito Privado*, São Paulo, v. 16, p. 65-82, out./dez. 2003.

desenvolvida pela dogmática jurídica. [...] O 'cientista do Direito' é um operador que atua nesse mundo real, buscando interferir sobre a dinâmica da vida".[2]

O presente artigo concentra-se em analisar uma contribuição doutrinária original de Marçal Justen Filho para a linguagem jurídica sob a forma de neologismo que comunica um conceito jurídico: a vantajosidade para a contratação administrativa. Aborda-se a inserção desse termo na dogmática jurídica brasileira, a partir da formação do conteúdo do conceito jurídico de vantajosidade e a sua evolução na obra do autor.

2 A linguagem jurídica

Não é escopo deste estudo examinar a teoria da linguagem, mas conhecer fundamentos de comunicação que permitam acompanhar o percurso operacional da formação de um conceito jurídico como o da vantajosidade.

A comunicação destina-se a influir o pensamento e atitudes alheias por intermédio dos diversos gêneros de palavra. Palavras são rótulos simbólicos convencionais[3] que designam o objeto, porém sem descrever a sua natureza e conteúdo. A linguagem, por sua vez, é um sistema de comunicação que utiliza palavras para transmitir conceitos representativos de um signo.

2.1 Linguagem natural e linguagem científica

Na linguagem natural, as palavras manifestam definições caracterizadas por uma precisão relativa.[4] O significado vocabular na linguagem natural, sempre ameaçado pela ambiguidade, torna-se compreensível de acordo com o contexto. Trata-se de uma interação bidirecional: tanto uma palavra pode adquirir significados diversos quanto palavras diferentes podem resultar em um mesmo significado.

A linguagem jurídica científica absorve palavras da linguagem natural e as combina com palavras artificiais, intencionalmente criadas para "exprimir conceitos, enunciados ou princípios pertencentes à matéria de que trata, os quais, em linguagem natural, seriam de difícil explicitação, com a possibilidade de pouca precisão, em alguns casos".[5]

O termo jurídico tende a emitir um significado singular e consiste em tentativa de reduzir o espectro de imprecisão que possa originalmente apresentar, em oposição à ambiguidade, vagueza e imprecisão que envolvem a linguagem natural. Busca-se

---

[2] JUSTEN FILHO, Marçal. *Introdução ao estudo do direito*. Brasília: ed. do autor, 2020, p. 320.
[3] GRAU, Eros Roberto. *Direito, conceitos e normas jurídicas*, São Paulo: RT, 1988, p. 142.
[4] Genaro Carrió aludiu a "vagueza potencial ou textura aberta" como "enfermidade incurável das linguagens naturais" sobre a qual recai a interpretação dos juristas (CARRIÓ, Genaro R. *Notas sobre derecho y lenguage*, 6. ed., Buenos Aires: Abeledo Perrot, 2011, p. 36).
[5] Trata-se de uma linguagem mista, porque "são empregados termos da linguagem natural, que explicam objetos e fenômenos da realidade que têm relevância para o direito, e, também, são utilizados certos termos técnicos, privativos dos assuntos jurídicos, que, por si só, significam fatos, princípios ou raciocínios peculiares à matéria" (FARIA, A linguagem do direito..., p. 238).

tal singularidade por meio da linguagem científica.[6] Qualificar a linguagem como científica é preferível em relação ao termo "linguagem técnica",[7] que tende a representar limitada e genericamente a habilidade específica detida por um sujeito especializado em determinado campo do conhecimento.

Entretanto, a textura aberta[8] das palavras mantém-se na linguagem jurídica, ainda que recebam significado técnico virtualmente inexistente na linguagem natural.[9] Logo, a própria natureza da linguagem jurídica não elimina a ambiguidade e imprecisão das palavras e expressões que empresta da linguagem natural.[10] Isso não se altera no âmbito dos termos jurídicos artificiais, pois eles não contêm significado apriorístico (eventualmente por meio da pré-compreensão) e necessitam receber interpretação que permita concretamente a sua aplicação uniforme.

2.2 Do signo à pragmática

A teoria dos signos (também semiologia ou semiótica)[11] surgiu como instrumento para identificar e evitar imprecisões e ambiguidades comunicativas.[12] O signo é a unidade de representação linguística de um objeto,[13] um conceito teórico com efeito de mediação entre um elemento material significante e um fenômeno significado.[14]

A semiótica classifica-se em três modalidades de vinculação entre os signos: a sintaxe, que relaciona os signos entre si; a semântica, que associa os signos com os objetos referidos; e a pragmática, que conecta os signos com os sujeitos que os empregam.[15]

---

[6] Para Luis Alberto Warat, "onde não há rigor linguístico, não há ciência. Fazer ciência é traduzir numa linguagem rigorosa os dados do mundo; é elaborar uma linguagem mais rigorosa que a linguagem natural." (WARAT, O direito e sua linguagem..., p. 37).

[7] A palavra grega *tekhné* denominava, na antiguidade clássica, a produção artística. O sentido do termo "técnica" tornou-se cada vez mais restrito à designação da destreza prática à medida que a estética conferia autonomia metodológica às artes plásticas. Exemplifica transformação semântica por incremento da complexidade da civilização.

[8] "Tanto quanto a linguagem natural, portanto, a linguagem jurídica – que naquela vai se nutrir – apresenta textura aberta, nela proliferando o que Hohfeld refere como palavras 'camaleão', que constituem um perigo tanto para o pensamento claro como para a expressão lúcida" (GRAU, Direito, conceitos e normas jurídicas..., p. 143).

[9] "Não é um mal injustificável, de toda sorte, este de que padece a linguagem jurídica. E isso porque, se as leis devem ser abstratas ou gerais, necessariamente hão de ser expressas em linguagem de textura aberta." (GRAU, Direito, conceitos e normas jurídicas..., p. 145).

[10] "Manifesta-se a primeira [ambiguidade] em virtude de as mesmas palavras em diversos contextos designarem distintos objetos, fatos ou propriedades. [...] Quanto à imprecisão, decorre de fluidez de certas palavras, cujo limite de aplicação é impreciso." (GRAU, Direito, conceitos e normas jurídicas..., p. 143).

[11] Embora com distinções perceptíveis e muito técnicas apresentadas em: BITTAR, Eduardo C. B. *Linguagem jurídica*: semiótica, discurso e direito, 8. ed. São Paulo: Saraiva, 2022, p. 16-22.

[12] A teoria geral dos sistemas sígnicos foi denominada de semiologia por Ferdinand Saussure e de semiótica por Charles Sanders Pierce, que a desenvolveram de forma simultânea e independente (WARAT, Luis Alberto. *O direito e sua linguagem*, 2ª versão, Porto Alegre: Fabris, 1984, p. 11).

[13] "O signo não é o objeto, apenas está no lugar do objeto. Se representa o objeto, produz na mente do intérprete alguma coisa (um signo ou quase-signo) que também está relacionado ao objeto não diretamente, porém pela mediação do signo." (GRAU, Eros Roberto. Nota sobre os conceitos jurídicos. *Revista de Direito Público*, São Paulo, v. 18, n. 74, p. 259, abr./jun. 1985).

[14] "Para Carnap, o signo é composto por dois elementos: indicador, situado no plano da expressão, de natureza sempre material (som, grafia, gesto), e o indicado, constituído pela situação significativa (fenômeno, fato, situação do mundo), que conseguimos comunicar mediante o indicador" (WARAT, O direito e sua linguagem..., p. 39).

[15] WARAT, O direito e sua linguagem..., p. 39.

Na sintaxe, os signos submetem-se a um conjunto de duas espécies de regras: de formação e de derivação. As regras de formação combinam signos simples para construir expressões mais complexas; as de derivação geram novas expressões. A semântica encerra uma expressão linguística com significado lógico empiricamente verificável.[16]

A pragmática acresce elemento comutativo à semântica e sintática:[17] identifica-se como um "processo reflexivo, que afeta tanto o sujeito a quem a fala é dirigida como o próprio sujeito que fala",[18] caracterizada pela interatividade entre a intenção do emissor e a reação do receptor. Revela-se assim na aplicação da norma jurídica, por relação pragmática entre a sua mensagem impositiva e o resultado da sua concretude.[19]

2.3 Discurso da norma jurídica

Em obra dedicada à pragmática do discurso jurídico, Tercio Sampaio Ferraz Júnior definiu discurso como "ação linguística dirigida a outrem, donde o seu caráter de discussão, em que alguém fala, alguém ouve e algo é dito".[20] O autor identificou como funções pragmáticas do discurso jurídico: sintomática (sentimentos do orador), de sinal (reação do ouvinte) e estimativa (por predicadores como duvidosa, correta, inútil).[21]

O discurso jurídico estabelece uma situação comunicativa pragmática e, como tal, dialógica e reflexiva. Desdobra-se em judicial; normativo;[22] e científico; com o fim de convencimento do interlocutor para obter consenso por meio de proposições verdadeiras.

A evolução do conceito de vantajosidade conecta-se ao discurso pragmático da norma, sem confundi-la com o texto e refletindo o contexto.

3 O que é um conceito jurídico?

O conceito jurídico é o signo de uma significação e se expressa por um termo lexical, que é o signo do conceito.

---

[16] "O problema central da semântica é, assim, o da verdade. [...] A sequência de signos 'a cadeira é branca' é um enunciado ao qual se pode aplicar o predicado verdadeiro, já que expressa um fato que efetivamente pode ocorrer. Ao contrário, a série 'os duendes se apaixonam em maio' é um enunciado semanticamente sem sentido, porque não se refere a nenhum fato ou situação que efetivamente possa ocorrer ou sua existência seja admissível" (WARAT, O direito e sua linguagem..., p. 40-41).

[17] Pois "as línguas naturais não sobrevivem fundando-se exclusivamente em uma sintática e em uma semântica, mas também sobre uma pragmática" (GRAU, Direito, conceitos e normas jurídicas..., p. 144).

[18] JUSTEN FILHO, Introdução ao estudo do direito..., p. 244.

[19] "A análise pragmática é irrelevante para os discursos científicos que se apoiam exclusivamente em bases sintáticas ou semânticas, mas é fundamentalmente importante para os discursos normativos, nos quais deve haver coincidência significativa e ideológica." (FARIA, Eliane Goulart Leão de. A linguagem do direito. *Revista de Direito Público*, São Paulo, v. 15, n. 61, p. 238, jan./mar. 1982).

[20] FERRAZ JÚNIOR, Tércio Sampaio. *Direito, retórica e comunicação*: subsídios para uma pragmática do discurso jurídico. 2. ed. São Paulo: Saraiva, 1997, p. 79.

[21] FERRAZ JÚNIOR, Direito, retórica e comunicação..., p. 25.

[22] "A maior ilusão do legislador é a de que, enunciando formalmente o discurso normativo, proclamando-o para a sociedade (discussão, sancionamento, promulgação, publicação), irá anular a produção de outros textos ou discursos paralelos ao seu" (BITTAR, Linguagem jurídica..., p. 67).

A multiplicidade de significados que afeta a linguagem jurídica é o objeto de incidência da hermenêutica, pela intepretação do conteúdo e do sentido do Direito. A revelação do conteúdo e significação de um conceito jurídico subordinam-se a um processo semântico, destinado a revelar o sentido intrínseco da palavra, e também dialético, que atenta para a dinâmica entre emissor e receptor da ideia, mas sobretudo pragmático.

Logo, o conceito jurídico sujeita-se a atividade hermenêutica que considere o contexto da interação entre os agentes comunicantes.

3.1 Conceito essencialista e conceito jurídico

O critério de distinção entre categorias de conceitos é a posição relativa do signo.

A espécie de conceito que se reporta diretamente a determinado objeto denomina-se essencialista e a sua incidência sobre a essência do objeto indicado é primária; já o conceito jurídico percorre dois graus de incidência sobre o objeto e reporta-se indiretamente a ele. O conceito essencialista é o signo de uma coisa, estado ou situação e está no lugar do objeto; o conceito jurídico é o signo de um signo, está no lugar da significação da coisa, estado ou situação.[23]

A posição do signo perante o objeto posiciona um conceito pela significação gradual: o conceito jurídico representa significação teleológica em segundo grau.

3.2 O problema da indeterminação dos termos

Não há conceito jurídico suficientemente determinado a ponto de prescindir de interpretação pragmática.[24] Produto da comunicação, da linguagem e do discurso, todo conceito possui carga de indeterminação e apresentará lacuna[25] suprível.

Nem por isso é coerente admitir que exista "conceito jurídico indeterminado":[26] o conceito é ideia universal de conteúdo determinável pela hermenêutica; a indeterminação não recai sobre ele, mas sobre a descrição textual que o expressa. Mais precisamente, indeterminado será o signo comunicante do conceito,[27] ou o seu termo.

---

[23] GRAU, Nota sobre os conceitos jurídicos..., p. 260.
[24] Eduardo Bittar adverte que "a ênfase na pragmática da interpretação e no papel ativo do intérprete não implica e não autoriza a recaída no arbítrio, no discricionário, no abuso e no deslimite de sentido" (BITTAR, Linguagem jurídica..., p. 59).
[25] "Embora possamos ligá-la à ideia de 'furo', 'falha', [a lacuna] revela, no fundo, uma função exatamente oposta, pois é condição de possibilidade da completude do discurso da norma que atende às exigências dos valores certeza e segurança" (FERRAZ JÚNIOR, Direito, retórica e comunicação..., p. 190-191).
[26] Discorda-se de que a interpretação de termos indeterminados possa conduzir a juízo discricionário da Administração: "A significar que ainda que o caso comporte outras soluções, não pode a adotada ser tida como ilegal, afastando, destarte, a sindicabilidade proveniente tanto dos órgãos de controle interno como externo" (MONTEIRO, Yara Darcy Police. Conceitos legais indeterminados e o instituto da licitação, *Revista do Tribunal de Contas do Estado de São Paulo*, São Paulo n. 91, p. 324, maio/jul. 2000).
[27] "Os conceitos jurídicos, como vimos, são signos de significações. São expressos – os conceitos jurídicos – através de termos: o termo é o signo do conceito. Esses termos são colhidos na linguagem natural, que é virtualmente ambígua e imprecisa" (GRAU, Nota sobre os conceitos jurídicos..., p. 261).

A indeterminação dos termos jurídicos abre espaço para neologismo que procure contornar a vagueza ou imprecisão dos termos já existentes.

3.3 Neologismo e definição

A teoria lexical distingue ao menos quatro processos neológicos: fonológico (como a onomatopeia), sintático (por derivação e por composição), semântico (ou conceptual, por transposição metafórica) e por empréstimo (estrangeirismo e decalque).[28]

O substantivo "vantajosidade" consiste em neologismo sintático (conjugando elementos existentes no sistema linguístico) por derivação sufixal nominal que expressa a qualidade ou o estado do vantajoso. O acréscimo do sufixo atribui à palavra-base uma ideia que lhe é acessória; nominal por formar um substantivo, em vez de um verbo.

O neologismo denota um vocábulo explicado por uma definição,[29] que não se confunde com o conceito jurídico.[30]

3.4 Conteúdo e evolução do conceito jurídico de vantajosidade

A vantajosidade consiste em signo de linguagem científica integrante do discurso jurídico e declarada por neologismo com significação sujeita à hermenêutica pragmática.

Assume-se por isso que a vantajosidade não pode ser conhecida ontológica e aprioristicamente. Não é possível descrever a essência do seu significado – e nem é essa a finalidade do conceito jurídico.[31] Como categoria conceitual, a vantajosidade possui conteúdo que admite a aplicação de determinada norma jurídica a um fato do mundo real.

Revela-se o conteúdo jurídico da vantajosidade pela trajetória de sua formação e evolução no decorrer de nove edições em que recebeu desenvolvimento inovador: 1ª, 5ª, 10ª, 11ª, 12ª, 15ª, 16ª, 17ª edições de *Comentários à Lei de Licitações e Contratos Administrativos* (Lei nº 8.666) e 1ª edição de Comentários à Lei de Licitações e Contratações Administrativas (Lei nº 14.133). Nas edições intermediárias a essas e na mais recente (2ª edição), totalizando 11, a redação sobre o tema da vantajosidade foi mantida ou sofreu adaptações sistemáticas que não alteraram o sentido imediatamente anterior.

Analisam-se adiante o conteúdo e a evolução do conceito jurídico de vantajosidade em nove edições referidas, com a reprodução dos trechos mais significativos, quando oportuno, para refletir o raciocínio genuíno do autor.

---

[28] ALVES, Ieda Maria. *Neologismo*: criação lexical. 2. ed. São Paulo: Ática, 1994, p. 32.
[29] Definição explica o termo do conceito jurídico, que "é o signo de uma significação, expressado pela mediação do termo. A definição jurídica está referida ao termo e não diretamente ao conceito" (GRAU, Nota sobre os conceitos jurídicos..., p. 264).
[30] É relativamente comum a indistinção entre definição e conceito: "[A imprecisão] sucede quando a lei se utiliza de conceitos indeterminados, residindo a imprecisão no próprio conceito [claramente na *definição*] e não na palavra que os rotula" (GROTTI, Dinorá Adelaide Musetti. Conceitos jurídicos indeterminados e discricionariedade administrativa, Revista do Instituto de Pesquisas e Estudos, Bauru, n. 24, p. 112, dez./mar. 1999).
[31] Que é "não o conhecimento ou uma descrição da essência de coisas, estados e situações, mas a viabilização da aplicação, a uma coisa, estado ou situação, de uma determinada ou de um determinado conjunto de normas jurídicas" (GRAU, Nota sobre os conceitos jurídicos..., p. 261).

4 A vantajosidade na 1ª edição de *Comentários à Lei de Licitações e Contratos Administrativos* – 1993

Na primeira edição de seu *Comentários à Lei de Licitações e Contatos Administrativos*, de 1993, Marçal Justen Filho esboçou identificar o conceito de vantajosidade ao abordar o artigo 3º da Lei nº 8.666/93, ao qual o autor reconheceu "um destaque superior aos demais dispositivos da Lei".

4.1 "Seleção da melhor proposta" como matriz

Referiu de início a "seleção da melhor proposta" como finalidade isolada da licitação comandada pela legislação revogada. Mas a nova lei ampliou esse horizonte para incluir a isonomia como patente finalidade, ao lado da proposta mais vantajosa.

No tópico *3) Finalidade da licitação ("vantajosidade" e outros princípios)* o termo "vantajosidade", ainda entre aspas, foi veiculado pela primeira vez:

> A licitação não se reduz à seleção da proposta mais "vantajosa". A licitação busca realizar dois fins, igualmente relevantes: o princípio da isonomia e a seleção da proposta mais vantajosa. Se prevalecesse exclusivamente a ideia da "vantajosidade", ficaria aberta oportunidade para interpretações disformes. A busca da "vantagem" poderia conduzir a Administração a opções arbitrárias ou abusivas. (1ª ed. 1993, p. 25).

O embrião do conceito jurídico de vantajosidade é a combinação de diversos princípios jurídicos referidos pela lei e destinados a eliminar tanto a discricionariedade quanto a realização de interesse secundário da Administração.

4.2 Ponderação entre vantajosidade e isonomia

A busca da vantajosidade não justifica a superação de meios para alcançar os fins determinados pela norma. A nova lei tornou esclarecido o que estava implícito na legislação revogada, que a isonomia entre licitantes equipara-se à "melhor proposta":

> O art. 3º alude ao princípio da isonomia, dando-lhe destaque inexistente na redação da lei anterior. Essa modificação redacional não alterou a relevância, sempre reconhecida, do princípio da isonomia. [...] Torna-se claro que a licitação não se desenvolve apenas no interesse imediato da Administração, mas representa uma garantia aos próprios particulares que possam interessar-se em contratar com ela. (1ª ed. 1993, p. 25).

Não seria demasiado por isso considerar que o conteúdo jurídico da vantajosidade incide antes sobre o complexo de variados sujeitos e objetos integrantes da licitação do que isoladamente sobre o benefício auferido pela Administração.

4.3 Promoção dos direitos fundamentais envolvidos

A vantajosidade não se resume à obtenção da melhor proposta para a Administração. A opção acolhida deve coerência aos direitos fundamentais, identificados no texto original como "direitos e garantias individuais":

É necessário, mas não suficiente, selecionar a proposta mais vantajosa. A busca desse fim não autoriza violação de direitos e garantias individuais. Portanto, deverá ser selecionada a proposta mais vantajosa e respeitados os princípios norteadores do sistema jurídico. O princípio da vantagem se integra com outros princípios, especialmente o da isonomia. (1ª ed. 1993, p. 25).

O sentido do texto transmite ser insuficiente o "respeito", tendente à neutralidade, a tais direitos alheios. Parece ser inerente à disciplina da licitação que os direitos fundamentais dos particulares sejam abertamente promovidos pela vantajosidade.

Tal é coerente com o juízo de que a licitação destina-se a realizar finalidades úteis aos diversos sujeitos envolvidos, e não somente àquelas inerentes à Administração.

4.4 Contratação eficiente por atividade vinculada

Logo nessa primeira edição divulgam-se dois dos elementos integrantes da natureza da vantajosidade, que será lapidada em edições posteriores. O primeiro consiste na eficiência representada por uma relação de custo-benefício:

> O ideal vislumbrado pelo legislador é, por via da licitação, conduzir a Administração a realizar o melhor contrato possível: obter a melhor qualidade pagando o menor preço. (1ª ed. 1993, p. 28).

Saliente-se o foco no "contrato", não na proposta. Reforça que a licitação não representa um fim em si mesmo, mas um instrumento de realizar finalidade teleológica.

O segundo elemento reporta-se à vinculação da atividade administrativa ao interesse coletivo previamente identificado:

> O administrador não possui disponibilidade do interesse que persegue. Em alguns casos, a Lei faculta ao administrador liberdade para escolher o modo de realizar esse interesse. Surgirá a discricionariedade, que não significa, contudo, liberação do administrador quanto ao fim a perseguir. (1ª ed. 1993, p. 28).

Tal raciocínio sobre discricionariedade de meios e indisponibilidade de fins receberá um detalhamento mais sofisticado na 12ª edição.

5 A vantajosidade na 5ª edição de *Comentários à Lei de Licitações e Contratos Administrativos* – 1998

A elaboração conceitual sobre vantajosidade na primeira edição dos *Comentários à Lei de Licitações e Contratos Administrativos* recebeu múltiplos enfoques e acréscimos por Marçal Justen Filho ao longo das edições posteriores da obra.

Surgiu na quinta edição uma formulação do conceito jurídico mais sofisticada do que a constante na primeira edição. Seguem adiante as inovações mais marcantes.

5.1 Insuficiência do vocábulo "vantagem"

A vantagem mediada pela isonomia é finalidade que orienta o contrato a ser executado de modo adequado e satisfatório ao interesse público[32] envolvido:

> A licitação destina-se a selecionar a proposta mais vantajosa para a Administração Pública (com observância do princípio da isonomia). A vantagem se caracteriza em face da adequação e satisfação ao interesse público por via da execução do contrato. (5ª ed. 1998, p. 55).

Mas a vantagem não é suficiente para externar o conceito jurídico implicado:

> A expressão "vantajosidade" não existe em bom vernáculo. Pede-se licença para sua utilização pela não satisfatoriedade do vocábulo "vantagem". A vantajosidade é a qualidade de vantajoso que algo apresenta. (5ª ed. 1998, p. 55).

Foi marcada a distinção entre os vocábulos "vantagem" e "vantajosidade", até então utilizados de maneira um tanto ambivalente nas edições pregressas. Frisou-se o último como qualidade do primeiro, ao mesmo tempo o reconhecendo como neologismo.

5.2 Obstáculo à vantajosidade a pretexto de isonomia

Passados cinco anos de aplicação da Lei nº 8.666, vigorava um cenário de experimentação de alternativas polarizadas entre o predomínio da isonomia, realçando a disputa entre licitantes, e o da vantajosidade, ainda refletindo um "interesse público" genérico. O argumento adotado naquela edição rejeitava a prevalência de uma por outra:

> Deve-se entender, portanto, que a licitação não pode ser conceituada como um concurso realizado no interesse dos partícipes. Dito de outro modo, o interesse privado e egoístico de cada licitante não pode merecer relevo idêntico ao interesse público de obter um contrato vantajoso. A afirmativa é extremamente perigosa, especialmente se isolada do contexto e das ressalvas que que se seguem. (5ª ed. 1998, p. 56).

Esta última frase retratou a precaução de evitar ambiguidades afastadas na sequência da reflexão e foi consolidada nas edições seguintes.

5.3 Rejeição ao formalismo irracional

A ressalva essencial sobre o interesse mitigado dos partícipes tendeu a manter propostas vantajosas, porém dotadas de defeitos irrelevantes ou sanáveis. Preserva-se a isonomia quando todos recebem idênticas oportunidades no âmbito do certame, inclusive para solucionar problemas que não afetem a vantajosidade da contratação:

---

[32] A partir da 11ª edição a locução "interesse público" passou a ser utilizada mediante intensa ressalva sobre seu conteúdo e alcance, senão evitada.

A isonomia não obriga adoção de formalismo irracional. Atende-se ao princípio da isonomia quando se assegura que todos os licitantes poderão ser beneficiados por idêntico tratamento menos severo. Não se infringe a isonomia quando se permite a todos os licitantes, em igualdade de condições, a correção de defeitos em suas propostas. (5ª ed. 1998, p. 56-57).

A interpretação defendida para a lei foi pela admissão de emendar eventuais inconformidades desinfluentes para a natureza e o conteúdo da proposta:

> A vedação à discriminação injustificada não importa proibição de superar defeitos menores, irregularidades irrelevantes e outros problemas encontradiços na atividade diária de seleção de propostas. Tem-se atribuído à Lei nº 8.666 interpretação distinta, atribuindo enorme proeminência à isonomia – mas a uma isonomia que não conduz à seleção da proposta mais vantajosa. (5ª ed. 1998, p. 57).

Essa orientação foi afinal incorporada pela doutrina e jurisprudência posteriores, de modo a mitigar o formalismo a pretexto de preservar a isonomia entre licitantes.

5.4 Licitação como instrumento da vantajosidade

É inviável preconceber a definição de vantajosidade, o que decorre da conjugação de múltiplas variáveis inerentes à natureza e às prestações da contratação:

> A apuração da vantagem depende da natureza do contrato a ser firmado. A definição dos custos e dos benefícios é variável em função das circunstâncias relativas à natureza do contrato e das prestações dele derivadas. A vantajosidade de uma contratação é um conceito relativo, na acepção de que as circunstâncias é que determinam a consistência da maior vantagem possível. (5ª ed. 1998, p. 55).

Mais ainda, a determinação da vantagem pretendida pela Administração precede a elaboração das regras da licitação:

> Somente é possível formular as regras do procedimento licitatório após a Administração determinar os benefícios que pretenderá obter e os custos que se disporá a assumir. Mais precisamente, incumbir-lhe-á precisar a natureza dos benefícios e custos visados. (5ª ed. 1998, p. 55).

Ou seja, o tipo de licitação e os critérios de julgamento decorrem da vantagem estimada, portanto os benefícios e custos envolvidos devem ser definidos antes da concepção do próprio edital:

> É obrigatório, porém, que a Administração defina o conteúdo da vantagem, antes de promover a licitação. É necessário ter consciência de que a licitação tem natureza instrumental. (5ª ed. 1998, p. 60).

Portanto, a licitação traduz-se em instrumento para atingir como fim a vantajosidade, cuja prévia estimativa condiciona a escolha da configuração daquela.

5.5 Qualidade como elemento da vantajosidade

Dessa edição constou que a conclusão da maior vantagem para a Administração ocorrerá pela combinação da qualidade das prestações estimadas para ambas as partes:

> Um dos ângulos relaciona-se com a prestação a ser executada por parte da Administração; o outro se vincula à prestação ao cargo do particular. A maior vantagem se apresenta quando a Administração assumir o dever de realizar a prestação menos onerosa e o particular se obrigar a realizar a melhor e mais completa prestação. Configura-se, portanto, uma relação custo-benefício. A maior vantagem corresponde à situação de menor custo e maior benefício para a Administração. (5ª ed. 1998, p. 55).

A vantajosidade passa a assumir aspecto mais delineado como a qualidade de uma proporção em nível ótimo envolvendo o menor custo com o maior benefício, como os dois aspectos da economicidade:

> De modo geral, a vantagem buscada pela Administração deriva da conjugação dos aspectos da qualidade e da onerosidade. Significa dizer que a Administração busca a maior qualidade da prestação e o maior benefício econômico. As circunstâncias determinam a preponderância de um ou outro aspecto. No entanto, sempre estão ambos presentes. (5ª ed. 1998, p. 60).

Também se estipulou o conteúdo da vantajosidade em face da economicidade como uma relação desproporcional entre encargos e vantagens, com prevalência destas:

> A economicidade é o resultado da comparação entre encargos assumidos pelo Estado e direitos a ele atribuídos, em virtude da contratação administrativa. Quanto mais desproporcional, em favor do Estado, o resultado dessa relação, tanto melhor atendido estará o princípio da economicidade. (5ª ed. 1998, p. 60).

A disseminação do pregão reforçou a atenção com a qualidade do objeto em face do menor custo. Logo, a vantajosidade não se revela pelo menor custo, mas com um objeto dotado de atributos que permitam a sua fruição satisfatória e completa:

> Mas a vantagem não se relaciona apenas e exclusivamente com a questão financeira. O Estado necessita receber prestações satisfatórias, de qualidade adequada. De nada serviria ao Estado pagar valor irrisório para receber objeto imprestável. [...] A vantagem, nesse caso, estará relacionada com a urgência, mais do que com o valor econômico ou a qualidade técnica. (5ª ed. 1998, p. 60).[33]

---

[33] Os requisitos de qualidade das compras públicas estão entre os arts. 40 e 44 da Lei nº 14.133/2021. Uma análise ampliada sobre esses e outros que afetam a qualidade nas compras públicas constam de: OLIVEIRA, Fernão Justen de. Qualidade das compras públicas na Lei 14.133/2021, In: NIEBUHR, Karlin Olbertz; POMBO, Rodrigo Goulart de Freitas. *Novas questões em licitações e contratos*: Lei 14.133/2021, Rio de Janeiro: Lumen Juris, 2023, p. 113-142.

Assim, a abstração da dimensão financeira da vantajosidade pode ser estendida ao tempo do proveito do objeto, o que acrescenta ao conceito jurídico o aspecto relacionado à inexigibilidade (ou dispensa, em determinados casos) da licitação.

6 A vantajosidade na 10ª e na 11ª edições de *Comentários à Lei de Licitações e Contratos Administrativos* – 2004 e 2005

Ultrapassada uma década de aplicação da Lei nº 8.666, as edições 10ª e 11ª de *Comentários à Lei de Licitações e Contratos Administrativos* conferiram à exposição sobre vantajosidade uma perspectiva bastante mais aproximada da atual.

Por um lado, inaugurou uma análise sob o prisma da aplicação do princípio da proporcionalidade para interpor a isonomia e a vantagem. Por outro lado, incorporou uma crítica à expressão "interesse público" que passou a envolver as abordagens relacionadas.

6.1 Correção de defeitos por proporcionalidade – 10ª edição

As formulações antecedentes sobre isonomia, formalismo e instrumentalidade foram consolidadas sob a égide do princípio da proporcionalidade. Essa concepção aperfeiçoada ficou bem esclarecida na substituição de uma oração conferindo preponderância para a isonomia, que constava na 5ª edição, por outra na 10ª edição, que ressalta a pertinência da proporcionalidade e exemplifica o sentido sob esse prisma.

Enquanto a 5ª edição anunciou: "Não se infringe a isonomia quando se permite a todos os licitantes, em igualdade de condições, a correção de defeitos em suas propostas", na 10ª edição constou: "Aplicando o princípio da proporcionalidade, poderia cogitar-se até mesmo de correção de defeitos secundários nas propostas dos licitantes" (10ª ed. 2004, p. 49).

6.2 Crítica à expressão "indisponibilidade do interesse público" – 11ª edição

Uma das evoluções teóricas mais expressivas veiculadas por Marçal Justen Filho consta da 11ª edição.

Trata-se da rejeição à utilização irrefletida do enunciado "indisponibilidade do interesse público", destacando a idêntica legitimidade dos interesses individuais:

> O autor critica a expressão "indisponibilidade do interesse público" e o faz sob o fundamento de que o interesse somente se torna público por ser indisponível. A expressão criticada tende a criar a ideia de que todo o interesse exercitado pelo Estado seria intrinsecamente superior aos interesses individuais, o que é equivocado. O pensamento do autor pode ser conferido em sua obra Curso de Direito Administrativo, São Paulo: Saraiva, 2005, p. 36-46. (11ª ed. 2005, p. 45).

A própria locução "interesse público" foi qualificada como "vazia de significado" quando desacompanhada de signos que permitam deduzir o seu conteúdo:

> É imprescindível definir o ângulo sobre o qual o chamado "interesse público" será perseguido. Para ser mais preciso, é obrigatório ao Estado identificar a relação entre a sua decisão e o modo concreto de promover a satisfação dos deveres de que é incumbido. Não basta a afirmação de que será selecionada a proposta mais satisfatória para o "interesse público", expressão vazia de significado. É indispensável identificar, de modo preciso e concreto, o modo como a Administração reputa que o dito "interesse público" será satisfeito. (11ª ed. 2005, p. 46-47).

O risco de não relacionar a decisão administrativa com a satisfação da necessidade coletiva subjacente será evocar "interesse público" para capturar a adesão irrefletida da coletividade à escolha do agente estatal sem o apropriado exercício de controle externo.[34]

6.3 Princípio da República e interesses supraindividuais – 11ª edição

Como resultado dessa revisão doutrinária, os interesses supraindividuais substituíram o "interesse público" e o princípio da República comutou a "indisponibilidade do interesse público", inclusive no tocante à vantajosidade.

Tal se evidenciou mais claramente em oração que na 10ª edição estava redigida como: "Rigorosamente, trata-se de desdobramento do princípio mais básico e fundamental que orienta a atividade administrativa do Estado. Toda atuação administrativa orienta-se à satisfação do interesse público" (p. 51) e na 11ª edição passou a: "Rigorosamente, trata-se de desdobramento do princípio mais básico e fundamental que orienta a atividade administrativa do Estado: o Princípio da República. Toda atuação administrativa orienta-se à satisfação dos interesses supraindividuais" (p. 46).

7 A vantajosidade na 12ª edição de *Comentários à Lei de Licitações e Contratos Administrativos* – 2008

A 12ª edição adotou sistematização mais detalhada em relação às edições precedentes. Incluíram-se uma introdução mais extensa sobre princípios e diversos subtópicos sobre vantajosidade, embora mantida boa parte do desenvolvimento (12ª ed. subtópicos 2.1 a 2.1.10, 2008, p. 61-66).

Um desses subtópicos recebeu o título *2.1.2) A conceituação de "vantajosidade"*, que foi assumida como a formulação existente acerca da relação de custo-benefício entre as prestações constante da página 55 da 5ª edição.

Adiante ressaltam-se os outros principais acréscimos e alterações.

---

[34] Ideia explorada em artigo tornado clássico: JUSTEN FILHO, Marçal. O direito administrativo de espetáculo. *In*: ARAGÃO, Alexandre Santos de; MARQUES NETO, Floriano de Azevedo (coord.). *Direito administrativo e seus novos paradigmas*. Belo Horizonte: Fórum, 2008, p. 65-85.

7.1 Rejeição categórica da tese da "supremacia" do interesse público

Adotou-se a partir de então a premissa metodológica que permeia a construção teórica do autor, em especial a da vantajosidade. Não bastasse a anterior crítica à vacuidade da expressão "interesse público", avançou-se à rejeição expressa de que a sua representação apresente "supremacia" em relação a outros princípios, deveres ou direitos:

> O único valor supremo é a dignidade humana. A expressão "interesse público" não apresenta conteúdo próprio, específico e determinado. Costuma ser invocada para a satisfação dos interesses escolhidos pelo governante, o que é absolutamente incompatível com a ordem jurídico-constitucional vigente. [...] Em muitas hipóteses, verificar-se-á a prevalência do interesse de titularidade do sujeito privado, precisamente porque assim foi imposto pela própria Constituição. (12ª ed. 2008, p. 59).

Tais afirmações decorrem, antes, da natureza não absoluta dos princípios, que fluem de um único: a dignidade da pessoa. Depois, da prevalência da regra sobre o princípio quando ambos incidirem sobre o mesmo objeto – pelo aumento da segurança jurídica por redução da margem de indeterminação e ampliação da previsibilidade na aplicação concreta do Direito (12ª ed. 2008, p. 58-59).

7.2 Dever de eficiência e princípio da República

Antes mencionado de passagem na 11ª edição, o princípio da República foi diretamente relacionado à vantajosidade logo no primeiro subtópico *2.1) O princípio da República: a "vantajosidade"*, da 12ª edição:

> A vantajosidade traduz, na verdade, uma manifestação do princípio da República, que impõe a todo o governante o dever de promover a melhor gestão possível. Sob esse ângulo, deve-se reconhecer inclusive um direito fundamental à boa administração, tal como exposto por Juarez Freitas, em estudo absolutamente original entre nós, Discricionariedade Administrativa e o Direito Fundamental à Boa Administração Pública, São Paulo: Malheiros, 2007. (12ª ed. 2008, p. 62).

Esse direito fundamental à boa administração se coaduna com o dever de eficiência gerencial ser cumprido pelo agente público:

> Ele tem o dever de buscar todas as informações pertinentes ao problema enfrentado. Como regra, a seleção da alternativa far-se-á em face dos benefícios potenciais de natureza econômica e dos riscos envolvidos. Quanto maiores os benefícios econômicos que poderão advir de uma certa solução, tanto mais intenso será o dever de adotá-la. (12ª ed. 2008, p. 64).

A ressalva "Como regra" indica a presença da vantajosidade em outros benefícios não financeiros, como contratar objeto de qualidade especial ou por inexigibilidade.

7.3 Integração da economicidade ao conceito de vantajosidade

O benefício financeiro nem sempre refletirá a contratação mais vantajosa, mas isso não elimina a inerência da economicidade, por sua vez resultante do dever de eficiência. Essa constatação resultou da integração, na 12ª edição, dos comentários sobre o princípio da economicidade que nas edições antecedentes estavam dispersos no texto:[35]

> A vantajosidade abrange a economicidade, que é uma manifestação do dever de eficiência. Não bastam honestidade e boas intenções para validação de atos administrativos. A economicidade impõe adoção da solução mais conveniente e eficiente sob o ponto de vista da gestão dos recursos públicos. (12ª ed. 2008, p. 64).[36]

No subtópico *2.1.6) Delimitação do princípio da economicidade*, da 12ª edição, foram identificados três fatores qualificadores da economicidade: previsibilidade (por adequação racional), outros fatores de conteúdo não econômico (como a integridade dos indivíduos) e formalidades jurídicas, como proibições e condições (p. 64-65). Tais comentários, integrados à conceituação de vantajosidade na 12ª edição, constavam da 11ª edição como comentário autônomo sobre o princípio da economicidade (p. 55).

7.4 Discricionariedade de meios e indisponibilidade de fins

Outra concepção integrada na 12ª edição ao conteúdo da vantajosidade foi a vinculação do administrador ao resultado economicamente mais vantajoso através do modo que se revelar mais adequado a satisfazer os interesses supraindividuais.

As peculiaridades do caso concreto condicionarão a atividade de desvelar a vantajosidade em face da economicidade. A lei permite ao agente administrativo certa margem de liberdade de meios para atingir a finalidade almejada:

> Concede-se liberdade ao agente administrativo precisamente para assegurar que opte pela melhor solução possível, em face do caso concreto. Por outro lado, a economicidade delimita a margem de liberdade atribuída ao agente administrativo. Ele não está autorizado a adotar qualquer escolha, dentre aquelas teoricamente possíveis. Deverá verificar, em face do caso concreto, aquela que se afigure como a mais vantajosa, sob o ponto de vista das vantagens econômicas. (12ª ed. 2008, p. 64).

Portanto, a vantajosidade permanece como finalidade indisponível da atividade administrativa, por aplicação do princípio da economicidade. Não há discricionaridade sob esse prisma, mas vinculação.

---

[35] Na 11ª edição o tópico *14) Princípio da economicidade* (p. 54-56) separa-se dos tópicos *3) Finalidade da Licitação: a "Vantajosidade"* e *4) Finalidade da Licitação: a "Vantajosidade e Outros Princípios* (p. 42-43). Na 12ª edição, eles foram unificados, com redação alterada, sob o tópico *2) Os princípios norteadores da licitação* e 2.1.4, 2.1.5, 2.1.6 e 2.1.9 (p. 62-66).

[36] Na anterior 11ª edição, no trecho inicial deste comentário estava redigido "Mas economicidade significa, ainda mais, o dever de eficiência" (p. 54).

7.5 Preço e custos de transação

Também a análise precedente sobre custos de transação foi reunida ao exame da vantajosidade na 12ª edição. Trata-se de teorização pela qual "O 'custo' de uma utilidade não se confunde com seu 'preço'":

> Existem inúmeras despesas, arcadas pelo adquirente, que não integram o valor pago à outra parte. [...] Quanto maiores os benefícios reservados pela Administração para si própria, tanto maior será o preço a ser pago aos particulares. (12ª ed. 2008, p. 66).

O custo de transação reúne as despesas derivadas de um negócio e diluídas na cadeia operacional de modo que se tornam indistinguíveis dos custos explícitos:

> O ente estatal tem de tomar consciência de que todas as reservas, ressalvas e privilégios que introduzir na relação com o particular traduzir-se-ão em um custo econômico a ser pago. A ampliação da incerteza sobre a execução da prestação assumida pela Administração Pública refletir-se-á na elevação do preço a ser pago a um particular. É que a estimativa de custos do particular traduzirá uma estimativa de custos de transação. (12ª ed. 2008, p. 66).

Negligenciar os custos de transação em favor da vantajosidade surte efeitos protraídos no tempo, que não se restringem à ocasião de uma licitação:

> Assim se passa porque os agentes econômicos incorporam em seus preços a experiência do relacionamento passado com a Administração. (12ª ed. 2008, p. 66).

Significa que a vantajosidade possui ainda esse aspecto paradoxal, o qual pode conduzir a frustração até na contratação então reputada como a mais vantajosa possível.

8 A vantajosidade na 15ª edição de *Comentários à Lei de Licitações e Contratos Administrativos* – 2012

A 15ª edição apresentou uma ampla alteração de enfoques sobre a vantajosidade em relação às edições prévias, além de diversa sistematização de matérias já anteriormente tratadas. Tais abordagens defluíram principalmente da diminuição da influência do princípio da economicidade em torno do raciocínio da vantajosidade.

Essa perspectiva se revela desde a primeira página da edição, no capítulo denominado Introdução em comentário ao artigo 1º da Lei nº 8.666:

> Em decorrência das inovações legislativas que têm sido realizadas, uma contratação dotada de "vantajosidade" não deve mais ser fundada apenas em critérios de eficiência econômica direta e imediata. É preciso haver também uma análise da contratação como um todo e dos impactos a serem produzidos em longo prazo. (15ª ed. 2012, p. 11).

A alusão refere-se à introdução no artigo 3º da Lei nº 8.666, pela Lei nº 12.349/2010, do "desenvolvimento nacional sustentável" como a terceira finalidade expressa da licitação, paralelamente às duas preexistentes:

Não existe hierarquia entre "isonomia", "economicidade" e "desenvolvimento sustentável". Isso significa que não será válida a decisão administrativa fundada em exclusivamente em um dos referidos critérios. (15ª ed. 2012, p. 66).

Houve diminuição substancial no desenvolvimento do raciocínio sobre a questão da eficiência e economicidade, com reiterações sintetizadas.[37] Isso não significou rejeição das concepções sobre tais temas formuladas nas edições precedentes, mas reflexo da alteração da influência deles sobre o conceito de vantajosidade.

Ocorreu ainda na 15ª edição o deslocamento dos tópicos sobre regras e princípios e sobre proporcionalidade para momento mais adiantado da obra (p. 69 e ss.), como antecipou a abordagem sobre isonomia (p. 58-61). A relação da vantajosidade com a isonomia mereceu refinamento com a inclusão de tópico específico, *11) A integração entre isonomia e vantajosidade*:

> Portanto, isonomia e vantajosidade se integram de modo harmônico como fins a que se norteia a licitação. Não se admite a preponderância de qualquer um desses fins, o que significa que é antijurídico a Administração adotar soluções não isonômicas sob o pretexto de promover a competição ou obter vantajosidade. Por igual, não se admite que a isonomia conduza a ignorar a obtenção da proposta mais vantajosa. (15ª ed. 2012, p. 69).

8.1 Desenvolvimento nacional sustentável como fim da contratação pública

Diversamente do que constou na Lei nº 12.349, a promoção do desenvolvimento nacional sustentável não é uma finalidade da licitação, mas da contratação pública:

> Ora, a promoção do desenvolvimento nacional sustentável não é uma finalidade da licitação, mas da contratação administrativa [como] um instrumento interventivo estatal para produzir resultados mais amplos do que o simples aprovisionamento de bens e serviços necessários à satisfação das necessidades dos entes estatais. (15ª ed. 2012, p. 62).

Mais adequadamente será o uso direto e indireto da contratação administrativa para atingir o desenvolvimento nacional sustentado, reconhecida a sua dimensão macroeconômica de fomento da mão de obra, da indústria e do equilíbrio ambiental.

Não é demasiado estimar que o desenvolvimento econômico nacional revela-se uma faceta da vantajosidade, em modalidade indireta e não econômica.

---

[37] Nos tópicos *6.1) A contratação e os custos para a Administração; 6.3.1) A vantajosidade econômica e a questão da eficiência* (p. 61); *6.3.3) Ainda o requisito da eficiência econômica* (p. 62) e *9.3) A finalidade indireta da contratação administrativa e a elevação dos custos* (p. 67).

8.2 Caráter axiológico das múltiplas vantajosidades

As inovações da Lei nº 12.349/2010 fizeram surgir pela primeira vez o termo vantajosidade no plural, no tópico 6) *Os fins buscados pela licitação: as "vantajosidades"* (p. 61), expressando a multiplicidade de valores integrados ao conceito jurídico:

> A vantajosidade pode ser enfocada sob uma dimensão econômica, o que conduzirá a uma avaliação da questão sob o prisma da eficiência. [...] Mas existem outros valores relevantes para o Estado e para a Nação além da eficiência econômica. A realização desses outros valores afeta a determinação da vantajosidade da proposta formulada pelos interessados. (15ª ed. 2012, p. 61-62).

A vantajosidade condiciona-se à prévia escolha estatal acerca da necessidade coletiva que se mostre mais urgente por critérios de conveniência e oportunidade sujeitos a condições históricas e socioeconômicas da população e do próprio Estado:

> Suponha-se que aquela com o menor preço esteja fundada numa solução técnica ecologicamente mais nociva do que a outra, de maior preço. [...] A defesa do meio ambiente conduz à proposta de valor mais elevado. Ambas as propostas apresentam-se como "vantajosas", a depender do ângulo sob o qual se conceitue vantajosidade – ou, para ser mais preciso, de acordo com o valor que se reputar que deve prevalecer. (15ª ed. 2012, p. 62).

Ou seja, a vantagem pretendida pela Administração depende de circunstâncias insuscetíveis de identificação estabelecida de modo prévio, padronizado e uniforme.

8.3 Legitimação de vantajosidades não econômicas

Outra elaboração constante da 15ª edição foi determinar a legitimidade da escolha de modalidade de vantajosidade diversa da puramente econômica.

O tópico 10) *Os requisitos de validade da contratação orientada a outros fins* (p. 68-69) estimou basicamente três hipóteses: havendo autorização legislativa (como em certos casos de dispensa de licitação, na preferência a microempresas e empresas de pequeno porte, na defesa do meio ambiente); estando proporcionalmente adequada àquela finalidade diversa; e sem desperdiçar recursos, sendo proporcionalmente necessária:

> Ressalte-se que a orientação da licitação a uma vantajosidade não econômica conduz à elevação dos custos administrativos. [...] Aliás, se esse risco não existisse nem seria necessária a alteração da redação do art. 3º. A alteração do dispositivo se destina a assegurar que a avaliação da vantajosidade da proposta seja considerada não apenas sob um critério econômico restrito (15ª ed. 2012, p. 67).

8.4 Persistência da eficiência econômica

O reconhecimento de outras modalidades de vantajosidades não implica eliminar o dever de contratação eficiente. A proporcionalidade entre elas é o instrumento de ponderação na escolha de uma vantajosidade não econômica:

É essencial insistir em que a realização de outros valores e a adoção de finalidades indiretas para a contratação administrativa não significa autorização para contratações ruinosas. Sempre deverá ser considerada a escassez de recursos públicos, o que exige o seu uso mais racional possível. Há necessidade de ponderar as finalidades buscadas e determinar a solução mais compatível com a eficiência econômica. (15ª ed. 2012, p. 62).

Será tarefa dos partícipes da licitação perseguir o equilíbrio ótimo entre a promoção de uma vantajosidade não econômica e a própria economicidade.[38]

9 A vantajosidade na 16ª e na 17ª edições de *Comentários à Lei de Licitações e Contratos Administrativos* – 2014 e 2016

A 16ª edição, de 2014, manteve a sistematização da edição anterior, com mínimas variações, embora ao menos uma notável para o tema da vantajosidade. Já a 17ª edição recebeu atualização conforme a Lei das Empresas Estatais, de nº 13.303/2016.

Foi sensível o destaque atribuído à proporcionalidade. Na 15ª edição, havia comentário mais suscinto integrado a outros princípios no subtópico *12.3) A ponderação entre os princípios: a proporcionalidade*, com quatro subdivisões (p. 71-72).

Mas na 17ª edição a proporcionalidade foi antecipada para tópico principal no início dos comentários sobre o artigo 3º da Lei nº 8.666: *4) A licitação e a exigência de proporcionalidade*, com seis subdivisões (p. 91-93) e ainda mantido mais adiante o subtópico 12.3, sem subdivisão.

9.1 Vantajosidade por redução da insegurança ao particular – 16ª edição

A isolada alteração substancial sobre a vantajosidade na 16ª edição consistiu na inclusão do relevante subtópico *7.4) A vantagem econômica e a segurança necessária para o particular*. Explica que a diminuição do nível de incerteza quanto a critérios e obrigações envolvidas faz ampliar a atratividade do certame e a acurácia das propostas:

> A licitação desempenha, por isso, uma função de redução de insegurança, permitindo a ampliação das vantagens para a própria administração. A existência de um procedimento predeterminado, com regras precisas e claras, permite que os interessados formulem a proposta mais vantajosa possível. (16ª ed. p. 72-73).

Logo, a redução da insegurança ao particular pode gerar vantajosidade à contratação em equivalência à do acréscimo isolado de benefícios à Administração.

---

[38] Nesse sentido, considerem-se os comentários sobre a Instrução Normativa nº 01/2010, da Secretaria de Tecnologia da Informação e Comunicação, introduzidos na 18ª edição (JUSTEN FILHO, *Comentários...*, 18. ed. São Paulo: RT, 2019, p. 99-102).

9.2 Presunção relativa de imperatividade da licitação – 17ª edição

Nos casos de licitação obrigatória, incide presunção sob dois prismas. Se realizada, escolheu-se a proposta economicamente mais vantajosa; se não realizada, a escolha foi antieconômica (além de ilícita):

> Mas não se pode adotar uma presunção absoluta no sentido de que uma contratação praticada sem licitação acarreta necessariamente prejuízo aos cofres públicos. [...] Mas é perfeitamente possível que a ausência de licitação, ainda numa hipótese em que ela se configurava como obrigatória, resulte numa contratação vantajosa. Isso não eliminará a ilicitude da prática adotada, mas afastará a imputação de lesão aos cofres públicos (17ª ed. 2016, p. 98).

Serão oponíveis duas comprovações autônomas e sem prejudicialidade recíproca: a legitimidade de não realizar a licitação e a vantajosidade da contratação.

9.3 Função social da empresa estatal mediante vantajosidade econômica – 17ª edição

O tópico 7.3) *A pluralidade de dimensões da vantajosidade* contém o subtópico 7.3.4) *A disciplina do tema no âmbito da Lei 13.303/2016*, recebendo essa identificação:

> Ao aludir à função social das empresas estatais, o diploma determinou que a realização do interesse coletivo "deverá ser orientada para o alcance do bem-estar econômico e para a alocação socialmente eficiente dos recursos geridos pela empresa pública e pela sociedade de economia mista" (17ª ed. 2016, p. 99).

Interpretou-se que o "bem-estar econômico" e a "eficiência social" dos recursos da empresa estatal, incluídos no art. 27, parágrafo 1º, da Lei das Empresas Estatais, integram a noção de vantajosidade econômica.

10 A vantajosidade na 1ª edição de *Comentários à Lei de Licitações e Contratações Administrativas* – 2021

A 1ª edição dos Comentários sobre a Lei nº 14.133, que revogou a Lei nº 8.666, deixou de repetir, ao menos de modo concentrado, as anteriores formulações sobre o conceito jurídico de vantajosidade. Assim se repetiu na 2ª edição, de 2023.

Isso não significou eventual rejeição dos fundamentos elaborados ao longo das prévias 18 edições. Por meio delas houve suficiente assimilação do conceito, portanto a 1ª edição sobre a nova lei reforçou-lhes pontos principais e abordou outros enfoques.

10.1 Princípios informadores da vantajosidade: art. 5º, Lei nº 14.133

O advento da Lei nº 14.133 dispersou a disciplina da vantajosidade, antes concentrada no art. 3º da Lei nº 8.666, por outros artigos da lei nova. O art. 5º da Lei nº 14.133 incluiu a eficiência, a economicidade e a eficácia como princípios da licitação,[39] cuja reunião conduz a contemplar a vantajosidade sob o tópico 27) *Os princípios da eficiência da economicidade e da eficácia* (p. 141).

O subtópico 27.2) *A obtenção da contratação mais vantajosa possível* (p. 143-145) reiterou posicionamento anterior do autor acerca de escassez de recursos, relação de custo-benefício, pluralidade de dimensões da vantajosidade e insuficiência isolada da economicidade para refletir a vantajosidade.

10.2 Vida útil como fator da vantajosidade: art. 11, inc. I, Lei nº 14.133

Os objetivos da licitação foram transferidos para o art. 11 da Lei nº 14.133, com previsão no inc. I do alcance do resultado mais vantajoso para a Administração. A redação do dispositivo acresceu o "ciclo de vida" do objeto como integrante da vantajosidade, que não estará atendida sem que seja considerado o seu período de tempo aproveitável:

> Ou seja, pode ser mais vantajoso adquirir um produto com preço mais elevado, mas que apresenta vida útil mais longa do que outro, com preço mais reduzido. (1ª ed. 2021, p. 258).

Isso reforça a redução da influência do menor preço como critério de vantajosidade e inclui elemento temporal como integrante da apuração da economicidade.

10.3 Previsão objetiva da vantajosidade

O art. 33 da Lei nº 14.133 prevê seis critérios de julgamento de propostas, desde o menor preço (inc. I) até o maior retorno econômico (inc. VI). Cada modalidade refletirá determinado aspecto da vantajosidade perseguida pela Administração. Mas não basta que tal vantajosidade seja almejada e subentendida pela escolha do critério de julgamento.

> Tudo aquilo que não estiver referido no edital mesmo que vantajoso, deve ser reputado como irrelevante para fins de avaliação da proposta. Se, eventualmente, a autoridade tomar ciência de que o edital deixou de aludir a uma manifestação de vantajosidade indispensável, a única solução será a revogação do certame e a edição de um outro ato convocatório que contemple o tema. (p. 472)

Logo, a menção ao critério de julgamento é insuficiente para a delimitação da vantajosidade almejada. A Administração não poderá descartar proposta que deixou de contemplar certo ângulo da vantajosidade não delimitado por expresso no edital.

---

[39] Com a advertência no tópico 2) *Tomada de posição contrária ao "principiologismo"* (p. 94).

10.4 Vantajosidade por ampliação da competição: art. 11, inc. II, Lei nº 14.133

A previsão do tratamento isonômico entre os licitantes como objetivo da licitação pelo art. 11, inc. II, da Lei nº 14.133 originou formulação relacionando isonomia com vantajosidade, por meio do aumento da competição:

> A isonomia propicia a ampliação da competição, que resulta em propostas mais vantajosas. Isso significa que o tratamento isonômico propicia a realização não apenas dos interesses privados dos licitantes, mas é uma imposição necessária ao atingimento dos resultados pretendidos pela Administração. (1ª ed. 2021, p. 258-259).

Continua pertinente a elaboração sobre isonomia que constou do tópico *6) Os fins buscados pela licitação: a isonomia* sobre o art. 3º da Lei nº 8.666, transportado para o tópico *13) O princípio da igualdade* sobre o art. 5º da Lei nº 14.133 (1ª ed. 2012, p. 111).

11 Conclusão

A construção do conceito jurídico de vantajosidade avança por processo com dimensão histórica, teleológica e pragmática.

Como conceito, a vantajosidade é composição inacabada e em evolução coletiva. Sua formulação original por Marçal Justen Filho recebe constante contribuição da literatura jurídica,[40] aplicação pela jurisprudência[41] e assimilação normativa autônoma.[42]

Este exame sucinto das edições da obra pela qual Marçal Justen Filho cunhou o termo e divulgou o conceito jurídico de vantajosidade exprime uma sincera homenagem por produzir doutrina essencial e, ao mesmo tempo, gratidão modesta por inspirar a minha e tantas gerações ao entusiasmo pelo estudo e pela ciência do Direito.

---

[40] Além de inúmeros artigos doutrinários disponíveis em meio digital, confiram-se dentre outras as seguintes obras: AMORIM, Victor Aguiar Jardim de. *Licitações e contratos administrativos*: teoria e jurisprudência. Brasília: Senado Federal, 2017, p. 34-38, 161, 197. ARAGÃO, Alexandre Santos de. *Empresas estatais*: o regime jurídico das empresas públicas e sociedades de economia mista. 2. ed. rev. e atual. Rio de Janeiro: Forense, 2018, p. 393. BALTAR NETO, Fernando Ferreira; TORRES, Ronny Charles Lopes de. *Direito administrativo*. 10. ed. rev. e atual. Salvador: Juspodivm, 2020, p. 281-282, 404-408. BINENBOJM, Gustavo. Estudos de direito público. Rio de Janeiro: Renovar, 2015, p. 493, 496. MARRARA, Thiago. *Manual de direito administrativo*: fundamentos, fontes, princípios, organização e agentes, 4. ed., Indaiatuba: Foco, 2024, p. 181. NIEBUHR, Pedro. Licitações sustentáveis. *In*: NIEBUHR, Joel de Menezes. *Nova lei de licitações e contratos administrativos*. 1. ed. [*S. l.*]: Zênite, 2020. cap. 4, p. 49-50. TORRES, Ronny Charles Lopes de. *Leis de licitações públicas comentadas*, 3. ed., Salvador: Juspodivm, 2010, p. 153, 263.

[41] O termo *vantajosidade* constava de 912 acórdãos no sítio eletrônico do TCU até 06/08/2024.

[42] Art. 19 do Decreto nº 7.581, de 11/10/2011 (Regulamento do RDC – Lei 12.462/2011): I - as propostas iniciais serão classificadas de acordo com a ordem de vantajosidade. No art. 22, par. único, do Decreto nº 7.581: No caso de licitação presencial, as propostas deverão ser apresentadas em envelopes lacrados, abertos em sessão pública e ordenadas conforme critério de vantajosidade.

Referências

ALMEIDA, Lúcio Antônio Machado. Objetivos do processo licitatório. *Revista dos Tribunais*, São Paulo, v. 34, dez. 2022.

ALVES, Ieda Maria. *Neologismo*: criação lexical. 2. ed. São Paulo: Ática, 1994.

AMORIM, Victor Aguiar Jardim de. *Licitações e contratos administrativos*: teoria e jurisprudência. Brasília: Senado Federal, 2017.

ARAGÃO, Alexandre Santos de. *Empresas estatais*: o regime jurídico das empresas públicas e sociedades de economia mista. 2. ed. rev. e atual. Rio de Janeiro: Forense, 2018.

BALTAR NETO, Fernando Ferreira; TORRES, Ronny Charles Lopes de. *Direito administrativo*. 10. ed. rev. e atual. Salvador: Juspodivm, 2020.

BINENBOJM, Gustavo. *Estudos de direito público*. Rio de Janeiro: Renovar, 2015.

BITTAR, Eduardo C. B. *Linguagem jurídica*: semiótica, discurso e direito. 8. ed. São Paulo: Saraiva, 2022.

CAPAGIO, Álvaro do Canto; COUTO, Reinaldo. *Nova Lei de Licitações e Contratos Administrativos*. Curitiba: Saraiva, 2021.

CARVALHO, Guilherme. O dilema entre o preço de mercado e a vantajosidade na Lei nº 14.133/2021. *Consultor Jurídico*, 2021. Disponível em: https://www.conjur.com.br/2021-out-15/licitacoes-contratos-dilema-entre-preco-mercado-vantajosidade-lei-141332021/#:~:text=A%20Lei%20n%C2%BA%2014.133%2F2021,%C3%A9%20conferido%20ao%20administrador%20p%C3%BAblico. Acesso em: 6 ago. 2024.

CARVALHO, Fábio Lins de Lessa; MAIA, Vítor Mendonça. *Direito administrativo propositivo*. Curitiba: Juruá, 2019.

CARRIÓ, Genaro R. *Notas sobre derecho y lenguage*, 6. ed. Buenos Aires: Abeledo Perrot, 2011.

COAN, Emerson Ike. Atributos da linguagem jurídica. *Revista de Direito Privado*, São Paulo, v. 16, out./dez. 2003.

COSTA, Carlos Eduardo Lustosa da. *As licitações sustentáveis na ótica do controle externo*, 2011. 56 f. Artigo apresentado como requisito parcial (Especialização em Auditoria e Controle Governamental) — Instituto Serzedello Corrêa – ISC/TCU, Brasília, DF, 2011. Disponível em: http://portal2.tcu.gov.br/ portal/pls/portal/docs/2435919.PDF. Acesso em: 6 ago. 2024.

DI PIETRO, Maria Sylvia Zanella. *Direito administrativo*. 36. ed. rev. e atual. Rio de Janeiro: Forense, 2023.

FARIA, Eliane Goulart Leão de. A linguagem do direito. *Revista de Direito Público*, São Paulo, v. 15, n. 61, jan./mar. 1982.

FERRAZ JÚNIOR, Tércio Sampaio. *Direito, retórica e comunicação*: subsídios para uma pragmática do discurso jurídico. 2. ed. São Paulo: Saraiva, 1997.

FREITAS, Thiago Pereira de. Por uma revisão do princípio da vantajosidade na legislação brasileira. *Revista Eletrônica Direito e Política*, [S. l.], v. 8, n. 3, p. 1.641-1.656, 2014. Disponível em: https://periodicos.univali.br/index.php/rdp/article/view/5422. Acesso em: 6 ago. 2024.

GRAU, Eros Roberto. *Direito, conceitos e normas jurídicas*. São Paulo: RT, 1988.

GRAU, Eros Roberto. Nota sobre os conceitos jurídicos. *Revista de Direito Público*, São Paulo, v. 18, n. 74, abr./jun. 1985.

GROTTI, Dinorá Adelaide Musetti. Conceitos jurídicos indeterminados e discricionariedade administrativa. *Revista do Instituto de Pesquisas e Estudos*, Bauru, n. 24, dez./mar. 1999.

JUSTEN FILHO, Marçal. *Comentários à Lei de Licitações e Contratos Administrativos*. 1. ed. Rio de Janeiro: Aide, 1993.

JUSTEN FILHO, Marçal. *Comentários à Lei de Licitações e Contratos Administrativos*. 2. ed. Rio de Janeiro: Aide, 1994.

JUSTEN FILHO, Marçal. *Comentários à Lei de Licitações e Contratos Administrativos*. 3. ed. Rio de Janeiro: Aide, 1994.

JUSTEN FILHO, Marçal. *Comentários à Lei de Licitações e Contratos Administrativos*. 4. ed. Rio de Janeiro: Aide, 1996.

JUSTEN FILHO, Marçal. *Comentários à Lei de Licitações e Contratos Administrativos*. 5. ed. São Paulo: Dialética, 1998.

JUSTEN FILHO, Marçal. *Comentários à Lei de Licitações e Contratos Administrativos*. 6. ed. São Paulo: Dialética, 1999.

JUSTEN FILHO, Marçal. *Comentários à Lei de Licitações e Contratos Administrativos*. 7. ed. São Paulo: Dialética, 2000.

JUSTEN FILHO, Marçal. *Comentários à Lei de Licitações e Contratos Administrativos*. 8. ed. São Paulo: Dialética, 2000.

JUSTEN FILHO, Marçal. *Comentários à Lei de Licitações e Contratos Administrativos*. 9. ed. São Paulo: Dialética, 2002.

JUSTEN FILHO, Marçal. *Comentários à Lei de Licitações e Contratos Administrativos*. 10. ed. São Paulo: Dialética, 2004.

JUSTEN FILHO, Marçal. *Comentários à Lei de Licitações e Contratos Administrativos*. 11. ed. São Paulo: Dialética, 2005.

JUSTEN FILHO, Marçal. *Comentários à Lei de Licitações e Contratos Administrativos*. 12. ed. São Paulo: Dialética, 2008.

JUSTEN FILHO, Marçal. *Comentários à Lei de Licitações e Contratos Administrativos*. 13. ed. São Paulo: Dialética, 2009.

JUSTEN FILHO, Marçal. *Comentários à Lei de Licitações e Contratos Administrativos*. 14. ed. São Paulo: Dialética, 2010.

JUSTEN FILHO, Marçal. *Comentários à Lei de Licitações e Contratos Administrativos*. 15. ed. São Paulo: Dialética, 2012.

JUSTEN FILHO, Marçal. *Comentários à Lei de Licitações e Contratos Administrativos*. 16. ed. São Paulo: RT, 2014.

JUSTEN FILHO, Marçal. *Comentários à Lei de Licitações e Contratos Administrativos*. 17. ed. São Paulo: RT, 2016.

JUSTEN FILHO, Marçal. *Comentários à Lei de Licitações e Contratos Administrativos*. 18. ed. São Paulo: RT, 2019.

JUSTEN FILHO, Marçal. *Comentários à Lei de Licitações e Contratações Administrativas*. 1. ed. São Paulo: RT, 2021.

JUSTEN FILHO, Marçal. *Comentários à Lei de Licitações e Contratações Administrativas* 2. ed. São Paulo: RT, 2023.

JUSTEN FILHO, Marçal. *Introdução ao estudo do direito*. Brasília: ed. do autor, 2020.

JUSTEN FILHO, Marçal. O direito administrativo de espetáculo. *In*: ARAGÃO, Alexandre Santos de; MARQUES NETO, Floriano de Azevedo (coord.). *Direito administrativo e seus novos paradigmas*. Belo Horizonte: Fórum, 2008, p. 65-85.

MARRARA, Thiago. *Manual de direito administrativo*: fundamentos, fontes, princípios, organização e agentes. 4. ed. Indaiatuba: Foco, 2024.

MONTEIRO, Yara Darcy Police. Conceitos legais indeterminados e o instituto da licitação. *Revista do Tribunal de Contas do Estado de São Paulo*, São Paulo n. 91, maio/jul. 2000.

NIEBUHR, Pedro. Licitações sustentáveis. *In*: NIEBUHR, Joel de Menezes. *Nova lei de licitações e contratos administrativos*. 1. ed. [*S. l.*]: Zênite, 2020. cap. 4, p. 45-57.

OLIVEIRA, Fernão Justen de. Qualidade das compras públicas na Lei 14.133/2021. *In*: NIEBUHR, Karlin Olbertz; POMBO, Rodrigo Goulart de Freitas. *Novas questões em licitações e contratos*: Lei 14.133/2021, Rio de Janeiro: Lumen Juris, 2023, p. 113-142.

OLIVEIRA, Rafael Carvalho R. *Licitações e contratos administrativos*: teoria e prática. 12. ed. Rio de Janeiro: Forense, 2023.

PAULA, Frederico Rios; FREITAS, Flávia Corrêa Azevedo de. A vantajosidade socioambiental nos acordos administrativos, *Jota*, 2023. Disponível em: https://www.jota.info/opiniao-e-analise/artigos/a-vantajosidade-socioambiental-nos-acordos-administrativos-23092023. Acesso em: 6 ago. 2024.

PIRES, Antônio Cecílio M.; PARZIALE, Aniello. *Comentários à nova Lei de Licitações Públicas e Contratos Administrativos*: Lei nº 14.133, de 1º de abril de 2021, 1. ed. São Paulo: Almedina, 2022.

REISDORFER, Guilherme F. Dias. *Diálogo competitivo*: o regime da Lei nº 14.133/21 e sua aplicação às licitações de contratos de concessão e parcerias público-privadas, Belo Horizonte: Fórum, 2022.

ROCHA, Wesley; VANIN, Fábio Scopel; FIGUEIREDO, Pedro Henrique Poli de. *A nova Lei de Licitações*. São Paulo: Almedina, 2021.

SILVA, Maria Beatriz Oliveira da; KESSLER, Márcia Samuel. A (in)eficácia das licitações públicas sustentáveis na administração pública federal brasileira em face aos princípios da isonomia e da economicidade. *Revista dos Tribunais*, São Paulo, v. 21, n. 84, out./dez. 2016.

TORRES, Ronny Charles Lopes de. *Leis de licitações públicas comentadas*. 3. ed. Salvador: Juspodivm, 2010.

TRUBILHANO, Fabio; HENRIQUES, Antonio. *Linguagem jurídica e argumentação* – teoria e prática, 7. ed. Barueri: Atlas, 2021.

WARAT, Luis Alberto. *O direito e sua linguagem*, 2ª versão, Porto Alegre: Fabris, 1984.

ZAMPAR JÚNIOR, José Américo; BIZARRIA, Juliana Carolina Frutuoso. Discricionariedade administrativa e sustentabilidade. *Revista dos Tribunais*, São Paulo, v. 1.017, jul. 2020.

Informação bibliográfica deste texto, conforme a NBR 6023:2018 da Associação Brasileira de Normas Técnicas (ABNT):

OLIVEIRA, Fernão Justen de. O conceito jurídico de vantajosidade formulado por Marçal Justen Filho. *In*: JUSTEN, Monica Spezia; PEREIRA, Cesar; JUSTEN NETO, Marçal; JUSTEN, Lucas Spezia (coord.). *Uma visão humanista do Direito*: homenagem ao Professor Marçal Justen Filho. Belo Horizonte: Fórum, 2025. v. 2, p. 497-521. ISBN 978-65-5518-916-2.

AS SANÇÕES DE EFEITOS EXTERNOS NA LEI Nº 14.133/21

FLÁVIO AMARAL GARCIA

1 A oportunidade da homenagem

Costumo externar com frequência que tive nos Professores Marcos Juruena Villela Souto e Diogo de Figueiredo Moreira Neto as minhas grandes referências na vida profissional e acadêmica, além, evidentemente, dos laços de amizade que sempre nos uniram.

Entretanto, outros Professores e Mestres – ainda que a distância – foram decisivos na minha vida profissional e acadêmica. O Professor Marçal Justen Filho é um deles. Foi um belíssimo presente receber o honroso convite para escrever artigo em sua homenagem, oportunidade na qual posso externar publicamente a sua importância na minha carreira e, evidentemente, agradecer a sua generosidade em compartilhar os seus conhecimentos ao longo das últimas décadas.

2 As sanções administrativas de efeitos externos

Não houve uma mudança substancial quanto às espécies de sanções que podem ser aplicadas no regime contratual público brasileiro. Assim como na Lei nº 8.666/93, a conduta infracional praticada pelo licitante ou pelo contratado poderá desencadear a aplicação das seguintes penalidades previstas no art. 156 da Lei nº 14.133/21: *(i)* advertência; *(ii)* multa; *(iii)* impedimento de licitar e contratar;[1] e *(iv)* declaração de inidoneidade para licitar ou contratar.

As sanções de *impedimento de licitar e contratar* e a *declaração de inidoneidade para licitar ou contratar* são também conhecidas como sanções de efeitos externos, porquanto

---

[1] Registre-se apenas uma mudança de nomenclatura, já que o artigo 87, inciso III, da Lei nº 8.666/93 mencionava a sanção de *suspensão temporária de participação em licitação e impedimento de contratar com a Administração*.

provocam consequências que extrapolam os limites do próprio contrato administrativo, causando restrições concorrenciais e contratuais às sociedades empresárias apenadas.

3 A fixação de parâmetros para a dosimetria das sanções

Como determina o §1º do artigo 156 da Lei nº 14.133/21, os seguintes parâmetros deverão ser considerados pelo gestor público: *(i)* a natureza e a gravidade da infração cometida; *(ii)* as peculiaridades do caso concreto; *(iii)* as circunstâncias agravantes ou atenuantes; *(iv)* os danos que dela provierem para a Administração Pública; *(v)* a implantação ou o aperfeiçoamento de programa de integridade, conforme normas e orientações dos órgãos de controle.

Portanto, na aplicação de qualquer das sanções descritas no artigo 156, caberá ao gestor público o ônus de ponderar sobre cada um dos parâmetros referidos à luz da infração cometida pelo licitante ou contratado. Não se trata de faculdade, mas de *dever jurídico*. Cria-se para o licitante ou contratado apenado o direito subjetivo de compreender como tais parâmetros foram aplicados na dosimetria da pena.

Como determina o artigo 50 da Lei nº 9.784/99 (Lei de Processo Administrativo), a *motivação* deverá indicar os fatos e fundamentos jurídicos quando da imposição de sanções (inciso II), devendo ser *clara, explícita* e *congruente* (§1º do art. 50). Tudo isso pressupõe a consideração adequada dos parâmetros fixados no §1º do artigo 156 da Lei nº 14.133/21.

Os regulamentos a serem editados por cada ente ou mesmo os contratos administrativos deverão explicitar tais parâmetros, sempre com vistas a conferir *segurança jurídica* para contratante e contratado. A gradação da gravidade da infração e as circunstâncias agravantes ou atenuantes na aplicação das penalidades devem ser conhecidas antes e não depois da aplicação da sanção.

Indispensável, ainda, que sejam avaliados os elementos e as peculiaridades do caso concreto. Não se sanciona um licitante ou contratado a partir de parâmetros ou valores abstratos conforme, inclusive, determina expressamente o artigo 20 da LINDB.[2] A avaliação cuidadosa das circunstâncias específicas que acarretaram o cometimento da infração, sempre à luz das premissas fixadas em regulamento ou mesmo no contrato, é pressuposto de uma atividade sancionadora equilibrada e proporcional.

Os danos causados pela infração devem ser objetivamente mensurados, cabendo ao gestor público promover a sua ponderação para definição da pena e do prejuízo causado ao interesse público. Marçal Justen Filho pondera que a avaliação dos danos pode agravar ou atenuar o sancionamento, que deverá corresponder a tais variáveis.[3]

A teor do disposto no artigo 164 da Lei nº 14.1332/21, os licitantes devem manter-se vigilantes para impugnar o edital ou mesmo solicitar esclarecimentos quando a minuta de contrato administrativo for omissa quanto aos referidos parâmetros para aplicação

---

[2] Art. 20. Nas esferas administrativa, controladora e judicial, não se decidirá com base em valores jurídicos abstratos sem que sejam consideradas as consequências práticas da decisão.
[3] JUSTEN FILHO, Marçal. *Comentários à Lei de Licitações e Contratações Administrativas*. São Paulo: Thomson Reuters, 2021, p. 1623.

das sanções, podendo, ainda, questionar em sede administrativa ou judicial quando a aplicação da sanção não avaliar concretamente cada um dos elementos previstos no §1º do artigo 156.

4 A tipificação das infrações

Outra importante inovação foi a tipificação das infrações, conforme previsto no artigo 155 da Lei nº 14.133/21. No regime da Lei nº 8.666/93, não havia correlação mínima entre as infrações e sanções, o que conferia um grau de discricionariedade ampliado para os gestores públicos na aplicação das penalidades, ampliando a insegurança jurídica na relação contratual.

Esse cenário foi alterado a partir da leitura do artigo 155 c/c o artigo 156, §§2º a 6º, da Lei nº 14.133/2, que estabeleceram uma correlação entre tipos infracionais e a sanção aplicável.

Assim é que a *advertência* será cabível *(i)* no caso de inexecução parcial do contrato quando não se justificar a imposição de penalidade mais grave.

A sanção de *impedimento de licitar e contratar* será cabível nas seguintes infrações: *(ii)* der causa à inexecução parcial do contrato que cause grave dano à Administração, ao funcionamento dos serviços públicos ou ao interesse coletivo; *(iii)* der causa à inexecução total do contrato; *(iv)* deixar de entregar a documentação exigida para o certame; *(v)* não manter a proposta, salvo em decorrência de fato superveniente devidamente justificado; *(vi)* não celebrar o contrato ou não entregar a documentação exigida para a contratação quando convocado dentro do prazo de validade de sua proposta; *(vii)* ensejar o retardamento da execução ou da entrega do objeto da licitação sem motivo justificado ensejam a aplicação. Note-se que os §§4º e 5º do artigo 156 da Lei nº 14.133/21 determinam que a *declaração de inidoneidade para licitar ou contratar* poderá ser aplicada para tais infrações, *desde que justificada a incidência da sanção mais grave*.

A sanção de *declaração de inidoneidade para licitar ou contratar* será cabível, de modo exclusivo, quando da ocorrência de uma das seguintes infrações: *(viii)* apresentar declaração ou documentação falsa exigida para o certame ou prestar declaração falsa durante a licitação ou a execução do contrato; *(ix)* fraudar a licitação ou praticar ato fraudulento na execução do contrato; *(x)* comportar-se de modo inidôneo ou cometer fraude de qualquer natureza; *(xi)* praticar atos ilícitos com vistas a frustrar os objetivos da licitação; ou *(xii)* praticar ato lesivo previsto no art. 5º da Lei nº 12.846/13.

E a multa – assim como no regime da Lei nº 8.666/93 – é a única sanção que poderá ser aplicada de modo cumulativo com as demais penalidades, conforme determina o §7º do artigo 156 da Lei nº 14.133/21.

Algumas *observações pontuais* sobre o avanço legislativo na direção da tipificação das infrações administrativas são indispensáveis.

O legislador não esgotou – e nem poderia – todas as possíveis infrações administrativas que podem ocorrer durante uma relação contratual pública. Utilizou tipos abertos como por exemplo "dar causa à inexecução parcial ou total do contrato". Tal circunstância instala um dever de regular as infrações de modo mais detalhado e minucioso, à luz das circunstâncias da execução do próprio objeto e das próprias expectativas da Administração Pública quanto aos padrões de eficiência desejados do contratado.

Como bem esclarece José Anacleto Abduch Santos,[4] é possível referir a três espécies de tipicidade administrativa: *legal* (aquela prevista em lei), *administrativa em sentido estrito* (prevista em atos normativos infralegais) e *contratual* (prevista no próprio instrumento contratual).

Essa regulação sancionatória é dotada de discricionariedade, mas ao mesmo tempo condicionada por princípios gerais de Direito Administrativo e de Direito Contratual, com destaque para o *princípio da proporcionalidade*. Esse detalhamento (legal, infralegal e contratual) produz o efeito prático relevante de reduzir a margem de subjetividade do administrador na aplicação das sanções, evitando a desproporcionalidade na aplicação das sanções e favorecendo o controle externo na correção da aplicação da penalidade.

Essa evolução na regulação contratual sancionatória revela-se de fundamental importância para conferir *segurança jurídica* a quem se relaciona com a Administração Pública, que não pode ficar à mercê de interpretações unilaterais que possam ensejar a aplicação de sanções despidas de razoabilidade.

O contrato não deve ser genérico e impreciso, outorgando ao contratante grande margem de autonomia ou discrição administrativa para a aplicação de sanções por inadimplemento contratual, o que poderia transmudar-se para uma indesejável arbitrariedade.

Cada contrato administrativo apresenta a sua particularidade e características singulares, com variadas dimensões para os tipos infracionais. Uma alternativa interessante seria correlacionar as obrigações do contratado – e o seu eventual inadimplemento – com a incidência das infrações. É indispensável que o administrado não se relacione com a Administração Pública sem o mínimo de previsibilidade em relação aos comportamentos vedados ou ilícitos. O contratado deve conhecer o conteúdo mínimo das condutas consideradas reprováveis e ensejadoras de alguma sanção, em especial aquelas de efeitos externos, cujos efeitos extrapolam os limites da relação contratual e podem causar graves danos na atividade empresarial desenvolvida.

Veja-se, ainda, que o núcleo do comportamento reprovável dos licitantes e contratados que instala a aplicação da penalidade mais grave – a declaração de inidoneidade para licitar ou contratar – envolve em todas as infrações *violações éticas e comportamentos fraudulentos*, conforme se evidencia da leitura dos incisos VIII, IX, X, XI e XII do artigo 156 da Lei nº 14.133/21. A declaração de inidoneidade para licitar ou contratar não alcança, por exemplo, inadimplementos das obrigações do contratado (por mais graves ou danosos) que não se relacionem com comportamentos fraudulentos ou inidôneos do contratado.

Portanto, a partir de uma interpretação sistemática dos artigos 155 e 156 da Lei nº 14.133/21, é possível extrair que a aplicação da sanção da declaração de inidoneidade para os outros tipos infracionais, conforme autorizado pelos §§4º e 5º do artigo 156, deve ocorrer apenas quando evidenciado *comportamento fraudulento ou inidôneo do contratado*. A discricionariedade do administrador público outorgada pelo legislador – que autoriza

---

[4] "Tipicidade legal é relativa aos tipos infracionais previstos expressamente em Lei. Tipicidade administrativa em sentido estrito é aquela relativa a tipos infracionais previstos em atos normativos infralegais, como resoluções, portarias, e no próprio instrumento convocatório da licitação. Tipicidade contratual diz respeito aos tipos infracionais previstos em contrato." SANTOS, José Anacleto Abduch. *Licitação e Contratação Pública de acordo com a Lei nº 14.133/21*.

a imposição de penalidade mais grave – não é irrestrita, mas condicionada ao próprio núcleo definidor das condutas primárias que autorizam a aplicação da declaração de inidoneidade.

Em termos concretos, significa dizer que aplicar a declaração de inidoneidade para licitar ou contratar nas hipóteses dos incisos II, III, IV, V, VI e VII do artigo 156 – *cuja sanção originária é o impedimento para licitar e contratar* – dependerá da comprovação de comportamento fraudulento ou inidôneo do contratado.

A extensão nacional da declaração de inidoneidade para licitar ou contratar, como se verá adiante, ratifica essa interpretação sistemática da Lei nº 14.133/21, sendo indispensável a demonstração de um comportamento inidôneo, fraudulento ou antiético. Aliás, a própria nomenclatura da sanção (*inidoneidade*) explicita o núcleo essencial da conduta reprovável.

5 O impedimento de licitar e contratar e a declaração de inidoneidade para licitar ou contratar: as distinções quanto à extensão e prazo

Como examinado no item anterior, o próprio legislador estabeleceu tipificações distintas para as sanções de impedimento de licitar e contratar e declaração de inidoneidade para licitar ou contratar, o que permite, *ab initio*, identificar quando será cabível cada uma das penalidades.

Entretanto, outras distinções entre as sanções são relevantes, notadamente quanto a sua *extensão* e *prazo*.

O §4º do artigo 156 determina que o *impedimento de licitar e contratar* impedirá o responsável de licitar ou contratar no âmbito da Administração Pública Direta e Indireta do ente federativo que tiver aplicado a sanção, pelo prazo máximo de três anos.

Suponha-se, por exemplo, que determinado Município tenha aplicado a referida sanção a um dos seus contratados. A impossibilidade de licitar e contratar se circunscreve apenas aos limites da Administração Pública Municipal Direta e Indireta. Em termos práticos, a sociedade empresária poderá participar de licitações e celebrar contratos administrativos com todos os demais Municípios brasileiros, Estados da Federação e União.

Solucionando antiga polêmica sobre a diferença da extensão das sanções, o legislador definiu o alcance nacional da *declaração de inidoneidade para licitar ou contratar*,[5] sendo uma penalidade gravíssima, que bloqueia qualquer possibilidade de participação de licitação pública ou mesmo de celebração de contratos administrativos em todo o território nacional.

A depender da atividade empresarial do contratado apenado – imagine-se que o seu principal foco de atuação seja a comercialização de bens e serviços com a

---

[5] Antes da definição do alcance da Lei nº 14.133/21, tive a oportunidade de sustentar que a sua extensão não poderia ser nacional, sob pena de violação ao princípio federativo. GARCIA, Flávio Amaral. *Licitações e Contratos Administrativos: Casos e Polêmicas*. São Paulo: Malheiros, 2018. Como visto, a tese não foi acolhida pelo legislador, que optou pela extensão nacional da sanção. Como se trata de matéria de índole constitucional, nada impede que a discussão seja levada ao Supremo Tribunal Federal para exame à luz da eventual violação ao princípio federativo.

Administração Pública –, a aplicação da referida sanção pode ser uma verdadeira "pena de morte" para a empresa, com consequências sociais gravíssimas, como o encerramento das atividades e a demissão em massa dos seus empregados. Incide diretamente o artigo 20 da Lei nº 13.655/18 (LINDB), que impõe ao gestor público o dever de avaliar as consequências práticas da decisão que sanciona de modo tão grave o contratado.

O legislador perdeu a oportunidade de arrolar, ainda que exemplificativamente, consequências que deveriam ser ponderadas pelo gestor público antes da aplicação de sanção com esse nível de gravidade. Veja-se, por exemplo, que no caso de suspensão ou declaração de nulidade do contrato, o artigo 147 da Lei nº 14.1332/21 estabeleceu um importante guia para avaliação de aspectos concretos que devem ser sopesados pelo gestor público. De todo modo, a omissão legislativa não afasta a incidência do artigo 20 da LINDB, que, insista-se, impõe o dever jurídico de avaliação das consequências concretas que decorrerão da aplicação da declaração de inidoneidade para licitar e contratar.

Ainda quanto à extensão das sanções, ambas *as penalidades impedem a participação em licitação e, consequentemente, em contratar.* Não parece fazer sentido lógico compreender, por exemplo, que a sanção se restringiria apenas aos contratos administrativos, admitindo que o apenado pudesse participar de licitação ou mesmo ser contratado diretamente. As duas sanções administrativas de efeitos externos, a partir de uma interpretação sistemática da lei – e não literal – impedem, a um só tempo, que o apenado participe de licitação (ou mesmo seja contratado diretamente) e celebre contratos com a Administração Pública. Descabe segmentar a licitação da contratação ou vice-versa.[6]

Outro aspecto específico distintivo das sanções é o prazo. O impedimento de licitar e contratar não pode ultrapassar o prazo máximo de três anos. A Administração Pública detém competência discricionária para delimitar o prazo da sanção, devendo, como referido, valer-se do sopesamento motivado dos parâmetros referidos no artigo §1º do artigo 156.

O §5º do artigo 156 determina, por sua vez, que a declaração de inidoneidade para licitar ou contratar impedirá o responsável de licitar ou contratar no âmbito da Administração Pública Direta e Indireta de todos os entes federativos, pelo prazo mínimo de três anos e máximo de seis anos.

---

[6] Em sentido contrário, veja-se a lição de Joel de Menezes Niebuhr: "O inciso IV do caput do artigo 156 da Lei nº 14.133/21 refere-se à sanção de declaração de inidoneidade para licitar ou contratar. A primeira impressão é que o emprego da conjunção alternativa 'ou' entre as palavras licitar e contratar ocorreu por equívoco ou desatenção do legislador. Ora, não é plausível que alguém seja considerado inidôneo para licitar e não para contratar e vice-versa. Essa primeira impressão logo se dissipa. Foi a vontade do legislador, sim. Veja-se que sanção do inciso III do caput do artigo 156 é de impedimento de licitar e contratar. Aqui, no inciso III, o legislador empregou a conjunção aditiva 'e'. No inciso IV, na sequência, empregou a conjunção alternativa "ou". Em acréscimo, o §5º do mesmo artigo 156 anuncia que a sanção do inciso IV '(...) impedirá o responsável de licitar ou contratar (...)', novamente, como se vê, com o emprego da conjunção alternativa. (...) A consequência prática é que, na verdade, a Administração goza de competência discricionária para restringir os efeitos da declaração de inidoneidade à participação em licitação, o que permite a contratação direta do apenado. Ao decidir que a declaração de inidoneidade impede a contratação, por via de consequência, ainda que não afirmado expressamente, ela também impede a participação na respectiva licitação. Sendo mais claro: (i) nas hipóteses em que a declaração de inidoneidade é para participar de licitação, o apenado pode ser contratado pela Administração diretamente, por dispensa ou inexigibilidade; (ii) nas hipóteses em que a declaração de inidoneidade é para contratar, o apenado não pode ser contratado nem participar de licitação – porque esta visa justamente escolher o contratado". NIEBUHR, Joel de Menezes. *Licitação Pública e Contrato Administrativo*. 5. ed. Belo Horizonte: Fórum, 2022, p. 1212/1213.

Houve um excesso de rigor da parte do legislador na fixação de um prazo mínimo tão alargado e uma injustificável redução da discricionariedade do gestor público para ponderar e sopesar os parâmetros para a dosimetria do prazo.

Trata-se de aspecto que mereceria aprimoramento legislativo, não se afastando a possibilidade que, a depender da situação concreta, exista um temperamento da extensão do prazo por meio de interpretação em sede administrativa ou judicial. Insista-se no ponto: o alcance nacional da declaração de inidoneidade para licitar e contratar, com prazo mínimo de três anos e prazo máximo de seis anos, pode provocar a ruína de uma sociedade empresária que for alcançada pela sanção, o que demonstra que tal interpretação torna tais penalidades excessivamente drásticas, podendo colocar em risco a própria ideia de preservação da empresa e, consequentemente, dos empregos por ela gerados, o que contrariaria a própria Constituição Federal.

Não é demais lembrar que a sanção de declaração de inidoneidade pode ser aplicada por todos os entes federativos, o que inclui os mais de 5.000 Municípios brasileiros – o que poderia criar, por exemplo, a peculiar situação de uma sociedade empresária de grande porte e importante *player* no cenário nacional ser punida por um pequeno Município e, com isso, ficar inviabilizada de celebrar contratos com outros entes federados.

O argumento de que o particular apenado pode recorrer ao Poder Judiciário para anular a sanção também não se justifica, eis que, apesar da possibilidade do controle judicial da proporcionalidade na aplicação da sanção, não será descabido cogitar que o Judiciário se posicione no sentido de que se trata de matéria afeta ao mérito administrativo, e, portanto, insuscetível de ser apreciada – o que torna ainda mais delicada a situação dos licitantes/contratados apenados com a gravíssima sanção da declaração de inidoneidade para licitar ou contratar.

E mais: o bloqueio em sede nacional da participação em licitação e, consequentemente, a contratação com o Poder Público também produzem o efeito sistêmico de interferir na dinâmica competitiva dos mercados públicos, podendo acarretar, a um só tempo, prejuízo na economicidade dos preços ofertados ou mesmo problemas concorrenciais decorrentes da redução de operadores econômicos aptos a participar de licitações públicas.

6 A incidência do princípio da proporcionalidade

Como notório, o princípio da proporcionalidade desdobra-se em três elementos:[7] *(i)* a adequabilidade da medida para atender ao resultado pretendido; *(ii)* a necessidade da medida, quando outras que possam ser mais apropriadas não estejam à disposição do agente administrativo; e *(iii)* a proporcionalidade, no sentido estrito, entre os inconvenientes que possam resultar da medida e o resultado a ser alcançado.

---

[7] "Assim é que dele se extraem os requisitos (a) da adequação, que exige que as medidas adotadas pelo Poder Público se mostrem aptas a atingir os objetivos pretendidos; (b) da necessidade ou exigibilidade, que impõe a verificação da inexistência de meio menos gravoso para atingimento dos fins visados; e (c) da proporcionalidade em sentido estrito, que é a ponderação entre o ônus imposto e o benefício trazido, para constatar se é justificável a interferência na esfera dos direitos dos cidadãos". BARROSO, Luís Roberto. *Interpretação e Aplicação da Constituição*. São Paulo: Saraiva, 1996, p. 209.

A Lei nº 9.784/1999 – que disciplina sobre processo administrativo – expressamente fixou no *caput* do art. 2º, como diretriz de todo e qualquer processo administrativo, o princípio da proporcionalidade, vedando, ainda, no seu inciso VI, a aplicação de sanção "em medida superior àquelas estritamente necessárias ao atendimento do interesse público", consagrando a vedação de excessos, que já vinha consolidada em sede jurisprudencial pelo Supremo Tribunal Federal.[8]

No campo do Direito Administrativo Sancionador, as cláusulas contratuais devem estabelecer sanções que sejam proporcionais aos inadimplementos contratuais cometidos.

A proporcionalidade é um princípio geral de Direito que introduz em qualquer ramo do Direito uma premissa de justiça, posto que é nele que devem ser encontradas as balizas e os métodos equânimes e uniformizantes destinados justamente a evitar distorções, excessos e incongruências na aplicação das normas, em especial aquelas afetas ao Direito Administrativo Sancionador.

É dever do administrador público verificar a natureza da conduta praticada e seu grau de reprovabilidade à luz dos princípios que informam a atuação daqueles que se relacionam com a Administração Pública ou que manejam recursos públicos.

Atos dolosos, praticados com evidente má-fé e com o objetivo de locupletamento ilícito, merecem apenamento condizente com a gravidade da conduta e do comportamento praticado. Cabe ao administrador, no exercício do seu poder punitivo, valorar essa ilicitude e aplicar a penalidade coerente e proporcional à infração cometida.

Ao aplicador da norma sancionatória compete cominar as penalidades conforme a razão, de maneira *moderada* (atuando nos limites e parâmetros delimitados em lei), *equilibrada* (levando em consideração a lesividade e a reprovabilidade da conduta do agente infrator) e *harmônica* (ou seja, observando as outras sanções já aplicadas em casos similares, sem perder a coerência e a cautela em evitar comportamentos contraditórios), para que sejam proporcionais e racionais.[9]

No plano das licitações e contratos administrativos, a autoridade administrativa deve – a partir das especificidades do caso concreto – aferir a gravidade e a reprovabilidade da infração dos contratados, para fins de gradação da penalidade a ser aplicada.

Também no caso de inadimplemento nos contratos administrativos, nas infrações leves/médias devem ser aplicadas as penas de advertência e de multa; nas infrações graves e gravíssimas, diversamente, devem ser aplicadas as penas de rescisão do contrato (rescisão-sanção), bem como sanções com efeitos extracontratuais, cujo fundamento direto é a lei, como o impedimento de licitar e contratar e a declaração de inidoneidade para licitar ou contratar, observadas as distinções desenvolvidas no item anterior.

Não há necessidade de que sejam percorridas todas as sanções até chegar à penalidade mais grave. Dito em outros termos: se a infração praticada for gravíssima (imagine-se uma fraude à licitação, com apresentação de documentação falsa), pode o

---

[8] Em referência aos julgados: Questão de Ordem na Medida Cautelar na Ação Direta de Inconstitucionalidade nº 2.551 – MG. Min. Rel. Celso de Mello. Tribunal Pleno. Julgamento em 02.04.2003; ADI nº 6.031 – DF. Min. Rel. Cármen Lúcia. Tribunal Pleno. Julgamento em: 27.03.2020; ADI nº 6.930 – DF. Min. Rel. Roberto Barroso. Tribunal Pleno. Julgamento em: 15.08.2023.

[9] Para aprofundamento do tema ver: *A principiologia no Direito Administrativo Sancionador*, artigo que tive a honra de elaborar em conjunto com o Professor Diogo de Figueiredo Moreira Neto, publicado na *Revista Brasileira de Direito Público – RBDP*, Belo Horizonte, ano 11, n. 43, p. 9-27, out./dez. 2013.

gestor, após percorrido o devido processo legal, rescindir unilateralmente o contrato e aplicar a sanção de declaração de inidoneidade para licitar ou contratar, sem que esteja obrigado a ter advertido ou, mesmo, multado o contratado em momento anterior.

Enfim, ao aplicar determinada penalidade administrativa, cabe ao gestor público realizar um juízo de equidade/proporcionalidade entre a gravidade da conduta praticada pelo contratado e a espécie de sanção a ser aplicada – balizamento, esse, que, para o caso de inadimplemento, deve ter seu conteúdo mínimo regulado no próprio instrumento contratual.

7 O devido processo legal administrativo sancionador

A Constituição Federal estabelece no seu artigo 5º, inciso LV, que "aos litigantes, em processo administrativo judicial ou administrativo, e aos acusados em geral são assegurados o contraditório e ampla defesa, com os meios e recursos a ela inerentes". Portanto, a aplicação de qualquer sanção administrativa depende da instauração prévia de processo administrativo e da observância do devido processo legal.[10]

A Lei nº 14.133/21 introduziu importantes novidades quanto ao tema, notadamente no que diz respeito ao processo administrativo referente às sanções de efeitos externos. O artigo 157 determina: *(i)* que deverá ser instaurado processo de responsabilização, a ser conduzido por comissão composta de dois ou mais servidores estáveis, que avaliará fatos e circunstâncias conhecidos;[11] *(ii)* intimação do licitante ou contratado para, no prazo de 15 dias úteis, contado da data da intimação, apresentar defesa escrita e especificar as provas que pretenda produzir.

Caso seja deferido o pedido de produção de novas provas ou da juntada de provas consideradas indispensáveis pela comissão, o licitante ou contratado ainda poderá apresentar alegações finais no prazo de 15 dias úteis, contado da data da intimação, devendo ser indeferidas, mediante decisão fundamentada, provas ilícitas, impertinentes,

---

[10] Egon Bockmann Moreira explica as condutas que não se adéquam à essência do devido processo legal: "Assim, não será devido o processo (i) sigiloso ou fechado, a não ser quando indispensável para a segurança nacional ou para a proteção do direito à intimidade; (ii) absolutamente informal (não atuado ou encaminhado segundo procedimento e sequência desconhecidos); (iii) burocratizado (excessivamente formal, revestido de formalidades inúteis); (iv) não participativo (em que o particular não é ouvido e não consegue influenciar ou interagir com a Administração, ainda que não seja no exercício da ampla defesa e contraditório); (v) desobediente a prazos mínimos para a prática dos atos; (vi) violador ou aviltante de garantias constitucionais e legais específicas; (vii) que não represente um caminhar par frente (princípio da preclusão); (viii) que despreze os limites objetivos e subjetivos fixados na peça inicial, seja ela produzida pela Administração ou pelo particular (à semelhança do princípio do libelo ou da estabilidade da demanda); (ix) que não busque atingir objetivo público certo, predeterminado e lícito; (x) ineficiente (tanto o que não busca resultado útil quanto que se vale de instrumentos inúteis na busca de resultado útil); (xi) ineficaz (não cumula em uma decisão com efeitos concretos ou práticos); (xii) que não preveja ou possibilite revisão dos atos decisórios de primeiro grau; (xiii) que não permita a atuação ativa da defesa técnica, a ser exercitada por advogado e/ou peritos; (xiv) que não tenha início com notificação, clara e precisa, em que se consigne prazo certo para apresentação de defesa; (xv) que não permita a produção de provas; (xvi) que não se fundamente única e exclusivamente em provas lícitas; (xvii) oneroso (excessivamente custoso aos cofres públicos ou aos particulares)". MOREIRA, Egon Bockmann. *Processo Administrativo Princípios Constitucionais e a Lei nº 9.784/1999 (com especial atenção à LINDB)*. 6. ed. Belo Horizonte: Fórum, 2022. p. 245.

[11] Determina o §1º do artigo 158 que "em órgão ou entidade da Administração Pública cujo quadro funcional não seja formado de servidores estatutários, a comissão a que se refere o caput deste artigo será composto de 2 (dois) ou mais empregadores públicos pertencentes aos seus quadros permanentes, preferencialmente com, no mínimo, 3 (três) anos de tempo de serviço no órgão ou entidade".

desnecessárias, protelatórias e impertinentes, conforme determinam, respectivamente, os §§2º e 3º do artigo 158.

O artigo 159, por sua vez, prescreve que "os atos previstos como infrações administrativas nesta lei ou em outras leis de licitações e contratos da Administração Pública que também sejam tipificados como atos lesivos da Lei nº 12.846, de 1º de agosto de 2013, serão apurados e julgados conjuntamente, nos mesmos autos, observados o rito procedimental e a autoridade competente definidos na referida Lei".

Dada a gravidade dos efeitos das sanções de efeito externo, andou bem o legislador em definir os aspectos mínimos indispensáveis para a tramitação do processo administrativo sancionador, inclusive com um prazo de defesa – 15 dias úteis – compatível com o exercício pleno do direito de ampla e prévia defesa. Nada impede que os entes federados editem regulamentos ainda mais detalhados ou mesmo definam aspectos procedimentais e substantivos na própria minuta de contrato administrativo, desde que observados os requisitos, pressupostos, prazos e condições fixados na Lei nº 14.133/21.

A ampla defesa deve ser integralmente observada sob pena de o processo administrativo sancionador restar maculado por nulidade absoluta e insanável.

Entre tantas outras dimensões do direito à ampla e prévia defesa, o licitante/contratado tem o legítimo direito de saber a ponderação prévia que a autoridade pública exerceu na dosimetria da infração e da pena. Não pode essa ponderação ser exercida *ex post*, ou seja, somente após a apresentação de defesa. Quando isso ocorre, suprime-se o direito a uma instância prévia de defesa, eis que o contratado poderá apenas recorrer da eventual decisão caso discorde da penalidade aplicada e da própria dosimetria.

Ademais, como bem lembra Marçal Justen Filho,[12] a decisão administrativa de natureza sancionadora deverá ser fundamentada e observar os parâmetros fixados no §1º do artigo 489 do Código de Processo Civil, cuja aplicação supletiva e subsidiária decorre do seu artigo 15.

Portanto, não será considerada fundamentada a decisão administrativa que: *(i)* se limitar à indicação, à reprodução ou à paráfrase de ato normativo, sem explicar sua relação com a causa ou a questão decidida; *(ii)* empregar conceitos jurídicos indeterminados, sem explicitar o motivo concreto de sua incidência no caso; *(iii)* invocar motivos que se prestariam a justificar qualquer outra decisão; *(iv)* não enfrentar todos os argumentos deduzidos no processo capazes de, em tese, infirmar a conclusão adotada pelo julgador; *(v)* se limitar a invocar precedente ou enunciado de súmula, sem identificar seus fundamentos determinantes nem demonstrar que o caso sob julgamento se ajusta àqueles fundamentos; *(vi)* deixar de seguir enunciado de súmula, jurisprudência ou precedente invocado pela parte sem demonstrar a existência de distinção no caso em julgamento ou superação do entendimento.

8 A autoridade administrativa sancionadora

Em relação à sanção de declaração de inidoneidade para licitar ou contratar, o §6º do artigo 156 determina que, quando aplicada por órgão do Poder Executivo, será de

---

[12] JUSTEN FILHO, Marçal. *Comentários à Lei de Licitações e Contratações Administrativas*. São Paulo: Thomson Reuters, 2021, p. 1642.

competência exclusiva de Ministro de Estado, de Secretário Estadual ou de Secretário Municipal e, quando aplicada por autarquia ou fundação, será de competência exclusiva da autoridade máxima da entidade.

Ora, ao definir a competência de agentes públicos no âmbito dos Estados e Municípios, a Lei nº 14.133/21 invade a esfera de autonomia de tais entes que podem, em ato normativo próprio, determinar o agente público competente para aplicar tal ou qual sanção administrativa.

Nada obsta, por exemplo, que, por meio de decreto do Chefe do Poder Executivo do Estado ou do Município, seja outorgada competência para outro agente público para a aplicação da sanção de declaração de inidoneidade para licitar ou contratar. Portanto, o §6º do artigo 156 deve ser considerado como norma federal e não geral, sob pena de violar o princípio federativo.

9 A reabilitação

O legislador avançou na disciplina do instituto da reabilitação (também conhecida como *self-cleaning*),[13] que consiste no exercício de competência administrativa para admitir que a sociedade empresária apenada com uma das sanções de efeitos externos reconquiste o direito de participar de licitações e celebrar contratos com o Poder Público desde que atenda aos requisitos previstos no artigo 163 da Lei nº 14.133/21. O ente que aplicou a sanção é o ente competente para promover a reabilitação do antigo licitante ou contratado.

A reabilitação depende do atendimento dos seguintes requisitos: *(i)* reparação integral do dano causado à Administração Pública; *(ii)* pagamento da multa; *(iii)* transcurso do prazo mínimo de um ano da aplicação da penalidade, no caso de impedimento de licitar e contratar, ou de três anos da aplicação da penalidade, no caso de declaração de inidoneidade; *(iv)* cumprimento das condições de reabilitação definidas no ato punitivo; e *(v)* análise jurídica prévia, com posicionamento conclusivo quanto ao cumprimento dos requisitos definidos neste artigo.

Três são as dificuldades práticas para que a reabilitação seja efetiva.

A *primeira* delas é valor do dano. A premissa é que o ente público tenha o seu patrimônio recomposto. Todavia, nem sempre será singelo que as partes alcancem consenso quanto ao valor a ser indenizado. Suponha-se, por exemplo, caso de superfaturamento

---

[13] Rafael Wallbach Schwind esclarece: "O racional do conceito de *self-cleaning*, portanto, consiste em permitir uma espécie de redefinição da conduta futura das empresas condenadas, de forma que elas sejam reabilitadas a participar de licitações e firmar contratos com a Administração Pública caso tome determinadas medidas. Dessa forma, uma empresa que em tese poderia ser impedida de participar de procedimentos de contratação pública em virtude de ter se envolvido com práticas criminosas ou em ilícitos administrativos poderá ser admitida nos procedimentos licitatórios caso tenha tomado todas as medidas necessárias para assegurar que não incorrerá mais nas condutas reprováveis que praticou no passado. O *self-cleaning*, portanto, parte da ideia de que existe uma forma alternativa para se lidar com situações que conduziriam em tese à exclusão de um licitante. Em vez de se promover a sua exclusão, o que seria potencialmente danoso em termos concorrenciais e sociais, estabelece-se que as autoridades adjudicantes têm o dever de avaliar se os interessados adotaram certas medidas que, em última análise, tenham sido eficazes em restabelecer a sua confiabilidade perante a Administração Pública". SCHWIND, Rafael Wallbach. *Self-Cleaning*: a reabilitação de empresas impedidas de participar de licitações no Brasil. Disponível em: https://ojs.cnmp.mp.br/index.php/revistacnmp/article/view/94/98. Acesso em: 16 ago. 2024.

de contrato administrativo. Não será incomum a existência de distintas premissas, métodos e cálculos para se identificar o valor exato a ser indenizado.

A *segunda* dificuldade – e seguramente a mais complexa – é a obrigatoriedade do transcurso do prazo mínimo de um ano para a aplicação da penalidade de impedimento de licitar e contratar e de três anos para aplicação da declaração de inidoneidade para licitar ou contratar.

Houve aqui uma redução injustificada da discricionariedade administrativa pelo legislador e um esvaziamento do instituto da reabilitação. Tome-se como exemplo uma sociedade empresária declarada inidônea e bloqueada de licitar e contratar em todo o território nacional. Apenas após o terceiro ano que poderá postular a sua reabilitação. Até lá a empresa já pode ter sucumbido. A estrutura de incentivos do legislador caminhou na mão inversa do atendimento do interesse público, com um excesso de rigor que não se sustenta quando observadas as finalidades do instituto da reabilitação.

A *terceira* dificuldade é que – ao revés do requisito anterior – o legislador outorgou excessiva discricionariedade ao gestor, estabelecendo que a reabilitação dependerá do cumprimento das condições de reabilitação definidas no ato punitivo. Não há qualquer sinalização de conteúdo substantivo mínimo de que condições seriam essas, sendo certo que tais condições serão definidas unilateralmente público. Suponha-se – em exemplo extremado, mas não impossível – a fixação unilateral de condições irreais para inviabilizar qualquer possibilidade reabilitação. A reabilitação seria esvaziada a partir de uma conduta arbitrária travestida de discricionariedade.

Note-se, ainda, que as sanções pelas infrações previstas no artigo 155 nos incisos VIII (apresentar declaração ou documentação falsa exigida para o certame ou prestar declaração falsa durante a licitação ou a execução do contrato) e XII (praticar ato lesivo previsto no art. 5º da Lei nº 12.846/13, também conhecida como Lei Anticorrupção) exigirão como condição adicional de reabilitação a implantação ou aperfeiçoamento de programa de integridade pelo responsável.

10 Os cadastros unificados

Como medida de racionalização administrativa, o artigo 161 da Lei nº 14.133/21 determina que os órgãos e entidades do Executivo, Legislativo e Judiciário de todos os entes federativos, deverão, no máximo, 15 dias úteis, contado da aplicação da sanção, informar e manter atualizados os dados relativos às sanções por eles aplicadas, para fins de publicidade no Cadastro Nacional de Empresas Inidôneas e Suspensas (CEIS) e no Cadastro Nacional de Empresas Punidas (CNEP), instituídos no âmbito do Poder Executivo Federal.[14]

---

[14] Juliano Heinen detalha os cadastros: "Cadastro Nacional de Empresas Inidôneas e Suspensas (CEIS); trata-se de um banco de dados em que se pode consultar as empresas proibidas de contratar com determinada entidade estatal, ou com as demais, a depender do tipo de sanção administrativa aplicada no âmbito das licitações públicas feitas em todo o país. Em outros termos, o Poder Público pode ministrar uma expiação que impede uma empresa inidônea de estabelecer novos contratos públicos. Cadastro Nacional de Empresas Punidas (CNEP): tal banco de dados foi disciplinado pelo art. 22 da Lei nº 12.846/13 (Lei Anticorrupção ou Lei da Improbidade Administrativa da Pessoa Jurídica) que reunirá e dará publicidade às sanções aplicadas pelos órgãos ou entidades dos Poderes Executivo, Legislativo e Judiciário de todas as esferas de governo. Esta medida servirá como um canal único e

A unificação de dados e informações é de fundamental importância para que todos os entes federados tenham ciência das sanções administrativas aplicadas aos licitantes e contratados. Instalam-se para os entes públicos *dois deveres* imediatos *(i)* comunicar a aplicação das sanções administrativas, observados os limites de cada um dos cadastros; e *(ii)* consultar os cadastros antes das suas contratações a fim de verificar eventual impedimento.

Ademais, tais cadastros concretizam o princípio da transparência administrativa, servindo como um mecanismo de consulta e de monitoramento, inclusive da sociedade civil, acerca da conduta e do desempenho das sociedades empresárias que habitualmente contratam com o Poder Público.

11 Apontamentos finais

Em jeito de conclusão, é possível extrair que as inovações trazidas pela Lei nº 14.133/21 em matéria de infrações e aplicação das sanções administrativas – notadamente as de efeitos externos – foram positivas, eis que, espera-se, incrementem a segurança jurídica no âmbito dos negócios e contratos públicos.

As *virtudes* da nova legislação – sem qualquer pretensão de esgotar o tema – podem ser assim sintetizadas: *(i)* tipificação das infrações e sanções, reduzindo a discricionariedade do gestor público no momento da aplicação da sanção; *(ii)* definição da distinção quanto à extensão e alcance das sanções, resolvendo antiga polêmica doutrinária e jurisprudencial; *(iii)* observância obrigatória de parâmetros para dosimetria das sanções; e *(iv)* delimitação dos aspectos procedimentais para aplicação das sanções, com fixação de prazos razoáveis para o exercício da ampla e prévia defesa.

De outro lado, alguns aspectos são merecedores de *críticas*, tais como: *(i)* a fixação rígida pelo legislador do prazo mínimo para a aplicação da declaração de inidoneidade (três anos), o que resulta em uma injustificável redução da discricionariedade do gestor para avaliar as circunstâncias do caso concreto; *(ii)* a determinação de requisitos para fins de reabilitação *(self-clenaning)*, que, no limite, podem inviabilizar as finalidades do próprio instituto; *(iii)* o avanço do legislador em matéria de competência dos Estados e Municípios, como a determinação da autoridade administrativa responsável pela aplicação da sanção de declaração de inidoneidade, desbordando dos limites de uma norma dita geral.

No mais, a aplicação de sanções administrativas deve ser fiel ao devido processo legal, com a observância estrita dos princípios da ampla defesa e contraditório, motivação e proporcionalidade, como se procurou demonstrar ao longo do texto. Não há aqui nenhuma novidade legislativa, mas uma expectativa legítima de que os processos sancionadores sejam cada vez mais deferentes ao núcleo essencial do devido processo legal adjetivo e substantivo.

A aplicação das sanções administrativas, designadamente as de efeitos externos, não se esgota no desenho normativo da Lei nº 14.133/21. Existe um espaço a ser

central para a consulta de situação e dos antecedentes das empresas acerca da sua higidez em relação ao seu envolvimento em atos de corrupção". HEINEN, Juliano. *Comentários à Lei de Licitações e Contratos Administrativos. Lei nº 14.133/21*. São Paulo: Juspodivm, 2021, p. 773.

preenchido pelos Regulamentos de cada ente e, em especial, pela regulação dos contratos administrativos, sempre com vistas a conferir maior segurança jurídica para contratante e contratado.

Enfim, indispensável que se promova uma interpretação prospectiva da nova Lei nº 14.133/21 a partir das lentes do Direito Administrativo do século XXI. Daí a importância da obra e das lições do Professor Marçal Justen Filho, que sempre nos guiaram a partir da sua abordagem contemporânea, inovadora e, sobretudo, densa em conteúdo jurídico.

Informação bibliográfica deste texto, conforme a NBR 6023:2018 da Associação Brasileira de Normas Técnicas (ABNT):

GARCIA, Flávio Amaral. As sanções de efeitos externos na Lei nº 14.133/21. *In*: JUSTEN, Monica Spezia; PEREIRA, Cesar; JUSTEN NETO, Marçal; JUSTEN, Lucas Spezia (coord.). *Uma visão humanista do Direito*: homenagem ao Professor Marçal Justen Filho. Belo Horizonte: Fórum, 2025. v. 2, p. 523-536. ISBN 978-65-5518-916-2.

O ASSESSORAMENTO JURÍDICO NAS LICITAÇÕES E CONTRATOS NO CONTEXTO DA LEI Nº 14.133/2021

GUILHERME CARVALHO

1 Introdução

A Lei nº 8.666/1993 aclara a importância do parecer jurídico no processo de contratação pública. Inicialmente, o inciso VI do seu art. 38 prevê a necessidade de juntar ao processo administrativo pareceres jurídicos emitidos sobre a licitação, dispensa ou inexigibilidade, ao tempo em que o parágrafo único do mesmo dispositivo legal destaca que "as minutas de editais de licitação, bem como as dos contratos, acordos, convênios ou ajustes devem ser previamente examinadas e aprovadas por assessoria jurídica da Administração". Logo, para o contexto da Lei nº 8.666/1993, o parecer jurídico é indispensável quando da análise do instrumento convocatório (edital e seus anexos), bem assim nos casos de contratação direta.

Por sua vez, a Lei nº 14.133/2021 trata, centralmente, sobre o parecer jurídico em duas oportunidades, divididas em dois grandes blocos: o primeiro deles inserto no art. 10, *caput*, e §§1º e 2º; o outro bloco tem previsão no art. 53, §1º e respectivos incisos, bem como nos §§3º, 4º e 5º.

Porém, muito embora o parecer jurídico esteja, aparentemente, expresso apenas nestes dois blocos, há, ao longo do texto da Lei nº 14.133/2021, várias normas que mencionam a relevância (seja de forma obrigatória, seja por mera facultatividade) da opinião do órgão de assessoramento jurídico.

Dado esse contexto, o presente artigo tem por propósito avaliar o papel do órgão de assessoramento jurídico nas mais variadas fases do processo de contratação pública, iniciando pela fase preparatória da licitação, como também em outras etapas igualmente importantes. Porém, por consequência da disputa jurídica que ainda paira no Supremo Tribunal Federal (STF),[1] a temática relacionada ao art. 10 não será abordada neste artigo.

---

[1] A interpretação sobre o presente dispositivo legal e seus respectivos parágrafos, em virtude das controvérsias interpretativas, sofreu impacto decorrente do julgamento da ADI nº 7.042, proposta pela Associação Nacional

2 O papel do órgão de assessoramento jurídico na fase preparatória da licitação

Inegavelmente, a Lei nº 14.133/2021 avançou quanto à proeminência do órgão de assessoramento jurídico na análise do instrumento convocatório, deferindo-lhe atribuições até então inexistentes, sobretudo na forma expressa da lei. Bem por isso, é possível repensar a abordagem do controle interno, incluindo, com axiomático protagonismo, a contundente análise que pode ser conferida por aqueles agentes que emitem opiniões jurídicas.

À vista de todos esses apanágios, imprescindível avaliar o arcabouço normativo contido no art. 53, sem o que não se faz possível tecer qualquer linha argumentativa quanto ao conteúdo do parecer jurídico, exclusive se padronizado, nas circunstâncias legalmente permitidas.

O tema bem poderia ser abordado de forma mais detalhada e minuciosa, com divisão de tópicos mais discriminados. Todavia, parte da linha de argumentação que poderia ser traçada apartadamente impossibilitaria uma análise globalizante de ideias, as quais, se minudentemente dispersas, podem acarretar deságio dos pontos de vista que pretendemos sustentar.

2.1 A análise prévia da legalidade: art. 53, *caput*

> Art. 53. Ao final da fase preparatória, o processo licitatório seguirá para o órgão de assessoramento jurídico da Administração, que realizará controle prévio de legalidade mediante análise jurídica da contratação.

A Lei nº 14.133/2021 dispõe sobre a manifestação do órgão de assessoramento jurídico como condição necessária à divulgação do edital de licitação. A norma inserta no *caput* do art. 53 reproduz a mesma finalidade da disposição contida no parágrafo único do art. 38 da Lei nº 8.666/1993. Sem a manifestação do órgão de assessoramento jurídico, o edital da licitação não pode ser lançado, tratando-se de nulidade absoluta. É dizer, o parecer jurídico é indispensável para atestar a análise da fase preparatória, indicando e distinguindo quais os possíveis pontos – segundo análise estritamente jurídica – a serem modificados, de modo a evitar posteriores nulidades, primando pela higidez do processo de contratação pública.

Interpretando o preceito legal, é possível perceber o escopo do legislador quanto à importância da avaliação jurídica como condição indispensável para a lisura do processo licitatório. A opinião jurídica tem por finalidade apontar os possíveis vícios capazes de macular a probidade do processo licitatório, motivo pelo qual deverá o órgão de

---

dos Procuradores dos Estados e do Distrito Federal (ANAPE), bem como a ADI nº 7.043, de autoria da Associação Nacional dos Advogados Públicos Federais (ANAFE), tendo por objeto, em seu conjunto, os artigos 17, *caput* e §§ 14 e 20, e 17-B, da Lei nº 8.429/1992, alterados e incluídos pelo artigo 2º da Lei nº 14.230/2021, e os artigos 3º e 4º, X, da referida Lei nº 14.230/2021. Por assim ser, a interpretação conferida à respectiva norma perdeu forças, o que se dá pelas mais variadas razões, especialmente pelo fato de o Supremo Tribunal Federal haver declarado a não obrigatoriedade de sua utilização ao menos para fins de ação de improbidade administrativa.

assessoramento jurídico assinalar, por meio de parecer fundamentado, os atos, realizados na fase preparatória (que antecede a divulgação do edital), que necessitam ser revistos, evitando posterior alegação de nulidade quando da divulgação do edital.

Muito embora a discussão sobre normais gerais de licitação seja suficientemente ampla na doutrina e jurisprudência pátrias, parece-nos que o art. 53, *caput*, enquadra-se no conceito de norma geral de licitação, cuja reprodução é mandatória para todos os entes federativos e por todas as entidades e órgãos que se sujeitam à contratação pública regida pelos ditames da Lei nº 14.133/2021, os quais não poderão, nesse particular, produzir normas em sentido contrário, a exemplo da dispensa do parecer jurídico (§5º do art. 53).

O fato de o *caput* do art. 53 mencionar a obrigação de um controle prévio da fase preparatória do processo licitatório não inibe a realização de controle posterior pelo órgão de assessoramento jurídico. Tal afirmação é facilmente comprovável quando se analisa, por exemplo, o conteúdo da norma contida no art. 169, II, da Lei nº 14.133/2021, que insere o órgão de assessoramento jurídico na segunda linha de defesa do controle das contratações públicas, controle este que, segundo redação do *caput* do art. 169, será permanente e contínuo quanto à gestão de riscos.

Contudo, a despeito da clara redação do *caput* do art. 53, persiste uma contundente discussão sobre o conteúdo da legalidade, de modo que é necessário definir quais os limites do papel exercido pelo órgão de assessoramento jurídico quanto ao enfrentamento e aprofundamento deste tema.

O princípio da legalidade representou um significativo avanço para a consolidação do Estado de Direito, redirecionando a atividade da Administração Pública. Partindo de uma ideia fundamental, a legalidade, em sentido formal, submete a Administração Pública ao Direito.

> O princípio da legalidade, assim estabelecido como fundamento de direitos individuais e, por natural desdobramento, de direitos políticos de representação popular na constituição dos poderes, reprime o absolutismo do Poder estatal e condiciona a atividade da Administração Pública. [...].
>
> Ao contrário da pessoa de direito privado, que, como regra, tem a liberdade de fazer aquilo que a lei não proíbe, o administrador público somente pode fazer aquilo que a lei autoriza expressamente ou implicitamente.[2]

Marcello Caetano,[3] com elucidativa propriedade, assinala que a Administração Pública, em um regime de legalidade, está submetida à lei e que a atividade por ela desenvolvida tende a ser uma atividade executiva. O autor acentua ainda que, muito embora haja uma zona na Administração em que a política e a técnica tenham o seu lugar, "mesmo aí é a lei que está no princípio da atribuição da competência dos órgãos que realizam opções políticas ou determinam operações técnicas".

Nesse cenário, em que a complexidade das atribuições desenvolvidas pela Administração Pública não possui qualquer limitação, agregando ao tomador de decisão a

---

[2] TÁCITO, Caio. O princípio da legalidade: ponto e contraponto. *Revista de Direito Administrativo*, Rio de Janeiro, n. 242, p, 125-132, out./dez. 2005. p. 126.
[3] CAETANO, Marcello. *Princípios fundamentais do direito administrativo*. Coimbra: Almedina, 1996. p. 79.

desvantagem de lidar com o desconhecido, ofertar opinião jurídica sobre matéria cujo domínio é restrito torna-se uma ocupação emblemática. De tal modo, nem sempre o que se leva à apreciação do parecerista condiz com o domínio que possui sobre a questão suscitada.

Petrônio Braz[4] assimila a legalidade do ato administrativo, de qualquer natureza, com a segurança da ordem jurídica. Segundo o autor, para que prevaleça a legalidade no ato administrativo tem de existir, no agente público, obediência à lei, preferivelmente de forma voluntária, fazendo haver, no ato administrativo, uma decorrência da vontade em concordância com a lei. Por fim, salienta que o princípio "obriga o agente público a explicitar o fundamento legal e fático de qualquer ato praticado".

Garrido Falla,[5] ao tratar da supremacia jurídica da Constituição, menciona que, nos modernos Estados de Direito com constituição escrita, esta desempenha um triplo papel. Primeiro, serve de base material e formal para a norma jurídica em geral. Em segundo, seu conteúdo constitui o ponto de partida para a elaboração das leis e para posterior interpretação. Por fim, estabelece a própria hierarquia das fontes do Direito, constituindo, obrigatoriamente, o ponto de partida para a valoração jurídica da tipologia normativa.

É que a Administração já não mais se pauta somente na previsão normativa inserta na lei formal, o que faria com que o parecer jurídico se limitasse apenas a uma coadunação formalista, sem adentrar em qualquer outro aspecto que possibilite um protagonismo maior por parte daquele a quem se destina a consulta jurídica e, consequentemente, também tem por dever fornecer soluções para além das previstas na própria lei.

À nova concepção do princípio da legalidade agregam-se os princípios da juridicidade, da legitimidade, da constitucionalidade, sendo que para imprimir um novo significado ao princípio da legalidade deve-se, inicialmente, assentar a vinculação direta da Administração à Constituição, notadamente quanto aos princípios que propiciam efetividade à atividade e cumprimento da função administrativa.

Segundo Sainz Moreno,[6] o princípio da legalidade é apenas um dos elementos do Estado de Direito, que, além disso, possui outros valores superiores, a exemplo da igualdade, da justiça e da liberdade, além da própria segurança nas relações jurídicas. A moderna concepção de legalidade submete a Administração Pública à lei e ao Direito.

Por certo que a legalidade, assim como o interesse público, não pode ser vista como princípio a ser interpretado de forma absoluta. O dever de proporcionalidade serve como fundamento e técnica da decisão administrativa. Em certa medida, esta disposição vem contida no art. 30 do Decreto-Lei nº 4.657/1962 – Lei de Introdução às Normas do Direito Brasileiro (LINDB) –, que se aplica, por expressa disposição normativa (parte final do art. 5º da Lei nº 14.133/2021), como valor principiológico ao processo de contratação pública.

Inquestionavelmente, o interesse só pode ser considerado público se destinado ao atendimento das necessidades e interesses dos administrados. Logo, qualquer cum-

---

[4] BRAZ, Petrônio. *Manual de direito administrativo*. 2. ed. São Paulo: Editora de Direito, 2001. p. 149-151.

[5] FALLA, Fernando Garrido. *Tratado de derecho administrativo*: parte general. 9. ed. Madri: Centro de Estudos Constitucionales. 1985. v. 1. p. 291-292.

[6] SAINZ MORENO, Fernando. La buena fe em las relacioes de la Administración com los administrados. *Revista de Administración Pública*, Madri, n. 89, p. 293-314, may./ago. 1979, p. 311-312.

primento burocrático, se prejudicial ao destinatário das decisões e ações administrativas (consumidor do serviço público), violará o princípio da supremacia do interesse público, ainda que sob a roupagem de haver cumprido a lei, razão pela qual é cada vez mais significativo o consequencialismo jurídico como ferramenta hermenêutica do Direito amplamente contemplado na LINDB.

Assim, deve-se ter em vista que a noção de interesse público nem sempre se contrapõe à de interesses individuais, a exemplo dos pleitos dos contratados, que podem se submeter, por exemplo, a métodos alternativos de solução de controvérsias, ajuste que deve ser submetido ao crivo e apreciação do órgão de assessoramento jurídico.

Por consequência, a legalidade deve ser avaliada em conjunto com o interesse público envolvido, buscando razões e fundamentos para que seja buscada a melhor alternativa para a resolução do caso em concreto, sendo função do órgão de assessoramento jurídico, sempre que instado a se manifestar (e independentemente da fase do processo de contratação pública), prover o gestor das melhores soluções e alternativas que sejam suficientes para a adequação dos interesses, conferindo o pragmatismo eficaz que se espera do caso da Administração Pública.

Sem qualquer tangenciamento, a Lei nº 14.133/2021 propicia uma forma mais ágil de concretização dos atos jurídico-administrativos, alinhando-se à desburocratização e à maior eficiência da Administração. Fugir das amarras da legalidade rígida traduz, para o Poder Público, apresentar satisfação à sociedade em tempo hábil e de forma dinâmica.

O grande desafio a ser perseguido no contexto das contratações públicas é apartar-se das zonas cinzentas, em que, supostamente, resida uma disputa entre a legalidade e a eficiência, destacadamente porque a principiologia prevista no art. 37 da Constituição Federal não possui um condão de definitividade. Como um todo, o roteiro perseguido na Nova Lei de Licitações e Contratos Administrativos caminha por uma via de flexibilidade, seja por pragmatismo ou desígnio normativo, em que se pretendeu, eficientemente, pôr em prática os resultados esperados de uma Administração Pública habilidosa.

2.2 Conteúdo do parecer jurídico: §1º do art. 53

> §1º Na elaboração do parecer jurídico, o órgão de assessoramento jurídico da Administração deverá:
>
> I – apreciar o processo licitatório conforme critérios objetivos prévios de atribuição de prioridade;
>
> II – redigir sua manifestação em linguagem simples e compreensível e de forma clara e objetiva, com apreciação de todos os elementos indispensáveis à contratação e com exposição dos pressupostos de fato e de direito levados em consideração na análise jurídica;
>
> III – (VETADO).

Um ponto bastante polêmico inaugurado pela Lei nº 14.133/2021 diz respeito ao conteúdo do parecer jurídico, bem assim à forma como deve ser redigido. Em certa medida, a redação do §1º é um tanto contraditória, porque, ao tempo em que afirma que o parecer deva utilizar linguagem simples, igualmente retrata a necessidade de apreciar todos os elementos necessários e indispensáveis à contratação pública.

Primeiramente, cumpre analisar a redação do inciso I do §1º. Segundo este dispositivo legal, o órgão de assessoramento jurídico deverá analisar o processo licitatório conforme critérios objetivos prévios de atribuição de prioridades. O legislador não foi suficientemente claro em definir qual agente público detém a atribuição para o estabelecimento das prioridades estabelecidas no dispositivo legal.

Dito de outro modo, não resta definido na lei se a ordem de prioridade deve ser estabelecida pelo próprio órgão de assessoramento jurídico ou se é encargo do gestor, ou mesmo se a definição da sobredita ordem de prioridade é uma decisão conjunta. A nosso sentir, a despeito de a lei não haver sido suficientemente precisa quanto a este aspecto, não é atribuição do parecerista objetivar a ordem de prioridade. Além disso, é de se destacar que os critérios objetivos prévios de atribuição de prioridade a que se refere o inciso I não se limitam à licitação, estendendo-se também à fase de contratação, como, por exemplo, à continuidade de um contrato de prestação de serviços, bem assim às contratações diretas (dispensas e inexigibilidades de licitação).

Portanto, em se tratando do inciso I, imprescindível que haja o estabelecimento prévio, contemplado em norma infralegal, apontando critérios e cronologia para a mencionada ordem de preferência, havendo a possibilidade de ajustamento de exceções. Exemplificativamente, tal como ocorre no Poder Judiciário em relação às medidas de cognição sumária (liminares, tutelas de natureza cautelar etc.), deve a Administração Pública estabelecer, segundo as particularidades de cada entidade licitante, como se dará a ordem para emissão dos pareceres, inclusive com critério de dias, na conformidade do que sói ocorrer nas leis que tratam sobre processos administrativos.

Por outro lado, o inciso II retrata uma inquietação já encontrada na jurisprudência do Tribunal de Contas da União, evitando a prolação de pareceres genéricos,[7] que não enfrentam o questionamento jurídico a ser avaliado no caso em concreto, o que pode gerar responsabilização, a teor do disposto no art. 28 da Lei de Introdução às Normas do Direito Brasileiro (LINDB). Ocorre que o legislador, neste inciso II, foi assaz abrangente, na medida em que não delimita qual o conteúdo dos elementos indispensáveis à contratação. Como já frisado, compreende-se que a pretensão normativa se restringe à análise de todos os elementos indispensáveis, porém de conteúdo jurídico. Isso se justifica à medida que o próprio *caput* do mesmo artigo 53 se refere à "análise jurídica da contratação".

Além disso, outro ponto merece destaque nessa primeira abordagem: o possível caráter vinculante do parecer jurídico e a correspondente independência funcional de quem o emite, tema este que encontra reflexo com maior incidência nos órgãos de assessoramento jurídico municipais, destacadamente quando não possuem procuradores dotados de independência funcional. Assim, por não possuírem a imparcialidade naturalmente exigida para o exercício do cargo, o conteúdo das normas previstas nos incisos I e II do §1º do art. 53 pode restar comprometido.

Estabelecendo algumas considerações finais, é factível afirmar que o cumprimento das exigências previstas pelo legislador quanto ao teor e à forma de elaboração de

---

[7] TCU-RP: 01086220188, Relator: Weder de Oliveira, Data de Julgamento: 26/05/2020, Primeira Câmara.

um parecer jurídico pode variar, a depender da estrutura organizacional do órgão de assessoramento jurídico, bem como da forma como são preenchidos os cargos.

2.3 A divulgação do edital após a instrução jurídica: §3º do art. 53

> §3º Encerrada a instrução do processo sob os aspectos técnico e jurídico, a autoridade determinará a divulgação do edital de licitação conforme disposto no art. 54.

Tecnicamente, o §3º do art. 53 simplesmente confere um evidente formalismo natural aos atos e, por mais razões, aos processos administrativos, permitindo seja atingido o princípio da publicidade, cuja proteção constitucional (art. 37, *caput*) é acompanhada na Lei nº 14.133/2021, com especial atenção – sem prejuízo de outros dispositivos legais – no art. 5º, atingindo conteúdo de norma princípio.

Obviamente, existem hipóteses em que o parecer jurídico é plenamente dispensável, segundo regra contida no §5º do art. 53, que será objeto de análise. Em tal caso, a publicidade prescinde do parecer, não se estabelecendo qualquer liame vinculativo entre a opinião jurídica e a divulgação do edital de licitação.

Nada obstante a previsibilidade do §3º, que segue, em proposital encadeação topográfica, a robusta temática do §2º, existem hipóteses a serem avaliadas para além da dispensabilidade que o próprio legislador facultou, as quais devem ser estudadas à luz da teoria das nulidades.

A regra contida no §3º do art. 53 propaga uma supositícia nulidade insuperável, condicionando a divulgação do edital à análise da minuta pelo órgão de assessoramento jurídico, pelo que, sem parecer, o edital não pode ser divulgado, sendo nula a sua veiculação e os consequentes atos da fase externa do processo licitatório.

A principal indagação diz respeito ao fato de ser ou não possível proceder às demais fases do processo licitatório quando não ocorreu a preparação prévia para a referida divulgação. Isso porque a localização do art. 54 denuncia ser necessária a edição de parecer jurídico, tanto porque, ao suceder o art. 53, tem por pressuposto que o instrumento convocatório foi objeto de análise pelo órgão de assessoramento jurídico.

Ocorre que, segundo dispõe o inciso I do art. 71 da Lei nº 14.133/2021, é imperioso sanar as irregularidades sempre que possível. Trata-se, segundo nossa concepção, de mandamento cogente, não havendo espaço para discricionariedade administrativa se o ato pode ser sanado, sobretudo quando levados em consideração os princípios da eficiência e efetividade, bem como as consequências práticas da decisão.

De tal modo, quando da divulgação do edital de licitação, o órgão ou agente responsável por dar publicidade ao processo licitatório deverá conferir se a fase anterior foi devidamente cumprida, isto é, se consta nos autos parecer jurídico. Não havendo, houve supressão de fases e, certamente, um desvio de finalidade por quem determinou o envio do processo à divulgação ultrapassando a fase de análise jurídica.

Obviamente, não se discute sobre a prevalência da análise prévia, sendo exceção a convalidação. Todavia, anular, instintivamente, o ato de publicação quando não há prejuízo que decorra de um exame posterior viola um dos princípios reitores da contratação pública, a eficiência. Por sensatez e obedientemente ao poder disciplinar atribuído à autoridade superior, imprescindível a apuração da responsabilização de quem deu causa ao fato, seja pelo descumprimento de um dever legal, seja pela possibilidade de haver causado maior prejuízo à Administração, em especial se não fosse possível a sanatória das irregularidades.

2.4 O parecer jurídico na contratação direta e em outros instrumentos: §4º do art. 53

> §4º Na forma deste artigo, o órgão de assessoramento jurídico da Administração também realizará controle prévio de legalidade de contratações diretas, acordos, termos de cooperação, convênios, ajustes, adesões a atas de registro de preços, outros instrumentos congêneres e de seus termos aditivos.

A Lei nº 8.666/1993 não se referiu, de forma expressa, à necessidade de pareceres jurídicos em processo de contratação direta, constando, todavia, no parágrafo único do art. 38, a referência a acordos, convênios ou ajustes, bem assim aos contratos. Contrariamente ao que muitas vezes propagado, a contratação direta não elimina a licitação, tampouco o processo licitatório, sendo afetada tão apenas a ampla competitividade, razão pela qual a Lei nº 14.133/2021 traz, em seu corpo, um dispositivo específico sobre o processo de contratação direta.

> Art. 72. O processo de contratação direta, que compreende os casos de inexigibilidade e de dispensa de licitação, deverá ser instruído com os seguintes documentos:
> III – parecer jurídico e pareceres técnicos, se for o caso, que demonstrem o atendimento dos requisitos exigidos.

De forma expressa, o inciso III do art. 72 refere-se ao parecer jurídico como documento indispensável para o processo de contratação direta. Trata-se de previsão que deve ser observada, excluindo-se, tão apenas, os casos em que é possível, na conformidade do §5º do art. 53.

A redação do inciso III do art. 72 promove, sem qualquer margem de dúvidas, duas interpretações. A primeira delas no sentido de que a facultatividade do parecer jurídico deriva tão apenas deste mesmo dispositivo legal, não sendo necessário qualquer reforço por parte do que dispõe o §5º do art. 53. A segunda margem interpretativa concilia-se à possibilidade de isenção do parecer apenas quando for o caso, hipótese que deve, necessariamente, ser autorizada pela autoridade jurídica máxima competente.

Explica-se: o inciso III faz menção a parecer jurídico e pareceres técnicos (este, no plural), sendo que o predicado pode coincidir tanto com o sujeito composto como um todo ou, apenas, com a parte final (pareceres técnicos), que se encontra no plural. Tal porque o verbo "demonstrem" tem, também, conjugação compatível apenas com a segunda parte do sujeito composto. De tal modo, seguindo a segunda linha interpretativa, a condicionante (se for o caso) não obrigatoriamente faz referência ao parecer jurídico, sendo plenamente viável essa exegese.

Teoricamente, a condicionante (se for o caso) estaria adstrita a um juízo discricionário tópico, a depender de cada caso em concreto. Tal interpretação faria com que fosse avaliado, em uma situação específica, se o parecer pode ou não ser obrigatório, isto é, se o processo de contratação direta poderá dispensar parte dos incisos previstos no art. 72.

Essa não é, a nosso ver, a melhor hermenêutica, destacando-se que, salvo as hipóteses previamente definidas pela autoridade jurídica máxima competente, segundo estabelecido no §5º do art. 53, o parecer jurídico será obrigatório, notadamente quando se tratar de contratação pública cujo vulto financeiro é mais elevado, o que ocorre em alguns casos de contratação decorrente de emergência, na conformidade da previsão do inciso VIII do art. 75 da Lei nº 14.133/2021.

Analisando, conjuntamente, os dois dispositivos legais, parece inquestionável que o vício redacional do inciso III do art. 72 não adere à norma mais genérica encontrada no §5º do art. 53, que leva em consideração, dentre outros, o valor, a complexidade, a entrega imediata do bem. Assim sendo, a confiabilidade da contratação direta é um tanto maior quanto mais contundente for o processo estabelecido no art. 72.

2.5 A dispensabilidade do parecer jurídico: §5º do art. 53

> §5º É dispensável a análise jurídica nas hipóteses previamente definidas em ato da autoridade jurídica máxima competente, que deverá considerar o baixo valor, a baixa complexidade da contratação, a entrega imediata do bem ou a utilização de minutas de editais e instrumentos de contrato, convênio ou outros ajustes previamente padronizados pelo órgão de assessoramento jurídico.

O §5º do art. 53 da Lei nº 14.133/2021 é, certamente, um dos mais controversos dispositivos legais espalhados ao longo do texto normativo, precipuamente por não haver um conceito claro e preciso sobre quem é autoridade jurídica máxima competente. A Lei de Licitações e Contratos Administrativos (Lei nº 14.133/2021 – NLLC) inovou no regramento concernente ao parecer jurídico exigido nos certames visando a contratações públicas.

Na forma do *caput*, o órgão de assessoramento jurídico da Administração deve realizar "controle prévio de legalidade mediante análise jurídica da contratação". De seu turno, os parágrafos desse dispositivo expressam aspectos complementares ao enunciado da cabeça do artigo e consagram exceções ao seu comando, tal qual previsto no art. 11, III, "c", da Lei Complementar nº 95/1998.[8]

Assim é que o §5º estabelece possibilidade de dispensa da análise jurídica em hipóteses previamente definidas em ato da "autoridade jurídica máxima competente", considerando fatores como baixo valor e baixa complexidade da contratação. Mas quem é a "autoridade jurídica máxima" competente para tal ato?

---

[8] Dispõe sobre a elaboração, a redação, a alteração e a consolidação das leis, conforme determina o parágrafo único do art. 59 da Constituição Federal, e estabelece normas para a consolidação dos atos normativos que menciona.

A primeira – e mais simples – juntura a se desatar para o deslinde da questão refere-se ao reconhecimento de que a pergunta deve ser transposta para o plural: quem são as autoridades jurídicas máximas? Afinal, a Lei de Licitações e Contratos Administrativos veicula, para os entes federados subnacionais, apenas normas gerais, sendo certo que a autoridade jurídica máxima da União – quem quer que seja – não detém competência para, sob o pretexto de regulamentar o disposto no §5º aludido, fixar hipóteses de dispensa de parecer jurídico em contratações dos Estados, do Distrito Federal e dos Municípios.

Superada essa preliminar, passemos aos nós aparentemente "cegos".

Da independência dos Poderes Executivo, Legislativo e Judiciário, estabelecida no art. 2º da Constituição Federal, decorre sua autonomia administrativa, a qual vem expressa, para o poder judicante, no art. 99, da Lei Fundamental. No exercício desse mister, as contratações levadas a cabo pelos Poderes Legislativo e Judiciário são realizadas pelas unidades administrativas destes, com aval do órgão de assessoramento jurídico interno de cada qual, segundo entendimentos, procedimentos internos e minutas próprios, sem descurar, por certo, de regulamentações gerais enquadradas na competência do Presidente da República (art. 84, IV, *in fine*, da Constituição).

Por conseguinte, não se vislumbra a possibilidade de ato do Poder Executivo Federal que dispense análise jurídica ter eficácia sobre os demais Poderes. A mesma conclusão vale para o Ministério Público, o Tribunal de Contas e a Defensoria Pública da União, órgãos que igualmente dispõem de autonomia administrativa.

Logo, para esses Poderes e órgãos autônomos de extração constitucional, é de rigor reconhecer que a "autoridade jurídica máxima competente" é o respectivo dirigente da unidade responsável pelo assessoramento jurídico, *e.g.*, o Advogado-Geral do Senado Federal, o Consultor Jurídico do Tribunal de Contas da União etc. No caso do Poder Legislativo Federal e do Poder Judiciário, não é despiciendo lembrar que as Casas e os Tribunais que os compõem também gozam de autonomia administrativa, cabendo, pois, a cada um, disciplinar a matéria internamente.

Por força do princípio da simetria, com os devidos ajustes decorrentes das peculiaridades de cada ente, igual entendimento se aplica a Estados, Distrito Federal e Municípios.

Vencida a *quaestio* atinente à separação de Poderes, voltemos os olhos para o Poder que mais contrata: o Poder Executivo.

Como é cediço, a Administração se divide em direta e indireta, esta compreendendo autarquias, empresas públicas, sociedades de economia mista e fundações públicas,[9] as quais se vinculam – embora não se subordinem – a Ministérios, isto é, à Administração Direta (art. 4º, I e II, e parágrafo único, do Decreto-Lei nº 200/1967).

Para fins de descentralização e eficiência, as entidades componentes da Administração indireta foram dotadas de personalidade jurídica própria e de autonomia administrativa. Logicamente, seus órgãos de assessoramento jurídico não se confundem com os da Administração Direta, ainda que a Procuradoria-Geral Federal, que assessora autarquias e fundações, vincule-se à Advocacia-Geral da União, órgão de cúpula do

---

[9] Não é demais lembrar que a Lei nº 14.133/2021 não se aplica às licitações e contratações das estatais, as quais são regidas pela Lei nº 13.303/2016.

sistema jurídico da Administração Direta federal (art. 9º da Lei nº 10.480/2002 c/c art. 1º, *caput* e parágrafo único, da Lei Complementar nº 73/1993).

Assim, se, para os órgãos da Administração Direta, deve-se ter como "autoridade jurídica máxima competente" o Advogado-Geral da União, para autarquias e fundações, a competência para edição do ato de que trata o art. 53, §5º, parece recair sobre o Procurador-Geral Federal.

Aqui igualmente cumpre invocar o princípio da simetria, de modo que os Procuradores-Gerais de cada Estado-membro ou Município e do Distrito Federal hão de ser tidos como autoridade a qual se atribui poder para edição do ato de dispensa da análise jurídica da contratação. Havendo órgão distinto para assessoramento jurídico das entidades da Administração indireta, será de seu titular a competência.

A proliferação de autoridades competentes para edição do ato que estabelecerá a dispensabilidade de análise jurídica da contratação gerará, obviamente, igual multiplicação desses provimentos. Nessa senda, resta inevitável a pergunta: não há risco de enfraquecimento da "segunda linha de defesa" das contratações públicas, integrada pelas unidades de assessoramento jurídico e de controle interno dos órgãos e entidades, a teor do art. 169, II, da Lei nº 14.133/2021?

Não vemos dessa forma, por algumas razões.

Há que se ter sempre em conta o *telos* do §5º do art. 53: dar celeridade à contratação e evitar a prática de atos prescindíveis, que pouco ou nada agregam. De tal modo, pareceres repetitivos, simplesmente replicados de um processo licitatório para outro, constituem ato *pro forma* que em nada acrescentam na gestão de riscos e no controle preventivo (art. 169, *caput*).

Em acréscimo, a previsão é do estabelecimento de hipóteses em que a análise jurídica da contratação é "dispensável", sempre podendo o gestor recorrer ao órgão de assessoramento jurídico para dar respaldo técnico ao certame e às suas decisões. E, mais importante: o §5º baliza a definição das hipóteses em que caberá a dispensa de análise jurídica, estipulando como parâmetros o baixo valor, a baixa complexidade, a entrega imediata ou a utilização de minutas de editais e instrumentos de avença.

Se, por um lado, a Lei de Licitações e Contratos Administrativos confere ao gestor maior flexibilidade para realizar contratações com agilidade e eficiência, por outro, a margem de discricionariedade concedida foi devidamente formatada para proteger o Estado-Administração e a sociedade. E, nunca é demais lembrar, quando se ultrapassa a margem de discricionariedade legada pelo legislador, chega-se ao arbítrio e, *ipso facto*, à ilegalidade.

3 A atuação do órgão de assessoramento jurídico em outras fases da contratação pública

3.1 O papel do órgão de assessoramento no controle das contratações

Definitivamente, um dos grandes avanços na nova Lei de Licitações e Contratos Administrativos está relacionado ao controle das contratações públicas. A lei destina um capítulo específico para tratar, exclusivamente, sobre o tema, inovando em relação a vários aspectos, destacadamente quanto ao enaltecimento concedido ao controle interno em sentido amplo (incluindo aqui tanto os órgãos de controle interno em sentido estrito como toda a atuação de fiscalização e controle dos agentes públicos que exercem suas funções dentro do órgão), concretizado por mais de uma "linha de frente".

De forma incontrastável, a Lei nº 14.133/2021 garantiu proeminência ao controle interno nas contratações públicas. Dito mecanismo de controle, que não suprime o controle externo, em franca aderência ao texto constitucional, propõe uma divisão de linhas, prioritariamente três linhas de frente, alocando, conforme a sistematização prevista no art. 169, o controle exercido pelo órgão de assessoramento jurídico na segunda linha de frente.

Segundo previsto no inciso II do *caput* do art. 169, o legislador empregou a expressão "unidade", em vez de órgão de assessoramento jurídico. Por consequência, a unidade de assessoramento jurídico integra, juntamente com o controle interno do próprio órgão ou entidade, a segunda linha de defesa. Em outras palavras, o controle das contratações públicas é atividade permanente, desde o planejamento da licitação até a fiel execução do contrato, comprovando que o órgão ou unidade de assessoria jurídica integra o exercício do controle contínuo e estratégico.

3.2 O papel do órgão de assessoramento jurídico no encerramento da licitação

No que toca ao processo licitatório, a prioridade do legislador quanto à preservação dos atos realizados no curso de todo o processo é comprovada mediante a leitura do art. 71, o qual enumera uma ordem de preeminência quando do encerramento da licitação. O aludido art. 71 compõe o capítulo VII do Título II, dedicando-se à conclusão do processo licitatório. Reza o mencionado dispositivo legal que, "encerradas as fases de julgamento e habilitação, e exauridos os recursos administrativos, o processo licitatório será encaminhado à autoridade superior, que poderá: I – determinar o retorno dos autos para saneamento de irregularidades [...]".

Inquestionavelmente, há, no contexto da Lei nº 14.133/2021, uma cautela do legislador quanto à finalização do processo licitatório e, já na fase de execução contratual, a prioridade para o cumprimento do objeto contratado, independentemente da declaração de qualquer nulidade. Logo, sob qualquer vertente, anular e revogar licitação ou não executar o contrato passa a ser, sob a nova ótica interpretativa, extremada exceção, o que denota uma prevenção quanto às consequências práticas da decisão administrativamente adotada.

3.3 A atuação do órgão de assessoramento jurídico na atividade consensual da Administração Pública

Diferentemente da Lei nº 8.666/1993, a Nova Lei de Licitações dedica exclusivo capítulo para tratar "dos meios alternativos de resolução de controvérsias", aderindo à benfazeja política conciliatória, além de oportunizar às partes contratantes não se submeterem à morosa resolução dos litígios pelo Poder Judiciário.

Nota-se, portanto, que o legislador pretendeu estabelecer cânones para a prática de uma política de anteposição bélica, condecorando a conciliação e, nesse alvissareiro passo, dedica quatro artigos segregados à abordagem do tema, os quais se adicionam a outros dispositivos legais, previstos nas mais diversas legislações que autorizam a firmação de acordos pela Administração Pública, em especial o artigo 26, da Lei de Introdução às Normas do Direito Brasileiro (LINDB), com as alterações promovidas pela Lei nº 13.655/2018, bem como a Lei nº 13.140/2015, que disciplina a autocomposição de conflitos no âmbito da Administração Pública.

De fato, ao ensejo da previsão anunciada na Lei de Introdução às Normas do Direito Brasileiro (LINDB), nomeadamente o artigo 26, que enaltece os concertos administrativos após oitiva do controle interno, revela-se, na Nova Lei de Licitações e Contratos Administrativos, um caminho legislativo no mesmo compasso, protegendo a atividade administrativa por intermédio de quem, naturalmente, detém maior expertise quanto ao conteúdo do ato a ser controlado.

Inegável que houve, na Lei nº 14.133/2021, um significativo avanço legislativo ao estabelecer as mais variadas medidas conciliatórias como formas alternativas de resolução de conflitos envolvendo a Administração Pública e os contratados, designadamente quando se leva em consideração o esgotamento da capacidade do Poder Judiciário em solucionar, a tempo e a contento, os litígios que lhe são submetidos.

4 Considerações finais

Inegavelmente, a Lei nº 14.133/2021 concedeu uma significativa importância ao órgão de assessoramento jurídico, papel que vai muito além de um simples cumprimento burocrático de funções administrativas protocolares, na medida em que proporciona – e, até certo ponto, obriga – que este órgão avance sobre o controle interno da contratação pública.

A disposição das mais variadas atribuições ao longo de todo o corpo normativo solidifica a pretensão do legislador em priorizar o controle interno, de forma integrada e permanente, atividade esta que deve contar com o apoio do órgão de assessoramento jurídico, independentemente de haver expressa previsão normativa.

Referências

BRASIL. *Lei nº 13.303, de 30 de junho de 2016*. Dispõe sobre o estatuto jurídico da empresa pública, da sociedade de economia mista e de suas subsidiárias, no âmbito da União, dos Estados, do Distrito Federal e dos Municípios. Brasília, DF: Presidência da República, [2021]. Disponível em: https://www.planalto.gov.br/ccivil_03/_ato2015-2018/2016/lei/l13303.htm. Acesso em: 18 ago. 2024.

BRASIL. *Lei nº 14.133, de 1º de abril de 2021*. Dispõe sobre o estatuto jurídico da empresa pública, da sociedade de economia mista e de suas subsidiárias, no âmbito da União, dos Estados, do Distrito Federal e dos Municípios. Brasília, DF: Presidência da República, [2021]. Disponível em: https://www.planalto.gov.br/ccivil_03/_ato2019-2022/2021/lei/l14133.htm. Acesso em: 18 ago. 2024.

BRAZ, Petrônio. *Manual de direito administrativo*. 2. ed. São Paulo: Editora de Direito, 2001.

CAETANO, Marcello. *Princípios fundamentais do direito administrativo*. Coimbra: Almedina, 1996,

FALLA, Fernando Garrido. *Tratado de derecho administrativo*: parte general. 9. ed. Madri: Centro de Estudos Constitucionales. 1985. v. 1.

SAINZ MORENO, Fernando. La buena fe en las relaciones de la Administración con los administrados. *Revista de Administración Pública*, Madrid, n. 89, p. 293-314, may./ago. 1979.

TÁCITO, Caio. O princípio da legalidade: ponto e contraponto. *Revista de Direito Administrativo*, Rio de Janeiro, n. 242, p. 125-132, out./dez. 2005.

Informação bibliográfica deste texto, conforme a NBR 6023:2018 da Associação Brasileira de Normas Técnicas (ABNT):

CARVALHO, Guilherme. O assessoramento jurídico nas licitações e contratos no contexto da Lei nº 14.133/2021. *In*: JUSTEN, Monica Spezia; PEREIRA, Cesar; JUSTEN NETO, Marçal; JUSTEN, Lucas Spezia (coord.). *Uma visão humanista do Direito*: homenagem ao Professor Marçal Justen Filho. Belo Horizonte: Fórum, 2025. v. 2, p. 537-550. ISBN 978-65-5518-916-2.

A VIAGEM REDONDA: A LEI Nº 14.133/2021 E O RESILIENTE PROBLEMA DAS NORMAS GERAIS EM LICITAÇÕES E CONTRATAÇÕES PÚBLICAS

GUSTAVO BINENBOJM

I Nota prévia

Celebrar os 70 anos de Marçal Justen Filho é, de certa forma, constatar o quanto o tempo é fugidio. Quando me formei, em 1994, o Direito Administrativo ainda era outro. Marçal, aos 40 anos, era um ainda jovem professor em ascensão, inicialmente dedicado ao Direito Tributário.

A verdade é que, nas últimas três décadas, e sem nenhum exagero, coincidindo com o mais longo período de vigência contínua do constitucionalismo democrático da nossa história, Marçal Justen Filho tornou-se um dos refundadores do Direito Administrativo no Brasil. Antes, uma disciplina forjada por homens de governo, do Império à República Velha, passando pelo Estado Novo varguista até a ditadura militar, preocupada em operacionalizar o funcionamento da burocracia e fazer prevalecer *razões de Estado* sobre quaisquer interesses individuais, o Direito Administrativo se converte numa caixa de ferramentas, a serviço da implementação de direitos fundamentais e da realização de políticas públicas democraticamente legitimadas.

Marçal foi professor titular na Universidade Federal do Paraná de 1986 a 2006 e hoje leciona no Instituto de Direito Público – IDP, em Brasília. Ele é um dos autores mais prolíficos e influentes do moderno Direito Administrativo brasileiro. Destaco, de sua vasta bibliografia, *a Teoria Geral das Concessões de Serviço Público*, o best seller *Comentários à Lei de Licitações e Contrações Administrativas* e o seu monumental *Curso de Direito Administrativo*. Foi uma grande honra tê-lo em minha banca de doutorado e na banca do meu concurso público para professor titular da UERJ. Honra maior, no entanto, é desfrutar de sua amizade, ao lado da querida e brilhante advogada Monica Spezia Justen.

Este modesto artigo, em tema no qual Marçal pontifica entre nós, é uma singela homenagem ao querido amigo e Mestre, cuja obra me inspirou enormemente. Como disse David Foster Wallace, a genialidade não é replicável; a inspiração, no entanto, é contagiante, generosa e multiforme. Obrigado, Marçal.

II A Lei nº 14.133/2021 e o resiliente problema das normas gerais em matéria de licitações e contratações públicas

Errar é humano. E, ao que parece, reincidir no erro também. A Lei nº 14.133/2021, obstinadamente, instituiu um verdadeiro código de licitações e contratações públicas, tratando da matéria de forma exaustiva e sistematizada. Como já o fizera a Lei nº 8.666/1993, o art. 1º do novo diploma proclama que todas as suas normas são *gerais*, independentemente de seu conteúdo específico. Retornamos, assim, ao problema do regime anterior: o constituinte (CF, art. 22, XVII, na forma da EC nº 19/98) delegou ao Congresso poder para redefinir o conceito de norma geral ou o legislador, ao entrar em tantos detalhes, acabou editando normas *específicas*, obrigatórias apenas para a Administração Federal e não para os entes subnacionais?

Ao julgar a ADI nº 927 (rel. Min. Carlos Velloso), o STF afirmou que normas da Lei nº 8.666/1993 que limitavam doações e permutas com bens públicos eram específicas – portanto apenas *federais*, não *nacionais*. Estados e municípios poderiam legislar, quanto ao tema, de modo diverso. Mas como generalizar o critério se o conceito de norma geral é do tipo *indeterminado*? Na ADI nº 4.658 (rel. Min. Edson Fachin), a Corte invalidou lei paranaense que ampliara hipótese de dispensa de licitação, enquanto na ADPF nº 282/RO (rel. Min. Gilmar Mendes) derrubou lei municipal que criara modalidade de PPP para mera execução de obra pública. Em ambos os casos a norma geral foi tida como violada. Já nas ADPFs nºs 971, 987 e 992 (rel. Min. Gilmar Mendes), o STF validou lei do Município de São Paulo que permitia a prorrogação e a relicitação de contratos de concessão de maneira distinta da norma federal.

A Lei nº 14.133/2021 incorporou leis e decretos federais, além da jurisprudência do TCU. Nela há dispositivos situados na *zona de certeza negativa* do conceito de norma geral, como outros posicionados, no mínimo, na chamada *zona de incerteza*. Respeitada a zona de certeza positiva do conceito de norma geral (modalidades e tipos de licitação; exceções ao dever de licitar; requisitos de existência válida dos contratos e alguns outros), a cada ente federativo compete fazer as escolhas normativas adequadas a suas necessidades e peculiaridades, especialmente nos campos de gestão financeira, patrimonial e de servidores. Essas são matérias típicas da esfera intestina de cada unidade federada. Para as situações de incerteza, deve-se reconhecer uma margem de apreciação aos entes subnacionais, protegida por algum grau de deferência judicial, pois só eles podem avaliar as dificuldades e obstáculos concretos à implementação do novo regime licitatório. Com isso, preserva-se também um espaço de experimentação institucional, para testes de modelos inovadores nos níveis local e regional, contra a postura excessivamente centralizadora do legislador federal.

No presente artigo, faço uma análise especificamente centrada na figura dos chamados "agentes de contratação", cuja disciplina na Lei nº 14.133/2021 serve-me como estudo de caso. Talvez os argumentos aqui expostos para solucionar o problema em exame possam também ter alguma serventia para o equacionamento mais amplo da questão das normas gerais em espaços de condomínio legislativo entra a União e os entes subnacionais.

III Duas premissas: (I) há normas gerais e normas específicas na Lei nº 14.133/2021; (II) as normas relativas aos agentes de contratação são normas específicas

Duas premissas orientam este entendimento. A primeira é que a Lei nº 14.133/2021 contém normas gerais e normas específicas. O legislador federal não exaure a matéria relativa às licitações e contratações públicas a ponto de suprimir o exercício de competências pelos entes subnacionais. *E nem poderia fazê-lo*. A autonomia dos entes da federação envolve, naturalmente, escolhas relativas ao desenho de suas licitações e contratações. E isso faz todo o sentido, afinal, há realidades totalmente distintas no país, de dimensões continentais e grandes disparidades regionais. A segunda é que as normas contidas nos artigos 6º, LX, e 8º da Lei nº 14.133/2021, relativas à função de "agente de contratação", são normas específicas, relativas à gestão de pessoal do ente federal e, por isso, inaplicáveis aos Estados, Distrito Federal e Municípios, ao menos em caráter obrigatório. Na sequência, detalho cada um desses pontos.

III.1 Há normas gerais e normas específicas na Lei nº 14.133/2021

Há muito se discute sobre como delimitar a competência normativa dos entes federados em matéria de licitações e contratações públicas. Dito de outro modo, não é nova a discussão sobre quais normas são gerais e quais são específicas no âmbito de licitações e contratos administrativos. E isso tem uma razão de ser: o art. 22, XXVII, da Constituição da República determina a competência legislativa privativa da União para editar "normas gerais" de licitação e contratação para todos os entes da federação.[1][2]

Diante da previsão constitucional expressa, o legislador federal editou a Lei nº 8.666/93, que, logo no seu art. 1º, afirmou que o diploma normativo trazia "normas gerais sobre licitações e contratos administrativos". A Nova Lei de Licitações (Lei nº 14.133/2021) reproduziu o mesmo dispositivo, e no seu art. 1º previu que a "Lei estabelece normas gerais de licitação e contratação".

---

[1] "Art. 22. Compete privativamente à União legislar sobre: (...) XXVII - *normas gerais de licitação e contratação*, em todas as modalidades, para as administrações públicas diretas, autárquicas e fundacionais da União, Estados, Distrito Federal e Municípios, obedecido o disposto no art. 37, XXI, e para as empresas públicas e sociedades de economia mista, nos termos do art. 173, § 1º, III;" (g.n.).

[2] O Supremo Tribunal Federal já foi instado a se manifestar sobre o alcance do art. 22, XXVII, da CRFB em diversas oportunidades. Veja-se, a título de exemplo: ADI nº 927 MC, Relator Min. Carlos Velloso, julgada em 03.11.1993, que conferiu interpretação conforme ao art. 17, I, "b" (doação de bem imóvel), e II, "b" (permuta de bem móvel) da Lei nº 8.666/93, para esclarecer que a vedação teria aplicação somente no âmbito da União Federal; RE 423560, Relator Min. Joaquim Barbosa, Segunda Turma, julgado em 29.05.2012, em que foi julgada a constitucionalidade de norma municipal que proibia contratação com parentes dos membros do Executivo municipal; ADI nº 3.059, Relator p/Acórdão Min. Luiz Fux, julgada em 09.04.2015, em que se declarou a constitucionalidade de lei estadual que estabeleceu preferência a fornecedores da Administração Pública estadual; ADI nº 4.658, Relator Min. Edson Fachin, julgada em 25.10.2019, em que se declarou a inconstitucionalidade de lei estadual que ampliou hipótese de dispensa de licitação; ADPF nº 282, Relator Min. Gilmar Mendes, julgada em 05.11.2019, em que se declarou a inconstitucionalidade de lei municipal que criou modalidade de PPP para mera execução de obra pública; e ADPF nº 971, Relator Min. Gilmar Mendes, julgada em 29.05.2023, em que se validou lei municipal que permitia a prorrogação e a relicitação de contratos de concessão de maneira distinta da norma federal.

A indefinição do conceito de "normas gerais" suscitou e continua suscitando questionamentos. *Norma geral é norma nacional*, que "influi decisivamente sobre a experiência federalista brasileira" uma vez aplicável à União, Estados, Distrito Federal e Municípios.[3] Uma leitura ampla do conceito constitucional de "norma geral", portanto, seria capaz de restringir significativamente a autonomia dos entes federativos subnacionais, além de afetar a possibilidade de experimentalismo local e regional.

A questão foi enfrentada recentemente pelo Supremo Tribunal Federal, no julgamento do Tema 1036 de Repercussão Geral, realizado em 27.05.2024. O Tribunal, por maioria, deu provimento a recurso extraordinário no qual se discutia, à luz do art. 22, XXVII, da Constituição da República, se o Distrito Federal teria invadido a competência privativa da União para legislar sobre normas gerais de licitação. Fixou-se a tese de que "[s]ão constitucionais as leis dos Estados, Distrito Federal e Municípios que, no procedimento licitatório, antecipam a fase da apresentação das propostas à da habilitação dos licitantes, em razão da competência dos demais entes federativos de legislar sobre procedimento administrativo".

Na decisão que reconheceu a repercussão geral da matéria, o relator do caso, Min. Luiz Fux, ressaltou a necessidade em se afastar uma conceituação ampla do que seria "norma geral".[4] Pela sua clareza, destaca-se trecho do seu voto:

> É cediço que a baixa densidade da expressão norma geral, utilizada pelo texto constitucional, suscita dúvidas a respeito de quais mandamentos da Lei nº 8.666/1993 estão adstritos à esfera da União e quais devem ser observados por todos os entes federativos. Essa insegurança jurídica é ainda agravada pela postura inegavelmente maximalista assumida pelo legislador federal quando da edição da Lei nº 8.666/1993, *cuja redação revela nítida pretensão de normatização exauriente da matéria em toda a federação, ao arrepio da disciplina constitucional*. (...)
>
> Sob este prisma, impor ao Estado-membro a simples reprodução acrítica de norma federal, quando tal circunstância não decorre de mandamento constitucional ou de algum imperativo real de uniformidade nacional, inviabiliza uma das facetas do federalismo enquanto meio de, nos estritos limites das competências constitucionais de cada ente, inovar e evoluir na política regulatória. (...)

---

[3] A esse respeito, o Min. Luiz Fux se manifestou quando do julgamento da ADI nº 3.059, quando foi declarada constitucional lei do Estado do Rio Grande do Sul, que estabeleceu preferência a fornecedores da Administração Pública estadual. Naquela oportunidade, o Min. expôs as possíveis implicações da interpretação ampla do conceito das normas gerais para a preservação da autonomia dos entes federativos: "O conceito de 'norma geral' é essencialmente fluido, de fronteiras incertas, o que, embora não o desautorize como parâmetro legítimo para aferir a constitucionalidade de leis estaduais, distritais e municipais, certamente requer maiores cautelas no seu manejo. Isso porque a amplitude com que a Suprema Corte define seu conteúdo do que sejam 'normas gerais' influi decisivamente sobre a experiência federalista brasileira. Qualquer leitura maximalista do aludido conceito constitucional milita contra a diversidade e a autonomia das entidades integrantes do pacto federativo, em flagrante contrariedade ao pluralismo que marca a sociedade brasileira. Contribui ainda para asfixiar o experimentalismo local tão caro à ideia de federação. Nesse cenário, é preciso extrema cautela na árdua tarefa de densificar o sentido e o alcance da expressão 'normas gerais', limitando a censura judicial às manifestações nitidamente abusivas de autonomia" (ADI nº 3.059, Rel. Min. Ayres Britto, Rel. p/ Acórdão Min. Luiz Fux, j. em 09.04.2015, p. em 07.05.2015).

[4] Voto do Min. Relator Luiz Fux no julgamento do Tema 1036 de Repercussão Geral (RE 1188352 RG, Relator Min. Luiz Fux, Tribunal Pleno, j. em 14.03.2019, p. em 22.03.2019). O acórdão do julgamento de mérito do recurso extraordinário ainda não foi publicado.

Em síntese, a encampação de interpretações extremas do conceito de norma geral – seja para torná-la excessivamente ampla, seja para restringi-la em demasia – pode desencadear desequilíbrios indesejáveis no pacto federativo. (grifei)

Embora o recente julgado tenha se debruçado sobre a Lei nº 8.666/93, a mesma lógica se aplica à Lei nº 14.133/2021 e dela se extrai uma conclusão: não é razoável que o legislador federal defina de forma ampla o que é norma geral, sob pena de eliminar ou restringir, de modo desproporcional, a competência legislativa dos entes subnacionais em matérias submetidas, pelo legislador constituinte, a competências legislativas concorrentes.

O fato de leis federais – antes a Lei nº 8.666/03 e agora a Lei nº 14.133/2021 – trazerem previsão expressa de que veiculam "normas gerais", com a pretensão de afastar qualquer margem de dúvida quanto ao caráter de generalidade de suas normas, não as classifica automaticamente como gerais. Estabelecer normas de transição e conferir prazo para adaptação dos entes subnacionais, de igual forma, não é suficiente para se afirmar que as peculiaridades dos entes locais foram consideradas pelo legislador federal. Essa pode até ter sido a intenção do Congresso Nacional, mas daí não se conclui que esse suposto desiderato tenha se materializado num resultado constitucionalmente adequado.

Assim, a Lei nº 14.133/2021, embora enuncie no seu art. 1º que traz "normas gerais", possui dispositivos que estão situados na *zona de certeza negativa* do conceito de norma geral – como aqueles que definem quem pode ser nomeado agente de contratação (art. 6º, LX, e 8º, *caput*). É sobre tais dispositivos que nos debruçaremos a seguir.

III.2 As normas relativas aos agentes de contratação são normas específicas

Vamos à segunda premissa deste artigo: as normas contidas nos artigos 6º, LX, e 8º da Lei nº 14.133/2021, relativas à função de "agente de contratação", são normas específicas, atinentes à gestão de pessoal e, por isso, inaplicáveis aos entes subnacionais, ao menos em caráter obrigatório.

Sabe-se que um dos elementos caracterizadores de uma Federação é a autonomia de seus entes. No caso da Federação brasileira, a Constituição de 1988 foi clara nesse sentido, ao dispor que "[a] organização político-administrativa da República Federativa do Brasil compreende a União, os Estados, o Distrito Federal e os Municípios, todos autônomos, nos termos desta Constituição" (art. 18 da CRFB).

Autonomia significa que União, Estados, Distrito Federal e Municípios possuem capacidade de *auto-organização* (elaboração de suas próprias Constituições ou Leis Orgânicas); *autogoverno* (eleição de seus próprios governantes); *autolegislação* (elaboração de suas leis); e *autoadministração* (organização de seus próprios serviços, mediante gestão de seu pessoal e decisões a respeito da aplicação dos recursos públicos).

É em prestígio a essa autonomia que o art. 7º, *caput* e I, da Lei nº 14.133/2021 dispõe que "caberá à autoridade máxima do órgão ou da entidade, ou a quem as normas de organização administrativa indicarem, promover gestão por competências e designar agentes públicos para o desempenho das funções essenciais à execução desta Lei", que serão, "preferencialmente, servidor efetivo ou empregado público dos quadros permanentes da Administração Pública".[5]

Os arts. 6º, LX, e 8º da Lei nº 14.133/2021,[6] de forma diversa, determinam que os agentes de contratação deverão ser "servidores efetivos ou empregados públicos dos quadros permanentes da Administração Pública". Agentes de contratação, segundo a própria definição legal, são aqueles que tomam decisões, acompanham o trâmite da licitação, dão impulso ao procedimento licitatório e executam as atividades necessárias ao bom andamento do certame até a sua homologação. São agentes, portanto, que *gerenciam* os procedimentos licitatórios realizados pelo ente federativo. E cabe a cada um dos entes definir quais servidores poderão exercer esse papel.

Com efeito, toda norma que traz definições quanto à matéria de gestão de servidores é específica, e cada um dos entes federativos é competente para elaborar o seu próprio estatuto funcional. Assim, tanto o art. 6º, LX, como o art. 8º da Lei nº 14.133/2021 devem ser considerados normas específicas federais, *inaplicáveis* a Estados e Municípios, ao menos em caráter obrigatório. Considerar que tais dispositivos veiculam normas gerais seria permitir a interferência do legislador federal na gestão de pessoal dos demais entes, matéria inerente à autonomia federativa. É o art. 7º, *caput* e I, da Lei nº 14.133/2021 que veicula norma geral e que deve ser por todos os entes observado.

Firmadas essas duas premissas, pode-se chegar a algumas conclusões.

IV Conclusões

Há diversos entes subnacionais que disciplinaram a figura dos agentes de contratação de maneira distinta do previsto nos artigos 6º, LX, e 8º da Lei nº 14.133/2021, segundo os quais agentes de contratação devem necessariamente ser "servidores efetivos ou empregados públicos dos quadros permanentes da Administração Pública". A título de exemplo, no âmbito do Estado do Rio de Janeiro, o art. 35 do Decreto Estadual nº 48.650/2023 dispõe que "o agente de contratação deve ser, preferencialmente, servidor efetivo ou empregado público dos quadros permanentes da Administração Pública" e que "servidores ocupantes exclusivamente de cargo em comissão poderão ser designados como agentes de contratação ou pregoeiros, mediante justificativa da qualificação dos indicados, que deverá ser submetida à autoridade superior".

O art. 35 do Decreto Estadual nº 48.650/2023 abre espaço para escolhas mais amplas da Administração Pública estadual em matéria de nomeação de seus agentes de

---

[5] "Art. 7º Caberá à autoridade máxima do órgão ou da entidade, ou a quem as normas de organização administrativa indicarem, promover gestão por competências e designar agentes públicos para o desempenho das funções essenciais à execução desta Lei que preencham os seguintes requisitos:
I – sejam, *preferencialmente*, servidor efetivo ou empregado público dos quadros permanentes da Administração Pública;"

[6] "Art. 6º Para os fins desta Lei, consideram-se: LX - agente de contratação: pessoa designada pela autoridade competente, entre servidores efetivos ou empregados públicos dos quadros permanentes da Administração Pública, para tomar decisões, acompanhar o trâmite da licitação, dar impulso ao procedimento licitatório e executar quaisquer outras atividades necessárias ao bom andamento do certame até a homologação."
"Art. 8º A licitação será conduzida por agente de contratação, pessoa designada pela autoridade competente, entre servidores efetivos ou empregados públicos dos quadros permanentes da Administração Pública, para tomar decisões, acompanhar o trâmite da licitação, dar impulso ao procedimento licitatório e executar quaisquer outras atividades necessárias ao bom andamento do certame até a homologação."

contratação: "preferencialmente" devem ser servidores efetivos ou empregados públicos, mas poderão ser ocupantes exclusivamente de cargos em comissão, observadas as demais exigências da norma. Trata-se, portanto, de norma que está de acordo com o previsto no art. 7º, *caput* e inciso I, da Lei nº 14.133/2021, este sim dispositivo que veicula norma geral, a ser observado por todos os entes federados.

Assim, entendo que o art. 35 do Decreto Estadual nº 48.650/2023 é válido, pois está de acordo com art. 7º, *caput* e inciso I, da Lei nº 14.133/2021. De outro lado, parece-me que os artigos 6º, LX, e 8º da Lei nº 14.133/2021 veiculam normas específicas federais e que, portanto, não são de observância obrigatória para o legislador estadual.

Ocorre que o Tribunal de Contas do Estado do Rio de Janeiro manifestou um primeiro entendimento em sentido diverso. Em consulta formulada pelo Presidente da Câmara Municipal de Niterói acerca da necessidade de designação de servidores efetivos para atuar nas funções essenciais à execução da Nova Lei de Licitações, no Acórdão nº 085922/2023-PLENV, da Conselheira Marianna Montebello Willeman, formou-se a tese de que a designação de agentes de contratação "deverá recair necessariamente em servidores efetivos ou empregados públicos dos quadros permanentes da Administração Pública, nos termos do art. 8º daquele diploma legal". Para o TCE-RJ, os artigos 6º, LX, e 8º da Lei nº 14.133/2021 veiculam normas gerais e, portanto, devem ser observadas pelos legisladores estaduais e municipais.

Embora a decisão do TCE/RJ tenha sido formulada em face da legislação do Município de Niterói – e não do Estado do Rio de Janeiro –, está-se diante de um cenário diferente daquele configurado logo após a entrada em vigor da Lei nº 14.133/2021. A mera negativa de aplicação aos artigos 6º, LX, e 8º da Lei nº 14.133/2021 no âmbito estadual poderá gerar riscos para os gestores públicos estaduais e incrementar o grau de segurança jurídica dos certames licitatórios. Por isso, entendo ser recomendável a propositura de ação direta de inconstitucionalidade perante o Supremo Tribunal Federal, com pedido de declaração parcial de inconstitucionalidade sem redução de texto dos artigos 6º, LX, e 8º da Lei nº 14.133/2021, para afastar o seu caráter de norma geral e, de conseguinte, a sua observância obrigatória pelos entes subnacionais.

Assim, o STF será instado a fixar entendimento de que tais dispositivos são normas exclusivamente federais e específicas, aplicáveis apenas à Administração Pública federal. Foi nesse sentido, inclusive, que a Suprema Corte decidiu quando do julgamento da ADI nº 927, de relatoria do Min. Carlos Velloso, quando, ao declarar a inconstitucionalidade parcial sem redução de texto do art. 17, I, "b", II, "b", da Lei nº 8.666/93, determinou que tais normas eram aplicáveis somente à União Federal. O ajuizamento de ação direta de inconstitucionalidade permitirá que se busque a declaração de inconstitucionalidade de uma das interpretações dos artigos 6º, LX, e 8º da Lei nº 14.133/2021 – a de que seriam normas gerais –, trazendo maior segurança à Administração Pública dos entes subnacionais quanto à possibilidade de nomeação de servidores ocupantes exclusivamente de cargos em comissão para a função de agentes de contratação.

Informação bibliográfica deste texto, conforme a NBR 6023:2018 da Associação Brasileira de Normas Técnicas (ABNT):

BINENBOJM, Gustavo. A viagem redonda: a Lei nº 14.133/2021 e o resiliente problema das normas gerais em licitações e contratações públicas. *In*: JUSTEN, Monica Spezia; PEREIRA, Cesar; JUSTEN NETO, Marçal; JUSTEN, Lucas Spezia (coord.). *Uma visão humanista do Direito*: homenagem ao Professor Marçal Justen Filho. Belo Horizonte: Fórum, 2025. v. 2, p. 551-558. ISBN 978-65-5518-916-2.

AS MUDANÇAS E INOVAÇÕES INTRODUZIDAS PELA NOVA LEI DE LICITAÇÕES E CONTRATOS ADMINISTRATIVOS E OS DESAFIOS NA SUA IMPLANTAÇÃO

JORGE ANTÔNIO DE OLIVEIRA FRANCISCO

CAROLINE VIEIRA BARROSO SULZ GONSALVES

1 Introdução

A discussão acerca do tema licitações e contratos mostra-se bastante pertinente para aqueles que, de alguma forma, contribuem para a consecução das políticas públicas e para a manutenção das atividades que dão suporte aos órgãos e entidades que compõem a Administração Pública como um todo.

O TCU, enquanto órgão de controle externo, tem por competência auxiliar o Congresso Nacional na missão de acompanhar a execução orçamentária e financeira do país e contribuir com o aperfeiçoamento da Administração Pública em benefício da sociedade. Nesse sentido, é estreita a sua relação com o processo de aprimoramento das aquisições e das contratações com recursos federais, de forma a melhor se adequarem ao interesse público e aos princípios basilares da Administração.

2 O Tribunal de Contas da União e a governança pública das aquisições

A vasta jurisprudência deste Tribunal acerca do tema licitações e contratos, construída ao longo dos anos à luz das Leis nºs 8.666/1993, 10.520/2002, 12.462/2011, dentre outras, culminou com o estabelecimento de um arcabouço de boas práticas, grande parte incorporada à nova lei de licitações, que tem sua aplicação obrigatória a toda a Administração Pública direta, autárquica e fundacional dos entes da federação. Não abrange, portanto, as estatais e, a rigor, entidades que integram o Sistema Social Autônomo.

Governança das contratações, gestão por competências, plano de contratações anual, incentivos à inovação e ao governo digital são alguns dos pilares fundamentais que embasaram a nova lei, que tem como foco o atingimento do resultado mais vantajoso para a Administração Pública.

No que tange à *governança*, a Lei nº 14.133/2021 inova, em seu art. 11, parágrafo único, ao atribuir à alta administração do órgão ou entidade a responsabilidade pela implementação de processos e estruturas voltados a esse fim, inclusive no que diz respeito à gestão de riscos e controles internos. O objetivo é garantir um ambiente íntegro e confiável e assegurar o alinhamento das contratações ao planejamento estratégico e às leis orçamentárias. Princípios gerais como eficiência, efetividade e eficácia das contratações são prioridade para o atingimento dos resultados almejados com o processo licitatório.

No âmbito do TCU, a discussão sobre as práticas de governança e gestão das aquisições já vinha sendo tratada muito antes da publicação da nova lei de licitações.

Em 2015, o Tribunal elaborou relatório de levantamento com o objetivo de sistematizar informações sobre a governança e a gestão das aquisições em uma amostra de organizações da Administração Pública Federal, a fim de identificar os pontos vulneráveis e induzir melhorias na área.

Após amplo e minucioso trabalho, verificou-se a existência de deficiências nos sistemas de governança e de gestão da maioria das mais de 300 organizações avaliadas. Problemas afetos à falta de visão estratégica, a falhas no estabelecimento de competências, a atribuições e responsabilidades dos agentes públicos, à atuação deficiente dos controles internos e da auditoria interna, à ineficiência do planejamento das aquisições e à falta de clareza nos processos de trabalho foram alguns dos achados verificados.

Por consequência, o TCU prolatou o Acórdão nº 2.622/2015-TCU-Plenário, oportunidade em que foram feitas diversas recomendações ao Ministério do Planejamento, Orçamento e Gestão, a fim de que orientasse as organizações sob sua esfera de atuação quanto a diversos aspectos, como, por exemplo, a delimitação das necessidades de recursos humanos envolvidos com aquisições, a avaliação de normativos internos quanto à estrutura organizacional, políticas de delegações, reserva de competência, gestão de riscos, capacitação de gestores e a melhoria na transparência dos procedimentos envolvidos nas contratações.

Portanto, a Lei nº 14.133/2021, ao incorporar tais aspectos tão discutidos ao longo dos últimos anos entre órgãos e entidades da Administração Pública e os órgãos de controle, torna concreta uma importante evolução, positivando direta e indiretamente preceitos de boa governança como prioridade para o atingimento dos objetivos das licitações e dos contratos públicos.

3 Pilares da nova Lei de Licitações e Contratos da Administração Pública

É importante mencionar, nesse contexto, as inovações da Lei nº 14.133/2021 quanto à *gestão por competência*[1] dos agentes públicos envolvidos nas contratações. Requisitos

---

[1] Art. 7º da Lei nº 14.133/2021.

como formação compatível ou qualificação atestada por certificação profissional, exigência de que sejam preferencialmente servidores efetivos ou empregados públicos dos quadros permanentes e que não possuam vínculos com licitantes ou contratados habituais reforçam a preocupação já apontada anteriormente pelos órgãos de controle quanto à necessidade de emprego, sempre que possível, de profissionais imparciais, capacitados e idôneos para exercerem essas funções.

Nessa mesma linha, a lei estabelece a necessidade de atendimento ao princípio da *segregação das funções*, ou seja, de se evitar a alocação de um mesmo agente público em funções suscetíveis a risco, a fim de prevenir a ocorrência de erros e fraudes na contratação.

Funções de autorização, aprovação, execução, controle e contabilização das operações devem, sempre que possível, serem atribuídas a servidores distintos, levando a benefícios como o aumento do controle administrativo sobre cada fase processual, a especialização por divisão de tarefas, o ganho de produtividade, a minimização de conflito de interesses, de riscos, omissões e fraudes, além de maior transparência e eficiência das ações.[2]

Há que se sopesar, no entanto, a precariedade de determinados órgãos e entidades quanto aos recursos humanos disponíveis para esse fim, especialmente quando se trata, por exemplo, de municípios de menor porte, que não dispõem de pessoal suficiente para o desempenho de cada uma dessas funções.

Nesses casos, é fundamental o gerenciamento dos riscos envolvidos na acumulação de mais de uma função por servidor, com o estabelecimento de mecanismos de controle, de forma a não comprometer os objetivos almejados pela Administração.

O incentivo à *inovação* também constitui prioridade na nova lei, tendo sido incluído, em seu art. 11, como um dos objetivos do processo licitatório. O tema permeia diversos dispositivos, a exemplo da introdução do procedimento de manifestação de interesse,[3] do diálogo competitivo[4] como nova modalidade de licitação e da margem de preferência para aquisição de bens manufaturados resultantes de inovação tecnológica no País.[5]

O objetivo precípuo é promover a inteiração e a aproximação com o mercado privado em busca de soluções inovadoras para qualquer tipo de contratação. Isso sem mencionar instrumentos como a remuneração por desempenho e os contratos de eficiência, apropriados de normativos anteriores e que pressupõem incentivo à inovação.

Outro aspecto relevante introduzido pela Lei nº 14.133/2021 é a possibilidade de elaboração de um *Plano de Contratações Anual (PCA)*,[6] já regulamentado, no âmbito federal, pelo Decreto nº 10.947/2022. O PCA tem por objetivo o aumento da eficiência das contratações, ou seja, a definição prévia da necessidade da contratação, com base em previsões de consumo que estejam alinhadas com o planejamento estratégico da organização e que sirvam como subsídio à elaboração das leis orçamentárias.

Dentro desse espírito da racionalização, também vale citar, como objetivo do PCA, o fomento à prática das *contratações centralizadas e compartilhadas*, relevantes para

---

[2] Revista do TCU nº 128, p. 38-51, set./dez. 2013.
[3] Art. 81 da Lei nº 14.133/2021.
[4] Art. 32 da Lei nº 14.133/2021.
[5] Art. 26, §2º, da Lei nº 14.133/2021.
[6] Art. 12, inciso VII, da Lei nº 14.133/2021.

a obtenção de economia de escala, para a padronização dos objetos contratados e para a redução de custos processuais.[7]

É certo que ainda há razoável caminho a ser trilhado rumo ao aprimoramento da elaboração do plano de contratações anual nos órgãos e entidades da Administração Pública Federal. Em auditoria realizada pelo TCU junto a 72 organizações públicas federais, a fim de avaliar a implementação do PCA – à época, regulamentado pela IN nº 1/2019 da Secretaria de Gestão do Ministério da Economia –, verificou-se o baixo índice de engajamento dos órgãos na sua elaboração, bem como indícios de elaboração meramente formal do plano, o que impacta diretamente no atingimento do objetivo pretendido, qual seja, a racionalização das contratações.[8]

Portanto, somente com um maior comprometimento das organizações com esse planejamento será possível a obtenção dos benefícios efetivos às contratações pretendidas pela nova lei, em termos de melhor preço, qualidade, padronização e otimização na utilização dos recursos disponíveis.

Também é relevante ressaltar a aderência da nova lei de licitações ao conceito de *Governo Digital*, criado pela Lei nº 14.129/2021, e que estabelece regras e instrumentos para o aumento da eficiência pública, a partir da desburocratização, inovação, transformação digital e ampliação do acesso às informações e serviços públicos pelo cidadão.

A adoção preferencial da licitação na forma eletrônica, a utilização de certificado digital, a obrigatoriedade de criação, pelas organizações públicas, de catálogo eletrônico de padronização de compras, serviços e obras e a criação do Portal Nacional de Contratações Públicas (PNCP) são exemplos da busca pela evolução digital exigida pela realidade em que nos encontramos.

A propósito, o *PNCP*, previsto no art. 174 da nova lei de licitações, constitui relevante instrumento destinado à divulgação centralizada obrigatória de informações sobre licitações e contratos, como, por exemplo, os planos de contratação anuais, catálogos eletrônicos de padronização, editais de licitação, atas de registro de preços, contratos e respectivos termos aditivos. Além disso, o portal deve permitir a consulta ao registro cadastral unificado de licitantes, a painéis e bancos de preços, bem como a realização de contratações pelos órgãos e entidades de todos os poderes dos entes federativos por meio de sistema eletrônico, dentre outras funcionalidades.

Até mesmo as estatais deverão disponibilizar informações atualizadas referentes a seus contratos no PNCP de que trata a Lei nº 14.133/2021, obrigatoriedade essa imposta pela Lei de Diretrizes Orçamentárias de 2023,[9] cujo entendimento foi corroborado por meio do Acórdão nº 585/2023-TCU-Plenário e mantido na Lei de Diretrizes Orçamentárias de 2024.[10]

Além disso, o TCU vem realizando o acompanhamento da implementação do PNCP[11] com o objetivo de avaliar as dificuldades e obstáculos enfrentados nessa implantação e as medidas já adotadas pelos órgãos responsáveis para superá-los. Por meio do Acórdão nº 1.731/2022-TCU-Plenário, restou decidido que não há mais limitações que

---

[7] Art. 19, inciso I, da Lei nº 14.133/2021.
[8] Acórdão nº 1.637/2021-TCU-Plenário, relator Ministro Augusto Sherman. TC 037.397/2020-6.
[9] Art. 17 da Lei nº 14.436/2022 (LDO 2023).
[10] Art. 14 da Lei nº 14.791/2023 (LDO 2024).
[11] TC 044.559/2021-6.

impeçam a obrigatoriedade de observância do art. 94 da nova lei de licitações, referente à obrigatoriedade de divulgação, no portal, dos contratos e seus respectivos aditamentos.

Necessário destacar também os avanços da nova lei no que se refere ao *foco nos resultados* pretendidos pelas contratações. Em diversos dispositivos, a lei preza por orientar os gestores públicos quanto à necessidade de o planejamento da contratação considerar os resultados a serem alcançados, em termos de economicidade e melhor aproveitamento dos recursos humanos, materiais e financeiros disponíveis.

Nessa linha, enquanto o art. 3º da Lei nº 8.666/1993 traz, como um dos objetivos da licitação, a seleção da proposta mais vantajosa, o art. 11 da nova lei de licitações estabelece que a licitação visa à seleção da proposta apta a gerar o resultado da contratação mais vantajoso, inclusive no que se refere ao ciclo de vida do objeto.

Portanto, o foco passa a ser no resultado da contratação e não na proposta em si, trazendo relevância a discussões sobre custos de utilização, manutenção e descarte, além do próprio preço da aquisição.

Não menos importante é o capítulo III da Lei nº 14.133/2021, que trata do *controle das contratações*. A lei confere ênfase à necessidade de que órgãos e entidades invistam na gestão permanente de riscos e no controle preventivo no combate aos desvios dos atos envolvidos na contratação, tendo como aliada a tecnologia da informação.

Também prioriza o controle social e inova ao positivar as "linhas de defesa", ou seja, estabelecer quais autoridades e órgãos devem atuar, de forma cooperativa, no dever de avaliar os atos administrativos da contratação, desde os próprios servidores e empregados públicos, passando pelos órgãos de assessoramento jurídico e de controle interno, até os Tribunais de Contas.

Todavia, a lei deixa claro que o custo do controle deve ser avaliado em contraposição aos benefícios dele decorrentes, evitando-se burocracias desnecessárias. A alta administração deverá avaliar e escolher medidas que promovam relações íntegras e confiáveis, com segurança jurídica para todos e que, novamente, conduzam ao resultado mais vantajoso da contratação.

No âmbito do controle externo, a nova lei determina que os órgãos fiscalizadores viabilizem a oportunidade de manifestação dos gestores sobre os possíveis encaminhamentos, prática que já vinha sendo implementada no TCU, em especial após a publicação da Resolução-TCU 315/2020, por meio da "construção participativa de deliberações", fase processual a ser observada no TCU quando há, por parte das equipes de fiscalização, propostas de determinações ou recomendações ao órgão ou entidade fiscalizada.

Outro ponto que merece atenção são as alterações promovidas nas *modalidades de licitação*,[12] em busca de maior transparência, eficiência, imparcialidade e competitividade, de forma a evitar a ocorrência de fraudes, com priorização do meio eletrônico para a realização dos certames e incentivo à inovação. Deixam de existir, portanto, o convite e a tomada de preços, para serem incorporados, na nova lei, o pregão e o diálogo competitivo, que, juntamente com a concorrência, o concurso e o leilão, compõem modalidades não mais baseadas no valor do objeto, mas, sim, em suas características.

Dessa forma, concorrência e pregão, que seguem o mesmo rito de procedimentos, diferem-se apenas quanto ao objeto licitado: caso possua padrões de desempenho e

---

[12] Seção II (arts. 28-32) da Lei nº 14.133/2021.

qualidade que possam ser objetivamente definidos, por meio de especificações usuais do mercado, adota-se o pregão; se se tratar de contratação de serviços técnicos especializados, obras e serviços específicos de engenharia, utiliza-se a modalidade da concorrência.

A novidade fica por conta do *diálogo competitivo*,[13] modalidade de licitação para a contratação de inovações tecnológicas ou técnicas e de soluções que dependam de adaptações do que já existe no mercado ou que envolvam especificações cuja definição objetiva não seja possível de ser realizada pela própria Administração. Constitui uma forma de efetivamente "dialogar" com o mercado, em busca de sua colaboração para que, diante de uma necessidade complexa, o contratante consiga delinear a melhor solução para o objeto a ser contratado.

O diálogo competitivo, em contornos bastante similares àqueles adotados pela norma brasileira, tem origem no Direito europeu e está previsto na Diretiva 2014/24/EU do Parlamento Europeu e do Conselho, com a denominação de diálogo concorrencial.

Embora os desafios inerentes à nova modalidade dificultem sua ampla aplicação, para deixar mais concreta suas possibilidades de utilização, cita-se como exemplo a primeira iniciativa desse tipo de contratação, lançada ainda em 2021. A Central de Compras da Secretaria Especial de Desburocratização, Gestão e Governo Digital, do antigo Ministério da Economia, formou comissão de servidores para condução do Diálogo Competitivo nº 01/2021, com o objetivo de contratar solução técnica que otimizasse a eficiência energética dos prédios situados na Esplanada dos Ministérios.

Já os critérios de *julgamento das propostas*,[14] antes restritos ao menor preço, melhor técnica, técnica e preço, maior lance ou oferta, agora incluem o maior desconto e o maior retorno econômico, de forma a melhor atender às necessidades da Administração nessa avaliação.

O *critério de maior retorno econômico*[15] surge para os casos de contratos de eficiência e decorre da Lei do Regime Diferenciado de Contratação (RDC), tendo sido posteriormente incluído na Lei das Estatais. Os contratos de eficiência têm por objeto a prestação de serviços, inclusive obras e fornecimento de bens, e são definidos a partir de uma proposta de redução das despesas do contratante, ou seja, da economia que se pretende gerar com a sua execução, como, por exemplo, no caso de ganho de eficiência no consumo de energia e água.

Outra novidade em relação à Lei nº 8.666/1993 é o *modo de disputa*[16] para a etapa de julgamento das propostas, podendo ser, isolada ou conjuntamente, aberta ou fechada. No modo aberto, os lances apresentados pelos licitantes são públicos e sucessivos. Já no modo fechado, as propostas permanecem em sigilo até a hora designada para a sua divulgação.

Quanto aos *regimes de execução* de obras e serviços de engenharia, a nova lei estabelece sete possibilidades em seu art. 46: empreitada por preço unitário, empreitada por preço global, empreitada integral, contratação por tarefa, contratação integrada, contratação semi-integrada e fornecimento e prestação de serviço associado.

---

[13] Art. 32 da Lei nº 14.133/2021.
[14] Seção III (arts. 33-39) da Lei nº 14.133/2021.
[15] Art. 39 da Lei nº 14.133/2021.
[16] Art. 56 da Lei nº 14.133/2021.

Os regimes de empreitada por preço unitário, global e integrada e a tarefa não apresentam novidades, uma vez que também estão previstos na Lei nº 8.666/1993. Da mesma forma, os regimes de contratação integrada, utilizada para obras licitadas a partir de anteprojeto e de orçamento sintético, e semi-integrada, aplicável no caso de licitações realizadas a partir de um projeto básico passível de modificação pelos licitantes, decorrem, respectivamente, do RDC e da Lei das Estatais.

Já o regime de fornecimento e prestação de serviço associado, que constitui inovação, é aplicável aos casos em que, além do fornecimento do objeto, o contratado é responsável por sua operação e/ou manutenção, por um tempo determinado, tudo dentro de uma mesma contratação, em prol da eficiência e celeridade, comparativamente à licitação isolada de tais serviços.

Seria possível ainda traçar mais uma série de mudanças advindas da nova lei de licitações, sendo esses apenas alguns dos aspectos tidos por mais relevantes e que já suscitam suficientes discussões relevantes de gestores e estudiosos do tema.

4 Próximos passos e desafios da efetiva implantação da Lei nº 14.133/2021

Desafios na implantação da nova lei certamente ocorrerão. É essencial, nesse sentido, capacitar os agentes públicos envolvidos no processo, alterar significativamente as rotinas administrativas e viabilizar a implantação de suportes tecnológicos nos órgãos e entidades que ainda possuem uma estruturação precária, o que infelizmente é a realidade de inúmeros entes federativos.

Importa mencionar a parceria realizada pelos tribunais de contas estaduais e municipais, juntamente com o TCU, no âmbito da Rede Integrar de Políticas Públicas Descentralizadas, que constitui rede colaborativa com o objetivo de reunir a expertise dos órgãos participantes e aproveitar a proximidade de cada um com os órgãos e entidades estaduais e municipais de sua área de atuação.

Nesse sentido, a Ação 2 da Rede Integrar visa justamente avaliar o grau de implementação da nova lei de licitações pelas organizações públicas estaduais e municipais e conta com 37 participantes advindos dos tribunais de contas de estados e municípios, além do TCU.

No âmbito do TCU, o acompanhamento da implementação da Lei nº 14.133/2021 vem sendo realizado em processo de relatoria do Ministro Benjamin Zymler,[17] desde 2022, quando se identificou a necessidade de aferir o grau de maturação das organizações públicas para a aplicação da legislação e avaliar aspectos que pudessem estar dificultando a implementação da nova lei.

Os riscos identificados no acompanhamento foram agrupados nas dimensões de governança, planejamento, fortalecimento dos controles e adoção de recursos tecnológicos, e produção e disponibilidade de dados, com o objetivo de orientar a etapa posterior de elaboração dos indicadores de avaliação do grau de maturação dos órgãos e entidades.

---

[17] TC 027.907/2022-8.

Por meio do Acórdão nº 2.154/2023-TCU-Plenário, proferido nesse processo em 25.10.2023, concluiu-se que, com base nos dados coletados e tratados até então, a utilização da Lei nº 14.133/2021 ainda era incipiente. Verificou-se, ainda, nesses autos, que uma das possíveis causas da baixa aderência dos órgãos e entidades estava atrelada à ausência de regulamentação de determinados pontos da nova lei, bem como a demora na implementação dos sistemas informatizados necessários.

Outra questão relevante foi a constatação de quantidades expressivas de contratações realizadas por estados e municípios mediante a utilização de portais privados, com a adoção residual da plataforma Compras.gov.br, do governo federal, o que estaria relacionado às limitações do suporte ao usuário e à sistemática de inclusão individualizada dos itens dos certames por meio dos códigos CATMAT e CATSERV.

Portanto, considerando que a revogação da legislação anterior (Lei nº 8.666/1993, RDC e Lei do Pregão) ocorreu em 30.12.2023, data muito próxima à prolação do Acórdão nº 2.154/2023-TCU-Plenário, é fato que vários dos problemas ali relatados ainda subsistirão por algum tempo, constituindo desafios que deverão ser enfrentados de maneira célere pelos gestores, a fim de atenderem aos ditames da nova lei.

5 Conclusão

É certo que a renovação do ordenamento jurídico no campo das licitações e contratos administrativos, promovida pela Lei nº 14.133/2021, é um esforço legislativo no sentido de modernizar e conferir maior eficiência às contratações públicas.

Nesse propósito, a atuação dos gestores na construção de soluções alinhadas com o interesse público e dos órgãos de controle na atualização dos entendimentos jurídicos sobre licitações e contratos, além da salutar promoção do debate no campo doutrinário, são questões fulcrais para a superação dos desafios, já esperados, advindos de uma mudança legislativa de tal porte.

Informação bibliográfica deste texto, conforme a NBR 6023:2018 da Associação Brasileira de Normas Técnicas (ABNT):

FRANCISCO, Jorge Antônio de Oliveira; GONSALVES, Caroline Vieira Barroso Sulz. As mudanças e inovações introduzidas pela Nova Lei de Licitações e Contratos administrativos e os desafios na sua implantação. In: JUSTEN, Monica Spezia; PEREIRA, Cesar; JUSTEN NETO, Marçal; JUSTEN, Lucas Spezia (coord.). *Uma visão humanista do Direito*: homenagem ao Professor Marçal Justen Filho. Belo Horizonte: Fórum, 2025. v. 2, p. 559-566. ISBN 978-65-5518-916-2.

OBJETIVOS DA CONTRATAÇÃO PÚBLICA – A TRANSIÇÃO PARADIGMÁTICA DETERMINADA PELA LEI Nº 14.133/21

JOSÉ ANACLETO ABDUCH SANTOS

1 Introdução

Zygmunt Bauman, com majestade, criou a noção de modernidade líquida, ou mundo líquido, defendendo, em síntese, que valores, concepções, padrões e paradigmas em um tempo considerados estáveis ou "sólidos", e assim permanentes ou dificilmente mutáveis – hodiernamente, como os líquidos, sofrem mutações para adaptações às também mutáveis variantes de relações humanas.

Sob certo aspecto, é possível utilizar a simbologia de Bauman para avaliar as repercussões da Lei nº 14.133/21 no universo das contratações públicas.

A Lei nº 14.133/21 inaugura, o que parece inegável, uma transição de regime jurídico. As contratações públicas em geral deixam de se submeter às regras da Lei nº 8666/93 para se ajustarem às novas regras.

Contudo, mais do que uma transição de regime jurídico, é preciso admitir que a Lei nº 14.133/21 inaugura uma transição paradigmática. Assim, os sólidos paradigmas estabelecidos ao longo do tempo pela Lei nº 8666/93 devem ser liquefeitos para um ajuste indispensável aos novos paradigmas fixados pela nova lei de licitações.

Nesta linha, a Lei nº 14.133/21 apresenta inúmeros paradigmas inovadores, em regras que devem ser observadas quando da configuração da licitação e da contratação, quando da seleção do fornecedor ou do prestador, ou quando da gestão e fiscalização dos contratos celebrados. Dentre eles estão os objetivos do processo de contratação visados no art. 11 da Lei. São objetivos referenciais, ou seja, que devem ser incorporados às rotinas estruturantes dos processos de contratação pública, como um dever jurídico inafastável.

A simbologia de Bauman parece também se ajustar à obra do Prof. Marçal Justen Filho, que também dedica sua vida a liquefazer velhos paradigmas jurídicos buscando incorporar ao mundo do Direito inovações e modos de pensar inovadores, descolados de formalismo excessivo e de racionalidade burocrática negativa, o que parece evidente ao analisar a sua imensa contribuição para o Direito brasileiro, em especial para o Direito Público brasileiro. Jurista de referência indispensável, presta uma contribuição efetiva para a formação e para o aprimoramento de todos os que operam com os processos de contratação pública. Que este singelo texto seja recebido como modesta e singela forma de agradecimento.

2 Os objetivos do processo da contratação pública como estratégia impositiva de governança e a responsabilidade da Alta Administração

Referir a objetivos do processo da contratação, inexoravelmente, implica referir a deveres jurídicos que devem ser atingidos. Sob o prisma da responsabilidade, é fundamental observar que deveres jurídicos, na qualidade de ações mandadas, quando não são cumpridos, sem que exista impedimento material para tanto, caracterizam omissão própria. E a omissão própria, se caracterizada como infração normativa, enseja potencialidade de responsabilização pessoal – que nos termos do disposto no art. 28 do Decreto-Lei nº 4657/42 se evidenciará por conduta dolosa ou maculada por culpa grave (erro grosseiro). A previsão legal de objetivos para o processo da contratação pública – para além da óbvia satisfação da necessidade pública específica, que deu causa à celebração do contrato – nesta medida determina para os gestores públicos condutas proativas direcionadas à sua efetivação. O dever de atingimento dos objetivos do processo da contratação é universalizado e atomizado nas diversas funções essenciais, o que parece inegável. Em outros termos, todos os agentes públicos encarregados do exercício das funções essenciais de que trata a Lei são naturalmente vocacionados e demandados a zelar para seu cumprimento e atingimento.

Contudo, a Lei reservou para a alta administração uma posição jurídica de destaque neste particular aspecto: o dever de incorporá-los nas estratégias de governança dos contratos públicos. Rememore-se que a norma contida no art. 11, parágrafo único, da Lei nº 14.133/21 fixa que "a alta administração do órgão ou entidade é responsável pela governança das contratações e deve implementar processos e estruturas, inclusive de gestão de riscos e controles internos, para avaliar, direcionar e monitorar os processos licitatórios e os respectivos contratos, com o intuito de alcançar os objetivos estabelecidos no *caput* deste artigo, promover um ambiente íntegro e confiável, assegurar o alinhamento das contratações ao planejamento estratégico e às leis orçamentárias e promover eficiência, efetividade e eficácia em suas contratações". Nos termos da Lei, assim, as ações de governança das contratações[1] têm por intuito, exatamente, o atingimento dos objetivos do processo da contratação. Compete à alta administração, por dicção legal,

---

[1] Governança das contratações públicas: conjunto de mecanismos de liderança, estratégia e controle postos em prática para avaliar, direcionar e monitorar a atuação da gestão das contratações públicas, visando a agregar valor ao negócio do órgão ou entidade e contribuir para o alcance de seus objetivos, com riscos aceitáveis (Portaria SEGES/ME nº 8.678, de 19 de julho de 2021, art. 2º, II).

adotar todas as condutas necessárias para que os objetivos do processo da contratação sejam atingidos,[2] sob pena de responsabilização pessoal, por conduta omissiva dolosa ou viciada por erro grosseiro.

3 Primeiro objetivo: assegurar a seleção da proposta apta a gerar o resultado de contratação mais vantajoso para a Administração Pública, inclusive no que se refere ao ciclo de vida do objeto

A Lei fixa como um dos objetivos do processo da contratação o de assegurar a seleção da proposta apta a gerar o resultado de contratação mais vantajoso para a Administração Pública, inclusive no que se refere ao ciclo de vida do objeto.

Trata-se de um novo paradigma de extrema relevância que exige adequada compreensão, em especial por parte dos órgãos de controle: a qualidade, e não apenas a economicidade estrita (paradigma do menor preço), assume posição centralizada e nuclear no processo.

Há anos se solidificou, de modo incorreto, o paradigma da competitividade como elemento fundamental das contratações públicas. Não é incomum que requisitos de qualidade de objeto fixados em instrumentos convocatórios sejam reputados ilegítimos pelos órgãos de controle sob o argumento de violação do princípio da competitividade. Esta é uma das causas do imenso volume de contratações de baixa qualidade a produzir graves prejuízos para o erário. De modo intransigente, à luz da Lei nº 8.666/93, muitos bradavam em defesa da competitividade, ainda que ao custo de contratações péssimas, destituídas de qualidade mínima. A defesa da competitividade, sem avaliação crítica, tem produzido prejuízo ao erário.

É preciso compreender e admitir que a exigência de parâmetros adequados de qualidade do objeto contratual não viola a competitividade, desde que justificados e necessários. Ao revés de violação de competitividade, critérios rigorosos de qualidade, ao serem exigidos como novo paradigma, apenas modificam o universo de competidores, sem violar a sacrossanta competitividade. Implica reconhecer que o novo paradigma determina que é vedado à Administração Pública realizar contratações de baixa qualidade, que não produzam o melhor resultado para atender às necessidades públicas, sob o signo de uma equivocada interpretação e compreensão do princípio da competitividade.

O princípio da competitividade é essencial e constitutivo do processo licitatório, e foi mantido pela Lei. Ocorre que o novo paradigma reposiciona, ou posiciona corretamente, o princípio. A busca pela proposta que produza o melhor resultado não implica violação da competitividade. Determina que sejam fixados parâmetros de competição que elevem a qualidade das contratações. Com isto, se circunscreverá novo e legítimo universo de competidores. E a competição justa (expressão do princípio da

---

[2] Nesta medida, bem salienta Marçal Justen Filho que "é descabido reputar que qualquer um dos objetivos buscados deve prevalecer sobre os demais. Não existe hierarquia entre 'isonomia', 'vantajosidade', 'obtenção de preços adequados', 'promoção da inovação' e 'desenvolvimento nacional sustentável'. Todos esses objetivos devem ser realizados de modo mais intenso possível, em termos cumulativos e na medida do que seja viável na realidade concreta" (*Comentários à Lei de Licitações e Contratações Públicas*. São Paulo: Revista dos Tribunais, 2021, p. 258).

competitividade) se dará entre aqueles interessados que atendam tais requisitos ou parâmetros de qualidade mínima necessária para atender as necessidades públicas.

Para assegurar o cumprimento desta determinação legal, é possível exigir certificações de qualidade, inclusive de natureza ambiental, e o cumprimento dos requisitos de qualidade eleitos como necessários pela Administração Pública, que, neste aspecto, goza de prerrogativa discricionária.

No plano do resultado mais vantajoso para a Administração está a inexorável consideração do ciclo de vida do objeto da contratação, exigência específica da Lei.

Ciclo de vida[3] é a série de etapas que envolvem o desenvolvimento do produto, a obtenção de matérias-primas e insumos, o processo produtivo, o consumo e a disposição final, quando for o caso. A consideração do ciclo de vida de produto é medida de sustentabilidade ambiental ajustada ao processo da contratação. Trata-se de levar em consideração todos os fatores, etapas, insumos, entre outros, envolvidos no processo produtivo do objeto pretendido. A avaliação de ciclo de vida permite identificar, em cada fase ou etapa do processo produtivo, os riscos potenciais ou os danos efetivos a valores juridicamente tutelados, como a saúde, a vida, o meio ambiente, a economicidade, a eficiência, a integridade, a proteção aos direitos fundamentais, entre outros, de modo a orientar a correta e adequada escolha da solução administrativa que será objeto da contratação. Em outros termos, identificado um risco relevante, ou um dano efetivo a valores juridicamente tutelados em alguma etapa do processo produtivo, a Administração está autorizada a rejeitar a solução.

Considerar o ciclo de vida de produto não equivale a avaliá-lo. A avaliação dp ciclo de vida é processo que pode ser muito complexo e de custo elevado. Há, no mercado, inúmeros produtos à disposição do público consumidor que já tiveram o ciclo de vida avaliado. Esta avaliação usualmente é feita por entidade de natureza pública ou privada, acreditada, que fornece declarações ou certificações de ciclo de vida. Um exemplo de entidade que atua com avaliação de ciclo de vida é a organização não governamental denominada Forest Stewardship Council – FSC,[4] que emite a certificação de mesma designação acerca do ciclo de vida de madeira e papel. Por fim, na esteira da busca da proposta que possa propiciar o melhor resultado, quando do julgamento pelo critério de menor preço ou maior desconto deve, nesta linha, ser considerado o menor dispêndio

---

[3] Marçal Justen Filho, sobre o tema, pondera que "trata-se de impor à Administração o dever de avaliar todas as dimensões econômicas da contratação. Considerar o ciclo de vida do objeto envolve determinar o período de tempo de tempo durante o qual se presta a atender às necessidades da Administração. Ou seja, pode ser mais vantajoso adquirir um produto com preço mais elevado, mas que apresenta vida útil mais longa do que outro, com um preço mais reduzido" (op. cit. p. 258).

[4] O FSC é hoje o selo verde mais reconhecido em todo o mundo, com presença em mais de 75 países e todos os continentes. Atualmente, os negócios com produtos certificados geram negócios da ordem de 5 bilhões de dólares por ano em todo o globo. FSC é uma sigla em inglês para a palavra Forest Stewardship Council, ou Conselho de Manejo Florestal, em português. Este conselho foi criado como o resultado de uma iniciativa para a conservação ambiental e desenvolvimento sustentável das florestas do mundo inteiro. Seu objetivo é difundir o uso racional da floresta, garantindo sua existência no longo prazo. Para atingir este objetivo, o FSC criou um conjunto de regras reconhecidas internacionalmente, chamadas Princípios e Critérios, que conciliam as salvaguardas ecológicas com os benefícios sociais e a viabilidade econômica, e são os mesmos para o mundo inteiro. O FSC atua de três maneiras: desenvolve os princípios e critérios (universais) para certificação; credencia organizações certificadoras especializadas e independentes; e apoia o desenvolvimento de padrões nacionais e regionais de manejo florestal, que servem para detalhar a aplicação dos princípios e critérios, adaptando-os à realidade de um determinado tipo de floresta.

para a Administração, atendidos os parâmetros mínimos de qualidade definidos no instrumento convocatório. Nos termos da Lei: "os custos indiretos, relacionados com as despesas de manutenção, utilização, reposição, depreciação e impacto ambiental do objeto licitado, entre outros fatores vinculados ao seu ciclo de vida, poderão ser considerados para a definição do menor dispêndio, sempre que objetivamente mensuráveis" (art. 34, §1º).

4 Segundo objetivo: assegurar tratamento isonômico entre os licitantes, bem como a justa competição

Em adequada acepção jurídica, deduzida do sistema normativo aplicável às contratações, o dever de assegurar tratamento isonômico é mais amplo do que aquele proclamado na Lei. Deve ser assegurado, por assim, o tratamento isonômico entre os participantes de processo de contratação pública (licitação ou contratação direta) e entre os potenciais interessados em participar de ditos processos. O processo da contratação pública é, por essência e por natureza, um processo seletivo e, nesta condição, um processo marcado pela discriminação. Todo processo seletivo é discriminatório, pois nele são previstos requisitos para a participação e para orientar a disputa que, evidentemente, restringe o universo de competidores e de potenciais agentes econômicos que possam ser selecionados para contratar. Não há vedação legal ou constitucional para a fixação de critérios discriminatórios.[5] O que é vedado legal e constitucionalmente é a fixação de critérios de discriminação que não sejam legítimos e justificados.

Sob certa medida, é de se afirmar que a "isonomia" é, no plano fático-material, uma autorização legal e constitucional para tratar as pessoas de maneira diferente. Caso inexista tal autorização, o tratamento a ser dispensado para as pessoas deve ser idêntico. É no plano material, dos fatos, que se deduz a autorização para tratar as pessoas, físicas ou jurídicas, de modo diferente no processo da contratação. À guisa de exemplo: é dever da Administração Pública afastar os riscos envolvendo a execução contratual de uma obra de infraestrutura. Para reduzir ou eliminar os riscos, é preciso que o agente econômico que vai executar o encargo contratual tenha experiência mínima. Logo, exigir prova de capacidade técnica nesta situação hipotética é legítimo, ainda que afaste (discrimine) agentes econômicos que não detenham tal prova de capacidade. No mundo dos fatos se encontra o fundamento legítimo para a discriminação licitatória e contratual. Neste exemplo, caso o objeto da contratação não apresente risco relevante (pavimentar uma pequena área de estacionamento), a exigência discriminatória válida naquele caso não será legítima neste.

Este objetivo especial determina que as exigências discriminatórias e o tratamento processual dado a todos deverão ser isonômicos – na sua acepção de autorização para tratar as pessoas de modo diferente em situações similares.

---

[5] Por exemplo: a Lei exige prova de regularidade fiscal para a participação em processo de contratação. Os agentes econômicos que não a tiverem não estão proibidos de explorar atividades econômicas no mercado, mas estão proibidos de contratar com a Administração Pública. Esta exigência para participar de contratações públicas é discriminatória.

A justa competição[6] é outro valor jurídico fixado como objetivo especial do processo da contratação pública. Justa competição é corolário do princípio constitucional da livre concorrência. A justa competição é estruturante de uma economia de mercado constitucionalmente legítima. Livre e justa competição são elementares para a atividade econômica. Forçoso, neste tópico, tomar em conta que todas as relações contratuais públicas são submetidas às regras do art. 170 (entre outras, claro) da Constituição Federal. O art. 170 da CF inaugura o título constitucional dedicado à Ordem Econômica e Financeira e apresenta os princípios que regem a ordem econômica. A expressão ordem econômica tem duas acepções (ao menos). A acepção jurídica – conjunto de normas que regem as atividades econômicas – e a acepção material – exercício efetivo de atividades econômicas. O contrato, inclusive o contrato público, é expressão de atividade econômica, logo, submete-se ao regime jurídico principiológico da ordem econômica.

Um dos princípios basilares da ordem econômica é o da livre concorrência, que assegura aos agentes econômicos explorar suas atividades em regime de competição, com ampla margem de liberdade e sem intervenções estatais ilegítimas. Assegurar a justa competição significa assegurar a livre concorrência – disputa leal e honesta por uma oportunidade de negócios.

Reitere-se que a Lei nº 14.133/21, como dito, constitui a alta administração em dever jurídico de governança dos contratos (art. 11, parágrafo único) e de promover um ambiente contratual íntegro e confiável para que possa ser assegurada – ou potencialmente assegurada – a justa competição. Cabe, assim, à alta administração adotar condutas voltadas a reprimir e prevenir práticas que violem a livre-iniciativa e a justa competição. São exemplos de condutas que violam, direta ou indiretamente, a livre concorrência e a justa competição aquelas previstas (i) no art. 36 da Lei nº 12.529/11: I - limitar, falsear ou de qualquer forma prejudicar a livre concorrência ou a livre-iniciativa; II - dominar mercado relevante de bens ou serviços; III - aumentar arbitrariamente os lucros; e IV - exercer de forma abusiva posição dominante; ou no art. 5º, IV, da Lei nº 12.846/13: a) frustrar ou fraudar, mediante ajuste, combinação ou qualquer outro expediente, o caráter competitivo de procedimento licitatório público; b) impedir, perturbar ou fraudar a realização de qualquer ato de procedimento licitatório público; c) afastar ou procurar afastar licitante, por meio de fraude ou oferecimento de vantagem de qualquer tipo; d) fraudar licitação pública ou contrato dela decorrente; e) criar, de modo fraudulento ou irregular, pessoa jurídica para participar de licitação pública ou celebrar contrato administrativo; f) obter vantagem ou benefício indevido, de modo fraudulento, de modificações ou prorrogações de contratos celebrados com a Administração Pública, sem autorização em lei, no ato convocatório da licitação pública ou nos respectivos instrumentos contratuais; ou g) manipular ou fraudar o equilíbrio econômico-financeiro dos contratos celebrados com a Administração Pública.

Para tanto, no plano interno da Administração, devem ser elaborados e adotados Códigos de Conduta e Integridade aptos a orientar os agentes públicos e os particulares acerca de condutas aceitáveis no processo da contratação sob o prisma da integridade.

---

6   Segundo Marçal Justen Filho, "a justa competição envolve inclusive a prevenção e a repressão à cartelização" (*op. cit*. p. 259).

Um dos instrumentos aptos a evitar condutas que violem a livre concorrência e a justa competição nos processos de contratação pública são os denominados programas de integridade. Programa de integridade consiste, no âmbito de uma pessoa jurídica, no conjunto de mecanismos e procedimentos internos de integridade, auditoria e incentivo à denúncia de irregularidades e na aplicação efetiva de códigos de ética e de conduta, políticas e diretrizes, com o objetivo de: I - prevenir, detectar e sanar desvios, fraudes, irregularidades e atos ilícitos praticados contra a Administração Pública, nacional ou estrangeira; e II - fomentar e manter uma cultura de integridade no ambiente organizacional.[7]

5 Terceiro objetivo: evitar contratações com sobrepreço ou com preços manifestamente inexequíveis e superfaturamento na execução dos contratos

A lei contempla conceitos jurídicos para sobrepreço e superfaturamento. Sobrepreço é preço orçado para licitação ou contratado em valor expressivamente superior aos preços referenciais de mercado, seja de apenas 1 (um) item, se a licitação ou a contratação for por preços unitários de serviço, seja do valor global do objeto, se a licitação ou a contratação for por tarefa, empreitada por preço global ou empreitada integral, semi-integrada ou integrada (art. 6º, LVI). Superfaturamento é dano provocado ao patrimônio da Administração, caracterizado, entre outras situações, por: a) medição de quantidades superiores às efetivamente executadas ou fornecidas; b) deficiência na execução de obras e de serviços de engenharia que resulte em diminuição da sua qualidade, vida útil ou segurança; c) alterações no orçamento de obras e de serviços de engenharia que causem desequilíbrio econômico-financeiro do contrato em favor do contratado;[8] d) outras alterações de cláusulas financeiras que gerem recebimentos contratuais antecipados, distorção do cronograma físico-financeiro, prorrogação injustificada do prazo contratual com custos adicionais para a Administração ou reajuste irregular de preços. Não há conceito de "preços manifestamente inexequíveis" na Lei nº 14.133/21. Pode-se utilizar, como referência, o conceito interessante previsto na Lei nº 8666/93: preços manifestamente inexequíveis são assim considerados aqueles que não venham a ter demonstrada sua viabilidade através de documentação que comprove que os custos dos insumos são coerentes com os de mercado e que os coeficientes de produtividade são compatíveis com a execução do objeto do contrato (art. 48, II). As três hipóteses, se verificadas no processo da contratação, podem produzir graves prejuízos para o erário e para o interesse público.

Ao determinar que há um objetivo especial de evitar sobrepreço, superfaturamento ou preços manifestamente inexequíveis, a lei cria um dever jurídico – ou reforça e adjetiva aquele já existente por força de outros dispositivos normativos – de elaboração

---

[7] Decreto nº 11.129, de 11 de julho de 2022.
[8] Evidente que a lei trata de desequilíbrio econômico-financeiro em favor do contratado que seja ilegítimo ou ilegal. Não se insere na noção de superfaturamento o desequilíbrio econômico-financeiro do contrato que decorra de causas legítimas, como alterações contratuais unilaterais necessárias para o atendimento do interesse administrativo.

de orçamentos estimativos adequados e que reflitam com boa margem de precisão as características econômicas do mercado em que se insere o objeto do contrato.

A identificação de sobrepreço e de algumas situações que evidenciam o superfaturamento (alterações no orçamento de obras e de serviços de engenharia que causem desequilíbrio econômico-financeiro ilegítimo do contrato em favor do contratado; ou outras alterações de cláusulas financeiras que gerem recebimentos contratuais antecipados, distorção do cronograma físico-financeiro, prorrogação injustificada do prazo contratual com custos adicionais para a Administração ou reajuste irregular de preços) se faz basicamente por contrataste entre os preços contratuais – ou que serão aplicados ao contrato – com aqueles vigentes no mercado para objetos idênticos ou similares. Situações de superfaturamento, como medição de quantidades superiores às efetivamente executadas ou fornecidas ou deficiência na execução de obras e de serviços de engenharia que resulte em diminuição da sua qualidade, vida útil ou segurança, devem ser evitadas mediante previsões contratuais corretas e adequadas, bem como mediante sistema eficaz e eficiente de gestão e de fiscalização da execução contratual.

Falhas e erros de orçamento estimativo, ou falhas e erros de gestão e fiscalização contratual que produzam sobrepreço ou superfaturamento, se dolosas ou maculadas por erro grosseiro, podem ensejar a responsabilização pessoal dos agentes públicos que lhes deram causa, como já decidiu o Tribunal de Contas da União.[9]

6 Quarto objetivo: incentivar a inovação e o desenvolvimento nacional sustentável

A contratação pública tem uma função social. A função típica e específica do contrato administrativo é a de satisfazer certa e determinada necessidade administrativa, o denominado objeto específico do contrato. Dizer que a contratação pública tem uma função social significa dizer que tem, também, um objeto transcendental em relação ao seu objeto específico.

Neste plano, são objetivos destinados a cumprir a função social do contrato público incentivar a inovação e promover o desenvolvimento nacional sustentável.

De muito se defende e sustenta a existência de um "poder de compra" dos recursos públicos, em especial daqueles destinados a custear certa contratação administrativa. A magnitude do volume de recursos públicos destinados às contratações públicas eleva esta categoria de atividade pública à de verdadeira política pública.[10] Nesta categoria de política pública ou instrumento de exercício de função social, a contratação pública

---

[9] Para fins do exercício do poder sancionatório do TCU, pode ser tipificada como erro grosseiro (art. 28 do Decreto-lei nº 4.657/1942 – LINDB) a elaboração do orçamento estimado da licitação sem o dimensionamento adequado dos quantitativos e com base em pesquisa de mercado exclusivamente junto a potenciais fornecedores, sem considerar contratações similares realizadas pela Administração Pública, propiciando a ocorrência de substancial sobrepreço no orçamento do certame. Acórdão nº 3.569/2023-TCU-Segunda Câmara.

[10] Cumpre ressaltar o papel assumido pela política de compras governamentais no rol das políticas públicas, visto que esse mecanismo pode ser utilizado para alcançar um amplo leque de objetivos. Além disso, tal importância fica ainda mais evidente quando se verifica a elevada proporção do poder de compra governamental *vis-à-vis* o PIB dos países (*in:* RIBEIRO, Cássio Garcia; INÁCIO JR., Edmundo. O mercado de compras governamentais brasileiro (2006-2017): mensuração e análise. Texto para discussão. IPEA. Instituto de Pesquisa Econômica Aplicada, 2019. Disponível em: https://repositorio.ipea.gov.br/bitstream/11058/9315/1/td_2476.pdf.

deve atingir os objetivos específicos do contrato, os objetivos especiais determinados pela norma contida no art. 11. Trata-se do uso do contrato como instrumento de fomento.

Inovação é a introdução de novidade ou aperfeiçoamento no ambiente produtivo e social que resulte em novos produtos, serviços ou processos ou que compreenda a agregação de novas funcionalidades ou características do produto, serviço ou processo já existente que possa resultar em melhorias e em efetivo ganho de qualidade ou desempenho.[11] Inovação é também aplicação de sistema, método, técnica ou tecnologia já existente, porém antes não adotado.

A Lei contempla inúmeros dispositivos voltados para o incentivo à inovação[12] – colher no mercado específico em que se insere o objeto da contratação soluções inovadoras para as necessidades administrativas.

Pode-se referir, por exemplo, ao procedimento de manifestação de interesse, que é técnica de gestão, prevista no art. 81, destinada a receber de potenciais interessados estudos, investigações, levantamentos e projetos demonstrando soluções possíveis para fundamentar futura licitação e contratação específica.

A norma admite dúplice interpretação. Uma no sentido de que a contratação pública deve ser utilizada para fomentar a inovação no que tange ao objeto almejado como solução técnica. Contudo, é possível extrair dela um outro comando normativo: o de incorporar soluções inovadoras no processo da contratação.

Neste sentido, algumas técnicas inovadoras podem ser incorporadas aos processos de gestão das contratações públicas:

6.1 *Business intelligence*: o objetivo central do *business intelligence* é auxiliar na tomada de decisões a partir de dados e informações coletados, sistematizados e tratados. *Business intelligence* é basicamente um processo estratégico que tem como objetivo principal transformar dados brutos em *insights* de negócios, melhorando o desempenho de uma organização, auxiliando no processo de tomada de decisões da área de negócios.[13] Este processo envolve a utilização de ferramentas de tecnologia da informação (TI) – *softwares* especializados no tratamento de dados para os propósitos do BI. Em outros termos, o BI é instrumento para justificar as tomadas de decisões. E no plano das empresas estatais a justificativa – motivação – das decisões é requisito para sua legitimidade e validade. Decisões e escolhas administrativas no plano das contratações públicas baseadas em BI contam com fundamentação técnica e fática que lhes confere sustentabilidade perante os órgãos de controle. E este aperfeiçoamento é fundamental, especialmente se considerado que as decisões administrativas, muitas vezes, são tomadas sem base empírica, de modo aleatório e desprovidas de base sistêmica no que tange às informações necessárias. Alguns exemplos de decisões contratuais que podem ser aprimoradas por intermédio do BI: (i) decisão sobre locar ou comprar veículos automotores: o processo de BI produzirá informações sobre o histórico de utilizações, histórico de consumo de combustível, histórico de manutenção, análise de mercado,

---

[11] Lei nº 10.973, de 2 de dezembro de 2004, art. 2º, IV.
[12] Marçal Justen Filho registra que "a aplicação de recursos públicos para promover inovações envolve riscos mais elevados. Isso significa que, em muitas oportunidades, caberá orientar a licitação para soluções tradicionais e consagradas" (*op. cit.* 263).
[13] Disponível em: https://entendendobi.com/wp-content/uploads/2020/12/E-Book-Business-Intelligence.pdf?vgo_ee=ApBKH3bliQoQXJpWybYO5zpxdzkQNl9LgdxZ9pnzLRY%3D.

depreciação de bens, ciclo de vida, entre outras informações. Mediante tratamento destas informações com uso de TI, serão apontadas as vantagens e desvantagens, com base em critérios objetivos, de cada opção; (ii) decisão sobre terceirizações: o processo de BI produzirá informações sobre recursos humanos disponíveis, legitimidade da pretensão de terceirizar sob o prisma constitucional, vantagens e desvantagens da solução; decisão sobre prorrogações contratuais: por intermédio do BI podem ser obtidas informações de mercado sobre o objeto contratado, particularidades da Administração, comparação de preços, avaliação sobre atualidade da solução contratada, entre outras, de modo a possibilitar decisão eficiente sobre viabilidade de prorrogação – com a ressalva da importância desta análise considerando-se a possibilidade jurídica de prorrogações decenais a partir da Lei nº 14.133/21; (iii) decisão sobre a escolha da melhor solução contratual: o uso da racionalidade do BI, com a inerente utilização de recursos de inteligência artificial e outros instrumentos de TI, pode levar à escolha de soluções contratuais plenamente ajustadas à necessidade pública, eliminando o risco de alterações contratuais para ajustamento do contrato.

6.2 *Inteligência artificial generativa:* IA generativa refere-se a uma categoria de modelos e ferramentas de IA projetadas para criar novos conteúdos, como texto, imagens, vídeos, música ou código. A IA generativa usa uma variedade de técnicas – incluindo redes neurais e algoritmos de aprendizado profundo (*deep learning*) – para identificar padrões e gerar novos resultados.[14] Trata-se de ferramenta de inovação indispensável para empresas estatais, que tem aplicação em qualquer das etapas do metaprocesso da contratação ou outras áreas de atuação. A IA realiza planejamento, elabora documentos, coleta e trata dados e informações, de modo a ampliar a eficiência da gestão. Ainda não dispensa a ação humana, principalmente para revisão e confirmação de resultados produzidos, mas oferece base ampla de funcionalidades operacionais. Alguns exemplos de condutas administrativas que podem ser realizadas e aprimoradas com uso de IA generativa: (i) elaborar plano de contratações anual: com base nos dados e informações históricos de gestão, bem como de informações sobre necessidades atuais e futuras; (ii) elaboração de documentos: no processo da contratação são obrigatórios certos documentos, como o estudo técnico preliminar ou o termo de referência. Os documentos de planejamento têm conteúdo técnico e jurídico que deve ser materializado de forma escrita. A IA pode elaborar a versão preliminar dos documentos, ajustados às regras legais de ortografia e gramática, que serão revisados posteriormente pelos encarregados da elaboração; (iii) revisão de documentos: os textos escritos podem ser revisados por IA, inclusive mediante comparação de redações e disposições, para eliminar aquelas conflitantes ou antagônicas; (iv) elaboração de orçamentos estimativos: como instrumento complementar, a IA pode realizar pesquisas e comparações de preços, bem como realizar tratamento de dados e de preços coletados em pesquisas, como a média, moda ou mediana; (v) tomada de decisões: com fundamento em informações e dados ofertados, a IA pode gerar simulação de situações concretas para auxiliar ou fundamentar decisões administrativas; (vi) gestão de riscos: mediante o tratamento de dados e informações ofertadas, pode elaborar mapa de riscos, projeções e estatísticas de probabilidade de ocorrências potenciais.

---

[14] Disponível em: https://blog.dsacademy.com.br/guia-completo-sobre-inteligencia-artificial-generativa/.

6.3 *Contrato público para solução inovadora:* inúmeras soluções contratuais inovadoras estão disponíveis e acessíveis para a Administração no mercado. Contudo, há necessidades administrativas e técnicas específicas que demandam ser atendidas por soluções particulares, ajustadas às especificidades e características do caso concreto. Para estas situações a empresa estatal pode se valer do contrato público para solução inovadora, previsto na Lei Complementar nº 182, que instituiu o marco legal das *startups*.

Por intermédio de licitação veiculada por concorrência especial, a Administração não realizará uma contratação imediata de solução técnica, mas contratará a pesquisa e o desenvolvimento de uma solução inovadora, que poderá ou não ser efetivada. Se concretizada a solução técnica objeto da pesquisa fomentada, poderá haver a celebração, mediante contratação direta, de contrato para o fornecimento do produto, do processo ou da solução resultante do CPSI. As empresas estatais podem prever esta espécie de contratação em seus regulamentos internos.

6.4 *Diálogo competitivo:* é modalidade de licitação para contratação de obras, serviços e compras em que a Administração Pública realiza diálogos com licitantes previamente selecionados mediante critérios objetivos, com o intuito de desenvolver uma ou mais alternativas capazes de atender às suas necessidades, devendo os licitantes apresentar proposta final após o encerramento dos diálogos. A solução inovadora é construída, assim, no curso do processo licitatório, com a colaboração dos licitantes.

No que tange ao objetivo de incentivar o desenvolvimento nacional sustentável, trata-se, em específico, do dever jurídico de realizar contratações públicas sustentáveis.

As contratações públicas sustentáveis (licitações verdes, ecoaquisições, contratações ecológicas, dentre outras designações) são aquelas que levam em conta e incorporam elementos, aspectos e requisitos de sustentabilidade (econômica, ambiental e social) em todas as fases do processo de contratação, desde as definições da fase interna, passando pela fase de execução contratual, até o recebimento definitivo do objeto, tudo de acordo com normas fixadas no edital da licitação e no contrato administrativo. De fato, este objetivo não é em absoluto novo. O que se pode considerar inovador, em relação ao regime jurídico anterior, é que a interpretação sistêmica da norma que contempla este objetivo leva a uma nova racionalidade jurídica, dotada de instrumental normativo para efetividade e concretude.

Assim, a configuração da licitação e do contrato – desde os requisitos de habilitação até aqueles de qualidade da solução eleita como objeto contratual, inclusive envolvendo encargos contratuais – deve ser concebida a partir das seguintes premissas, entre outras: (i) o estudo técnico preliminar deve conter, como elemento, a descrição de possíveis impactos ambientais e respectivas medidas mitigadoras, incluídos requisitos de baixo consumo de energia e de outros recursos, bem como a logística reversa para desfazimento e reciclagem de bens e refugos; (ii) devem ser avaliados para a definição da solução contratual os custos indiretos, relacionados com as despesas de manutenção, utilização, reposição, depreciação e impacto ambiental do objeto licitado, entre outros fatores vinculados ao seu ciclo de vida, poderão ser considerados para a definição do menor dispêndio, sempre que objetivamente mensuráveis; (iii) pode ser exigida prova de qualidade de produto ou serviço por intermédio de comprovação de que o produto está de acordo com as normas técnicas determinadas pelos órgãos oficiais competentes, pela Associação Brasileira de Normas Técnicas (ABNT) ou por outra entidade credenciada pelo Inmetro; certificação, certificado, laudo laboratorial ou documento similar que possibilite a aferição da qualidade e da conformidade do produto ou do processo de fabricação, inclusive sob o aspecto ambiental, emitido por instituição oficial competente ou por entidade credenciada; (iv) as licitações de obras e serviços de engenharia devem respeitar, especialmente, as normas relativas à disposição final ambientalmente adequada dos resíduos sólidos gerados pelas obras contratadas; à mitigação por condicionantes e compensação ambiental, que serão definidas no procedimento de licenciamento ambiental; à utilização de produtos, de equipamentos e de serviços que, comprovadamente, favoreçam a redução do consumo de energia e de recursos naturais; à avaliação de impacto de vizinhança, na forma da legislação urbanística; à proteção do patrimônio histórico, cultural, arqueológico e imaterial, inclusive por meio da avaliação do impacto direto ou indireto causado pelas obras contratadas; e à acessibilidade para pessoas com deficiência ou com mobilidade reduzida.

7 Conclusões

a. A Lei nº 14.133/21 inaugura um regime de transição paradigmática, ou seja, introduz no sistema jurídico novos paradigmas, que devem ser observados quando da configuração das licitações e dos contratos da Administração Pública;

b. Um dos novos paradigmas é expresso pelos objetivos do processo da contratação pública, previstos no art. 11;

c. Adotar as condutas e providências destinadas ao atingimento dos objetivos da contratação pública é um dever jurídico de titularidade de todos os agentes públicos que exercem funções essenciais no processo;

d. Compete à alta administração o dever jurídico, sob pena de responsabilidade por omissão própria, o fomento de condutas e a adoção de providências necessárias para o atingimento dos objetivos fixados pela Lei.

Referências

JUSTEN FILHO, Marçal. *Comentários à Lei de Licitações e Contratações Públicas*. São Paulo: Editora Revista dos Tribunais, 2021.

Informação bibliográfica deste texto, conforme a NBR 6023:2018 da Associação Brasileira de Normas Técnicas (ABNT):

SANTOS, José Anacleto Abduch. Objetivos da contratação pública – a transição paradigmática determinada pela Lei nº 14.133/21. *In*: JUSTEN, Monica Spezia; PEREIRA, Cesar; JUSTEN NETO, Marçal; JUSTEN, Lucas Spezia (coord.). *Uma visão humanista do Direito*: homenagem ao Professor Marçal Justen Filho. Belo Horizonte: Fórum, 2025. v. 2, p. 567-578. ISBN 978-65-5518-916-2.

O CONHECIMENTO E A DOUTRINA COMO ELEMENTARES PARA A GOVERNANÇA DAS CONTRATAÇÕES: A CONTRIBUIÇÃO DO PROFESSOR MARÇAL JUSTEN FILHO

LUCIANO ELIAS REIS

I Introdução

O Tribunal de Contas da União proferiu o Acórdão nº 2.622/2015 – Plenário –, que é considerado um *lead case* da governança pública e um primeiro e importante passo para a governança das contratações.

À época, o Ministro Relator Augusto Nardes recomendou uma série de medidas para a Secretaria de Logística e Tecnologia da Informação do Ministério do Planejamento, como: (i) realizar avaliação quantitativa e qualitativa do pessoal do setor de aquisições, de forma a delimitar as necessidades de recursos humanos para que esses setores realizem a gestão das atividades de aquisições da organização; (ii) capacitar os gestores da área de aquisições em gestão de riscos; e (iii) avaliar se os normativos internos estabelecem: (a) definição da estrutura organizacional da área de aquisições e as competências, atribuições e responsabilidades das áreas e dos cargos efetivos e comissionados, de forma a atender os objetivos a ela designados; e b) competências, atribuições e responsabilidades, com respeito às aquisições, dos dirigentes, nesses incluídos a responsabilidade pelo estabelecimento de políticas e procedimentos de controles internos necessários para mitigar os riscos nas aquisições, além de outros aspectos.

Como se infere do trecho anterior, houve um grande enfoque para que a Administração Pública em si, por meio dos seus órgãos e entidades, instrua os agentes públicos que laboram diariamente, em especial aqueles atuantes no ciclo da contratação pública quando se pensa no recorte da governança das contratações.

Tudo isso está em conformidade com os mecanismos de liderança, estratégia e controle propugnados pela governança pública para que se possa avaliar, direcionar e monitorar a atuação da gestão pública, visando ao aprimoramento das atividades administrativas e da prestação do serviço público postos à disposição da sociedade.

Por sua vez, fazendo o recorte à contratação pública, como excepcional ferramenta de intervenção estatal nas vias regulatória e de fomento, a governança das contratações foi prevista no artigo 11, parágrafo único, da Lei nº 14.133/2021.[1]

E o que isso tem a ver com a doutrina e o conhecimento como meios de aprimoramento, inclusive pela atuação incansável do homenageado desta obra?

Tudo, como será demonstrado nos tópicos subsequentes, até porque a doutrina e o conhecimento são imprescindíveis para o avanço da profissionalização dos agentes públicos atuantes no ciclo da contratação pública, também chamado de metaprocesso.

II O dever de capacitação dos agentes públicos

Assim como não se muda a cultura e não se avança o desenvolvimento de um Estado sem o devido incremento na educação do povo, a atuação estatal também demanda a devida capacitação dos seus agentes para que possa ocorrer qualquer modificação de qualidade, padrão e resultado.

Em geral, o dever de capacitação dos agentes públicos é condição *sine qua non* para que eles possam exercer a função pública de modo satisfatório e eficiente. Quando se labora em áreas sensíveis e de complexidade elevada, como é o caso das compras públicas, exorta-se a imperiosidade de investimento para a instrução, qualificação e repasse de conhecimento.

A palavra capacitação tem por fito, para esse raciocínio, qualquer despesa efetuada para promover a instrução e o conhecimento, seja qualificação direta (com repasse de recursos públicos a empresas ou institutos de formação) ou indireta (por intermédio de gratificação por instrução, promoção ou qualquer outro instituto previsto em legislação apropriada do agente público) ou pela aquisição de meios e instrumentos (livros, revistas, plataformas de apoio técnico, etc.) que desencadeiem o aprimoramento ou lapidação do conhecimento.

É ilegítimo exigir um determinado comportamento do agente caso o Estado não lhe oportunize os meios suficientes para o exercício de tal atividade. Deve ser franqueada a possibilidade de acesso a todo e qualquer meio para atingir a capacitação de acordo com a possibilidade orçamentária e financeira.

Contudo, para evitar arbitrariedade ou o uso desarrazoado do juízo de "oportunidade e conveniência" do gestor, deve ser alçada por lei uma garantia mínima de parcela do orçamento a ser despendido em capacitação dos agentes públicos. Da mesma forma, fontes alternativas para esse propósito também devem ser obtemperadas e buscadas,

---

[1] Sobre o assunto, Marçal Justen Filho explica que: "A governança pública envolve, por um lado, uma estruturação organizacional que assegure a segregação de funções, a existência de órgãos dotados de competências específicas para desenvolvimento das atividades-fim (em uma acepção ampla) e a adoção de órgãos de controle interno e externo da regularidade da atuação dos diversos agentes. (...) Por outro lado, a governança pública compreende a implantação de critérios objetivos para a escolha dos agentes investidos das funções diversas, a consagração de práticas e procedimentos para identificação de situações relevantes futuras, o planejamento das providências escolhidas, a revisão contínua e permanente da adequação das práticas e a adoção de medidas para neutralizar situações imprevistas ou surpreendentes, permitindo inclusive o controle social da atuação dos agentes públicos" (JUSTEN FILHO, Marçal. *Comentários à Lei de Licitações e Contratações Administrativas*. São Paulo: Thomson Reuters Brasil, 2021, p. 264).

como, por exemplo, afetação de parcela dos créditos bancários disponibilizados aos agentes públicos para consignação em folha de pagamento.[2]

Apesar desse cenário consignado, infelizmente, existe uma grande confusão ao abordar os numerários alocados em capacitação como meras despesas, e não como investimentos que deve ser o escorreito. Assim como a Lei de Responsabilidade Fiscal e a Lei nº 4.320 estabelecem algumas restrições sobre as despesas efetuadas a partir de arrecadação de bens e patrimônio considerados como receitas de investimentos, também deve-se pensar que a legislação deveria ter o mesmo cuidado com os investimentos em capacitação.[3]

O agente público melhor instruído retornará melhores resultados para a sociedade. Desde atuações mais seguras, técnica e juridicamente, até a maior felicidade ao efetuar atos em geral mais qualificados, o que inexoravelmente gerará uma sensação de maior proveito e responsabilidade para com a sociedade. Como o Estado é serviente aos reclamos da sociedade, logo é justíssimo qualquer intento de seu fortalecimento.

Em outras palavras, ainda que se prescreva despesa para fins técnicos na Lei nº 4.320, a aplicação de recursos públicos para capacitar agentes públicos deverá ser encarada como investimento no capital humano, logo estará diretamente entrelaçada no mecanismo da liderança e do fator humano para concretizar a estratégia determinada.

III Posição das Cortes de Contas como indutor do avanço ao conhecimento na área de contratações públicas

Na seara de contratações públicas, os Tribunais de Contas têm alertado e reprimido gestores públicos que não tenham permitido a preparação dos agentes para o desempenho de funções pertinentes à área, como, já deliberado, em situações de pregoeiros não qualificados, fiscais e gestores de contratos despreparados ou agentes de controle interno pró-forma.

As situações concretas são as mais variadas, como se denota dos julgados ora retratados do Tribunal de Contas da União:

---

[2] Experiência já adotada com êxito em Cuiabá nos termos da Lei Municipal nº 4.369, de 16 de junho de 2003, que criou o Fundo de Desenvolvimento do Sistema de Pessoal do Município de Cuiabá. Depois foi alterada pela Lei Municipal nº 5.420/2011. Prescreve que o fundo será custeado pelo recolhimento mensal de 1% do total das consignações em folha de pagamento em favor das companhias de seguros, entidades de previdência privada, cooperativas, empresas ou instituições de administrações e gestão de sistemas de benefícios e instituições financeiras, sendo que do total do montante arrecadado 80% serão afetados para capacitação dos servidores públicos municipais e 20% para aquisição de equipamentos permanentes. Regulamentando tal prática, vide Decreto Municipal de Cuiabá nº 4.125/2003 e Decreto Municipal nº 5.922/2015.

[3] "Art. 44. É vedada a aplicação da receita de capital derivada da alienação de bens e direitos que integram o patrimônio público para o financiamento de despesa corrente, salvo se destinada por lei aos regimes de previdência social, geral e próprio dos servidores públicos" (Lei Complementar nº 101/2000). "Art. 11 - A receita classificar-se-á nas seguintes categorias econômicas: Receitas Correntes e Receitas de Capital. §1º - São Receitas Correntes as receitas tributária, de contribuições, patrimonial, agropecuária, industrial, de serviços e outras e, ainda, as provenientes de recursos financeiros recebidos de outras pessoas de direito público ou privado, quando destinadas a atender despesas classificáveis em Despesas Correntes. §2º - São Receitas de Capital as provenientes da realização de recursos financeiros oriundos de constituição de dívidas; da conversão, em espécie, de bens e direitos; os recursos recebidos de outras pessoas de direito público ou privado, destinados a atender despesas classificáveis em Despesas de Capital e, ainda, o *superávit* do Orçamento Corrente" (Lei nº 4320/64).

(i) Acórdão nº 1.227/12 – Plenário – no qual se constatou que o fiscal e o gestor não tomaram as providências necessárias para a lavratura do termo aditivo, sendo que houve a execução de parcelas não contratadas pela Administração, o que configurou aditivo verbal – vedado pela legislação brasileira;[4]

(ii) Acórdão nº 1.315/14 – 2ª Câmara – em que se acumularam funções ao mesmo agente e sua participação ocorreu em diversos atos da contratação pública (na licitação e no contrato), o que alija a efetivação de controles internos, e, com isso, justifica a orientação das Cortes de determinar a segregação de funções;[5]

(iii) Acórdão nº 43/15 – Plenário – no qual o Tribunal compreendeu que o agente designado como fiscal do contrato tem o dever de conhecer os limites e as normas aplicáveis aos contratos administrativos, inclusive notificando a empresa contratada ou seus superiores hierárquicos a depender do caso;[6]

(iv) Acórdão nº 2.897/2019 – Segunda Câmara – em que se determinou a avaliação da conveniência e a oportunidade de prover capacitação contínua de servidores envolvidos na gestão e fiscalização de contratos com vistas a aperfeiçoar o setor de contratação.

(v) Acórdão nº 595/2020 – Plenário – quando se apontou sobre a potencial imperiosidade de capacitação dos agentes do órgão.

O Tribunal de Contas da União enquadra a capacitação como um dos pilares estruturais de execução para a governança pública na gestão de aquisições públicas.

No Acórdão nº 2.622/2015 – Plenário, conhecido como Riscos e Controles nas Aquisições (RCA) e *lead case* da governança, o voto condutor do Ministro Augusto Nardes expôs:

(i) "quanto menor a capacidade de governança de uma organização pública, maior o risco de que não sejam bem aplicados os recursos públicos em benefício da sociedade";

(ii) os órgãos superiores devem ter frentes de atuação, quais sejam: a de gerar condições para as organizações aumentarem as suas capacidades de governança e gestão de aquisição; a de priorizar recursos públicos conforme a capacidade de transformar os recursos em benefícios, usando métricas de risco e os planos de melhorias de governança e gestão; e a de enfocar a liberação de recursos quando estiver em contingenciamento de acordo com o grau de risco;

(iii) a escolha dos agentes envolvidos na área de compras deverá ser realizada criteriosamente e segundo os perfis de competências e os princípios da transparência, da motivação, da eficiência e do interesse público;

(iv) a necessidade de avaliar quantitativa e qualitativamente o pessoal do setor de compras públicas e delimitar as suas funções;

---

[4] Informativo de Jurisprudência sobre Licitações e Contratos nº 107 do Tribunal de Contas da União, Acórdão nº 1.227/12 – Plenário, TC 004.554/2012-4, Rel. Min. Valmir Campelo, 23.05.2012. Outra situação parecida que enseja sempre a responsabilização é o caso de aditivo em contrato extinto, ou seja, extrapolação do prazo contratual e aditivo realizado posteriormente de maneira intempestiva.

[5] Tribunal de Contas da União, item 1.6.2.2, TC-025.243/2013-6, Acórdão nº 1.315/14 – 2ª Câmara.

[6] Informativo de Jurisprudência sobre Licitações e Contratos nº 228 do Tribunal de Contas da União, Acórdão nº 43/15 – Plenário, TC 017.261/2011-2, Rel. Min. Raimundo Carreiro, 21.01. 2015.

(v) o dever de definir os papéis e responsabilidades dos agentes envolvidos em cada etapa do procedimento de licitação e contratação, a fim de evitar sobreposição e sobrecarga; e

(vi) a capacitação dos agentes envolvidos especialmente sobre gestão de riscos.

Pelo exposto, o agente público, para exercer adequadamente o seu múnus, necessita de competência, capacidade técnica, capacidade operacional e capacidade física.

A competência é a atribuição normativa repassada ao agente público para exercer determinada atividade. Não é possível imputar a responsabilidade a alguém caso não tenha sido determinada tal incumbência por meio do ato administrativo competente. Exemplifica-se com a impossibilidade de imputar a responsabilidade de fiscalização de um contrato administrativo para quem não foi formalmente designado para este mister, consoante já deliberado acertadamente no Acórdão nº 6.708/14 – 1ª Câmara do Tribunal de Contas da União.[7]

Até porque, sem a designação formal, não se pode cobrar e rogar que as contas sobre as atividades desempenhadas sejam prestadas. A previsão das competências, de modo antecedente e explícito, contribuirá para a efetivação da matriz de responsabilidade. Nesse sentido, o julgamento do Tribunal de Contas da União no Acórdão nº 929/2019 – Plenário – ponderou que não se pode atribuir culpa e responsabilizar um determinado agente quando a tarefa não desenvolvida era de competência de outro. O atendimento da competência ora propugnado deverá dar-se tanto sob o viés do cargo ocupado quanto pela necessidade de designação prévia e específica para a finalidade.

A capacidade técnica revela que não basta designar um agente, mas este deverá possuir conhecimento e condições técnicas para exercer a sua missão. Não é possível designar um analista administrativo para desempenhar a função de fiscal de contrato de obra pública, a qual demanda necessariamente que seja um engenheiro ou arquiteto habilitado e que possua competência para estar no cargo público correspondente.

A falta de condições técnicas inviabiliza a prática das atividades ordenadas pela autoridade superior. Para demonstrar tal exigência, ilustra-se que, no Acórdão nº 785/2014 – Plenário –, o Tribunal de Contas da União posicionou-se no sentido de que os servidores designados para atuar como fiscal de contrato devem possuir conhecimentos técnicos pertinentes ao objeto contratado.[8]

A capacidade física requer do agente público designado para alguma função a viabilidade física para o cumprimento do proposto. Não é possível imputar a responsabilidade de um ato para um agente que está longe do ocorrido. Ou seja, por exemplo, é inviável designar para ser membro de comissão de licitação um servidor médico que está operando no centro cirúrgico do hospital público durante todo o seu expediente. Como este poderá participar efetivamente da licitação?

---

[7] Tribunal de Contas da União, item 1.7.2.2, TC-029.319/2013-7, Acórdão nº 6.708/14 – 1ª Câmara. Em igual sentido, Tribunal de Contas da União, itens 9.3.2 a 9.3.3, TC-015.818/2009-9, Acórdão nº 2.091/14 – 2ª Câmara. Sobre o tema, ainda: "(...) determinação à (omissis) para que institua ato normativo regulamentando os procedimentos a serem adotados pelos representantes da Administração especialmente designados para acompanhar e fiscalizar a execução dos contratos firmados pelo órgão, nos termos do art. 67, §§1º e 2º, da Lei nº 8.666/1993, de forma a possibilitar que os respectivos fiscais de contratos tenham conhecimentos claros a respeito de suas atribuições e responsabilidades" (Tribunal de Contas da União, item 9.2, TC-028.783/2010-7, Acórdão nº 2.958/12 – Plenário).

[8] Tribunal de Contas da União, item 1.7.2.1, TC-015.204/2011-1, Acórdão nº 785/14 – Plenário.

Imagine designar um engenheiro para ser fiscal de contrato de obra, a fim de avaliar, dentre outros pontos, o uso de uma alfa tecnologia durante a execução contratual, caso este esteja lá lotado e localizado fisicamente em Belém-Pará, enquanto a obra se encontra em Novo Progresso (distante mais de 900 quilômetros em linha reta e mais de 1.600 por estrada).

Por sua vez, a capacidade operacional está relacionada com a possibilidade de exercer a função pública em conformidade com os demais afazeres laborais, sem que haja qualquer tipo de sobrecarga ou de excesso de trabalho. O Tribunal de Contas da União já alertou que "evite sobrecarga de trabalho ao servidor e, consequentemente, ineficiência na execução da tarefa".[9] Em situação mais recente, a mesma Corte deliberou que é impossível imputar a responsabilidade a alguém sem que este possua condições apropriadas para tal função.

Ademais, deve-se associar a questão de dolo/culpa com as dificuldades e obstáculos reais vivenciados pelo agente, nos termos do artigo 22 da Lei de Introdução às Normas do Direito. Destaca-se que, nesse último caso, foi usado o artigo 64 da Lei de Organização e Processo do Tribunal de Contas de Portugal, que prescreve que na avalição da culpa devem-se levar em consideração "os meios humanos e materiais existentes no serviço, organismo ou entidade sujeitos à sua jurisdição".[10]

A escolha da competência e das aludidas capacidades como critérios para o exercício de uma função pública decorre de uma visão sistêmica para que alguém possa atuar na área pública, bem como da dogmática acerca de possível teoria da infração e sanção administrativa.

IV Experiência da União Europeia sobre a profissionalização e a capacitação dos agentes públicos

A ênfase sobre a capacitação gerou no âmbito da União Europeia a expedição da Recomendação UE 2017/1805 da Comissão, de 3 de outubro de 2017, na qual enfatizou a imprescindibilidade de uma política de profissionalização da contratação pública. Compreendeu que três pilares são indispensáveis para este intento. Desenvolvimento de uma arquitetura apropriada, recursos humanos e sistemas.[11]

---

[9] Tribunal de Contas da União, item 9.4.8, TC-009.934/2012-0, Acórdão nº 38/13 – Plenário.
[10] Tribunal de Contas da União, Acórdão nº 2.973/2019 – 2ª Câmara.
[11] "Por consiguiente, una política de profesionalización eficaz debe basarse en un planteamiento estratégico global en torno a tres objetivos complementarios: I. Desarrollar la arquitectura política adecuada para la profesionalización: para tener un impacto real, cualquier política de profesionalización debe contar con un elevado nivel de respaldo político. Esto significa definir claramente a nivel político central la atribución de responsabilidades y tareas de las instituciones; respaldar los esfuerzos a nivel local, regional y sectorial; garantizar la continuación a través de los ciclos políticos; utilizar, cuando sea apropiado, las estructuras institucionales que fomentan la especialización, la agregación y el intercambio de conocimientos. II. Recursos humanos: mejorar la formación y la gestión de la carrera de los profesionales en materia de contratación: los profesionales de la contratación pública, es decir, aquellas personas implicadas en la contratación de bienes, servicios y obras, así como los auditores y funcionarios responsables de la revisión de los casos relacionados con la contratación pública, deben disponer de las cualificaciones, formación, capacidades y experiencia adecuadas necesarias para su nivel de responsabilidad. Esto implica garantizar la existencia de personal con experiencia, capacitado y motivado, ofrecer la formación y desarrollo profesional continuo necesarios, así como desarrollar una estructura de la carrera profesional e incentivos que hagan atractiva la función de la contratación pública y motiven a los funcionarios públicos a lograr resultados estratégicos. III. Sistemas: proporcionar herramientas y metodologías

Acerca do primeiro, ficou estatuído que:
(i) os Estados-Membros deverão elaborar e aplicar estratégias de profissionalização a longo prazo para a contratação de acordo com as necessidades, recursos e estrutura administrativa, a fim de atrair, desenvolver e reter competências, focar no rendimento e nos resultados estratégicos, bem como aproveitar ao máximo as ferramentas e técnicas disponíveis;
(ii) a estratégia deverá ser aplicada a todos os participantes, direta ou indiretamente, do processo de contratação indistintamente da esfera (local, regional ou nacional), sendo aplicada de maneira coordenada com outras políticas e realizado um balanço de desenvolvimento em comparação com outros Estados;
(iii) o escopo deverá ser o apoio às estratégias de profissionalização nacional por meio de desenvolvimento de iniciativas, arquitetura institucional adequada e cooperação, para que haja maior sintonia cooperativa entre os serviços e as entidades/autoridades envolvidas no processo, bem como haja o aproveitamento da experiência e do apoio das instituições de formação, centrais de compras e organizações profissionais dedicadas à contratação.

No tocante aos recursos humanos, a recomendação ponderou que:
(i) os Estados-Membros devem identificar e definir a base das capacidades e competências para qualquer profissional atuar na área de contratação, inclusive a sua formação, que deverá levar em consideração a natureza multidisciplinar dos projetos-foco das compras públicas;
(ii) deve existir um programa propício para a formação acerca da avaliação dos dados e das necessidades, bem como dos marcos de competência disponíveis, até mesmo para: desenvolver cursos a nível de formação, pós-graduação ou outro para formar os agentes; fornecer e apoiar constantemente cursos e eventos para a formação e aprendizado contínuo; multiplicar a oferta de formação por meio de soluções inovadoras e interativas ou ferramentas de aprendizagem eletrônica; e aproveitar a cooperação acadêmica e de pesquisa para o desenvolvimento de uma retaguarda substancial teórica para possíveis soluções em contratações públicas;
(iii) deverão ser garantidos programas de planejamento de carreira com a promoção e progressão, a partir da qualificação dos agentes, sempre com o intuito de conceder incentivos remuneratórios, certificações e reconhecimentos, prêmios de excelência por boas práticas na área de inovação, compras ambientais, sociais e na luta favorável à integridade nas relações negociais; e
(iv) com tudo isso, visa-se animar e reter as pessoas qualificadas em suas respectivas funções para majorar a qualidade do pessoal e, consequentemente, dos préstimos efetuados.

---

de apoyo de la práctica profesional en el ámbito de la contratación: los profesionales de la contratación pública deben disponer de las herramientas y el apoyo adecuados para actuar de manera eficaz y lograr la mejor relación calidad-precio en cada compra. Esto significa garantizar la disponibilidad de herramientas y procesos para lograr una contratación inteligente, tales como: herramientas de contratación electrónica, directrices, manuales, plantillas y herramientas de cooperación, con la formación, apoyo y experiencia, agregación de conocimientos e intercambio de buenas prácticas correspondientes" (Trecho dos considerandos da Recomendação).

Quanto aos sistemas, a Comissão da União Europeia avultou que os Estados-Membros devem:
(i) estimular e incentivar o desenvolvimento de instrumentos de tecnologia de informação acessíveis para a simplificação e melhorias no funcionamento dos sistemas de contratação, inclusive com a cooperação dos Estados para o compartilhamento de ferramentas e interoperabilidade entre os mais diversos sistemas e usuário;
(ii) apoiar e direcionar a integridade, a nível individual e institucional, como condição para a atuação profissional dos agentes públicos, confeccionando e utilizando mecanismos para a garantia do cumprimento de tais objetivos e da transparência, evitando, assim, qualquer distorção corruptiva (prevenção via cartas de integridade, uso dos riscos já vivenciados para evitar futuros erros e métodos de implementação de uma política de integridade);
(iii) disponibilizar manuais, documentos de boas práticas, planilhas, dentre outros, pelos meios tecnológicos para que se comungue uma racionalidade estratégica e ideal de boas contratações públicas, de acordo com as normas comunitárias e concorrenciais e
(iv) incentivar a troca de boas práticas já executadas via colaboração entre os agentes de compras públicas dos mais diversos Estados, o que poderá acontecer com a organização de seminários, comunidades virtuais e assistência telefônica, dentre outros casos.[12]

Além disso, mais recentemente houve o ProcurCompEU, que é um instrumento concebido pela Comissão Europeia para apoiar a profissionalização da contratação pública, inclusive a partir da premissa indissociável de que ela tem uma função estratégica para os Estados. Nos documentos, relatórios e ferramentas disponibilizados, a intenção é que os profissionais da contratação pública na União Europeia possam se capacitar, autoavaliar e melhorar as suas aptidões.

V A Lei nº 14.133/2021 e a preocupação com a capacitação dos agentes públicos

A preocupação com a capacitação dos agentes públicos envolvidos na área da contratação pública transcende as fronteiras, mais um motivo para que a legislação brasileira venha a disciplinar o dever de ser proporcionada uma contínua capacitação e profissionalização de tais agentes,[13] tal como a Lei nº 14.133 corroborou em larga escala ao prever que:

---

[12] Criticando a falta do tema na Diretiva, apesar da posterior recomendação, José Antonio Moreno Molina verbera que se deve "garantizar la existencia de personal con experiencia, capacitado y motivado, la necesidad de ofrecer la formación y desarrollo profesional continuo necesarios, así como desarrollar una estructura de la carrera profesional específica e incentivos que hagan atractiva la función de la contratación pública y motiven a los empleados públicos a lograr resultados estratégicos" (MORENO MOLINA, José Antonio; PINTOS SANTIAGO, Jaime. Aciertos, desaciertos y futuros de la LCSP. *Contratación Administrativa Práctica*, Madrid, n. 159, jan. 2019, p. 06-11, p. 10).

[13] Tanto é assim que o Comitê de Governança Pública da Organização para a Cooperação e Desenvolvimento Econômico em 2015 emitiu uma Recomendação do Conselho sobre a contratação pública e versou sobre a instrução dos agentes de compras públicas: "A tal fin, los Adherentes deberán: i) Asegurarse de que los

(i) dever da autoridade máxima do órgão ou da entidade, ou a quem as normas de organização administrativa indicarem, promover gestão por competências e designar agentes públicos para o desempenho das funções essenciais à execução da Lei nº 14.133 que tenham atribuições relacionadas a licitações e contratos ou possuam formação compatível ou qualificação atestada por certificação profissional emitida por escola de governo criada e mantida pelo Poder Público (artigo 7º, II);

(ii) os fiscais e gestores de contratos deverão ser devidamente capacitados (artigo 18, §1º, X);

(iii) os integrantes da linha de defesa deverão recomendar a capacitação dos agentes públicos responsáveis para evitar a continuidade e repetição de ocorrência de erros ou irregularidades (artigo 169, §3º, I);

(iv) os tribunais de contas por meio das escolas de contas deverão promover eventos de capacitação para os servidores efetivos e empregados públicos designados para o desempenho das funções essenciais à execução desta Lei, incluídos cursos presenciais e a distância, redes de aprendizagem, seminários e congressos sobre contratações públicas (artigo 173).

Para esta tarefa, a Administração Pública deverá planejar, de forma cooperativa e colaborativa, uma formatação conveniente, de preferência utilizando as mais diversas ferramentas tecnológicas e atuais, entre todos os seus órgãos e entidades, a fim de customizar recursos e proveitos para o maior número de envolvidos.[14]

VI A gestão por competências e a estruturação da área de contratações públicas como instrumentos efetivos de governança das contratações

Segundo o Decreto Federal nº 9.203/2017, que dispõe sobre a política de governança da Administração Pública federal direta, autárquica e fundacional, liderança "compreende conjunto de práticas de natureza humana ou comportamental exercida

---

profesionales de la contratación pública tienen un alto nivel de integridad, capacitación teórica y aptitud para la puesta en práctica, para lo que les proporcionan herramientas específicas y periódicamente actualizadas, disponiendo, por ejemplo, de unos empleados suficientes en número y con las capacidades adecuadas, reconociendo la contratación pública como una profesión en sí misma, proporcionando formación periódica y las oportunas titulaciones, estableciendo unas normas de integridad para los profesionales de la contratación pública y disponiendo de una unidad o equipo que analice la información en materia de contratación pública y realice un seguimiento del desempeño del sistema. ii) Ofrecer a los profesionales de la contratación pública un sistema de carrera atractivo, competitivo y basado en el mérito, estableciendo vías de ascenso según méritos claros, brindando protección frente a las injerencias políticas en el procedimiento de contratación pública, y promoviendo en las esferas nacional e internacional las buenas prácticas para los sistemas de carrera profesional al objeto de mejorar el rendimiento de estos empleados. iii) Fomentar la adopción de enfoques colaborativos con entidades como universidades, think tanks o centros políticos a fin de mejorar las capacidades y competencia del personal de contratación pública. Deberá hacerse uso de la especialización y la experiencia pedagógica de estos centros del saber, en tanto en cuanto son herramientas valiosas que amplían los conocimientos en esta materia y establecen un canal bidireccional entre teoría y práctica capaz de impulsar la innovación en los sistemas de contratación pública" (ORGANIZAÇÃO PARA A COOPERAÇÃO E DESENVOLVIMENTO ECONÔMICO. *Recomendación del Consejo sobre Contratación Pública*. Paris: OCDE, 2015).

[14] Ainda que normalmente os Tribunais de Contas direcionem o dever de planejamento de capacitação de forma individualizada, recomenda-se que a atuação estatal seja ampla e coordenada entre todos os órgãos e entidades.

nos principais cargos das organizações, para assegurar a existência das condições mínimas para o exercício da boa governança, quais sejam: a) integridade; b) competência; c) responsabilidade; e d) motivação".

Especificamente sobre as contratações públicas no âmbito federal, a Portaria SEGES/ME nº 8.678/2021 elenca a gestão por competências e a definição de estrutura da área responsável como instrumentos de governança das contratações.

Na gestão por competência, segundo a Portaria, compete ao órgão ou entidade:
(i) assegurar a aderência às normas, regulamentações e padrões estabelecidos pelo órgão central do Sistema de Serviços Gerais – SISG, quanto às competências para os agentes públicos que desempenham papéis ligados à governança, à gestão e à fiscalização das contratações;
(ii) garantir que a escolha dos ocupantes de funções-chave, funções de confiança ou cargos em comissão, na área de contratações, seja fundamentada nos perfis de competências definidos, observando os princípios da transparência, da eficiência e do interesse público, bem como os requisitos definidos no art. 7º da Lei nº 14.133, de 2021; e
(iii) elencar, no Plano de Desenvolvimento de Pessoas – PDP, nos termos do Decreto nº 9.991, de 28 de agosto de 2019, ações de desenvolvimento dos dirigentes e demais agentes que atuam no processo de contratação, contemplando aspectos técnicos, gerenciais e comportamentais desejáveis ao bom desempenho de suas funções.

Já na estruturação da área de contratações públicas de acordo com a aludida Portaria, o órgão ou entidade deverá:
(i) proceder, periodicamente, à avaliação quantitativa e qualitativa do pessoal, de forma a delimitar as necessidades de recursos materiais e humanos;
(ii) estabelecer em normativos internos: a) competências, atribuições e responsabilidades dos dirigentes, incluindo a responsabilidade pelo estabelecimento de políticas e procedimentos de controles internos necessários para mitigar os riscos; b) competências, atribuições e responsabilidades dos demais agentes que atuam no processo de contratações; e c) política de delegação de competência para autorização de contratações, se pertinente;
(iii) avaliar a necessidade de atribuir a um comitê, integrado por representantes dos diversos setores da organização, a responsabilidade por auxiliar a alta administração nas decisões relativas às contratações;
(iv) zelar pela devida segregação de funções, vedada a designação do mesmo agente público para atuação simultânea nas funções mais suscetíveis a riscos;
(v) proceder a ajustes ou a adequações em suas estruturas, considerando a centralização de compras pelas unidades competentes, com o objetivo de realizar contratações em grande escala, sempre que oportuno; e
(vi) observar as diferenças conceituais entre controle interno, a cargo dos gestores responsáveis pelos processos que recebem o controle, e auditoria interna, de forma a não atribuir atividades de cogestão à unidade de auditoria interna.

Como se verifica, não é mais crível que um gestor público em seu papel de líder desconsidere tais instrumentos suscitados em suas respectivas estruturas de pessoal, deixando de propagar ou instruir adequadamente os seus agentes.

Em crítica severa sobre a legislação de licitações e contratos ainda sob a égide da legislação anterior à atual Lei nº 14.133, Sérgio Resende de Barros defendia a necessidade de o Brasil ter mais confiabilidade, discricionariedade e responsabilidade ante a gerencialidade e a complexidade da Administração Pública nacional. Segundo ele, "administrar é gerir em situações complexas. Gerir é agir com rapidez e eficiência. Não é simplesmente aplicar regras detalhistas e morosas, como autômato. Não é só julgar. Gerir é agir com liberdade para decidir e decidir com liberdade para agir, o que implica e pressupõe confiança do mandante e responsabilidade do mandatário". Tanto que posteriormente, ainda arremata que não deveria existir no Brasil uma legislação em licitações e contratos tão detalhista que transforma os agentes em "aplicadores cegos do direito positivo", sendo inexorável que confie aos agentes públicos "um poder gerencial, prudente e eficiente, devidamente disciplinado por regras de parametragem".[15]

De modo similar, Francis Fukushima inclusive faz uma crítica aplicável à presente situação ao asseverar que "o motivo pelo qual as compras governamentais acabam saindo mais caras do que no setor privado é que os dirigentes do setor público estão dispostos a tolerar somente graus mínimos de risco em sua delegação de autoridade. O temor de que a discrição indevida leve à corrupção ou a abusos motiva a proliferação de regras formais de compras (...) que limitam a discrição, sem consideração pelos custos dessas políticas para evitar riscos".[16]

VII O papel do conhecimento e da doutrina

O conhecimento, segundo o dicionário, é o ato de compreender por meio da razão e/ou da experiência. O agente público, diante de um complexo ambiente normativo sobre licitações e contratos, ainda mais pelas mais variadas interpretações existentes, precisa buscar um norte para uma atuação segura.

A experiência vem a partir da prática reiterada. A razão demanda a assimilação do que é certo ou errado e de como fazer adequadamente. Contudo, para que o agente público possa ter a aptidão necessária, precisa que as suas competências (capacidades) e habilidades sejam preparadas ou lapidadas. Eis que vem a relevância da capacitação, que, mais uma vez dita, não se restringe à participação de um curso ou treinamento, mas também ao acesso a material, livros e ensaios tecnicamente qualificados.

Aqui a doutrina administrativista, em especial aqueles autores dedicados com o tema de licitações e contratos, assume um papel fundamental para a melhoria do ambiente de negócios públicos no Brasil e com isso para o avanço da sociedade brasileira em si.

O próprio Decreto Federal nº 9.830/2019, ao regulamentar os dispositivos da Lei de Introdução às Normas do Direito Brasileiro, prescreveu que a motivação da decisão deverá contextualizar os fatos, quando cabível, e indicar os fundamentos de mérito e jurídicos, sendo que indicará as normas, a interpretação jurídica ou a doutrina que a embasaram.

---

[15] BARROS, Sérgio Resende. *Liberdade e Contrato*: a crise da licitação. Piracicaba: Editora Unimep, 1995, p. 166-167.
[16] FUKUYAMA, Francis. *Construção de Estados*: governo e organização mundial no século XXI. Rio de Janeiro: Rocco, 2005, p. 101-102.

Assim sendo, no meu ponto de vista, a partir da referida previsão normativa houve um grande destaque aos profissionais que se dedicam a verticalizar os seus estudos e produzir publicações em formato de livros e artigos para fazer doutrina. Para fazer o certo e operacionalizar as contratações públicas de modo escorreito, é importante estudar e aprender com aqueles professores abnegados a dividir o seu conhecimento, segundo o escólio de Cora Coralina, "feliz aquele que transfere o que sabe e aprende o que ensina".[17]

Não é fácil a dedicação de horas e horas de estudos e leituras para posteriormente elaborar um texto breve. A dificuldade se avoluma quando se está diante da produção de um livro ou de várias obras, tal como o homenageado que já produziu dezenas em toda a sua vida profissional. É notório o seu caminhar tranquilo pelas áreas jurídicas, nas mais diversas facetas, tanto que possui livros em diversos "ramos" do Direito.

A partir destes regalos à sociedade brasileira, pode-se dizer que o Professor Marçal Justen Filho contribuiu, e contribui, significativamente com a reflexão, interpretação e aplicação jurídica. Fazendo uma pesquisa rápida, no dia 14 de agosto de 2024, o nome "Marçal Justen Filho" no site do Tribunal de Contas da União consta citado em 2.468 acórdãos e no Superior Tribunal de Justiça em 183 acórdãos e em 1.623 decisões monocráticas. Por óbvio, no meu olhar, é o maior prêmio que um escritor pode ter, qual seja, a leitura dos seus escritos e o respectivo uso, preenchendo um caráter dúplice de interesse para aplicabilidade e utilidade.

Especificamente sobre a produção doutrinária na área de licitações e contratos, o festejado livro "Comentários à Lei de Licitações e Contratos" é leitura obrigatória, assim como de cabeceira para os agentes públicos e privados que laboram com o tema. Seja para uma pesquisa mais avançada ou uma consulta rápida, indubitavelmente a presença do seu livro contribui significativamente para o amadurecimento e crescimento dos agentes públicos que atuam no metaprocesso da contratação pública, o que per si repercute na governança.

VIII Conclusões

O presente ensaio discorreu sobre a governança das contratações públicas no atual estágio normativo brasileiro e como é indispensável que se invista no agente público, que atua no macroprocesso, para que se possa ter um ambiente mais seguro, íntegro e amadurecido a partir de contratações públicas eficientes, eficazes e efetivas.

O referido investimento deve acontecer pela via da capacitação e da instrução propiciada pelos órgãos e entidades da Administração Pública, inclusive como ações concretas dos instrumentos de gestão de competência e da estruturação das áreas de contratações.

Nessa linha, doutrinadores como o Professor Marçal Justen Filho, homenageado desta obra, têm papel fundamental ao brindar a sociedade brasileira com livros e escritos na área de licitações e contratos que servem de guia seguro aos aplicadores e intérpretes da nebulosa e complexa legislação brasileira.

---

[17] CORALINA, Cora. *Vintém de cobre*: meias confissões *de Aninha*. São Paulo: Global Editora, 1997.

Por tais breves reflexões, pode-se inferir que a doutrina e o conhecimento do Professor Marçal Justen Filho são elementares para a governança das contratações, notadamente nos instrumentos suscitados.

Referências

BARROS, Sérgio Resende. *Liberdade e Contrato*: a crise da licitação. Piracicaba: Editora Unimep, 1995.

CORALINA, Cora. *Vintém de cobre*: meias confissões de Aninha. São Paulo: Global Editora, 1997.

FUKUYAMA, Francis. *Construção de Estados*: governo e organização mundial no século XXI. Rio de Janeiro: Rocco, 2005.

JUSTEN FILHO, Marçal. *Comentários à Lei de Licitações e Contratações Administrativas*. São Paulo: Thomson Reuters Brasil, 2021.

MORENO MOLINA, José Antonio; PINTOS SANTIAGO, Jaime. Aciertos, desaciertos y futuros de la LCSP. *Contratación Administrativa Práctica*, Madrid, n. 159, p. 6-11, jan. 2019.

ORGANIZAÇÃO PARA A COOPERAÇÃO E DESENVOLVIMENTO ECONÔMICO. *Recomendación del Consejo sobre Contratación Pública*. Paris: OCDE, 2015.

Informação bibliográfica deste texto, conforme a NBR 6023:2018 da Associação Brasileira de Normas Técnicas (ABNT):

REIS, Luciano Elias. O conhecimento e a doutrina como elementares para a governança das contratações: a contribuição do professor Marçal Justen Filho. *In*: JUSTEN, Monica Spezia; PEREIRA, Cesar; JUSTEN NETO, Marçal; JUSTEN, Lucas Spezia (coord.). *Uma visão humanista do Direito*: homenagem ao Professor Marçal Justen Filho. Belo Horizonte: Fórum, 2025. v. 2, p. 579-591. ISBN 978-65-5518-916-2.

ESPAÇOS DA VINCULAÇÃO E DA DISCRICIONARIEDADE EM PROCEDIMENTOS LICITATÓRIOS

LUIZ ALBERTO BLANCHET

1 Introdução

Embora pareça óbvio que a detecção da existência e amplitude da discricionariedade não pode limitar-se ao exame da lei apenas, ainda são frequentes os exercícios de uma discricionariedade que juridicamente inexiste. A discricionariedade é um fenômeno ínsito à formação (não subjetivamente construída, mas objetivamente espontânea) da vontade do Estado, atentando-se para o fato de que a expressão *vontade do Estado* é mera figura de linguagem influenciada pela personificação do Estado. Deve-se entender o termo *Estado* em sua acepção constitucional, não como designativo de uma pessoa autônoma e com interesses próprios, mas como *instrumento* criado pelo povo para satisfazer os anseios (dos mais complexos e abrangentes aos mais simples e específicos) de interesse público. Aqui emprega-se a expressão *interesse público* como um vínculo, ou pertinência, entre o povo, como sujeito, e um determinado bem jurídico cuja proteção compete ao Estado.

O administrador saberá, com suficiente segurança, quais são os aspectos discricionários, em cada situação concreta, somente após ter identificado o conteúdo e a amplitude da vontade do Estado a ser satisfeita. Em situações, portanto, nas quais o administrador vê discricionariedade onde não existe, ele sequer chegou a identificar a vontade a ser atendida pela Administração ou talvez nem saiba exatamente o que significa, em bases jurídicas, a expressão *vontade do Estado*.

Assim, enquanto o agente crê estar identificando e mensurando a discricionariedade, em verdade ele está reconhecendo a existência e desvendando os detalhes e alcance da vinculação em cada caso específico, pois a discricionariedade é apenas o que remanesce após o emprego de todas as técnicas necessárias para o delineamento (levado a efeito em bases objetivas) da vinculação concretamente manifestada em cada situação cujo atendimento seja de competência do Estado. Afinal, o conteúdo da discricionariedade é "qualquer um" não alcançado por comandos normativos, assim de regra jurídica (pela subsunção à sua hipótese de aplicação), como também de princípio jurídico pela técnica de ponderação. E assim é porque discricionariedade é o que remanesce após a identificação dos aspectos vinculados de cada caso e, por isso mesmo, seu contorno deve ser criteriosamente respeitado, mas seu conteúdo é indiferente, ou irrelevante, para avaliação da juridicidade.

O fenômeno a que se convencionou chamar de discricionariedade, ademais, não se manifesta apenas na função *administração*, mas em qualquer atividade do Estado.

Mediante uma visão estritamente positivista, é fácil levar alguém, em seus momentos de menor atenção, a acreditar que entendeu o que é a discricionariedade. Assim sucede com a vetusta ideia de "margem de liberdade", ou a simples frase de impacto imediato e impensado, segundo a qual, haveria discricionariedade onde cessasse o alcance literal da lei apenas. Que a lei não é o Direito, todos sabem, mas ela lhe é fundamental, é sua fonte primária e, assim como o fenótipo de um indivíduo não é definido apenas pelo genótipo que herdou, também a norma de aplicação com a qual trabalha o administrador não é definida apenas pela lei. O agente da Administração precisa adicionalmente de dados mais específicos, não trazidos pela lei e, portanto, pela norma que dela for extraída. Esses dados variam em cada caso, entretanto normas jurídicas não fornecem dados. A rigor, as normas resultantes do dispositivo isolado ou de dois ou mais conjugados, são verdadeiras fórmulas a serem preenchidas, aí, sim, com os dados de cada situação concreta, como adiante procurar-se-á demonstrar. É por esta razão que a aplicação de uma mesma norma a duas ou mais situações concretas pode resultar em discricionariedade em uma(s) e não em outra(s). E quando ocorre em duas ou mais situações, a amplitude será diferente em cada uma.

No momento, enfim, da aplicação do Direito ao mundo concreto, a lei deixa de ser apenas a fonte primária inerte, inanimada, pois as técnicas que dão dinamicidade e eficácia material à Ciência Jurídica mantêm viva e em constante evolução a lei, pois as normas que dela defluirão no tempo estarão sempre em processo de adaptação (ou mutação) proporcional à evolução do mundo concreto e com ela coerente, mas sem desvirtuar a lei originária. No universo das leis pertinentes a licitações e contratações, não é a lei que define como serão os fatos, são os fatos e suas circunstâncias que dirão como se aplicará a lei.

Por mais tênue e de difícil identificação que em dado caso concreto possa ser a linha divisória entre a vinculação e a discricionariedade, sua exata localização sempre será juridicamente relevante, pois no exercício do Direito deve-se saber com a precisão e certeza possíveis onde termina o *dever ser*.

Não se tem aqui a pretensão de formular um conceito para discricionariedade, mas sim buscar bases lógicas que possibilitem o entendimento do que é a discricionariedade e a identificação dos fatores que permitam, com a facilidade, rapidez e precisão que a eficiência administrativa exige, a identificação dos aspectos discricionários de cada atuação concreta.

Não é o conhecimento de um conceito pelo administrador público que assegurará a juridicidade de suas atuações, pois não basta saber o que a discricionariedade é, mas também por que motivo ela existe, ainda que minimamente, em todos os atos administrativos. O porquê de tal fenômeno não se resume a um único fundamento ou razão justificativa, mas, independentemente de qual seja ele em cada situação real sob cuidado da Administração, a discricionariedade terá a mesma natureza e os mesmos efeitos diretos e consequências adjacentes.

Inúmeros são os parâmetros utilizados para propiciar ao agente da Administração e ao controlador de suas condutas elementos que lhes possibilitem a identificação das especificidades de cada situação concreta, cujos limites legitimam a atuação discricionária. Alguns de tais parâmetros, a seguir comentados, merecem criteriosa atenção.

Preliminarmente com maiores aprofundamentos, cabem alguns alertas relativamente a expressões inapropriadas frequentemente utilizadas em relação à discricionariedade, tarefa a que serão dedicados os próximos parágrafos.

A afirmação, tão comum, segundo a qual a discricionariedade configuraria uma autonomia não regrada de decidir, *conferida pela lei ou (em sentido figurado) pelo legislador* ao administrador público, é equivocada. Deve-se, antes de tudo, observar que em quase todas as situações em que se opera o fenômeno da discricionariedade tal ocorrência não era prevista e sequer previsível durante o processo legislativo, e, consequentemente, jamais haverá no texto da lei qualquer palavra ou expressão que torne explícita a possibilidade de atuação indefectivelmente discricionária. Nenhum verbo ou locução verbal isoladamente teria poder para tornar discricionária a solução a ser adotada pela Administração em cada situação específica. Nem mesmo a expressão "é facultado ao administrador" tornaria infalível a ocorrência de discricionariedade, pois um complemento circunstancial que aponte a finalidade jurídica de tal faculdade tornará vinculada a solução a ser adotada pelo administrador público.

Exemplo bastante evidente, na Lei nº 14.133/21, dessa incongruência entre a norma e a literalidade estrita do dispositivo legal é o do inciso XXXVIII do art. 6º, que, ao definir a modalidade *concorrência*, estabelece que o critério de julgamento "poderá ser" (exatamente nestes termos) um dentre os cinco que arrola, porém uma licitação para a compra de equipamento que envolva tecnologias de alta complexidade já não poderá ser decidida simplesmente pelo "menor preço" ou "maior desconto", por exemplo.

Particularidade de máxima relevância jurídica é que a pessoa natural do administrador público é apenas *agente* da Administração, mas não no sentido em que se emprega tal termo no âmbito do Direito Civil, onde, em regra, o *agente* é o próprio titular do interesse jurídico envolvido no ato a ser praticado e, *só excepcionalmente*, não o seria, como na hipótese do mandato, pois o mandatário será o agente que praticará o ato jurídico, mas no interesse do mandante. No Direito Administrativo, ao contrário, o agente *nunca* é o titular do direito com o qual vai trabalhar ao exercer sua competência. Em verdade, nem o Estado é o titular, mas sim a coletividade que o criou, pois "o interesse público não se confunde com o interesse do Estado", consoante lição de Marçal Justen Filho.[1] Enquanto o agente do ato jurídico civil se conduz por sua *vontade psicológica*, orientada por suas preferências pessoais, o agente do ato administrativo deve pautar sua conduta pela *vontade lógica, lógico-normativa* ou *funcional*.[2] Trata-se de uma vontade pura e unicamente *lógica*, sem qualquer espaço para a psique com as simpatias e antipatias subjetivas da pessoa do agente. A estruturação lógica é congênere àquela utilizada pelo agente no exercício de seus atos pessoais, porém é preenchida em função

---

[1] JUSTEN FILHO, Marçal. *Curso de Direito Administrativo*. 4. ed. São Paulo: Saraiva, 2009, p. 59.
[2] JUSTEN FILHO, Marçal. *Curso de Direito Administrativo*. 4. ed. São Paulo: Saraiva, 2009, p. 274.

do interesse público e não dos interesses pessoais do agente. Mas, além de apenas lógica, como ocorreria com pessoas jurídicas privadas, a vontade aqui é normativa porque os parâmetros e orientações pessoais do agente são substituídos por aqueles definidos pelas normas determinantes do regime jurídico da atuação administrativa em cada caso.

Outra expressão comumente utilizada em referência à atuação discricionária é a de que em seu exercício haveria espaço para o administrador público fazer escolhas em bases *subjetivas*, todavia, se, afinal, a vontade tem caráter funcional, a subjetividade, mais do que dispensada, é absolutamente incabível. Se algum espaço para a subjetividade poderia haver no exercício discricionário, seria somente o relativo às aptidões pessoais do agente para solucionar problemas[3] e jamais para atingir resultados que, embora imunes a qualquer vinculação, fossem selecionados com base em suas preferências subjetivas. Os resultados devem atender o interesse público de modo exclusivo e não admitem a satisfação subjetiva de interesses ou anseios pessoais do agente. Como bem e proficientemente alerta Marçal Justen Filho,[4] a avaliação subjetiva atribuída pela lei ao administrador deve ser a "melhor possível", a "solução mais adequada".

A expressão "conveniência e oportunidade administrativa" é outra dentre as que comumente figuram em conceitos de discricionariedade, o que tem levado a equivocadas conclusões. Essa expressão precisa ser entendida em seu sentido jurídico, ou seja, *oportunidade* e *conveniência* administrativa jamais serão peculiaridades abrangidas pelo âmbito do mérito administrativo. Tanto *conveniência* quanto *oportunidade* são princípios jurídicos implícitos ou, no mínimo, aspectos do princípio constitucional da *eficiência*, tal como igualmente ocorre em relação à *eficácia*. E, por assim ser, os valores jurídicos a elas inerentes devem ser ponderados conforme seu grau de relevância em cada situação concreta, especialmente naquelas cujo atendimento deve ser feito mediante execução indireta.

Se *oportunidade* e *conveniência* pudessem ser aspectos da discricionariedade e não da vinculação, ter-se-ia que admitir o absurdo: que atos administrativamente inoportunos ou inconvenientes seriam lícitos. Afinal, são discricionários somente os aspectos irrelevantes para o Direito.[5] Se fossem relevantes, seriam alcançados diretamente por comando de

---

[3] "A subjetividade desdobra-se em dois aspectos distintos: a *subjetividade relativa ao sujeito* e a *existente no sujeito* (ou, mais adequadamente, a *relativa ao titular* e a *existente no agente*). Ambas desempenham seus papéis na configuração da postura discricionária. Na primeira, o sujeito é a coletividade, pois é em relação aos interesses desta que se desenvolverá a atividade discricionária. Na segunda, o sujeito é o próprio administrador que empregará (aliás, tem o dever de fazê-lo) toda a capacidade mental, experiência, eficiência e senso moral que existem em sua pessoa, mas sempre em função do interesse público." BLANCHET, Luiz Alberto. *Discricionariedade Administrativa*. Dissertação de Mestrado. PPGD – Mestrado em Direito do Estado – Universidade Federal do Paraná. Curitiba, 1990, p. 10.

[4] "É da essência da discricionariedade que a autoridade administrativa formule a melhor solução possível, adote a disciplina jurídica mais satisfatória e conveniente ao interesse público. (...) Se optou por remeter a solução à escolha da autoridade administrativa, isso somente pode justificar-se por ser imperiosa obtenção da solução mais adequada." JUSTEN FILHO, Marçal. *Curso de Direito Administrativo*. 4. ed. São Paulo: Saraiva, 2009, p. 150.

[5] "Discricionária realmente, de inquestionável livre escolha para o agente, é somente a opção irrelevante para o Direito, seja porque ela e outra, ou outras apresentam idêntico grau de oportunidade e conveniência(o que, reconheçamos, na prática será extremamente raro, se não impossível,), seja também porque, após a eleição mais oportuna e conveniente, remanesce ainda, escolha que em nada prejudicará ou comprometerá os interesses que o Direito deve preservar, eis que a realidade é mais complexa e abrangente que o Direito (abrange os aspectos disciplinados pelo Direito e outros que lhe são indiferentes). A opção discricionária é, portanto, algo *exterior* ao Direito, embora não *exterior* e *contrário* como a ilegalidade, mas *exterior* e *irrelevante*." BLANCHET, Luiz Alberto. Discricionariedade ou irrelevância jurídica? *Revista da Academia Brasileira de Direito Constitucional*, vol. 2, p. 72.

regra jurídica ou indiretamente por exigência inevitável dos aspectos juridicamente relevantes do problema concreto a ser solvido pela Administração, cujo não atendimento resultaria em ilegalidade por lesão a valor veiculado por princípio jurídico.

2 A vinculação e a discricionariedade na solução de problemas pertinentes a obras, serviços, compras ou alienações

A primeira grande questão, diante de uma situação que exige a construção de uma obra, a execução de um serviço, uma aquisição ou a alienação de bens do patrimônio público disponível, consiste na decisão entre a execução direta pela Administração ou a contratação de particulares. A norma que se extrai do art. 37, inciso XXI, da Constituição obriga a licitar, ressalvadas as hipóteses de dispensa ou de inexigibilidade especificadas pela Lei nº 14.133/21, o que pode parecer simples, mas no mundo concreto, muitas dúvidas podem surgir, especialmente se o caso for de inexigibilidade, porque a hipótese é uma só, *inviabilidade de competição*, pois o rol do art. 74 da Lei nº 14.133/21 é exemplificativo. Mas o administrador está em grande vantagem em relação ao legislador, ele tem em mãos a situação concreta com todos os seus detalhes e, consoante foi possível observar no item anterior, a identificação do espaço discricionário em cada situação concreta é menos complexa nas condutas delineadas por comandos de regras jurídicas, pois a técnica a utilizar resume-se ao exame da congruência entre os pontos críticos da atuação administrativa concreta e os pontos elevados ao âmbito jurídico pela norma em sua hipótese de incidência.

A necessidade de identificação dos aspectos vinculados e discricionários não se manifesta apenas no momento em que se tornam necessários os levantamentos e estudos prévios à elaboração do instrumento convocatório e de seus anexos. Afinal, a fase preparatória do procedimento administrativo já depende da decisão pretérita pela execução indireta da futura obra, serviço, aquisição ou alienação, e esta decisão não se subordina às preferências ou aversões subjetivas do administrador e tampouco à sua capacidade criativa pessoal. Consoante já comentado, o agente público é apenas e exclusivamente agente; o sujeito é o povo, razão pela qual, aliás, sua designação é explicitamente complementada pelo adjetivo *público* (que mesmo apenas literalmente significa "*do povo*").

Trata-se, enfim, de decisão predominantemente vinculada a uma variedade, sistematicamente complexa, de fatores. Tal complexidade não é fundamento para se construir teorias que pudessem levar à conclusão de que não seria exigível do administrador público a capacidade para conhecer todos os detalhes e decorrências do problema concreto a solver, pois a função administração pública existe exatamente para bem e *eficientemente* trabalhar com tais situações, afinal o princípio é expresso no art. 37 da Constituição. Não se pode ignorar que as decisões de maior relevância competem a agentes que ou detêm preparo teórico e habilidade prática ou devem contar com equipes constituídas por subordinados e assessores que as têm, ampla ou especificamente, no âmbito de sua especialização. Claro que ulteriormente podem surgir surpresas, mas, desde que previamente imprevisíveis, o tratamento destas é objeto de disciplinamento jurídico.

O mínimo que o povo pode exigir do Estado que criou é a capacidade para detectar previamente e conhecer objetiva e corretamente os dados dos *problemas* cujas soluções são de interesse público.

A palavra "problemas" não está sendo aqui utilizada casualmente, mas ao contrário, porque é a terminologia adotada pela Lei nº 14.133/21, com embasamento bastante lógico e coerente com o sistema de normas que a integram, como será oportuno detalhar mais adiante.

Não cabe, entre as considerações a serem feitas no presente trabalho, vasculhar o conteúdo e alcance da expressão *interesse público* em toda a sua amplitude, porém para o tema ora objeto de atenção há fatores tradicionalmente desprezados que, com a evolução do estudo jurídico e da diligência na criação normativa e nas atividades de controle da função administrativa, são imprescindíveis para a definição daquilo que se convencionou chamar de *vontade do povo* ou *solução de interesse público*. Dentre tais fatores, sobressai o consensualismo, pois o conhecimento e a experiência do particular, principalmente nos âmbitos técnico e empresarial, utilizados ao negociar soluções para os momentos críticos da fase de execução do objeto contratual teriam sido igualmente úteis desde a fase preparatória da licitação. Deve, portanto, ser destacada a importância de tais aptidões também para contribuir na melhor definição do problema a ser solucionado por meio da licitação e, consequentemente, do conteúdo e limites da discricionariedade que em cada caso remanescerá, pois indesejáveis surpresas supervenientes às contratações públicas podem ser evitadas quando os conhecimentos, enfoques e experiência da comunidade privada, especialmente a empresarial, não são desprezados. Como bem observa Marçal Justen Filho,[6] a Administração deve desembaraçar-se das inspirações menos democráticas do momento histórico em que o Direito Administrativo começou a ser concebido. A lei revogada já dava voz ao particular, como, por exemplo, ao manter a possibilidade de impugnações, mas a Lei nº 14.133/2021 supera a timidez normativa dos diplomas anteriores ao inovar com as figuras da manifestação de interesse e do diálogo competitivo, por exemplo. A vivência dos potenciais contratados no ambiente de produção, inovações tecnológicas e competição, que resulta em conhecimentos que jamais seriam obtidos no ambiente da academia e tampouco no da Administração, é tão importante que lhes possibilitou viver e contribuir para o desenvolvimento do mercado e nele sobreviver. Com a contribuição de tais conhecimentos, o agente da Administração passa a ter melhores condições para rever aquelas suas opções que pareciam discricionárias, comparativamente àquelas trazidas pelo particular, e eventualmente perceber que a contribuição trazida pelo setor privado evitaria um potencial e sério problema na execução do objeto a ser contratado.

Independentemente do percentual de sugestões concebidas sob a perspectiva privada, objetivamente fundadas, que evitariam desastres contratuais, não há dúvida de que se constituem em fatores que, por sua importância para assegurar a eficiência da Administração, têm força vinculante. A expressão *desastres contratuais*, cuja probabilidade aponta para a necessidade de considerar as impressões de todos os envolvidos, não se refere apenas a desastres indesejáveis para a Administração, mas também àqueles

---

[6] JUSTEN FILHO, Marçal. O consensualismo é consenso: em defesa da SECEXConsenso. Disponível em: https://www.migalhas.com.br/depeso/411026/o-consensualismo-e-consenso-em-defesa-da-secexconsenso.

cujos efeitos danosos atingem o particular contratado. Isto não significa que a visão do particular seria uma espécie de "fonte subsidiária" do Direito, mas sim que é uma valiosa contribuição para melhor esclarecer o agente da Administração e subsidiá-lo em sua tarefa de raciocinar e agir com a *objetividade* sem a qual incorrerá muito mais em erros, não raro graves, do que em acertos. A alusão que aqui se faz à *objetividade*, embasa-se na teoria do conhecimento objetivo, de Karl Raimund Popper,[7] segundo o qual consegue-se conhecer algo com menor margem de incerteza somente quando se busca observá-lo tal como efetivamente é e não como se imagina que seja ou poderia ser e, tampouco, como gostaria que fosse.

Essa vinculação decorrente da ponderação dos interesses jurídicos envolvidos no fato verificado no mundo real opera-se desde momento anterior à decisão pela promoção ou não de determinado procedimento licitatório, podendo-se falar em princípios básicos a serem observados nessa etapa, ao se elaborar o edital da licitação e anexos, os quais vinculam também a decisão de dar início aos atos integrantes da licitação. O resultado satisfatório materializar-se-á no futuro, mas já tem força vinculante sobre a atuação do particular contratado e sobre a Administração desde o início da fase preparatória e, assim, o primeiro princípio é o da *necessidade*.[8] O Estado existe para atender as necessidades do povo que o concebeu, logo, igualmente o exercício de suas funções legitima-se pela ocorrência de uma situação, no âmbito do mundo real, que requer a atuação estatal. Juridicamente não se licita para obter resultados desnecessários.

Por mais axiomática e trivial que a menção a tal princípio possa parecer, ainda assim exige registro, pois licitações para a execução de obras, aquisições e serviços desnecessários não são raras. Não se pode, contudo, definir o conteúdo jurídico de tal princípio com base em seu sentido apenas literal. Uma solução urgente, obviamente, é necessária, mas uma solução apenas útil também o será, e, entre várias soluções necessárias, umas são mais necessárias que outras. Assim, a escolha do momento em que cada solução será licitada deve ser feita, antes de tudo, de acordo com sua prioridade e em função dos recursos disponíveis. Tudo, afinal, converge para a mesma conclusão: a força vinculante da situação concreta a ser atendida e das condições que a circunstam é inversamente proporcional à sua probabilidade de produzir efeitos juridicamente indesejáveis.

A decisão por licitar ou não, portanto, não é um ato de conteúdo político, exposto a interferências ideológicas ora camufladas, ora explícitas, levando a confundir atividade política com militância partidária. Essa decisão é ato administrativo. Quando isento de

---

[7] A tese de Popper pressupõe duas categorias diferentes de conhecimentos, "(1) *conhecimento ou pensamento no sentido subjetivo*, constituído de um estado de espírito ou de consciência ou de uma disposição para reagir; e (2) *conhecimento ou pensamento num sentido objetivo*, constituído de problemas, teorias e argumentos como tais. Neste sentido objetivo, o conhecimento é totalmente independente de qualquer alegação de conhecer que alguém faça; é também independente da crença ou disposição de qualquer pessoa para concordar; ou para afirmar, ou para agir. O conhecimento no sentido objetivo é *conhecimento sem conhecedor*; é conhecimento sem sujeito que conheça". POPPER, Karl Raimund. *Conhecimento Objetivo*. Tradução de Milton Amado. São Paulo: Ed. da Universidade de São Paulo, 1975, p. 110.

[8] "O princípio segundo o qual o motivo de toda licitação deve configurar uma necessidade a ser suprida, além de realista, é coerente com os princípios fundamentais do regime jurídico-administrativo: indisponibilidade do interesse público e sua prevalência sobre o particular." BLANCHET, Luiz Alberto. *Licitação, o edital à luz da nova lei*. 1. ed. 6ª tiragem. Curitiba: Juruá, 1993, p. 75.

interferências partidárias, a decisão política, apesar de sua natureza diversa, coincidirá com a decisão administrativa, pois, no campo da Ciência Política, nada é mais puramente político do que preservar e atender o interesse público.

Relativamente aos aspectos mencionados no parágrafo anterior, cabe observar que a atual lei, comparada com toda a legislação anterior, é muito mais explícita e precisa em suas referências aos resultados juridicamente esperados em qualquer licitação e igualmente em relação aos meios a serem utilizados.

Os dispositivos da Lei nº 14.133/21 são coerentes com esta mesma sequência lógica de ideias, da configuração de uma situação concreta que exige atendimento e este compete ao Estado mediante o exercício de sua função administrativa ou, em termos mais claros, desde a ocorrência de uma necessidade, até o resultado a ser alcançado (adequado, completo e satisfatório atendimento dessa situação concreta). A Lei nº 14.133/21 é o primeiro instrumento normativo brasileiro sobre licitações e contratos administrativos que utiliza o vocábulo "problema" (*caput* do §1º do art. 18 e inciso I desse mesmo parágrafo) ao referir-se ao *motivo concreto (real ou objetivo)* da licitação. Os termos *real* e *objetivo* são mais adequados em tal contexto, pois "problemas" e a necessidade de solucioná-los nem sempre apresentam aspectos físicos e dimensões detectáveis e mensuráveis concretamente.

O vocábulo "problema" não apenas em seu sentido próprio, mas principalmente em função do contexto em que foi utilizado na redação da lei, refere-se a algo que ocorre espontaneamente, algo objetivo, não resultante da fertilidade criativa e fantasiosa do administrador. Ademais, pode ocorrer que o problema ainda não se tenha constituído, mas já é previsível em bases objetivas e, portanto, já existe no âmbito da realidade.

Sejam reais e atuais ou previsíveis, os "problemas" cujas soluções constituem-se em dever do Estado mediante execução indireta (precedida ou não de licitação) não aguardam em uma fila para serem atendidos um de cada vez. Essa sequência não existe, mas ordem de atendimento pode ser estabelecida em função da prioridade de cada necessidade. *Prioridade*, portanto, é o segundo princípio, o que não equivale a afirmar-se que, observados os graus de necessidade e prioridade de cada situação concreta, estaria eliminada a discricionariedade, pois sempre remanescerá algum espaço para duas ou mais decisões, no mínimo quanto ao momento de prática de qualquer ato administrativo até que ocorra o limite máximo para sua prática com eficiência.

O princípio da necessidade vincula não apenas a decisão por licitar (ou contratar diretamente mediante dispensa ou inexigibilidade), mas também a definição das condições da licitação e do ulterior contrato. Exigências desnecessárias resultam apenas em uso indevido de recursos públicos.

Este princípio não tem natureza apenas implícita, mas expressa, como resta claro da leitura do inciso I do art. 18 da Lei nº 14.133/21, que, ao tratar da fase preparatória, arrola a "descrição da necessidade" como primeiro requisito pertinente à instrução do processo licitatório, necessidade esta, que deve ser "fundamentada em estudo técnico preliminar que caracterize o interesse público envolvido".

O agente da Administração deve estar seguro de que uma vez selecionada a melhor proposta e executado o objeto do contrato, o motivo (ou *problema*) originário será solucionado, salvo, obviamente, se sobrevier qualquer fator inevitável que encontre abrigo na teoria da imprevisão. Assim, pode-se afirmar que existe também um princípio da *certeza*, ou da *segurança*, a ser respeitado.

Retomando o vocábulo "problema" utilizado na redação da lei para identificar o motivo originário do procedimento licitatório, até o apelo ao raciocínio comparativo confirma a objetividade e o rigor lógico a serem observados na busca da solução pelo administrador. Ao se deparar com uma situação que exige atendimento, o qual compete ao Estado no exercício de sua função administrativa, e a melhor opção é pela contratação com entes da iniciativa privada, o agente público está diante de um *problema* que, ao contrário daqueles que ele aprendeu a resolver na escola, não conta com um enunciado escrito. A falta de um texto com os dados do problema, que, à análise preliminar menos detida, poderia parecer uma dificuldade, em verdade é uma grande vantagem. O agente não conta com um simples enunciado escrito, mas conta com uma imensa riqueza de informações; ele conta com a própria realidade à sua disposição para responder a todos os questionamentos necessários e suficientes para chegar ao mais detalhado conhecimento e domínio da situação. O mesmo não acontece com aquele cujos problemas contam apenas com enunciados escritos, que por sua natureza se autolimitam deixando muitas reticências. As respostas aos hiatos a serem supridos pelos esforços subjetivos daquele a quem compete solucionar o problema dificilmente coincidiriam com aquelas que poderiam ter sido adotadas por outras pessoas físicas diante dos mesmos impasses, por mais criteriosamente que tenham sido obtidas. Se, afinal, uma imagem, segundo a sabedoria popular, vale mais que mil palavras, embora seja apenas um retrato ou desenho estático, congelado, de apenas um momento da realidade, é evidente que a situação real viva e em sua inteireza esclarece muitíssimo mais. É lógico que a discricionariedade é tanto mais restrita quanto maior é a riqueza de detalhes fornecida ao solucionador, portanto, plenamente justificável que se exija do administrador maior rigor nos procedimentos e acerto nos resultados proporcionalmente à minuciosidade informativa da situação real.

Seguindo nesta mesma analogia com problemas escritos, alguém poderia objetar que problemas que contam com enunciados escritos, como é comum em outras áreas do conhecimento, como a Matemática, a Física, a Química etc., podem conter menos detalhes, mas contam com valiosos e eficazes instrumentos na busca pela solução: as fórmulas. Mas as *fórmulas* que o administrador deve utilizar são as *normas*. Enquanto o matemático, o físico ou o químico devem preencher as fórmulas com os dados do enunciado escrito, o administrador deve preencher a norma *geral*, *impessoal* e *abstrata*, com os dados *especiais*, *pessoais* e *concretos* da situação que se opera no âmbito da realidade. Se a "fórmula" aplicável for uma regra, basta "preenchê-la"; e se for um princípio, oportuniza-se o recurso à técnica jurídica da ponderação.

Dessa mesma lógica, deflui a constatação óbvia e inevitável no sentido de que, se algo é feito por determinado motivo, a finalidade lógica só pode ser o atendimento eficiente e eficaz desse motivo. E três princípios emergem: o da *instrumentalidade* da licitação e do contrato (mesmo não precedido de licitação), o da *coerência com o motivo* e o da *adequação à finalidade*.

Obviamente, se a Administração tiver conduzido o procedimento licitatório coerentemente com as exigências do motivo originário, necessariamente houve adequação à finalidade, pois ambos – motivo e finalidade – podem ser vistos como dois aspectos de um mesmo fenômeno.

3 A identificação do objeto da licitação e seu papel na delimitação da discricionariedade

Os dados do problema concreto a ser solucionado pelo administrador influenciarão não apenas a ocorrência ou não de discricionariedade, mas também a sua amplitude em cada caso.

Como já comentado no item 2, há expressões aparentemente discricionárias, mas que, por força do contexto, especialmente quando há adjuntos adverbiais de finalidade, são vinculantes. Tais expressões são frequentes na Lei nº 14.133/24, principalmente no que concerne à elaboração do instrumento convocatório da licitação e de seus anexos (especialmente a minuta do futuro instrumento contratual).

Mesmo quando expressamente prevista pela própria lei alguma discricionariedade, pode ocorrer que, diante das específicas características do motivo de fato, não remanesça nenhuma discricionariedade ou, no mínimo, seja muito menor do que aquela que na lei existia no momento da elaboração legislativa. Em outras palavras, a discricionariedade não é um *favor* ou *dádiva* ao agente, e tampouco à Administração, mas algo que não é alcançado por nenhum comando normativo, quer se trate de regra onde estes são expressos, ou de princípio jurídico em função de particularidades do motivo de fato que, para preservação da juridicidade da atuação administrativa, exijam a sua aplicação.

Assim, ainda que duas ou mais situações concretas se subsumam à mesma hipótese normativa, como, por exemplo, em situações às quais se aplique a regra jurídica que exige prévia licitação, o grau de discricionariedade em cada uma será diferente na proporção em que cada qual apresente características vinculadas a aspectos particulares e a valores também diferentes, tanto em sua natureza quanto em sua intensidade, os quais, ao serem ponderados, identifiquem o(s) princípio(s) a ser(em) observado(s). Tal sucederia na situação em que fosse necessário recuperar e pintar os prédios que abrigam os diversos órgãos da prefeitura de um município; em tal hipótese, ao definir, entre outras coisas, a cor a ser utilizada, a Administração não poderia, por exemplo, escolher aquela que fosse símbolo do partido ao qual é filiado o prefeito. A mesma cor, todavia, seria juridicamente admissível se o prefeito fosse outro e não pertencesse a tal partido, pois inexistiria o fator que, ponderado, atrairia a incidência do princípio da impessoalidade. Assim, em razão de fator circunstante e não intrínseco à necessidade de interesse público a ser atendida, haveria discricionariedade na segunda hipótese e na primeira não, embora o motivo de fato, ou "problema", seja exatamente o mesmo.

A discricionariedade objeto das considerações ora levadas a efeito, como observado no item precedente, é aquela existente na execução dos atos concretos praticados em procedimentos licitatórios alcançados pelos comandos normativos do art. 37, inciso XXI, da Constituição, pertinentes a obras, serviços, aquisições ou alienações, excluídas, portanto, as licitações a que alude o art. 175. Claro que todo procedimento licitatório exige a definição de normas, todavia estas perdem essa natureza a partir da assinatura do instrumento contratual, porque a partir daí os deveres e as proibições já não mais terão alcance geral, e sim especial, pois os destinatários das imposições a serem respeitadas são as partes do contrato. Ou seja, se algo semelhante a comandos normativos houver, não serão gerais como nas normas e existirão apenas em função da concretização do objeto do sequente contrato. Assim, ainda que se insista em chamar as imposições contratuais de normas contratuais, elas não são gerais, nem impessoais e tampouco abstratas. Portanto, a expressão "normas contratuais" não deixa de ser uma antítese, e a denominação "cláusulas regulamentares" é uma figura de linguagem, contudo, ainda assim, estruturalmente, as imposições definidas no edital e no instrumento contratual, apesar não serem gerais, impessoais e abstratas, são estruturalmente muito semelhantes a normas e podem manifestar-se sob a forma de regra ou de princípio, mas apenas estruturalmente e não quanto ao alcance de seus comandos.

Este fenômeno pelo qual determinações gerais, impessoais e abstratas transmutam-se em disposições contratuais e, portanto, em comandos especiais, pessoais e concretos a partir da formalização do contrato, tem seu principal fundamento no fato de que licitações são procedimentos administrativos de natureza instrumental em relação ao contrato, daí por que este segundo é mais importante e é em função da futura eficácia dele que o edital e anexos devem ser definidos. Assim deve ser porque é o contrato que vai atender diretamente a necessidade concreta cujo atendimento é de interesse público.

Por existir em função de uma necessidade concreta, o ciclo de existência do contrato é concomitante com o dos fatos determinantes do objeto a ser por ele executado. A importância do contrato tem natureza material, concreta, mas o Direito a reconhece, por exemplo, ao legitimar contratos sem prévia licitação, em caso de dispensa ou de inexigibilidade, e mesmo assim a necessidade concreta que exigiu a celebração do contrato será atendida. Isso não pode ocorrer com a licitação, pois se houver licitação sem o ulterior contrato, algo indesejável ocorreu por erro humano ou por força de contingências supervenientes e, mais grave que isso, não será atendido o motivo concreto para cuja satisfação o contrato viria a ser celebrado.

A partir da celebração do contrato, deixam de ser normas, entretanto mantêm algumas peculiaridades, passando a ser chamadas de cláusulas, não propriamente contratuais, mas *regulamentares* ou *do serviço*, e assim, ao contrário das efetivamente contratuais, elas podem ser alteradas unilateralmente pela Administração contratante. E assim sucede porque na minuta anexada ao edital a redação está propositalmente incompleta, devendo ser preenchida com dados extraídos da proposta vencedora.

Todas as cláusulas, enfim, negociais ou regulamentares, existem em função de uma finalidade concreta que, como tal, encerra diversas particularidades intrínsecas e circunstantes que, se envolverem interesses juridicamente protegidos, terão tanto poder vinculante quanto a norma, a ponto de tornar variável o grau de discricionariedade de uma mesma norma conforme o caso concreto ao qual ela for aplicada.

Os aspectos característicos da finalidade concreta para cuja consecução é promovida a licitação, que repercutirem sobre interesses protegidos pelo Direito, têm força vinculante sobre os atos que integram tal procedimento administrativo.

O apelo ao recurso da figuração pode tornar mais claro aquilo que a cultura humana torna mais complexo: imagine-se que um grupo humano numeroso e suficientemente organizado habita uma ilha oceânica. Esse grupo se abastece de água na única fonte disponível, porém esta fica na região mais elevada da ilha, o trajeto é difícil, perigoso e, desde que sobrevivam, os responsáveis demoram um dia inteiro para trazer o volume de água possível, o qual é suficiente para apenas dois dias. A ideia que espontaneamente emerge à mente seria a de construção de um canal, pois assim teriam água imediatamente disponível sempre que precisassem e as pessoas incumbidas do transporte da água seriam poupadas de tanto esforço e dos perigos, além de poderem melhor utilizar sua capacidade criativa e de trabalho em atividades mais gratificantes para elas e úteis para o grupo. Como é lógico, o interesse comum a todos os integrantes de tal comunidade é simplesmente o de construir o canal mediante soluções objetivas, sem interferência de interesse, escolha ou descaso pessoal de ninguém. Ainda que esse grupo não tenha desenvolvido a noção de direito, leis, regras, princípios etc. afinal, pode-se imaginar uma linha reta entre a ocorrência do motivo e o seu atendimento (finalidade), determinada pela lógica dos condicionamentos objetivos que a situação impõe. As exigências a serem observadas independem de lei que as anteceda, pois os membros de tal comunidade saberão identificar as atuações devidas e as indevidas por parte daqueles que foram incumbidos da construção do canal. Há sempre, portanto, uma vinculação lógica que espontânea e inevitavelmente se constitui por força dos aspectos peculiares da situação a ser atendida. Esse fenômeno vinculante ocorrerá a partir da configuração de qualquer necessidade de interesse coletivo. Essa vinculação é espontânea e imediata em relação à configuração do problema coletivo a ser solvido e deverá ser objetivamente identificada, eis que sua verificação em concreto é impessoal, natural ou mesmo instintiva. E assim será em qualquer comunidade humana, inclusive e especialmente nas mais complexas. Não é porque algumas coletividades conceberam um procedimento formal preliminar à execução indireta da solução a problemas coletivos que essa vinculação espontânea deixaria de existir, pois esse procedimento, a licitação, tem caráter instrumental.

Consoante já se afirmou nas linhas iniciais do item precedente, a discricionariedade pode manifestar-se em uma mesma situação concreta com amplitudes diferentes conforme a natureza e dimensão de cada aspecto ou circunstância. Essa observação foi levada a efeito relativamente ao fenômeno geral da discricionariedade, todavia é imprescindível investigar em que bases pode isso ocorrer em uma licitação, ou mesmo em contratos celebrados mediante dispensa ou inexigibilidade do prévio procedimento licitatório.

Quando uma situação concreta exige atendimento por meio de obra, serviço, aquisição ou alienação de bens, atendimento este que compete ao Estado no exercício de sua função administrativa mediante a contratação de particulares, opera-se a subsunção à hipótese da norma básica defluente do art. 37, inciso XXI, da Constituição. Esse evento se constitui no motivo de fato da futura contratação. Não há como duvidar que as peculiaridades juridicamente relevantes dessa situação vinculam a definição das condições contratuais e, assim também, a condução do procedimento administrativo pelo qual se busca assegurar a licitude e a eficácia seja o mais complexo (de licitação) ou o mais simples e célere de dispensa ou inexigibilidade. Tais peculiaridades restringem, portanto, a discricionariedade que remanescia da norma em tese.

Há, porém, fatores que, embora não intrínsecos ao problema concreto a ser solvido pela Administração, reduzem a discricionariedade. São elementos especiais e inusuais que excepcionalmente orbitam a situação concreta a ser atendida pelo futuro contrato, mas por sua atipicidade, malgrado não afetarem as peculiaridades concretas e técnicas da solução objeto do sequente contrato, restringem a discricionariedade.

Esse fenômeno ocorre em função da diversidade dos interesses protegidos por parte de cada princípio. Assim, por exemplo, por força do princípio da eficiência, durante a fase preparatória, a montagem da solução a ser adotada para atender o motivo originário de uma licitação, ou a definição do objeto contratual, deve considerar a viabilidade técnica e ambiental, o futuro desempenho etc. Esses aspectos intrínsecos à solução são típicos, invariáveis, mas os extrínsecos são atípicos e variáveis, embora a configuração e o meio ou método executivo da obra, do serviço, do bem a ser adquirido ou da alienação continuem mantendo-se imutáveis.

A importância da distinção está relacionada com os efeitos da inobservância das imposições vinculantes conforme os aspectos sejam intrínsecos ou extrínsecos à solução de interesse público a ser obtida com a execução do objeto contratual. A violação de exigência derivada de aspecto intrínseco compromete, podendo até inviabilizar, o eficaz atingimento da finalidade da licitação. A violação de imperativo defluente de aspecto extrínseco, a seu turno, resultará igualmente em ilicitude, pesará sobre a pessoa do administrador, todavia não comprometerá a (materialmente) eficiente condução do procedimento licitatório e tampouco a satisfatória concretização do objeto do contrato.

A impessoalidade é um bom exemplo de princípio cuja incidência pode restringir o âmbito de discricionariedade sem que ocorra qualquer alteração em fatores e aspectos intrínsecos da situação concreta a ser atendida pela futura contratação. Mais que isso, operar-se-á ou não o fenômeno da discricionariedade conforme seja uma ou outra a pessoa do agente, como se observou no exemplo do município diante da necessidade de padronizar a cor dos prédios que abrigam as repartições públicas municipais.

Por obséquio à concisão, pode-se concluir que a discricionariedade que se abrigava na norma em tese não sobrevive às exigências da necessidade concreta motivadora de cada licitação.

Referências

BLANCHET, Luiz Alberto. Discricionariedade ou irrelevância jurídica? *Revista da Academia Brasileira de Direito Constitucional*, vol. 2, p. 72.

BLANCHET, Luiz Alberto. *Discricionariedade Administrativa*. Dissertação de Mestrado. PPGD – Mestrado em Direito do Estado – Universidade Federal do Paraná. Curitiba, 1990.

BLANCHET, Luiz Alberto. *Licitação, o edital à luz da nova lei*. 1. ed. 6ª tiragem. Curitiba: Juruá, 1993.

JUSTEN FILHO, Marçal. *Curso de Direito Administrativo*. 4. ed. São Paulo: Saraiva, 2009.

JUSTEN FILHO, Marçal. O consensualismo é consenso: em defesa da SECEX Consenso. Disponível em: https://www.migalhas.com.br/depeso/411026/o-consensualismo-e-consenso-em-defesa-da-secexconsenso.

POPPER, Karl Raimund. *Conhecimento Objetivo*. Tradução de Milton Amado. São Paulo: Ed. da Universidade de São Paulo, 1975.

Informação bibliográfica deste texto, conforme a NBR 6023:2018 da Associação Brasileira de Normas Técnicas (ABNT):

BLANCHET, Luiz Alberto. Espaços da vinculação e da discricionariedade em procedimentos licitatórios. In: JUSTEN, Monica Spezia; PEREIRA, Cesar; JUSTEN NETO, Marçal; JUSTEN, Lucas Spezia (coord.). *Uma visão humanista do Direito*: homenagem ao Professor Marçal Justen Filho. Belo Horizonte: Fórum, 2025. v. 2, p. 593-605. ISBN 978-65-5518-916-2.

A CONTRIBUIÇÃO DE MARÇAL JUSTEN FILHO PARA A INTERPRETAÇÃO DA LEI DE LICITAÇÕES

MARÇAL JUSTEN NETO

1 Conceitos gerais

Licitação é um processo administrativo para estimular a competição isonômica entre interessados a fim de obter a melhor contratação. Na pena de Marçal Justen Filho, "a finalidade de qualquer atuação administrativa é a realização dos direitos fundamentais. A licitação é um meio específico e diferenciado para promover esse fim e é aplicável em vista das hipóteses de contratação pública".[1]

2 A evolução do tema

Nem sempre foi assim. A relação entre licitação e a concretização de direitos fundamentais foi construída ao longo do tempo, por meio de uma série de movimentos de criação e interpretação do direito, de idas e vindas nessa concepção. Antes, a temática da licitação não possuía a mesma dignidade científica. Predominava uma concepção técnica. A interpretação das regras de licitação era muito mais formal e literal em relação ao entendimento predominante hoje. As discussões eram de ordem prática e existia pouco debate acadêmico.[2] Aliás, mesmo o Direito Administrativo não gozava do mesmo prestígio.[3] A ampliação da complexidade das relações e da atuação do Estado conduziu

---

[1] JUSTEN FILHO, Marçal. *Curso de direito administrativo*. 15. ed. Rio de Janeiro: Forense, 2024, p. 243.
[2] Essa concepção se refletia na produção doutrinária sobre o assunto, mais preocupada com os aspectos práticos: "Advertimos, ainda, que para os objetivos práticos deste trabalho, abandonamos as discussões acadêmicas e comentamos a legislação vigente sobre a matéria, sem descurar da doutrina e da jurisprudência pertinente ao assunto" (MEIRELLES, Hely Lopes. Licitações e contratos administrativos. *Revista de Direito Administrativo*, Rio de Janeiro, 105, p. 99, jul./set. 1971. Disponível em: https://periodicos.fgv.br/rda/article/view/35800. Acesso em: 3 ago. 2024).
[3] Em pesquisa sobre o controle judicial da Administração Pública no Brasil antes da Constituição de 1988, Eduardo Jordão anota que "o tipo de doutrina prevalecente durante este período era teórica, dogmática e legalista. Estudos

a um aprofundamento das teorias e conceitos. Os doutrinadores tiveram um papel relevante.[4] A produção do pensamento científico moldou a concepção contemporânea do Direito Administrativo – e, em seguida, da temática de licitação.

3 A influência dos autores na criação do Direito Administrativo

Carlos Ari Sundfeld observa que a transmissão da cultura do Direito Administrativo tem sido realizada por livros de referência escritos por juristas especializados.[5] Com irreverência, ele constata que esses livros contêm ideias, frases, expressões e palavras que fornecem argumentos para os profissionais convencerem os outros a aceitarem suas conclusões. Talvez aí esteja a razão da grande influência desses livros na criação do Direito Administrativo: são muito úteis para defender uma interpretação conforme as necessidades, os interesses ou a visão de mundo do aplicador/intérprete.[6]

4 A contribuição de Hely Lopes Meirelles

Nenhum autor foi mais influente na temática de licitação do que Hely Lopes Meirelles. Sua obra doutrinária marcou uma era do Direito Administrativo[7] e segue sendo citada e influenciando a interpretação até hoje.[8] Celso Antônio Bandeira de Mello apresentou um novo enfoque ao Direito Administrativo, em certo sentido representando uma superação da visão de Hely Lopes Meirelles. Mas especificamente o tema da licitação

---

empíricos eram praticamente inexistentes. Esta circunstância impedia que se pudesse verificar na prática, por exemplo, a própria aderência concreta dos tribunais às teorias que se criavam" (JORDÃO, Eduardo. *Estudos antirromânticos*. São Paulo: Juspodivm, 2022, p. 29).

[4] Fernando Menezes de Almeida anota que o papel de destaque da doutrina de Direito Administrativo nesse período: "... a doutrina ganha nítida precedência sobre a legislação e a jurisprudência no direito administrativo" (ALMEIDA, Fernando Dias Menezes de. *Formação da teoria do direito administrativo no Brasil*. São Paulo: Quartier Latin, 2015, p. 261). Adiante, ele observa que em diversos temas de Direito Administrativo a construção doutrinária precedeu o surgimento de definições de Direito Positivo (ALMEIDA, Fernando Dias Menezes de. *Formação da teoria do direito administrativo no Brasil*. São Paulo: Quartier Latin, 2015, p. 267).

[5] SUNDFELD, Carlos Ari. *Direito administrativo para céticos*. 2. ed. São Paulo: Malheiros, 2014, p. 26 *et seq*.

[6] É de Carlos Ari Sundfeld a ideia de Direito Administrativo como "caixa de ferramentas": "... as afirmações dos livros, devidamente extraídas e cortadas, viram ferramentas para resolver problemas pragmáticos, na medida do necessário" (SUNDFELD, Carlos Ari. *Direito administrativo para céticos*. 2. ed. São Paulo: Malheiros, 2014, p. 45).

[7] Na visão de Carlos Ari Sundfeld, os autores que mais influenciaram o Direito Administrativo brasileiro são Visconde do Uruguai (II Império), Alcides Cruz (República Velha), Themístocles Brandão Cavalcanti (Era Vargas), Hely Lopes Meirelles (Regime Militar) e Celso Antônio Bandeira de Mello (redemocratização dos anos 1980). (SUNDFELD, Carlos Ari. *Direito administrativo para céticos*. 2. ed. São Paulo: Malheiros, 2014, p. 49 *et seq*.).

[8] Arnaldo Sampaio de Moraes Godoy sugere que a ausência de um código de direito administrativo fez com que a obra de Hely Lopes Meirelles ocupasse esse papel, sistematizando as várias normas esparsas e tornando-se um texto canônico da literatura jurídica brasileira (GODOY, Arnaldo Sampaio de Moraes. 'O Direito Administrativo Brasileiro', de Hely Lopes Meirelles. *Consultor Jurídico*, 2021. Disponível em: https://www.conjur.com.br/2021-set-05/direito-administrativo-brasileiro-hely-lopes-meirelles/. Acesso em: 3 ago. 2024). Fernando Menezes de Almeida relata que em fins dos anos 1980 e início dos 1990 era sobretudo na obra de Hely Lopes Meirelles que se buscavam os fundamentos necessários para a argumentação sobre o Direito Administrativo (ALMEIDA, Fernando Menezes de. A obra de Hely Lopes Meirelles na formação do Direito Administrativo brasileiro. *In*: WALD, Arnoldo; JUSTEN FILHO, Marçal; PEREIRA, Cesar Augusto Guimarães (org.). *O Direito Administrativo na atualidade*: estudos em homenagem ao centenário de Hely Lopes Meirelles (1917-2017). São Paulo: Malheiros, 2017, p. 372).

seguiu por mais algum tempo sem receber a mesma atenção doutrinária dedicada a outros temas importantes do Direito Administrativo. Esse fator reforçou a influência e o prestígio de Hely Lopes Meirelles no âmbito da interpretação das normas de licitação e contratação administrativa, mesmo após a sua morte em 1990.[9]

5 A evolução legislativa

As normas mais relevantes do Direito Positivo brasileiro sobre licitação foram o Código de Contabilidade Pública da União, o Decreto-Lei nº 200/1967 e o Decreto-Lei nº 2.300/1986. O conceito de licitação surgiu no Direito Positivo, decorrente de uma necessidade prática da Administração para promover suas contratações, e foi sendo gradativamente incorporado e aperfeiçoado pela doutrina. Hely Lopes Meirelles contribuiu para a sistematização do tema, que passou de poucos dispositivos no âmbito de norma de organização da Administração Pública para um extenso diploma específico para licitações e contratos.[10] As concepções de Hely Lopes Meirelles repercutiram na aplicação do Direito pelos agentes responsáveis pelas licitações, na jurisprudência e na produção doutrinária de outros autores.

6 A publicação dos Comentários à Lei de Licitações e Contratos Administrativos

A Lei nº 8.666 foi publicada no Diário Oficial, em 22 de junho de 1993. Em agosto, a editora AIDE, do Rio de Janeiro, lançou a primeira edição dos *Comentários à Lei de Licitações e Contratos Administrativos*, de Marçal Justen Filho. Ele tinha 38 anos. Começou a escrever o livro em 1991 com comentários aos dispositivos do Decreto-Lei nº 2.300/1986.[11] Adaptou o texto então produzido à redação da nova lei. A primeira edição dos *Comentários* tem 563 páginas. A obra foi apresentada assim:

---

[9] A obra de Hely Lopes Meirelles continua sendo muito influente na área de licitações, mesmo com a Lei nº 8.666 tendo surgido três anos após a morte do autor. O manual Direito Administrativo Brasileiro vem sendo atualizado por outros autores, contemplando considerações sobre as inovações legislativas. A 44ª e mais recente edição foi lançada em 2020. José Vicente Santos de Mendonça tratou desse fenômeno em artigo: "Hely Lopes Meirelles não é mais autor de livros jurídicos; é uma *marca*. Independentemente da qualidade das atualizações ou da identificação do trabalho dos atualizadores *vis à vis* texto original (o que é absolutamente necessário), o fato é que não é possível que, quase trinta anos depois de sua morte, o livro seja editado *como manual*" (MENDONÇA, José Vicente Santos de. *Hely Lopes Meirelles, o jurista imortal*. Direito do Estado, 2017. Disponível em: https://www.direitodoestado.com.br/colunistas/jose-vicente-santos-mendonca/hely-lopes-meirelles-o-jurista-imortal. Acesso em: 23 ago. 2024).

[10] Hely Lopes Meirelles enfrentou o tema das contratações públicas na condição de gestor. Foi secretário de estado de São Paulo. A experiência prática influenciou na produção intelectual destinada a resolver os problemas concretos. Em seguida, coordenou a elaboração de projeto de lei estadual para licitações e contratações administrativas e colaborou na elaboração do Decreto-lei 2.300/1986 (AZEVEDO, Eurico de Andrade. Hely Lopes Meirelles. *In*: RUFINO, Almir Gasquez; PENTEADO, Jaques de Camargo (org.). *Grandes Juristas Brasileiros*. São Paulo: Martins Fontes, 2003, p. 82-83).

[11] JUSTEN FILHO, Marçal. O direito administrativo como aventura existencial e as peripécias de um insubordinado. *Revista Estudos Institucionais*, v. 9, n. 3, p. 801, set./dez. 2023.

Estes comentários examinam a nova Lei de Licitações, artigo por artigo, incluindo os dispositivos vetados, fornecendo interpretação sistemática e apontando as inovações com amplas referencias doutrinárias e jurisprudenciais. O texto aborda e fornece, também, solução para os problemas práticos, evidenciando a inconstitucionalidade de alguns artigos e facilitando a aplicação do novo regime por Estados, Distrito Federal e Municípios.[12]

7 A produção acadêmica de Marçal Justen Filho sobre licitação

Os *Comentários* foram o quarto livro publicado por Marçal Justen Filho. Até então, a sua produção doutrinária estava ligada a temas de Direito Constitucional, Tributário e Empresarial.[13] A iniciativa de escrever o livro decorreu da experiência adquirida na atuação advocatícia. A pretensão foi inserir o tema da licitação no ordenamento do Direito Administrativo, adotando uma interpretação sistemática e não excessivamente formalista. Ele analisou o cenário do seguinte modo:

> O mais estranho era a dissociação entre o tratamento concreto da licitação e da contratação administrativa em relação ao conjunto do 'saber jurídico'. Licitação era tratada como uma questão técnica, em que o enfoque era centrado basicamente em como preencher documentos. Uma das causas talvez fosse a ausência de tratamento do assunto no ambiente acadêmico.[14]

Depois da publicação dos *Comentários*, Marçal Justen Filho se dedicou a aprofundar a discussão do tema na produção doutrinária e em ambiente acadêmico, escreveu artigos para revistas sobre temas específicos de licitações e ministrou aulas e cursos de treinamento sobre a aplicação da Lei.

8 As sucessivas edições dos *Comentários*

O livro vendeu bem. Seguiram-se duas edições em 1994 e a quarta em 1995, todas pela AIDE. A partir da 5ª edição, em 1998, passou a ser publicado pela Editora Dialética, de São Paulo.[15] Nos 14 anos seguintes, a Dialética publicou mais dez edições dos *Comentários*, atualizados com as alterações legislativas, a inserção de jurisprudência e a

---

[12] JUSTEN FILHO, Marçal. *Comentários à lei de licitações e contratos administrativos*. 1. ed. Rio de Janeiro: AIDE, 1993.

[13] Considerando artigos científicos publicados em revistas e livros (currículo do sistema de Currículos Lattes de Marçal Justen Filho). A carreira acadêmica de Marçal Justen Filho contemplou ainda atuação no Direito Processual e na disciplina de Introdução ao Estudo do Direito.

[14] JUSTEN FILHO, Marçal. O direito administrativo como aventura existencial e as peripécias de um insubordinado. *Revista Estudos Institucionais*, v. 9, n. 3, p. 801-802, set./dez. 2023.

[15] A Dialética apresentou a quinta edição assim: "Estes Comentários têm sido considerados, desde sua primeira edição, como uma das obras mais completas sobre a Lei nº 8.666. Agora na 5ª edição, foram revistos e ampliados sensivelmente, considerando-se as inovações trazidas pela Lei nº 9.648 (de 27.5.98) e pela Emenda Constitucional nº 19 (de 4.6.98)". Na orelha, Marçal Justen Filho é apresentado já como "especialista na área de licitações e contratos administrativos, temas sobre os quais publicou inúmeros artigos". (JUSTEN FILHO, Marçal. *Comentários à lei de licitações e contratos administrativos*. 5. ed. São Paulo: Dialética, 1998).

evolução do entendimento do autor.[16] Em 2014, a Editora Revista dos Tribunais publicou a 16ª edição. Na apresentação, Marçal Justen Filho registra que "a força impactante da jurisprudência foi responsável pelas mutações mais significativas na disciplina normativa concreta", sem esquecer da influência política no uso das contratações públicas como instrumentos regulatórios. A 18ª e última edição dos *Comentários* à Lei nº 8.666 foi publicada em 2019. Em 2021, com a publicação da Lei nº 14.133, Marçal Justen Filho escreveu Comentários à Lei de Licitações e Contratações Administrativas, também publicado pela Revista dos Tribunais, e cuja segunda edição foi lançada em 2023.

9 A consagração de Marçal Justen Filho como autoridade em licitações

A recepção dos *Comentários* fez com que Marçal Justen Filho se tornasse um especialista em licitação, passando a se dedicar em seguida a outros temas do Direito Administrativo. Escreveu vários livros que tornaram a tratar de temas relacionados a licitações e a contratos administrativos: Concessões de serviços públicos (1997), Pregão (2001), Teoria Geral das Concessões de Serviço Público (2003), Curso de Direito Administrativo (2005), O Estatuto da Microempresa e as Licitações Públicas (2007), Estatuto Jurídico das Empresas Estatais (2016) e Comentários à Lei de Contratos de Publicidade da Administração Pública (2020). Sua autoridade como especialista foi reforçada.

10 O impacto sobre o tema das licitações

A obra doutrinária de Marçal Justen Filho, especialmente os *Comentários*, influenciou a interpretação da Lei de Licitações. Os agentes públicos responsáveis por conduzir as licitações passaram a buscar nos *Comentários* uma solução ou fundamento para resolver as dúvidas e controvérsias surgidas no dia a dia. Licitantes e advogados invocaram seus ensinamentos para questionar decisões administrativas. O Poder Judiciário e os órgãos de controle se valeram de trechos da obra para fundamentar decisões revisando os atos administrativos. Outros doutrinadores passaram a se dedicar ao tema, dialogando com as posições expressadas por Marçal Justen Filho. Ainda que nem sempre suas opiniões tenham prevalecido, os *Comentários* serviram, quando menos, como um parâmetro para discussão sobre a melhor interpretação. A invocação a preceitos constitucionais produziu um enorme impacto na aplicação prática das licitações. Todos os atos e normas de editais passaram a ser lidos com o filtro da ordem constitucional. Talvez seja impossível

---

[16] É simbólico que a primeira frase do livro em suas primeiras edições seja a seguinte: "O princípio fundamental que orienta toda a atividade administrativa do Estado é o da supremacia e indisponibilidade do interesse público" (JUSTEN FILHO, Marçal. *Comentários à lei de licitações e contratos administrativos*. 1. ed. Rio de Janeiro: AIDE, 1993). Essa afirmação foi excluída a partir da 10ª edição, de 2004. Marçal Justen Filho rejeitou a concepção tradicional da supremacia do interesse público e passou a defender outro enfoque: "Adota-se o entendimento de que os direitos fundamentais apresentam natureza indisponível. O núcleo do direito administrativo reside não no interesse público, mas na promoção dos direitos fundamentais indisponíveis. A invocação ao interesse público toma em vista a realização de direitos fundamentais. O Estado é investido do dever de promover esses direitos fundamentais nos casos em que for inviável a sua concretização pelos particulares, segundo o regime de direito privado". (JUSTEN FILHO, Marçal. *Curso de direito administrativo*. 15. ed. Rio de Janeiro: Forense, 2024, p. 44).

identificar exatamente as razões que conduziram a esse resultado, mas o fato é que o tema da licitação alcançou posição de destaque no âmbito do Direito Administrativo, inclusive sob o ponto de vista acadêmico e de produção científica.[17] Houve significativas monografias examinando questões relacionadas a licitações e contratos administrativos. A partir do final dos anos 1990, o tema alcançou uma posição de dignidade científica incomparável com o cenário do passado.

11 Um processo de avanços e retrocessos

As considerações citadas não ignoram que as mudanças operam numa sistemática de avanços e retrocessos. A afirmação de que a interpretação da Lei de Licitações evoluiu é uma generalização. É claro que convivem interpretações de outra ordem, algumas ainda muito formalistas e técnicas, ignorando a constitucionalização do Direito Administrativo. Além da própria divergência entre os autores de conhecimento científico, há também uma distância entre a academia e a prática, entre o Direito Administrativo dos livros e o Direito Administrativo da prática. A mudança cultural é lenta porque depende da atuação de pessoas. Mesmo as alterações legislativas sujeitas às intepretações mais literais sofrem resistência pela atuação prática arraigada nos costumes.[18] Portanto, ao afirmar que determinada concepção foi modificada ou quando um autor produziu certa influência, isso não representa a integralidade da realidade. Trata-se de uma simplificação para registrar as tendências verificadas em certo tempo.

12 Como medir o impacto da obra de um doutrinador?

Mas como é possível afirmar que certo autor teve influência ou participação significativa na aplicação ou na interpretação do Direito?[19] Carlos Ari Sundfeld dá uma pista ao apontar os doutrinadores de maior prestígio do Direito Administrativo brasileiro: aqueles que influem amplamente na literatura especializada, na jurisprudência, na legislação e na prática.[20] Nos dois últimos campos, a pesquisa empírica é mais

---

[17] O comentário de Fernando Menezes de Almeida sobre o Direito Administrativo em geral se aplica também à licitação: "... grande parte do conteúdo que hoje consta da legislação e da jurisprudência consiste em ideias antes consolidadas na doutrina". (ALMEIDA, Fernando Dias Menezes de. *Formação da teoria do direito administrativo no Brasil*. São Paulo: Quartier Latin, 2015, p. 351).

[18] Marçal Justen Filho descreveu esse fenômeno do seguinte modo: "Mas o aparato administrativo do Estado manteve as mesmas concepções anteriores. A atividade administrativa continuou a ser desenvolvida por meio dos mesmos servidores públicos, segundo as mesmas práticas e observando as mesmas rotinas anteriores". (JUSTEN FILHO, Marçal. O direito administrativo como aventura existencial e as peripécias de um insubordinado. *Revista Estudos Institucionais*, v. 9, n. 3, set./dez. 2023).

[19] Segundo a antropologia, "Alguém com prestígio é ouvido, suas opiniões são seriamente consideradas (não obedecidas) porque a pessoa goza de crédito, estima ou reputação na opinião geral". (HENRICH, Joseph; GIL-WHITE, Francisco J. The evolution of prestige: freely conferred deference as a mechanism for enhancing the benefits of cultural transmission. *Evolution and Human Behavior*, v. 22, Issue 3, p. 168, 2001, tradução livre do inglês).

[20] SUNDFELD, Carlos Ari. *Direito administrativo para céticos*. 2. ed. São Paulo: Malheiros, 2014, p. 49. José Vicente Santos de Mendonça opinou sobre as razões pelas quais um autor passa a ser influente: "É claro que o prestígio de um autor tem muito a ver com sorte, amizades, momento". (MENDONÇA, José Vicente Santos de. *Hely Lopes Meirelles, o jurista imortal*. Direito do Estado, 2017, ed. 357. Disponível em: https://www.direitodoestado.com.br/colunistas/jose-vicente-santos-mendonca/hely-lopes-meirelles-o-jurista-imortal. Acesso em: 23 ago. 2024).

difícil. A participação de um autor na comissão de elaboração de um projeto de lei ou o assessoramento a um legislador são elementos objetivos de certa influência. Mas muitas normas são produzidas por influência de doutrinadores sem que isso fique explícito. Apurar a influência na aplicação prática do Direito é tarefa ainda mais inglória: talvez somente seja possível por amostragem, no exame de atos administrativos que façam referência a autores ou mediante consulta a um certo número de aplicadores do Direito, o que esbarraria em uma série de dificuldades.

13 A metodologia adotada: verificação na jurisprudência

Restaria então a verificação da influência na literatura especializada e na jurisprudência.[21] Optei pela última, por considerar que a consulta à literatura envolveria uma série de riscos.[22] O levantamento consistiu na pesquisa do banco de dados de jurisprudência do Supremo Tribunal Federal.[23] A expressão de busca utilizada no campo de pesquisa de jurisprudência do STF foi "justen". Esse levantamento inicial resultou em 235 acórdãos.[24] O primeiro filtro excluiu as menções a outras pessoas de mesmo sobrenome, resultando em 213 julgados. O segundo filtro excluiu as menções a Marçal Justen Filho na qualidade de procurador de uma das partes, resultando em 195 julgados. O terceiro filtro excluiu as menções à obra doutrinária de Marçal Justen Filho em outros temas,[25] resultando em 46 acórdãos do STF que fazem menção à obra

---

[21] Eduardo Jordão e Renato Toledo promoveram uma pesquisa empírica sobre a influência dos autores estrangeiros na literatura especializada em Direito Administrativo do Brasil. Emprestando a expressão "fazer a cabeça" adotada por Carlos Ari Sundfeld em Direito administrativo para céticos, buscaram identificar os estrangeiros de maior prestígio no Brasil ao longo dos anos. A metodologia adotada foi a contagem do número de citações desses autores nas referências bibliográficas de artigos publicados na Revista de Direito Administrativo. Os resultados foram publicados em: JORDÃO, Eduardo. *Estudos antirromânticos sobre controle da Administração Pública*. São Paulo: Juspodivm, 2022, p. 585-593.

[22] Haveria primeiro uma dificuldade para definir a amostragem: como definir um critério de quais publicações levar em conta? A existência de uma mera referência a um trecho da obra seria suficiente para computar como um elemento de influência? Citações desse tipo podem representar recortes de frases que repetem o direito positivo ou ideias alheias. Seria possível identificar determinados conceitos fundamentais do autor (Marçal Justen Filho) e comparar com a sua absorção por outros autores. Ainda assim, essa tarefa envolveria certo grau de subjetivismo.

[23] João Pedro Vasconcellos e Lucas Spezia Justen realizaram a consulta. Cogitei de consultar também a jurisprudência do Superior Tribunal de Justiça e do Tribunal de Contas da União. Decidi trabalhar apenas com os resultados do STF em razão do volume de dados. As consultas iniciais feitas na pesquisa de jurisprudência dos sites dos tribunais apresentaram mais de 2.500 acórdãos do TCU com referência às expressões "Marçal Justen Filho e licitação" e pouco mais de 100 acórdãos e 300 decisões monocráticas do STJ. Esses números poderiam por si sós representar um elemento da influência do autor na interpretação da Lei, ainda que considerando uma margem de erro.

[24] A pesquisa pela expressão "justen" resultou em 305 decisões monocráticas. Para os fins do presente artigo, considerei apenas as decisões colegiadas do Plenário e das Turmas do STF. O resultado da busca na base de dados de jurisprudência do STF dessa forma está disponível no seguinte endereço: https://jurisprudencia.stf. jus.br/pages/search?base=acordaos&sinonimo=true&plural=true&page=1&pageSize=200&queryString=justen. Acesso em: 2 ago. 2024.

[25] Outros temas de Direito Administrativo (agentes públicos, serviços públicos, controle, precatórios, improbidade administrativa, processo administrativo, ato administrativo, responsabilidade civil do Estado, regulação, desapropriação, terceiro setor, poder de polícia, concurso público, bens públicos, LINDB, responsabilidade fiscal, separação de poderes), Direito Tributário, Direito Empresarial, Direito Penal, Direito Processual Civil e Direito Previdenciário.

doutrinária de Marçal Justen Filho em licitação e contratos administrativos. O quarto filtro excluiu as menções que não estavam diretamente associadas ao fundamento das razões de decidir, resultando finalmente em 37 acórdãos.

14 Os problemas da metodologia adotada

Divulgo os problemas e as limitações científicas que identifiquei na metodologia adotada. Essas possíveis distorções não comprometem a finalidade do artigo: apurar a contribuição da obra doutrinária de Marçal Justen Filho na interpretação da Lei de Licitações. Mas a constatação de eventuais distorções permite uma análise mais consciente dos resultados da pesquisa.

14.1 A limitação do banco de dados do STF

A pesquisa disponível no site do STF só consulta o inteiro teor dos acórdãos publicados a partir de 2012. A pesquisa ao acervo anterior só localiza um autor se ele tiver sido citado nos campos ementa, decisão ou doutrina citada. Ou seja, é possível que existam acórdãos anteriores a 2012 que tenham feito referência à obra de Marçal Justen Filho, mas que não tenham sido identificados nesta pesquisa.

14.2 A mera referência não significa propriamente influência

É questionável o grau de influência de um autor a partir da mera referência a um trecho de sua obra. Muitos raciocínios desenvolvidos pela doutrina se fundamentam na legislação e na jurisprudência.[26] Passagens recortadas das obras e utilizadas como fundamento podem se referir a afirmações consensuais ou genéricas, sem caráter inovador ou derivadas de raciocínio original do autor.

14.3 A influência não é medida apenas pela referência

Por outro lado, o inverso também se passa. São casos de "falso negativo", por assim dizer: existe a influência da obra doutrinária, mas isso não está explícito nos fundamentos. O fato de um acórdão não fazer referência expressa a um autor não significa a ausência de sua influência. É possível que seu pensamento sobre o tema ou interpretação atribuída a uma norma se consolide sem que isso seja expressamente referido como fundamento.

---

[26] Fernando Menezes de Almeida apanhou esse fenômeno, indicando que o fundamento imediato da fonte argumentativa se desloca para o Direito Positivo e para jurisprudência, ainda que originalmente tenha existido influência da doutrina. (ALMEIDA, Fernando Dias Menezes de. *Formação da teoria do direito administrativo no Brasil*. São Paulo: Quartier Latin, 2015, p. 351).

14.4 A influência cruzada entre doutrina e jurisprudência

Existe também um movimento contínuo de influência da doutrina na jurisprudência e da jurisprudência na doutrina. Tanto os *Comentários* quanto o *Curso de Direito Administrativo* reproduzem trechos de decisões relevantes.[27] Com a atualização frequente das obras, é notável que o entendimento jurisprudencial seja considerado e influencie também a obra doutrinária. Pode existir uma espécie de retroalimentação, com fontes se intercalando e buscando fundamentos entre si a ponto de se perder a exata identificação de sua origem. Como resumiu Carlos Ari Sundfeld, "a jurisprudência e os juristas são normalmente levados em conta na tomada de novas decisões".[28]

14.5 A quantidade pode não ser importante

A quantidade de citações pode não ser o melhor critério para medir o grau de influência de um autor. É possível que um acórdão faça muitas referências a um mesmo autor, sem que isso represente a invocação de seu pensamento como fundamento para as razões de decidir. Aliás, é possível que a posição do autor seja referida criticamente, para ser rejeitada.[29] Por outro lado, casos de apenas uma referência podem representar uma influência significativa do pensamento do autor, eventualmente original naquela interpretação.

15 As referências a Marçal Justen Filho na jurisprudência do STF sobre licitação

Com o alerta das circunstâncias limitadoras da pesquisa, apresento os acórdãos do STF que citam a obra doutrinária de Marçal Justen Filho no tema de licitações e contratos administrativos. Para melhor compreensão do impacto, estão reproduzidos os trechos das decisões no ponto em que fazem a referência invocada como fonte argumentativa para fundamentar a interpretação do Direito. Notavelmente, em razão das competências do STF, as temáticas mais frequentes envolvem a questão de competência para editar normas de licitação e questões relacionadas a crimes de licitação e contratação pública.

---

[27] Fernando Menezes de Almeida registra: "E Marçal Justen Filho, em seu Curso de direito administrativo, traz, intercaladas com diversos tópicos sobre os quais discorre, chamadas com o título 'jurisprudência do STF', ou 'jurisprudência do STJ', contendo excertos de decisões relevantes. (ALMEIDA, Fernando Dias Menezes de. *Formação da teoria do direito administrativo no Brasil*. São Paulo: Quartier Latin, 2015, p. 348).

[28] SUNDFELD, Carlos Ari. *Direito Administrativo para céticos*. 2. ed. São Paulo: Malheiros, 2014, p. 26.

[29] Para esta hipótese, tomei o cuidado de rever o inteiro teor dos acórdãos e excluir os casos em que houve a citação, mas o raciocínio do autor não foi acolhido nem invocado como fundamento da interpretação adotada pelo julgador. Nos casos em que a doutrina foi citada em voto que ficou vencido, isso está explicitamente indicado. Reputei que essa hipótese era representativa também da influência, mesmo quando a tese principal defendida pelo Ministro não prevaleceu.

15.1 Competência legislativa e normas gerais: STF, RE 910.552/MG, Plenário, rel. Min. Cármen Lúcia, red. p/ ac. Min. Roberto Barroso, j. 03.07.2023, DJe 09.08.2023

O STF assentou a tese de que é constitucional o ato normativo municipal que estipula regras específicas de participação em licitação e contratação. Marçal Justen Filho foi citado na discussão sobre a competência legislativa suplementar dos demais entes federativos em face da União:

> Sobre esse tema se tem, ainda, por exemplo, lição de Marçal Justen Filho, que discorre sobre a competência suplementar dos demais entes federados, na sequência das normas gerais editadas pela União em matéria de licitação e contratação pública, anotando:
>
> "(...) Rigorosamente, a disciplina do art. 22, inc. XXVII, da CF/88 não produz maiores efeitos ou inovações na sistemática geral. A União dispõe de competência para editar normas gerais – seja por força do referido art. 22, inc. XXVII, seja por efeito do art. 24. Existe a competência privativa dos entes federativos para editar normas especiais. A eventual omissão da União em editar normas gerais não pode ser um obstáculo ao exercício pelos demais entes federativos de suas competências. Assim, por exemplo, a eventual revogação da Lei nº 8.666, sem que fosse adotado outro diploma veiculador de normas gerais, não impediria que os demais entes federativos exercitassem competência legislativa plena" (Comentários à lei de licitações e contratos administrativos. 13. ed. São Paulo: Dialética, 2009, p. 15).

15.2 Competência legislativa e normas gerais: STF, ADPF 282/RO, Plenário, rel. Min. Gilmar Mendes, j. 15.05.2023, DJe 31.05.2023

O STF reconheceu a inconstitucionalidade de dispositivo de lei municipal que criava uma hipótese de PPP, por invasão à competência privativa da União para legislar sobre normas gerais de licitação.

A respeito da competência para edição das normas gerais acrescenta Marçal Justen Filho:

> "A competência para editar normas gerais importa o poder de a União veicular regras mínimas. vinculantes para todas as órbitas federativas, inclusive as integrantes da Administração indireta e outras entidades sob controle do Poder Público" (JUSTEN FILHO, Marçal. Comentários à Lei de licitações e Contratos Administrativos. 9 ed. São Paulo: Dialética, 2003, p. 13).

15.3 Competência legislativa e normas gerais: STF, ADI 5.333/TO, Plenário, rel. Min. Cármen Lúcia, j. 14.02.2020, DJe 06.03.2020

O STF julgou constitucional dispositivo de lei estadual que dispunha sobre a dispensa de licitação para alienação de bens imóveis. Entendeu que a matéria disciplina "peculiaridades locais". A doutrina de Marçal Justen Filho foi citada em três ocasiões no voto da Min. Relatora:

As hipóteses de dispensa e inexigibilidade de licitação, previstas nos arts. 17, 24 e 25 da Lei n. 8.666/1993, são normas gerais de competência legislativa da União. No art. 17, todavia, pelo qual veiculadas normas atinentes à alienação de bens públicos, há normas gerais de observância obrigatória por todos os entes federativos e outras destinadas apenas à União. Marçal Justen Filho assinala:

"O art. 17 veicula duas espécies de normas. Há aquelas que são gerais e, por isso, vinculam a todos os entes administrativos, em todas as órbitas federativas. Mas também existem normas não gerais, que dispõem apenas no âmbito da União.

São normas não gerais aquelas que disciplinam o destino e a gestão de bens públicos, tema que se enquadra no interesse próprio de cada ente federativo. Nesse sentido, cada ente federativo pode dispor sobre os casos de alienação, gratuita ou onerosa, dos bens móveis ou imóveis integrantes de seu patrimônio. Assim, não compete à lei federal estabelecer as hipóteses em que caberá promover a locação de bens municipais.

São normas gerais aquelas que dispõem sobre a contratação direta e sem licitação, tal como as pertinentes à formalização e ao regime jurídico dos contratos e atos administrativos. Assim, cabe aos Estados, Distrito Federal e Municípios a autonomia para dispor sobre a doação de seus bens. Mas o regime jurídico da doação, as hipóteses de contratação direta (sem licitação) e as regras de forma da contratação seguem o disposto nas normas gerais editadas pela União" (Comentários à Lei de Licitações e Contratos Administrativos. 14. ed. São Paulo: Dialética, 2010. p. 229-230).

15.4 Competência legislativa e normas gerais: STF, ADI 4.658/PR, Plenário, rel. Min. Edson Fachin, j. 25.10.2019, DJe 11.11.2019

O STF declarou inconstitucional dispositivo de lei estadual que criava hipótese de dispensa de licitação, sob o fundamento de usurpação de competência da União para legislar sobre normas gerais de licitação. A doutrina de Marçal Justen Filho serviu para fundamentar o raciocínio de que as hipóteses de obrigatoriedade ou não de licitação têm natureza de norma geral:

Todavia, essa atribuição de competência não lhes permite disciplinar a matéria de forma diversa das normas gerais estabelecidas pela União. E, na lição de Marçal Justen Filho, a disciplina acerca das hipóteses em que o procedimento licitatório é obrigatório ou não inclui-se no núcleo de certeza positiva do conceito indeterminado de norma geral sobre licitação. Afirma Marçal:

"Assim, pode-se afirmar que norma geral sobre licitação e contratação administrativa é um conceito jurídico indeterminado cujo núcleo de certeza positiva compreende a disciplina imposta pela União e de observância obrigatória por todos os entes federados (inclusive da Administração indireta), atinente à disciplina de: (a) requisitos mínimos necessários e indispensáveis à validade da contratação administrativa; (b) hipóteses de obrigatoriedade e de não obrigatoriedade de licitação; (c) requisitos de participação em licitação; (d) modalidades de licitação; (e) tipos de licitação; (f) regime jurídico de contratação administrativa." (JUSTEN FILHO, Marçal. Comentários à lei de licitações e contratos administrativos. 15ª ed. São Paulo: Dialética, 2012, p. 16).

15.5 Competência legislativa e normas gerais: STF, RE 441.280/RS, Plenário, rel. Min. Dias Toffoli, j. 08.03.2021, DJe 24.05.2021

O STF examinou se a Petrobras estava submetida a observar a Lei nº 8.666. A decisão foi por maioria de votos, mas ambas as correntes se valeram das lições de Marçal Justen Filho para sustentar seus pontos de vista. O voto do Min. Relator, no sentido de que a Petrobras não se submetia à Lei nº 8.666, afirma:

> "A melhor doutrina não discrepa dessa óptica, ou seja, da necessária" – da conveniente, da salutar, da profilática – "observância da licitação por sociedade de economia mista –" (Marçal Justen Filho, em Comentários à Lei de Licitações e Contratos Administrativos, 12ª edição, São Paulo, Dialética, 2008, página 31, e Celso Antônio Bandeira de Mello, em Curso de Direito Administrativo, 21ª edição, São Paulo, Malheiros, 2006, páginas 513 e 514).

O Min. Edson Fachin divergiu, votando pela aplicação da Lei nº 8.666 à Petrobras no período anterior às Emendas Constitucionais nºs 9/95 e 19/98 e citando:

> Numa direção não idêntica, mas semelhante, recentemente o ilustre Professor Marçal Justen Filho, na sua obra "Comentários à Lei de Licitações de Contratos Administrativos", 16ª Edição, também asseverou e já especificamente contra a Petrobrás. Disse o professor Marçal Justen filho: "A atuação da Petrobrás não pode ser enfocada apenas sob a dimensão interna, em que se configura o monopólio. A Petrobrás atua em competição com outras empresas transnacionais numa dimensão mundial. Portanto, aplicam-se a elas considerações anteriores e relativas à necessidade de adoção de procedimentos contratuais apropriados a garantir-lhes condições de competitividade".

O Ministro Luiz Fux, que acompanhou o voto do Min. Dias Toffoli, e o Min. Marco Aurélio, que acompanhou o voto do Min. Edson Fachin, também citaram os *Comentários* de Marçal Justen Filho.[30]

15.6 Competência legislativa e normas gerais: STF, ADI 5.492/DF, Plenário, rel. Min. Marco Aurélio, red. p/ ac. Min. Luiz Fux, j. 13.10.2020, DJe 08.02.2021

Também por maioria de votos, o STF entendeu que a Petrobras não se submete ao regime da lei de licitações para operações de cessão de direitos de exploração de petróleo. O Min. Edson Fachin ficou vencido. Seu voto reproduz o mesmo trecho doutrinário referido no voto do RE 441.280/RS.[31]

---

[30] O Min. Marco Aurélio chegou a chamar a atenção para a coincidência das citações: "Presidente, no voto que proferi, citei – vejo que nossos gostos doutrinários são os mesmos – o jurista Celso Antônio Bandeira de Mello, bem assim Marçal Justen Filho, quanto à higidez do parágrafo único ao artigo 1º da Lei de Licitações". (STF, RE 441.280/RS, Plenário, rel. Min. Dias Toffoli, j. 08.03.2021, DJe 24.05.2021, manifestação do Min. Marco Aurélio em 22.09.2016).

[31] Voto do Min. Edson Fachin: "Da lição de Marçal Justen Filho, tratando especificamente da Petrobras: 'A atuação da Petrobras não pode ser enfocada apenas sob a dimensão interna, em que se configura um monopólio. A Petrobras atua em competição com outras empresas transnacionais, numa dimensão mundial. Portanto,

15.7 Competência legislativa e normas gerais: STF, ADI 5.624/DF MC-Ref, Plenário, rel. Min. Ricardo Lewandowski, j. 06.06.2019, DJe 29.11.2019

O STF concedeu medida cautelar para conferir interpretação a dispositivo da Lei nº 13.303, reputando que empresas estatais podem alienar o controle de subsidiárias e controladas sem licitação. A obra de Marçal Justen Filho foi citada no voto do Min. Relator:

> Não é novo o entendimento segundo o qual os entraves típicos da Administração Pública devem ser temperados, no caso das empresas estatais.
>
> Nessa linha, Marçal Justen Filho afirma que, "[q]uando o Estado exercita atividade econômica, subordina-se ao regime jurídico e aos mecanismos próprios da empresa privada. A adoção de regime de direito público para disciplinar licitações e contratos acarreta impedimentos, obstáculos e preferências que são incompatíveis com a livre competição. Por um lado, o regime de direito público acarreta dificuldades que oneram de modo insuportável as empresas estatais. A observância das regras minuciosas, detalhistas e formalistas torna inviável uma atuação empresarial eficiente. Por outro lado, o regime típico de direito público contempla certos privilégios e benefícios que não são extensíveis às empresas privadas. Isso também compromete a eficiência e propicia o comprometimento da livre concorrência" (JUSTEN FILHO, Marçal. Estatuto jurídico das empresas estatais: Lei 13.303/16 "Lei das Estatais". São Paulo: Revista dos Tribunais, 2016).

15.8 Competência legislativa e normas gerais: STF, ADI 4.923/DF, Plenário, rel. Min. Luiz Fux, j. 08.11.2017, DJe 05.04.2018

O STF julgou constitucional norma da Lei nº 12.485 que previa a outorga de serviço de acesso condicionado por meio de autorização da Anatel, sem prévia licitação. A obra doutrinária de Marçal Justen Filho foi citada nas passagens que trataram da competência normativa da agência reguladora e, também, quanto à ausência de licitação:

> Seu pressuposto [do dever de licitar] é, portanto, a escassez relativa do bem jurídico pretendido, em geral a celebração de algum contrato com a Administração Pública. Somente aí é que faz sentido confrontar propostas e selecionar apenas a mais vantajosa. Certames licitatórios não têm lugar nos casos em que todo e qualquer cidadão possa ter acesso à situação pretendida. É o que explica Marçal Justen Filho:
>
> "Mas somente se impõe a licitação quando a contratação por parte da Administração pressupuser a competição entre os particulares por uma contratação que não admita a satisfação concomitante de todos os possíveis interessados. A obrigatoriedade da licitação somente ocorre nas situações de excludência (sic), em que a contratação pela Administração com determinado particular exclui a possibilidade de contratação de outrem. Já que haverá

---

aplicam-se a ela as considerações anteriores relativas à necessidade de adoção de procedimentos contratuais apropriados a garantir-lhe condições de competitividade' (JUSTEN FILHO, Marçal. Comentários à lei de licitações e contratos administrativos. 16. ed. São Paulo: Revista dos Tribunais, 2014, p. 42)". (STF, ADI 5.492/DF, Plenário, rel. Min. Marco Aurélio, j. 13.10.2020, DJe 08.02.2021).

uma única contratação, excludente da viabilidade de outro contrato ter o mesmo objeto, põe-se o problema da seleção da alternativa mais vantajosa e do respeito ao princípio da isonomia. A licitação destina-se a assegurar que essa escolha seja feita segundo os valores norteadores do ordenamento jurídico. Não haverá necessidade de licitação quando houve rum número ilimitado de contratações e (ou) quando a escolha do particular a ser contratado não incumbir à própria Administração. Isso se verifica quando uma alternativa de contratar não for alternativa de outras, de molde que todo o particular que o desejar poderá fazê-lo. O raciocínio não é afastado nem mesmo em face da imposição de certos requisitos ou exigências mínimos. Sempre que a contratação não caracterizar uma 'escolha' ou 'preferência' da Administração por uma dentre diversas alternativas, será desnecessária a licitação." (JUSTEN FILHO, Marçal. Comentários à Lei de Licitações e Contratos Administrativos. São Paulo: Dialética, 2008, p. 46).

15.9 Competência legislativa e normas gerais: STF, ADI 3.735/MS, Plenário, rel. Min. Teori Zavascki, j. 08.09.2016, DJe 01.08.2017

O STF declarou a inconstitucionalidade de dispositivo de lei estadual que criou requisito de habilitação, com fundamento na usurpação de competência da União para legislar sobre normas gerais de licitação. A manifestação de Marçal Justen Filho sobre normas gerais foi referida tanto no voto do Min. Teori Zavascki quanto no voto do Min. Marco Aurélio, que divergiu parcialmente:

Realmente, se a igualdade de condições na participação em processos licitatórios é uma garantia constitucional relevante, as restrições a esta proteção deveriam constar do programa de normas gerais. Isto levou Marçal Justen Filho a asseverar, com bom grau de convencimento, que os requisitos de participação em licitações estão compreendidos na categoria de normas gerais no sistema brasileiro:

"Assim, pode-se afirmar que norma geral sobre licitação e contratação administrativa é um conceito jurídico indeterminado cujo núcleo de certeza positiva compreende a disciplina imposta pela União e de observância obrigatória por todos os entes federados (inclusive da Administração indireta), atinente à disciplina de: (a) requisitos mínimos necessários e indispensáveis à validade da contratação administrativa; (b) hipóteses de obrigatoriedade e de não obrigatoriedade de licitação; (c) requisitos de participação em licitação; (d) modalidades de licitação; (e) tipos de licitação; (f) regime jurídico de contratação administrativa." (JUSTEN FILHO, Marçal. Comentários à lei de licitações e contratos administrativos. 15ª ed. São Paulo: Dialética, 2012, p. 16).

15.10 Competência legislativa e normas gerais: STF, ADI 3.059/RS, Plenário, rel. Min. Ayres Britto, red. do ac. Luiz Fux, j. 09.04.2015, DJe 08.05.2015

O STF declarou constitucional lei estadual que fixava preferência para a aquisição de *softwares* livres pela Administração. Entendeu que essa matéria tem natureza de normas suplementares, e não de normas gerais. O voto do Min. Ayres Britto consigna o seguinte:

Ademais, inexistindo lei federal sobre normas gerais de licitação, ficam os Estados autorizados a exercer a competência legislativa plena para atender a suas peculiaridades (§ 3º do art. 24 da CF). A não ser assim, o que se tem é recusa aos Estados-membros quanto a sua própria autonomia administrativa, quebrantando o princípio federativo. 1 Marçal Justen Filho bem percebeu essa particularidade do inciso XXVII do art. 22 da Constituição Federal, *in verbis*:

"(...) Rigorosamente, a disciplina do art. 22, inc. XXVII, da CF/88 não produz maiores efeitos ou inovações na sistemática geral. A União dispõe de competência para editar normas gerais – seja por força do referido art. 22, inc. XXVII, seja por efeito do art. 24. Existe a competência privativa dos entes federativos para editar normas especiais. A eventual omissão da União em editar normas gerais não pode ser um obstáculo ao exercício pelos demais entes federativos de suas competências. Assim, por exemplo, a eventual revogação da Lei nº 8.666, sem que fosse adotado outro diploma veiculador de normas gerais, não impediria que os demais entes federativos exercitassem competência legislativa plena." (JUSTEN FILHO, Marçal. Comentários à lei de licitações e contratos administrativos. 13. ed. São Paulo: Dialética, 2009, p. 15).

15.11 Desconsideração da personalidade jurídica: STF, MS 35.506/DF, Plenário, rel. Min. Marco Aurélio, red. do ac. Min. Ricardo Lewandowski, j. 10.10.2022, DJe 14.12.2022

O STF admitiu que o TCU tem competência para promover a desconsideração da pessoa jurídica para fins de extensão dos efeitos de aplicação de sanção. Uma passagem da obra de Marçal Justen Filho foi citada para sustentar essa interpretação:

Portanto, a possibilidade do reconhecimento administrativo dos requisitos para decretar a desconsideração da personalidade jurídica para fins de responsabilização de administradores e sócios já está internalizada em nosso ordenamento jurídico, e, ainda que não seja previsão específica destinada ao Tribunal de Contas da União, reforça a compreensão de que a matéria não está sujeita à reserva de jurisdição, sendo possível sua aplicação analógica ao caso.

Abalizada doutrina apresenta a mesma compreensão:

"Tema que tem merecido pequena atenção no âmbito da contratação administrativa é o da desconsideração da pessoa jurídica, que já foi referido de passagem acima, nos comentários ao art. 9º. Trata-se de doutrina desenvolvida no âmbito do direito comparado, destinada a reprimir a utilização fraudulenta de pessoas jurídicas. Não se trata de ignorar distinção entre a pessoa da sociedade e a de seus sócios, que era formalmente consagrada pelo art. 20 do Código Civil/1916. Quando a pessoa jurídica for a via para realização da fraude, admite-se a possibilidade de superar-se sua existência. Essa questão é delicada, mas está sendo enfrentada em todos os ramos do Direito. Nada impede sua aplicação no âmbito do Direito Administrativo, desde que adotadas as cautelas cabíveis e adequadas. Não se admite que se pretenda ignorar a barreira da personalidade jurídica sempre que tal se revele inconveniente para a Administração. A desconsideração da personalidade societária pressupõe a utilização ilegal, abusiva e contrária às boas práticas da vida empresarial. E a desconsideração deve ser precedida de processo administrativo específico em que sejam assegurados a ampla defesa e o contraditório a todos os interessados" (JUSTEN FILHO, Marçal. Comentários à lei de licitações e contratos administrativos. 15 ed. São Paulo: Dialética, 2012, p. 955- 956).

Neste caso, Marçal Justen Filho parece sustentar entendimento diverso do que ficou assentado no acórdão.[32] Com o advento da Lei nº 13.105/2015, que instituiu o incidente de desconsideração da pessoa jurídica no CPC, manifestou opinião que pode ser assim sumariada: "A suspensão da eficácia dos atos administrativos pertinentes à personificação somente pode ser produzida por um provimento jurisdicional típico".[33]

15.12 Crimes: STF, AP 962/DF, Primeira Turma, rel. Min. Marco Aurélio, red. do ac. Min. Luiz Fux, j. 04.06.2019, DJe 23.10.2019

O STF absolveu réu acusado do crime de dispensar ou inexigir licitação fora das hipóteses legais (art. 89 da Lei nº 8.666). A obra de Marçal Justen Filho foi referida três vezes no voto do Min. Luiz Fux, que liderou a corrente majoritária e entendeu que não ficou demonstrado o elemento subjetivo do tipo:

> O crime de dispensa ou inexigibilidade ilegal de licitação, definido no art. 89 da Lei 8.666/93, contém norma penal em branco, complementada pelos preceitos normativos dos artigos 24 e 25 do mesmo diploma legal.
>
> Deveras, para verificar-se se ocorreu a prática do crime definido no art. 89, deve-se analisar se os pressupostos para a dispensa ou inexigibilidade de licitação previstos nos artigos 24 e 25 foram violados pelo agente. Além disso, na lição de Marçal Justen Filho, *verbis*:
>
> "Deve submeter-se a repressão penal, contemplada no âmbito das licitações, às concepções vigentes no âmbito da Teoria Geral do Direito Penal. Isso significa a superação das concepções causalistas e a incorporação do enfoque finalista sobre a ação penalmente reprovável. Isso equivale a negar a configuração do crime em virtude de um mero encadeamento de causa e efeito entre a conduta do sujeito e o resultado reprovável. Tal como consagrado a partir da teoria finalista, o crime apenas pode ser reconhecido quando o resultado foi (ou deveria ter sido) objeto de cogitação do agente. Justamente por isso, passou a reconhecer-se que a configuração tipológica do crime abrange não apenas a conduta propriamente objetiva, mas também um aspecto subjetivo. Ainda nos casos em que houver a mera descrição legislativa de comportamentos materiais e externos, isso não afasta a pressuposição de que a tipificação compreende os aspectos subjetivos da atuação de um sujeito. Não existe, num Estado Democrático de Direito, tipo composto exclusivamente por elementos objetivos. Não é possível apontar a consumação do crime

---

[32] Pelo menos quanto à necessidade de se observar previamente as garantias do contraditório e da ampla defesa. Esse entendimento está claramente afirmado na última frase reproduzida no voto do Min. Relator. Mas logo a seguir da reprodução do trecho doutrinário, o voto prossegue: "Por fim, não há falar em desrespeito ao contraditório e à ampla defesa, porque foram oportunizados diferidamente como forma de garantir a eficácia das medidas cautelares". (STF, MS 35.506, Plenário, rel. Min. Marco Aurélio, red. do ac. Min. Ricardo Lewandowski, j. 10.10.2022).

[33] JUSTEN FILHO, Marçal. *Comentários à lei de licitações e contratos administrativos*. 17. ed. São Paulo: Revista dos Tribunais, 2016, p. 1378 *et seq*.

por meio da mera comparação entre o resultado material ocorrido no mundo dos fatos e a descrição contemplada na Lei. É imperioso examinar o posicionamento subjetivo do agente. Enfim, somente há o crime quando houver uma conduta reprovável, o que importa uma perspectiva subjetiva atinente à vontade do sujeito.

Bem por isso, não é suficiente a mera conduta de dispensar licitação fora das hipóteses previstas em lei para existir indício de crime, por exemplo. Não é cabível um enfoque puramente causalista, em que se impute a prática de crime tomando em vista apenas a existência de uma ação ou omissão de que resultou o dano. Essa é uma concepção absoluta reprovada e abandonada no Direito Penal. O resultado – ausência da necessária licitação – poderá compor um crime na medida em que o agente tinha consciência da obrigatoriedade de promover a licitação e a vontade de frustrar indevidamente sua realização. [...]

O elemento subjetivo [do artigo 89] consiste não apenas na intenção maliciosa de deixar de praticar a licitação cabível. [...] É imperioso, para a caracterização do crime, que o agente atue voltado a obter um outro resultado, efetivamente reprovável e grave, além da mera contratação direta.

Ocorre, assim, a conduta ilícita quando o agente possui a vontade livre e consciente de produzir o resultado danoso ao erário. É necessário um elemento subjetivo consistente em produzir prejuízo aos cofres públicos por meio do afastamento indevido de licitação. Portanto, não basta a mera intenção de não realizar licitação em um caso em que tal seria necessário" (JUSTEN FILHO, Marçal. Comentários à Lei de Licitações e Contratos Administrativos. 14ª ed. São Paulo: Dialética, 2010, p. 901/904).

15.14 Crimes: STF, AP 946/DF ED-EI, Plenário, rel. Min. Ricardo Lewandowski, j. 06.06.2018, DJe 11.12.2019

O STF reiterou o entendimento de que o crime do art. 89 da Lei nº 8.666 depende da demonstração do elemento subjetivo do tipo. A doutrina de Marçal Justen Filho foi citada em três ocasiões:

Tal compreensão busca distinguir o administrador probo que, sem má-fé, agindo com culpa, aplica equivocadamente a norma de dispensa ou inexigibilidade de licitação daquele que afasta a concorrência de forma deliberada, sabendo-a imperiosa, com finalidade ilícita.

Esse também é o entendimento que se colhe de abalizada doutrina, *verbis*:

"O elemento subjetivo [do artigo 89] consiste não apenas na intenção maliciosa de deixar de praticar a licitação cabível. [...] É imperioso, para a caracterização do crime, que o agente atue voltado a obter um outro resultado, efetivamente reprovável e grave, além da mera contratação direta. Ocorre, assim, a conduta ilícita quando o agente possui a vontade livre e consciente de produzir o resultado danoso ao erário. É necessário um elemento subjetivo consistente em produzir prejuízo aos cofres públicos por meio do afastamento indevido de licitação. Portanto, não basta a mera intenção de não realizar licitação em um caso em que tal seria necessário" (JUSTEN FILHO, Marçal. Comentários à Lei de Licitações e Contratos Administrativos. 14ª ed. São Paulo: Dialética, 2010, p. 901-904).

As outras passagens fundamentaram a análise da regularidade da inexigibilidade de licitação no caso concreto.

15.15 Crimes: STF, Inq 3.962/DF, Primeira Turma, rel. Min. Rosa Weber, j. 20.02.2018, DJe 12.09.2018

Mais uma vez, o STF decidiu que o crime do art. 89 da Lei nº 8.666 exige o elemento subjetivo do tipo:

> Como cediço, o delito do artigo 89 da Lei 8.666/93 exige, além do dolo genérico — representado pela vontade consciente de dispensar ou inexigir licitação com descumprimento das formalidades—, a configuração do especial fim de agir—consistente no dolo específico de causar dano ao erário ou de gerar o enriquecimento ilícito dos agentes envolvidos na empreitada criminosa. [...].
>
> Não discrepa desse entendimento a doutrina especializada:
>
> "O elemento subjetivo [do artigo 89] consiste não apenas na intenção maliciosa de deixar de praticar a licitação cabível. [...] É imperioso, para a caracterização do crime, que o agente atue voltado a obter um outro resultado, efetivamente reprovável e grave, além da mera contratação direta.
>
> Ocorre, assim, a conduta ilícita quando o agente possui a vontade livre e consciente de produzir o resultado danoso ao erário. É necessário um elemento subjetivo consistente em produzir prejuízo aos cofres públicos por meio do afastamento indevido de licitação. Portanto, não basta a mera intenção de não realizar licitação em um caso em que tal seria necessário." (JUSTEN FILHO, Marçal. Comentários à Lei de Licitações e Contratos Administrativos. 14ª ed. São Paulo: Dialética, 2010, p. 901-904).

15.16 Crimes: STF, AP 580/SP, Primeira Turma, rel. Min. Rosa Weber, j. 13.12.2016, DJe 26.06.2017

O STF decidiu que o crime do art. 89 da Lei nº 8.666 exige o elemento subjetivo do tipo. O voto da Min. Rosa Weber citou a mesma passagem da obra doutrinária como fonte:

> Não discrepa desse entendimento a doutrina especializada:
>
> "O elemento subjetivo [do artigo 89] consiste não apenas na intenção maliciosa de deixar de praticar a licitação cabível. [...] É imperioso, para a caracterização do crime, que o agente atue voltado a obter um outro resultado, efetivamente reprovável e grave, além da mera contratação direta. Ocorre, assim, a conduta ilícita quando o agente possui a vontade livre e consciente de produzir o resultado danoso ao erário. É necessário um elemento subjetivo consistente em produzir prejuízo aos cofres públicos por meio do afastamento indevido de licitação. Portanto, não basta a mera intenção de não realizar licitação em um caso em que tal seria necessário" (JUSTEN FILHO, Marçal. Comentários à Lei de Licitações e Contratos Administrativos. 14ª ed. São Paulo: Dialética, 2010, p. 901-904).

15.17 Crimes: STF, AP 946/DF, Primeira Turma, rel. Min. Marco Aurélio, red. do ac. Min. Edson Fachin, j. 30.08.2016, DJe 01.08.2017

O STF decidiu neste caso que o crime do art. 89 da Lei nº 8.666 é formal, não exigindo o elemento subjetivo do tipo. O Min. Luiz Fux ficou vencido, reputando que não havia crime. Seu voto cita a obra de Marçal Justen Filho em três ocasiões. Uma delas.

Deveras, para verificar-se se ocorreu a prática do crime definido no art. 89, deve-se analisar se os pressupostos para a dispensa ou inexigibilidade de licitação previstos nos artigos 24 e 25 foram violados pelo agente. Além disso, na lição de Marçal Justen Filho, *verbis*:

"Deve submeter-se a repressão penal, contemplada no âmbito das licitações, às concepções vigentes no âmbito da Teoria Geral do Direito Penal. Isso significa a superação das concepções causalistas e a incorporação do enfoque finalista sobre a ação penalmente reprovável. Isso equivale a negar a configuração do crime em virtude de um mero encadeamento de causa e efeito entre a conduta do sujeito e o resultado reprovável. Tal como consagrado a partir da teoria finalista, o crime apenas pode ser reconhecido quando o resultado foi (ou deveria ter sido) objeto de cogitação do agente. Justamente por isso, passou a reconhecer-se que a configuração tipológica do crime abrange não apenas a conduta propriamente objetiva, mas também um aspecto subjetivo. Ainda nos casos em que houver a mera descrição legislativa de comportamentos materiais e externos, isso não afasta a pressuposição de que a tipificação compreende os aspectos subjetivos da atuação de um sujeito. Não existe, num Estado Democrático de Direito, tipo composto exclusivamente por elementos objetivos. Não é possível apontar a consumação do crime por meio da mera comparação entre o resultado material ocorrido no mundo dos fatos e a descrição contemplada na Lei. É imperioso examinar o posicionamento subjetivo do agente. Enfim, somente há o crime quando houver uma conduta reprovável, o que importa uma perspectiva subjetiva atinente à vontade do sujeito.

Bem por isso, não é suficiente a mera conduta de dispensar licitação fora das hipóteses previstas em lei para existir indício de crime, por exemplo. Não é cabível um enfoque puramente causalista, em que se impute a prática de crime tomando em vista apenas a existência de uma ação ou omissão de que resultou o dano. Essa é uma concepção absoluta reprovada e abandonada no Direito Penal. O resultado – ausência da necessária licitação – poderá compor um crime na medida em que o agente tinha consciência da obrigatoriedade de promover a licitação e a vontade de frustrar indevidamente sua realização. [...]

O elemento subjetivo [do artigo 89] consiste não apenas na intenção maliciosa de deixar de praticar a licitação cabível. [...] É imperioso, para a caracterização do crime, que o agente atue voltado a obter um outro resultado, efetivamente reprovável e grave, além da mera contratação direta.

Ocorre, assim, a conduta ilícita quando o agente possui a vontade livre e consciente de produzir o resultado danoso ao erário. É necessário um elemento subjetivo consistente em produzir prejuízo aos cofres públicos por meio do afastamento indevido de licitação. Portanto, não basta a mera intenção de não realizar licitação em um caso em que tal seria necessário" (JUSTEN FILHO, Marçal. Comentários à Lei de Licitações e Contratos Administrativos. 14ª ed. São Paulo: Dialética, 2010, p. 901/904).

15.18 Crimes: STF, AP 917/MS, Segunda Turma, rel. Min. Cármen Lúcia, j. 07.06.2016, DJe 25.10.2017

O STF julgou improcedente a ação penal, decidindo que o crime do art. 89 da Lei nº 8.666 depende da presença de elemento subjetivo do agente público. O voto do Min. Dias Toffoli, revisor, cita trecho doutrinário de Marçal Justen Filho para suportar esse entendimento. E o voto da Min. Cármen Lúcia cita Marçal Justen Filho para fundamentar que no caso concreto a hipótese de contratação direta era legal:

> A doutrina administrativista assevera cabível a contratação direta quando houver risco de prejuízo à população pela interrupção na prestação do serviço público. Marçal Justen Filho, ao comentar a hipótese de contratação direta em situação emergencial ou de calamidade pública, leciona:
>
> "A hipótese merece interpretação cautelosa. A contratação administrativa pressupõe atendimento às necessidades coletivas e supraindividuais. Isso significa que a ausência de contratação representaria um prejuízo para o bem público. Se inexistisse um interesse em risco, nem caberia intervenção do Estado. A atividade pública não pode ser suprimida ou dirimida para o futuro. Afinal, essas são características inerentes à Administração Pública. (...) O dispositivo enfocado refere-se aos casos em que o decurso de tempo necessário ao procedimento licitatório normal impediria a adoção de medidas indispensáveis para evitar danos irreparáveis. Quando fosse concluída a licitação, o dano já estaria concretizado. A dispensa de licitação e a contratação imediata representam uma modalidade de atividade acautelatória dos interesses que estão sob a tutela estatal" (JUSTEN FILHO, Marçal. Comentários à Lei de Licitações e Contratos Administrativos. 14. ed. São Paulo: Dialética, 2010. p. 305).

15.19 Crimes: STF, Inq. 3.074/SC, Primeira Turma, rel. Min. Roberto Barroso, j. 26.08.2014, DJe 03.10.2014

O STF decidiu que não havia prova da materialidade da prática do crime do art. 89 da Lei nº 8.666 em caso de contratação direta de serviços advocatícios. Para sustentar a hipótese de cabimento da inexigibilidade de licitação no caso concreto, o voto do Min. Relator se valeu da doutrina de Marçal Justen Filho:

> Ainda acerca da singularidade do objeto contratado, vejam-se as seguintes passagens de Marçal Justen Filho e Celso Antônio Bandeira de Mello, destacando que a locução "natureza singular" destina-se a evitar a generalização da contratação direta dos serviços especializados descritos no art. 13:
>
> "É imperioso verificar se a atividade necessária à satisfação do interesse sobre a tutela estatal é complexa ou simples, se pode ser reputada como atuação padrão e comum ou não. A natureza singular caracteriza-se como uma situação anômala, incomum, impossível de ser enfrentada satisfatoriamente por profissional não 'especializado'" (Comentários à Lei de Licitações e Contratos Administrativos, 2010, p. 368).

15.20 Crimes: STF, AP 565/RO, Plenário, Rel. Min. Cármen Lúcia, j. 08.08.2013, DJe 23.05.2014

O STF condenou agentes públicos pela prática do crime do art. 90 da Lei nº 8.666. A obra de Marçal Justen Filho foi citada em três passagens. Uma delas para fundamentar a responsabilização dos integrantes da comissão de licitação:

> A lei impõe aos membros da comissão o dever de agir com cautela em todas as fases do certame, verificando o preenchimento dos requisitos legais e documentais pelos participantes, além de zelar para que ilícitos não sejam cometidos. Marçal Justen Filho trata assim do tema:
>
> "Como a comissão delibera em conjunto, todos os seus integrantes têm o dever de cumprir a Lei e defender as funções atribuídas ao Estado. Mais ainda, cada membro tem o dever de opor-se à conduta dos demais integrantes quando viciada. O dispositivo se assemelha ao princípio consagrado no art. 158, §§1º e 2º, da Lei n. 6.404/1976, que disciplina as sociedades por ações. (...) Se o sujeito, por negligência, manifesta sua concordância com ato viciado, torna-se responsável pelas consequências. Se, porém, adotou as precauções necessárias e o vício era imperceptível não obstante a diligência empregada, não há responsabilidade pessoal. Sempre que o membro da comissão discordar da conduta de seus pares, deverá expressamente manifestar sua posição. Isso deverá impedir a responsabilização solidária do discordante. (...) Ao eliminar a responsabilidade solidária do integrante da Comissão em virtude da ressalva expressa, a Lei pretende que sejam tornados públicos os vícios ocorridos. Desse modo, os envolvidos no vício serão desestimulados a prosseguir na conduta desviada (por temor de que possa ser descoberta) e se tornará mais simples a atuação dos órgãos de controle e fiscalização (pois terão notícia direta do defeito)." (JUSTEN FILHO, Marçal. Comentários à lei de licitações e contratos administrativos, ob. cit., p. 795-796).

15.21 Crimes: STF, Inq 2.482/MG, Plenário, rel. Min. Ayres Britto, red. do ac. Min. Luiz Fux, j. 15.09.2011, DJe 17.02.2012

O STF rejeitou denúncia pelo crime do art. 89 da Lei nº 8.666, reputando ausente a comprovação do elemento subjetivo do tipo. O voto do Min. Dias Toffoli, que acompanhou a maioria, cita a obra de Marçal Justen Filho:

> Eu também, Senhor Presidente, rejeito a denúncia, mas não deixaria de citar aqui também um pouco de teoria jurídica. E cito Marçal Justen Filho, no seu Comentário à Lei nº 8.666, em relação ao art. 89. Disse ele:
>
> 'Não se aperfeiçoa crime do artigo 89 sem dano aos cofres públicos. Ou seja, o crime consiste não apenas na indevida contratação indireta mas na produção de um resultado final danoso. Se a contratação direta, ainda que indevidamente adotada, gerou um contrato vantajoso para a Administração não existirá crime. Não se pune a mera conduta, ainda que reprovável, de deixar de adotar a licitação. O que se pune é a instrumentalização da contratação direta para gerar lesão patrimonial à Administração'.

15.22 Crimes: STF, AP 348/SC, Plenário, rel. Min. Eros Grau, j. 15.12.2006, DJe 03.08.2007

O STF absolveu réu acusado do crime previsto no art. 89 da Lei nº 8.666 por reputar que a contratação direta enquadrada como dispensa de licitação configurava uma hipótese de inexigibilidade. Logo, configurou-se mera irregularidade formal. Nesse ponto, o voto do Min. Relator se valeu da doutrina de Marçal Justen Filho:

> Marçal Justen Filho anota que "[a] ausência de observância das formalidades pertinentes à dispensa ou à inexigibilidade da licitação somente é punível quando acarretar contratação indevida e retratar o intento indevido reprovável do agente (visando produzir o resultado danoso). Se os pressupostos da contratação direta estavam presentes mas o agente deixou de atender à formalidade legal, a conduta é penalmente irrelevante" (grifei) (Comentários à Lei de Licitações e Contratos Administrativos, 9. ed. São Paulo: Dialética, 2002, p. 579).

Vale o mesmo para as hipóteses de inexigibilidade de licitação.

15.23 Crimes: STF, HC 155.020/DF AgR, Segunda Turma, rel. Min. Celso de Mello, red. do ac. Min. Dias Toffoli, j. 04.09.2018, DJe 05.11.2018

O STF concedeu habeas corpus para trancar ação penal reputando que não houve demonstração do dolo específico do crime do art. 89 da Lei nº 8.666. A obra de Marçal Justen Filho foi referida para sustentar o entendimento de que existe a comprovação de elemento subjetivo:

> Nesse sentido, invoco, mais uma vez, as precisas lições de Marçal Justen Filho, quando sustenta que "o elemento subjetivo consiste não apenas na intenção maliciosa de deixar de praticar a licitação cabível. Se a vontade consciente e livre de praticar a conduta descrita no tipo fosse suficiente para concretizar o crime, então seria de admitir-se modalidade culposa. Ou seja, quando a conduta descrita no dispositivo fosse concretizada em virtude de negligência, teria de haver a punição. Isso seria banalizar o Direito Penal e produzir criminalização de condutas que não se revestem de reprovabilidade. É imperioso, para a caracterização do crime, que o agente atue voltado a obter um outro resultado, efetivamente reprovável e grave, além da mera contratação direta. Ocorre, assim, a conduta ilícita quando o agente possui a vontade livre e consciente de produzir o resultado danoso ao erário. É necessário um elemento subjetivo consistente em produzir um prejuízo aos cofres públicos por meio do afastamento indevido da licitação. Portanto, não basta a mera intenção de não realizar licitação em um caso em que tal seria necessário" (Comentários à Lei de Licitações e Contratos Administrativos. 12. ed. São Paulo: Dialética, 2008. p. 831).
>
> Ademais, a ausência de observância das formalidades pertinentes à dispensa ou à inexigibilidade da licitação somente é passível de sanção quando acarretar contratação indevida e houver demonstração da vontade ilícita do agente em produzir um resultado danoso, o que entendo não ser o caso.

No mesmo sentido e com a reprodução dos mesmos trechos, a obra de Marçal Justen Filho foi invocada em outros seis acórdãos: STF, AP 700/MA, Segunda Turma, rel. Min. Dias Toffoli, j. 23.02.2016. DJe 26.04.2016; STF, AP 560/SC, Segunda Turma, rel. Min. Dias Toffoli, j. 25.08.2015, DJe 11.09.2015; STF, AP 559/PE, Primeira Turma, rel. Min. Dias Toffoli, j. 26.08.2014, DJe 31.10.2014; STF, Inq. 2.616/SP, Plenário, rel. Min. Dias Toffoli, j. 29.05.2014, DJe 29.08.2014; STF, Inq 3.077/AL, Plenário, rel. Min. Dias Toffoli, j. 29.03.2012, DJe 25.09.2012; STF, AP 527/PR, Plenário, rel. Min. Dias Toffoli, j. 16.12.2010, DJe 04.04.2011.

15.24 Isonomia: STF, RE 668.810/SP AgR, Segunda Turma, rel. Min. Dias Toffoli, j. 30.06.2017, DJe 10.08.2017

O STF declarou inconstitucional dispositivo de lei municipal que exigia que os veículos utilizados para atender os contratos administrativos deveriam ter seus certificados de registro expedidos pelo próprio Município.

Nesse contexto da interpretação e da aplicação do princípio da isonomia nos procedimentos licitatórios, leciona o ilustre jurista Marçal Justen Filho:

"A isonomia afigura-se como princípio estabelecido em favor do particular interessado em disputar o contrato administrativo. Mas a tutela aos interesses individuais reflete, igualmente, a proteção aos interesses da Administração Pública. (...)

A isonomia significa, de modo geral, o livre acesso de todo e qualquer interessado à disputa pela contratação com a Administração. Como decorrência direta e imediata da isonomia, é vedado à Administração escolher um particular sem observância de um procedimento seletivo adequado e prévio, em que sejam estabelecidas exigências proporcionadas à natureza do objeto a ser executado.

Sob esse ângulo, a isonomia significa o direito de cada particular na disputa pela contratação administrativa, configurando-se a invalidade de restrições abusivas, desnecessárias ou injustificadas. Trata-se, então, da isonomia como tutela aos interesses individuais de cada sujeito particular potencialmente interessado sem ser contratado pela Administração. (...)

Mas a isonomia também se configura como proteção ao interesse coletivo. A ampliação da disputa significa a multiplicação de ofertas e a efetiva competição entre os agentes econômicos. Como decorrência da disputa, produz-se a redução dos preços e a elevação da qualidade das ofertas, o que se traduz em contratações mais vantajosas para a Administração.

Sob esse prima, a isonomia reflete a proteção aos interesses coletivos. Todo e qualquer integrante da comunidade, mesmo que não potencialmente em condições de participar de uma licitação, tem interesse na ampliação da disputa, na eliminação das exigências abusivas ou desnecessárias. Assim, se passa porque a ampliação do universo de licitantes propicia a redução dos gastos públicos. (...)

As diferenciações constantes do ato convocatório devem atentar para os limites acima indicados. Será inválida a discriminação contida no ato convocatório se não se ajustar ao princípio da isonomia. Será o caso quando a discriminação for incompatível com os fins e valores consagrados no ordenamento, por exemplo.

O ato convocatório somente pode conter discriminações que se refiram à 'proposta vantajosa'... O ato convocatório viola o princípio da isonomia quando: (a) estabelece discriminação desvinculada do objeto da licitação; (b) prevê exigência desnecessária e que não envolve vantagem para a Administração; (c) impõe requisitos desproporcionados com necessidades da futura contratação; e (d) adota discriminação ofensiva de valores constitucionais ou legais" (Comentários à Lei de Licitações e Contratos Administrativos. São Paulo: Editora Dialética. 2012. p. 60).

15.25 Equilíbrio econômico-financeiro: STF, ADI 7.222/DF MC-Ref, Plenário, rel. Min. Roberto Barroso, j. 19.09.2022, DJe 22.11.2022

O STF concedeu medida cautelar para suspender os efeitos da Lei nº 14.434, que instituiu o piso salarial da enfermagem. O voto do Min. Relator invocou a doutrina de Marçal Justen Filho para sustentar a necessidade de recomposição do equilíbrio econômico-financeiro de contratos e convênios do SUS:

> A partir dessas informações, é possível predizer que o advento da referida norma também gerará, como consequência, a necessidade de recomposição do equilíbrio econômico e financeiro dos referidos contratos e convênios, em razão da garantia contida no art. 37, XXI, da Constituição Federal, a respeito da manutenção do equilíbrio entre os compromissos assumidos pelo contratado e o valor pago pela Administração Pública em contraprestação ao serviço prestado: [...].

> Note-se, como afirma Marçal Justen Filho, que "o direito à manutenção do equilíbrio econômico-financeiro da contraprestação não deriva de cláusula contratual nem de previsão no ato convocatório. Tem raiz constitucional. (JUSTEN FILHO, Marçal. Comentários à lei de licitações e contratos administrativos. 12 ed. São Paulo: Dialética, 2008, p. 515).

15.26 Revogação da licitação: STF, STP 776/AM, Plenário, rel. Min. Rosa Weber, j. 02.10.2023, DJe 06.12.2023

O STF considerou válida a revogação de licitação depois da adjudicação do objeto e da sua homologação. A obra doutrinária de Marçal Justen Filho foi citada para fundamentar a revogação desde que comprovada a existência de razões supervenientes. O voto da Relatora menciona também precedentes do STJ e do STF:

> É claro que a revogação da licitação não caracteriza mera faculdade jurídica da Administração Pública. Nos termos do art. 49 da Lei nº 8.666/93 (correspondente ao art. 71, §2º, da Lei nº 14.133/2021), somente diante de razões supervenientes de interesse público estará legitimada a revogação do procedimento licitatório. Nesse sentido, a lição autorizada de Marçal Justen Filho:

> "A revogação pode ser praticada a qualquer tempo pela autoridade competente para a aprovação do procedimento licitatório. (...) O juízo de conveniência, exercitado por ocasião da homologação, não pode ser renovado posteriormente. Porém, o surgimento de fatos novos poderá autorizar avaliação acerca da conveniência da manutenção dos efeitos da licitação. Diante de fato novo e não obstante a existência de adjudicação do objeto a um particular, a Administração de [sic] o poder de revogação. Poderá revogar a adjudicação e a homologação anteriores, evidenciando que a nova situação fática tornou inconveniente

ao interesse coletivo ou supraindividual a manutenção de ato administrativo anterior".
(JUSTEN FILHO, Marçal. Comentários à Lei de Licitações e Contratos Administrativos. 15ª ed. São Paulo: Dialética, 2012).

15.27 Credenciamento: STF, ADI 6313/DF, Plenário, rel. Min. Alexandre de Moraes, j. 28.08.2023, DJe 04.09.2023

O STF decidiu que o credenciamento de particulares para prestar serviços de fabricação de placas veiculares era cabível, em virtude da inviabilidade de competição e da existência de múltiplos particulares aptos a prestar o serviço. A obra de Marçal Justen Filho foi citada para reforçar que o credenciamento não implica a contratação de todos os credenciados:

> Disso não decorrerá, necessariamente, a contratação de todos os particulares em situação de igualdade de condições, na medida em que, sendo possível uma posterior seleção daquele que efetivamente irá realizar o objeto contratual, não se descarta a ocorrência de um processo decisório complementar, a ser desenvolvido fora do contexto público, como adverte MARÇAL JUSTEN FILHO, que prossegue:
>
> "Um exemplo dessa ordem envolve a prestação de serviços de saúde. Nessa área, é usual a Administração praticar modalidades de estipulação em favor de terceiros. Os servidores receberão os serviços e escolherão o profissional que os prestará. A Administração realizará o pagamento pelos serviços, em valores e condições previamente estabelecidos. Nesses casos, não tem cabimento uma licitação. Caberá à Administração estabelecer as condições de execução dos serviços e as demais cláusulas a serem observadas. Todo o profissional que preencher os requisitos mínimos fixados pela Administração poderá requerer seu credenciamento, o que significará sua admissão a um cadastro que ficará à disposição dos beneficiários (servidores). A escolha do profissional caberá ao próprio beneficiário. Prestado o serviço, o profissional pleiteará à Administração a remuneração por valor predeterminado.
>
> Note-se que a Administração não impõe aos particulares a escolha do profissional a ser consultado. Nada impede que um profissional credenciado seja o único escolhido por todos os beneficiários e que outros não sejam procurados por quem quer que seja.
>
> Nessas situações de credenciamento, verifica-se inexigibilidade de licitação, em virtude da inviabilidade de competição, que se verifica por dois fundamentos. Por um lado, há a ausência de excludência entre os possíveis interessados. Por outro, a escolha do particular a ser contratado depende de critérios variáveis e insuscetíveis de uma comparação objetiva". (JUSTEN FILHO, Marçal. Comentários à Lei de Licitações e Contratos Administrativos [livro eletrônico]: Lei 8.666/1993. São Paulo: Thomson Reuters Brasil, 2019).

15.28 Responsabilização do parecerista jurídico: STF, MS 24.584/DF, Plenário, rel. Min. Marco Aurélio, j. 09.08.2007, DJe 20.06.2008

O STF decidiu que a disciplina do art. 38 da Lei nº 8.666 impõe a responsabilidade solidária do advogado público que aprova minutas de editais e contratos. O voto do Min. Relator foi fundamentado na posição manifestada por Marçal Justen Filho, que é citado por três vezes:

Comentando que, por integrar a fundamentação jurídica e a motivação da decisão adotada, o parecer jurídico se submete também ao juízo de legalidade e legitimidade dos atos relacionados com a gestão de recursos públicos, é clara ao propósito a doutrina:

"Há dever de ofício de manifestar-se pela invalidade, quando os atos contenham defeitos. Não é possível os integrantes da assessoria jurídica pretenderem escapar aos efeitos da responsabilização pessoal quando tiverem atuado defeituosamente no cumprimento dos seus deveres: se havia defeito jurídico, tinham o dever de apontá-lo." (JUSTEN FILHO, Marçal. Comentários à Lei de Licitações e Contratos Administrativos. 10ª ed., São Paulo: Dialética, 2004. p. 372, nº 24).

15.29 Contagem de prazos: STF, RMS 23.546/DF, Primeira Turma, rel. Min. Cezar Peluso, j. 20.09.2005, DJe 07.10.2005

O STF decidiu que o prazo recursal em licitação se inicia apenas na data em que seja franqueada a vista dos autos, excluindo-se esse dia e incluindo-se o dia do vencimento. O voto do Min. Relator cita a doutrina de Marçal Justen Filho a propósito da interpretação dos artigos 109 e 110 da Lei nº 8.666:

A doutrina justifica a diferença de tratamento em relação aos prazos do direito processual:
"Contrariamente ao que ocorre no direito processual, o prazo somente correrá em dias úteis e em que os autos do procedimento administrativo estejam à disposição do interessado. Justifica-se a diferenciação, porque o particular não tem direito de retirar os documentos e os autos das instalações do órgão administrativo, diversamente do que se passa (em regra) com os prazos judiciais. O particular deve comparecer às instalações do órgão público para manusear, examinar e efetivar anotações do processado. Se o prazo corresse durante dias inúteis, o particular seria prejudicado. Deve-se interpretar como dia útil aquele em que existir expediente no órgão administrativo." (MARÇAL JUSTEN FILHO. Comentários à lei de licitações e contratos administrativos. 10ª ed., São Paulo: Dialética, 2004, p. 624).

15.30 Vinculação ao edital: STF, RMS 23.640/DF, Segunda Turma, rel. Min. Maurício Corrêa, j. 16.10.2001, DJe 05.12.2003

O STF julgou válida a desclassificação de proposta apresentada sem assinatura, descumprindo exigência do edital. A obra de Marçal Justen Filho foi citada como fundamento para aplicação da regra de vinculação ao edital:

No mesmo sentido, ao interpretar o artigo 41 da Lei de Licitações, segundo o qual a Administração se acha estritamente vinculada às condições do edital, ensina Marçal Justen Filho:

"O instrumento convocatório (seja edital, seja convite) cristaliza a competência discricionária da Administração que se vincula a seus termos. Conjugando a regra do art. 41 com aquela do art. 4º, pode-se afirmar a estrita vinculação da Administração ao edital, seja quanto a regras de fundo quanto àquelas de procedimento. Sob um certo ângulo, o edital é o fundamento de validade dos atos praticados no curso ela licitação, na acepção de que a desconformidade entre o edital e os atos administrativos praticados no curso da licitação se resolve pela invalidade destes últimos. Ao descumprir normas constantes do edital, a Administração Pública frustra a própria razão de ser da licitação. Viola os princípios norteadores da atividade administrativa, tais como a legalidade, a moralidade, a isonomia. O descumprimento a qualquer regra do edital deverá ser reprimido, inclusive através dos instrumentos de controle interno da Administração Pública." (Comentários à Lei de Licitações e Contratos Administrativos, 6ª edição, 1999, Dialética, págs. 394/395).

16 O impacto na interpretação da Lei de Licitações

O apanhado dos acórdãos do STF evidencia a importância da doutrina de Marçal Justen Filho na compreensão e na interpretação das normas de licitação e contratação administrativa. É notável como as soluções jurídicas aplicadas às controvérsias surgidas buscaram fundamentos constitucionais. Muitas dessas decisões superaram interpretações literais e incorporaram a licitação à sistemática do ordenamento jurídico.

A influência da interpretação defendida por Marçal Justen Filho que privilegia a compatibilidade da regra aos fins e valores consagrados no ordenamento jurídico fica explícita. Há um movimento crescente de reconhecimento da centralidade dos direitos fundamentais na aplicação das regras de licitação. Isso se revela na redução da compreensão excessivamente formalista da Lei de Licitações, com a rejeição ao entendimento de que a licitação é uma mera atividade burocrática de preenchimento de formulários e entrega de documentos.

A Lei nº 14.133/21, editada depois de décadas de vigência da Lei nº 8.666/93, foi claramente influenciada por esses conceitos. A licitação passa a ser tratada como uma espécie de atuação administrativa, sujeita ao mesmo regime de Direito Público e destinada a promover os direitos fundamentais. Exemplos concretos dessa concepção são as regras mais minudentes destinadas ao planejamento da contratação, a declaração da licitação como um processo administrativo, o uso da contratação pública como instrumento regulatório, a redução do formalismo em razão do regime de correção de defeitos e irregularidades e a ampliação da consensualidade. Ao lado dessa dignidade constitucional, a licitação também se tornou um tema discutido em âmbito acadêmico, com a produção de teses e produzindo profícuo debate teórico e científico. Se não foi o único, Marçal Justen Filho contribuiu com seus *Comentários* para o progresso do Direito das licitações e contrações administrativas.

17 O fim da ilusão

Essa contribuição pode gerar questionamentos, como na anedota por ele narrada na ocasião em que um ouvinte fez a seguinte consideração após uma palestra: "O senhor destruiu a Lei nº 8.666. Estava tudo escrito de modo claro. Daí o senhor começou a interpretar a Lei e hoje ninguém tem mais certeza de nada".[34] O exagero da crítica talvez

---

[34] JUSTEN FILHO, Marçal. O direito administrativo como aventura existencial e as peripécias de um insubordinado. *Revista Estudos Institucionais*, v. 9, n. 3, p. 802, set./dez. 2023.

afirme mais uma virtude do que um defeito de Marçal Justen Filho. Evidencia a sua compreensão do Direito como um aspecto da existência humana. Isso significa que o conteúdo do Direito é condicionado pelas circunstâncias concretas. É uma manifestação da vida real, não do que está escrito. Em certo sentido, os defeitos e limitações da Lei de Licitações são reflexos das nossas limitações como indivíduos e coletividade. Jamais haverá uma lei de licitações perfeita. Mas essa não é uma visão pessimista; ao contrário. Não podemos parar nem desistir. Cabe a nós levarmos adiante a missão de contribuir para aperfeiçoar a Lei de Licitações, o Direito e o mundo. Mantendo sempre o nosso compromisso de ser mais e ser melhor. Tal como Marçal Justen Filho.

18 Uma lição pessoal

De minha parte, aprendi com os *Comentários* e com Marçal Justen Filho quanta força interior nós todos possuímos quando amamos e somos amados.

Referências

ALMEIDA, Fernando Dias Menezes de. *Formação da teoria do direito administrativo no Brasil*. São Paulo: Quartier Latin, 2015.

ALMEIDA, Fernando Menezes de. A obra de Hely Lopes Meirelles. *In*: WALD, Arnoldo; JUSTEN FILHO, Marçal; PEREIRA, Cesar Augusto Guimarães (org.). *O Direito Administrativo na atualidade*: estudos em homenagem ao centenário de Hely Lopes Meirelles (1917-2017). São Paulo: Malheiros, 2017.

AZEVEDO, Eurico de Andrade. Hely Lopes Meirelles. *In*: RUFINO, Almir Gasquez; PENTEADO, Jaques de Camargo (org.). *Grandes Juristas Brasileiros*. São Paulo: Martins Fontes, 2003.

BINENBOJM, Gustavo. *Uma teoria do direito administrativo*: direitos fundamentais, democracia e constitucionalização. Rio de Janeiro: Renovar, 2006.

GODOY, Arnaldo Sampaio de Moraes. 'O Direito Administrativo Brasileiro', de Hely Lopes Meirelles. *Consultor Jurídico*, 2021. Disponível em: https://www.conjur.com.br/2021-set-05/direito-administrativo-brasileiro-hely-lopes-meirelles/. Acesso em: 3 ago. 2024.

HENRICH, Joseph; GIL-WHITE, Francisco J. The evolution of prestige: freely conferred deference as a mechanism for enhancing the benefits of cultural transmission. *In: Evolution and Human Behavior*, v. 22, Issue 3, 2001.

JORDÃO, Eduardo. *Estudos antirromânticos sobre controle da Administração Pública*. São Paulo: Juspodivm, 2022.

JUSTEN FILHO, Marçal. *Comentários à lei de licitações e contratações administrativas*. 2. ed. São Paulo: Thomson Reuters Brasil, 2023.

JUSTEN FILHO, Marçal. *Comentários à lei de licitações e contratos administrativos*. 1. ed. Rio de Janeiro: AIDE, 1993.

JUSTEN FILHO, Marçal. *Comentários à lei de licitações e contratos administrativos*. 5. ed. São Paulo: Dialética, 1998.

JUSTEN FILHO, Marçal. *Comentários à lei de licitações e contratos administrativos*. 17. ed. São Paulo: Revista dos Tribunais, 2016.

JUSTEN FILHO, Marçal. *Comentários à lei de licitações e contratos administrativos*, 18. ed. São Paulo: Thomson Reuters Brasil, 2019.

JUSTEN FILHO, Marçal. *Curso de direito administrativo*. 15. ed. Rio de Janeiro: Forense, 2024.

JUSTEN FILHO, Marçal. *Introdução ao estudo do direito*. 2. ed. Rio de Janeiro: Forense, 2021.

JUSTEN FILHO, Marçal. O direito administrativo como aventura existencial e as peripécias de um insubordinado. *Revista Estudos Institucionais*, v. 9, n. 3, set./dez. 2023.

MEIRELLES, Hely Lopes. Licitações e contratos administrativos. *Revista de Direito Administrativo*, Rio de Janeiro, 105: 14-34, jul./set. 1971. Disponível em: https://periodicos.fgv.br/rda/article/view/35800. Acesso em: 3 ago. 2024.

MENDONÇA, José Vicente Santos de. *Hely Lopes Meirelles, o jurista imortal*. Direito do Estado, n. 357, 2017. Disponível em: https://www.direitodoestado.com.br/colunistas/jose-vicente-santos-mendonca/hely-lopes-meirelles-o-jurista-imortal. Acesso em: 3 ago. 2024.

SUNDFELD, Carlos Ari. *Direito Administrativo para céticos*. 2. ed. São Paulo: Malheiros, 2014.

SUNDFELD, Carlos Ari. A Ordem dos Publicistas. *In*: WAGNER JÚNIOR, Luiz Guilherme Costa (coord.). *Direito público*: estudos em homenagem ao professor Adilson Abreu Dallari. Belo Horizonte: Del Rey, 2004, p. 33-66.

Informação bibliográfica deste texto, conforme a NBR 6023:2018 da Associação Brasileira de Normas Técnicas (ABNT):

JUSTEN NETO, Marçal. A contribuição de Marçal Justen Filho para a interpretação da Lei de Licitações. *In*: JUSTEN, Monica Spezia; PEREIRA, Cesar; JUSTEN NETO, Marçal; JUSTEN, Lucas Spezia (coord.). *Uma visão humanista do Direito*: homenagem ao Professor Marçal Justen Filho. Belo Horizonte: Fórum, 2025. v. 2, p. 607-635. ISBN 978-65-5518-916-2.

PARÂMETROS DE ACEITABILIDADE DO SEGURO-GARANTIA EM OBRAS PÚBLICAS: UM NOVO DESAFIO PARA O CONTROLE EXTERNO APÓS A LEI Nº 14.133/2021

MARCOS BEMQUERER COSTA
PATRÍCIA REIS LEITÃO BASTOS

> *"A gravidade dos eventos e de seus efeitos ultrapassa largamente as concepções que dão identidade aos institutos tradicionais."*[1]
> Marçal Justen Filho

1 Introdução

Nas ações em trâmite no Poder Judiciário, a penhora de bens, que é um mecanismo de garantia da execução da dívida, só tem início após ter sido assegurado o devido processo legal, com prévia ciência ao devedor acerca do débito objeto da demanda, dando-lhe a oportunidade de efetuar a quitação da quantia questionada.

Nesse sentido, o artigo 835 do Código de Processo Civil (CPC) assim prevê:

Art. 835. A penhora observará, preferencialmente, a seguinte ordem:

I – dinheiro, em espécie ou em depósito ou aplicação em instituição financeira;

II – títulos da dívida pública da União, dos Estados e do Distrito Federal com cotação em mercado;

---

[1] JUSTEN FILHO, Marçal. *Efeitos Jurídicos da Crise sobre as Contratações Administrativas.* Brasília, 2020, p. 6. Disponível em: https://www.justen.com.br/pdfs/IE157/ IE%20-%20MJF%20-%20200318-Crise.pdf. Acesso em: ago. 2024.

III – títulos e valores mobiliários com cotação em mercado;

IV – veículos de via terrestre;

V – bens imóveis;

VI – bens móveis em geral;

VII – semoventes;

VIII – navios e aeronaves;

IX – ações e quotas de sociedades simples e empresárias;

X – percentual do faturamento de empresa devedora;

XI – pedras e metais preciosos;

XII – direitos aquisitivos derivados de promessa de compra e venda e de alienação fiduciária em garantia;

XIII – outros direitos.[2]

Esse comprometimento no patrimônio do devedor executado, por sua vez, é uma ferramenta a ser utilizada em situação extrema, após o exaurimento das demais formas de cobrança da dívida, tendo em vista que pode ocasionar sérios comprometimentos no planejamento financeiro do devedor executado.

Mormente quando o executado é uma pessoa jurídica, a penhora de bens pode, inclusive, ocasionar o bloqueio de seu capital de giro, o que impossibilita seu regular funcionamento, com a impossibilidade de garantir o cumprimento de sua folha salarial e o pagamento tempestivo dos fornecedores.

Diante desse contexto, o Código de Processo Civil trouxe, em seus artigos 835, §§2º, e 848, parágrafo único, a adoção do seguro-garantia judicial como uma alternativa à penhora de bens, desde que a importância segurada seja maior ou igual ao valor total do débito indicado na petição inicial, acrescido de 30%.

Três partes estão envolvidas na apólice do seguro-garantia judicial:

a) o tomador, ou seja, quem contrata o seguro, e é o responsável pelo pagamento do prêmio, para garantir ao segurado o cumprimento das obrigações assumidas em processos, cíveis, trabalhistas e/ou fiscais;

b) o beneficiário da apólice, ou segurado, que é o credor da obrigação objeto da apólice, podendo ser pessoa física, empresa ou até um órgão público; e

c) a seguradora, que é a empresa legalmente autorizada a emitir a apólice de seguro para garantir o cumprimento da obrigação indicada nos processos judiciais.

Também nos processos de controle externo a questão da adoção do seguro-garantia tem sido abordada, mas como alternativa à retenção cautelar de valores ou à suspensão cautelar da execução física e financeira de contratos administrativos, em especial nos casos de implementação de obras públicas.

---

[2] BRASIL. Lei nº 13.105, de 16 de março de 2015. Código de Processo Civil, Diário Oficial da República Federativa do Brasil, Brasília, DF, 17 mar. 2015.

2 Das determinações do Tribunal de Contas da União para a glosa de valores

No tocante à glosa, consiste na retenção de valores em pagamentos, especialmente em contratos de implementação de obras públicas, de tal forma que a Administração Pública passa a realizar o bloqueio de créditos, em faturas emitidas, efetuando a compensação de potenciais danos ao Erário que estão sendo apurados, no âmbito dos processos de controle externo.

Trata-se de um procedimento bastante adotado, pelo Tribunal de Contas da União, conforme se observa dos enunciados de tese a seguir, colhidos da ferramenta "jurisprudência selecionada" daquela Corte de Contas:

(Acórdão nº 2.219/2009-TCU-Plenário.[3] Relator: Ministro-Substituto Augusto Sherman Cavalcanti)

A retenção cautelar de valores objetiva resguardar a Administração de dano iminente e de difícil reparo futuro, alternativamente à paralisação do empreendimento resultante da nulidade contratual, haja vista infração à Lei 8.666/1993 (artigos 40, inciso X; 43, inciso IV; e 6º, inciso IX), caso presentes o perigo da demora (*periculum in mora*) e a fumaça do bom direito (*fumus boni juris*).

(Acórdão 593/2009-TCU-Plenário.[4] Relator: Ministro Aroldo Cedraz).

A retenção cautelar de pagamentos em percentual proporcional ao sobrepreço identificado não configura desequilíbrio econômico-financeiro do contrato nem compromete a exequibilidade do objeto, especialmente quando constatadas irregularidades como BDI excessivo, exigência indevida de qualificação técnica na licitação e ausência da retenção de tributos.

(Acórdão 2.636/2011-TCU-Plenário.[5] Relator: Ministro-Substituto André Luís de Carvalho).

Havendo indícios de sobrepreço em obras públicas em estado avançado de execução, é autorizada a retenção cautelar de valores no momento da liquidação da parte final do saldo contratual existente, sem prejuízo de serem mantidas retenções parciais já efetuadas, até o montante do potencial dano calculado aos cofres públicos.

(Acórdão 3.240/2011-TCU-Plenário.[6] Relator: Ministro-Substituto Marcos Bemquerer Costa).

O pagamento de serviços em quantitativos maiores do que aqueles efetivamente realizados caracteriza dano ao erário, sendo cabível a glosa de tal valor.

(Acórdão 1.383/2012-TCU-Plenário[7]. Relator: Ministro Walton Alencar Rodrigues).

---

[3] BRASIL. Tribunal de Contas da União. Acórdão nº 2.219/2009 – Plenário. Ata nº 38/2009 – Plenário. Data da Sessão: 23/09/2009 – Ordinária. Código eletrônico para localização na página do TCU na Internet: AC-2219-38/09-P.

[4] BRASIL. Tribunal de Contas da União. Acórdão nº 593/2009 – Plenário. Ata nº 12/2009 – Plenário. Data da Sessão: 1º/04/2009 – Ordinária. Código eletrônico para localização na página do TCU na Internet: AC-593-12/09-P.

[5] BRASIL. Tribunal de Contas da União. Acórdão nº 2.636/2011 – Plenário. Ata nº 40/2011 – Plenário. Data da Sessão: 28/09/2011 – Ordinária. Código eletrônico para localização na página do TCU na Internet: AC-2636-40/11-P.

[6] BRASIL. Tribunal de Contas da União. Acórdão nº 3.240/2011 – Plenário. Ata nº 54/2011 – Plenário. Data da Sessão: 07/12/2011 – Ordinária. Código eletrônico para localização na página do TCU na Internet: AC-3240-54/11-P.

[7] BRASIL. Tribunal de Contas da União. Acórdão nº 1.383/2012 – Plenário. Ata nº 21/2012 – Plenário. Data da Sessão: 06/06/2012 – Ordinária. Código eletrônico para localização na página do TCU na Internet: AC-1383-21/12-P.

Na hipótese de indícios de superfaturamento, é possível à instituição pública contratante dar continuidade aos serviços, caso feita a retenção correspondente ou apresentadas garantias suficientes para prevenir possível dano ao erário.

(Acórdão 193/2014-TCU-Plenário[8]. Relator: Ministro Walton Alencar Rodrigues).

A apólice que assegura o contrato contra inadimplementos na execução dos serviços não é hábil a proteger o erário no caso de dano decorrente do pagamento de preços superfaturados e, por isso, não pode ser utilizada como alternativa à retenção de valores.

Mesmo diante de indícios de irregularidades graves tanto em procedimentos licitatórios quanto na execução de contratos, o posicionamento jurisprudencial do TCU tem sido no sentido de efetuar essas retenções cautelares de pagamento, priorizando a continuidade das obras ou da prestação de serviços, ainda que não tivesse sido afastada a possibilidade de, futuramente, vir a ser determinada a anulação do certame ou do ajuste pactuado.

3 Da autorização do TCU para a substituição da glosa de valores pelas garantias previstas na Lei nº 8.666/1993

Em vários processos de controle externo em que estavam sendo apurados indícios de sobrepreço ou superfaturamento, as empresas contratadas e os órgãos licitantes passaram a pleitear a substituição da glosa realizada por alguma garantia, alegando que seria uma forma de o Erário ficar preservado de potencial dano, até a decisão definitiva de mérito pelo TCU, sem que a retenção de pagamentos prejudicasse o andamento dos serviços, mormente nos casos relacionados à implementação de obras públicas.

O principal argumento para se proceder a essa substituição da glosa pela garantia consistia na alegação de que a manutenção do cronograma de execução física e financeira dos contratos administrativos representava uma priorização do interesse público, tendo em vista que, além de se garantir a tempestividade na implementação do objeto pactuado, afastava-se o risco de a paralisação dos contratos gerar custos adicionais a serem suportados pela Administração Pública, em decorrência da deterioração de serviços já executados ou da perda de materiais adquiridos, e, consequentemente, de se ampliar o prejuízo inicialmente apontado.

Importante destacar que, quando esses pleitos de substituição de glosa de valores por alguma garantia começaram a ser analisados, no âmbito do controle externo, estava em vigor a Lei nº 8.666/1993,[9] que previa:

> Art. 56. A critério da autoridade competente, em cada caso, e desde que prevista no instrumento convocatório, poderá ser exigida prestação de garantia nas contratações de obras, serviços e compras.

---

[8] BRASIL. Tribunal de Contas da União. Acórdão nº 193/2014 – Plenário. Ata nº 3/2014 – Plenário. Data da Sessão: 05/02/2014 – Ordinária. Código eletrônico para localização na página do TCU na Internet: AC-0193-03/14-P.

[9] BRASIL. Lei nº 8.666, de 21 de junho de 1993. Lei de Licitações e Contratos da Administração Pública, Diário Oficial da República Federativa do Brasil, Brasília, DF, 22 jun. 1993.

§1º Caberá ao contratado optar por uma das seguintes modalidades de garantia:

I – caução em dinheiro ou em títulos da dívida pública, devendo estes ter sido emitidos sob a forma escritural, mediante registro em sistema centralizado de liquidação e de custódia autorizado pelo Banco Central do Brasil e avaliados pelos seus valores econômicos, conforme definido pelo Ministério da Fazenda

II – seguro-garantia;

III – fiança bancária.

§2º A garantia a que se refere o caput deste artigo não excederá a cinco por cento do valor do contrato e terá seu valor atualizado nas mesmas condições daquele, ressalvado o previsto no parágrafo 3º deste artigo.

§3º Para obras, serviços e fornecimentos de grande vulto envolvendo alta complexidade técnica e riscos financeiros consideráveis, demonstrados através de parecer tecnicamente aprovado pela autoridade competente, o limite de garantia previsto no parágrafo anterior poderá ser elevado para até dez por cento do valor do contrato.

Com o intuito de não prejudicar a continuidade dos contratos administrativos, apesar dos indícios de sobrepreço/superfaturamento que ainda estavam em apuração, as deliberações do TCU passaram a autorizar essa substituição das glosas de valores pelas garantias previstas no art. 56, §1º, da Lei nº 8.666/1993.

Esse foi o caso, por exemplo, do Acórdão nº 2.860/2008-TCU-Plenário[10] (Relator: Ministro Raimundo Carreiro), que tratou das obras de construção do Canal Adutor do Sertão Alagoano (TC 028.502/2006-5) e foi proferido nos seguintes termos:

> 9.1. Informar à SEINFRA/AL que, caso seja do interesse da empresa Contratada, *que podem ser aceitas, em substituição às retenções cautelares dos valores apurados como sobrepreço, as garantias previstas no art. 56, §1º da Lei nº 8.666/1993*, no valor de R$ 66.109.998,86 revesBom dia Amanda. Segue arquivo para impressão sublimação.Tecido: MICROFIBRA COM ELASTANO Aguardo seu retorno. tidas de abrangência suficiente para assegurar o resultado da apuração em curso no Tribunal de Contas da União acerca de eventual dano ao Erário, decorrente dos Contratos 01/1993-CPL/A e 10/2007-CPL/AL, especialmente contendo cláusulas que estabeleçam:
>
> 9.1.1. *prazo de validade vinculado à decisão definitiva do TCU da qual não caiba mais recurso com efeito suspensivo;*
>
> 9.1.2. *reajuste mensal;* e
>
> 9.1.3. *no caso de fiança bancária, obrigação de o Banco Fiador depositar a garantia nos cofres da União, em até 30 dias após o trânsito em julgado de eventual Acórdão nº deste Tribunal que condene a empresa a restituir valores;* (grifos acrescidos)

---

[10] BRASIL. Tribunal de Contas da União. Acórdão nº 2.860/2008 – Plenário. Ata nº 51/2008 – Plenário. Data da Sessão: 03/12/2008 – Ordinária. Código eletrônico para localização na página do TCU na Internet: AC-2860-51/08-P.

4 Da constatação de que a substituição da glosa de valores pelo seguro-garantia pode se tornar medida inócua

a) Acórdão nº 2.060/2017-TCU-Plenário[11]
(Relator: Ministro Aroldo Cedraz)

Uma das primeiras constatações da ineficácia do seguro-garantia em substituição à glosa de valores ocorreu no âmbito do TC 008.226/2017-2, quando restou verificado que tinha sido pactuada uma única apólice de seguro-garantia, relativa à execução de dois contratos diferentes, em cumprimento ao subitem 9.1. do Acórdão nº 2.860/2008-TCU-Plenário, a qual não estava mais em vigor, apesar de ainda não haver decisão definitiva de mérito naqueles autos.

Segundo informações obtidas junto à Secretaria de Infraestrutura do Governo do Estado de Alagoas (Seinfra/AL), a construtora responsável pelas obras do Canal Adutor do Sertão Alagoano não obteve êxito na renovação da apólice que tinha sido anteriormente pactuada, sendo que, em consulta aos agentes do cenário do mercado securitário, não teria sido encontrada seguradora interessada em fornecer o seguro-garantia em questão.

Acrescente-se que o item 9.2 do Acórdão nº 1.882/2011-TCU-Plenário[12] (Relator: Ministro Raimundo Carreiro) tinha determinado à Seinfra/AL que, caso julgasse oportuno e conveniente aceitar a renovação da apólice vigente em substituição às retenções cautelares, deveria exigir que constasse no documento que "a cobertura da apólice terá efeito somente depois de transitada em julgado a decisão proferida pelo TCU, abstendo-se de vinculá-la a eventual ação judicial para a discussão da deliberação definitiva desta Corte".

Contudo, foi deferida liminar, pelo Juízo da Nona Vara Federal, Seção Judiciária do Distrito Federal, no sentido de suspender a exigência de modificação da garantia, conforme Decisão 315/2013 no âmbito do processo 34288-37.2013.4.01.3400, o que tornou inócua essa determinação do TCU.

Diante da constatação de que não havia mais garantia válida, após o término dos dois contratos pactuados para a construção do Canal Adutor do Sertão Alagoano, permanecendo o débito a ser imputado aos responsáveis, o qual, atualizado até 20.10.2016, alcançava o elevado montante de R$ 93.246.854,86, a Corte de Contas proferiu nova deliberação (Acórdão nº 2.060/2017 – TCU – Plenário. Relator: Ministro Aroldo Cedraz).

Foi, então, efetuada determinação (subitem 9.1. do Acórdão nº 2.060/2017 – TCU – Plenário), à Seinfra-AL, para adoção de medidas com vistas ao restabelecimento de garantias válidas e revestidas de abrangência suficiente para assegurar o resultado da apuração em curso no Tribunal de Contas da União, acerca de eventual dano ao Erário, alertando-se, ainda, a referida empresa de que o descumprimento dessa determinação

---

[11] BRASIL. Tribunal de Contas da União. Acórdão nº 2.060/2017 – Plenário. Ata nº 37/2017 – Plenário. Data da Sessão: 20/9/2017 – Ordinária. Código eletrônico para localização na página do TCU na Internet: AC-2060-37/17-P.

[12] BRASIL. Tribunal de Contas da União. Acórdão nº 1.882/2011 – Plenário. Ata nº 29/2011 – Plenário. Data da Sessão: 20/07/2011 – Ordinária. Código eletrônico para localização na página do TCU na Internet: AC-1882-29/11-P.

implicaria a adoção de medida cautelar de indisponibilidade de bens dos responsáveis, nos termos do art. 44, §2º, da Lei nº 8.433/1992, c/c os arts. 273 e 274 do Regimento Interno deste Tribunal.

Dessarte o TCU determinou, também, à Secretaria de Infraestrutura Hídrica, de Comunicações e de Mineração (SeinfraCom) que fosse analisada a conduta subjetiva da empresa Construtora Queiroz Galvão e da Seinfra-AL, acerca do não cumprimento do item 9.1 do Acórdão nº 2.860/2008-TCU-Plenário,[13] no âmbito do processo de Tomada de Contas Especial (TC 003.075/2009-9), pois tal ação irregular permitiu à empresa a manutenção da execução física, orçamentária e financeira do empreendimento ajustado por meio do Contrato 1/1993, e de seus termos aditivos, o que levou à consolidação do dano ao erário apurado naqueles autos.

b) Acórdão nº 1.182/2020-TCU-Plenário[14] (Relator: Ministro Benjamin Zymler)

Em fiscalização (TC 021.283/2008-1) realizada nas obras de construção da Ferrovia Norte-Sul no Estado de Goiás, trecho entre Anápolis/GO e Uruaçu/GO, a cargo da Valec Engenharia, Construções e Ferrovias S.A., foi apontado sobrepreço em cinco lotes dessa ferrovia, o que resultou em uma determinação do TCU (Acórdão nº 593/2009-TCU-Plenário. Relator: Ministro Aroldo Cedraz) para a retenção cautelar dos pagamentos indevidos de cada lote.

Foram então constituídos processos de Tomada de Contas Especial (TCE) para cada lote e, no processo que tratou especificamente do superfaturamento apontado nas obras relativas ao lote 3 da Ferrovia Norte-Sul no Estado de Goiás (TC 004.060/2015-6), restou detectado que o TCU permitiu a troca da retenção cautelar por seguro-garantia. Só que, em decorrência da falta de endosso da apólice por parte do órgão público, ocorreu o término de vigência desse seguro-garantia, em 16.3.2014, ou seja, antes mesmo de que aquela TCE tivesse sido constituída.

Diante dessa constatação de que não mais havia qualquer garantia que resguardasse o Erário de potencial prejuízo, a solução encontrada pelo TCU foi, no âmbito do Acórdão nº 1.182/2020-TCU-Plenário (Relator: Ministro Benjamin Zymler), que imputou débito aos responsáveis, determinar à Valec que, por meio dos seus advogados e com o auxílio da Advocacia-Geral da União, adotasse as medidas necessárias ao arresto dos bens dos responsáveis julgados em débito, nos termos do art. 61 da Lei nº 8.443/1992, seja de forma antecipada ou incidental.

---

[13] BRASIL. Tribunal de Contas da União. Acórdão nº 2.860/2008 – Plenário. Ata nº 51/2008 – Plenário. Data da Sessão: 03/12/2008 – Ordinária. Código eletrônico para localização na página do TCU na Internet: AC-2860-51/08-P.

[14] BRASIL. Tribunal de Contas da União. Acórdão nº 1.182/2020 – Plenário. Ata nº 16/2020 – Plenário. Data da Sessão: 13/05/2020 – Ordinária. Código eletrônico para localização na página do TCU na Internet: AC-1182-16/20-P.

c) Acórdão nº 1.890/2020-TCU-Plenário[15] (Relatoria: Ministro-Substituto Marcos Bemquerer Costa)

Ainda no início da análise da Tomada de Contas Especial decorrente da conversão do Relatório de Auditoria realizada nas obras de saneamento básico, esgotamento sanitário e habitação popular implementadas em Maceió/AL, o TCU adotou medidas para resguardar o Erário de eventual prejuízo decorrente do sobrepreço em apuração.

Nesse sentido, estando as obras em fase final de execução e havendo saldo contratual suficiente para cobrir o débito inicialmente apontado, por meio do Acórdão nº 2.503/2010-TCU-Plenário (Relator: Ministro-Substituto Marcos Bemquerer Costa), foi determinada a retenção cautelar do valor referente ao indício de sobrepreço verificado.

Posteriormente, o Acórdão nº 3.099/2010-TCU-Plenário, em sede de Embargos de Declaração, alterou a redação do subitem 9.8. do Acórdão nº 2.503/2010-TCU-Plenário e facultou ao Ministério das Cidades, à Caixa Econômica Federal, ao Governo do Estado de Alagoas e à Secretaria de Estado de Infraestrutura de Alagoas que, alternativamente, substituíssem essa retenção cautelar por garantias previstas no art. 56, §1º, da Lei nº 8.666, de 1993, desde que em valores suficientes para assegurar o resultado da apuração em curso no Tribunal de Contas da União acerca de eventual dano ao Erário.

Em cumprimento a essa última deliberação, foi encaminhada a esta Corte de Contas, por meio do Ofício 1924/2010 da Seinfra/AL, cópia da apólice de seguro-garantia, pactuada com a CESCEBRASIL Seguros e Garantida de Crédito S/A com o seguinte objeto: "Prestação de garantia nos autos do processo administrativo 3300-1899/2010 em trâmite perante o Tribunal de Contas da União, vinculada ao esgotamento dos recursos cabíveis, com a obrigação de restituição pelo TOMADOR dos valores julgados superfaturados durante a execução das obras e serviços de esgotamento sanitário da região baixa da cidade de Maceió, conforme Contrato nº 63/2002 – CPL/AL, firmado em 7 de junho de 2002".

Ainda acerca da aludida apólice, o TCU constatou a existência de duas cláusulas, uma que estipulava o período de vigência como sendo de 19.10.2010 a 19.10.2011 e outra que estabelecia que a garantia extinguir-se-ia quando o objeto do contrato principal garantido pela apólice fosse definitivamente realizado, mediante termo ou declaração assinada pelo segurado ou devolução da apólice.

Não havendo naqueles autos documentos que comprovassem a possibilidade de execução dessa apólice, a partir de 19.10.2011 e após a conclusão das obras, o Ministro-Substituto Marcos Bemquerer Costa, em sua Proposta de Deliberação que embasou o Acórdão nº 1.890/2020-TCU-Plenário, destacou que:[16] "a utilização do seguro-garantia alternativamente à retenção cautelar nas obras públicas é matéria controversa que precisa ser analisada, de forma minuciosa, por esta Corte de Contas".

---

[15] BRASIL. Tribunal de Contas da União. Acórdão nº 1.890/2020 – Plenário. Ata nº 27/2020 – Plenário. Data da Sessão: 22/07/2020 – Ordinária. Código eletrônico para localização na página do TCU na Internet: AC-1890-27/20-P.

[16] BRASIL. Tribunal de Contas da União. Acórdão nº 1.890/2020 – Plenário. Ref. 14, p. 46.

d) Acórdão nº 1.352/2024-TCU-Plenário[17] (Relator: Ministro-Substituto Augusto Sherman Cavalcanti)

Na fiscalização das obras de construção do Metrô de Salvador, o TCU também constatou que a garantia pactuada (carta de fiança) se mostrou inócua para resguardar o Erário dos prejuízos substanciais até então detectados.

Foi então constituído processo apartado de monitoramento, em cumprimento à determinação contida no Acórdão nº 1.651/2019-TCU-Plenário[18] (TC 003.896/2009-2 de relatoria do Ministro-Substituto Augusto Sherman Cavalcanti), tendo por objeto as garantias ofertadas ou exigidas em face da execução das obras de construção do metrô de Salvador pelo então denominado Consórcio Metrosal, compreendendo o conjunto de determinações sobre suas manutenções e condições necessárias às coberturas ou sua apresentação em substituição a medidas cautelares de retenção de pagamentos, de sorte a garantir a recomposição de eventuais danos decorrentes de superfaturamento ou da própria execução defeituosa das obras.

O aludido monitoramento culminou no Acórdão nº 1.352/2024 – TCU – Plenário (Relator: Ministro-Substituto Augusto Sherman Cavalcanti), em que foram adotadas as seguintes medidas:

a) informar às empresas integrantes do Consórcio Metrosal que, para o atendimento aos itens 9.1.3 e 9.1.4 do Acórdão nº 1.847/2013-TCU-Plenário[19] (Relator: Ministro-Substituto Augusto Sherman Cavalcanti), os documentos originais das garantias que atendam aos requisitos incluídos em acórdãos do TCU devem ser entregues à Companhia de Transportes do Estado da Bahia (CTB);

b) informar ao Ministério Público/TCU que, salvo o saneamento das falhas apontadas nas garantias apresentadas pelas empresas integrantes do Consórcio Metrosal, especialmente, as a seguir apontadas, afigura-se inseguro que se abata o valor dessas garantias (R$ 164.810.302,77, referente a maio/2023) do valor dos bens a serem eventualmente arrestados em cumprimento ao disposto no Acórdão nº 2.861/2018-TCU-Plenário,[20] em virtude de as cartas de fiança ofertadas para substituição das retenções de pagamentos não atenderem aos requisitos estabelecidos por este Tribunal quanto ao critério de atualização de seus valores, à correta identificação do processo em que o débito a ser garantido foi apurado, à vinculação de prazo de validade à decisão definitiva deste Tribunal sobre a apuração do dano ao erário, às condições que obrigam

---

[17] BRASIL. Tribunal de Contas da União. Acórdão nº 1.352/2024 – Plenário. Ata nº 28/2024 – Plenário. Data da Sessão: 10/7/2024 – Ordinária. Código eletrônico para localização na página do TCU na Internet: AC-1352-28/24-P.

[18] BRASIL. Tribunal de Contas da União. Acórdão nº 1.651/2019 – Plenário. Ata nº 26/2019 – Plenário. Data da Sessão: 17/7/2019 – Ordinária. Código eletrônico para localização na página do TCU na Internet: AC-1651-26/19-P.

[19] BRASIL. Tribunal de Contas da União. Acórdão nº 1.847/2013 – Plenário. Ata nº 26/2013 – Plenário. Data da Sessão: 17/7/2013 – Ordinária. Código eletrônico para localização na página do TCU na Internet: AC-1847-26/13-P.

[20] BRASIL. Tribunal de Contas da União. Acórdão nº 2.861/2018 – Plenário. Ata nº 48/2018 – Plenário. Data da Sessão: 05/12/2018 – Ordinária. Código eletrônico para localização na página do TCU na Internet: AC-2861-48/18-P.

a entidade garantidora a depositar o valor segurado nos cofres da União e à proteção do erário contra eventual inadimplência dos afiançados na manutenção dessas garantias.

5 Da necessidade de definição de parâmetros de aceitabilidade do seguro-garantia em substituição à glosa de valores

Existe um plano de fiscalização anual do Tribunal de Contas da União (Fiscobras) que engloba um conjunto de ações de controle, com o objetivo de verificar o processo de execução de obras públicas financiadas total ou parcialmente com recursos da União e encaminhar informações à Comissão Mista de Orçamento do Congresso Nacional sobre indícios de irregularidades graves em empreendimentos, trazendo subsídios para as discussões do processo de elaboração da Lei Orçamentária Anual – LOA.

No âmbito do Fiscobras, há vários exemplos em que a substituição de retenção de valores por garantia oferecida pela empresa contratada foi sugerida à Comissão Mista de Planos, Orçamentos Públicos e Fiscalização do Congresso Nacional (CMPOF), em casos nos quais a CMPOF entendeu ser conveniente e oportuna a continuidade de obra com indício de irregularidade grave, nos termos da Lei de Diretrizes Orçamentárias.

Ainda acerca do Fiscobras, deve ser destacado que a classificação dos indícios de irregularidade detectados em um empreendimento é feita de acordo com ponderações previamente definidas sobre o nível de gravidade desses indícios.

Nesse sentido, inicialmente tal classificação foi a seguinte: a) Indícios de Irregularidades Graves (IG); b) Indícios de Outras Irregularidades (OI); e c) Falhas/Impropriedades (F/I).

Posteriormente, os indícios de irregularidades graves passaram a ser divididos em três tipos: a) com recomendação de Paralisação (IGP); b) com recomendação de Continuidade (IGC); e c) com recomendação de Retenção Cautelar de Pagamentos (IGR).

Na tentativa de minimizar o impacto negativo da paralisação de obras, a partir da LDO 2010 (art. 94, §2º, da Lei nº 12.017/2009[21]), passou a ser prevista ainda a possibilidade de retenção de valores com a continuidade da obra.

Diante de vários casos na jurisprudência da Corte de Contas em que a garantia fornecida pela empresa contratada passou a ser uma opção, não só no Fiscobras, mas também em processos com determinação de retenção cautelar efetuada com base na Lei Orgânica do TCU (LOTCU[22]) e no Regimento Interno do TCU (RITCU[23]), foi instaurado um processo administrativo (TC 041.436/2012-1), com o objetivo de realizar estudos com vistas à edição de norma que definisse os critérios e os procedimentos de aceitabilidade para adoção de garantias em substituição à suspensão cautelar da execução física e financeira de contratos e à retenção cautelar de valores.

---

[21] BRASIL. Lei nº 12.017, de 12 de agosto de 2009. Dispõe sobre as diretrizes para a elaboração e execução da Lei Orçamentária de 2010 e dá outras providências, Diário Oficial da República Federativa do Brasil, Brasília, DF, 13 ago. 2009.

[22] BRASIL. Lei nº 8.443, de 16 de julho de 1992. Lei Orgânica do Tribunal de Contas da União, Diário Oficial da República Federativa do Brasil, Brasília, DF, 17 jul. 1992.

[23] BRASIL. Tribunal de Contas da União. Regimento Interno do Tribunal de Contas da União. – Brasília: TCU, Secretaria Geral da Presidência, 2023.

No âmbito do aludido processo administrativo, foi constituído um grupo de trabalho composto por: auditores federais de Controle Externo, lotados na Secretaria-Geral de Controle Externo do TCU (Segecex); um auditor indicado pelo Gabinete do Procurador-Geral do Ministério Público junto ao TCU; um auditor lotado na Consultoria Jurídica do TCU (Conjur); e um servidor designado pelo Advogado-Geral da União (AGU).

Foram então desenvolvidos trabalhos com a participação de diversas instituições com áreas de atuação associadas às questões levantadas nos estudos desenvolvidos, dentre as quais a Superintendência de Seguros Privados (Susep), o Banco Central do Brasil, a Federação Nacional de Seguros Gerais (FenSeg) e a Procuradoria-Geral da Fazenda Nacional.

A previsão é que as análises empreendidas contemplem quatro tipos de garantias (o seguro-garantia, a carta de fiança bancária, a cessão fiduciária em garantia de títulos públicos federais e a hipoteca com bens imóveis), tendo sido estabelecida a necessidade de definição, por exemplo, de um valor de referência para a obrigação a ser acobertada e de prazos de vigência mínimos, a serem exigidos para cada modalidade de garantia.

Principalmente no que se refere ao seguro-garantia e à carta de fiança-bancária, também foi detectada a necessidade de que fosse adotado um rito processual diferenciado, mais célere, no âmbito dos processos de controle externo, em especial aqueles com indícios de irregularidade do tipo IGR ou aqueles relacionados a obras ou serviços que contenham indícios de irregularidades que ensejam a adoção da medida cautelar prevista no art. 276 do RITCU,[24] nos quais tenham sido apresentados esses dois tipos de garantia.

Os estudos elaborados no âmbito do TC 041.436/2012-1 contemplam, ainda, análises quanto à possibilidade de ser aceita a substituição de medida cautelar de retenção de valores por seguro-garantia ou fiança bancária também nos casos em que a empresa requerente seja parte de processo de leniência e/ou esteja em recuperação judicial.

Nesse sentido, são necessárias ponderações acerca dos procedimentos a serem adotados, nos acordos de leniência e nas ações de recuperação judicial e de perdimento de bens, direitos ou valores, de forma a que não se torne inócua qualquer garantia obtida em substituição à glosa de valores.

Importante destacar que o art. 49, *caput*, da Lei nº 11.101/2005[25] prevê que "estão sujeitos à recuperação judicial todos os créditos existentes na data do pedido, ainda que não vencidos", não havendo nenhuma referência ao seguro-garantia, de tal forma que algumas empresas em recuperação judicial têm entendido que, com a contratação do seguro, o dever de indenizar já existiria, somente estando condicionado à verificação de um sinistro.

O que se observa é que, em decorrência da aleatoriedade do contrato de seguro, o crédito seria existente, mas não exigível, e, consoante os requisitos do art. 49 da Lei nº 11.101/05,[26] submeter-se-ia à recuperação judicial e ao plano de recuperação que porventura venha a ser aprovado.

---

[24] BRASIL. Tribunal de Contas da União. Regimento Interno do Tribunal de Contas da União. Ref. 23, p. 152.
[25] BRASIL. Lei nº 11.101, de 9 de fevereiro de 2005. Regula a recuperação judicial, a extrajudicial e a falência do empresário e da sociedade empresária, Diário Oficial da República Federativa do Brasil, Brasília, DF, 9 fev. 2005.
[26] BRASIL. Lei nº 11.101, de 9 de fevereiro de 2005. Ref. 25.

Para acabar com essa controvérsia, está em trâmite no Congresso Nacional o Projeto de Lei nº 6.375/19,[27] de autoria do deputado Vinicius Farah (MDB-RJ), que propõe alterar as Leis de Recuperação de Empresas e do Seguro Privado que regulam as operações no setor de seguros, com vistas a que as contragarantias oferecidas por empresas em contratos de seguro-garantia não se sujeitem à recuperação judicial quando os beneficiários da apólice forem órgãos públicos.

Caso essa nova lei seja aprovada, a seguradora obrigada a indenizar o órgão público poderá executar contragarantias oferecidas pela empresa no ato da celebração do contrato, fora da fila de credores definida no plano de recuperação judicial. Assim os recursos públicos a serem ressarcidos não estarão mais arrolados com os demais créditos da massa de credores da empresa em recuperação.

Diante desse contexto, o Tribunal de Contas da União, por meio do Acórdão nº 1.890/2020 – TCU – Plenário[28] (Relator: Ministro-Substituto Marcos Bemquerer Costa), estipulou que os estudos a serem desenvolvidos no âmbito do TC 041.436/2012-1 devem levar em consideração também as inovações contidas no Projeto de Lei nº 6.375/2019, em trâmite no Congresso Nacional.

6 Dos questionamentos quanto à utilização do seguro-garantia também no âmbito dos processos judiciais

Especificamente acerca das apólices de seguro, o Código Civil Brasileiro (Lei nº 10.406/2002[29]) não prevê a possibilidade desse tipo de apólice ter prazo de vigência indeterminado, consoante se observa na transcrição a seguir:

> Art. 760. A apólice ou o bilhete de seguro serão nominativos, à ordem ou ao portador, e *mencionarão os riscos assumidos, o início e o fim de sua validade*, o limite da garantia e o prêmio devido, e, quando for o caso, o nome do segurado e o do beneficiário. (grifos acrescidos)

Acrescente-se que a Superintendência de Seguros Privados – SUSEP, Autarquia vinculada ao Ministério da Economia, regulamentou essa modalidade de seguro, por meio da Circular SUSEP 477,[30] de 30 de setembro de 2013, a qual prevê o seguinte:

> Art. 4º Define-se Seguro Garantia. Segurado – Setor Público: o seguro que objetiva garantir o fiel cumprimento das obrigações assumidas pelo tomador perante o segurado em razão de participação em licitação, em contrato principal pertinente a obras, serviços, inclusive de publicidade, compras, concessões ou permissões no âmbito dos Poderes da União, Estados, do Distrito Federal e dos Municípios, ou ainda as obrigações assumidas em função de:

---

[27] BRASIL. Projeto de Lei nº 6.375, de 10 de dezembro de 2019. Acrescentem-se o §6º ao artigo 49 da Lei Federal nº 11.101, de 29 de fevereiro de 2005, e os §§1º e 2º ao artigo 28 e as alíneas "m" e "n" ao artigo 36 do Decreto-lei nº 73, de 21 de novembro de 1966. Disponível em: http://www.camara.leg.br/ proposicoesWeb/prop_mostrarintegra? codteor =1844603&filename= PL%206375/2019. Acesso em: ago. 2024.

[28] BRASIL. Tribunal de Contas da União. Acórdão nº 1.890/2020 – Plenário. Ref. 14, p. 53.

[29] BRASIL. Lei nº 10.406, de 10 de janeiro de 2002. Código Civil, Diário Oficial da República Federativa do Brasil, Brasília, DF, 11 jan. 2002.

[30] SUSEP. Circular 477 de 30.09.2013 – Dispõe sobre obre o Seguro Garantia, divulga Condições Padronizadas e dá outras providências. Disponível em: http://www.susep.gov.br. Acesso em: ago. 2024.

I – processos administrativos;

II – processos judiciais, inclusive execuções fiscais;

III – parcelamentos administrativos de créditos fiscais, inscritos ou não em dívida ativa;

IV – regulamentos administrativos.

Parágrafo único. Encontram-se também garantidos por este seguro os valores devidos ao segurado, tais como multas e indenizações, oriundos do inadimplemento das obrigações assumidas pelo tomador, previstos em legislação específica, para cada caso.

(...)

Art. 8º O prazo de vigência da apólice será:

I – igual ao prazo estabelecido no contrato principal, para as modalidades nas quais haja vinculação da apólice a um contrato principal;

II – igual ao prazo informado na apólice em consonância com o estabelecido nas Condições Contratuais do seguro considerando a particularidade de cada modalidade, para os demais casos.

(grifos acrescidos)

Tendo em vista que não há como se definir, previamente, o tempo de duração de uma ação judicial, na prática, tem ocorrido o término do prazo de validade da apólice ainda durante o trâmite processual, havendo necessidade de sucessivos endossos, para se garantir que o seguro-garantia esteja em vigor até o trânsito em julgado da ação judicial.

Essa dinâmica ganhou maiores proporções especialmente após a Reforma Trabalhista (Lei nº 13.467/2017[31]), pois, embora a legislação tenha passado a aceitar as apólices de seguro-garantia e as cartas de fiança bancária, em substituição ao depósito recursal e para garantia de execução trabalhista, na justiça laboral, várias discussões têm sido travadas acerca da aceitabilidade dos prazos de vigência do seguro-garantia, não havendo, ainda, entendimento pacífico sobre essa matéria, consoante se verifica nos excertos jurisprudenciais a seguir transcritos:

PROCESSUAL CIVIL. TRIBUTÁRIO. AGRAVO INTERNO NO RECURSO ESPECIAL. CÓDI-GO DE PROCESSO CIVIL DE 2015. APLICABILIDADE. VIOLAÇÃO AO ART. 1.022 DO CPC. INOCORRÊNCIA. SUBSTITUIÇÃO DA CARTA-FIANÇA POR SEGURO-GARANTIA COM PRAZO DE VALIDADE DETERMINADO. IMPOSSIBILIDADE. INCIDÊNCIA DA SÚMULA N. 83/STJ. PRINCÍPIO DA MENOR ONEROSIDADE. REVISÃO. IMPOSSI-BILIDADE. SÚMULA N. 7/STJ. INCIDÊNCIA. ARGUMENTOS INSUFICIENTES PARA DESCONSTITUIR A DECISÃO ATACADA. APLICAÇÃO DE MULTA. ART. 1.021, §4º, DO CODIGO DE PROCESSO CIVIL DE 2015. DESCABIMENTO.

I – Consoante o decidido pelo Plenário desta Corte na sessão realizada em 09.03.2016, o regime recursal será determinado pela data da publicação do provimento jurisdicional impugnado. In casu, aplica-se o Código de Processo Civil de 2015.

---

[31] BRASIL. Lei nº 13.467, de 13 de julho de 2017. Altera a Consolidação das Leis do Trabalho (CLT), aprovada pelo Decreto-Lei nº 5.452, de 1º de maio de 1943, e as Leis n º 6.019, de 3 de janeiro de 1974, 8.036, de 11 de maio de 1990, e 8.212, de 24 de julho de 1991, a fim de adequar a legislação às novas relações de trabalho, Diário Oficial da República Federativa do Brasil, Brasília, DF, 14 jul. 2017.

II – A Corte de origem apreciou todas as questões relevantes apresentadas com fundamentos suficientes, mediante apreciação da disciplina normativa e cotejo ao posicionamento jurisprudencial aplicável à hipótese. Inexistência de omissão, contradição ou obscuridade.

III – *O Superior Tribunal de Justiça possui entendimento consolidado, segundo o qual é impossível a substituição da carta-fiança por seguro-garantia com prazo de validade determinado.*

IV – O recurso especial, interposto pelas alíneas a e/ou c do inciso III do art. 105 da Constituição da República, não merece prosperar quando o Acórdão nº recorrido se encontra em sintonia com a jurisprudência desta Corte, a teor da Súmula n. 83/STJ.

V – In casu, rever o entendimento do Tribunal de origem, acerca da afronta ao princípio da menor onerosidade, demandaria necessário revolvimento da matéria fática, o que é inviável em sede de recurso especial, à luz do óbice contido na Súmula n. 7/STJ.

VI – A Agravante não apresenta, no agravo, argumentos suficientes para desconstituir a decisão recorrida.

VII – Em regra, descabe a imposição da multa prevista no art. 1.021, §4º, do Código de Processo Civil de 2015 em razão do mero desprovimento do Agravo Interno em votação unânime, sendo necessária a configuração da manifesta inadmissibilidade ou improcedência do recurso a autorizar sua aplicação, o que não ocorreu no caso.

VIII – Agravo Interno improvido (grifos acrescidos)

(Superior Tribunal de Justiça (STJ) – Agravo Interno no Recurso Especial AgInt no REsp 1898272/SP)[32]

RECURSO DE REVISTA. RITO SUMARÍSSIMO. DESERÇÃO DO RECURSO ORDINÁRIO. SEGURO-GARANTIA JUDICIAL (TST).

EMENTA: SEGURO-GARANTIA JUDICIAL. No caso em exame, a apólice de seguro apresentada pela reclamada quando da interposição do recurso ordinário estava dentro do prazo de vigência, *sendo certo que tanto a carta de fiança bancária como o seguro-garantia judicial com prazo determinado são admitidos como garantia do Juízo, contudo devem ser renovados ou substituídos antes do vencimento. Outrossim, inexiste imposição legal para que o seguro-garantia judicial ou a carta fiança bancária tenham o prazo de validade indeterminado ou condicionado à solução final do litígio.* Caso seja extinto ou não renovada a garantia, a parte arcará com o ônus da sua desídia, como em qualquer hipótese ordinária de perda superveniente da garantia. Nessa senda, merece reforma a decisão regional que concluiu pela deserção do recuso ordinário. Recurso de Revista conhecido e provido. (grifos acrescidos)

(TST RR – 11707-86.2016.5.15.0122[33])

AGRAVO DE INSTRUMENTO EM RECURSO DE REVISTA. RECURSO DE REVISTA INTERPOSTO NA VIGÊNCIA DA LEI Nº 13.015/2014. DESERÇÃO DO RECURSO ORDINÁRIO. GARANTIA DO JUÍZO. SEGURO GARANTIA JUDICIAL COM PRAZO DE VIGÊNCIA. IMPOSSIBILIDADE.

---

[32] BRASIL. Superior Tribunal de Justiça. Agravo Interno no Recurso Especial. AgInt no REsp 1898272/SP (STJ). Relatora: Ministra Regina Helena Costa, Data do julgamento: 08/03/2021, 1ª Turma, Data de publicação DJU: 10/03/2021.

[33] BRASIL. Superior Tribunal do Trabalho. Recurso de Revista. RR – 11707-86.2016.5.15.0122, Relatora: Ministra Dora Maria da Costa, Data de Julgamento: 24/06/2020, 8ª Turma, Data de Publicação no DEJT: 24/06/2020.

No caso, a Corte regional entendeu ser cabível a garantia do Juízo por meio de carta de fiança bancária, na esteira do entendimento já consolidado nesta Corte superior, por meio da Orientação Jurisprudencial nº 59 da SbDI-2 do Tribunal Superior do Trabalho. Contudo, na hipótese, a ora agravante 'apresentou Seguro Garantia no importe de R$11.945,70, ou seja, valor do depósito recursal (R$9.189,00) acrescido de 30%. Ocorre que, a apólice oferecida em garantia pela parte recorrente, ora agravante, estabelece vigência limitada, de 21.06.2018 a 20.06.2023'. Diante disso, o Regional não conheceu do recurso ordinário da reclamada, porque deserto, consignando que *o seguro garantia judicial apresentado não poderia ser aceito para fins de garantia do Juízo, na medida em que estabelece prazo de vigência limitado. Esclareceu o Tribunal a quo que, 'como não se tem como se fazer uma previsão acerca da duração do processo, a apólice do seguro-garantia oferecido pela recorrente, a rigor, não atende ao fim ao qual se propõe'.* Por outro lado, rechaçou as alegações da reclamada acerca da existência de cláusula de renovação condicionada ao fim do processo, explicando que, "mesmo com os cuidados elencados na cláusula em estudo, deflui desta que o tomador/reclamado poderá não renovar a apólice, bastando para isso, apresentar nova garantia (item 4.1.1.), que sequer, pode-se dizer que seria aceita por esta Especializada, ante a falta de especificação". *Destaca-se que a garantia do Juízo deve ser concreta e efetiva, sendo, assim, incompatível com a fixação de prazo de vigência da apólice do seguro garantia judicial.* Com efeito, na hipótese dos autos, da forma como firmada, a garantia se extinguirá em 20/6/2023. Caso a execução se prolongue para além dessa data, o Juízo não estará mais garantido. Nesse contexto, não há como se afastar a deserção do recurso ordinário da reclamada. Precedentes. Agravo de instrumento desprovido. (grifos acrescidos)

(AIRR – 2039-45.2016.5.13.0026[34]).

7 Da previsão do seguro-garantia na Lei nº 14.133/2021[35]

Segundo Marçal Justen Filho,[36] o seguro-garantia na Lei nº 14.133/2021 consiste em contrato firmado entre o particular contratado e uma instituição seguradora disposta a arcar com os riscos de eventual inadimplemento, sendo que as inovações trazidas por essa nova lei, no que concerne às garantias prestadas pelo particular em face da contratação administrativa, estão associadas às novas alíquotas previstas e ao fato de a modalidade seguro-garantia passar a permitir a possibilidade de a seguradora assumir a execução do contrato em circunstâncias específicas.

A Lei nº 8.666/1993[37] estabelecia, em seu art. 56, §2º, que o limite da garantia era de 5% (cinco por cento) sobre o valor do contrato, sendo que para obras, serviços e fornecimentos considerados de grande vulto, com alta complexidade técnica e elevados riscos financeiros, demonstrados mediante parecer tecnicamente aprovado por

---

[34] BRASIL. Superior Tribunal do Trabalho. Agravo de Instrumento em Recurso de Revista. AIRR – 2039-45.2016.5.13.0026. Relator: Ministro: José Roberto Freire Pimenta, Data de Julgamento: 03/04/2019, 2ª Turma, Data de Publicação no DEJT: 05/04/2019.

[35] BRASIL. Lei nº 14.133, de 1º de abril de 2021. Lei de Licitações e Contratos Administrativos, Diário Oficial da República Federativa do Brasil, Brasília, DF, 1º abr. 2021.

[36] JUSTEN FILHO, Marçal. *Comentários à Lei de Licitações e Contratações Administrativas*: Lei 14.133. São Paulo: RT, 2021, p. 698. Disponível em: http://justen.com.br/artigo_pdf/o-seguro-garantia-na-nova-lei-de-licitacoes-parte-1. Acesso em: ago. 2024.

[37] BRASIL. Lei nº 8.666, de 21 de junho de 1993, ref. 9.

autoridade competente, esse limite poderia ser majorado para 10% (dez por cento) do valor do contrato (art. 56, §3º).

A Lei nº 14.133/2021,[38] no seu art. 98, altera esses percentuais, de tal forma que, como regra geral, nas contratações ordinárias, o percentual se mantém em 5%, podendo, contudo, chegar a 10%, independentemente de o contrato ser considerado de "grande vulto", apenas restando comprovado haver complexidade técnica ou riscos que demandem uma garantia mais substancial.

No caso de contratações de obras e serviços de engenharia, o art. 99 da Lei nº 14.133/2021 prevê que poderá ser exigida a prestação de garantia, na modalidade seguro-garantia, com cláusula de retomada prevista no art. 102 daquela lei, em percentual equivalente a até 30%, no caso de contratações de grande vulto que, segundo o art. 6º, inc. XXII, da nova legislação, seriam aquelas cujo valor estimado supera R$ 200.000.000,00 (duzentos milhões de reais), sendo que este valor foi atualizado para R$ 228.833.309,04 (duzentos e vinte e oito milhões, oitocentos e trinta e três mil, trezentos e nove reais, e quatro centavos), por meio do Decreto nº 11.317, de 29 de dezembro de 2022.

Especificamente no tocante ao prazo de vigência das apólices de seguro-garantia, o art. 97, inc. I, da Lei nº 14.133/2021, prevê que tal prazo deve ser igual ou superior ao prazo de vigência do contrato, sendo que, em caso de suspensão do contrato por ordem ou inadimplemento da Administração, o contratado ficará liberado da obrigação de renovar a garantia ou de endossar a apólice de seguro até a ordem de reinício da execução ou o adimplemento pela Administração (art. 96, §2º, da Lei nº 14.133/2021).

Não há também na Lei nº 14.133/2021 previsão de prazo indeterminado para essas apólices de seguro-garantia, permanecendo o impasse quanto ao fato de os processos judiciais e de controle externo não terem prazo de tramitação passível de quantificação, de tal forma que, na prática, o que continua ocorrendo é que o prazo das apólices termina ainda durante os trâmites processuais, havendo necessidade de sucessivos endossos, para que se possa manter em vigor o seguro-garantia, até o trânsito em julgado das ações.

Importante acrescentar que a estipulação do seguro-garantia com cláusula de retomada foi uma das mais marcantes inovações da Lei nº 14.133/2021, pois, objetivando assegurar a plena execução do objeto do contrato, tal como foi pactuado, possibilitou às seguradoras assumir a implementação dos empreendimentos, direta ou indiretamente, caso a empresa contratada venha a descumprir suas obrigações contratuais.

A Lei nº 14.133/2021 trouxe, então, para o Direito Administrativo brasileiro o seguro *Performance bond*, que é uma modalidade de garantia de origem norte-americana que oferece a segurança de cumprimento do contrato nos termos pactuados.

8 Considerações finais

Em consulta à jurisprudência do Tribunal de Contas da União, o que se observa é que, há quase duas décadas, em processos com indícios de sobrepreços ou de superfaturamentos, especialmente aqueles que tratam da implementação de obras públicas, vem

---

[38] BRASIL. Lei nº 14.133, de 1º de abril de 2021, ref. 35.

sendo autorizada a substituição de retenção cautelar de pagamentos (glosa de valores) por apólices de seguro-garantia, desde que os termos pactuados com as seguradoras contemplem indenizações em montante suficiente para garantir o pagamento de potencial débito em fase de apuração nos processos de controle externo, sendo exigido, contudo, que a vigência dessas apólices se estenda até o trânsito em julgado na Corte de Contas.

Acontece que essa condicionante do TCU tem esbarrado na impossibilidade de ser contratado seguro-garantia com prazo de vigência indeterminado, como bem explicitou o voto do Ministro Augusto Nardes, que embasou o Acórdão nº 2.866/2019-TCU-Plenário[39] e que tratou especificamente da fiscalização dos seguros garantias, contratados para assegurar o resultado da apuração de eventual dano ao erário, no âmbito do processo de Tomada de Contas Especial que tratou das obras de implantação do Sistema de Trens Urbanos de Fortaleza/CE (TC 008.523/2012-6):

> No que diz respeito à vigência, ainda que as garantias contratadas não se amoldem às condições impostas pelo Acórdão nº 3.070/2008-TCU-Plenário, estudos realizados no âmbito do TC 041.436/2012-1 demonstram *que, na prática, um seguro com vigência indeterminada, na forma exigida pelo TCU, é condição improvável de ser atendida.* Assim, pode-se considerar que a atualização da vigência das garantias, providenciada pela Metrofor, mitiga, na medida do possível, o risco de dano ao erário até o período abrangido por esta auditoria. (grifos acrescidos)

Essa impossibilidade de se pactuar seguro-garantia com prazo indeterminado também tem restringido sua aceitação no âmbito do Poder Judiciário como garantia na execução de ações judiciais, consoante se observa, por exemplo, em vários excertos da jurisprudência trabalhista.

Nesse sentido, é grande a expectativa pela deliberação a ser proferida, pela Corte de Contas, no âmbito de processo administrativo (TC 041.436/2012-1), acerca dos resultados dos estudos desenvolvidos para obtenção de parâmetros de aceitabilidade do seguro-garantia em obras públicas, em substituição da glosa de valores.

Acrescente-se o fato de a Lei nº 14.133/2021, ao ter dado maior protagonismo ao seguro-garantia e ampliado seu limite para até 30% (trinta por cento), para contratações de grande vulto, tornou ainda mais preocupante essa situação enfrentada tanto nos processos de controle externo quanto nas ações judiciais.

O que se observa é que há uma dissonância entre a dinâmica da tramitação dos processos e a previsão legal, considerando-se tanto a antiga Lei nº 8.666/1993 quanto a atual Lei nº 14.133/2021.

Diante de todo esse contexto, é importante trazer à baila os ensinamentos do jurista Marçal Justen Filho,[40] que, ao se deparar com essa dissonância entre dispositivos legais e realidade fática, na época da pandemia de covid 19, assim se manifestou:

---

[39] BRASIL. Tribunal de Contas da União. Acórdão nº 2.866/2019 – Plenário. Ata nº 46/2019 – Plenário. Data da Sessão: 27/11/2019 – Ordinária, p. 12. Código eletrônico para localização na página do TCU na Internet: AC-2866-46/19-P.

[40] JUSTEN FILHO, Marçal. *Efeitos Jurídicos da Crise sobre as Contratações Administrativas.* Brasília, 2020, ref. 1, p. 5.

Os institutos jurídicos tradicionais do direito administrativo são incompatíveis com a complexidade da situação fática e a dimensão supraindividual das dificuldades. Mais precisamente, a submissão dos fatos a esse instituto gera distorções insuportáveis. (grifos acrescidos)

Também no tocante à adoção do seguro-garantia nas contratações públicas, deve ser mantida essa visão humanista do Direito, de forma a se valorizar a conservação do interesse público e o efetivo cumprimento das decisões, tanto nas ações judiciais quanto nos processos de controle externo.

Referências

BRASIL. Lei nº 8.443, de 16 de julho de 1992. Lei Orgânica do Tribunal de Contas da União, Diário Oficial da República Federativa do Brasil, Brasília, DF, 17 jul. 1992.

BRASIL. Lei nº 8.666, de 21 de junho de 1993. Lei de Licitações e Contratos da Administração Pública, Diário Oficial da República Federativa do Brasil, Brasília, DF, 22 jun. 1993.

BRASIL. Lei nº 10.406, de 10 de janeiro de 2002. Código Civil, Diário Oficial da República Federativa do Brasil, Brasília, DF, 11 jan. 2002.

BRASIL. Lei nº 11.101, de 9 de fevereiro de 2005. Regula a recuperação judicial, a extrajudicial e a falência do empresário e da sociedade empresária, Diário Oficial da República Federativa do Brasil, Brasília, DF, 9 fev. 2005.

BRASIL. Lei nº 12.017, de 12 de agosto de 2009. Dispõe sobre as diretrizes para a elaboração e execução da Lei Orçamentária de 2010 e dá outras providências, Diário Oficial da República Federativa do Brasil, Brasília, DF, 13 ago. 2009.

BRASIL. Lei nº 13.105, de 16 de março de 2015. Código de Processo Civil, Diário Oficial da República Federativa do Brasil, Brasília, DF, 17 mar. 2015.

BRASIL. Lei nº 13.467, de 13 de julho de 2017. Altera a Consolidação das Leis do Trabalho (CLT), aprovada pelo Decreto-Lei nº 5.452, de 1º de maio de 1943, e as Leis nºs 6.019, de 3 de janeiro de 1974, 8.036, de 11 de maio de 1990, e 8.212, de 24 de julho de 1991, a fim de adequar a legislação às novas relações de trabalho, Diário Oficial da República Federativa do Brasil, Brasília, DF, 14 jul. 2017.

BRASIL. Lei nº 14.133, de 1º de abril de 2021. Lei de Licitações e Contratos Administrativos, Diário Oficial da República Federativa do Brasil, Brasília, DF, 1º abr. 2021.

BRASIL. Projeto de Lei nº 6.375, de 10 de dezembro de 2019. Acrescentem-se o §6º ao artigo 49 da Lei Federal nº 11.101, de 29 de fevereiro de 2005, e os §§1º e 2º ao artigo 28 e as alíneas "m" e "n" ao artigo 36 do Decreto-lei nº 73, de 21 de novembro de 1966. Disponível em: http://www.camara.leg.br/proposicoesWeb/prop_mostrarintegra? codteor =1844603&filename=PL%206375/2019. Acesso em: ago. 2024.

BRASIL. Superior Tribunal de Justiça. Agravo Interno no Recurso Especial. AgInt no REsp 1898272/SP (STJ). Relatora: Ministra Regina Helena Costa, Data do julgamento: 08/03/2021, 1ª Turma, Data de publicação DJU: 10/03/2021.

BRASIL. Superior Tribunal do Trabalho. Recurso de Revista. RR – 11707-86.2016.5.15.0122, Relatora: Ministra Dora Maria da Costa, Data de Julgamento: 24/06/2020, 8ª Turma, Data de Publicação no DEJT: 24/06/2020.

BRASIL. Superior Tribunal do Trabalho. Agravo de Instrumento em Recurso de Revista. AIRR – 2039-45.2016.5.13.0026. Relator: Ministro: José Roberto Freire Pimenta, Data de Julgamento: 03/04/2019, 2ª Turma, Data de Publicação no DEJT: 05/04/2019.

BRASIL. Tribunal de Contas da União. Regimento Interno do Tribunal de Contas da União. – Brasília: TCU, Secretaria Geral da Presidência, 2023.

BRASIL. Tribunal de Contas da União. Acórdão nº 2.860/2008 – Plenário. Ata nº 51/2008 – Plenário. Data da Sessão: 03/12/2008 – Ordinária. Código eletrônico para localização na página do TCU na Internet: AC-2860-51/08-P.

BRASIL. Tribunal de Contas da União. Acórdão nº 593/2009 – Plenário. Ata nº 12/2009 – Plenário. Data da Sessão: 1º/04/2009 – Ordinária. Código eletrônico para localização na página do TCU na Internet: AC-593-12/09-P.

BRASIL. Tribunal de Contas da União. Acórdão nº 2.219/2009 – Plenário. Ata nº 38/2009 – Plenário. Data da Sessão: 23/09/2009 – Ordinária. Código eletrônico para localização na página do TCU na Internet: AC-2219-38/09-P.

BRASIL. Tribunal de Contas da União. Acórdão nº 1.882/2011 – Plenário. Ata nº 29/2011 – Plenário. Data da Sessão: 20/07/2011 – Ordinária. Código eletrônico para localização na página do TCU na Internet: AC-1882-29/11-P.

BRASIL. Tribunal de Contas da União. Acórdão nº 2.636/2011 – Plenário. Ata nº 40/2011 – Plenário. Data da Sessão: 28/09/2011 – Ordinária. Código eletrônico para localização na página do TCU na Internet: AC-2636-40/11-P.

BRASIL. Tribunal de Contas da União. Acórdão nº 3.240/2011 – Plenário. Ata nº 54/2011 – Plenário. Data da Sessão: 07/12/2011 – Ordinária. Código eletrônico para localização na página do TCU na Internet: AC-3240-54/11-P.

BRASIL. Tribunal de Contas da União. Acórdão nº 1.383/2012 – Plenário. Ata nº 21/2012 – Plenário. Data da Sessão: 06/06/2012 – Ordinária. Código eletrônico para localização na página do TCU na Internet: AC-1383-21/12-P.

BRASIL. Tribunal de Contas da União. Acórdão nº 1.847/2013 – Plenário. Ata nº 26/2013 – Plenário. Data da Sessão: 17/7/2013 – Ordinária. Código eletrônico para localização na página do TCU na Internet: AC-1847-26/13-P.

BRASIL. Tribunal de Contas da União. Acórdão nº 193/2014 – Plenário. Ata nº 3/2014 – Plenário. Data da Sessão: 05/02/2014 – Ordinária. Código eletrônico para localização na página do TCU na Internet: AC-0193-03/14-P.

BRASIL. Tribunal de Contas da União. Acórdão nº 2.060/2017 – Plenário. Ata nº 37/2017 – Plenário. Data da Sessão: 20/9/2017 – Ordinária. Código eletrônico para localização na página do TCU na Internet: AC-2060-37/17-P.

BRASIL. Tribunal de Contas da União. Acórdão nº 2.861/2018 – Plenário. Ata nº 48/2018 – Plenário. Data da Sessão: 05/12/2018 – Ordinária. Código eletrônico para localização na página do TCU na Internet: AC-2861-48/18-P.

BRASIL. Tribunal de Contas da União. Acórdão nº 1.651/2019 – Plenário. Ata nº 26/2019 – Plenário. Data da Sessão: 17/7/2019 – Ordinária. Código eletrônico para localização na página do TCU na Internet: AC-1651-26/19-P.

BRASIL. Tribunal de Contas da União. Acórdão nº 2.866/2019 – Plenário. Ata nº 46/2019 – Plenário. Data da Sessão: 27/11/2019 – Ordinária. Código eletrônico para localização na página do TCU na Internet: AC-2866-46/19-P.

BRASIL. Tribunal de Contas da União. Acórdão nº 1.182/2020 – Plenário. Ata nº 16/2020 – Plenário. Data da Sessão: 13/05/2020 – Ordinária. Código eletrônico para localização na página do TCU na Internet: AC-1182-16/20-P.

BRASIL. Tribunal de Contas da União. Acórdão nº 1.890/2020 – Plenário. Ata nº 27/2020 – Plenário. Data da Sessão: 22/07/2020 – Ordinária. Código eletrônico para localização na página do TCU na Internet: AC-1890-27/20-P.

BRASIL. Tribunal de Contas da União. Acórdão nº 1.352/2024 – Plenário. Ata nº 28/2024 – Plenário. Data da Sessão: 10/7/2024 – Ordinária. Código eletrônico para localização na página do TCU na Internet: AC-1352-28/24-P.

JUSTEN FILHO, Marçal. *Comentários à Lei de Licitações e Contratações Administrativas*: Lei 14.133. São Paulo: RT, 2021, p. 698. Disponível em: http://justen.com.br /artigo_pdf/o-seguro-garantia-na-nova-lei-de-licitacoes-parte-1. Acesso em: ago. 2024.

JUSTEN FILHO, Marçal. *Efeitos Jurídicos da Crise sobre as Contratações Administrativas*. Brasília, 2020. Disponível em: https://www.justen.com.br/pdfs/IE157/ IE%20-%20MJF%20-%20200318-Crise.pdf. Acesso em: ago. 2024.

SUSEP. Circular 477 de 30/09/2013 – Dispõe sobre obre o Seguro Garantia, divulga Condições Padronizadas e dá outras providências. Disponível em: http://www.susep.gov.br. Acesso em: ago. 2024.

Informação bibliográfica deste texto, conforme a NBR 6023:2018 da Associação Brasileira de Normas Técnicas (ABNT):

COSTA, Marcos Bemquerer; BASTOS, Patrícia Reis Leitão. Parâmetros de aceitabilidade do seguro-garantia em obras públicas: um novo desafio para o controle externo após a Lei nº 14.133/2021. *In*: JUSTEN, Monica. Spezia; PEREIRA, Cesar; JUSTEN NETO, Marçal; JUSTEN, Lucas Spezia (coord.). *Uma visão humanista do Direito*: homenagem ao Professor Marçal Justen Filho. Belo Horizonte: Fórum, 2025. v. 2, p. 637-656. ISBN 978-65-5518-916-2.

DIÁLOGO COMPETITIVO[1]

ODETE MEDAUAR

1 Introdução

Em 1956, no vol. I do seu *Traité Théorique et Pratique des Contrats Administratifs*, p. 23, o francês André de Laubadère, afirmou o seguinte:

> O contratado da Administração aparece como um colaborador mais ou menos direto, segundo o caso, das atividades administrativas. O contrato administrativo aparece, assim, como um *sistema de colaboração* entre a Administração e seu contratado. Talvez esta concepção seja o resultado de uma verdadeira transformação das ideias.

Laubadère se referia aos tradicionais contratos de obras, serviços, compras, concessões, cujos objetos vinham especificados unilateralmente pela Administração e apresentados aos licitantes.

O que diria Laubadère, 68 anos depois, em relação a contratos cujos objetos são caracterizados em grande parte pelo particular? Sem dúvida, neste caso, a colaboração do particular é muito mais ampla. E resulta de progressivas transformações que aproximaram, cada vez mais, o público do privado, nas atuações da Administração Pública. Marçal Justen Filho observa com pertinência: "É imperioso destacar que as soluções cooperativas no relacionamento entre Administração e particular refletem uma tendência política e econômica".[2]

Além do mais, a incomensurável e veloz revolução tecnológica dos tempos presentes, muitas vezes não dominada, em seu todo, pela Administração, "empurra" mais ainda a busca por conhecimentos dos particulares.

---

[1] Nota prévia – Em homenagem a Marçal Justen Filho, brilhante juspublicista, cujas publicações se tornam de imprescindível leitura, salientando-se os *Comentários à Lei de Licitações e Contratações Administrativas*, 2021.

[2] *Comentários à Lei de Licitações e Contratos Administrativos*: Lei 14. 133/2021. São Paulo: Thomson Reuters Brasil, 2021, p. 454.

Sem dúvida o *diálogo competitivo*, previsto na nova Lei de Licitações e Contratos Administrativos – Lei nº 14.133/2021,[3] reflete a aproximação e a colaboração mais estreitas no âmbito público-privado, sobretudo na busca dos conhecimentos detidos pelos particulares para a solução de questões do interesse de todos. Nas palavras de Marçal Justen Filho

> A natureza inovadora das condições do caso concreto e do objeto a ser executado demanda a colaboração entre o setor público e a iniciativa privada. Em tais casos é indispensável um processo de interação entre a Administração e os diversos agentes privados para determinar a natureza e as condições da solução a ser executada.[4]

2 Noção

Nos termos do art. 6º, inciso XLII, da Lei nº 14.133/2021, "diálogo competitivo é "modalidade de licitação para contratação de obras, serviços e compras em que a Administração Pública realiza diálogos com licitantes previamente selecionados mediante critérios objetivos, com o intuito de desenvolver uma ou mais alternativas capazes de atender às suas necessidades, devendo os licitantes apresentar proposta final após o encerramento dos diálogos".

O diálogo competitivo tornou-se modalidade de licitação também para a concessão de serviço público, a concessão de serviço público precedida de obra pública e as parcerias público-privadas, além da concorrência (arts. 179 e 180, da Lei nº 14.133/2021).

Ao arrolar as modalidades de licitações, o art. 28, V, da referida Lei, indica o diálogo competitivo.

A respeito Alexandre Santos de Aragão explana: " Por meio de um procedimento negociado, portanto, Estado e particulares constroem, consensualmente, a solução mais adequada à persecução da finalidade pública almejada com o procedimento licitatório".[5]

Ao se buscar similaridade no *Direito estrangeiro*, emergem sobretudo Diretivas da União Europeia, invocando-se principalmente a de nº 24, de 26.02.2004, arts. 42 a 45; na língua francesa o diálogo competitivo aí apresenta também os seguintes nomes (traduzidos): procedimento concorrencial com negociação, procedimento negociado. No art. 42 desta Diretiva se lembra que a modalidade vem sendo muito utilizada, por exemplo, em: projetos inovadores; relevantes projetos de infraestrutura; projetos de transporte integrado; projetos de grandes redes de informática.

---

[3] Além do diálogo competitivo podem ser exemplificadas outras inovações trazidas no bojo da Lei nº 14.133/2021: (i) Portal Nacional de Contratações Públicas – PNCP, sítio eletrônico oficial para se efetuar a obrigatória e centralizada divulgação dos atos que a referida Lei exige, inclusive de Estados, Distrito Federal e Municípios; (ii) criação da figura do agente de contratação, no art. 8º, designado entre servidores efetivos ou empregados públicos do quadro permanente, para tomar decisões e acompanhar o trâmite da licitação, dentre demais atividades a seu cargo; (iii) a fase de julgamento antecede a fase de habilitação como regra; exceções devem ser motivadas; (iv) licitações realizadas preferencialmente por meio eletrônico.

[4] *Op. cit.* p. 458.

[5] O diálogo competitivo na nova Lei de Licitações e Contratos, *in*: CUNHA FILHO, Alexandre Jorge Carneiro da; ARRUDA, Carmen Silvia Lima de; PICCELLI, Roberto Ricomini (coord.). *Lei de Licitações e Contratos Comentada* – Lei nº 14.133/2021, vol. I. São Paulo: Quartier Latin, p. 635.

Países europeus, como Portugal, Espanha, Itália, e os Estados Unidos adotaram a modalidade, segundo explica Alexandre Santos de Aragão.[6]

Trata-se, então, de contratações complexas e a Administração Pública não detém conhecimentos ou informações suficientes para obter adequada especificação do objeto do futuro contrato.

3 Aplicabilidade

A Lei nº 14.133/2021 fixa os preceitos do diálogo competitivo só no art. 32, seus dois parágrafos, incisos e alíneas, em contraponto ao seu minucioso texto.[7]

Marçal Justen Filho pondera que "a adoção do diálogo competitivo depende da inexistência de solução consagrada para o atendimento de necessidades ou a incerteza quanto às soluções a serem adotadas".[8]

Nos termos do art. 32, o diálogo competitivo é restrito a contratações em que a Administração:

I – vise a contratar objeto que envolva as seguintes condições:
  a) inovação tecnológica ou técnica;
  b) impossibilidade de o órgão público ter suas necessidades atendidas sem a adaptação de soluções disponíveis no mercado;
  c) impossibilidade de definição precisa, pela Administração, das especificações técnicas.

Na observação de Marçal Justen Filho "os atributos referidos nas três alíneas do inc. I devem estar presentes de modo cumulativo".[9] Por sua vez Alexandre Santos de Aragão nota o seguinte, quanto às hipóteses constantes das alíneas supra:

> o diálogo competitivo se justificaria quando as alternativas técnicas conhecidas e postas genericamente no mercado não são suficientes para alcançar a finalidade da contratação. Assim, uma vez cumpridos os requisitos cumulativos do dispositivo, a legislação autoriza o Estado a recorrer à criatividade do setor privado para que ambos, em um diálogo dinâmico, construam juntos a melhor solução para a promoção dos objetivos pretendidos.[10]

No inciso II, o art. 32 se refere à necessidade de definir e identificar os meios e as alternativas que possam satisfazer as necessidades da Administração, com destaque para os seguintes aspectos:

---

[6] *Op. cit.* p. 638-641.
[7] Em palestra por live, em 24.04.2021, o relator do projeto da Lei de Licitações no Senado, então Senador, hoje Ministro do TCU, Antonio Anastasia, ressaltou o seguinte: (i) a Lei não tem nada de normas gerais; foi proposital ser minuciosa e regulamentar; (ii) traz preocupação com o planejamento das contratações; (iii) uma ideia-força se encontra na governança, no sentido de haver estrutura para as licitações, com segregação de funções, na figura do agente de contratação, e na exigência de programa de integridade em contratações de grande vulto; (iv) preocupação com transparência, exemplificada com o Portal Nacional de Contratações Públicas – PNCP.
[8] *Op. cit.*, p. 458.
[9] *Op. cit.*, p. 459.
[10] *Op. cit.*, p. 643-644.

a) a solução técnica mais adequada;
b) os requisitos técnicos aptos a concretizar a solução já definida;
c) a estrutura jurídica e financeira do contrato.

Na hipótese do referido inciso II a Administração tem dúvidas quanto aos instrumentos e requisitos da solução técnica almejada e respectivas estruturas jurídicas e financeiras do futuro contrato.

Para Marçal Justen Filho "o inciso II alude a diversos aspectos que apresentam relevância, mas o elenco das alíneas é exemplificativo. Essa interpretação é respaldada pela redação adotada. A expressão 'com destaque...' indica aspectos que apresentam relevância diferenciada, mas que não apresentam cunho exaustivo".[11]

4 Operacionalidade

a) O diálogo competitivo é conduzido por *comissão de contratação* integrada, no mínimo, por três servidores efetivos ou empregados públicos do quadro permanente (art. 32 XI), admitida a contratação de profissionais para assessoramento técnico da comissão, os quais assinarão termo de confidencialidade, abstendo-se de atividades geradoras de conflito de interesses (art. 32, §2º).

Parece claro que tanto os integrantes da comissão de contratação como os profissionais/consultores disponham de conhecimentos pertinentes à matéria objeto da licitação. Além do mais, os integrantes da comissão de contratação devem ter habilidade para a condução dos diálogos, ou seja, tolerância, paciência, facilidade de expressão, por exemplo.

b) A Administração publica edital em sítio oficial, indicando suas necessidades, com o prazo mínimo de 25 dias úteis para fins de manifestação de interessados em participar da licitação (art. 32,§1º, I).
c) Depois haverá *pré-seleção dos participantes*, cujos critérios devem ser previstos em edital, sendo admitidos todos os interessados que atenderem aos requisitos fixados (art. 32, §1º, II).
c) É proibida a divulgação de informações de modo discriminatório que possa implicar vantagem para algum licitante (art. 32, §1º, III).
d) Iniciados os diálogos, a Administração não poderá revelar a outros licitantes as soluções propostas ou informações sigilosas comunicadas por um licitante, sem o consentimento deste (art. 32, §1º, IV).
e) A fase de diálogo pode ser mantida até que a Administração, em decisão fundamentada, identifique a solução ou soluções, podendo o edital prever a realização de fases sucessivas, cada fase permitindo restringir as soluções ou propostas a serem discutidas (art. 32, §1º, V e VII).
f) As reuniões com os licitantes pré-selecionados são registradas em ata e gravadas em áudio e vídeo (art. 32, §1º, VII e VI, respectivamente). Eis um ponto de incidência do princípio da transparência, indicado no art. 5º da Lei.

---

[11] *Op. cit.*, p. 460.

g) Ao declarar o diálogo concluído, a Administração juntará aos autos do expediente os registros e gravações da fase de diálogo. Aqui se encerra a fase de diálogo (art. 32, §1º, VIII). A escolha da melhor solução proposta deve ser bem fundamentada, ou seja, deve ter motivação adequada e pertinente, de fácil compreensão, para que não haja distorções no uso do diálogo competitivo.

h) A *fase competitiva* tem início com a *divulgação do edital* contendo as especificações da solução obtida, abrindo prazo não inferior a 60 dias úteis para todos os participantes pré-selecionados, inclusive quem aventou a solução, oferecerem suas propostas (art. 32, §1º, VIII). Vê-se, portanto, que a fase competitiva não é aberta a quaisquer, pois se destina aos licitantes pré-selecionados para a fase dos diálogos.

i) A Administração definirá a proposta vencedora na esteira dos critérios divulgados no edital desta fase, assegurada a contratação mais vantajosa como resultado (art. 32, §1º, VIII e X, respectivamente). Eis outro aspecto do procedimento exigindo motivação clara e pertinente para justificar a escolha.

Pode-se lembrar que, após listar os princípios, o art. 5º da Lei nº 14.133/2021 menciona a observância também da *Lei de Introdução às Normas do Direito Brasileiro – LINDB*. Por força da Lei nº 13.655/2018 novos preceitos em matéria de Direito Público foram acrescentados ao decreto-lei de 1942 (que é a LINDB). No tocante às licitações e contratos administrativos, sobrelevam os seguintes dispositivos incluídos: (i) arts. 20 e 21, centrados na motivação; havendo decisões com base em fórmulas amplas e vagas, devem ser consideradas as consequências práticas dessa decisão, o mesmo incidindo em decisão que invalide ato, contrato, ajuste, processo ou norma administrativa; (ii) arts. 20, 21, §2º, e 22, §3º, que prescrevem sopesamento na tomada de decisões, levando em conta as condições envolvidas na situação.

5 Conclusão

Ainda é cedo para uma avaliação de resultados desta nova modalidade de licitação, porque a Lei nº 14.133/2021 só tem sua vigência única e plena há pouco tempo (após mais de dois anos de vigência paralela com a anterior Lei de Licitações e Contratos – Lei nº 8.666/1993). É possível que o diálogo competitivo bem conduzido e sem distorções traga bons resultados nas contratações públicas.

Referências

ARAGÃO, Alexandre Santos de. O diálogo competitivo na nova Lei de Licitações e Contratos. *In*: CUNHA FILHO, Alexandre Jorge Carneiro da; ARRUDA, Carmen Silvia Lima de; PICCELLI, Roberto Ricomini (coord.). *Lei de Licitações e Contratos Comentada – Lei nº 14.133/2021*, vol. I. São Paulo: Quartier Latin, p. 631-652.

JUSTEN FILHO, Marçal. *Comentários à Lei de Licitações e Contratos Administrativos*: Lei 14.133/2021. São Paulo: Thomson Reuters Brasil, 2021.

Informação bibliográfica deste texto, conforme a NBR 6023:2018 da Associação Brasileira de Normas Técnicas (ABNT):

MEDAUAR, Odete. Diálogo competitivo. *In*: JUSTEN, Monica Spezia; PEREIRA, Cesar; JUSTEN NETO, Marçal; JUSTEN, Lucas Spezia (coord.). *Uma visão humanista do Direito*: homenagem ao Professor Marçal Justen Filho. Belo Horizonte: Fórum, 2025. v. 2, p. 657-662. ISBN 978-65-5518-916-2.

DECRETAÇÃO DE NULIDADE DO NEGÓCIO JURÍDICO: DIÁLOGO PÚBLICO *VS*. PRIVADO

RENATA C. STEINER

Antes de tudo: da autora ao homenageado (e a apresentação do tema)

Conheci a doutrina de Marçal Justen Filho por intermédio de sua obra sobre desconsideração de personalidade jurídica, pela qual, na década de 80, havia se tornado Professor Titular de Direito Comercial na Universidade Federal do Paraná (UFPR).[1] Lembro-me vivamente de ter lido aquele livro durante o tempo de estágio, na biblioteca ensolarada do segundo andar do escritório Oliveira Franco, Ribeiro, Küster e Rosa, que, coincidentemente, ocupava na época a sede que hoje abriga o escritório Justen, Pereira, Oliveira e Talamini em Curitiba. E, assim, ainda que nunca tenha sido sua aluna (e, quiçá, embora ele próprio possa não saber desse fato), o pensamento de Marçal Justen Filho esteve presente e marcou a minha formação.

Recentemente, tive oportunidade de viajar no tempo e reler a mesma obra – ainda tão atual – no processo de escrita de texto sobre a "tríade paranaense" da desconsideração da personalidade jurídica (além de Marçal Justen Filho, ela é composta por Rubens Requião e José Lamartine Correa de Oliveira).[2] Pude confirmar o que já havia me impressionado: Marçal Justen Filho é um verdadeiro jurista que transita entre diferentes áreas do conhecimento jurídico com igual profundidade e reconhecimento.

É com alegria que, mais de 20 anos após aquele primeiro contato com sua obra, tenho a oportunidade de escrever texto em homenagem ao Marçal, a quem me permito chamar pelo primeiro nome ao longo do artigo, rompendo o protocolo dos textos acadêmicos.

---

[1] JUSTEN FILHO, Marçal. *Desconsideração da personalidade societária no direito brasileiro*. São Paulo: Revista dos Tribunais, 1987.

[2] STEINER, Renata C.; KELLER, Mariana Capaverde. A "tríade" paranaense da desconsideração da personalidade jurídica na jurisprudência: Rubens Requião, José Lamartine Corrêa de Oliveira e Marçal Justen Filho. *In*: ADAMEK, Marcelo Vieira von; CONTI, André Nunes (org.). *Desconsideração da personalidade jurídica*: pressupostos – consequências – casuística. São Paulo: Quartier Latin [no prelo].

Sua proposta é singela: apresentar um comparativo entre o tratamento conferido à decretação da nulidade de negócios jurídicos no Direito Público e no Direito Privado. Mais precisamente, o texto foca na cogência e na flexibilidade da decretação da invalidade ou no que se pode chamar, *lato sensu*, de conservação de negócios nulos. Tendo eu formação de Direito Privado, era natural que escolhesse tema, dentre tantos da produção de nosso homenageado, que pudesse fomentar tal diálogo.

O texto divide-se em três partes. Na primeira delas, o regime normativo da decretação das nulidades no Direito Administrativo será descrito em três tempos: sob a égide da revogada Lei de Licitações (Lei nº 8.666/1993), das alterações promovidas em 2018 pela Lei nº 13.655/2018 na Lei de Introdução às Normas do Direito Brasileiro (LINDB) e, por fim, pela nova Lei de Licitações de 2021 (Lei nº 14.133/2021). Na segunda parte, histórico semelhante será traçado à luz do Direito Privado, com foco no tratamento do tema da conservação nos Códigos Civis de 1916 e 2002. Terceira e derradeira parte dedica-se a responder a uma provocação, que emerge do histórico descritivo traçado nas seções anteriores: qual a razão e qual o sentido da maior flexibilidade a propósito da decretação de invalidade no Direito Público em comparação com o Direito Privado?

Antes de prosseguir, é preciso dizer que o itinerário será percorrido com referências às obras e às opiniões doutrinárias de Marçal e, embora haja também citação a outros doutrinadores, é fundamentalmente ao nosso homenageado a quem recorro. Não desconheço que o trabalho científico de qualidade deva ser realizado em um contexto de pluralidade de opiniões. Entretanto, neste caso específico, a profusão de citações a um único autor justifica-se ante a natureza especialíssima desta coletânea.

Apresentado o tema, deixo a primeira pessoa de lado e passo ao desenvolvimento técnico da temática, não sem antes desejar um feliz aniversário de 70 anos ao Marçal.

Parte I – O regime da nulidade contratual no Direito Administrativo em três tempos

1.1 A moldura legal na Lei nº 8.666/1993

Na vigência da revogada Lei de Licitações (Lei nº 8.666/1993, doravante, Lei nº 8.666), o regime das invalidades dos atos administrativos – abrangentes da invalidade licitatória e de contratos administrativos – estava tratado no artigo 59, que tinha a seguinte redação:

> Art. 59. A declaração de nulidade do contrato administrativo opera retroativamente impedindo os efeitos jurídicos que ele, ordinariamente, deveria produzir, além de desconstituir os já produzidos.
>
> Parágrafo único. A nulidade não exonera a Administração do dever de indenizar o contratado pelo que este houver executado até a data em que ela for declarada e por outros prejuízos regularmente comprovados, contanto que não lhe seja imputável, promovendo-se a responsabilidade de quem lhe deu causa.

Em seus Comentários à Lei nº 8.666, Marçal Justen Filho ensinava que o dispositivo abrangia apenas as situações de nulidade, não alcançando as anulabilidades e as meras irregularidades. Tal distinção é significativa, pois, para ele, o Direito Administrativo admite a gradação entre nulidade e anulabilidade,[3] o que se dá em razão do interesse protegido: interesses fundamentais e interesses privados, respectivamente.[4]

O regime da nulidade outrora vigente foi qualificado por Marçal, agora sob a égide da nova Lei de Licitações (Lei nº 14.133/2021, doravante Lei nº 14.133) – que revogou e substituiu inteiramente a Lei nº 8.666 –, como *"arcaico"*[5] e reflexo de uma "concepção jurídica que vigia no passado",[6] na medida em que, caso presente fundamento para nulidade, a invalidação do ato e o desfazimento retroativo de seus efeitos eram mandatórios.

A rigidez do texto legal encontrava respaldo no enunciado da Súmula nº 473 do STF, que é anterior à Lei nº 8.666.[7] Do enunciado, cuja manutenção em vigor é duvidosa,[8] extrai-se a equiparação de qualquer ilegalidade de atos administrativos à nulidade, como se fosse possível "classificar toda ilegalidade como causa de nulidade absoluta, sem gradações".[9]

Na visão do homenageado, há ao menos duas razões que justificariam a rigidez do texto adotado na Lei nº 8.666. Em primeiro lugar, ela pode ser explicada pela reprodução da noção de nulidade em voga no Direito Privado. Neste particular, Marçal ensina que o artigo 59 "parece consagrar a teoria das nulidades segundo sua configuração tradicional no direito privado", o que, em síntese, significaria inadmitir a produção de efeitos do ato nulo e impor que a decretação da nulidade tivesse efeitos desconstitutivos ou *ex tunc*.[10]

---

[3] Em texto específico sobre o regime de nulidades no Direito Administrativo, Marçal analisou criticamente a posição de Hely Lopes Meirelles, para quem o Direito Público não abria espaço para atos anuláveis, já que sua distinção aos atos nulos se assentaria na proteção ao interesse privado e ao interesse público, respectivamente (JUSTEN FILHO, Marçal. Teoria das nulidades do Direito Administrativo. In: *Revista dos Tribunais*, vol. 1000, p. 73-84, 2019, acesso pela RTOnline). A posição defendida por Hely Lopes Meirelles, na leitura de Carlos Ari Sundfeld, "parece ter sido o enfoque que seduziu o STJ, em sua súmula de 1969 [Súmula 473]" (SUNDFELD, Carlos Ari. *Direito Administrativo*: o novo olhar da LINDB. Belo Horizonte: Fórum, 2022, p. 74). A Súmula 473 será referida mais adiante neste texto.

[4] JUSTEN FILHO, Marçal. *Comentários à Lei de Licitações e Contratações Administrativas*: Lei 8.666/1993. 17. ed. rev. e amp. São Paulo: Thomson Reuters Brasil, 2016, p. 1132.

[5] "A Lei 8.666/1993 contemplava modelo arcaico quanto à teoria das nulidades do direito administrativo. Traduzia a concepção de que os defeitos verificados acarretavam necessariamente a nulidade, cujos efeitos retroagiam à data do ato viciado. O defeito impunha compulsoriamente a invalidação do ato e o desfazimento de todos os efeitos concretos que pudesse ter produzido" (JUSTEN FILHO, Marçal. *Comentários à Lei de Licitações e Contratações Administrativas*: Lei 14.133/2021. São Paulo: Thomson Reuters Brasil, 2021, p. 1540).

[6] "A determinação contida no art. 59 da Lei 8.666/1993 refletia uma concepção jurídica vigente no passado, que adotava o pressuposto radical de que a nulidade se constituía em obstáculo à produção de efeitos jurídicos" (JUSTEN FILHO, Marçal. *Comentários à Lei de Licitações e Contratações Administrativas*: Lei 14.133/2021. São Paulo: Thomson Reuters Brasil, 2021, p. 1540).

[7] Enunciado da Súmula nº 473 do STF: "A administração pode anular seus próprios atos, quando eivados de vícios que os tornam ilegais, porque deles não se originam direitos; ou revogá-los, por motivo de conveniência ou oportunidade, respeitados os direitos adquiridos, e ressalvada, em todos os casos, a apreciação judicial".

[8] Embora não conste a revogação formal do enunciado, Marçal Justen Filho defende que, com a edição da Lei nº 14.133, deixou de haver respaldo normativo para sua aplicação no âmbito das invalidades de licitações e contratações administrativas: "a orientação exposta na referida Súmula 473 é incompatível com o regime jurídico consagrado pela Lei 14.133/2021" (JUSTEN FILHO, Marçal. *Comentários à Lei de Licitações e Contratações Administrativas*: Lei 14.133/2021. São Paulo: Thomson Reuters Brasil, 2021, p. 1550). Vide, no mesmo sentido: MOREIRA, Egon Bockmann. Súmula 473: é hora de dizer adeus. In: *Coluna Publicistas Jota*. Disponível em: https://www.jota.info/opiniao-e-analise/colunas/publicistas/sumula-473-e-hora-de-dizer-adeus-01102019, acesso em: 22 ago. 2024.

[9] SUNDFELD, Carlos Ari. *Direito Administrativo*: o novo olhar da LINDB. Belo Horizonte: Fórum, 2022, p. 72.

[10] JUSTEN FILHO, Marçal. *Comentários à Lei de Licitações e Contratações Administrativas*: Lei 8.666/1993. 17. ed. rev. e ampl. São Paulo: Thomson Reuters Brasil, 2016, p. 1132.

Mas a rigidez também é por ele explicada desde uma concepção política, que via uma "diferenciação radical e o distanciamento concreto da Administração Pública (titular do 'interesse público') e o particular (tratado como 'administrado')", o que justificaria que a invalidade configurasse a violação à supremacia do interesse público, que, por ser indisponível, imporia o desfazimento do ato.[11]

Crítico a tal rigidez, Marçal professava – ainda quando vigente a redação original do artigo 59 da Lei nº 8.666 – que tal "teoria clássica da nulidade administrativa"[12] era incompatível com o ordenamento jurídico brasileiro, especialmente após a Constituição Federal de 1988,[13] e afirmava a necessidade de tutela dos sujeitos atingidos pela atuação defeituosa estatal:

> (...) a atuação administrativa viciada se configura como despropósito, como violação aos valores constitucionais fundamentais, como infração à dimensão instrumental da Administração Pública. Em princípio, não se pode admitir a ocorrência de atos administrativos viciados. O Estado tem um dever diferenciado de precaução, que a ele impõe adotar todas as precauções para evitar uma atuação defeituosa e viciada. (...) não é compatível com a Constituição determinar que os terceiros – não integrantes da órbita estatal – arquem com os efeitos nocivos de condutas administrativas defeituosas.[14]

Como se vê, sua posição fundava-se, de um lado, no reconhecimento de que a invalidade é um dado posto (afinal, ela existe na vida real e não pode ser ignorada); de outro, na defesa de que a aplicação do regime consequencial às invalidades não pode desconsiderar que a Administração Pública deva respeito aos direitos dos particulares, que, muito frequentemente, são atingidos por atos ou negócios jurídicos a despeito da invalidade.

É forte a posição de Marçal Justen Filho no sentido de que a decretação de invalidade deveria ser regida pelo que denominou de "consequencialismo", em contraposição àquela posição rígida que emergia do texto legal na vigência da Lei nº 8.666, no sentido de que "a constatação do defeito grave imporia o desfazimento do ato administrativo, independentemente dos efeitos daí decorrentes".[15]

É verdade também que, embora o texto legal então vigente não concedesse espaço para a conservação do ato ou negócio inválido em termos gerais, colhem-se exemplos

---

[11] JUSTEN FILHO, Marçal. Teoria das nulidades do Direito Administrativo. *In: Revista dos Tribunais*, vol. 1000, p. 73-84, 2019, acesso pela RTOnline.

[12] A concepção tradicional do regime de nulidades dos atos administrativos no Brasil, para Marçal, foi fortemente influenciada pela posição doutrinária de Hely Lopes Meirelles, que professava que a invalidade dos atos administrativos deveria retroagir às origens do ato e invalidar por completo suas consequências, passadas e futuras, de forma que o ato não produzisse efeitos nem admitisse convalidação. JUSTEN FILHO, Marçal. Teoria das nulidades do Direito Administrativo. *In: Revista dos Tribunais*, vol. 1000, p. 73-84, 2019, acesso pela RTOnline. No texto, menção é feita à última edição do "Direito Administrativo brasileiro", redigida por Hely Lopes Meirelles (ou seja, sem atualização por outro autor): MEIRELLES, Hely Lopes. *Direito administrativo brasileiro*. 16. ed. atual. pela Constituição de 1988. 2. tir. São Paulo: Revista dos Tribunais, 1991.

[13] JUSTEN FILHO, Marçal. Teoria das nulidades do Direito Administrativo. *In: Revista dos Tribunais*, vol. 1000, p. 73-84, 2019, acesso pela RTOnline.

[14] JUSTEN FILHO, Marçal. Teoria das nulidades do Direito Administrativo. *In: Revista dos Tribunais*, vol. 1000, p. 73-84, 2019, acesso pela RTOnline.

[15] JUSTEN FILHO, Marçal. Art. 20 da LINDB Dever de transparência, concretude e proporcionalidade nas decisões públicas. *In: Revista de Direito Administrativo*. Rio de Janeiro, edição especial, p. 13-41, nov. 2018, p. 33.

na jurisprudência, na doutrina e na legislação extravagante que colocam em dúvida o rigor na aplicação da rigidez legal. Ainda na vigência do artigo 59 da Lei nº 8.666, já havia decisões judiciais e dos Tribunais de Contas que flexibilizavam a sua aplicação.[16] Na doutrina, merece especial destaque a posição de Almiro do Couto e Silva, que desenvolveu pensamento crítico à luz da tutela da confiança, por ele instrumentalizada pelo "princípio da segurança jurídica" e defendeu que fosse considerada na equação sobre o controle de atos administrativos.[17] Na legislação extravagante, exemplos que se afastavam do regime legal mais rígido já se viam presentes.[18]

No que toca ao regime legal geral, a rigidez do texto legal começou a ser alterada em 2018, que marca o segundo momento de parada deste apanhado histórico-descritivo.

1.2 A alteração na LINDB

Em 2018 foi promulgada a Lei nº 13.655/2018 (Lei nº 13.655), que inseriu "disposições sobre segurança jurídica e eficiência na criação e na aplicação do direito público" no Decreto-Lei nº 4.657/1942 (Lei de Introdução às Normas do Direito Brasileiro, doravante, LINDB).

No que diz respeito ao tema das nulidades, releva considerar duas alterações promovidas na LINDB que são tidas por Marçal como marcantes ao regime das invalidades.[19]

A primeira alteração relevante diz respeito à proibição de decisão, administrativa ou judicial, com base em valores jurídicos abstratos e sem a consideração das consequências práticas da decisão. É o que impõe o artigo 20 da LINDB:

> Art. 20. Nas esferas administrativa, controladora e judicial, não se decidirá com base em valores jurídicos abstratos sem que sejam consideradas as consequências práticas da decisão.
>
> Parágrafo único. A motivação demonstrará a necessidade e a adequação da medida imposta ou da invalidação de ato, contrato, ajuste, processo ou norma administrativa, inclusive em face das possíveis alternativas.

O objetivo da inserção da regra, de acordo com Marçal, foi a redução do subjetivismo e da superficialidade de decisões, o que impõe a avaliação do caso concreto e de alternativas possíveis, à luz do princípio da proporcionalidade.[20]

---

[16] Marçal refere a decisões que, em certa medida, flexibilizaram o dever de anulação sob a égide da Lei nº 8.666 (JUSTEN FILHO, Marçal. *Comentários à Lei de Licitações e Contratações Administrativas*: Lei 8.666/1993. 17. ed. rev. e ampl. São Paulo: Thomson Reuters Brasil, 2016, p. 1547).

[17] Vide, dentre outros, COUTO E SILVA, Almiro. O princípio da segurança jurídica (proteção à confiança) no direito público brasileiro e o direito da administração pública de anular seus próprios atos administrativos: o prazo decadencial do art. 54 da lei do processo administrativo da união (Lei nº 9.784/99). In: *Revista de Direito Administrativo*, Rio de Janeiro, vol. 237, p. 271-316, 2004.

[18] Carlos Ari Sundfeld refere a alguns exemplos legislativos no âmbito da regulação do processo administrativo, dentre os quais a LPAF (Lei nº 9.784/99). SUNDFELD, Carlos Ari. *Direito Administrativo*: o novo olhar da LINDB. Belo Horizonte: Fórum, 2022, p. 78 e 79.

[19] JUSTEN FILHO, Marçal. Art. 20 da LINDB. Dever de transparência, concretude e proporcionalidade nas decisões públicas. In: *Revista de Direito Administrativo*, Rio de Janeiro, edição especial, p. 13-41, nov. 2018, p. 33.

[20] JUSTEN FILHO, Marçal. Art. 20 da LINDB. Dever de transparência, concretude e proporcionalidade nas decisões públicas. In: *Revista de Direito Administrativo*, Rio de Janeiro, edição especial, p. 13-41, nov. 2018, p. 15. Na doutrina, colhe-se que a norma visa à redução da discricionariedade, sem com isso interditar o debate

No que mais de perto importa ao tema deste texto, o parágrafo único do artigo 21 da LINDB faz menção expressa à decisão pela invalidação e à necessidade de análise das "possíveis alternativas", o que em si carrega a admissão de que a decretação de invalidade, com seus efeitos *ex tunc*, não deva mais ser vista como cogente.[21] Afinal, ou há cogência, ou há alternativa, não podendo haver cogência e alternativa ao mesmo tempo.

A segunda alteração refere textualmente à decisão de invalidação de atos, contratos, processos ou normas administrativas. Conforme dispõe o artigo 21 da LINDB, a decretação de invalidade deverá indicar as consequências jurídicas e administrativas da invalidação. A regra é destinada às "esferas administrativa, controladora ou judicial":

> Art. 21. A decisão que, nas esferas administrativa, controladora ou judicial, decretar a invalidação de ato, contrato, ajuste, processo ou norma administrativa deverá indicar de modo expresso suas consequências jurídicas e administrativas.
>
> Parágrafo único. A decisão a que se refere o caput deste artigo deverá, quando for o caso, indicar as condições para que a regularização ocorra de modo proporcional e equânime e sem prejuízo aos interesses gerais, não se podendo impor aos sujeitos atingidos ônus ou perdas que, em função das peculiaridades do caso, sejam anormais ou excessivos.

Conforme o *caput* do dispositivo, a decisão pela decretação da invalidade deverá "indicar de modo expresso suas consequências jurídicas e administrativas".

Uma leitura literal do texto pode levar a crer que as consequências a indicar seriam apenas aquelas que decorrem da decretação como, por exemplo, a identificação precisa de como se deve dar a construção da relação jurídica de restituição, quando o efeito restituitório for cabível. Tal exigência não seria de menor relevância e impacto prático, diga-se, pois a concretização da desconstituição de negócios jurídicos não raro suscita dúvidas para as quais o emprego de afirmações genéricas, como a simples "determinação do retorno das partes ao estado anterior", não confere resposta adequada.[22]

Não parece, contudo, que essa interpretação seja exauriente do regime jurídico que decorre do atual texto da LINDB. Na doutrina publicista, reconhece-se que ele é integrado por outras duas regras de procedimento: pela imposição da necessidade de uma análise consequencialista da decisão pela invalidação (que se opera *ex ante*, ou seja,

---

legítimo (Cf. MEERHOLZ, André Leonardo. Interpretação e realidade – consequencialismo, proporcionalidade e motivação. O que se pretende com a previsão do caput do art. 20 da LINDB? In: CUNHA FILHO, Alexandre Jorge Carneiro da; ISSA, Rafael Hamze; SCHWIND, Rafael Wallbach. *Lei de Introdução às Normas do Direito brasileiro* – anotada. Vol. II. São Paulo: Quartier Latin, 2019, p. 70-71).

[21] A inovação constante do dispositivo é explicada por Ruy Camilo nos seguintes termos: "o parágrafo único do artigo 20 traz norma inovadora quanto à estrutura e conteúdo da motivação do ato: passa a ser mandatória a demonstração da proporcionalidade da decisão. De fato, o dispositivo é verdadeira paráfrase do conteúdo doutrinariamente assentado para o princípio da proporcionalidade, em suas múltiplas dimensões: a adequação entre meios e fins, a necessidade e a inexistência de alternativas menos lesivas" (CAMILO JR., Ruy Pereira. Nem xamãs nem pitonistas: consequencialismo e rigor técnico. Um comentário ao artigo 20, da LINDB, acrescido pela Lei n. 13.665/2018. In: CUNHA FILHO, Alexandre Jorge Carneiro da; ISSA, Rafael Hamze; SCHWIND, Rafael Wallbach. *Lei de Introdução às Normas do Direito brasileiro* – anotada. Vol. II. São Paulo: Quartier Latin, 2019, p. 86).

[22] Para uma análise dos desafios envolvendo o conteúdo da restituição, seja consentido remeter a STEINER, Renata. 80. Invalidade do contrato: efeitos desconstitutivo e restituitório. In: STEINER, Renata C. TERRA, Aline de Miranda Valverde. GUEDES, Gisela Sampaio da Cruz. (coord.). *AGIRE | Direito Privado em Ação*. Edições 1 a 100. Rio de Janeiro: Processo, 2024. p. 535-541.

é pressuposto da decisão pela invalidação) e como reconhecimento legal da possibilidade de determinar medidas para regularização de negócio nulo. Explica-se.

A análise consequencialista impõe que a própria decisão pela invalidade seja precedida da análise das alternativas possíveis à sua decretação, em conformidade com o quanto advém da leitura do artigo 20 da LINDB.[23] Já a possibilidade de modulação de efeitos – ou seja, de ditar as consequências da decisão que pela decretação de invalidade – abre ao aplicador o dever de especificar *in concreto* o regime aplicável para a sanação, se for o caso, daquela determinada irregularidade.[24]

Essas visões encontram respaldo na doutrina de Marçal Justen Filho, como se infere dos seguintes excertos:

> Era usual a prática de promover a invalidação do contrato administrativo sem determinar, de modo preciso, a extensão dos efeitos da decisão. Tomava-se em vista a existência de defeitos, reputados como suficientemente graves para produzir a invalidação. Mas não havia a especificação da solução prática a ser adotada relativamente à situação fática existente.[25]
>
> ***
>
> Foi proscrita a alternativa de decretar a invalidade de um ato administrativo sem tomar em vista as consequências concretas advindas dessa decisão. Mais do que isso, o art. 21 estabelece que incumbe à decisão de invalidação estabelecer concretamente a sua própria extensão, indicando concretamente os efeitos jurídicos que serão produzidos. Viola o Direito a decisão que decretar a invalidade sem considerar as consequências concretas da decisão (art. 20). Muito relevante é o disposto no parágrafo único do art. 21 (...) O dispositivo autoriza a regularização de atos administrativos defeituosos, por mais graves que sejam os defeitos verificados.[26]

Em síntese, conforme Marçal Justen Filho, a LINDB promoveu a dissociação entre a nulidade e o necessário desfazimento de efeitos dos atos inválidos, antes tratado no texto legal como um binômio rígido de causa-efeito necessários.[27] A decretação de

---

[23] "O parágrafo único do art. 20 reporta-se a duas questões importantes, quais sejam, a invalidação do elemento (ato, contrato, ajuste, processo, procedimento ou norma) tipo por ilegal ou ilegítimo, que deve ser justificada diante das possíveis alternativas, e a imposição de medidas positivas – obrigações de fazer, se for permitido dizer assim –, que devem ser avaliadas segundo o critério de proporcionalidade/razoabilidade. No primeiro caso (invalidação), *a autoridade decisória terá de explicitar se haveria (ou não) alternativa melhor que a invalidade*, o que parece mais se ligar às decisões dos Tribunais de Contas e de agentes administrativos pertencentes à cúpula do que a outros agentes públicos" (GRAMSTRUP, Erik F. Art. 20. In: GRAMSTRUP, Erik F; RAMOS, André C. *Comentários à Lei de Introdução às Normas do Direito Brasileiro – LINDB.* São Paulo: Saraiva Educação, 2021, p. 360. Acesso pela plataforma "Minha Biblioteca").

[24] É o que se infere de Carlos Ari Sunfeld, quando ensina que: "em segundo lugar, se o controlador concluir que é o caso de invalidação, terá que, a seguir, resolver sobre o seu grau, isto é, sobre as consequências que dela advirão" (SUNDFELD, Carlos Ari. *Direito Administrativo: o novo olhar da LINDB.* Belo Horizonte: Fórum, 2022, p. 80).

[25] JUSTEN FILHO, Marçal. *Comentários à Lei de Licitações e Contratações Administrativas:* Lei 14.133/2021. São Paulo: Thomson Reuters Brasil, 2021, p. 1546.

[26] JUSTEN FILHO, Marçal. Teoria das nulidades do Direito Administrativo. In: *Revista dos Tribunais.* Vol. 1000/2019, p. 73-84, Acesso pela RTOnline.

[27] Nas palavras de Marçal, foi "(...) promovida a dissociação entre as figuras da nulidade e do desfazimento dos efeitos do ato inválido, que eram até então indissociáveis" (JUSTEN FILHO, Marçal. *Comentários à Lei de Licitações e Contratações Administrativas:* Lei 14.133/2021. São Paulo: Thomson Reuters Brasil, 2021, p. 1543).

invalidade e a aplicação da desconstituição de efeitos que lhe segue passaram a depender da ponderação *in concreto* sobre a adequação da aplicação deste remédio.[28]

A tendência que flexibiliza a decretação de invalidade ganhou ainda mais robustez com a edição da nova lei de licitações, terceiro e último ponto de parada deste histórico.

A moldura legal na Lei nº 14.133/2021

Na Lei nº 14.133, o regime das invalidades, antes tratado no sucinto artigo 59 da Lei nº 8.666, vem agora regulado em um capítulo específico, do qual destacam-se o artigo 147, que dispõe sobre os critérios para a decisão pela decretação de invalidade, e o artigo 148, que trata dos efeitos que se seguem caso a solução mais adequada seja mesmo a invalidação.

Seguindo o que já fora iniciado com a alteração da LINDB, o artigo 147 da nova Lei de Licitações acolheu a regra de que a invalidação somente deverá ser decretada se, ponderados os interesses em jogo, a solução pela invalidade e pela desconstituição de efeitos mostrar-se mais eficiente e adequada. Eis a redação do dispositivo:

> Art. 147. Constatada irregularidade no procedimento licitatório ou na execução contratual, caso não seja possível o saneamento, a decisão sobre a suspensão da execução ou sobre a declaração de nulidade do contrato somente será adotada na hipótese em que se revelar medida de interesse público, com avaliação, entre outros, dos seguintes aspectos:
>
> (*omissis*)
>
> Parágrafo único. Caso a paralisação ou anulação não se revele medida de interesse público, o poder público deverá optar pela continuidade do contrato e pela solução da irregularidade por meio de indenização por perdas e danos, sem prejuízo da apuração de responsabilidade e da aplicação de penalidades cabíveis.

Conforme Marçal Justen Filho, a regra impõe à Administração Pública que promova uma espécie de "estudo de impacto invalidatório".[29] Os critérios exemplificativos que deverão pautar este estudo estão previstos nos incisos do artigo 147 e são abrangentes de questões econômicas (internas e externas), sociais, ambientais, defeitos e correção de problemas. Em comparação com a redação do artigo 21 da LINDB, o comando do artigo 147 é muito mais detalhado, pois não remete apenas à indicação de consequências, mas dispõe sobre os critérios a considerar na avaliação da decisão pela decretação de invalidade.

Essa análise, para Marçal, é pautada pela avaliação de prejuízo: "o exame objetivo deve conduzir a uma precificação econômica e à avaliação das implicações sociais e ambientais. Em muitos casos, a dimensão dos custos e prejuízos gerados pela invalidação

---

[28] "Cabe apurar se a pronúncia do vício e a invalidação dos seus efeitos é a solução mais adequada para recompor a ordem jurídica violada." (JUSTEN FILHO, Marçal. *Comentários à Lei de Licitações e Contratações Administrativas*: Lei 14.133/2021. São Paulo: Thomson Reuters Brasil, 2021, p. 1543).

[29] "O art. 147 impôs à Administração promover uma espécie de Estudo de Impacto Invalidatório. Exige-se que a Administração formule uma estimativa sobre os efeitos que podem ser previstos em decorrência da invalidação da licitação e da suspensão da execução do contrato administrativo" (JUSTEN FILHO, Marçal. *Comentários à Lei de Licitações e Contratações Administrativas*: Lei 14.133/2021. São Paulo: Thomson Reuters Brasil, 2021, p. 1548).

é suficiente para a impor a preservação da contratação".[30] E, de fato, nosso homenageado afirma ter sido adotado o critério da proporcionalidade, regido pelo "princípio do prejuízo": "vale dizer, aplica-se o princípio da proporcionalidade, para identificar a solução menos onerosa para os interesses fundamentais", em orientação guiada pelos artigos 20 e 21 LINDB, antes apresentados.[31]

Não há, portanto, uma "discricionariedade em sentido amplo":[32] a escolha entre decretar a invalidade e não decretar a invalidade é informada pelo critério da menor onerosidade (a ser entendida em termos amplos, abrangente não só de consequências pecuniárias).

Na sequência, o artigo 148 da Lei nº 14.133 elucida as consequências aplicáveis à invalidade, uma vez que tenha sido decretada, nos seguintes termos:

> Art. 148. A declaração de nulidade do contrato administrativo requererá análise prévia do interesse público envolvido, na forma do art. 147 desta Lei, e operará retroativamente, impedindo os efeitos jurídicos que o contrato deveria produzir ordinariamente e desconstituindo os já produzidos.
>
> §1º Caso não seja possível o retorno à situação fática anterior, a nulidade será resolvida pela indenização por perdas e danos, sem prejuízo da apuração de responsabilidade e aplicação das penalidades cabíveis.
>
> §2º Ao declarar a nulidade do contrato, a autoridade, com vistas à continuidade da atividade administrativa, poderá decidir que ela só tenha eficácia em momento futuro, suficiente para efetuar nova contratação, por prazo de até 6 (seis) meses, prorrogável uma única vez.

Tais consequências, como se vê, são coincidentes com os efeitos tradicionalmente decorrentes da nulidade: a operação de efeitos retroativos, com a desconstituição dos efeitos já produzidos e o apagamento da produção de efeitos futuros. No caso específico em que a restituição não seja possível *in natura*, ela deve ser realizada pelo equivalente pecuniário.[33] Nos termos do §2º do artigo 148, admite-se a modulação do início da produção do efeito da pronúncia de nulidade "com vistas à continuidade da atividade administrativa".

---

[30] JUSTEN FILHO, Marçal. *Comentários à Lei de Licitações e Contratações Administrativas*: Lei 14.133/2021. São Paulo: Thomson Reuters Brasil, 2021, p. 1549.

[31] JUSTEN FILHO, Marçal. *Comentários à Lei de Licitações e Contratações Administrativas*: Lei 14.133/2021. São Paulo: Thomson Reuters Brasil, 2021, p. 1544.

[32] "Portanto, não se defende a existência de uma discricionariedade em sentido amplo. Há uma alternativa que se configura como regra geral e uma exceção, fundada na avaliação dos efeitos danosos derivados." (JUSTEN FILHO, Marçal. *Comentários à Lei de Licitações e Contratações Administrativas*: Lei 14.133/2021. São Paulo: Thomson Reuters Brasil, 2021, p. 1543).

[33] Apesar de a redação do §1º do artigo 148 da Lei nº 14.133 referir-se à "indenização por perdas e danos", é entendimento da autora que de indenização não se trata, mas, antes, de restituição pelo equivalente: "a bem da verdade, porém, não há indenização pelo equivalente (como se infere da leitura literal do art. 182 CC) nem indenização por perdas e danos (como se infere da leitura literal do §1º do art. 148 da Lei 14.133/2021) naquelas situações em que a restituição *in natura* é substituída por restituição em pecúnia: a restituição não depende, não pressupõe e não se confunde com a ocorrência de dano" (STEINER, Renata. 80. Invalidade do contrato: efeitos desconstitutivo e restituitório. In: STEINER, Renata C.; TERRA, Aline de Miranda Valverde; GUEDES, Gisela Sampaio da Cruz (coord.). *AGIRE | Direito Privado em Ação*. Edições 1 a 100. Rio de Janeiro: Processo, 2024. p. 539).

Na visão de Marçal Justen Filho, o regime da decretação de nulidade é, hoje, graduado em dois níveis. Permanece vigente o que se pode designar como regime-regra (em que a invalidação será pronunciada e levará à desconstituição de efeitos), ao lado do regime-exceção (em que a invalidação não será pronunciada ou serão modulados seus efeitos, especialmente pela postergação da desconstituição do negócio jurídico prevista no §2º do artigo 148).[34] Seja a essa autora consentido, porém, colocar em debate se o regime-regra é mesmo o da invalidação ou da conservação, colocando-se aquela como *ultima ratio*.[35]

A ausência de invalidação, na hipótese de aplicação do regime-exceção, tampouco significa que nenhum regime consequencial será aplicado contra a irregularidade, que deverá ser sanada.[36] No mais das vezes, o afastamento da nulidade levará à aplicação do remédio indenizatório,[37] mas também deve comportar a sanação dos vícios materiais e formais e a responsabilidade do agente público, quando cabível.[38]

Parte II – O regime das nulidades contratuais no Direito Privado
2.1 A moldura legal no Código Civil de 1916

No Código Civil de 1916, o regime legal das nulidades dos atos jurídicos estava compreendido fundamentalmente nos artigos 146 e 153.

O artigo 146, que dispunha sobre a legitimidade (ampla) para alegação da nulidade, sobre o dever de seu reconhecimento pelo juiz (quando se encontrasse provada) e sobre a impossibilidade de sua superação (mesmo se assim fosse a vontade das partes):

> Art. 146. As nulidades do artigo antecedente podem ser alegadas por qualquer interessado, ou pelo Ministério Público, quando lhe couber intervir.
>
> Parágrafo único. Devem ser pronunciadas pelo juiz, quando conhecer do ato ou dos seus efeitos e as encontrar provadas, não lhe sendo permitido supri-las, ainda a requerimento das partes.

---

[34] JUSTEN FILHO, Marçal. *Comentários à Lei de Licitações e Contratações Administrativas*: Lei 14.133/2021. São Paulo: Thomson Reuters Brasil, 2021, p. 1542-1543.

[35] Em sentido contrário ao do nosso homenageado, Floriano de Azevedo Marques Neto e Natalia de Sousa da Silva defendem que "(...) a principal inovação da NLCP, quando comparada à LINDB, é a previsão de que a anulação dos contratos administrativos é medida excepcional" (MARQUES NETO, Floriano de Azevedo; SILVA, Natalia de Sousa. O regime de nulidades dos contratos administrativos na Lei nº 14.133/21. In: GUERRA, Alexandre de Mello; VILLEN, Antonio Carlos (coord.). *Direito Público contemporâneo* – A nova LINDB e as novas leis de Licitações e Contratos Administrativos e de Improbidade Administrativa. São Paulo: Escola Paulista da Magistratura, 2023, p. 350).

[36] "Em tal hipótese, será indispensável promover o saneamento de todas as irregularidades formais e jurídicas" (JUSTEN FILHO, Marçal. *Comentários à Lei de Licitações e Contratações Administrativas*: Lei 14.133/2021. São Paulo: Thomson Reuters Brasil, 2021, p. 1549).

[37] A doutrina publicista refere a uma "cláusula geral de ressarcimento" em razão da invalidade, aplicável quando a causa da nulidade for imputável à Administração Pública (REISDORFER, Guilherme F. Dias. *Responsabilidade pré-contratual do Estado*. Belo Horizonte: Fórum, 2024, p. 91).

[38] "Isso poderá resultar na preservação da validade do contrato (embora eivado de inquestionáveis defeitos), mas a aplicação de medidas compensatórias destinadas a eliminar vantagens ou benefícios indevidos (art. 27 da LINDB)" (JUSTEN FILHO, Marçal. *Comentários à Lei de Licitações e Contratações Administrativas*: Lei 14.133/2021. São Paulo: Thomson Reuters Brasil, 2021, p. 1546).

O regime da decretação das nulidades é mais bem compreendido quando lido em contraposição com os dispositivos legais que regulavam a anulabilidade. Notadamente, importa considerar as seguintes regras: (a) artigo 148,[39] que permitia, quanto aos atos anuláveis, a ratificação expressa pelas partes; (b) artigo 150,[40] que admitia a ratificação tácita, decorrente do ato de cumprimento de ato com ciência da causa de invalidade; e (c) artigo 152,[41] que impedia o reconhecimento das anulabilidades de ofício e limitava o rol de legitimados que a poderiam alegar, o qual era restrito aos interessados na sua anulação.

A distinção entre os regimes da nulidade e anulabilidade justificava-se, fundamentalmente, a partir da compreensão dos interesses em disputa: enquanto as nulidades diriam respeito a matérias "de ordem pública",[42] as anulabilidades tocariam mais de perto interesses privados.[43]

Já o artigo 153 reconhecia que a nulidade parcial não prejudicaria a parte válida, se separável fosse, e que a nulidade do acessório não importava a do principal:

> Art. 153. A nulidade parcial de um ato não o prejudicará na parte válida, se esta for separável. A nulidade da obrigação principal implica a das obrigações acessórias, mas a destas não induz a da obrigação principal.

Tratava-se de hipótese legal, de cunho geral, que concretizava uma das figuras decorrentes do princípio da conservação de negócios jurídicos.

A menção expressa apenas à conservação por via da nulidade parcial não impediu, entretanto, que a doutrina contemporânea ao Código Civil de 1916 defendesse a aplicação do mesmo princípio para soluções diversas, *a latere* da lei então vigente[44] ou mesmo a existência de um princípio mais amplo de conservação, que se refletiria nos planos da existência, da validade e da eficácia do negócio jurídico.[45]

---

[39] Código Civil de 1916. Art. 148. O ato anulável pode ser ratificado pelas partes, salvo direito de terceiro. A ratificação retroage à data do ato.

[40] Código Civil de 1916. Art. 150. É escusada a ratificação expressa, quando a obrigação já foi cumprida em parte pelo devedor, ciente do vício que a inquinava.

[41] Código Civil de 1916. Art. 152. As nulidades do art. 147 não têm efeito antes de julgadas por sentença, nem se pronunciam de ofício. Só os interessados as podem alegar, e aproveitam exclusivamente aos que as alegarem, salvo o caso de solidariedade, ou indivisibilidade.

[42] Note-se, porém, o alerta de Marcos Bernardes de Mello: "A expressão ordem pública, no que respeita à invalidade, não tem o sentido restrito empregado no direito público. Aqui quer designar o interesse protegido por normas jurídicas cogentes, impositivas ou proibitivas, que se impõem a todos indistintamente, interessando, por isso, ao direito como um todo. O emprego dessa expressão relacionada à nulidade não quer dizer que nos casos de anulabilidade também não haja interesse da ordem pública, isto porque a invalidade em si, em qualquer de seus graus e espécies, constitui instrumento utilizado pelo direito para escoimar de seu mundo atos ilícitos, portanto, a ele contrários, de modo a tornar possível a integridade do sistema jurídico" (MELLO, Marcos Bernardes de. *Teoria do Fato Jurídico* – Plano da Validade. 16. ed. São Paulo: SaraivaJur, 2022, p. 140. Acesso pela plataforma "Minha Biblioteca").

[43] A distinção é recorrente. A título exemplificativo, cita-se a lição de Orlando Gomes: "a nulidade é sanção que se comina a quem viola preceito de ordem pública ou simplesmente coativo, mas, neste último caso, quando tutela interesse de ordem geral. A anulabilidade, contra quem transgride norma ditada no propósito de proteger o outro contratante, seja porque não tem completa aptidão para celebrar o contrato, seja porque não manifestou livremente o consentimento" (GOMES, Orlando. *Contratos*. 28. ed. Rio de Janeiro: Forense, 2022, p. 224. Acesso pela plataforma "Minha Biblioteca").

[44] Vide, por todos, DEL NERO, João Alberto Schützer. *Conversão substancial do negócio jurídico*. Rio de Janeiro: Renovar, 2001.

[45] AZEVEDO, Antônio Junqueira de. *Negócio jurídico: existência, validade e eficácia*. 4. ed. São Paulo: Saraiva, 2002, p. 66-71.

2.2 A moldura legal no Código Civil de 2002

Foram poucas e pontuais as alterações promovidas pelo Código Civil de 2002 no regime legal das nulidades. Para além da adoção da figura do negócio jurídico em substituição àquela do ato jurídico[46] como paradigma, destaca-se a inclusão de regra expressa sobre o não convalescimento da nulidade: "Art. 169. O negócio jurídico nulo não é suscetível de confirmação, nem convalesce pelo decurso do tempo".

A inviabilidade de confirmação e convalescimento da nulidade tornou-se expressa somente com o Código Civil de 2002, pois inexistia dispositivo análogo no Código Civil de 1916. Apesar disso, Eduardo Nunes de Souza ensina que o artigo 168 não teve êxito em pacificar a controvérsia sobre o tema, que se ergueu ainda sob a égide do revogado Código Civil.[47] De forma imprópria, na medida em que a nulidade não está sujeita à prescrição, é frequente que a regra seja referida como fundamento da "imprescritibilidade"[48] das nulidades dos negócios jurídicos e permanece sendo debatido se tal "imprescritibilidade" atingiria o reconhecimento da nulidade ou a desconstituição de efeitos que dela decorrem.[49]

Não é impróprio, por sua vez, afirmar que o negócio jurídico nulo pode produzir efeitos, o que, à partida, pode soar como uma contradição ao regime jurídico legal.

Como já se teve oportunidade de afirmar, é somente por excesso de abstração – o que se encontra em doutrina da mais alta qualidade, é verdade[50] – que se poderia defender que negócios nulos não produzem efeitos ou que tais efeitos são meramente aparentes e que, portanto, nada haveria a desconstituir.[51] Ao contrário, "os casos de efeitos de atos nulos são muitos, particularmente quando se consideram também os efeitos que não foram originalmente pretendidos pelas partes".[52] Mas não só: negócios nulos podem ter produzidos efeitos e, não raro, podem continuar a produzir efeitos a despeito da nulidade.

---

[46] A posição do Código Civil de 1916 pela adoção da figura central do ato jurídico afastava-se da posição germânica, centrada no negócio jurídico. O tratamento do tema nessa sede fugiria ao escopo do trabalho. Para críticas à posição alemã, vide RÁO, Vicente. *Ato jurídico*. 3. ed. São Paulo: Saraiva, 1981, em especial, p. 33-41.

[47] SOUZA, Eduardo Nunes. *Teoria geral das invalidades do negócio jurídico*. Nulidade e anulabilidade no Direito Civil contemporâneo. São Paulo: Almedina, 2017, p. 207.

[48] "Ao dizer que o negócio jurídico nulo não convalesce pelo decurso do tempo, o Código (art. 169) seguiu a doutrina tradicional que tem sustentado que, além de insanável, a nulidade é imprescritível, o que daria em que, por maior que fosse o tempo decorrido, sempre seria possível atacar o negócio jurídico" (PEREIRA, Caio Mário da Silva. *Instituições de direito civil*: introdução ao direito civil: teoria geral de direito civil. 34. ed. Rio de Janeiro: Forense, 2022, p. 541, acesso pela plataforma "Minha Biblioteca"). O autor, diga-se, é crítico à "imprescritibilidade" das nulidades.

[49] Remete-se, para além das referências constantes da obra de Eduardo Nunes de Souza, também aos argumentos constantes em CARVALHO SANTOS, J. M. *Código Civil brasileiro interpretado*. Volume III. Parte Geral. 2. ed. Rio de Janeiro: Freitas Bastos, 1937, p. 255-256. Sobre o tema, vide Enunciado nº 536 aprovado na VI Jornadas de Direito Civil: "resultando do negócio jurídico nulo consequências patrimoniais capazes de ensejar pretensões, é possível, quanto a estas, a incidência da prescrição" (aprovado na VI Jornada de Direito Civil".

[50] Nesse sentido, Marcos Bernardes de Mello afirma que "quanto aos 'efeitos' do negócio jurídico nulo, sendo apenas aparentes, não é preciso desconstituí-los, porque não existem e quando existem (eficácia putativa) são definitivos" (MELLO, Marcos Bernardes de. *Teoria do fato jurídico*: plano da validade. 16. ed. São Paulo: SaraivaJur, 2022, p. 106).

[51] STEINER, Renata C.; TERRA, Aline de Miranda Valverde; GUEDES, Gisela Sampaio da Cruz. (coord.). *AGIRE | Direito Privado em Ação*. Edições 1 a 100. Rio de Janeiro: Processo, 2024, p. 536-537.

[52] SOUZA, Eduardo Nunes. *Teoria geral das invalidades do negócio jurídico*. Nulidade e anulabilidade no Direito Civil contemporâneo. São Paulo: Almedina, 2017, p. 260.

O regramento do Código Civil, entretanto, não lida de forma pormenorizada sobre a eficácia do negócio nulo ou a eficácia da decretação da nulidade.

Ao contrário, ele se limita a afirmar, no artigo 182, uma genérica fórmula de restituição ao *status quo*, que pouco auxilia em situações reais e práticas, ao dispor que "anulado o negócio jurídico, restituir-se-ão as partes ao estado em que antes dele se achavam, e, não sendo possível restituí-las, serão indenizadas com o equivalente".[53] A restituição, contudo, não é abrangente de todos os efeitos que possam ter decorrido do negócio nulo, muito menos de todos os efeitos que possam emergir da própria decretação de nulidade.

Em adição à regra do artigo 168, o legislador de 2002 regrou também a possibilidade de conversão substancial do negócio jurídico nulo, hoje admitida no artigo 170:

> Art. 170. Se, porém, o negócio jurídico nulo contiver os requisitos de outro, subsistirá este quando o fim a que visavam as partes permitir supor que o teriam querido, se houvessem previsto a nulidade.

Na doutrina, afirma-se que "a conversão serve para evitar que a atividade negocial deságue no nada, o que ocorreria se o negócio entrasse no mundo exatamente como projetado pelas partes".[54] É, por certo, mais um caso de concretização (legal) do princípio da conservação, dessa vez por operação de qualificação e interpretação.[55]

De resto, o regime legal das nulidades permanece fundamentalmente idêntico àquele previsto no Código Civil de 1916. As nulidades continuam sendo pronunciáveis de ofício e é amplo o rol de legitimados a argui-las (artigo 168[56]) e mantém-se possível a decretação de nulidade parcial ainda que, agora, o artigo 184[57] refira também de forma expressa que a separabilidade deve respeito à vontade das partes.

2.3 Nulidade, produção de efeitos e regras de conservação: há válvulas de escape?

À luz do tratamento legislativo do regime geral das nulidades no Código Civil, não surpreende que a lição em voga em manuais de Direito Civil a propósito do tema

---

[53] "A despeito da redação pouco clara, o disposto no art. 182 CC aplica-se tanto às hipóteses de nulidade quanto àquelas de anulabilidade do negócio jurídico" (STEINER, Renata C.; TERRA, Aline de Miranda Valverde; GUEDES, Gisela Sampaio da Cruz (coord.). *AGIRE | Direito Privado em Ação*. Edições 1 a 100. Rio de Janeiro: Processo, 2024, p. 535). A regra do artigo 148 da Lei nº 14.133 trata do mesmo tema, mas de forma mais elaborada.

[54] ZANETTI, Cristiano de Sousa. *A conservação dos negócios nulos por defeito de forma*. São Paulo: Quartier Latin, 2013, p. 61.

[55] Para Pontes de Miranda, a referência é ao princípio *da convertibilidade*, "segundo o qual, na determinação das categorias jurídicas, se atende ao mínimo suficiente e, na interpretação da vontade negocial, se lhe salva o máximo possível". Para ele, a conversão "(...) é processo de interpretação e classificação dos atos jurídicos" (PONTES DE MIRANDA, Francisco Cavalcanti. *Tratado de Direito Privado*, Tomo IV. § 3 131 e § 376, p. 139).

[56] Código Civil de 2002. Art. 168. As nulidades dos artigos antecedentes podem ser alegadas por qualquer interessado, ou pelo Ministério Público, quando lhe couber intervir.
Parágrafo único. As nulidades devem ser pronunciadas pelo juiz, quando conhecer do negócio jurídico ou dos seus efeitos e as encontrar provadas, não lhe sendo permitido supri-las, ainda que a requerimento das partes.

[57] Código Civil de 2002. Art. 184. Respeitada a intenção das partes, a invalidade parcial de um negócio jurídico não o prejudicará na parte válida, se esta for separável; a invalidade da obrigação principal implica a das obrigações acessórias, mas a destas não induz a da obrigação principal.

reflita uma posição que se pode designar como "absolutista" em relação à decretação de nulidade: ausentes os requisitos de validade do negócio, a decretação da invalidade seria mandatória, na medida em que o nulo não pode ser sanado.[58]

Mas, verdade seja dita, não é apenas na produção manualística que tal conclusão pode ser encontrada.

Pontes de Miranda, embora não desconhecesse a possibilidade de conservação nem a limitasse à regra sobre a separabilidade disposta textualmente o Código Civil de 1916, afirmava a perenidade da nulidade. De um lado, porque "o ato jurídico nulo é nulo para sempre, ainda que cesse a causa da nulidade: o direito do tempo marca-o",[59] de outro, porque "o nulo é irratificável, como o é o inexistente; ratificação do nulo seria *contradictio in terminis*".[60]

Essas lições, entretanto, devem ser lidas de forma contextualizada. Tanto em manuais como em textos mais especializados, o regime-regra da nulidade é contraposto por exceções que reconhecem, no mínimo, a produção de efeitos do negócio nulo.

O nosso maior tratadista apontava, por exemplo, que a validade do contrato não é exigida para produção de efeitos e que há efeitos possíveis do nulo.[61] E arrematava:

> São raros, porém o direito positivo conhece: negócios jurídicos nulos sanáveis ou ratificáveis; negócios jurídicos nulos de alegação relativa, e não pelo simples interessado; negócios jurídicos nulos cuja nulidade não é decretável de ofício; negócios jurídicos nulos para cuja decretação de nulidade se precisa de "ação" e, por vêzes, de "ação ordinária"; negócios jurídicos nulos a que se fixou prazo preclusivo, ou de prescrição, para ser pedida a decretação da nulidade; negócios jurídicos nulos, mas eficazes no todo ou em parte dos efeitos.[62]

Sendo isso verdade, e agora já na visão da autora e não mais nas palavras de Pontes de Miranda, o Direito há de lidar com tal produção de efeitos do negócio nulo e, não raro, é possível que alguns deles sejam respeitados, mantidos e tolerados a despeito da decretação de invalidade.[63]

Do ponto de vista legislativo, a proteção à eficácia de negócios jurídicos nulos é regulada por um sistema de "válvulas de escape". Em regra, as nulidades devem ser

---

[58] Vide, por todos, manual de grande circulação de Silvio Venosa: "A nulidade é insuprível pelo juiz, de ofício ou a requerimento das partes. O ato ou negócio nulo não pode ser ratificado" (VENOSA, Silvio. *Direito Civil: Parte Geral*. v.1. Rio de Janeiro: Grupo GEN, 2023, p. 459, acesso pela plataforma "Minha Biblioteca").
[59] PONTES DE MIRANDA, Francisco Cavalcanti. *Tratado de Direito Privado*, Tomo IV. § 366, p. 108.
[60] PONTES DE MIRANDA, Francisco Cavalcanti. *Tratado de Direito Privado*, Tomo IV. § 367, p. 110.
[61] Conforme a lição *ponteana*, existir, valer e ser eficaz são inconfundíveis. É possível que, a despeito de inválido, o negócio jurídico produza efeitos e, inclusive, que produza seus efeitos próprios. A própria ordem jurídica protege certos efeitos que decorrem de atos inválidos, como o que se passa com o casamento putativo. Aliás, o exemplo do casamento putativo é referido por Marçal Justen Filho para confirmar a possibilidade de que o nulo produz efeitos. Nesse caso específico, ele afirma que "o valor atribuído ao casamento e a situação dos filhos reporta-se diretamente à dignidade humana de todos os envolvidos e a necessidade de evitar soluções em que a forma do Direito prevaleça sobre valores que se encontram no núcleo da ordem constitucional" (JUSTEN FILHO, Marçal. Teoria das nulidades do Direito Administrativo. In: *Revista dos Tribunais*, vol. 1000, p. 73-84, 2019, acesso pela RTOnline).
[62] PONTES DE MIRANDA, Francisco Cavalcanti. *Tratado de Direito Privado*, Tomo IV. § 360, p. 83.
[63] Nesse sentido, o Enunciado 537 aprovado na VI Jornadas de Direito Civil dispõe que "a previsão contida no art. 169 não impossibilita que, excepcionalmente, negócios jurídicos nulos produzam efeitos a serem preservados quando justificados por interesses merecedores de tutela".

pronunciadas e levarão à desconstituição do negócio jurídico. Entretanto, por via da (re)qualificação ou por via da validade parcial – artigos 170 e 184, respectivamente –, é possível *topicamente* contornar os efeitos da nulidade. Regras, também *tópicas*, são encontradas no tratamento de hipóteses específicas (como o que se passa no casamento putativo, antes referido), mas o estudo pormenorizado de tais soluções específicas escaparia aos limites do texto.

Do ponto de vista doutrinário, encontra-se divergência sobre a possibilidade de superação do sistema de válvulas de escape. Enquanto Marcos Bernardes de Mello defende que a excepcional produção de efeitos do negócio jurídico nulo depende da lei e, portanto, estaria restrita às hipóteses previstas legalmente,[64] de outro lado, há doutrina que defende que os efeitos da nulidade possam ser modulados à luz de outros fundamentos que não aqueles previstos na lei. Destacam-se argumentos pela vedação do benefício à própria torpeza, à tutela de confiança, à proteção a terceiros de boa-fé, à ausência de violação a bem jurídico protegido na norma que impôs a invalidação e à estabilização do negócio jurídico.[65]

É seguro afirmar, em todo caso, que não há mandamento similar àquele que hoje se encontra no Direito Público – que, como visto, impõe uma análise consequencialista *ex ante* como pressuposto da decisão pela invalidação. Ou, em outras palavras, não se tem uma válvula de escape tão ampla como aquela que vigora no âmbito público.

Parte III – Entre cogência e flexibilidade: em busca de um sentido que justifique a orientação diversa no Direito Público e no Direito Privado

Os caminhos legislativos percorridos no Direito Público e no Direito Privado a propósito da cogência ou da flexibilidade da decretação de nulidade, quando ausentes os pressupostos de validade do contrato, são nitidamente divergentes.

O Direito Público reconhece, no sistema instituído pela LINDB e pela Lei nº 14.133, a possibilidade de manutenção de contratos administrativos nulos. Isso se dá quando as consequências da invalidação sejam mais gravosas do que aquelas da manutenção do contrato. A decisão pela decretação de nulidade dependerá da análise *ex ante* das consequências que advirão de tal decretação e somente será justificada se a nulidade não for remédio mais gravoso. É possível impor medidas para sanar irregularidades bem como modular os efeitos da nulidade.

Embora seja de se rechaçar a existência de uma livre escolha pela não decretação da invalidação, já que ela está vinculada à observância a critério, dentre os quais emerge

---

[64] "A excepcionalidade contida na imputação de eficácia ao ato jurídico nulo impõe que as espécies sejam interpretadas restritivamente, admitindo-se a eficácia, apenas, nos estritos limites definidos pela lei. Não é possível, por isso, atribuir-se (a) efeito jurídico a ato jurídico nulo quando a lei não haja explicitamente previsto, (b) nem efeitos outros senão aqueles taxativamente indicados pela lei" (MELLO, Marcos Bernardes de. *Teoria do Fato Jurídico* – Plano da Validade. 16. ed. São Paulo: SaraivaJur, 2022, p. 100. Acesso pela plataforma "Minha Biblioteca").

[65] Os exemplos são retirados dos seguintes autores e obras, às quais se remete: SOUZA, Eduardo Nunes. *Teoria geral das invalidades do negócio jurídico*. Nulidade e anulabilidade no Direito Civil contemporâneo. São Paulo: Almedina, 2017, Capítulo 3; BUNAZAR, Maurício. *A invalidade do negócio jurídico*. 3. ed. São Paulo: Revista dos Tribunais, 2023, Capítulo 3.5 e BDINE JR., Hamid Charaf. *Efeitos do negócio jurídico nulo*. São Paulo: Saraiva, 2010, Capítulo 14.

com maior atenção aquele critério de responsabilidade (ou menor onerosidade), a posição nela refletida é nitidamente de maior *flexibilidade*.

No Direito Privado, ao contrário, presente fundamento para a nulidade, não há propriamente um espaço aberto para deixar de a decretar nem se impõe *ex ante* uma análise consequencialista, como se passa no Direito Público. A conservação de negócios nulos, por sua vez, é permitida *de lege lata* a partir de um sistema de "válvulas de escape", previstos em termos gerais nos artigos 170 e 184 do Código Civil.

Embora seja possível defender maior amplitude de soluções com base no princípio da conservação – em percurso que ocorreu ainda na vigência do Código Civil de 1916 –, tal não vai a ponto de impor que a decretação de invalidade deva ser precedida de uma análise de conveniência e oportunidade. A *cogência* da decretação da invalidade, portanto, permanece como escolha legislativa de cunho geral.

À primeira vista, a adoção de um critério para decretação de invalidade mais flexível no Direito Público, quando em comparação com a solução mais rígida do Direito Privado, pode causar certa estranheza. Dentre outras razões, a estranheza se justifica ante a compreensão sobre os interesses tutelados em cada um dos polos desta *summa divisio* do Direito: enquanto o Direito Privado ocupar-se-ia de "interesses privados, regulando relações entre particulares", governado pela autonomia privada, "inversamente, o Direito Público se ocupa de interesses da sociedade como um todo, interesses públicos, cujo atendimento não é um problema pessoal de quem os esteja a curar, mas um dever jurídico inescusável. Assim não há espaço para a autonomia da vontade, que é substituída pela ideia de junção, de dever de atendimento do interesse público".[66]

Bem sopesada a questão, entretanto, a conclusão mostra-se ligeira. Com base na doutrina de nosso homenageado, foi possível identificar uma possível sistematização das razões de distinção entre ambos os sistemas, agrupados em ao menos três argumentos, que são a seguir apresentados com o seu contraposto "privatístico":

(a) Em *primeiro lugar*, há na atividade administrativa algo que não está presente com a mesma extensão na atividade privada: a presunção de legitimidade. Nas palavras de Marçal, "a atividade administrativa é presumida como legítima. Os atos praticados pelos agentes públicos produzem efeitos jurídicos independentemente da intervenção de outras autoridades estatais. Os particulares submetem-se às determinações decorrentes de atos administrativos".[67] Olhando para o Direito Privado, embora a tutela de confiança também nele exista, não há como negar que a criação de confiança quanto à legitimidade de atos e negócios públicos é mais fortemente justificada no âmbito do Direito Público;

(b) Em *segundo lugar*, o que se mostra mais significativo nas contratações vinculadas à prestação de serviços públicos é de se apontar que a necessidade de prestação do serviço de modo contínuo permanecerá, a despeito de eventual invalidade. Em outras palavras, o contrato administrativo é necessário, ainda que aquele contrato (fruto de determinada licitação, celebrado com

---

[66] BANDEIRA DE MELLO, Celso. *Curso de Direito Administrativo*. 32. ed. São Paulo: Malheiros, 2015, p. 27.
[67] JUSTEN FILHO, Marçal. *Comentários à Lei de Licitações e Contratações Administrativas*: Lei 14.133/2021. São Paulo: Thomson Reuters Brasil, 2021, p. 1552.

determinado sujeito e com determinado conteúdo) possa ser nulo.[68] No Direito Privado, a necessidade de continuidade da contratação (ou de repetição de atos) toca apenas a interesse privados, o que deve entrar na equação sobre os impactos de um regime mais ou menos rígido de nulidades desconstitutivas; e, por fim,

(c) Em *terceiro lugar*, Marçal Justen Filho coloca no cerne da discussão sobre a invalidação de negócios administrativos o reconhecimento de que o Direito Público convive com o princípio norteador da responsabilidade civil do Estado, que tem assento na Constituição Federal de 1988. A afirmação vem explicada, já em seus Comentários ao art. 59 da Lei nº 8.666, a partir da constatação de que os efeitos que decorrem da invalidade de negócio administrativo são mais amplos do que a mera desconstituição *ex tunc* de efeitos produzidos.[69] Dentre outros efeitos, a invalidação pode também levar à responsabilidade civil do Estado, nos casos em que a nulidade lhe seja imputável. Já no Direito Privado, a responsabilidade civil pela invalidação também pode existir, é verdade.[70] Entretanto, quando existente, ela onerará apenas e tão somente o lesante, sujeito privado. A distinção pode ser mais bem compreendida pela alegoria do "dilema do cobertor curto": ao fim do dia, a nulidade e a responsabilidade serão soluções que imporão custos à Administração Pública e, por via de consequência, a toda a sociedade. Talvez esse seja o elemento mais persuasivo em favor de um regime consequencialista. No caso do Direito Privado, por sua vez, há sentido de que soluções tópicas pela conservação previstas na lei fundem-se mais na proteção à autonomia privada da parte lesada (no sentido de que a vontade manifestada pelas partes deve ser respeitada, sempre que isso for possível) do que a partir de um critério de prejuízo-responsabilidade, que é o parâmetro pragmático adotado no Direito Público.

Referências

AZEVEDO, Antônio Junqueira de. *Negócio jurídico*: existência, validade e eficácia. 4. ed. São Paulo: Saraiva, 2002.

BANDEIRA DE MELLO, Celso. *Curso de Direito Administrativo*. 32. ed. São Paulo: Malheiros, 2015.

BDINE JR., Hamid Charaf. *Efeitos do negócio jurídico nulo*. São Paulo: Saraiva, 2010.

BUNAZAR, Maurício. *A invalidade do negócio jurídico*. 3. ed. São Paulo: Revista dos Tribunais, 2023.

---

[68] "Por consequência, é indispensável definir se o contrato, em curso de execução, deverá ser paralisado, tal como as responsabilidades por eventuais pagamentos. É indispensável reconhecer as providências indispensáveis à continuidade da prestação de serviços públicos, quando for o caso" (JUSTEN FILHO, Marçal. *Comentários à Lei de Licitações e Contratações Administrativas*: Lei 14.133/2021. São Paulo: Thomson Reuters Brasil, 2021, p. 1546).

[69] JUSTEN FILHO, Marçal. *Comentários à Lei de Licitações e Contratações Administrativas*: Lei 8.666/1993. 17. ed. rev. e ampl. São Paulo: Thomson Reuters Brasil, 2016, p. 1133.

[70] Ao ver da autora, a responsabilidade pela invalidade qualifica-se como pré-contratual: "se toda invalidade é congênita, a imputação da invalidade a um dos contratantes somente pode se dar em razão de um ato praticado na fase formativa" (STEINER, Renata C. 89. Arbitragem e responsabilidade pré-contratual. *In*: TERRA, Aline de Miranda Valverde; GUEDES, Gisela Sampaio da Cruz; STEINER, Renata C. (coord.). *AGIRE: Direito Privado em Ação*. Rio de Janeiro: Processo, 2024, p. 606-607).

CAMILO JR., Ruy Pereira. Nem xamãs nem pitonistas: consequencialismo e rigor técnico. Um comentário ao artigo 20, da LINDB, acrescido pela Lei n. 13.665/2018. *In:* CUNHA FILHO, Alexandre Jorge Carneiro da; ISSA, Rafael Hamze; SCHWIND, Rafael Wallbach. *Lei de Introdução às Normas do Direito brasileiro* – anotada. Vol. II. São Paulo: Quartier Latin, 2019.

CARVALHO SANTOS, J. M. *Código Civil brasileiro interpretado*. Volume III. Parte Geral. 2. ed. Rio de Janeiro: Freitas Bastos, 1937.

COUTO E SILVA, Almiro. O princípio da segurança jurídica (proteção à confiança) no direito público brasileiro e o direito da administração pública de anular seus próprios atos administrativos: o prazo decadencial do art. 54 da lei do processo administrativo da união (Lei nº 9.784/99). *In: Revista de Direito Administrativo*, Rio de Janeiro, p. 271-316, 2004.

DEL NERO, João Alberto Schützer. *Conversão substancial do negócio jurídico*. Rio de Janeiro: Renovar, 2001.

JUSTEN FILHO, Marçal. Art. 20 da LINDB Dever de transparência, concretude e proporcionalidade nas decisões públicas. *In: Revista de Direito Administrativo*, Rio de Janeiro, Edição Especial, p. 13-41, nov. 2018.

JUSTEN FILHO, Marçal. *Comentários à Lei de Licitações e Contratações Administrativas:* Lei 8.666/1993. 17. ed. São Paulo: Thomson Reuters Brasil, 2016.

JUSTEN FILHO, Marçal. *Comentários à Lei de Licitações e Contratações Administrativas:* Lei 14.133/2021. São Paulo: Thomson Reuters Brasil, 2021.

JUSTEN FILHO, Marçal. *Desconsideração da personalidade societária no direito brasileiro*. São Paulo: Revista dos Tribunais, 1987.

JUSTEN FILHO, Marçal. Teoria das nulidades do Direito Administrativo. *In: Revista dos Tribunais*, vol. 1000, p. 73-84, 2019. Acesso pela RTOnline.

MEERHOLZ, André Leonardo. Interpretação e realidade – consequencialismo, proporcionalidade e motivação. O que se pretende com a previsão do caput do art. 20 da LINDB? *In:* CUNHA FILHO, Alexandre Jorge Carneiro da; ISSA, Rafael Hamze; SCHWIND, Rafael Wallbach. *Lei de Introdução às Normas do Direito brasileiro* – anotada. Vol. II. São Paulo: Quartier Latin, 2019.

MARQUES NETO, Floriano de Azevedo; SILVA, Natalia de Sousa. O regime de nulidades dos contratos administrativos na Lei nº 14.133/21. *In:* GUERRA, Alexandre de Mello; VILLEN, Antonio Carlos (coord.). *Direito Público contemporâneo* – A nova LINDB e as novas leis de Licitações e Contratos Administrativos e de Improbidade Administrativa. São Paulo: Escola Paulista da Magistratura, 2023.

MELLO, Marcos Bernardes de. *Teoria do fato jurídico: plano da validade*. 16. ed. São Paulo: SaraivaJur, 2022.

MOREIRA, Egon Bockmann. Súmula 473: é hora de dizer adeus. *In: Coluna Publicistas Jota*. Disponível em: https://www.jota.info/opiniao-e-analise/colunas/publicistas/sumula-473-e-hora-de-dizer-adeus-01102019. Acesso em: 27 ago. 2024.

PONTES DE MIRANDA, Francisco Cavalcanti. *Tratado de Direito Privado*, Tomo IV. Rio de Janeiro: Borsoi, 1954.

RÁO, Vicente. *Ato jurídico*. 3. ed. São Paulo: Saraiva, 1981.

REISDORFER, Guilherme F. Dias. *Responsabilidade pré-contratual do Estado*. Belo Horizonte: Fórum, 2024.

SOUZA, Eduardo Nunes. *Teoria geral das invalidades do negócio jurídico*. Nulidade e anulabilidade no Direito Civil contemporâneo. São Paulo: Almedina, 2017.

STEINER, Renata C.; KELLER, Mariana Capaverde. A "tríade" paranaense da desconsideração da personalidade jurídica na jurisprudência: Rubens Requião, José Lamartine Corrêa de Oliveira e Marçal Justen Filho. *In:* ADAMEK, Marcelo Vieira von; CONTI, André Nunes (org.). *Desconsideração da personalidade jurídica*: pressupostos – consequências – casuística. São Paulo: Quartier Latin, [no prelo].

STEINER, Renata C. #80. Invalidade do contrato: efeitos desconstitutivo e restituitório. *In:* TERRA, Aline de Miranda Valverde; GUEDES, Gisela Sampaio da Cruz; STEINER, Renata C. (coord.). *AGIRE: Direito Privado em Ação*. Rio de Janeiro: Processo, 2024, p. 535-541.

STEINER, Renata C. #89. Arbitragem e responsabilidade pré-contratual. *In:* TERRA, Aline de Miranda Valverde; GUEDES, Gisela Sampaio da Cruz; STEINER, Renata C. (coord.). *AGIRE: Direito Privado em Ação*. Rio de Janeiro: Processo, 2024, p. 605-612.

SUNDFELD, Carlos Ari. *Direito Administrativo*: o novo olhar da LINDB. Belo Horizonte: Fórum, 2022.

ZANETTI, Cristiano de Sousa. *A conservação dos negócios nulos por defeito de forma*. São Paulo: Quartier Latin, 2013.

Informação bibliográfica deste texto, conforme a NBR 6023:2018 da Associação Brasileira de Normas Técnicas (ABNT):

STEINER, Renata C. Decretação de nulidade do negócio jurídico: diálogo público vs. privado. *In:* JUSTEN, Monica Spezia; PEREIRA, Cesar; JUSTEN NETO, Marçal; JUSTEN, Lucas Spezia (coord.). *Uma visão humanista do Direito*: homenagem ao Professor Marçal Justen Filho. Belo Horizonte: Fórum, 2025. v. 2, p. 663-681. ISBN 978-65-5518-916-2.

COMO E QUANDO SE FORMA O CONTRATO ADMINISTRATIVO

RENATO GERALDO MENDES

1 Introdução

O objetivo do presente estudo é realizar uma análise sobre o processo de contratação pública: sua lógica, sua estrutura e a formação do contrato. Além disso, busca demonstrar que é inadequado afirmar a existência de um contrato verbal quando houve uma licitação válida ou um procedimento regular de dispensa ou de inexigibilidade, mesmo que eventualmente não tenha sido firmado um termo de contrato ou instrumento equivalente. Esse raciocínio aplica-se, conforme entendo, a toda a Administração Pública, inclusive às estatais.

Portanto, ao contrário do que é dito e reafirmado, considerando tal pressuposto, ou seja, a existência de licitação, dispensa ou inexigibilidade regular, não se pode afirmar que houve contrato verbal sob a justificativa de que não foi celebrado o termo de contrato ou instrumento equivalente. Não se deve, por essa razão, considerar inválida a relação jurídica e punir o agente público sob tal pretexto.

A presente abordagem distingue-se claramente da tradição doutrinária e mesmo do entendimento até aqui consolidado no âmbito do Poder Judiciário e nos órgãos de controle. A escolha do tema ora em análise revela-se especialmente significativa, inserindo-se no contexto de uma homenagem a um grande jurista, Marçal Justen Filho, cuja marca é a predisposição para inovar e propor novas perspectivas a respeito do regime jurídico das contratações. No decorrer de sua carreira, ele tem incentivado muitos profissionais a explorar novas ideias e contribuições. Essa é uma das razões que me levaram a retomar esse assunto que acompanha minhas reflexões há algum tempo.

Essa abertura para a inovação é crucial para a evolução do Direito. Por meio de novas interpretações e visões, ampliam-se as perspectivas sobre o processo de interpretação jurídica, permitindo a consolidação de novas possibilidades no âmbito da contratação pública, bem como uma compreensão mais aprofundada de alguns institutos.

O reconhecimento desse movimento inovador é fundamental para a construção de um Direito mais dinâmico e adaptado às complexidades contemporâneas. Assim, esta análise não apenas celebra o legado de um jurista visionário, mas também reforça a importância da contínua renovação do pensamento jurídico.

Como já sinalizado, é importante destacar que esta não é a primeira vez que me debruço sobre o assunto. Anteriormente, em 2013, tive a oportunidade de explorar esta temática[1] e agora, com a plena vigência das Leis nº 14.133/2021 e nº 13.303/2016, retomo essa abordagem com o objetivo de adaptá-la aos novos regimes jurídicos estabelecidos por essas legislações.

A Lei nº 14.133/2021, que substituiu a antiga Lei de Licitações e Contratos, trouxe inovações para o processo de contratação pública no Brasil. Por sua vez, a Lei nº 13.303/2016, conhecida como *Lei das Estatais*, estabelece normas específicas para licitações e contratos no âmbito das empresas públicas e sociedades de economia mista. Revisitar e adaptar a análise anterior a esses novos marcos legais se faz necessário, pois introduzem novas diretrizes que merecem ser consideradas em relação ao tema central desta abordagem.

No texto de 2013, afirmei que a contribuição doutrinária de cada estudioso, independentemente da área, pode ter dois objetivos básicos: (i) concordar com o que já está estabelecido ou (ii) provocar reflexão sobre o que parece estar pacificado, com o propósito de viabilizar ou abrir as portas para o "novo". Naquela ocasião, deixei claro que minha predisposição é quase sempre pela segunda alternativa, pois escrever, no momento de vida em que me encontro, implica poder inovar, repensar e propor soluções novas para velhos problemas, sejam elas teóricas ou práticas. Nunca tive, e não tenho, predisposição para apenas reiterar o que já foi dito.

Assim, é oportuno começar esta reflexão a partir de uma questão central: *em que momento do processo de contratação pública nasce o contrato administrativo?*

A resposta tradicional tem sido apenas uma, com a qual há concordância da doutrina: o contrato nasce com a assinatura do termo de contrato ou instrumento equivalente, não antes desse momento.

Essa é a interpretação já consolidada nos regimes jurídicos anteriores e que agora foi reiterada no art. 95 da Lei nº 14.133/2021. Além disso, com base no §2º do mesmo dispositivo, fica claramente estipulado que o contrato verbal com a Administração é nulo e de nenhum efeito.

Sobre o contrato na condição de negócio jurídico, o que pretendo com este estudo é afirmar e demonstrar que:

I. O contrato nasce efetivamente antes da assinatura do termo de contrato ou instrumento equivalente.

II. É o ato de adjudicação[2] que confere ao negócio que nasce da licitação a condição jurídica contratual, e não necessariamente a assinatura do termo de contrato ou instrumento equivalente.

---

[1] MENDES, Renato Geraldo. A formação do contrato administrativo. *In*: BICALHO, Alécia Paolucci Nogueira; DIAS, Maria Tereza Fonseca (coord.). *Contratações públicas*: estudos em homenagem ao Professor Carlos Pinto Coelho Motta. Belo Horizonte, 2013. p. 101-114.

[2] A ordem que considero adequada para os atos é: homologação e adjudicação, conforme será mais bem explicado neste estudo.

III. A inexistência do termo de contrato ou instrumento equivalente, por exemplo, em um negócio decorrente de licitação, não configura o que se denomina de *contrato verbal*.[3]
IV. O instrumento de contrato a que aludem os arts. 90 e 95 da Lei nº 14.133/2021 pode ser expedido unilateralmente pela Administração, ou seja, não precisa ser assinado pelo contratado como condição de validade. Vale dizer, embora possa ser assinado, isso não é obrigatório, pois a proposta do contratado já está assinada. Assim, bastaria que o edital disciplinasse essa condição, sem necessidade, inclusive, de uma lei dispondo sobre isso, pois a racionalidade própria do regime vigente já permitiria essa prática.
V. O efeito da homologação e da subsequente adjudicação não é criar apenas uma expectativa de direito, conforme vem sendo afirmado em uma só voz, mas sim conferir validade para a relação contratual, cujo nascimento ocorre com o ato de adjudicação ou, se observada a ordem invertida (adjudicação e homologação), prevista no inc. IV do art. 71 da Lei nº 14.133/2021,[4] seria a homologação, ato próprio da autoridade superior.

Antecipadas as conclusões, cabe agora explicar como chegamos a elas e deixar que o leitor avalie se procedem ou não.

2 O acordo de vontades

É amplamente reconhecido por todos os que atuam na área jurídica que o contrato representa um acordo de vontades entre as partes envolvidas.[5] No contexto dos contratos administrativos, essa premissa básica se mantém, porém o processo de formação e o momento exato em que esse acordo de vontades se concretiza apresentam nuances específicas que merecem uma análise detalhada.

Em outras oportunidades,[6] definimos que: *o processo de contratação pública é o conjunto de fases, etapas e atos estruturado de maneira lógica para permitir que a Administração, a partir da identificação de sua necessidade, planeje com precisão a solução adequada (o encargo), dimensionando, alocando e minimizando riscos, e selecione de modo eficiente, por meio de licitação, dispensa ou inexigibilidade, a pessoa capaz de satisfazer plenamente sua necessidade pela melhor relação benefício-preço.*

Assim, o processo de contratação pública é estruturado em três fases distintas, mas estritamente relacionadas: (i) *planejamento*, (ii) *seleção da proposta* e (iii) *contratual*.

A fase de *planejamento* (interna) se destina à identificação da necessidade, à definição do encargo, à análise e redução dos riscos envolvidos na contratação e à definição

---

[3] Tal raciocínio, se observado o rito do art. 72 da Lei nº 14.133/2021, tem aplicação também para a contratação decorrente de dispensa e inexigibilidade.
[4] E nos incisos IX e X do art. 51 da Lei nº 13.303/2016.
[5] JUSTEN FILHO, Marçal. *Comentários à Lei de Licitações e Contratações Administrativas*: Lei 14.133/2021. São Paulo: Thomson Reuters Brasil, 2021, p. 1196.
[6] Nas obras: MENDES, Renato Geraldo. *O regime jurídico da contratação pública*. Curitiba: Zênite, 2008; MENDES, Renato Geraldo. *O processo de contratação pública*: fases, etapas e atos. Curitiba: Zênite, 2012; e, mais recentemente, em: MENDES, Renato Geraldo; MOREIRA, Egon Bockmann. *Inexigibilidade de licitação*: repensando a contratação pública e o dever de licitar. 2. ed. Curitiba: Zênite, 2023.

das regras de disputa – edital. É a mais importante do processo, pois é durante essa fase que toda a contratação é pensada, definida e formalizada. Fundamentalmente, a finalidade do planejamento da contratação é definir o encargo (E). *O encargo expressa a vontade contratual da Administração e é materializado no edital.*

A fase *seleção de proposta* (externa) viabiliza a escolha da melhor proposta e a análise das condições pessoais dos interessados, não necessariamente nessa ordem. É nela que será determinado o preço (P) a ser pago pela obtenção do encargo (E). Sua finalidade precípua é apurar a melhor relação benefício-preço. Em razão das análises realizadas em suas principais etapas (julgamento e habilitação), essa fase também proporciona a redução dos riscos envolvidos na contratação, previamente dimensionados na fase de planejamento. Daí a relação de interdependência entre ambas as fases.

Não é difícil perceber que a vontade da Administração é integralmente manifestada no edital. Tal manifestação de vontade, decorrente do planejamento, é escrita, pois o edital é materializado em um instrumento e assinado por agente competente da Administração, e, se tudo isso não bastasse, é ainda publicado – no Portal Nacional de Compras Públicas (PNCP), na imprensa oficial e, sem que houvesse mais necessidade, também em jornal de grande circulação.

Com a publicidade do edital, a Administração manifesta formal e materialmente a sua vontade para todos os efeitos jurídicos.

Portanto, com o edital, temos a primeira expressão da "vontade" do futuro acordo.

A publicação do edital marca o início da licitação, pois antes dessa etapa não é possível falar em licitação propriamente dita. É importante não confundir o processo de contratação pública com a licitação, uma vez que esta é apenas um dos possíveis procedimentos de uma de suas fases: a externa.

Por outro lado, as propostas apresentadas pelos licitantes durante a licitação são, essencialmente, manifestações formais de suas vontades. Cada proposta representa a intenção do licitante de assumir o encargo especificado no edital, nas condições estipuladas pela Administração. Essas propostas incluem detalhes e informações sobre preços, prazos, métodos de execução e outros aspectos relevantes, refletindo o compromisso dos licitantes em cumprir os termos estabelecidos caso sejam selecionados. Assim, a análise das propostas permite à Administração avaliar qual delas melhor atende ao seu interesse, levando em consideração critérios como preço, qualidade, capacidade técnica e experiência do licitante, entre outros.

De acordo com o procedimento definido em lei, tais propostas devem ser analisadas, julgadas e classificadas conforme o critério de julgamento estabelecido no ato convocatório. Em decorrência dessa análise, as propostas podem ser classificadas ou desclassificadas. A classificação indica que a proposta atendeu às exigências definidas no edital, e a desclassificação implica que ela não atendeu, total ou parcialmente, a essas exigências.

Subsequentemente, as propostas classificadas são ordenadas de acordo com o critério de julgamento definido no edital, resultando na ordem de classificação. A proposta que oferece a melhor relação benefício-preço para a Administração é posicionada em primeiro lugar nessa ordem. Logo, com a definição da ordem de classificação, temos a segunda manifestação de vontade.

Portanto, de um lado temos o edital, que representa a manifestação formal e material da vontade da Administração, e, do outro, a proposta classificada como aquela que proporciona a melhor relação benefício-preço, que representa a vontade do licitante.

A combinação dessas duas vontades é essencial para a formação do contrato administrativo. O edital estabelece os requisitos, as condições e as expectativas da Administração, ao passo que a proposta vencedora demonstra a disposição do licitante em cumprir essas condições de maneira vantajosa. Dessa forma, com a convergência dessas duas manifestações de vontade, temos os elementos necessários para que o negócio jurídico, ou seja, o contrato, possa nascer.

É preciso observar que, na fase externa do processo de contratação pública, em que se realiza a licitação, os agentes públicos envolvidos precisam responder, entre outras, às seguintes perguntas:

I. Quais propostas atendem às exigências fixadas no edital e quais não atendem?
II. Entre as propostas que atendem às exigências do edital, qual assegura a melhor relação benefício-preço para a Administração de acordo com o critério de julgamento definido no instrumento convocatório?
III. Há alguma ilegalidade ou condição jurídica que impeça que o processo seja considerado válido de acordo com a ordem jurídica vigente?
IV. A oportunidade e a conveniência administrativas em relação à necessidade e ao encargo se mantêm?

Essas quatro perguntas devem ser respondidas em qualquer procedimento típico da fase externa, seja licitação, seja contratação direta. As duas primeiras questões (I e II) deverão ser respondidas pelo pregoeiro, pela comissão de licitação ou por quem processa a dispensa ou inexigibilidade. As outras (III e IV) devem ser respondidas pela autoridade competente à qual as primeiras estão vinculadas.[7]

Vamos nos concentrar, portanto, nos itens III e IV.

Após a definição da ordem de classificação, caberá à autoridade competente[8] avaliar a legalidade dos atos e das decisões adotadas durante todo o processo de contratação, mas especialmente os atos que envolvem a fase externa, pois a interna já foi objeto de análise quando da manifestação da Assessoria Jurídica, bem como, em tese, por ocasião da assinatura do edital.

A análise da legalidade consiste em verificar a validade dos atos praticados e sua conformidade com os termos do edital e com as condições estabelecidas na ordem jurídica vigente. Nesse contexto, a palavra *validade* significa adequação e compatibilidade.

Caso se reconheça a existência de um ato ilegal e insanável, caberá à autoridade competente declarar a nulidade do processo, no todo ou em parte.

Se a nulidade for parcial, deverá ser determinada a repetição dos atos contaminados pela ilegalidade. Se a ilegalidade for considerada total, o processo terá de ser refeito integralmente desde o seu início.

Por outro lado, não havendo nenhuma ilegalidade identificada, caberá à autoridade avaliar se a contratação ainda se mantém conveniente e oportuna.

---

[7] Conforme prevê o inc. IV do art. 71 da Lei nº 14.133/2021.
[8] A expressão *autoridade competente* aqui empregada equivale a quem tem poderes para vincular contratualmente a Administração.

Essa análise deve recair, fundamentalmente, sobre duas condições básicas:[9] a necessidade que deflagrou o processo e a solução representada pelo encargo constante do ato convocatório. Se for reconhecido, por exemplo, que não há mais conveniência ou oportunidade na contratação conforme definida no edital, é dever da autoridade revogar o processo, sob o argumento de que não mais interessa a celebração do acordo de vontades.

A revogação deve ser adequadamente justificada e motivada, conforme determina o §2º do art. 71 da Lei nº 14.133/2021.

No entanto, se for reconhecido que o negócio jurídico se mantém conveniente e oportuno, caberá a homologação. Em outras palavras, se não houver ilegalidade e o interesse pelo negócio persistir, restará apenas uma única alternativa: homologar o processo.

Assim, dito de outra forma, se a resposta ao item III for negativa e a resposta ao item IV for positiva, conforme indicado, ou seja, se *não* existe alguma ilegalidade ou condição jurídica que inviabilize a validade do processo conforme a legislação vigente e se as condições de oportunidade e conveniência administrativa em relação à necessidade e aos encargos permanecem adequadas, a homologação do processo é obrigatória. Essa é a lógica própria tanto da Lei nº 14.133/2021 quanto da Lei nº 13.303/2016 (estatais).

Após a homologação, o próximo passo seria a adjudicação. No entanto, essa não é a ordem dos atos definidos no inc. IV do art. 71 da Lei nº 14.133/2021 ou nos incisos IX e X do art. 51 da Lei nº 13.303/2016. Exploraremos essa questão com mais detalhes adiante.

Assim, de acordo com a ordem dos atos que adoto, se o processo foi homologado, a adjudicação é obrigatória, ou seja, não envolve juízo discricionário, mas sim vinculação (obrigatoriedade). O que pode envolver juízo discricionário é a análise da conveniência e oportunidade que antecede a homologação, não o ato de adjudicação, que é uma consequência direta dela.

Portanto, ainda que se argumente que a Administração pode decidir homologar ou não, uma vez homologado, a adjudicação torna-se obrigatória. Na minha visão, e de acordo com a ordem que considero lógica, a Administração não tem a liberdade de escolher se vai adjudicar ou não após a homologação. A adjudicação é um ato vinculado que deve ocorrer a partir do momento em que a homologação é confirmada. A adjudicação só não ocorrerá se o ato de homologação for revisado, o que deve ser devidamente justificado, atendendo aos princípios da legalidade e da motivação.

Portanto, observando-se a ordem descrita, com a adjudicação, a Administração declara e constitui a relação jurídica contratual, ou seja, firma o acordo de vontades, que apenas precisará de eficácia, a qual ocorrerá por meio da publicação na imprensa oficial.

Contudo, a falta de publicidade desse ato não desfaz a condição material que estabelece a relação, pois trata-se de uma condição meramente formal. Repita-se: a publicidade não é uma condição material, mas meramente formal. É preciso não confundir essas questões. O que torna a relação válida, do ponto de vista material, é a homologação e adjudicação, conforme a ordem dos atos adotada.

Com efeito, *é dessa aceitação criteriosa, convencionalmente denominada adjudicação, que nasce o contrato, e não apenas uma mera expectativa de direito ao contrato.*

---

[9] Embora possam existir outras.

A mera expectativa de direito do licitante termina com a adjudicação, e não com a assinatura do termo de contrato.

A lógica adotada não muda pelo fato de eventualmente haver inversão na ordem dos atos de homologação e adjudicação, conforme definido no inc. IV do art. 71 da Lei nº 14.133/2021 ou nos incisos IX e X do art. 51 da Lei nº 13.303/2016. Isto é, ainda que a ordem seja adjudicar primeiro e homologar depois, a relação contratual, do ponto de vista material, nascerá com a homologação, que é o último ato do procedimento de licitação ou da ratificação ou confirmação da dispensa ou inexigibilidade.

Trataremos a seguir da ordem dos atos.

3 Homologação e adjudicação

Na área da contratação pública, é tradicional a discussão sobre a ordem dos atos de homologação e adjudicação. Alguns juristas defendem que a adjudicação deve ocorrer primeiro, seguida pela análise da homologação; outros argumentam que a análise da homologação deve ser realizada primeiro e, se o procedimento for homologado, então procede-se à adjudicação.

Tradicionalmente, a adjudicação é definida como o ato pelo qual a autoridade competente atribui ao licitante vencedor o objeto da licitação, tornando-o beneficiário preferencial da contratação. Segundo essa visão, a adjudicação implica que, caso a Administração venha a contratar, será com o adjudicatário. Isso produz os seguintes efeitos: (i) coloca o adjudicatário em uma posição especial; (ii) impede a contratação de terceiros para o objeto adjudicado, salvo recusa do adjudicatário; e (iii) libera os demais licitantes de seus compromissos.

Assim, a visão tradicional sustenta que a adjudicação confere apenas uma expectativa de direito ao contrato. Se a Administração decidir não contratar, não haverá consequências, pois o direito decorrente da adjudicação é meramente uma expectativa e dependerá da vontade da Administração para se transformar em direito efetivo. Dessa forma, o direito efetivo se concretizará com a assinatura do termo ou instrumento de contrato, não com a adjudicação.

Como visto até aqui, minha visão é outra, pois não entendo que a adjudicação cria uma mera expectativa de direito, mas sim que ela viabiliza a própria relação contratual. Em outras palavras, defendo que o contrato nasce materialmente antes da celebração do termo de contrato ou documento equivalente, isto é, ainda durante a licitação, dispensa ou inexigibilidade, em decorrência do ato conclusivo do procedimento de seleção do parceiro.

Se a finalidade da adjudicação é atribuir ao beneficiário da melhor relação benefício-preço o objeto da licitação, da dispensa ou da inexigibilidade, não parece haver razão para justificar a atribuição do objeto ao vencedor e, em seguida, decidir pelo reconhecimento da existência de ilegalidade no procedimento ou pela sua revogação sob o argumento de que não há mais interesse na contratação. Isso é especialmente relevante porque esses atos são sequenciais e, conforme o inc. IV do art. 71 da Lei nº 14.133/2021 e os incs. IX e X do art. 51 da Lei nº 13.303/2016, devem ser praticados pela mesma autoridade.

No regime anterior, fazia sentido inverter a ordem, pois o ato de adjudicação era tradicionalmente atribuído, em termos práticos, à comissão de licitação ou ao pregoeiro. No entanto, tanto na Lei nº 8.666/1993 quanto na Lei nº 10.520/2002, os atos apareciam ora em uma ordem, ora em outra, criando terreno propício para a proposição de duas linhas de entendimento. A lógica dessas duas linhas era baseada em uma interpretação literal dos textos legais. Contudo, sob o ponto de vista lógico, a homologação deveria preceder a adjudicação, pelo menos essa é nossa opinião. Agora, por um lado, esse equívoco foi corrigido; no entanto, por outro, a ordem dos atos foi mantida, quando deveria ter sido invertida, ou seja, homologação seguida de adjudicação. Houve um descuido do legislador, e isso gera discussões que deveriam ser evitadas.

Falar em *procedimento típico da fase externa* é falar em licitação, dispensa ou inexigibilidade. É necessário observar que, no caso de dispensa e inexigibilidade, não se utiliza o rótulo *adjudicação e homologação*, mas sim, tradicionalmente, o rótulo *ratificação*. Nesse sentido, o ato de ratificação englobaria todo o conteúdo próprio da homologação e adjudicação, ou seja, a análise da legalidade, da conveniência e oportunidade, bem como a aceitação da proposta e do preço proposto pelo parceiro ou agente econômico. Portanto, no caso de dispensa e inexigibilidade, o contrato nasce, para os efeitos legais, com a ratificação ou autorização. A Lei nº 14.133/2021 preferiu usar a palavra *autorização* e abandonou o termo tradicional *ratificação*, o qual já estava consagrado. Trata-se de um típico exemplo de inovação legislativa inadequada.

É importante lembrar que a contratação direta está sujeita a um procedimento estruturado, tal como previsto no art. 72 da Lei nº 14.133/2021 ou delimitado pelos regulamentos das estatais, já que a Lei nº 13.303/2016 foi exageradamente sintética. Portanto, na contratação direta (dispensa e inexigibilidade), também é necessário expedir um ato formal que materialize todas as condições do futuro negócio, ou seja, o encargo. Tal ato pode ser denominado de *convocatório* ou mesmo de *edital* se assim se desejar. Ainda, haverá uma proposta que atenderá às condições materiais e formais, bem como um ato de autorização e aprovação do procedimento. Nesse sentido, licitação e contratação direta se equivalem, ainda que este último procedimento seja mais simplificado.

Portanto, resta dizer que, em todos os procedimentos típicos da fase externa, haverá sempre um ato com o conteúdo de adjudicação, ainda que o nome possa ser outro, como, por exemplo, *ratificação, autorização* ou *confirmação*.

4 O contrato e suas dimensões formal e material

O negócio jurídico (contrato) que nasce com a adjudicação tem dimensões formal e material precisas.

Sob o ponto de vista formal, o acordo de vontades está materializado no edital e na proposta vencedora, ambos documentos que atendem a todas as exigências legais. O edital, assinado pela autoridade competente, vincula juridicamente a Administração como manifestação formal de vontade. Além disso, é publicado em veículos de ampla divulgação, garantindo a devida eficácia.

A proposta, por sua vez, é devidamente formalizada e assinada pela parte interessada, atendendo aos requisitos legais. Portanto, quanto ao aspecto formal, nem mesmo a escritura pública lavrada em cartório por tabelião cumpre mais formalidades do que o edital. Todo o processo é conduzido com a mais ampla transparência e formalização, assegurando a legalidade e a clareza dos atos praticados.

Sob o ponto de vista material, o edital traduz o encargo (E) desejado pela Administração para atender à sua necessidade, e a proposta vencedora expressa o preço (P)[10] desejado pelo particular para cumprir o encargo. Isso define o conteúdo ou núcleo material do contrato, ou seja, o encargo e o preço. Assim, o contrato está constituído tanto do ponto de vista material quanto formal.

O que é o termo ou instrumento de contrato, afinal?

O termo ou instrumento de contrato é o documento que materializa o encargo a ser executado, as condições necessárias e o preço a ser pago, independentemente de isso ocorrer em um único documento ou em dois documentos distintos, mas vinculados entre si.

Se o encargo estiver materializado em um documento e o preço relativo a esse encargo e suas condições estiver instrumentalizado em outro, e se a proposta for aceita pela Administração por meio da adjudicação ou homologação, conforme a ordem adotada, há um contrato sob o ponto de vista jurídico. Portanto, existirá um acordo de vontades.

A única ponderação possível é que esse contrato, como realidade jurídica, ainda não pode ser considerado eficaz por não ter sido conferida sua publicidade, conforme tradicionalmente entendido e exigido. No entanto, não é disso que estamos falando. Estamos falando de existência e de validade. O fato de o encargo e o preço (materializados na proposta do licitante vencedor) estarem formalizados em documentos distintos não impede a afirmação de que há um contrato válido. Ou seja, há condições materiais e formais suficientes para assegurar a existência e a validade do acordo. Ademais, é preciso reconhecer que a própria publicação da adjudicação ou homologação, seja como for, poderá conferir eficácia ao negócio, pois ela é publicada tanto no PNCP quanto na imprensa oficial, o que seria suficiente para produzir todos os efeitos legais.

Assim, o contrato não nasce com a assinatura do termo de contrato ou de instrumento equivalente. Sob o ponto de vista jurídico, ele nasce com a adjudicação. O que o art. 90 da Lei nº 14.133/2021 deveria determinar é outra coisa. Ao exigir a assinatura do termo de contrato, o que seria razoável é pretender reunir em um único instrumento (documento) o que já está devidamente formalizado em documentos distintos (edital e proposta vencedora). A propósito, é isso que a ordem jurídica deveria determinar; nada mais. Jamais se poderia falar em decadência do direito de contratar. Não pode haver decadência, pois já há acordo de vontades material e formal, isto é, já há contrato.

É um engano achar que a transposição das condições materiais contidas nos dois documentos (edital e proposta) para atender a uma exigência formal (como o termo de contrato, por exemplo) é o que faz nascer o contrato. Isso não é verdade, pois o contrato nasce durante a licitação,[11] e não depois dela.

O que acontece depois da licitação é a materialização, em um único instrumento, do contrato que já está formalizado em dois documentos distintos (o edital e a proposta vencedora) e que, com o ato de adjudicação, concretizou-se como negócio jurídico.

No século XXI, não se pode mais confundir contrato com o termo ou instrumento de contrato. Infelizmente, o legislador continua cometendo esse erro.

---

[10] Ou remuneração.
[11] Ou contratação direta.

5 Distinção entre contrato, instrumento de contrato e ordem de fornecimento ou execução

É necessário distinguir entre o contrato, o termo ou instrumento do contrato e as ordens de execução de obras, fornecimento ou de serviço decorrentes do contrato.

O contrato é um negócio jurídico bilateral, resultante da conjugação de, pelo menos, duas vontades. A finalidade do contrato é criar obrigações e benefícios para as partes envolvidas. Uma parte deseja obter a obra, o serviço ou o produto capaz de satisfazer sua necessidade, e a outra busca receber o preço, no qual está embutido o lucro que o parceiro (empresário) espera obter com a exploração da atividade econômica.

Nos tópicos anteriores, vimos como o acordo de vontades é formado. Compreender como esse negócio é constituído é indispensável para não confundir o contrato com o termo ou instrumento de contrato.

Por opção legislativa, foi determinado que as duas vontades que constituem o acordo jurídico e que se encontram formalizadas em instrumentos distintos (edital, proposta vencedora e ato de adjudicação) fossem unidas em um único documento, uma espécie de casamento formal das vontades.

No entanto, a união das duas vontades em um único instrumento não altera absolutamente nada em relação ao negócio, tanto do ponto de vista material quanto formal. É importante notar que a formação do contrato administrativo é diferente da do contrato privado; em parte, essa é a origem da confusão.

O termo de contrato, portanto, não faz nascer o negócio jurídico, conforme vem sendo reiteradamente declarado. O termo de contrato é uma providência de cunho meramente administrativo e serve para facilitar as coisas. Nada mais do que isso.

Não estou incentivando ou propondo a abolição do termo de contrato (a união das duas vontades em um único documento), nem dizendo que ele não é mais necessário. Afirmo apenas que o termo de contrato é um detalhe, uma mera formalidade de natureza administrativa. Entendo que a Administração deve continuar a formalizar seus negócios conforme sugere a tradição legal. No entanto, é preciso ter clareza de que não é em decorrência do cumprimento do art. 90 da Lei nº 14.133/2021 que o negócio jurídico nasce e se concretiza; seu nascimento é anterior a tal providência. Seria como dizer que uma criança nasce no Cartório de Registro Civil, e não na maternidade.

Aliás, há aqui uma primeira novidade interessante: a Administração não precisa exigir que o licitante assine o termo de contrato, pois a assinatura não produz nenhum efeito jurídico necessário. A Administração já dispõe da assinatura necessária, que está materializada na proposta do licitante, e esta já produz os efeitos jurídicos indispensáveis.

Colher a assinatura no termo de contrato é "chover no molhado", ou seja, é exigir algo cuja finalidade atende apenas a uma questão burocrática. Eliminar a necessidade de o contratado assinar o termo de contrato ou a nota de empenho é uma medida a ser adotada para diminuir a burocracia desnecessária.

Portanto, basta a Administração providenciar o termo de contrato e o agente responsável declarar que ele atende aos termos do edital e da proposta vencedora, notadamente nos casos em que esse ato tem presunção de veracidade.

Assim, o termo de contrato é um instrumento cuja formalização pode ser rigorosamente unilateral, tal como o termo aditivo decorrente de alteração unilateral imposta pela Administração.

A propósito, é preciso lembrar que o §2º do art. 89 da Lei nº 14.133/2021 é enfático ao determinar que "os contratos deverão estabelecer com clareza e precisão as condições para sua execução, expressas em cláusulas que definam os direitos, as obrigações e as responsabilidades das partes, em conformidade com os termos do edital de licitação e os da proposta vencedora ou com os termos do ato que autorizou a contratação direta e os da respectiva proposta". Na mesma linha impositiva, o inc. II do art. 92 da Lei nº 14.133/2021 determina que constitui condição necessária a ser observada nos termos ou instrumentos do contrato a "vinculação ao edital de licitação (...) e à proposta do licitante vencedor".

Ou seja, o termo de contrato, por exemplo, não pode inovar as condições materiais da relação contratual, pois ele está vinculado basicamente a duas condições ou documentos: o edital e a proposta. Nada mais. O que for além disso precisa ser considerado sob o viés da alteração contratual, o que dependerá de termo aditivo. Em outras palavras, se há inovação na base contratual que resulta do edital e da proposta vencedora, teremos de falar em alteração contratual, ainda que não haja termo de contrato formalizado.

Aliás, isso é tão verdadeiro que, se houver divergência entre o que consta no edital e na proposta em relação ao que está materializado no termo de contrato, prevalecerão o edital e a proposta, demonstrando que eles condicionam o termo de contrato, e não o contrário.

O contrato é o rótulo que traduz o negócio jurídico decorrente do acordo de vontades; o termo de contrato é o documento que materializa, em um único instrumento, o acordo previamente formalizado em dois documentos distintos (o edital e a proposta).

Por fim, as ordens de execução de obra, fornecimento ou serviço são comandos concretos expedidos pela Administração para que o contratado realize os fornecimentos ou preste os serviços de acordo com o negócio firmado. Portanto, o que é fundamental é que a Administração comunique adequadamente o contratado para que inicie e cumpra as obrigações por ele assumidas.

Conforme o objeto, tal providência deverá ser revestida de maior ou menor formalidade, sendo necessário, inclusive, em se tratando de objetos de maior complexidade, realizar uma reunião específica para alinhar adequadamente a execução do encargo e definir como as atividades serão conduzidas.

Por fim, cabe uma ponderação em relação ao disposto no §5º do art. 90 da Lei nº 14.133/21, que atribui à não assinatura do contrato a consequência de descumprimento total da obrigação. Ora, para se falar em descumprimento total da obrigação devido à recusa em assinar o termo de contrato, conforme prescreve o referido texto legal, o pressuposto lógico seria o reconhecimento de que já existe uma relação jurídica anterior de natureza material, ou seja, um contrato.

6 Aplicação prática da presente tese

As proposições que apresento sobre a formação e formalização do contrato são inovadoras e alteram significativamente a concepção que se pode ter do contrato administrativo, especialmente no que diz respeito ao conteúdo atribuído ao ato de adjudicação. Não se trata de mera especulação teórica, mas de uma concepção que pode gerar mudanças. A seguir, enumero algumas aplicações práticas em decorrência das ideias aqui defendidas:

I. Imagine que a licitação foi realizada regularmente, assim como o julgamento das propostas, com a necessária homologação, e que, posteriormente, houve a adjudicação e foi realizada a publicação regular de tal ato, tudo dentro da mais estrita legalidade. No entanto, apesar de o fornecimento pelo particular ter sido regular e a Administração ter recebido os bens indispensáveis para satisfazer suas necessidades, por um lapso de um agente público, não foi formalizado o termo de contrato, conforme determina o art. 90 da Lei nº 14.133/2021.

Como os órgãos de controle externo têm agido diante dessa situação?

Eles têm considerado que não houve contrato; na maioria das vezes, que se trata de contratação verbal; que, por não existir contrato, não se poderia pagar um "preço contratual" a que faz jus o terceiro de boa-fé; e que, como não pode haver locupletamento ilícito por parte da Administração, a retribuição do terceiro deve ser feita a título de indenização.

Por fim, os órgãos de controle normalmente aplicam multa aos agentes públicos sob o argumento de que houve fornecimento à Administração sem que existisse contrato.

Conforme discutido nos tópicos que estruturam este estudo, é preciso rever essa orientação, pois não é possível entender que, em uma situação como essa, não tenha havido contrato (negócio jurídico). É claro que houve contrato; o que não houve foi a formalização do termo de contrato, ou seja, a junção das duas vontades que estão materializadas no edital e na proposta em um único instrumento.

Da mesma forma, não é possível dizer que estamos diante de um contrato verbal, simplesmente porque o negócio que decorre de licitação é totalmente escrito e absolutamente formal. Para tanto, basta consultar os termos do processo para constatar que está tudo documentado (edital, documentos, proposta vencedora, adjudicação, comprovantes de publicação, despachos, etc.), sob o ponto de vista material e formal.

Também não se pode dizer que o pagamento deve ser feito a título de indenização, pois não havia contrato. A única coisa possível, nesse caso, é aplicar eventual penalidade ao agente por ter deixado de cumprir uma obrigação de ofício, que seria ter deixado de unir "em um único documento" o acordo de vontades que já está formalizado "em dois documentos" distintos, para atender ao referido art. 90. É até possível punir o agente, mas eventual punição precisa ser pelo descumprimento de uma mera formalidade. Nada mais do que isso. Uma interpretação ajustada à Lei nº 13.655/2018. Portanto, é necessário rever o atual entendimento sobre tal questão.

II. É perfeitamente possível passar a expedir o termo de contrato ou instrumento equivalente de modo unilateral, ou seja, sem que o contratado tenha de assinar o respectivo instrumento, já que ele representa apenas a transposição das cláusulas e condições já previstas no edital e na proposta vencedora. Ademais, a minuta do respectivo termo ou instrumento de contrato é disponibilizada ao contratado juntamente do edital. Portanto, o que a Administração pode fazer é apenas preencher os espaços em branco que constam da respectiva minuta, e isso terá de ser feito, obrigatoriamente, com base na proposta, que é absolutamente conhecida pelo contratado, pois foi ele quem a elaborou. Assim, pode a Administração expedir unilateralmente o termo de contrato e remeter uma via para o contratado e, em seguida ou em ato conjunto, determinar o início do fornecimento ou da execução dos serviços, com ou sem uma reunião estruturada e prévia, de acordo com a complexidade de cada encargo contratual.

7 Ponderações finais

Neste estudo, foi defendido que a adjudicação tem uma natureza constitutiva diversa daquela tradicionalmente atribuída a ela. Segundo a visão tradicional, a adjudicação confere ao particular (terceiro) mera expectativa de vir a ser contratado ou de não ser preterido caso o contrato venha a ser firmado. Na visão que apresento, com a adjudicação, o particular incorpora, em sua esfera de direito subjetivo, a condição de contratado para todos os efeitos legais, e não uma mera expectativa de vir a ser contratado se a Administração assim desejar. Entendo que a única expectativa que o particular passa a ter é quanto ao início da execução do contrato, que passou a existir com a adjudicação.

Por fim, resta dizer que esta é uma concepção nova e original sobre a formação do contrato administrativo. Assim, não deverá causar estranheza a eventual discordância dos leitores diante de tal concepção, bem como do fato de que, aparentemente, ela não se adéqua a alguns dispositivos da Lei nº 14.133/2021, assim como não se adequava ao regime anterior.

Não há nenhuma incompatibilidade material entre o que estou propondo e o que regula a ordem jurídica; qualquer incompatibilidade é meramente formal e depende do modo como se interpreta a ordem jurídica.

É importante perceber essa sutileza, que tem passado despercebida por muito tempo. Embora seja estranho afirmar que o contrato se forma em razão da adjudicação ou autorização, conforme o procedimento adotado, é necessário ressignificar crenças e certezas à luz de novas interpretações.

Referências

JUSTEN FILHO, Marçal. *Comentários à Lei de Licitações e Contratações Administrativas*: Lei 14.133/2021. São Paulo: Thomson Reuters Brasil, 2021.

MENDES, Renato Geraldo. A formação do contrato administrativo. In: BICALHO, Alécia Paolucci Nogueira; DIAS, Maria Tereza Fonseca (coord.). *Contratações públicas*: estudos em homenagem ao Professor Carlos Pinto Coelho Motta. Belo Horizonte, 2013. p. 101-114.

MENDES, Renato Geraldo. *O processo de contratação pública*: fases, etapas e atos. Curitiba: Zênite, 2012.

MENDES, Renato Geraldo. *O regime jurídico da contratação pública*. Curitiba: Zênite, 2008.

MENDES, Renato Geraldo; MOREIRA, Egon Bockmann. *Inexigibilidade de licitação*: repensando a contratação pública e o dever de licitar. 2. ed. Curitiba: Zênite, 2023.

Informação bibliográfica deste texto, conforme a NBR 6023:2018 da Associação Brasileira de Normas Técnicas (ABNT):

MENDES, Renato Geraldo. Como e quando se forma o contrato administrativo. In: JUSTEN, Monica Spezia; PEREIRA, Cesar; JUSTEN NETO, Marçal; JUSTEN, Lucas Spezia (coord.). *Uma visão humanista do Direito*: homenagem ao Professor Marçal Justen Filho. Belo Horizonte: Fórum, 2025. v. 2, p. 683-695. ISBN 978-65-5518-916-2.

A ADMINISTRAÇÃO PÚBLICA NOS CONTRATOS ADMINISTRATIVOS

RICARDO MARCONDES MARTINS

1 Introito

Com muita honra participo desta justa homenagem ao Prof. Marçal Justen Filho. Trata-se, sem qualquer exagero, de um dos maiores juristas da história brasileira. É impressionante a riqueza de sua produção científica: no Direito Tributário (*v.g.*, "Sujeição passiva tributária", publicada em 1986); no Direito Empresarial (*v.g.*, "Desconsideração da personalidade societária no direito brasileiro", publicada em 1987); no Direito Administrativo (dentre tantas obras, "O direito das agências reguladoras independentes", de 2002; "Teoria geral das concessões de serviço público", de 2003); e, mais recentemente, na Teoria Geral do Direito ("Introdução ao estudo do direito", de 2021). Conheço o autor mais pelas suas obras e, por elas, registro com absoluta sinceridade: sou seu fã! É absolutamente inegável sua seriedade científica, sua capacidade intelectual e sua vocação para a seara jurídica. Trata-se de um Jurista, com letra maiúscula, mas, muito mais do que isso, alguém que marcou seu nome na História. Sua produção é tão vasta que é difícil escolher um tema para homenageá-lo. Para quem estuda Direito, viver no mesmo tempo histórico de Marçal é um privilégio. Escolhi o tema dos contratos administrativos por considerar seus "Comentários à Lei de Licitações e Contratações Administrativas" sua obra mais conhecida da comunidade jurídica. Certamente, qualquer um que trabalhe com o tema já a consultou. Dito isso, com absoluta humildade, apresento algumas considerações sobre as prerrogativas contratuais da Administração Pública.

2 Contrato administrativo e "prerrogativas"

Os ajustes bilaterais celebrados pela Administração, apesar de tradicionalmente serem chamados de "contratos", não o são. Em rigor, contratos são negócios jurídicos bilaterais ou plurilaterais,[1] ajustes celebrados no âmbito da liberdade, em que duas ou

---

[1] Por todos: GOMES, Orlando. *Contratos*. 17. ed., 2. tir., Rio de Janeiro: Forense, 1997, §1º, p. 4.

mais partes estão em uma relação horizontal de sujeição. Nesse tipo de relação, não é possível interferir na esfera jurídica alheia sem a aquiescência ou a concordância alheia.[2] A disciplina de conduta, mediante concordância de duas partes, nas relações horizontais, dá-se pelo "contrato", típico veículo introdutor de normas privadas. O contrato, no sentido próprio, é regido pelos princípios da liberdade contratual, paridade jurídica das partes, obrigatoriedade, intangibilidade e relatividade dos efeitos.[3] Praticamente nenhum desses princípios aplica-se aos ajustes bilaterais administrativos.

A Administração Pública, por definição, não possui liberdade.[4] A disciplina decorrente de qualquer ajuste administrativo não se dá por livre-arbítrio do agente competente. A supremacia do interesse público sobre o privado gera para a Administração Pública uma posição de supremacia geral em relação aos administrados, o que lhe atribuiu uma série de prerrogativas e restrições.[5] Essa posição de supremacia é inerente ao próprio conceito de Estado, e, pois, da Administração Pública. Mesmo que a Administração, com autorização do Legislador, se despoje parcialmente de suas prerrogativas, estas jamais poderão ser afastadas totalmente.[6] Dessarte: a Administração Pública jamais se tornará idêntica a um particular em uma relação jurídica.

Há, pois, duas compreensões contrapostas de Administração Pública, didaticamente retratadas por José Guilherme Giacomuzzi.[7] Na compreensão francesa há uma diferença essencial entre o Estado e o indivíduo, entre o exercício da função pública e o exercício da autonomia privada, entre a tutela do interesse público e a tutela do interesse privado. Na compreensão norte-americana essa diferença essencial é praticamente negada; ao revés, há uma assimilação entre ambas as posições jurídicas.[8] O resultado é óbvio: os ajustes bilaterais administrativos são intuitivamente dissociados dos ajustes privados na cultura francesa e assimilados a eles na cultura norte-americana.

A doutrina e o Direito brasileiros sofreram, nas últimas décadas, os efeitos do chamado "neocolonialismo":[9] distanciamento da cultura europeia – que presidia o

---

[2] Assentimento vem do verbo "assentir" – e este vem do verbo latino *assentio, is, ire, sensi, sensum*, que significa juntar seu assentimento ao de outrem, dar assentimento, aprovar. Consentimento vem do verbo "consentir" – e este vem do verbo latino *consentio, is, ire, sensi, sensum*, que significa sentir ao mesmo tempo, estar de acordo. Cf. FARIA, Ernesto. *Dicionário latino-português*. Belo Horizonte: Garnier, 2003, p. 106 e 236. As duas palavras são registradas como sinônimas na maioria dos dicionários. Há diferença substancial: assentir importa em uma atitude *passiva* do agente, é apenas aquiescer; consentir importa em uma atitude *ativa* do agente, é sentir junto, é concordar. Tecnicamente, nos atos unilaterais há *assentimento*, a norma é elaborada por um e aceita por outro; nos atos bilaterais há *consentimento*, a norma é elaborada por dois (ou mais) ou é elaborada por um e assumida como produto de ambos (ou de todos).

[3] Sobre esses princípios, por todos: ROCHA, Silvio Luís Ferreira da. *Curso avançado de direito civil* – v. 3: contratos. São Paulo: Revista dos Tribunais, 2002, p. 33.

[4] Cf. MARTINS, Ricardo Marcondes. *Teoria jurídica da liberdade*. 2. ed. São Paulo: Contracorrente, 2023, p. 133 *et seq*.

[5] Sobre os efeitos da supremacia do interesse público sobre o privado, vide: BANDEIRA DE MELLO, Celso Antônio. *Curso de direito administrativo*. 34. ed. São Paulo: Malheiros, 2019, Cap. I, p. 70-76; MARTINS, Ricardo Marcondes. *Teoria jurídica da liberdade, op. cit.*, p. 153-163. Para um aprofundamento sobre o assunto: HACHEM, Daniel Wunder. *Princípio constitucional da supremacia do interesse público*. Belo Horizonte: Fórum, 2011.

[6] Cf. MARTINS, Ricardo Marcondes. Princípio da liberdade das formas no direito administrativo. *Interesse Público*, Belo Horizonte, ano 15, n. 80, p. 83-124, jul.-ago. 2013.

[7] GIACOMUZZI, José Guilherme. *Estado e contrato*: supremacia do interesse público "versus" igualdade. São Paulo: Malheiros, 2011.

[8] *Idem*, p. 82 *et seq*.

[9] Sobre o tema, por todos: BANDEIRA DE MELLO, Celso Antônio. *Curso de direito administrativo, op. cit.*, Apêndice, p. 1126 *et seq*.; MARTINS, Ricardo Marcondes. Considerações críticas ao conceito de *compliance*. *Revista Internacional de Direito Público*, Belo Horizonte, ano 6, n. 10, p. 9-24, jan./jun. 2021. Sobre a cultura colonialista,

colonialismo – e aproximação da cultura norte-americana. Se no passado a doutrina pressupunha, sem qualquer ressalva, a correção da orientação francesa, no presente se tornou cada vez mais corrente a defesa, entre nós, da orientação norte-americana. Apenas a título de exemplo, para o Professor Celso Antônio Bandeira de Mello as prerrogativas da Administração Pública nos contratos administrativos são deduzidas dos próprios princípios retores das atividades públicas, podendo, por isso, ser consideradas implícitas no ordenamento jurídico.[10] Para o Professor Jacintho de Arruda Câmara, porém, seriam perfeitamente possíveis ajustes bilaterais administrativos desprovidos de prerrogativas.[11] São duas orientações que se alicerçam em compreensões culturais diversas do Estado e da Administração Pública.

Sintetizada a divergência, considera-se que a questão não se restringe a um mero "fato do pluralismo", vale dizer, a posições teóricas igualmente admissíveis, a depender apenas da visão de mundo e das inclinações subjetivas do pensador. Os ingleses – e depois os norte-americanos –, muito influenciados por Albert Venn Dicey,[12] negaram, durante muito tempo, a compatibilidade do Direito Administrativo com a *common law*. Não perceberam que o Direito elaborado para reger as relações privadas, a esfera da liberdade e da autonomia da vontade, não é passível de ser estendido, sem mais, à Administração Pública, que, nos termos aqui enfatizados, não possui liberdade e autonomia de vontade. Esta exige um Direito próprio, com prerrogativas e restrições para adequada tutela do interesse da coletividade.[13] Assim, a orientação norte-americana sobre as relações "contratuais" do Estado é supinamente equivocada. A compreensão correta do conceito de Administração Pública pressupõe perceber sua indissociabilidade com a supremacia do interesse público, e, pois, com sua posição vertical, de supremacia, e a existência de prerrogativas e restrições, decorrentes da necessária tutela do interesse de todos.

O tema dos contratos administrativos envolve dois *vícios de pressupostos metodológicos*, muito comuns nos estudos da Administração Pública. Primeiro: pressupor que ela possa se equiparar a um particular, nas relações jurídicas, sendo regida pelo Direito que rege a autonomia da vontade, vício que resulta na suposta admissibilidade de ajustes administrativos regidos pelo Direito Privado, chamados de "contratos da

---

vide: MEMMI, Albert. *Retrato do colonizado precedido de retrato do colonizador*. Tradução de Marcelo Jacques de Moraes. Rio de Janeiro: Civilização Brasileira, 2007.

[10] BANDEIRA DE MELLO, Celso Antônio. *Curso de direito administrativo*, op. cit., p. 650.

[11] CÂMARA, Jacintho de Arruda. Contratos administrativos. *In:* NOHARA, Irene Patrícia; CÂMARA, Jacintho de Arruda. *Tratado de direito administrativo* – v. 6. São Paulo: Revista dos Tribunais, 2014, p. 316-317.

[12] Na oitava edição de sua obra, de 1915, Dicey dedica um extenso capítulo – o 12º – ao Direito Administrativo. Nele, apesar de reconhecer que alguns princípios fundamentais entram em contato com a *rule of law*, nega a assimilação do *Droit Administratif* ao Direito inglês. Inicia o capítulo com a seguinte afirmação: "In molti paesi del continente europeo, e specialmente in Francia, esiste un apparato di diritto amministrativo – noto ai francesi come *droit administratif* – che riposa su idee che sono estranee agli assunti fondamentali della nostra common law inglese, ed in particolar modo a quello che abbiamo definito il dominio della legge (*rule of law*)". (DICEY, Albert V. *Introduzione allo studio del diritto costituzionale*. Tradução de Alessandro Torre. Bologna: Il Mulino, 2003, p. 279-280). Adiante, formula a seguinte pergunta: "Il *droit administratif* è stato di recente introdotto sotto qualche forma nell'ordinamento inglese?". E responde: "Pertanto al quesito possiamo rispondere in modo recisamente negativo" (*Op. cit.*, pp. 327-328). Pouco adiante, é enfático: "In Inghilterra non esiste alcun autentico *droit administratif*" (*Idem*, p. 329).

[13] Cf. MARTINS, Ricardo Marcondes. *Princípio da liberdade das formas no direito administrativo*, op. cit., p. 92-99.

Administração".[14] Segundo: pressupor que os conceitos elaborados pelos privatistas, para compreensão de situações próprias do exercício da autonomia da vontade, sejam perfeitamente extensíveis à Administração Pública, vício que resulta na compreensão de que os "contratos administrativos" são autênticos "contratos".[15] Superados esses vícios, é mister entender os chamados "contratos administrativos" como atos administrativos bilaterais, atos cujo conteúdo advém da decisão de dois ou mais entes, sendo um deles a Administração Pública.[16]

3 Âmbito de incidência do art. 104 da Lei nº 14.133/21

Parte significativa da doutrina, influenciada pela doutrina francesa,[17] sempre defendeu a possibilidade de que haja ajustes administrativos bilaterais regidos pelo Direito Público – os "contratos administrativos" – e ajustes administrativos bilaterais regidos pelo Direito Privado – os "contratos da Administração". Ante o exposto, trata-se de um vício de pressuposto metodológico: nenhum ajuste celebrado pela Administração será regido pelo Direito Privado. Porém, o §3º do art. 62 da Lei nº 8.666/93 poderia dar azo, ainda que parcialmente, a esse equívoco: afirmava o Legislador que as prerrogativas atribuídas à Administração Pública no art. 58 aplicavam-se apenas "no que couber" aos contratos administrativos, contratos de seguro, financiamento, locação em que o Poder Público fosse locatário, aos contratos em que a Administração fosse parte como usuária de serviço público e aos demais contratos cujo conteúdo fosse regido, predominantemente, por normas de Direito Privado. O Legislador deixava claro que mesmo nesses contratos haveria, sim, a possibilidade do exercício de prerrogativas, mas elas não poderiam ser exercidas nos mesmos termos que nos demais contratos administrativos, apenas "no que cabia".[18] Não há na Lei nº 14.133/21 dispositivo similar ao §3º do art. 62 da Lei nº 8.666/93. Logo, inexiste decisão legislativa expressa que imponha diferenciar os ajustes

---

[14] Sobre o referido vício de pressuposto metodológico, vide: MARTINS, Ricardo Marcondes. *Estudos de direito administrativo neoconstitucional*. São Paulo: Malheiros, 2015, p. 371-372; MARTINS, Ricardo Marcondes. Teoria constitucional das empresas estatais – 1ª parte. *Revista de Direito Administrativo e Infraestrutura – RDAI*, São Paulo, ano 4, n.14, p. 211-262, jul./set. 2020, p. 221-222.

[15] Sobre o referido vício de pressuposto metodológico, vide: MARTINS, Ricardo Marcondes. *Estudos de direito administrativo neoconstitucional*, op. cit., p. 372-374; MARTINS, Ricardo Marcondes. Teoria constitucional das empresas estatais – 1ª parte, op. cit., p. 223-226.

[16] Cf. MARTINS, Ricardo Marcondes. *Estudos de direito administrativo neoconstitucional*, op. cit., p. 374-378.

[17] A dicotomia *contrats administratifs* e *contrats de l'administration*, os primeiros regidos pelo Direito Público e os segundos pelo Direito Privado, é apresentada nos clássicos estudos franceses: JÈZE, Gaston. *Les principes généraux du droit administratif* – v. 3: le fonctionnement des services publics. Paris: Marcel Giard, 1926, p. 298; LAUBADÈRE, André de. *Traité théorique et pratique des contrats administratifs* – v. 1. Paris: Librairie Générale de Droit et de Jurisprudence, 1956, §2º, p. 8-9. A dicotomia foi mantida em obras mais recentes: RIVERO, Jean; WALINE, Jean. *Droit administratif*. 18. ed. Paris: Dalloz, 2000, p. 115. Sem utilizar a denominação *"contrats d'ladministration"*, mas admitindo contratos celebrados pela Administração e regidos pelo Direito Privado: CHAPUS, René. *Droit administratif général* – Tome 1. 15. ed. Paris: Montchrestien, 2001, p. 545. Benoît Plessix enfatiza que nem todo contrato celebrado pelo "setor público", que ele chama de *"contrat public"*, é um contrato administrativo (*"contrat administratif"*) (PLESSIX, Benoît. *Droit administratif général*. 3. ed. Paris: LexisNexis, 2020, p. 1227 e 1267-1268).

[18] Por todos, afirma Jacintho de Arruda Câmara: "Assim, a Lei nº 8.666/1993, no seu art. 62, §3º, I, apenas admitiu que os contratos regidos predominantemente pelo direito privado também tivessem prerrogativas especiais. Contudo, a aplicação não seria automática, imposta abstratamente pela lei. A aplicação se dá, 'quando couber', o que se verifica em cada caso concreto, a partir do regime contratualmente assumido pelas partes" (CÂMARA, Jacintho de Arruda. *Tratado de direito administrativo* – v. 6, op. cit., p. 316).

administrativos em relação às prerrogativas da Administração Pública. Logo, o art. 104 da Lei nº 14.133/21 aplica-se, regra geral, a todos os ajustes bilaterais da Administração Pública.

Essa regra encontra, contudo, exceções. Há atos bilaterais administrativos cujo conteúdo é ditado por dois ou mais entes públicos. Não há relação de supremacia de uma entidade federativa em relação a outra. Quando se trata de dois entes públicos, ambos estão em uma relação horizontal de sujeição.[19] Logo, nesses ajustes é inaplicável o art. 104. O art. 3º exclui da incidência da Lei nº 14.133/21 tanto os contatos que tenham por objeto operação de crédito e gestão de dívida pública, como outras contratações sujeitas a normas previstas em legislação própria. Ainda que não fosse por essa exclusão, reconhece-se que a título de exemplo, nos consórcios públicos, disciplinados na Lei nº 11.107/05, típicos atos bilaterais de interesses paralelos restritos a entidades federativas, a invocação unilateral de prerrogativas de uma entidade sobre as outras é obviamente descabida.

Então, a primeira conclusão sobre o âmbito de incidência do art. 104 é que ele se aplica aos atos bilaterais em que uma das pessoas necessárias para a formação do conteúdo do ato seja necessariamente privada. Noutras palavras, o ajuste é entre a Administração Pública e o particular e não entre Administrações Públicas. Dito isso, é discutível a aplicação da Lei nº 14.133/21 aos atos bilaterais de interesses paralelos. Nesses, ambas as partes se unem em prol de um objetivo comum, vale dizer, querem a mesma coisa.[20] Por interpretação sistemática, é possível sustentar que esses ajustes são regidos pela Lei de Parcerias Voluntárias (Lei nº 13.019/14), e não pela Lei Geral de Licitações e Contratos.[21] Adotada essa interpretação, a incidência da Lei nº 14.133/21 restringe-se aos ajustes de interesses contrapostos, em que as partes têm interesses distintos. Há de se reconhecer, porém, que essa interpretação é polêmica. Caso o ajuste, mesmo de interesses paralelos, não se subsuma às hipóteses do art. 3º, e se submeta ao regime da Lei nº 14.133/21, é inegável: mesmo nos ajustes de interesses paralelos, a Administração goza de supremacia em relação ao particular e, regra geral, detém as prerrogativas do art. 104.

4 Aplicação de normas privadas

Dito isso, é necessário indagar: a inexistência na Lei nº 14.133/21 de dispositivo similar ao §3º do art. 62 da Lei nº 8.666/93 leva à conclusão de que nos contratos regidos por ela é vedada a aplicação de normas de Direito Privado? O art. 89 – com redação similar ao art. 54 da Lei nº 8.666/93 – prevê expressamente a aplicação supletiva da teoria geral

---

[19] Por todos, afirma Celso Antônio Bandeira de Mello: "é inadmissível, em face do equilíbrio e da harmonia das pessoas sediadas no mesmo nível constitucional, que uma invoque prerrogativa de autoridade, supremacia sobre outra, para afetar interesse da mesma qualidade, da mesma gradação de igual qualificação jurídica" (BANDEIRA DE MELLO, Celso Antônio. Desapropriação de bem público. *Revista de Direito Administrativo e Infraestrutura – RDAI*, São Paulo, ano 4, n.14, p. 113-133, jul./set. 2020, p. 129).

[20] Cf. MARTINS, Ricardo Marcondes. *Estudos de direito administrativo neoconstitucional*, op. cit., p. 378.

[21] Sobre a problemática que envolve esse diploma normativo, vide: MARTINS, Ricardo Marcondes. Publicidade e transparência nas parcerias voluntárias. *Revista de Direito Administrativo e Infraestrutura – RDAI*, São Paulo, ano 4, n.13, p. 59-97, abr./jun. 2020, p. 59-62.

dos contratos e das disposições de Direito Privado. Há aí uma atecnia: quando aplicável à Administração Pública uma norma que se extrai de um texto normativo de Direito Privado, ela integra o Direito Público e deve ser compreendida à luz dos princípios de Direito Público.[22] Bem por isso, quando couber, supletivamente, a aplicação de uma norma de Direito Privado aos contratos administrativos regidos pela Lei nº 14.133/21, na verdade, tratar-se-á de uma norma de Direito Público, compreendida tendo em vista os vetores do Direito Público, mas extraída de textos normativos de Direito Privado.

Suponha-se que a Administração Pública adote uma "forma privada". No âmbito da Lei nº 8.666/93, por força do §3º do art. 62, considerava-se que o regime jurídico do ajuste de forma privada não seria idêntico ao regime jurídico do ajuste de forma pública. Consoante exposto, ambos os ajustes administrativos bilaterais – sejam os celebrados com forma pública, sejam os celebrados com forma privada – seriam regidos pelo Direito Público.[23] Defendia-se, pois, uma revisão conceitual dos chamados "contratos da Administração": não seriam ajustes regidos pelo Direito Privado, mas ajustes de "forma privada".[24] Com fundamento no referido §3º do art. 62, sustentava-se uma diferença de peso do princípio formal da supremacia do interesse público sobre o privado:[25] pesava mais nos contratos administrativos do que nos contratos da Administração, de modo que o exercício das prerrogativas administrativas exigia menor ônus argumentativo nos primeiros e maior nos segundos.[26]

No âmbito da Lei nº 14.133/21, diante da inexistência de texto similar, não há autorização legislativa para que a Administração adote a "forma privada", e, pois, enfraqueça a incidência do princípio formal da supremacia do interesse público sobre o privado. Logo, em todos os contratos regidos pela Lei nº 14.133/21, a incidência do art. 104 dar-se-á, regra geral, nos mesmos termos. A redução do peso do princípio formal da supremacia depende, agora, de outro diploma legislativo que a preveja, nos termos do inciso II do art. 3º da Lei nº 14.133/21.

5 Supremacia especial

A relação entre a Administração Pública e o administrado é uma relação vertical; nela o administrado está inserido em uma relação de sujeição em decorrência

---

[22] É a lição de MUKAI, Toshio. *O direito administrativo e o regime jurídico das empresas estatais*. 2. ed. Belo Horizonte: Fórum, 2004, p. 96. Mais adiante, esclarece: "[...] tais normas, ainda que sob formas de direito privado, não são idênticas às que regem as relações jurídicas privadas, porque as relações de administração que elas regem estão dominadas por uma finalidade pública que inexiste como fundamental na relação de administração privada" (*Idem*, p. 127). Conclui, então, sobre o regime jurídico-administrativo: "O regime jurídico administrativo, destarte, se estrutura concretamente mediante a utilização, pelo Estado, de normas de direito público e formas de direito privado, em ambos os casos estando presentes, como elementos externos que limitam a liberdade de autodeterminação do agente do Estado, os princípios jurídicos fundamentais do direito público e do direito administrativo, em variada escala de intensidade" (*Idem*, p. 128).

[23] Cf. MARTINS, Ricardo Marcondes. *Estudos de direito administrativo neoconstitucional*, op. cit., p. 380-381.

[24] Cf. MARTINS, Ricardo Marcondes. Princípio da liberdade das formas no direito administrativo, *op. cit.*, p. 108 et seq.

[25] Sobre o princípio formal da supremacia do interesse público sobre o privado vide: MARTINS, Ricardo Marcondes. *Teoria jurídica da liberdade*, op. cit., p. 153-163. Sobre os princípios formais: MARTINS, Ricardo Marcondes. Teoria dos princípios formais. *Interesse Público* (IP), Belo Horizonte, ano 18, n. 98, p. 65-94, jul./ago. 2016.

[26] Cf. MARTINS, Ricardo Marcondes. Princípio da liberdade das formas no direito administrativo, *op. cit.*, p. 112.

da supremacia do interesse público sobre o privado. Nos contratos administrativos, porém, o administrado insere-se em uma "relação especial de sujeição".[27] O critério prevalente na doutrina para configuração de uma relação especial de sujeição é a inserção do administrado em uma organização administrativa, como um presídio, uma biblioteca pública, um hospital público.[28] Há, porém, outros dois critérios: a) volitivo; b) material ou funcional. No último caso, o exercício de certa atividade faz com que quem a exerça se insira na relação especial.[29] No primeiro, a manifestação volitiva do administrado insere-o na relação especial;[30] é o que se dá nos contratos administrativos, nas concessões e permissões de serviço público, nas parcerias voluntárias. Realmente, as prerrogativas estabelecidas no art. 104 têm por fundamento a relação especial de sujeição do administrado nos contratos administrativos. Em uma relação horizontal, essas prerrogativas inexistem. Um ente administrativo não pode, regra geral, impor a outro uma sanção administrativa,[31] mas pode, sem recorrer ao Judiciário, impô-la ao administrado. Outrossim, a sujeição é do administrado em relação à Administração e não desta em relação ao administrado. É absurdo supor que o administrado possa exercer as prerrogativas discriminadas no art. 104. Para obter a extinção do contrato, deverá requerê-la à própria Administração ou ao Judiciário; se pretender a imposição de uma sanção à Administração, deverá pleiteá-la ao Judiciário.

6 Modificação unilateral

Por estar em uma relação de supremacia, a Administração Pública pode alterar unilateralmente o contrato administrativo, primeira prerrogativa estabelecida no art. 104, ou seja, exercer o *jus variandi*. A Administração Pública brasileira é contaminada por uma cultura autoritária, fruto da história brasileira marcada por raros momentos de democracia formal. Por força disso, é bastante comum que certos institutos administrativos tenham sido mal compreendidos, até pervertidos em prol de uma atuação autoritária.[32]

---

[27] A teoria da relação especial de sujeição foi, na doutrina brasileira, pioneiramente apresentada por BANDEIRA DE MELLO, Celso Antônio. *Curso de direito administrativo*, op. cit., 875-880. Sobre o tema: VITTA, Heraldo Garcia. *Soberania do Estado e poder de polícia*. São Paulo: Malheiros, 2011, p. 63 et seq.; SILVA, Clarissa Sampaio. *Direitos fundamentais e relações especiais de sujeição*: o caso dos agentes públicos. Belo Horizonte: Fórum, 2009, p. 79 et seq.

[28] É o critério adotado, por exemplo, por LOPEZ BENITEZ, Mariano. *Naturaleza y presupuestos constitucionales de las relaciones especiales de sujeción*. Madrid: Civitas, 1994, p. 194 et seq.

[29] Sobre o critério material ou funcional para caracterização da relação especial de sujeição: MOLANO LÓPEZ, Mario Roberto. Las relaciones de sujeición especial en el Estado social. *In*: GÓMEZ PAVAJEAU, Carlos Arturo; MOLANO LÓPEZ, Mario Roberto. *La relación especial de sujeción*: estudios. Bogotá: Universidad Externado de Colombia, 2007, p. 13-152; MARTINS, Ricardo Marcondes. *Regulação administrativa à luz da Constituição Federal*. São Paulo: Malheiros, 2011, p. 116-119.

[30] Afirma Daniel Ferreira: "A vontade, livre e consciente, especialmente do particular de se engajar à Administração Pública, debaixo de um manto de obrigações não previamente compulsórias, é que mais facilmente caracteriza o regime de sujeição especial" (FERREIRA, Daniel. *Sanções administrativas*. São Paulo: Malheiros, 2011, p. 39).

[31] Cf. MARTINS, Ricardo Marcondes. Proteção de dados, competências dos entes federativos e a Emenda Constitucional n. 115/22. *Revista de Investigações Constitucionais*, Curitiba, vol. 9, n. 3, p. 645-658, set./dez. 2022, p. 653-655; BANDEIRA DE MELLO, Celso Antônio. Impossibilidade de o INPS multar Municípios. *Revista de direito administrativo e infraestrutura* – RDAI. São Paulo, ano 5, n. 17, p. 373-376, abr./jun. 2021.

[32] É o que reconhece, com argúcia: BANDEIRA DE MELLO, Celso Antônio. *Curso de direito administrativo*, op. cit., Cap. I-rodapé 39.

Foi o que ocorreu, de certa forma, com o *jus variandi*. Muitos o compreendem como fruto do exercício de competência discricionária.[33] Nada mais equivocado. A bilateralidade é incompatível com a precariedade e, pois, com a alteração decorrente da mera mudança de opinião do agente competente sobre a melhor forma de realizar o interesse público.[34] Logo, a alteração – e a extinção a seguir comentada – não pode ser fruto do exercício de competência discricionária.[35] Eis a primeira conclusão: a prerrogativa estabelecida no inciso I do art. 104 é própria do exercício de competência vinculada. Dizer que ela é própria do exercício de competência vinculada equivale a dizer que o Direito, globalmente considerado, à luz das circunstâncias fáticas e jurídicas do caso concreto, exige – e não faculta – a alteração do contrato administrativo.

A alteração unilateral pode ter dois fundamentos: uma invalidade pretérita ou uma invalidade superveniente. Na primeira hipótese, o contrato administrativo é inválido, vale dizer, possui, quando de sua celebração, ou melhor, quando de sua entrada no mundo jurídico, um vício que exige correção.[36] O Direito, em face desse vício, não exige a extinção do contrato, mas impõe sua alteração. A Ciência do Direito já reconheceu, de modo assente, que a invalidade não necessariamente exige a invalidação. Ao contrário, muitas vezes o Direito exige ou admite o saneamento da invalidade por meio da modificação do ato inválido: convalidação, redução ou reforma, conversão.[37] Da mesma forma ocorre com o contrato administrativo, que outra coisa não é que um ato administrativo bilateral. Assim como a Administração Pública pode modificar um ato administrativo unilateral para corrigir o seu vício e mantê-lo no mundo jurídico, igualmente pode fazê-lo com o contrato administrativo – ato administrativo bilateral.

---

[33] Sobre a discricionariedade administrativa vide: MARTINS, Ricardo Marcondes. Ato administrativo. *In:* BACELLAR FILHO, Romeu Felipe; MARTINS, Ricardo Marcondes. *Tratado de direito administrativo* – v. 5: Ato administrativo e procedimento administrativo. 2. ed. São Paulo: Revista dos Tribunais, 2019, p. 140-150; MARTINS, Ricardo Marcondes. *Teoria jurídica da liberdade*, op. cit., p. 133-153.

[34] Cf. MARTINS, Ricardo Marcondes. *Estudos de direito administrativo neoconstitucional, op. cit.*, p. 386-390.

[35] É o que reconhece, em excelente monografia sobre o tema, Fernando Vernalha Guimarães: "De outra parte, o *ius variandi* assim como as demais prerrogativas exorbitantes, sendo os principais elementos de distinção entre as categorias de direito público e privado de contratos, não podem ser tomados como produto de manifestação discricionária da administração. Não se trata o exercício de tais prerrogativas unilaterais de um direito que a Administração possui para, a partir de um juízo livre seu, promover a alteração contratual, arranhando, assim, os interesses protegidos pelo princípio da imutabilidade do contrato. Há condicionantes objetivos que ensejam o exercício desses poderes, donde tal emanação produz-se por eventos exteriores às partes. A Administração, valendo-se de poderes instrumentais, cuida de executar as alterações contratuais recomendadas pelas necessidades públicas surgidas a partir de fatos concretos e supervenientes (ou do conhecimento superveniente) à celebração do contrato" (GUIMARÃES, Fernando Vernalha. *Alteração unilateral do contrato administrativo*: interpretação de dispositivos da Lei 8.666/93. São Paulo: Malheiros, 2003, p. 38).

[36] Sobre o conceito de invalidade: MARTINS, Ricardo Marcondes. Ato administrativo. *In:* BACELLAR FILHO, Romeu Felipe; MARTINS, Ricardo Marcondes. Tratado de direito administrativo – v. 5: Ato administrativo e procedimento administrativo. 3. ed. São Paulo: Revista dos Tribunais, 2022, p. 33-409, em especial p. 153-155. Contrato inválido não é o que possui um vício, pois há vícios que são desprezados pelo Direito. Dessarte, contratos administrativos irregulares são aqueles que possuem vício, mas o vício é desprezado pelo Direito (*Idem*, p. 150-153). Contrato inválido é o que possui um vício e, no momento imediatamente subsequente à sua entrada no mundo jurídico, o Direito exige que esse vício seja corrigido.

[37] MARTINS, Ricardo Marcondes. Ato administrativo, *op. cit.*, p. 325 *et seq*. Sobre o tema vide também: MARTINS, Ricardo Marcondes. As alterações da LINDB e a ponderação dos atos administrativos. *A&C – Revista de Direito Administrativo & Constitucional*, Belo Horizonte, ano 20, n. 79, p. 259-284, jan./mar. 2020; MARTINS, Ricardo Marcondes. Teoria do ato administrativo nos trinta anos da Constituição de 1988: o que mudou? *Revista de Investigações Constitucionais*, Curitiba, vol. 6, n. 2. p. 449-477, maio/ago. 2019.

Já está superado o desastroso equívoco de supor que o ato – e pois o contrato – inválido – impropriamente chamado de nulo[38] – não existe no mundo jurídico. Tanto existe que pode ser modificado, expurgando-lhe o vício pela convalidação, redução ou reforma e conversão. É a ponderação à luz das circunstâncias fáticas e jurídicas concretas que indicará se é o caso de alterar, e, se o for, por qual meio corretivo. Evidente que essa alteração unilateral deve ser realizada pela própria Administração, unilateralmente, por força de sua competência para corrigir as invalidades que dá causa, ou, na omissão administrativa, pode ser determinada pelo Poder Judiciário, quando houver provocação do administrado ou do Ministério Público.

A segunda possibilidade é a decorrência de fator superveniente: alteração das circunstâncias fáticas ou jurídicas. Suponha-se que o contrato, quando de sua edição, seja válido, esteja de acordo com o Direito, globalmente considerado, e diante da alteração das circunstâncias fáticas ou jurídicas passe a contrariar o Direito. Parcela da doutrina chama essa contrariedade de invalidade superveniente;[39] parcela da doutrina prefere reservar o rótulo "invalidade" para a contrariedade pretérita, ocorrente quando da edição do contrato. Em certas hipóteses, como examinado a seguir, essa contrariedade superveniente ao Direito exigirá a extinção do contrato; em outras, a depender da ponderação realizada à luz do caso concreto, o Direito exigirá a modificação do contrato. Quando o Direito exigir a modificação do contrato, haverá alteração unilateral do contrato administrativo.

A alteração unilateral deve respeitar os limites estabelecidos no art. 125, que manteve os limites estabelecidos no §1º do art. 65 da Lei nº 8.666/93. Como as redações de ambos os dispositivos são quase idênticas, subsiste a controvérsia doutrinária e jurisprudencial em relação às alterações bilaterais: saber se esses limites se aplicam apenas às alterações quantitativas ou também às alterações qualitativas.[40] O TCU entende que se aplicam a qualquer tipo de alteração unilateral. Logo, a depender da amplitude decorrente da alteração, a alteração unilateral é vedada. A Corte, porém, admite que, excepcionalmente, observada uma série de exigências, haja alteração bilateral qualitativa

---

[38] Sobre a palavra "nulidade", afirma Ricardo D. Rabinovich-Berkman: "'Nulo' es un adjetivo que en latín significa literalmente 'ninguno', de la idea de que el ente al que se refiere no existe, que no lo hay" (*Derecho romano*. Buenos Aires: Astrea, 2001, p. 459). O ato "nulo" é existente e, pois, etimologicamente, não é nulo. Cf. MARTINS, Ricardo Marcondes. Ato administrativo, *op. cit.*, p. 155-162 e 230-232.

[39] Sobre o tema: MARTINS, Ricardo Marcondes. *Efeitos dos vícios do ato administrativo*. São Paulo: Malheiros 2008, p. 362-367. O conceito de invalidade superveniente ou sucessiva é corrente na doutrina italiana: SANTI ROMANO. Osservazioni sulla invalidità successiva degli atti amministrativi. *In: Scritti minori*. Milano: Giuffrè, 1990, v. 2, p. 397-410, p. 401; RANELLETTI, Oreste. *Teoria degli atti amministrativi speciali*. 7. ed. Milano: Giuffrè, 1945, §§85-86, p. 104-105; FRAGOLA, Umberto. *Gli atti amministrativi*. Napoli: Unione Tipografico-Editrice Torinese, 1952, p. 136-141; SANDULLI, Aldo M. *Manuale di diritto amministrativo*. Napoli: Eugenio Jovene, 1952, §136, p. 226; MORTATI, Costantino. *Istituzioni di Diritto Pubblico*. 2. ed. Padova: CEDAM, 1952, p. 196; MIELE, Giovanni. *Principî di Diritto Amministrativo*. Pisa: Arti Grafiche Tornar, 1945, v. I, p. 202.

[40] Prevalece o entendimento de que se aplicam apenas às alterações quantitativas. Por todos: NIEBUHR, Joel de Menezes. *Licitação pública e contrato administrativo*. 3. ed. Belo Horizonte: Fórum, 2013, p. 868 *et seq*. No mesmo sentido: BANDEIRA DE MELLO, Celso Antônio. Extensão das alterações dos contratos administrativos: a questão dos 25%. *In*: BANDEIRA DE MELO, Celso Antônio. *Grandes temas de direito administrativo*. São Paulo: Malheiros, 2009, p. 219-242. Este último, porém, exige para a alteração superior ao limite legal o consentimento do contratado (*Idem*, p. 231).

além do limite legal.[41] Se a correção do vício exigir alteração superior ao limite legal e não houver concordância do contratado, restará apenas a extinção do contrato.

A alteração unilateral deve ser realizada com absoluto respeito ao contratado, o que pressupõe o contraditório e a ampla defesa.[42] O contratado deve ser previamente notificado sobre a proposta de alteração, acompanhada das razões jurídicas que a fundamentam; deve lhe ser assegurada a possibilidade de impugnar a proposta. Após a oitiva do contratado e o exame das razões que ele eventualmente apresentar, a Administração decidirá definitivamente sobre a alteração. Em decorrência do contraditório, a decisão de alterar unilateralmente o contrato fica sujeita a recurso administrativo e, pois, revisão pela autoridade superior. Qualquer decisão administrativa preliminar ao contraditório deve dar-se nos limites da atuação administrativa cautelar.[43]

Em ambas as hipóteses – seja de invalidade pretérita, seja de invalidade superveniente – não há possibilidade de alteração por parte do administrado. Este jamais pode alterar ou extinguir uma norma estatal; pode, sim, provocar o Estado a fazê-lo. A alteração unilateral pode ser realizada de ofício pela Administração; havendo provocação do administrado ou do Ministério Público, pode ser realizada ou pela Administração ou pelo Judiciário. Ambas as hipóteses devem respeitar o direito ao equilíbrio econômico-financeiro do contrato, conforme referido no §2º do art. 104 da Lei nº 14.133/21.

A Administração Pública, caso exigido pelo Direito, pode alterar unilateralmente o contrato administrativo desde que respeitados três limites. O primeiro não está no art. 104, mas no art. 126: a alteração não pode transfigurar o objeto da contratação. A transfiguração do objeto importaria em fraude à licitação. Se se tratou de uma hipótese de dispensa ou inexigibilidade, a transfiguração importaria em violação às formalidades legais impostas para contratação direta. O segundo limite consta do §1º do art. 104: cláusulas econômico-financeiras e regulamentares não podem ser alteradas

---

[41] TCU, Acórdão nº 215/99-Plenário, Processo 930.039/1998-0, Rel. José Antônio Barreto de Macedo, j. 12.05.1999. *In verbis*: "O Tribunal Pleno, diante das razões expostas pelo Relator, decide: [...] a) tanto as alterações contratuais quantitativas – que modificam a dimensão do objeto – quanto as unilaterais qualitativas – que mantêm intangível o objeto, em natureza e em dimensão, estão sujeitas aos limites preestabelecidos nos §§1º e 2º do art. 65 da Lei nº 8.666/93, em face do respeito aos direitos do contratado, prescrito no art. 58, I, da mesma Lei, do princípio da proporcionalidade e da necessidade de esses limites serem obrigatoriamente fixados em lei; b) nas hipóteses de alterações contratuais consensuais, qualitativas e excepcionalíssimas de contratos de obras e serviços, é facultado à Administração ultrapassar os limites aludidos no item anterior, observados os princípios da finalidade, da razoabilidade e da proporcionalidade, além dos direitos patrimoniais do contratante privado, desde que satisfeitos cumulativamente os seguintes pressupostos: I – não acarretar para a Administração encargos contratuais superiores aos oriundos de uma eventual rescisão contratual por razões de interesse público, acrescidos aos custos da elaboração de um novo procedimento licitatório; II – não possibilitar a inexecução contratual, à vista do nível de capacidade técnica e econômico-financeira do contratado; III – decorrer de fatos supervenientes que impliquem em dificuldades não previstas ou imprevisíveis por ocasião da contratação inicial; IV – não ocasionar a transfiguração do objeto originalmente contratado em outro de natureza e propósito diversos; V – ser necessárias à completa execução do objeto original do contrato, à otimização do cronograma de execução e à antecipação dos benefícios sociais e econômicos decorrentes; VI – demonstrar-se – na motivação do ato que autorizar o aditamento contratual que extrapole os limites legais mencionados na alínea 'a' supra – que as consequências da outra alternativa (a rescisão contratual, seguida de nova licitação e contratação) importam sacrifício insuportável ao interesse público primário (interesse coletivo) a ser atendido pela obra ou serviço, ou seja gravíssimas a esse interesse; inclusive quanto à sua urgência e emergência".

[42] Por todos: GUIMARÃES, Fernando Vernalha. *Alteração unilateral do contrato administrativo*, op. cit., p. 214.

[43] Sobre a atuação administrativa cautelar: CABRAL, Flávio Garcia. *Medidas cautelares administrativas*: regime jurídico da cautelaridade administrativa. Belo Horizonte: Fórum, 2021.

unilateralmente. O terceiro limite consta do §2º do art. 104: o *jus variandi* exige o respeito ao direito à manutenção do equilíbrio econômico-financeiro do contrato.

7 Cláusulas inalteráveis

A doutrina, de longa data, divide as cláusulas contratuais em dois tipos: cláusulas regulamentares ou de serviço e cláusulas econômicas.[44] Só as primeiras são alteráveis unilateralmente. O §1º do art. 104 veda expressamente a alteração das cláusulas econômico-financeiras e monetárias. Apesar de o Legislador ter diferenciado as cláusulas econômico-financeiras das cláusulas monetárias, ambas são consideradas cláusulas econômicas.[45] Cláusulas monetárias são aquelas que versam sobre a correção monetária do ajuste, fixando, por exemplo, um índice de correção. Em relação às econômico-financeiras, adota-se uma interpretação restritiva: são as cláusulas que se referem diretamente ao valor econômico da contraprestação devida pela Administração Pública. As cláusulas que interfiram "indiretamente" com a definição desse valor são regulamentares, e, pois, passíveis de alteração unilateral. Caso sua alteração repercuta no equilíbrio econômico-financeiro do contrato, a Administração deverá reequilibrá-lo. Em suma, as cláusulas diretamente relacionadas à definição da contraprestação econômica devida ao contratado e as cláusulas referentes à correção monetária só podem ser alteradas se houver concordância do administrado; todas as demais podem ser alteradas unilateralmente, observados os limites legais.

8 Equilíbrio econômico-financeiro

A manutenção do equilíbrio econômico-financeiro tem assento constitucional: estabelece expressamente o inciso XXI do art. 37 da CF/88 que os contratados da Administração têm direito à manutenção das condições efetivas da proposta.[46] A relação entre o que o administrado exigiu receber (x) pelo que se comprometeu a fazer (y) deve manter-se incólume. Não se garante o lucro ao contratado, mas a manutenção dessa proporção. A questão do lucro diz respeito à exequibilidade da proposta.[47] Esta deve ser séria,[48] e, pois, exequível, ou seja, deve prever um lucro, além dos custos. Se não

---

[44] Segundo Edmir Netto Araújo cláusula econômica é toda aquela que dispõe sobre a remuneração do contratado (*Contrato administrativo*. São Paulo: Revista dos Tribunais, 1987, p. 57). Pouco adiante, porém, o administrativista ressalva: "há certas estipulações contratuais que, embora não dispondo sobre a remuneração do contratante, refletem-se diretamente sobre ela e sobre o lucro projetado que, em última análise, é o que leva o particular a candidatar-se ao contrato com a Administração" (*Idem, ibidem*). Afirma, então, que o próprio prazo contratual não seria passível de alteração unilateral. (*Idem, ibidem*). Em sentido contrário, Celso Antônio Bandeira de Mello, ao tratar das concessões de serviço público, considera que o prazo não é elemento contratual, mas cláusula regulamentar (BANDEIRA DE MELLO, Celso Antônio. *Curso de direito administrativo, op. cit.*, p. 774). Sem desprestigiar Netto Araújo, concorda-se com Bandeira de Mello: cláusulas econômico-financeiras são apenas as que diretamente versam sobre a remuneração do contratado. Cláusulas que indiretamente repercutem na definição da remuneração são regulamentares.

[45] Cf. HEINEN, Juliano. *Comentários à Lei de licitações e contratos administrativos*. Salvador: Juspodivm, 2021, p. 599.

[46] Cf. MARTINS, Ricardo Marcondes. *Estudos de direito administrativo neoconstitucional, op. cit.*, p. 412-413.

[47] *Idem*, p. 407-408.

[48] Cf. CAETANO, Marcello. *Manual de direito administrativo* – v. I. 10. ed., 7. reimpr. Coimbra: Almedina, 2001, p. 599; BANDEIRA DE MELLO, Celso Antônio. *Curso de direito administrativo, op. cit.*, p. 618.

prever lucro, deve ser desclassificada por inexequibilidade (art. 59, III). Classificada a proposta por ser exequível, o tema do lucro propriamente desaparece. O contratado tem direito não ao lucro, mas à manutenção do equilíbrio econômico-financeiro. Esse direito é radical: haja o que houver, deve a Administração manter o equilíbrio. A doutrina estabeleceu várias teorias especificadoras desse dever: caso fortuito e força maior, sujeições imprevistas, fato do príncipe, fato da administração, teoria da imprevisão e o *jus variandi*. O inciso II do art. 104 diz respeito justamente ao último caso: a alteração unilateral que altere o desequilíbrio econômico-financeiro exige o reequilíbrio.

São possíveis três situações. A mais comum: a alteração unilateral repercute nas cláusulas econômico-financeiras em desfavor do administrado. A menos comum: a alteração unilateral repercute nas cláusulas econômico-financeiras em desfavor da Administração. A terceira é ainda menos comum: a alteração simplesmente não repercute nas cláusulas econômico-financeiras. Nas duas primeiras hipóteses, impõe-se a revisão das cláusulas econômico-financeiras. Caso as partes não cheguem a um acordo sobre essa revisão, a questão deverá ser resolvida em Juízo. Quando o desfavorecido é o administrado, como ele não pode extinguir unilateralmente o contrato, só lhe restará a via jurisdicional. Quando a desfavorecida é a Administração, na falta de acordo, ela pode extinguir o contrato ou mantê-lo e buscar em juízo a revisão das cláusulas econômico-financeiras. É a ponderação à luz do caso concreto que dirá qual, dentre as duas alternativas, é a melhor solução para o interesse público. Nunca será demasiado insistir: caso a alteração gere um desequilíbrio em desfavor da Administração, ainda assim, ela não está autorizada a alterar unilateralmente as cláusulas econômico-financeiras em prol do reequilíbrio.

9 Extinção unilateral

Da mesma forma que a alteração unilateral, a extinção unilateral pode decorrer de uma invalidade pretérita ou sucessiva, de uma incompatibilidade do contrato com o Direito, seja por circunstância já presente quando de sua celebração, seja por circunstância superveniente. A diferença é que essa contrariedade, diferentemente do que ocorre com as hipóteses de alteração, não pode ser corrigida por meio da alteração do contrato. O Direito exige sua retirada do mundo jurídico, ou seja, sua extinção. A primeira hipótese, decorrente de vício de origem, é chamada de invalidação; a segunda, decorrente da alteração das circunstâncias fáticas ou jurídicas, é chamada de decaimento[49] ou caducidade.[50] É possível, também, a extinção unilateral em decorrência do inadimplemento do contrato, equivalente a uma cassação.

Não há controvérsia sobre a possibilidade de invalidação administrativa do contrato. A controvérsia que existia no passado era sobre o inverso, sobre a possibilidade de manutenção do contrato inválido. Hoje – acredita-se – essa controvérsia está totalmente superada: atos inválidos, inclusive os bilaterais, são atos existentes e, se aptos a gerar efeitos, eficazes. O vício pode exigir a correção por meio de convalidação,

---

[49] Denominação utilizada por AMARAL, Antônio Carlos Cintra do. *Teoria do ato administrativo*. Belo Horizonte: Fórum, 2008, p. 85-87.
[50] Denominação utilizada por BANDEIRA DE MELLO, Celso Antônio. *Curso de direito administrativo*, op. cit., p. 460.

redução ou reforma, conversão.[51] É perfeitamente possível também que o contrato inválido tenha se convertido, com o decorrer do tempo e diante dos efeitos gerados, em um contrato irregular, de modo que o vício tenha se estabilizado. Nesse caso, restará à Administração ou, se provocado, ao Judiciário declarar a estabilização do vício.[52] A depender da gravidade do vício, e de outras circunstâncias relevantes – como a boa ou má-fé do administrado e da administração, a existência ou inexistência de efeitos, o tempo decorrido –, o saneamento do vício pode ser inviável, e ainda não ter ocorrido sua estabilização, de modo que o Direito exija a invalidação do contrato. A depender também da ponderação à luz do caso concreto, a invalidação pode ser modulada: ao invés de ter eficácia *ex tunc et ab initio*, ter eficácia *ex tunc et non ab initio*; *ex nunc* ou *pro futuro*.[53]

A segunda hipótese de extinção unilateral é muito mais controversa. Diante de uma clara tradição autoritária, era bastante comum o entendimento de que, além da invalidação, o contrato poderia ser revogado. Trata-se de discussão similar à proposta sobre a extinção da própria licitação.[54] A bilateralidade ínsita aos contratos administrativos é incompatível com a precariedade, própria da revogação.[55] A extinção não pode fundamentar-se na mera mudança de opinião do agente competente sobre a melhor forma de realizar o interesse público. Dessarte, não se trata de exercício de competência discricionária. A extinção unilateral, quando não decorrente de um vício de origem, exige a alteração das circunstâncias fáticas ou jurídicas, alteração essa que torne o contrato incompatível com o Direito, vale dizer, exige o que parte da doutrina chama de "invalidade superveniente ou sucessiva". Essa alteração das circunstâncias fáticas ou jurídicas deve impor a extinção do contrato, ou seja, configurar uma competência vinculada; não tem a natureza de revogação, mas, sim, de decaimento ou caducidade.[56] Da mesma forma que ocorre com a invalidade originária, a invalidade superveniente pode exigir a alteração do contrato, com o saneamento da incompatibilidade, ou, se o saneamento não for possível, a depender do caso, a extinção do contrato.

Há uma terceira hipótese de extinção unilateral: em decorrência do inadimplemento do contratado. Tem a mesma natureza, na teoria do ato administrativo, da cassação. Por óbvio, nem sempre o descumprimento contratual ensejará a extinção do contrato. É perfeitamente possível, em muitas hipóteses, a manutenção do contrato e a imposição de uma sanção administrativa, como advertência ou multa (art. 156, I e II, da Lei nº 14.133/21). É a ponderação das circunstâncias fáticas e jurídicas que indicará se é o caso de sancionar o administrado e/ou extinguir o contrato. É possível que o inadimplemento se dê: a) sem culpa do contratado e admita a manutenção do contrato, de modo que nada deverá ser feito; b) com culpa do contratado e admita a manutenção do contrato,

---

[51] Cf. MARTINS, Ricardo Marcondes. *Estudos de direito administrativo neoconstitucional, op. cit.*, p. 390-399. O assunto também é magistralmente tratado por FREIRE, André Luiz. *Manutenção e retirada dos contratos administrativos inválidos*. São Paulo: Malheiros, 2008, p. 104 *et seq.*

[52] Sobre a estabilização: MARTINS, Ricardo Marcondes. Ato administrativo, *op. cit.*, p. 377-378.

[53] Sobre a modulação de efeitos na invalidação administrativa, vide: MARTINS, Ricardo Marcondes. Ato administrativo, *op. cit.*, p. 346-353.

[54] MARTINS, Ricardo Marcondes. Encerramento da licitação: exegese do art. 71 da Lei nº 14.133/2021. *Revista Internacional de Direito Público – RIDP*, Belo Horizonte, ano 7, n. 13, p. 9-31, jul./dez. 2022, p. 18-21.

[55] Cf. MARTINS, Ricardo Marcondes. *Estudos de direito administrativo neoconstitucional, op. cit.*, p. 386-390.

[56] Parcela da doutrina brasileira admite apenas o decaimento ou caducidade normativo. Não há razão científica para repudiar o decaimento ou caducidade fático. Sobre o tema: MARTINS, Ricardo Marcondes. Ato administrativo, *op. cit.*, p. 318-324.

de modo que basta a sanção; c) com culpa do contratado e não admita a manutenção do contrato, de modo a exigir a extinção unilateral e a sanção; d) sem culpa do contratado e exija a extinção, de modo que a extinção dar-se-á sem sanção.

Da mesma forma que ocorre com a alteração unilateral, a extinção unilateral exige respeito ao administrado e, pois, a garantia do contraditório. Faz-se necessária prévia notificação do administrado, acompanhada das razões jurídicas que fundamentam a proposta de extinção, assegurando-lhe direito à impugnação. Nos mesmos termos da alteração, a decisão em prol da extinção, adotada após a oitiva do contratado e exame de suas alegações, é passível de recurso. Qualquer decisão preliminar ao contraditório, também aqui, dá-se nos limites da atuação administrativa cautelar.

Se a alteração unilateral pode ensejar o dever de reestabelecer o reequilíbrio econômico-financeiro do contrato, a extinção do contrato administrativo enseja o dever de ressarcir o administrado de tudo o que tiver executado até então, e pode ensejar o dever de indenizá-lo de todos os prejuízos resultantes da extinção. Por evidente, a extinção unilateral não obriga a Administração a pagar tudo o que seria pago ao administrado caso o contrato não tivesse sido extinto, pois isso equivaleria a negar a própria possibilidade jurídica de extinção unilateral. Assim, supondo-se um contrato para a construção de 100 metros de muro, a extinção unilateral do contrato após a construção de 50 metros importa no dever de ressarcir integralmente o administrado por tudo o que já executou, e pelos gastos que já teve, mas não importa em pagar pela construção dos 100 metros. A indenização de todos os prejuízos exige a não participação do administrado na produção do vício e a não ocorrência de inadimplemento. Esse dever de ressarcir o já executado subsiste mesmo quando o contratado for inadimplente ou esteja de má-fé, em decorrência da proibição de enriquecimento sem causa.[57] Contudo, não subsiste o dever de ressarcimento pelo que fora executado quando o contrato só foi celebrado em decorrência de atos de corrupção por parte do contratado.[58] Nesse caso, a corrupção obsta a incidência da proibição do enriquecimento sem causa.

10 Fiscalização

É inerente à relação especial de sujeição própria do contrato administrativo a sujeição do contratado à fiscalização administrativa. O dever de fiscalizar, como todos os deveres estabelecidos no art. 104 da Lei nº 14.133/21, não é um poder administrativo, mas um dever-poder;[59] logo, não pode ser minimamente renunciado pela Administração Pública. Para cumprir esse dever, a execução do contrato deve ser acompanhada por um ou mais fiscais, nos termos do art. 117 da Lei nº 14.133/21. O fiscal, nos termos do §1º do art. 117, deve anotar em registro próprio as ocorrências relacionadas à execução,

---

[57] Cf. MARTINS, Ricardo Marcondes. *Estudos de direito administrativo neoconstitucional*, op. cit., p. 679.
[58] Idem, p. 680. No mesmo sentido, para Celso Antônio Bandeira de Mello, "se o administrado estiver conluiado com a Administração na ilegalidade", não tem direito ao ressarcimento (*Curso de direito administrativo*, op. cit., Cap. X-73, p. 695). Em sentido contrário: LOBÃO, Marcelo Meireles. *Responsabilidade do Estado pela desconstituição de contratos administrativos em razão de vícios de nulidade*. São Paulo: Malheiros, 2008, p. 115 et seq.
[59] A expressão é de BANDEIRA DE MELLO, Celso Antônio. *Curso de direito administrativo*, op. cit., Cap. II-5, p. 100-101.

determinar a regularização de falhas ou defeitos e encaminhar, nos termos do §2º, ao superior hierárquico, quando for o caso, proposta de aplicação de sanção administrativa pelo descumprimento contratual. A determinação de regularização de falhas não se confunde com a advertência, pois não tem natureza de sanção administrativa; por isso, não exige prévio contraditório. Chama a atenção o Legislador, no §3º do art. 117, ao fato de que a fiscalização, muitas vezes, ou envolve controvérsias jurídicas e/ou revela atos de improbidade e de corrupção, de modo que o fiscal deve ter acesso tanto à assessoria jurídica como aos órgãos de controle.

11 Sanção

Também é inerente à relação especial de sujeição própria do contrato administrativo a prerrogativa administrativa de aplicar sanções ao administrado, discriminadas no art. 105, em decorrência da inexecução total ou parcial do ajuste. Caso o inadimplemento seja da própria Administração, o administrado não poderá, por óbvio, aplicar-lhe sanção. Poderá provocar a apuração de responsabilização funcional e pleitear administrativa ou judicialmente indenização por eventuais prejuízos decorrentes do inadimplemento administrativo. Como se trata de uma relação especial de sujeição, a Administração, regra geral, não possui apenas exigibilidade, mas executoriedade.[60] Com efeito: pode a Administração, sem recorrer ao Judiciário, nos termos do inciso IV do art. 139 da Lei nº 14.133/21, reter o pagamento devido ao contratado para se ressarcir dos prejuízos e das multas a ele aplicadas. Se o valor da multa for superior ao que resta ser pago ao contratado, a sanção não gozará de executoriedade. Restará à Administração inscrever o débito na dívida ativa e executá-lo em juízo.[61]

12 Apossamento administrativo

O apossamento administrativo era previsto no inciso V do art. 58 da Lei nº 8.666/93. Ocorre que a Lei nº 8.666, promulgada em 21.06.93, de início, aplicava-se tanto aos contratos administrativos como às outorgas de serviço público. A Lei de Concessão de Serviço Público (Lei nº 8.987) só foi editada em 03.02.1995. Durante quase dois anos, as concessões de serviço público no Brasil foram regidas pela Lei nº 8.666/93. Essa informação era fundamental para a exegese do apossamento administrativo, previsto no referido inciso V do art. 58: a prerrogativa era decorrente do princípio da continuidade dos serviços públicos. Como o serviço público não pode ser interrompido sem graves prejuízos à sociedade, a Administração pode apossar-se provisoriamente de bens móveis e imóveis, pessoal e serviços da concessionária, de modo a viabilizar

---

[60] Cf. MARTINS, Ricardo Marcondes. Ato administrativo, op. cit., p. 213 et seq. Exigibilidade é a possibilidade de exigir a multa; executoriedade é a possibilidade de compelir materialmente ao cumprimento da obrigação. Cf. BANDEIRA DE MELLO, Celso Antônio. Curso de direito administrativo, op. cit., p. 427. A imposição da sanção na via administrativa decorre da exigibilidade, a retenção do pagamento para ressarcimento da multa imposta decorre da executoriedade.

[61] Tanto a execução judicial de débitos tributários como a de não tributários é disciplinada pela Lei Federal nº 6.830/80.

a continuidade da prestação. Com a edição da Lei Geral de Concessões, a previsão de apossamento administrativo na Lei nº 8.666/93 foi implicitamente revogada.[62]

Feita essa explicação, a previsão da letra "a" do inciso V do art. 104 da Lei nº 14.133/21 causa perplexidade. O Legislador reestabelece no sistema a norma que havia sido implicitamente retirada pela Lei Geral de Concessões. A Constituição prevê, no art. 175, que serviços públicos sejam prestados direta ou indiretamente por concessão ou permissão. Logo, não admite, como regra, a mera contratação de serviços públicos. Estes só podem ser prestados pelos particulares mediante concessão ou permissão. Por conseguinte, a utilização da Lei nº 14.133/21 para contratação da prestação de serviços públicos é, regra geral, inconstitucional. Há, porém, duas exceções.

Primeira: é possível a contratação da prestação de serviços públicos nos casos emergenciais. Suponha-se uma hipótese de grave inadimplemento do concessionário, que exija a extinção da concessão. Suponha-se que a Administração não tenha condições de realizar a prestação direta. Até a finalização de novo processo licitatório, caberá a ela contratar – e não autorizar – o administrado para prestá-lo provisoriamente. O constituinte não previu, no art. 175, a autorização como hipótese de outorga de serviço público. Silenciou com absoluto acerto: a emergência justifica a contratação e não a outorga.[63]

Segunda: por expressa disposição constitucional, é possível a contratação do administrado para prestação de serviço público de saúde. Com efeito: por força do art. 197 da CF/88, a execução das ações e serviços de saúde pode ser feita "diretamente ou através de terceiros e, também por pessoa física ou jurídica de direito privado". Há, pois, norma constitucional específica para os serviços públicos de saúde que viabiliza sua contratação administrativa.[64]

Caso o contratado, em uma dessas hipóteses, seja inadimplente, abra-se a excepcionalíssima possibilidade de apossamento administrativo prevista na letra "a" do inciso V do art. 104: para evitar risco à prestação de serviços essenciais, a Administração Pública pode ocupar provisoriamente bens móveis e imóveis e utilizar pessoas e serviços do administrado vinculados ao objeto do contrato. Afora essas duas hipóteses, tanto a prestação de serviço público por meio de contratação regida pela Lei nº 14.133/21 como a utilização do apossamento administrativo previsto na letra "a" do inciso V do art. 104 são inconstitucionais.

A hipótese da letra "b", apesar de reproduzir o que constava do referido inciso V do art. 58 da Lei nº 8.666/93, é de duvidosa constitucionalidade. Sua validade é questionável no âmbito das concessões de serviço público, mas inquestionável no âmbito das contratações administrativas. A sujeição decorrente da concessão é mais acentuada do que a sujeição decorrente da contratação, pois na primeira o administrado assume

---

[62] Por todos, com razão afirmava Marçal Justen Filho: "Pode reputar-se que o dispositivo examinado relacionava-se com a perspectiva, originalmente consagrada, de aplicação da Lei 8.666/1993 também para disciplina específica de concessões e permissões de serviço público. Com a superveniente edição de legislação própria sobre o tema, o disposto no inc. V do art. 58 teve sua aplicação muito reduzida. Mais precisamente, trata-se de princípio que não tem aplicação ao campo dos contratos administrativos regidos especificamente pela Lei 8.666/1993. Em síntese, deve-se reputar que a superveniência da Lei 8.987/1995 acarretou a perda de vigência do dispositivo examinado, eis que o tema passou a ser disciplinado pelas regras especiais do diploma que dispõe sobre a delegação de serviço público" (*Comentários à lei de licitações e contratos* administrativos. 17. ed. São Paulo: Revista dos Tribunais, 2016, p. 1131).

[63] Cf. MARTINS, Ricardo Marcondes. *Regulação administrativa à luz da Constituição Federal*, op. cit., p. 230-232.

[64] Idem, p. 234-235.

uma relação autônoma com os usuários em nome do titular do serviço público.[65] Nos termos dantes explicados, o administrado que celebra um contrato administrativo insere-se, sim, em uma relação especial de sujeição. Nela, submete-se à fiscalização do Poder Público, não idêntica à que ocorre nas relações gerais de sujeição. Daí a supor que a Administração possa apossar-se da empresa privada vai distância muito longa. Não pode a Administração, sob o pretexto de fiscalizar o contratado, e, pois, apurar suas faltas contratuais, apossar-se de seus bens móveis ou imóveis, utilizar o pessoal da empresa e os serviços vinculados ao contrato. O sacrifício do direito de propriedade sem prévia indenização só é admitido constitucionalmente em caso de iminente perigo público (CF/88, art. 5º, XXV). A letra "b" do inciso V ora comentada vai além da fiscalização contratual: mesmo após a extinção do contrato, prevê expressamente o apossamento administrativo para o fim de apurar "faltas contratuais". A busca e apreensão de provas podem ser determinadas pelo Judiciário ou por uma Comissão Parlamentar de Inquérito, jamais pela contratante.[66] Trata-se de devaneio do Legislador, próprio de um Estado de Direito imaturo, marcado por uma história de autoritarismo.

Referências

ARAÚJO, Edmir Netto. *Contrato administrativo*. São Paulo: Revista dos Tribunais, 1987.

BANDEIRA DE MELLO, Celso Antônio. *Curso de direito administrativo*. 34. ed. São Paulo: Malheiros, 2019.

BANDEIRA DE MELLO, Celso Antônio. Desapropriação de bem público. *Revista de Direito Administrativo e Infraestrutura – RDAI*, São Paulo, ano 4, n.14, p. 113-133, jul./set. 2020.

BANDEIRA DE MELLO, Celso Antônio. Impossibilidade de o INPS multar Municípios. *Revista de Direito Administrativo e Infraestrutura – RDAI*, São Paulo, ano 5, n. 17, p. 373-376, abr./jun. 2021.

BANDEIRA DE MELLO, Celso Antônio. Extensão das alterações dos contratos administrativos: a questão dos 25%. *In*: BANDEIRA DE MELO, Celso Antônio. *Grandes temas de direito administrativo*. São Paulo: Malheiros, 2009, p. 219-242.

CÂMARA, Jacintho de Arruda. Contratos administrativos. *In:* NOHARA, Irene Patrícia; CÂMARA, Jacintho de Arruda. *Tratado de direito administrativo* – v. 6. São Paulo: Revista dos Tribunais, 2014, p. 301-507.

---

[65] Sobre a diferença entre a concessão de serviço público e o contrato administrativo e a fiscalização do concedente sobre o concessionário, vide: MARTINS, Ricardo Marcondes. *Regulação administrativa à luz da Constituição Federal*, op. cit., p. 221-224 e 304-312.

[66] Ao comentar o dispositivo, Marçal Justen Filho chega à idêntica conclusão: "Rigorosamente, essa solução é compatível com os contratos de concessão de serviço público. Encontra-se prevista e delimitada no art. 32 da Lei 8.987/1995, sob a denominação de intervenção.
No âmbito dos contratos subordinados à Lei 14.133/2021, a ocupação provisória somente pode ser admitida em hipóteses raríssimas. O inadimplemento contratual não atribui à Administração o poder jurídico para assumir o uso e a destinação do patrimônio privado.
O art. 5º, inc. XXV, da *CF/1988* autoriza a ocupação da propriedade privada em hipóteses de perigo público. Mesmo nos casos de interesse público ou social, o apossamento da propriedade privada depende de autorização judicial. Por outro lado, a garantia constitucional ao domicílio também se constitui em obstáculo à solução prevista no dispositivo.
Existindo indícios de infrações, cuja apuração exija verificação imediata, a solução é recorrer ao Poder Judiciário, O acautelamento quanto à produção da prova envolve monopólio jurisdicional. Assim se impõe por força das garantias constitucionais ao direito de propriedade e aos princípios do devido processo legal, da universalidade da jurisdição, da produção bilateral da prova e da ampla defesa" (JUSTEN FILHO, Marçal. *Comentários à lei de licitações e contratações administrativas*: Lei 14.133/21. São Paulo: Thomson Reuters Brasil, 2021, p. 1286-1287).

CABRAL, Flávio Garcia. *Medidas cautelares administrativas*: regime jurídico da cautelaridade administrativa. Belo Horizonte: Fórum, 2021.

CAETANO, Marcello. *Manual de direito administrativo* – v. I. 10. ed., 7. reimpr. Coimbra: Almedina, 2001.

CHAPUS, René. *Droit administratif général* – Tome 1. 15. ed. Paris: Montchrestien, 2001.

DICEY, Albert V. *Introduzione allo studio del diritto costituzionale*. Tradução de Alessandro Torre. Bologna: Il Mulino, 2003.

FARIA, Ernesto. *Dicionário latino-português*. Belo Horizonte: Garnier, 2003.

FERREIRA, Daniel. *Sanções administrativas*. São Paulo: Malheiros, 2011.

FRAGOLA, Umberto. *Gli atti amministrativi*. Napoli: Unione Tipografico-Editrice Torinese, 1952.

FREIRE, André Luiz. *Manutenção e retirada dos contratos administrativos inválidos*. São Paulo: Malheiros, 2008.

GIACOMUZZI, José Guilherme. *Estado e contrato*: supremacia do interesse público "versus" igualdade. São Paulo: Malheiros, 2011.

GOMES, Orlando. *Contratos*. 17. ed., 2. tir., Rio de Janeiro: Forense, 1997.

GUIMARÃES, Fernando Vernalha. *Alteração unilateral do contrato administrativo*: interpretação de dispositivos da Lei 8.666/93. São Paulo: Malheiros, 2003.

HACHEM, Daniel Wunder. *Princípio constitucional da supremacia do interesse público*. Belo Horizonte: Fórum, 2011.

HEINEN, Juliano. *Comentários à Lei de licitações e contratos administrativos*. Salvador: Juspodivm, 2021.

JÈZE, Gaston. *Les principes généraux du droit administratif* – v. 3: le fonctionnement des services publics. Paris: Marcel Giard, 1926.

LAUBADÈRE, André de. *Traité théorique et pratique des contrats administratifs* – v. 1. Paris: Librairie Générale de Droit et de Jurisprudence, 1956.

LOBÃO, Marcelo Meireles. *Responsabilidade do Estado pela desconstituição de contratos administrativos em razão de vícios de nulidade*. São Paulo: Malheiros, 2008.

LOPEZ BENITEZ, Mariano. *Naturaleza y presupuestos constitucionales de las relaciones especiales de sujeción*. Madrid: Civitas, 1994.

MARTINS, Ricardo Marcondes. *Regulação administrativa à luz da Constituição Federal*. São Paulo: Malheiros, 2011.

MARTINS, Ricardo Marcondes. Princípio da liberdade das formas no direito administrativo. *Interesse Público*, Belo Horizonte, ano 15, n. 80, p. 83-124, jul./ago. 2013.

MARTINS, Ricardo Marcondes. *Estudos de direito administrativo neoconstitucional*. São Paulo: Malheiros, 2015.

MARTINS, Ricardo Marcondes. Teoria dos princípios formais. *Interesse Público – IP*, Belo Horizonte, ano 18, n. 98, p. 65-94, jul./ago. 2016.

MARTINS, Ricardo Marcondes. Teoria do ato administrativo nos trinta anos da Constituição de 1988: o que mudou? *Revista de Investigações Constitucionais*, Curitiba, vol. 6, n. 2. p. 449-477, mai./ago. 2019.

MARTINS, Ricardo Marcondes. As alterações da LINDB e a ponderação dos atos administrativos. *A&C – Revista de Direito Administrativo & Constitucional*, Belo Horizonte, ano 20, n. 79, p. 259-284, jan./mar. 2020.

MARTINS, Ricardo Marcondes. Publicidade e transparência nas parcerias voluntárias. *Revista de Direito Administrativo e Infraestrutura – RDAI*, São Paulo, ano 4, n.13, p. 59-97, abr./jun. 2020.

MARTINS, Ricardo Marcondes. Teoria constitucional das empresas estatais – 1ª parte. *Revista de Direito Administrativo e Infraestrutura – RDAI*, São Paulo, ano 4, n.14, p. 211-262, jul./set. 2020.

MARTINS, Ricardo Marcondes. Considerações críticas ao conceito de *compliance*. *Revista Internacional de Direito Público*, Belo Horizonte, ano 6, n. 10, p. 9-24, jan./jun. 2021.

MARTINS, Ricardo Marcondes. Ato administrativo. *In*: BACELLAR FILHO, Romeu Felipe; MARTINS, Ricardo Marcondes. Tratado de direito administrativo – v. 5: Ato administrativo e procedimento administrativo. 3. ed. São Paulo: Revista dos Tribunais, 2022, p. 33-409.

MARTINS, Ricardo Marcondes. Encerramento da licitação: exegese do art. 71 da Lei nº 14.133/2021. *Revista Internacional de Direito Público – RIDP*, Belo Horizonte, ano 7, n. 13, p. 9-31, jul./dez. 2022.

MARTINS, Ricardo Marcondes. Proteção de dados, competências dos entes federativos e a Emenda Constitucional n. 115/22. *Revista de Investigações Constitucionais*, Curitiba, vol. 9, n. 3, p. 645-658, set./dez. 2022.

MARTINS, Ricardo Marcondes. *Teoria jurídica da liberdade*. 2. ed. São Paulo: Contracorrente, 2023.

MEMMI, Albert. *Retrato do colonizado precedido de retrato do colonizador*. Tradução de Marcelo Jacques de Moraes. Rio de Janeiro: Civilização Brasileira, 2007.

MIELE, Giovanni. *Principî di Diritto Amministrativo*. Pisa: Arti Grafiche Tornar, 1945, v. I.

MOLANO LÓPEZ, Mario Roberto. Las relaciones de sujeción especial en el Estado social. *In*: GÓMEZ PAVAJEAU, Carlos Arturo; MOLANO LÓPEZ, Mario Roberto. *La relación especial de sujeción*: estudios. Bogotá: Universidad Externado de Colombia, 2007.

JUSTEN FILHO, Marçal. *Comentários à lei de licitações e contratos* administrativos. 17. ed. São Paulo: Revista dos Tribunais, 2016.

JUSTEN FILHO, Marçal. *Comentários à lei de licitações e contratações administrativas*: Lei 14.133/21. São Paulo: Thomson Reuters Brasil, 2021.

MORTATI, Costantino. *Istituzioni di Diritto Pubblico*. 2. ed. Padova: CEDAM, 1952.

MUKAI, Toshio. *O direito administrativo e o regime jurídico das empresas estatais*. 2. ed. Belo Horizonte: Fórum, 2004.

NIEBUHR, Joel de Menezes. *Licitação pública e contrato administrativo*. 3. ed. Belo Horizonte: Fórum, 2013.

PLESSIX, Benoît. *Droit administratif général*. 3. ed. Paris: LexisNexis, 2020.

RANELLETTI, Oreste. *Teoria degli atti amministrativi speciali*. 7. ed. Milano: Giuffrè, 1945.

RABINOVICH-BERKMAN, Ricardo D. *Derecho romano*. Buenos Aires: Astrea, 2001.

RIVERO, Jean; WALINE, Jean. *Droit administratif*. 18. ed. Paris: Dalloz, 2000.

ROCHA, Silvio Luís Ferreira da. *Curso avançado de direito civil* – v. 3: contratos. São Paulo: Revista dos Tribunais, 2002.

SANDULLI, Aldo M. *Manuale di diritto amministrativo*. Napoli: Eugenio Jovene, 1952.

SANTI ROMANO. Osservazioni sulla invalidità successiva degli atti amministrativi. *In: Scritti minori*. Milano: Giuffrè, 1990, v. 2, p. 397-410.

SILVA, Clarissa Sampaio. *Direitos fundamentais e relações especiais de sujeição*: o caso dos agentes públicos. Belo Horizonte: Fórum, 2009.

VITTA, Heraldo Garcia. *Soberania do Estado e poder de polícia*. São Paulo: Malheiros, 2011.

Informação bibliográfica deste texto, conforme a NBR 6023:2018 da Associação Brasileira de Normas Técnicas (ABNT):

MARTINS, Ricardo Marcondes. A Administração Pública nos contratos administrativos. *In*: JUSTEN, Monica Spezia; PEREIRA, Cesar; JUSTEN NETO, Marçal; JUSTEN, Lucas Spezia (coord.). *Uma visão humanista do Direito*: homenagem ao Professor Marçal Justen Filho. Belo Horizonte: Fórum, 2025. v. 2, p. 697-715. ISBN 978-65-5518-916-2.

SUSTENTABILIDADE NAS CONTRATAÇÕES PÚBLICAS NO BRASIL

ROBERTA JARDIM DE MORAIS

CESAR PEREIRA

1 Introdução[1]

No final de 2010, a Lei nº 12.349 alterou o art. 3º da Lei nº 8.666 para estabelecer que a licitação se destina a "... garantir (...) a promoção do desenvolvimento nacional sustentável". A Lei nº 14.133 reiterou esse objetivo em seu art. 11, IV, e adotou o desenvolvimento nacional sustentável como um dos princípios previstos no art. 5º.

Em breve nota na edição de abril de 2011 da *newsletter* InfoJusten,[2] Marçal Justen Filho lançou as bases para a compreensão do tema: (a) a promoção do desenvolvimento sustentável não é um objetivo da licitação em si, mas da contratação administrativa subjacente; (b) esse objetivo deve ser buscado de modo direto pela contratação, na definição do objeto e dos meios para sua realização; mas (c) também é atingido de forma indireta pelo emprego das contratações públicas para o fomento de boas práticas ambientais.

A noção de proporcionalidade orienta a obra de Marçal Justen Filho em muitos aspectos. Aqui também ela permite compreender a interação entre as diretrizes constitucionais do desenvolvimento nacional (art. 3º) e da preservação do meio ambiente (art. 225). Seus comentários ao art. 5º da Lei nº 14.133 são fundamentais.

Mas existem casos em que será necessário restringir a dimensão econômico-social do desenvolvimento, tal como há outros em que se verifica a necessidade de atenuação da proteção ao meio ambiente. Em suma, podem ser necessárias soluções de compromisso, orientadas pela técnica da proporcionalidade.

---

[1] Os autores agradecem a colaboração de Lorenzo Galan Miranda, da Justen, Pereira, Oliveira e Talamini, na pesquisa e revisão do texto.

[2] InfoJusten é uma publicação mensal da Justen, Pereira, Oliveira e Talamini, divulgada ininterruptamente desde 2007. O boletim de abril de 2011 está disponível em: https://justen.com.br/edicao-50-abril-2011/.

Não se admite o crescimento econômico selvagem, orientado à busca da riqueza sem atentar para os efeitos destrutivos do ambiente e da Natureza. Mas também não se admite uma concepção de preservação da Natureza que acarrete o atraso econômico e a condenação de largas parcelas da população a um estado de carência.

A solução de equilíbrio deve ser produzida em face das circunstâncias concretas, sem a afirmação apriorística, abstrata e teórica de propostas que ignorem as circunstâncias do mundo real.[3]

Tais lições transcendem o tema das contratações públicas ou das licitações. Mostram que não se pode ignorar a realidade na busca de soluções de equilíbrio para enfrentar circunstâncias complexas. O uso direto ou indireto das contratações públicas é um mecanismo de implementação de tais soluções, cuja concepção é um dever da Nação em face de suas gerações atuais e futuras.

Embora seja apenas um dos muitos instrumentos para a realização concreta do desenvolvimento nacional sustentável, pode ter grande relevância concreta. O mercado de licitações e contratações públicas movimenta recursos expressivos. Somente em 2023, aproximadamente 250 bilhões de reais foram gastos em compras governamentais.[4] Seu potencial para a promoção de políticas públicas é evidente. Também tem um caráter catalisador de ampliação de atividade econômica em geral. A preservação ambiental não poderia ignorar esse instrumento de indução de práticas sustentáveis. Também não poderia desconsiderar seu potencial de ampliação de práticas inadequadas caso as contratações públicas não fossem orientadas por objetivos ambientalmente satisfatórios.

Já se consolidou a noção de desenvolvimento sustentável como a capacidade de atender às necessidades atuais sem comprometer os recursos disponíveis para o futuro,[5] aliando o desenvolvimento econômico com a preservação ambiental e a inclusão social. Trata-se do tripé da sustentabilidade.[6]

A realidade é que "os instrumentos econômicos vêm evoluindo e se transformando com o passar do tempo, acompanhando as demais modificações nos padrões de desenvolvimento, de consumo, da noção de sustentabilidade e, também, de acordo com as novas realidades de mercado".[7] Essa evolução está presente também no setor das contratações públicas.

A integração da sustentabilidade nas contratações administrativas representa uma oportunidade de inovação e responsabilidade. Também é uma necessidade imperativa.

---

[3] JUSTEN FILHO, Marçal. *Comentários à Lei de Licitações e Contratações Administrativas*. 2. ed. São Paulo: Revista dos Tribunais, 2023, p. 151.

[4] Conforme dados divulgados pelo Ministério da Gestão e da Inovação em Serviços Públicos no Painel de Compras, disponível em: https://paineldecompras.economia.gov.br/processos-compra. Acesso em: 3 dez. 2024. Não estão compreendidas as compras oriundas do Regime Diferenciado de Contratação (RDC).

[5] A definição decorre do Relatório Brundtland, elaborado pelas Nações Unidas em 1987. Descreve o documento: "Sustainable development is development that meets the needs of the present without compromising the ability of future generations to meet their own needs" (ONU. *Relatório Brundtland*, 1987. Disponível em: https://digitallibrary.un.org/record/139811. Acesso em: 3 dez. 2024).

[6] Expressão atribuída ao trabalho de Edward Barbier: "One basic analytical approach is to view this process as an interaction among three systems: the biological (and other resource) system (BS), the economic system (ES), and the social system (SS)" (BARBIER, Edward. The Concept of Sustainable Economic Development. *Environmental Conservation*, vol. 14, n. 2, p. 101-110, 1987, p. 104).

[7] MORAIS, Roberta Jardim de; MATTEI, Juliana Flávia. Títulos e fundos ESG: uma visão atualizada dos instrumentos econômicos da política nacional do meio ambiente no contexto financeiro. *In*: MILARÉ, Edis (coord.). *Quarenta anos da lei da política nacional do meio ambiente*. Belo Horizonte, São Paulo: D'Plácido, 2021, p. 1098.

Por meio de contratações públicas economicamente eficientes, socialmente justas e ambientalmente responsáveis,[8] o Brasil já é um participante ativo no desenvolvimento de contratações públicas sustentáveis.

2 Sustentabilidade nos contratos regidos pela Lei de Licitações e Contratos Administrativos

2.1 "Desenvolvimento nacional" e a dimensão constitucional das contratações públicas sustentáveis

A sustentabilidade nos contratos administrativos tem uma (primeira) dimensão constitucional. A noção de "desenvolvimento nacional" de que tratam os artigos 3º, II,[9] e 174[10] da Constituição está intrinsecamente relacionada aos fundamentos da República Federativa do Brasil, contidos no artigo 1º da Constituição.[11] A promoção do "desenvolvimento nacional" está arraigada na cidadania, nos valores sociais do trabalho e da livre-iniciativa e na dignidade da pessoa humana. Sob a perspectiva ambiental, a conclusão foi ainda posteriormente reforçada pelo artigo 170, VI, da Constituição, ao fixar como princípio da ordem econômica nacional a "defesa do meio ambiente, inclusive mediante tratamento diferenciado conforme o impacto ambiental dos produtos e serviços e de seus processos de elaboração e prestação".[12]

O desenvolvimento nacional se concretiza pelo incremento de riqueza econômica da nação, mas também pelo aumento da qualidade das condições sociais.[13] A preservação ambiental não está alheia a essa definição. Marçal Justen Filho ressalta que as contratações públicas são "um meio para fomentar e assegurar o emprego da mão de obra brasileira e o progresso da indústria nacional, mas preservando o equilíbrio do meio ambiente".[14]

Por decorrência, as contratações públicas sustentáveis já encontravam respaldo nas normas constitucionais independentemente da previsão específica na Lei nº 8.666 e

---

[8] Categorias propostas por Raquel Sobral Nonato, conforme NONATO, Raquel Sobral. Compras Públicas Sustentáveis no Brasil: histórico e uma proposta de taxonomia, *Revista Brasileira de Políticas Públicas e Internacionais*, vol. 7, n. 1, p. 117-140, ago. 2022, p. 131-132.

[9] CRFB, artigo 3º, *caput* e II: "Art. 3º Constituem objetivos fundamentais da República Federativa do Brasil: [...] II – garantir o desenvolvimento nacional".

[10] CRFB, artigo 174, *caput*: "Art. 174. Como agente normativo e regulador da atividade econômica, o Estado exercerá, na forma da lei, as funções de fiscalização, incentivo e planejamento, sendo este determinante para o setor público e indicativo para o setor privado".

[11] CRFB, artigo 1º, incisos I a V: "Art. 1º A República Federativa do Brasil, formada pela união indissolúvel dos Estados e Municípios e do Distrito Federal, constitui-se em Estado Democrático de Direito e tem como fundamentos: I – a soberania; II – a cidadania III – a dignidade da pessoa humana; IV – os valores sociais do trabalho e da livre iniciativa; V – o pluralismo político".

[12] CRFB, artigo 170, *caput* e inciso VI: "Art. 170. A ordem econômica, fundada na valorização do trabalho humano e na livre iniciativa, tem por fim assegurar a todos existência digna, conforme os ditames da justiça social, observados os seguintes princípios: [...] VI – defesa do meio ambiente, inclusive mediante tratamento diferenciado conforme o impacto ambiental dos produtos e serviços e de seus processos de elaboração e prestação".

[13] JUSTEN FILHO, Marçal. *Comentários à Lei de Licitações e Contratações Administrativas*. 2. ed. São Paulo: Revista dos Tribunais, 2023, p. 147.

[14] JUSTEN FILHO, Marçal. *Comentários à lei de licitações e contratos administrativos*. 17. ed. rev., atual. e ampl. São Paulo: Revista dos Tribunais, 2016, p. 103.

na Lei nº 14.133. A conclusão constou expressamente do voto do Ministro Dias Toffoli no âmbito da Ação Direta de Inconstitucionalidade nº 2.946: "mesmo antes da alteração introduzida pela Lei nº 12.349/10, as licitações sustentáveis já eram constitucionais e legais".[15]

Os contratos administrativos devem promover o desenvolvimento nacional sustentável, em sua ordem ambiental, social e econômica.[16] As subsequentes alterações legislativas contribuíram para dar robustez à noção de "desenvolvimento nacional sustentável" e à sua aplicação às contratações públicas.

2.2 Contratações públicas sustentáveis na Lei nº 8.666

Em sua formulação original, a Lei nº 8.666 era praticamente silente quanto à sustentabilidade.[17] Foi a partir das alterações movidas pela Lei nº 12.349 que o tema passou a constar de forma expressa no regime licitatório brasileiro. O "desenvolvimento nacional sustentável" foi elencado como uma das finalidades da contratação administrativa, mediante alteração do artigo 3º, *caput*, da Lei nº 8.666.[18]

A alteração inaugurou um novo momento no setor das licitações públicas. O objetivo primário continuou sendo a contratação de bens ou serviços pela "proposta mais vantajosa", conforme redação do artigo 3º, *caput*, da Lei nº 8.666. Todavia, caso a vantagem fosse vinculada exclusivamente à oferta do menor preço, não haveria espaço para critérios de sustentabilidade. Logo, a inovação legislativa imprimiu à "proposta mais vantajosa" interpretação clara: exige-se também a adoção de critérios distintos daqueles puramente econômicos para a sua aferição.[19] Como observa Marçal Justen Filho, o dispositivo almeja não apenas "o incremento da quantidade de bens da Nação, mas também a elevação da qualidade de vida".[20]

---

[15] STF. ADI nº 2.946, Pleno. Rel. Min. Dias Toffoli. Julg. em 9 de março de 2022.

[16] WONTROBA, Bruno Gresler; ANTONIETTO, Letícia Alle. Contratações sustentáveis (sustentabilidade ambiental e social). In: NIEBUHR, Karlin Olbertz; POMBO, Rodrigo Goulart de Freitas (org.). *Novas questões em licitações e contratos*. São Paulo: Lumen Juris, 2023, p. 377.

[17] Havia no artigo 12, inciso VII, a previsão do impacto ambiental como requisito de avaliação dos projetos básicos e projetos executivos de obras e serviços.

[18] Lei nº 8.666, art. 3º, *caput*: "A licitação destina-se a garantir a observância do princípio constitucional da isonomia, a seleção da proposta mais vantajosa para a administração e a promoção do desenvolvimento nacional sustentável e será processada e julgada em estrita conformidade com os princípios básicos da legalidade, da impessoalidade, da moralidade, da igualdade, da publicidade, da probidade administrativa, da vinculação ao instrumento convocatório, do julgamento objetivo e dos que lhes são correlatos". Embora a lei trate do desenvolvimento nacional sustentável como finalidade do processo licitatório, Marçal Justen Filho aponta o equívoco conceitual do legislador: "Ora, a promoção do desenvolvimento nacional sustentado não é uma finalidade da licitação, mas da contratação administrativa. A licitação é um mero procedimento seletivo de propostas – esse procedimento não é hábil a promover ou a deixar de promover o desenvolvimento nacional" (JUSTEN FILHO, Marçal. Desenvolvimento nacional sustentado – contratações administrativas e o regime introduzido pela lei nº 12.349/10. *Informativo Justen, Pereira, Oliveira e Talamini*, n. 50, abr. 2011. Recurso eletrônico. Disponível em: https://edisciplinas.usp.br/pluginfile.php/1788209/mod_resource/content/1/mar%C3%A7al%20justen%20filho%20-%20desenvolvimento%20nacional%20sustentado%20%20.......pdf. Acesso em: 3 dez. 2024).

[19] JUSTEN FILHO, Marçal. *Curso de direito administrativo*. 15. ed. rev. e atual. Rio de Janeiro: Forense, 2024, p. 249. Fernando Quadros da Silva refere a um binômio "proposta mais vantajosa-sustentabilidade" estabelecido pelo legislador, conforme SILVA, Fernando Quadros da. Contratações públicas: a prova da sustentabilidade em juízo. *Interesse Público*, ano 18, n. 98, p. 111-121, jul./ago. 2016, p. 112.

[20] JUSTEN FILHO, Marçal. *Comentários à lei de licitações e contratos administrativos*. 17. ed. rev., atual. e ampl. São Paulo: Revista dos Tribunais, 2016, p. 101.

Trata-se de um balanço entre "preço e qualidade"[21] em que a sustentabilidade, embora não consista no objetivo originário das contratações públicas,[22] garante que o desenvolvimento econômico seja aliado à preservação do meio ambiente e ao bem-estar social.[23] Como consequência, segundo Maria Cristina Cesar de Oliveira e Octávio Cascaes Dourado Junior, "a mais vantajosa será a proposta que preencha, em última instância, as condições de economicidade, responsabilidade ecológica e justiça social, necessárias à completa satisfação dos interesses públicos".[24]

Contemporaneamente à alteração legislativa, um novo padrão de consumo vinha sendo introduzido. Entre outras medidas para promover a sustentabilidade, a Instrução Normativa nº 1/2010 da Secretaria Logística e Tecnologia de Informação do Ministério do Planejamento, Orçamento e Gestão já propunha fixar "os critérios de sustentabilidade ambiental na aquisição de bens, contratação de serviços ou obras pela administração pública federal direta, autárquica e fundacional".[25]

2.3 Contratações públicas sustentáveis a partir da Lei nº 14.133

O legislador brasileiro renovou seu compromisso com a sustentabilidade nas licitações públicas ao incluí-la como um dos princípios norteadores da aplicação da Lei nº 14.133.[26] A mudança aprofundou o escopo da sustentabilidade nas contratações públicas: está "em todo o universo da contratação, desde sua formalização até sua extinção".[27]

---

[21] SILVA, Maria Beatriz Oliveira da; KESSLER, Márcia Samuel. A (in)eficácia das licitações públicas sustentáveis na administração pública federal brasileira em face aos princípios da isonomia e da economicidade, *Revista de Direito Ambiental*, vol. 84, p. 153-169, out./dez. 2016. Versão eletrônica. Nesse sentido, Marçal Justen Filho pontua que "a proteção do meio ambiente não justifica contratações economicamente ineficientes" (JUSTEN FILHO, Marçal. *Comentários à lei de licitações e contratos administrativos*. 17. ed. rev., atual. e ampl. São Paulo: Revista dos Tribunais, 2016, p. 103).

[22] Como sugere Joel de Menezes Niebuhr, "o desenvolvimento nacional sustentável também é uma finalidade da licitação, mas de caráter secundário, que se acopla à finalidade primária" (NIEBUHR, Joel de Menezes. Licitação, sustentabilidade e políticas públicas, *Interesse Público*, ano 15, n. 81, set./out. 2013. Versão eletrônica). No mesmo sentido, ver WONTROBA, Bruno Gressler; ANTONIETTO, Letícia Alle. Contratações sustentáveis (sustentabilidade ambiental e social). In: NIEBUHR, Karlin Olbertz; POMBO, Rodrigo Goulart de Freitas (org.). *Novas questões em licitações e contratos*. São Paulo: Lumen Juris, 2023, p. 377.

[23] JUSTEN FILHO, Marçal. Desenvolvimento nacional sustentado – contratações administrativas e o regime introduzido pela Lei nº 12.349/10. *Informativo Justen, Pereira, Oliveira e Talamini*, n. 50, abr. 2011. Recurso eletrônico. Disponível em: https://edisciplinas.usp.br/pluginfile.php/1788209/mod_resource/content/1/mar%C3%A7al%20justen%20filho%20-%20desenvolvimento%20nacional%20sustentado%20%20.......pdf. Acesso em: 5 nov. 2024.

[24] OLIVEIRA, Maria Cristina Cesar de; DOURADO JUNIOR, Octavio Cascaes. Dimensões Socioambientais do Direito Administrativo. *Revista do Tribunal Regional Federal 1ª Região*, vol. 1, p. 38-47, 2012, p. 44.

[25] Instrução Normativa nº 1/2010 da Secretaria Logística e Tecnologia de Informação do Ministério do Planejamento, Orçamento e Gestão: "Art. 1º Nos termos do art. 3º da Lei nº 8.666, de 21 de junho de 1993, as especificações para a aquisição de bens, contratação de serviços e obras por parte dos órgãos e entidades da administração pública federal direta, autárquica e fundacional deverão conter critérios de sustentabilidade ambiental, considerando os processos de extração ou fabricação, utilização e descarte dos produtos e matérias-primas".

[26] Lei nº 14.133, art. 5º: "Na aplicação desta Lei, serão observados os princípios da legalidade, da impessoalidade, da moralidade, da publicidade, da eficiência, do interesse público, da probidade administrativa, da igualdade, do planejamento, da transparência, da eficácia, da segregação de funções, da motivação, da vinculação ao edital, do julgamento objetivo, da segurança jurídica, da razoabilidade, da competitividade, da proporcionalidade, da celeridade, da economicidade e do desenvolvimento nacional sustentável, assim como as disposições do Decreto-Lei nº 4.657, de 4 de setembro de 1942" (Lei de Introdução às Normas do Direito Brasileiro)".

[27] AMADEI, Vicente de Abreu. Licitação, contrato administrativo e sustentabilidade. In: CUNHA FILHO, Alexandre Jorge Carneiro da; ARRUDA, Carmen Silvia de; PICCELLI, Roberto Ricomini (coord.). *Lei de licitações e contratos* – Comentada, vol. 1 (artigo 1º ao 39). São Paulo: Quartier Latin, 2022, p. 85.

Reiterando a previsão instituída pela Lei nº 12.349, o artigo 11, inciso IV, da Lei nº 14.133[28] fixou o "desenvolvimento nacional sustentável" como um dos objetivos do processo licitatório. No inciso I do mesmo dispositivo,[29] o legislador relacionou expressamente a aferição da proposta mais vantajosa com o ciclo da vida do objeto. Ou seja, as diferentes fases pelas quais passa um objeto, desde a sua criação e até a sua destruição, devem ser sopesadas pelo órgão público contratante.[30] Para Juarez Freitas, a proposta mais vantajosa e alinhada com o preceito legal é aquela que "resiste ao crivo de indicadores multifacetados de custos e benefícios direitos e indiretos, exorcizando os perigos de irreversíveis perdas trágicas patrocinadas pelo desequilíbrio ecossistêmico".[31]

Ainda, a possibilidade de fixação de remuneração variável do contratado estipulada pelo artigo 144, *caput*, da Lei nº 14.133 prevê a aferição do desempenho do contratado "com base em metas, padrões de qualidade, critérios de sustentabilidade ambiental e prazos de entrega definidos no edital de licitação e no contrato".[32] A adoção de critérios de sustentabilidade ambiental requer um embasamento técnico, a fim de justificar um benefício efetivo.[33]

Marçal Justen Filho menciona outros dispositivos que contêm medidas concretas para a promoção do desenvolvimento nacional sustentável por meio do processo licitatório, como o artigo 4º da Lei nº 14.133, que confere preferência à contratação de microempresas e empresas de pequeno porte; o seu artigo 26, para a adoção de soluções concretas de preferência; e o seu artigo 75, ao autorizar a contratação direta para a realização de políticas sociais.[34] Bruno Wontroba e Letícia Antonietto citam ainda outros dispositivos voltados à efetivação da sustentabilidade na licitação pública.[35] A despeito do espaço para aperfeiçoamento no tratamento da matéria, as inovações da Lei nº 14.133 inauguraram um regime favorável à contratação pública sustentável.

Acompanhando os esforços legislativos e para auxiliar os gestores públicos na implementação das contratações públicas sustentáveis, a Consultoria-Geral da União edita anualmente o Guia Nacional de Contratações Sustentáveis. Na edição de setembro

---

[28] Lei nº 14.133, artigo 11, *caput* e inciso IV: "Art. 11. O processo licitatório tem por objetivos: [...] IV – incentivar a inovação e o desenvolvimento nacional sustentável".

[29] Lei nº 14.133, artigo 11, *caput* e inciso I: "Art. 11. O processo licitatório tem por objetivos: I – assegurar a seleção da proposta apta a gerar o resultado de contratação mais vantajoso para a Administração Pública, inclusive no que se refere ao ciclo de vida do objeto".

[30] JUSTEN FILHO, Marçal. *Comentários à Lei de Licitações e Contratações Administrativas*. 2. ed. São Paulo: Revista dos Tribunais, 2023, p. 260.

[31] FREITAS, Juarez. Nova Lei de Licitações e o ciclo de vida do objeto, *Revista de Direito Administrativo*, vol. 281, n. 2, p. 91-106, maio/ago. 2022, p. 104.

[32] Lei nº 14.133, artigo 144, *caput*: "Art. 144. Na contratação de obras, fornecimentos e serviços, inclusive de engenharia, poderá ser estabelecida remuneração variável vinculada ao desempenho do contratado, com base em metas, padrões de qualidade, critérios de sustentabilidade ambiental e prazos de entrega definidos no edital de licitação e no contrato".

[33] SCHWIND, Rafael Wallbach. Remuneração variável e contratos de eficiência no Regime Diferenciado de Contratações Públicas (RDC), *Revista Brasileira de Direito Público*, ano 10, n. 36, jan./mar. 2012. Versão eletrônica. Os comentários, feitos no âmbito da Lei nº 12.462, podem ser replicados à Lei nº 14.133, haja vista que a redação do artigo 144 desta última corresponde àquela do artigo 10 da primeira.

[34] JUSTEN FILHO, Marçal. *Comentários à Lei de Licitações e Contratações Administrativas*. 2. ed. São Paulo: Revista dos Tribunais, 2023, p. 150.

[35] Para uma ampla análise da sustentabilidade nos diversos dispositivos da Lei nº 14.133, ver WONTROBA, Bruno Gressler; ANTONIETTO, Letícia Alle. Contratações sustentáveis (sustentabilidade ambiental e social). In: NIEBUHR, Karlin Olbertz; POMBO, Rodrigo Goulart de Freitas (org.). *Novas questões em licitações e contratos*. São Paulo: Lumen Juris, 2023.

de 2023, o documento explica e detalha o regime da Lei nº 8.666 e da Lei nº 14.133 sob a ótica da sustentabilidade. Reforça a postura pela qual "a contratação sustentável não pode mais ser considerada como exceção no cotidiano da Administração Pública".[36]

3 Sustentabilidade nos contratos administrativos internacionais

3.1 Esforços internacionais para a promoção das contratações públicas sustentáveis

A sustentabilidade tornou-se um pilar essencial nas políticas de contratações públicas ao redor do mundo. Um dos principais marcos deste movimento é a *EU Green Public Procurement*, uma iniciativa da União Europeia que visa a incentivar a opção por produtos, serviços e obras que causem menos impacto ao meio ambiente ao longo de seu ciclo de vida e contribuir para a "ecologização" do orçamento nacional.[37] A iniciativa é uma peça-chave na estratégia da União Europeia para alcançar os objetivos do Pacto Ecológico Europeu, que busca transformar a Europa no primeiro continente neutro em carbono até 2050.[38]

Além disso, o *Sustainable Procurement Pledge* é outra iniciativa que reforça o compromisso global com as práticas sustentáveis nas contratações públicas. Promove a transparência e a responsabilidade na aquisição de produtos e serviços verdes, estimulando mercados que respeitem os critérios de sustentabilidade e inovação ambiental.

No Brasil, têm-se empregado esforços similares. Como ressaltado pelo Supremo Tribunal Federal, em sessão plenária no julgamento da Medida Cautelar em Ação Direta de Inconstitucionalidade nº 3.540, além de sua faceta constitucional, a promoção do desenvolvimento sustentável está ancorada nos compromissos internacionais firmados pelo Estado brasileiro.[39] A aderência do Brasil à Agenda 2030 e à promoção dos Objetivos

---

[36] CGU/AGU. *Guia Nacional de Contratações Sustentáveis*. 6. ed. Brasília: AGU, 2023, p. 19. Disponível em: https://www.gov.br/agu/pt-br/composicao/cgu/cgu/guias/guia-de-contratacoes-sustentaveis-set-2023.pdf. Acesso em: 3 dez. 2024.

[37] MORAIS, Roberta Jardim de; MATTEI, Juliana Flávia. Títulos e fundos ESG: uma visão atualizada dos instrumentos econômicos da política nacional do meio ambiente no contexto financeiro. In: MILARÉ, Edis (coord.). *Quarenta anos da lei da política nacional do meio ambiente*. Belo Horizonte, São Paulo: D'Plácido, 2021, p. 1109-1110.

[38] Firmado em dezembro de 2019, o Pacto Ecológico Europeu se propõe a tornar a União Europeia "uma sociedade equitativa e próspera, dotada de uma economia moderna, eficiente na utilização dos recursos e competitiva, que, em 2050, tenha zero emissão líquida de gases de efeito estufa e em que o crescimento econômico esteja dissociado da utilização dos recursos" (União Europeia. Comunicação da Comissão ao Parlamento Europeu, ao Conselho Europeu, ao Conselho, ao Comité Económico e Social Europeu e ao Comité Das Regiões, de 12 de dezembro de 2019 ("Pacto Ecológico Europeu"). Versão em português. Disponível em: https://eur-lex.europa.eu/resource.html?uri=cellar:b828d165-1c22-11ea-8c1f-01aa75ed71a1.0008.02/DOC_1&format=PDF. Acesso em: 3 dez. 2024).

[39] "O princípio do desenvolvimento sustentável, além de impregnado de caráter eminentemente constitucional, encontra suporte legitimador em compromissos internacionais assumidos pelo Estado brasileiro e representa fator de obtenção do justo equilíbrio entre as exigências da economia e as da ecologia, subordinada, no entanto, a invocação desse postulado, quando ocorrente situação de conflito entre valores constitucionais relevantes, a uma condição inafastável, cuja observância não comprometa nem esvazie o conteúdo essencial de um dos mais significativos direitos fundamentais: o direito à preservação do meio ambiente, que traduz bem de uso comum da generalidade das pessoas, a ser resguardado em favor das presentes e futuras gerações" (STF. Medida Cautelar em ADI nº 3.540, Pleno. Rel. Min. Celso de Mello. Julg. em 1 de setembro de 2005).

de Desenvolvimento Sustentável (ODS) é exemplificativa desse compromisso.[40] E mais: o compromisso se estende também às contratações públicas, em que o ordenamento brasileiro já prevê normas protetivas à sustentabilidade e contempla aderir a outras que as reforçariam.

3.2 Sustentabilidade no GPA/WTO e a potencial acessão do Brasil

O Brasil tem acompanhado desde 2017 os trabalhos desenvolvidos em relação ao Acordo sobre Contratações Públicas da Organização Mundial do Comércio ("GPA/WTO") e candidatou-se em maio de 2020 para o procedimento de acesso ao GPA/WTO.[41] A perspectiva com a acessão brasileira era aumentar a concorrência interna e a economicidade nas compras governamentais para a Administração Pública e permitir que empresas brasileiras acessassem mercado de 1,7 trilhão de dólares.[42] O processo de acessão foi retardado com o cancelamento das ofertas brasileiras em 2023, mas permanece aberto para potencial retomada.

Junto ao desenvolvimento econômico, a acessão ao GPA/WTO traria consigo regras cujo escopo é voltado à sustentabilidade.[43] A título exemplificativo, o artigo X(6)[44] expressamente incorpora "a preservação dos recursos naturais ou a proteção do meio ambiente" como especificações técnicas a serem estipuladas pela entidade licitante, o que leva em consideração o processo e o método de produção do bem ou prestação do serviço. De forma semelhante, o artigo X(9)[45] prevê a possibilidade de estipulação de características ambientais como critério de avaliação no edital da licitação. Embora consista apenas em uma faculdade da entidade licitante, a linguagem utilizada nos dispositivos sinaliza favoravelmente ao emprego desses critérios no processo licitatório.

À época das alterações ao GPA/WTO em 2012, o Comitê do GPA/WTO também instituiu um programa de trabalho para o desenvolvimento das contratações públicas sustentáveis. A finalidade do programa compreendia examinar: (*i*) os objetivos das contratações públicas sustentáveis; (*ii*) a maneira como seriam integradas nas políticas nacionais de licitações públicas; (*iii*) como poderia ser incorporada de forma compatível com o princípio do "melhor custo-benefício"; e (*iv*) como poderia ser praticada de maneira condizente com as obrigações internacionais assumidas pelos Estados-membros.[46]

---

[40] Sobre a promoção dos ODS no Brasil, ver: https://brasil.un.org/pt-br/sdgs. Acesso em: 3 dez. 2024. Em particular, o ODS número 12 trata expressamente do consumo e da produção responsáveis.

[41] Disponível em: https://www.wto.org/english/tratop_e/gproc_e/gpa_accession_e.htm. Acesso em: 3 dez. 2024.

[42] Conforme ficha informativa elaborada pelo Ministério do Desenvolvimento, Indústria, Comércio e Serviços sobre o GPA/WTO, disponível em: https://www.gov.br/mdic/pt-br/assuntos/comercio-exterior/publicacoes-secex/outras-publicacoes/ficha-informativa-gpa.pdf. Acesso em: 3 dez. 2024.

[43] Para uma análise mais aprofundada sobre os temas de sustentabilidade no GPA/WTO, ver ANDERSON, Robert; SALGUEIRO, Antonella; SCHOONER, Steven; STEINER, Marc. Deploying the WTO Agreement on Government Procurement (GPA) to Enhance Sustainability and Accelerate Climate Change Mitigation. *Public Procurement Law Review*, n. 32, p. 223-248, 2023.

[44] GPA/WTO, artigo X(6): "For greater certainty, a Party, including its procuring entities, may, in accordance with this Article, prepare, adopt or apply technical specifications to promote the conservation of natural resources or protect the environment".

[45] GPA/WTO, artigo X(9): "The evaluation criteria set out in the notice of intended procurement or tender documentation may include, among others, price and other cost factors, quality, technical merit, environmental characteristics and terms of delivery".

[46] Decision of the Committee on Government Procurement on a Work Programme on Sustainable Procurement. Disponível em: https://www.wto.org/english/tratop_e/gproc_e/annexe_e.pdf. Acesso em: 3 dez. 2024.

O programa de trabalho segue em andamento. Um dos mais notáveis resultados obtidos pelo programa decorre da realização do *Committee's Symposium on Sustainable Procurement* em 2017, que contou com a contribuição de especialistas, vinculados ou não a entidades governamentais, e representantes de organizações internacionais. O Secretariado do GPA/WTO elaborou um relatório com as principais conclusões extraídas da ocasião.[47] Nele, expressou-se a preocupação com a promoção da sustentabilidade em todas as suas dimensões (ambiental, econômica e social) e firmou-se um compromisso para que os Estados-membros implementassem os objetivos já contidos no GPA/WTO, inclusive aventada a possibilidade de nova alteração em seu texto para refletir mais claramente a observância ao caráter social da sustentabilidade.

A acessão do Brasil ao GPA/WTO ainda é um capítulo em aberto. A terceira e última oferta realizada data de junho de 2022, sobre a qual as informações divulgadas são escassas. Ao início do ano de 2023, as perspectivas ainda favoráveis esmoreceram paulatinamente.[48] Após um impasse nas negociações, o Brasil anunciou em maio de 2023 a retirada da oferta para aceder ao GPA/WTO.[49] Embora não haja notícia de novos esforços para dar continuidade ao processo de acessão, é facultado ao Brasil retomá-lo.[50] Se vier a lograr sucesso nas negociações para a sua acessão, o regime licitatório brasileiro encontraria novo fundamento para a sustentabilidade nas contratações públicas.

4 Sustentabilidade e inidoneidade

Indaga-se se o cometimento de infrações que abalam, de forma especialmente grave, o direito constitucional ao meio ambiente ecologicamente equilibrado consistiria em agressão a valor essencial à própria vida e seria considerado "comportamento inidôneo", capaz de ensejar a aplicação da penalidade de declaração de inidoneidade para licitar ou contratar, nos termos da Lei nº 14.133.

4.1 Infrações ambientais e sanções de impedimento de licitar[51]

A previsão de sanções afetadas à interdição de direito de contratar com o Poder Público, por ocasião do cometimento de infrações ambientais, remonta no mínimo a

---

[47] GPA/WTO Secretariat. Key take-aways from the Committee's Symposium on Sustainable Procurement. Disponível em: https://www.oneplanetnetwork.org/sites/default/files/from-crm/key_takeaways_from_the_wto_committee_forum_on_sustainable_procurement.pdf. Acesso em: 3 dez. 2024.

[48] Sobre a evolução das negociações envolvendo a acessão do Brasil ao GPA/WTO, ver PEREIRA, Cesar; SCHWIND, Rafael Wallbach. The GPA/WTO and Latin America: lessons from Brazil's accession process. *Public Procurement Law Review*, aprovado para publicação em 2023. Disponível em: https://papers.ssrn.com/sol3/papers.cfm?abstract_id=4433660. Acesso em: 3 dez. 2024.

[49] Veja a nota à imprensa nº 220 do Ministério de Relações Exteriores, de 30 de maio de 2023, disponível em: https://www.gov.br/mre/pt-br/canais_atendimento/imprensa/notas-a-imprensa/retirada-da-oferta-do-brasil-para-acessao-ao-acordo-de-contratacoes-governamentais-da-omc. Acesso em: 3 dez. 2024.

[50] Com o processo de acessão iniciado, o Brasil conserva sua condição de candidato, conforme lista divulgada em: https://www.wto.org/english/tratop_e/gproc_e/gpa_accession_e.htm. Acesso em: 5 nov. 2024.

[51] Sobre o tema, cf. SAADI, Mario. MORAIS, Roberta Jardim de. "Inidoneidade licitatória e infrações ambientais: o recente posicionamento da AGU sobre o tema". Disponível em https://www.conjur.com.br/2024-jan-19/inidoneidade-licitatoria-e-infracoes-ambientais-o-recente-posicionamento-da-agu-sobre-o-tema/. Acesso em: 10 set. 2024.

12.02.1998, data da edição da Lei nº 9.605/1998, cujo artigo 10 dispõe sobre essa penalidade. O artigo 22 do Decreto Federal nº 6.514/2008 tem a mesma previsão.

4.2 Interação entre infrações penais e administrativas

A despeito de o direito ao meio ambiente ecologicamente equilibrado caracterizar-se como fundamental, o cometimento de infração ambiental não pode, por si só, configurar necessariamente afronta a tal direito.

A legislação penal ambiental não se presta para identificar quais seriam as infrações ambientais especialmente graves. Isso implicaria confusão entre as esferas de responsabilização ambiental (penal, administrativa e civil, as quais não podem ser embaralhadas). Revelaria distanciamento das normas e da realidade e prática do Direito Ambiental. O fato de uma área ser maior ou menor não significa que a infração cometida é de maior ou menor relevância (por exemplo, um incêndio que tem lugar em uma área protegida de dez hectares pode ser muito mais gravoso que um incêndio em uma área não protegida de cem hectares).

Nem todos os crimes ambientais dispostos na Lei nº 9.605/1998 apresentam lesão ao meio ambiente. Existem crimes formais, como o previsto no artigo 60 desse diploma, que não implicam necessariamente a ocorrência de danos ambientais.

4.2.1 Imprescritibilidade da reparação e prescritibilidade da infração ambiental

O prazo de prescrição administrativa tem como termo inicial a data do cometimento da infração, não a data da lavratura do auto de infração. Interpretação distinta facultaria à Administração Pública o exercício indefinido da pretensão punitiva. A imprescritibilidade da reparação do dano ambiental não se confunde com a prescrição da atuação da imposição administrativa. Tais esferas não se confundem e são regidas por princípios e regras distintos.

5 Conclusão

A integração da sustentabilidade nas licitações públicas e nos contratos administrativos revela-se essencial para a promoção de um desenvolvimento nacional alinhado às exigências contemporâneas de preservação ambiental, justiça social e eficiência econômica. O Brasil tem dado passos importantes na incorporação desses valores em sua legislação, especialmente com as evoluções trazidas pela Lei nº 12.349 e pela Lei nº 14.133. As normas internacionais, como o GPA/WTO e a CISG, também têm potencial para ampliar e fortalecer esses propósitos, conferindo um caráter global às práticas sustentáveis no setor público. Ainda assim, não se pode desconsiderar que o fundamento para a contratação pública sustentável é, antes, constitucional e é inerente à atividade da Administração Pública.

A efetividade dessa integração depende não apenas da existência de normas robustas, mas também da implementação de medidas coerentes. O desafio que se apresenta é assegurar que as práticas sustentáveis não sejam tratadas como uma exceção, mas como a regra nos processos de contratação pública, fomentando um mercado responsável.

A sustentabilidade nas contratações públicas é uma exigência constitucional e legal. É um imperativo para a Administração Pública. Por meio dela, o Brasil consolida-se como um Estado alinhado com a promoção de práticas sustentáveis, tanto no âmbito interno quanto no cenário internacional.

Referências

AMADEI, Vicente de Abreu. Licitação, contrato administrativo e sustentabilidade. *In:* CUNHA FILHO, Alexandre Jorge Carneiro da; ARRUDA, Carmen Silvia de; PICCELLI, Roberto Ricomini (coord.). *Lei de Licitações e Contratos* – comentada, vol. 1 (artigo 1º ao 39). São Paulo: Quartier Latin, 2022.

ANDERSON, Robert; SALGUEIRO, Antonella; SCHOONER, Steven; STEINER, Marc. Deploying the WTO Agreement on Government Procurement (GPA) to Enhance Sustainability and Accelerate Climate Change Mitigation. *Public Procurement Law Review*, n. 32, p. 223-248, 2023.

BARBIER, Edward. The Concept of Sustainable Economic Development. *Environmental Conservation*, vol. 14, n. 2, p. 101-110, 1987.

BUTLER, Petra. Article 7. *In:* KRÖLL, Stepfan; MISTELIS, Loukas; PERALES VISCASILLAS, Pilar (ed.). *UN-Convention on the International Sales of Goods (CISG)*. C.H. Beck, Hart, Nomos, 2011.

CGU/AGU. *Guia Nacional de Contratações Sustentáveis*. 6. ed. Brasília: AGU, 2023. Disponível em: https://www.gov.br/agu/pt-br/composicao/cgu/cgu/guias/guia-de-contratacoes-sustentaveis-set-2023.pdf. Acesso em: 5 nov. 2024.

FREITAS, Juarez. Nova Lei de Licitações e o ciclo de vida do objeto. *Revista de Direito Administrativo*, vol. 281, n. 2, p. 91-106, maio/ago. 2022.

JUSTEN FILHO, Marçal. *Comentários à Lei de Licitações e Contratações Administrativas*. 2. ed. São Paulo: Revista dos Tribunais, 2023.

JUSTEN FILHO, Marçal. *Comentários à lei de licitações e contratos administrativos*. 17. ed. rev., atual. e ampl. São Paulo: Revista dos Tribunais, 2016.

JUSTEN FILHO, Marçal. *Curso de direito administrativo*. 15. ed. rev. e atual. Rio de Janeiro: Forense, 2024.

JUSTEN FILHO, Marçal. Desenvolvimento nacional sustentado – contratações administrativas e o regime introduzido pela Lei nº 12.349/10. *Informativo Justen, Pereira, Oliveira e Talamini*, n. 50, abr. 2011. Recurso eletrônico. Disponível em: https://edisciplinas.usp.br/pluginfile.php/1788209/mod_resource/content/1/mar%C3%A7al%20justen%20filho%20-%20desenvolvimento%20nacional%20sustentado%20%20.......pdf. Acesso em: 5 nov. 2024.

KÖHLER, Ben. The CISG in the age of sustainable supply chains. *In:* GULATI, Rishi; JOHN, Thomas; KÖHLER, Ben (ed.). *The Elgar companion to UNCITRAL*. Cheltenham: Edward Elgar Publishing, 2023.

MORAIS, Roberta Jardim de; MATTEI, Juliana Flávia. Títulos e fundos ESG: uma visão atualizada dos instrumentos econômicos da política nacional do meio ambiente no contexto financeiro. *In:* MILARÉ, Edis (coord.). *Quarenta anos da lei da política nacional do meio ambiente*. Belo Horizonte, São Paulo: D'Plácido, 2021.

NIEBUHR, Joel de Menezes. Licitação, sustentabilidade e políticas públicas. *Interesse Público*, ano 15, n. 81, set./out. 2013 (versão eletrônica).

NONATO, Raquel Sobral. Compras Públicas Sustentáveis no Brasil: histórico e uma proposta de taxonomia. *Revista Brasileira de Políticas Públicas e Internacionais*, vol. 7, n. 1, p. 117-140, ago. 2022.

OLIVEIRA, Maria Cristina Cesar de; DOURADO JUNIOR, Octavio Cascaes. Dimensões Socioambientais do Direito Administrativo. *Revista do Tribunal Regional Federal 1ª Região*, vol. 1, p. 38-47, 2012.

PEREIRA, Cesar. Application of the CISG to International Government Contracts for the Procurement of Goods. *Revija Kopaoničke Škole Prirodnog Prava*, n. 2, p. 157-183, 2023.

PEREIRA, Cesar; SCHWIND, Rafael Wallbach. The GPA/WTO and Latin America: lessons from Brazil's accession process. *Public Procurement Law Review*. Aprovado para publicação em 2023. Disponível em: https://papers.ssrn.com/sol3/papers.cfm?abstract_id=4433660. Acesso em: 5 nov. 2024.

RIBEIRO, Cássio Garcia; INÁCIO JÚNIOR, Edmundo. O Mercado de Compras Governamentais Brasileiro (2006-2017): mensuração e análise, *Publicação do Instituto de Pesquisa Econômica Aplicada*, maio 2019. Disponível em: https://portalantigo.ipea.gov.br/portal/images/stories/PDFs/TDs/td_2476.pdf. Acesso em: 5 nov. 2024.

SAADI, Mario; MORAIS, Roberta Jardim de. Inidoneidade licitatória e infrações ambientais: o recente posicionamento da AGU sobre o tema. Disponível em https://www.conjur.com.br/2024-jan-19/inidoneidade-licitatoria-e-infracoes-ambientais-o-recente-posicionamento-da-agu-sobre-o-tema/. Acesso em: 10 set. 2024.

SCHWENZER, Ingeborg; MUÑOZ, Edgardo. Sustainability in Global Supply Chains Under the CISG, *European Journal of Law Reform*, n. 23, p. 300-338, 2021.

SCHWIND, Rafael Wallbach. Remuneração variável e contratos de eficiência no Regime Diferenciado de Contratações Públicas (RDC). *Revista Brasileira de Direito Público*, ano 10, n. 36, jan./mar. 2012.

SILVA, Fernando Quadros da. Contratações públicas: a prova da sustentabilidade em juízo. *Interesse Público*, ano 18, n. 98, p. 111-121, jul./ago. 2016.

SILVA, Maria Beatriz Oliveira da; KESSLER, Márcia Samuel. A (in)eficácia das licitações públicas sustentáveis na administração pública federal brasileira em face aos princípios da isonomia e da economicidade. *Revista de Direito Ambiental*, vol. 84, p. 153-169, out./dez. 2016 (versão eletrônica).

WILLEMS, Daan. Application of the CISG to Contracts with Public Authorities. *In:* HEIDERHOFF, Bettina; QUEIROLO, Ilaria (ed.). *EU and Private Law*: Trending Topics in Contracts, Successions, and Civil Liability. Napoli: Editoriale Scientifica, 2023.

WONTROBA, Bruno Gressler; ANTONIETTO, Letícia Alle. Contratações sustentáveis (sustentabilidade ambiental e social). *In:* NIEBUHR, Karlin Olbertz; POMBO, Rodrigo Goulart de Freitas (org.). *Novas questões em licitações e contratos*. São Paulo: Lumen Juris, 2023.

Informação bibliográfica deste texto, conforme a NBR 6023:2018 da Associação Brasileira de Normas Técnicas (ABNT):

MORAIS, Roberta Jardim de; PEREIRA, Cesar. Sustentabilidade nas contratações públicas no Brasil. *In:* JUSTEN, Monica Spezia; PEREIRA, Cesar; JUSTEN NETO, Marçal; JUSTEN, Lucas Spezia (coord.). *Uma visão humanista do Direito*: homenagem ao Professor Marçal Justen Filho. Belo Horizonte: Fórum, 2025. v. 2, p. 717-728. ISBN 978-65-5518-916-2.

INEXISTÊNCIA DE PERSONALISMO DA CONTRATAÇÃO ADMINISTRATIVA: A CONTRIBUIÇÃO DE MARÇAL JUSTEN FILHO

RODRIGO GOULART DE FREITAS POMBO

1 Introdução[1]

Sempre foi muito difundida na doutrina de Direito Administrativo a afirmação de que o contrato administrativo tem caráter personalíssimo, sendo pactuado *intuitu personae*. Esse era o posicionamento predominante, tendo sido acolhido por longo período no âmbito da Administração Pública e de órgãos de controle.

Na doutrina, o personalismo costumava ser afirmado com propósito de classificação do instituto do contrato administrativo. Mas, para além de uma questão de classificação, esse posicionamento tem consequência prática importante. O alegado caráter personalíssimo é frequentemente invocado para impedir alteração subjetiva de contratos administrativos, integrando essas discussões.

Entretanto, o posicionamento sobre o alegado caráter personalíssimo do contrato administrativo vem se alterando com o passar do tempo. Talvez seja possível afirmar, hoje, que se trata de uma discussão superada. Apesar disso, é inegável que ela continua relevante.

O presente artigo se propõe a apresentar a evolução do entendimento sobre o tema, pontuando algumas manifestações produzidas ao longo dos anos e que ilustram esse percurso – no qual, como se verá, a obra de Marçal Justen Filho exerceu importante influência.

---

[1] Agradeço a João Antonio Luz Bolognesi pelo auxílio na revisão deste artigo.

2 A afirmação do caráter personalíssimo do contrato administrativo

Grande parte da doutrina de Direito Administrativo afirmava que os contratos administrativos tinham cunho personalíssimo, de modo que sua pactuação se dava *intuitu personae*. Esse posicionamento difundido era adotado pela quase totalidade da doutrina há alguns anos.

Nesse sentido, entre outros, podem-se mencionar Hely Lopes Meirelles,[2] Diogo de Figueiredo Moreira Neto,[3] Edmir Netto de Araújo,[4] Roberto Ribeiro Bazilli[5] e Maria Sylvia Zanella Di Pietro.[6]

Esse posicionamento era encampado pelos tribunais, notadamente pelo Tribunal de Contas da União. O TCU possui diversos julgados afirmando que os contratos administrativos teriam caráter personalíssimo, sendo celebrados *intuitu personae*. Essa concepção era usualmente invocada em análises sobre operações de alteração do polo privado de contratações administrativas.

Em julgado datado de 2002, o TCU adotou a premissa de que os contratos administrativos têm caráter personalíssimo. Essa premissa foi invocada como fundamento autônomo. Por isso, e com base também na disciplina da Lei nº 8.666, o tribunal reconheceu a inviabilidade de subcontratação total de contrato:

> A autorização concedida pela Administração para subcontratação, prevista em edital ou contrato, só pode ser para a subcontratação parcial, sob pena de infringir o caráter personalíssimo das avenças administrativas e a norma do artigo 72 da Lei 8.666/93.
>
> Ademais, 'o caráter 'intuitu personae' obsta que a transferência do contrato viole a ordem de preferência resultante da licitação', ou seja, no caso em questão a segunda colocada foi preterida com a subcontratação total da [...].[7]

O Acórdão nº 634/2007, do Plenário, envolveu a resposta a consulta sobre a possibilidade de alteração subjetiva de contrato em decorrência de operação de cisão, incorporação ou fusão. O julgado, ao afirmar a natureza *intuitu personae* dos contratos administrativos, reconheceu que operações de reestruturação empresarial na contratada caracterizariam uma "despersonalização". Confira-se trecho relevante do julgado:

> 14. Há, sim, certa despersonalização quando ocorre a reestruturação empresarial da contratada, afetando a natureza *intuitu personae* dos contratos administrativos, mas tal despersonalização, como ficou evidenciado no voto condutor do Acórdão 1.108/2003, não é absoluta nos casos de cisão, incorporação ou fusão, ao contrário do que ocorre na sub-rogação e, possivelmente, na subcontratação total. Se a execução do objeto do contrato não poderá ser afetada pela nova formatação societária da contratada, nada impede que o

---

[2] *Direito Administrativo Brasileiro*, 33. ed. São Paulo: Revista dos Tribunais, 2007, p. 212.
[3] *Curso de Direito Administrativo*, 11. ed. Rio de Janeiro: Forense, p. 119.
[4] *Contrato Administrativo*, São Paulo: RT, 1987, p. 51.
[5] *Contratos Administrativos*. São Paulo: Malheiros, 1996, p. 104.
[6] *Direito Administrativo*, 20. ed. São Paulo: Atlas, 2006, p. 249.
[7] TCU, Acórdão nº 386/2002, 1ª C., rel. Min. Lincoln Magalhães da Rocha.

novo sujeito possa legitimamente sucedê-la em todas as obrigações avençadas, podendo inclusive fazê-lo em melhores condições, como se pode presumir principalmente nos casos de fusão ou incorporação.[8]

Portanto, a afirmação de que o contrato administrativo tem caráter personalíssimo é difundida na doutrina, tendo sido adotada pela jurisprudência do TCU em diversas situações. Em muitas delas, o acolhimento desse argumento impediu providências de alteração subjetiva em contratos administrativos.[9]

Mas esse posicionamento começou a perder força com o passar do tempo.

3 A revisão da concepção sobre o alegado caráter personalíssimo do contrato administrativo: a contribuição de Marçal Justen Filho

Marçal Justen Filho enfrentou o tema do personalismo do contrato administrativo em diversos estudos ao longo dos anos, contrapondo-se à parcela majoritária da doutrina e aos posicionamentos difundidos na Administração Pública e nos órgãos de controle.

3.1 A conotação específica reconhecida ao aludido caráter *intuitu personae*

Na obra *Concessões de Serviços Públicos*, publicada em 1997, Marçal rejeitou a adoção de uma concepção de personalismo contratual semelhante à existente no Direito Privado.[10]

Conforma lá indicado, o personalismo do contrato no Direito Privado se funda na ideia de que as condições específicas de um dos contratantes são, para o outro, determinantes para a contratação. Isso pode envolver opções arbitrárias e mesmo irracionais das partes. O pressuposto é o interesse de uma das partes em que as obrigações contratuais sejam adimplidas por determinada pessoa. Portanto, as condições específicas de um sujeito condicionam a disciplina da relação contratual e a própria existência dessa relação.[11]

A crítica formulada por Marçal na ocasião aponta a incompatibilidade da noção de personalismo típico da concepção privatista com o regime das contratações administrativas. A escolha do contratado mediante licitação se baseia no pressuposto de

---

[8] Acórdão nº 634/2007, Plenário, rel. Min. Augusto Nardes.
[9] É evidente que não existe correspondência necessária entre reconhecer o personalismo e impedir alteração subjetiva. Nem entre inexistência de personalismo e admissão a alteração subjetiva de modo generalizado. Há posições intermediárias que inclusive se afiguram mais adequadas juridicamente. O ponto essencial é a constatação de que a tese do personalismo do contrato administrativo era difundida na doutrina e na jurisprudência.
[10] Marçal Justen Filho. *Concessões de Serviços Públicos*. São Paulo: Dialética, 1997, p. 51.
[11] Esse entendimento referente ao Direito Privado é indicado por Orlando Gomes nos seguintes termos: "Um contrato é '*intuitu personae*' quando a consideração da pessoa de um dos contraentes é, para o outro, o elemento determinante de sua conclusão. A uma das partes convém contratar somente com determinada pessoa, porque seu interesse é de que as obrigações contratuais sejam cumpridas por essa pessoa. Por isso, a pessoa do contratante passa a ser elemento causal do contrato". *Contratos*, 12. ed. Rio de Janeiro: Forense, 1990, p. 89.

que é cabível a contratação de *qualquer* sujeito que preencha os requisitos previamente definidos, o que afasta o caráter personalíssimo segundo a concepção típica do Direito Privado.

Na obra citada, ele confere interpretação específica à propalada natureza *intuitu personae* do contrato administrativo, tornando-a coerente com a disciplina de Direito Público. Observa que:

> a asserção de que todo contrato administrativo tem cunho personalíssimo deve ser interpretada em termos. (...) Diz-se que o contrato administrativo é pactuado *intuitu personae* para indicar um fenômeno jurídico específico. Significa que o preenchimento de certos requisitos ou exigências foi fundamental para a Administração escolher um certo particular para contratar. Porém, esses requisitos têm de ser objetivamente definidos, como regra. Excetuadas certas contratações muito peculiares (como a de artistas), a regra é o Estado estabelecer exigências objetivas, racionais e impessoais para seleção do particular. [...] Ou seja, o Estado não se vincula às características subjetivas do licitante vencedor. Está interessado na execução da proposta mais vantajosa, a ser desenvolvida por um sujeito idôneo.[12]

3.2 O aprofundamento da crítica

Essa lição foi reiterada e aprofundada alguns anos depois na obra *Teoria Geral das Concessões de Serviços Públicos*.[13] Conforme lá indicado, é "usual a lição de que os contratos administrativos se caracterizam como personalíssimos, posição da qual o autor discorda". Adiante, lê-se que:

> Como se tem insistido já de algum tempo, as tradicionais lições expostas pela doutrina em sentido contrário refletem o entendimento vigente no estrangeiro e que poderiam ser aplicados no Brasil antes da adoção do princípio geral da obrigatoriedade de licitação para a produção de contratos. Ou seja, o personalismo era decorrência da configuração da escolha discricionária do sujeito a ser contratado pela Administração Pública. Com a prática da licitação, elimina-se essa discricionariedade – com ela, também se exclui o personalismo da contratação.[14]

Alguns anos depois, o artigo intitulado *"Considerações acerca da modificação subjetiva dos contratos administrativos"*[15] enfrentou os argumentos usualmente invocados para defender a inviabilidade de alteração do polo privado da contratação administrativa, abordando inclusive a questão do alegado caráter personalíssimo.

O estudo lançou novas luzes sobre o tema, aprofundando ainda mais a crítica sobre a ideia de personalismo do contrato administrativo e suas decorrências. Expôs, de

---

[12] *Concessões de Serviços Públicos*, São Paulo: Dialética, 1997, p. 51.
[13] Marçal Justen Filho. Teoria Geral das Concessões de Serviços Públicos. São Paulo: Dialética, 2003, p. 531.
[14] *Teoria Geral das Concessões de Serviços Públicos*. São Paulo: Dialética, 2003, p. 531.
[15] O texto foi publicado primeiramente em BACELLAR FILHO, Romeu; MOTTA, Paulo Roberto F.; CASTRO, Rodrigo P. A. (org.). *Direito Administrativo Contemporâneo*. 1. ed. Belo Horizonte: Editora Fórum, 2004, p. 185-209. Depois, foi publicado em *Fórum de Contratação e Gestão Pública – FCGP*, Belo Horizonte, ano 4, n. 41, maio 2005.

modo detalhado, a origem do posicionamento difundido no Brasil. Demonstrou que a afirmação de que os contratos administrativos se caracterizam como personalíssimos, sendo firmados *intuitu personae*, decorre de uma importação imprecisa do Direito francês.

3.2.1 O contexto do reconhecimento do personalismo na França

Conforme demonstrado no estudo citado, no início do século XX, o processo de contratação administrativa na França não era rigidamente regulamentado. A contratação podia ou não ser precedida de licitação. A escolha de promover uma licitação ou contratar diretamente era uma decisão discricionária da Administração Pública.

O personalismo do contrato administrativo era ressaltado pela doutrina francesa nesse contexto. Afinal, a ausência de uma licitação obrigatória significava que a escolha do contratado dependia diretamente das características individuais do sujeito escolhido, refletindo uma relação de confiança entre a Administração e o particular selecionado.

A escolha discricionária do sujeito a ser contratado decorria da consideração de suas qualidades subjetivas. A identidade do contratado era crucial para a Administração. Assim, a possibilidade de substituição do contratado durante a execução do contrato era reputada inviável, pois qualquer alteração na identidade do contratado implicaria violação do vínculo de confiança que fundamentou a escolha inicial. Alterar o contratado eliminaria os motivos que conduziram à contratação, comprometendo a integridade do contrato administrativo.

3.2.2 A alteração do contexto na França – exigência de licitação

No entanto, o panorama existente na França foi se alterando com o passar do tempo, ampliando-se gradativamente as exigências relacionadas à contratação de particulares.

A promulgação do Código de Contratos Administrativos de 1964 e as subsequentes normas comunitárias veicularam tais alterações.

A obrigatoriedade da licitação prévia foi generalizada naquele país, por influência do Direito comunitário europeu (Diretivas 93/36, 93/37 e 93/38). O *Code de Marchés Publics* de 2004 intensificou ainda mais os requisitos para a seleção dos particulares, mesmo nos casos de ausência de obrigatoriedade de licitação. Além disso, a modelagem das licitações na França difere da brasileira, havendo margem razoável para avaliação subjetiva na escolha da proposta vencedora.

Portanto, Marçal conclui que a doutrina francesa clássica considerava os contratos administrativos como personalíssimos em razão do juízo discricionário que era exercido pela Administração na escolha do particular. Esse juízo envolvia a seleção de um particular com base em suas qualidades subjetivas, estabelecendo um vínculo de confiança, de modo que a transferência da execução para um terceiro frustraria os critérios de seleção do contratado original.

Mas a evolução da disciplina normativa vigente na França tornou a escolha do particular pela Administração Pública menos sujeita a critérios subjetivos. Com isso, o posicionamento no sentido do personalismo da contratação administrativa perdeu prestígio naquele país.

4 A alteração gradual do posicionamento sobre o tema: jurisprudência

No Brasil, a lição tradicional de que os contratos administrativos têm caráter personalíssimo, sendo pactuados *intuitu personae*, passou a ser revista. Isso passou a ser perceptível na jurisprudência.

4.1 Jurisprudência do TCU

No âmbito do TCU, como foi visto, era comum o posicionamento no sentido do personalismo do contrato administrativo, adotado com base na doutrina majoritária. A aplicação desse entendimento contribuiu para reprovar medidas de reorganização empresarial em determinados casos, ainda que não se tratasse do único fundamento para as respectivas decisões.

Contudo, a tese do personalismo do contrato administrativo começou a perder prestígio naquele tribunal.

Um julgamento relevante, ocorrido em 2006, examinou a legalidade de uma operação de cisão da empresa contratada pela Administração Pública.[16] A questão se colocava em vista do art. 78, VI, da Lei nº 8.666, que previa que "fusão, cisão ou incorporação, não admitidas no edital e no contrato" eram causa de rescisão do contrato. No caso em questão, não havia previsão no edital que permitisse essas operações. Um dos fundamentos ventilados no processo era precisamente o alegado caráter *intuitu personae* do contrato, que basearia a previsão legal e imporia a rescisão do contrato.

O julgado aponta a evolução da jurisprudência sobre a viabilidade jurídica dessas operações, em vista de contratos em curso de execução. De início, a admissão estava condicionada a determinados requisitos, entre os quais a previsão no edital e no contrato. Posteriormente, julgados passaram a reconhecer a viabilidade dessas operações (e o prosseguimento do contrato) mesmo sem previsão no edital e no contrato.

Um dos aspectos destacados é a "dinâmica empresarial inerente a um mercado competitivo e globalizado, que impõe a necessidade de alterações na organização da sociedade para a sua própria sobrevivência", o que não pode ser obstado por ausência de previsão do edital ou do contrato de possibilidade de alteração organizacional da empresa contratada.

O julgado adota posicionamento que supera a alegação de que o caráter personalíssimo do contrato administrativo impediria operações de reorganização societária. Admite a possibilidade de alteração subjetiva mesmo sem previsão do edital e do contrato, desde que observados determinados pressupostos. A decisão faz referência específica à obra de Marçal, como se vê de trecho do voto:

> 13. Por tudo isso, penso ser possível a alteração subjetiva nos contratos administrativos, desde que haja a prevalência incondicional do interesse público. Mantidos, portanto, os requisitos para habilitação previstos na licitação e as condições originais do contrato, pode o particular envolvido na reorganização empresarial pleitear a continuidade da execução

---

[16] Representação 012.578/2006-2, relator Ministro Marcos Vinicios Vilaça.

contratual. Caberá à Administração acolher ou não o pedido, sempre com observância dos princípios que norteiam a Administração Pública e de forma justificada.

14. A propósito, anoto que esse posicionamento encontra guarida também na doutrina, especialmente nos ensinamentos de Marçal Justen Filho, em seu 'Comentários à Lei de Licitações e Contratos Administrativos', ed. Dialética, 10. edição, fls. 559 a 569, bem como na jurisprudência do Tribunal de Contas do Distrito Federal, tais como nas decisões adotadas nos processos 7581/96 e 2447/99.

15. Ressalvo, todavia, os casos em que o contratado é escolhido, como regra sem licitação, em decorrência de suas características personalíssimas. Nessas circunstâncias, a alteração subjetiva é inviável por caracterizar fraude à licitação.[17]

Note-se que, ao final do trecho citado, consta ressalva específica no sentido de que a viabilidade de alteração subjetiva em contrato administrativo não alcança os casos em que a contratação se dá em decorrência das características personalíssimas do sujeito. Ou seja, a ressalva distingue precisamente os contratos administrativos mais usuais dos contratos personalíssimos – aqueles cuja pactuação decorre das características personalíssimas do sujeito. Nesses casos, a característica do contrato impede a alteração subjetiva, sob pena de frustrar a licitação – ou, de modo mais amplo, frustrar os motivos que conduziram à contratação de determinado sujeito.

4.2 Jurisprudência do STF

No julgamento da Ação Direta de Inconstitucionalidade nº 2.946, o STF analisou a constitucionalidade do art. 27, *caput* e §1º, da Lei nº 8.987/1995, renumerado pela Lei nº 11.196/2005, que preveem a transferência do contrato de concessão e do controle societário de concessionária de serviços públicos.

4.2.1 O voto do Relator Ministro Dias Toffoli

O voto vencedor do Ministro Dias Toffoli, ao sintetizar os argumentos da inicial, apontou que a alegação de inconstitucionalidade se baseava no caráter personalíssimo ou na natureza *intuitu personae* dos contratos administrativos:

> Infere-se da petição inicial – e dos excertos doutrinários que lhe dão respaldo, a exemplo dos que foram acima colacionados – que *a suposta inconstitucionalidade da norma se apoia basicamente na premissa de que os contratos administrativos possuem caráter personalíssimo ou natureza intuitu personae, do que decorreria a conclusão de que é inviável a alteração contratual subjetiva*.

---

[17] TCU, Acórdão nº 2.071/2006, Plenário, rel. Min. Marcos Vinicios Vilaça. Não se trata do primeiro julgado do tribunal nesse sentido. Nem se afirma que o posicionamento oposto não foi adotado posteriormente. De todo modo, o julgado é relevante por afirmar a evolução do posicionamento sobre o tema.

Ao examinar a alegação, o Ministro Relator ressaltou que é difundido na doutrina brasileira o posicionamento no sentido de que os contratos administrativos são personalíssimos, consignando que:

> De fato, ainda hoje é amplamente difundida na doutrina brasileira a tese de que os contratos administrativos ostentam caráter personalíssimo ou natureza *intuitu personae*, com o argumento de que as características pessoais ou subjetivas do particular contratado são levadas em consideração para seu aperfeiçoamento.

Em seguida, afirma: *"Marçal Justen Filho, em interessante artigo doutrinário, adverte que essa concepção 'reflete uma transposição mecânica do direito administrativo francês anterior ou, quando menos, traduz um regime jurídico não mais existente'"*. O voto prossegue com longa transcrição e um diálogo específico com o estudo *Considerações acerca da modificação subjetiva dos contratos administrativos*, produzido por Marçal.

Enfim, o voto encampa os argumentos expostos no estudo citado, identificando a origem francesa da classificação dos contratos administrativos, a alteração do contexto ocorrida na França e a incompatibilidade da classificação em questão com a disciplina de contratação administrativa brasileira. Conclui que "não se sustenta a tese do caráter personalíssimo ou da natureza *intuitu personae* dos contratos administrativos", do que decorre que "não se pode afirmar, como premissa geral e inarredável, que é inviável a alteração do particular contratado ao longo da execução contratual".

O voto se baseia também em outros autores que manifestam semelhante posicionamento.[18] Confira-se trecho da ementa:

> Ação direta de inconstitucionalidade. Artigo 27, *caput* e § 1º, da Lei nº 8.987, de 13 de fevereiro de 1995, renumerado pela Lei nº 11.196/05. Transferência da concessão ou do controle societário da concessionária. Alegada violação do art. 175 da Constituição Federal. Vício inexistente. Isonomia e impessoalidade. Princípios correlatos do dever de licitar. Ofensa não configurada. Caráter personalíssimo ou natureza *intuitu personae* dos contratos administrativos. Superação da tese. Finalidades do procedimento licitatório. Seleção da proposta mais vantajosa, com respeito à isonomia e à impessoalidade. Garantia institucional. Possibilidade de alteração contratual objetiva e subjetiva. Concessões públicas. Peculiaridades. Caráter dinâmico e incompleto desses contratos. Mutabilidade contratual. Pressuposto de estabilidade e segurança jurídica das concessões. Finalidade da norma impugnada. Medida de duplo escopo. Transferência da concessão X subconcessão dos serviços públicos. Distinção. Formação de relação contratual nova. Improcedência do pedido.
>
> 1. A concepção de que os contratos administrativos ostentam caráter personalíssimo ou natureza *intuitu personae* 'reflete uma transposição mecânica do direito administrativo francês anterior ou, quando menos, traduz um regime jurídico não mais existente' (JUSTEN

---

[18] O voto menciona ainda: MARQUES NETO, Floriano de Azevedo; LOUREIRO, Caio de Souza. O caráter impessoal dos contratos de concessão de direito real de uso de bem público. In: *Revista de Direito Administrativo Contemporâneo*, v. 23, mar./abr. 2016; Rafael Véras de Freitas. A subconcessão de serviço público. *Revista Brasileira de Infraestrutura – RBINF*, Belo Horizonte, ano 5, n. 10, p. 75/101, jul./dez. 2016; LEITE, Fábio Barbalho. A ilicitude da cessão de contrato administrativo e operações similares e o mito do personalismo dos contratos administrativos. *Revista de Direito Administrativo*, Rio de Janeiro, n. 232, abr./jun. 2003.

FILHO, Marçal. *Considerações acerca da modificação subjetiva dos contratos administrativos*. Fórum de Contratação e Gestão Pública – FCGP. Belo Horizonte: Editora Fórum, ano 4, n. 41, maio/2005).

2. Em nosso sistema jurídico, o que interessa à Administração é, sobretudo, a seleção da proposta mais vantajosa, independentemente da identidade do particular contratado ou dos atributos psicológicos ou subjetivos de que disponha. Como regra geral, as características pessoais, subjetivas ou psicológicas são indiferentes para o Estado. No tocante ao particular contratado, basta que tenha comprovada capacidade para cumprir as obrigações assumidas no contrato.[19]

4.2.2 O voto do Ministro Gilmar Mendes

O voto do Ministro Gilmar Mendes na ADI nº 2.946 também enfrentou a questão, sugerindo uma releitura do aventado caráter personalíssimo do contrato administrativo.

Afirmou que é inegável que a licitação envolve a avaliação da condição dos licitantes, no exame da habilitação das licitantes e, eventualmente, na avaliação da proposta por critério de técnica. Nesse sentido, é evidente que se promove exame das condições dos licitantes.

Mas isso não implica uma "vinculação subjetiva e incondicionada do Poder Público à vencedora, sobretudo quando se considera a fase de execução do contrato de concessão". Adiante, acrescenta que "a obrigatoriedade de contratar o vencedor da licitação não decorre de eventual caráter personalíssimo do contrato administrativo".

O voto se ampara na legislação e na doutrina sobre o tema. Menciona, entre outras,[20] a obra de Marçal.[21]

A Ação Direta de Inconstitucionalidade nº 2.946 foi julgada improcedente, reconhecendo a constitucionalidade do art. 27, *caput* e §1º, da Lei nº 8.987/1995, renumerado pela Lei nº 11.196/2005, que preveem a transferência do contrato de concessão e do controle societário de concessionária de serviços públicos.

O STF manifestou de modo preciso o posicionamento consistente na inexistência de caráter personalíssimo na contratação administrativa, valendo-se das contribuições de Marçal Justen Filho.

5 A alteração do posicionamento sobre o tema: legislação

A alteração do posicionamento da jurisprudência está ligada aos avanços produzidos no âmbito legislativo. Cabe destacar especialmente a disciplina constante da Lei nº 14.133.

---

[19] STF, ADI nº 2.946, Tribunal Pleno, rel. Min. Dias Toffoli, DJe 17.05.2022.
[20] MARQUES NETO, Floriano de Azevedo. A admissão de atestados de subcontratada nomeada nas licitações para concessão de serviços públicos. *Revista de Direito Administrativo*, n. 238, 121-130.
[21] *Teoria Geral das Concessões de Serviço Público*. São Paulo: Dialética, 2003.

5.1 As hipóteses da Lei nº 11.079/2004 e Lei nº 8.987/1995

Antes, porém, cabe ressalvar que os primeiros avanços no plano legislativo se referem às concessões de serviços públicos.

O §1º do art. 27 da Lei nº 8.987/1995, objeto da ADI nº 2.946, prevê requisitos para obtenção de anuência da Administração para transferência de concessão ou do controle societário da concessionária.

A Lei nº 11.079/2004 disciplinou a figura das parcerias público-privadas no ordenamento jurídico brasileiro, instituindo o sistema de *step-in rights* no art. 5º, §2º, I. A redação original do dispositivo estipulava que os contratos de parceria público-privada podiam prever:

> I – os requisitos e condições em que o parceiro público autorizará a transferência do controle da sociedade de propósito específico para os seus financiadores, com o objetivo de promover a sua reestruturação financeira e assegurar a continuidade da prestação dos serviços, não se aplicando para este efeito o previsto no inciso I do parágrafo único do art. 27 da Lei nº 8.987, de 13 de fevereiro de 1995;

Embora operações dessa natureza já existissem no período anterior, foi a referida regra que formalmente instituiu previsão legal específica,[22] de certo modo superando a concepção difundida acerca do caráter personalíssimo do contrato administrativo.

Posteriormente, a Lei nº 13.097/2015 alterou a redação do art. 5º, §2º, I, da Lei nº 11.079/2004[23] e acrescentou o art. 5º-A, disciplinando de modo mais preciso a hipótese em questão. Além disso, a Lei nº 13.097/2015 incluiu o art. 27-A na Lei nº 8.987/1995, acrescentando previsões específicas no âmbito da lei de concessões.[24]

5.2 A Lei nº 8.666 (art. 78, VI) e a Lei nº 14.133 (art. 137, III)

O art. 78, VI, da Lei nº 8.666 era o fundamento normativo usualmente invocado para afirmar o pretenso caráter personalíssimo do contrato administrativo.

Na vigência da regra, passou-se gradativamente a reconhecer que a realização de uma das operações mencionadas não implicava necessária e automaticamente a rescisão do contrato, mesmo quando ausente previsão no edital ou no contrato, admitindo-se

---

[22] MARQUES NETO, Floriano de Azevedo; CUNHA, Carlos Eduardo Bergamini. A cláusula *step-in rights* no contexto das concessões de serviços públicos. *In*: WALD, Arnoldo; JUSTEN FILHO, Marçal; PEREIRA, Cesar. *O Direito Administrativo na atualidade*: estudos em homenagem ao centenário de Hely Lopes Meirelles (1917-2017). São Paulo: Malheiros, 2017, p. 464.

[23] O dispositivo passou a prever o seguinte: "I - os requisitos e condições em que o parceiro público autorizará a transferência do controle ou a administração temporária da sociedade de propósito específico aos seus financiadores e garantidores com quem não mantenha vínculo societário direto, com o objetivo de promover a sua reestruturação financeira e assegurar a continuidade da prestação dos serviços, não se aplicando para este efeito o previsto no inciso I do parágrafo único do art. 27 da Lei nº 8.987, de 13 de fevereiro de 1995;".

[24] A propósito do tema, e com considerações relevantes sobre a questão da inexistência do caráter personalíssimo do contrato administrativo, confira-se: SCHWIND, Rafael Wallbach. Transferência das concessões e do controle acionário das concessionárias: cabimento, aprovação prévia e requisitos necessários. *In*: CARVALHO, André Castro; MORAES E CASTRO, Leonardo Freitas de (org.). *Manual do Project Finance no Direito Brasileiro*. São Paulo: Quartier Latin, 2016, v. 1, p. 409-437.

o prosseguimento do contrato em determinadas situações, desde que presentes determinados pressupostos. Rejeitou-se o propalado caráter personalíssimo dos contratos administrativos. Os julgados do TCU e do STF, antes mencionados, são paradigmáticos desse posicionamento.

Isso se refletiu na alteração legislativa posterior. Como observa Marçal Justen Neto, a Lei nº 14.133 "é fruto da experiência acumulada ao longo de décadas de aplicação da legislação anterior. O controle exercido pelo Tribunal de Contas da União influencia na interpretação e na criação de normas de licitações e contratos".[25] Ou seja, os posicionamentos jurisprudenciais manifestados a propósito da Lei nº 8.666 influenciaram a concepção da Lei nº 14.133.

Isso é perceptível na comparação do art. 78, VI, da Lei nº 8.666 com o art. 137, III, da Lei nº 14.133.

5.2.1 A garantia do devido processo

Na Lei nº 14.133, o art. 137 prevê as hipóteses para a rescisão contratual. E o inc. III alude à "alteração social ou modificação da finalidade ou da estrutura da empresa que restrinja sua capacidade de concluir o contrato". Essa hipótese tem correspondência com o inc. VI do art. 78 da Lei nº 8.666.

Mas existem diferenças significativas em comparação com a disciplina da Lei nº 8.666.

A primeira distinção consta do próprio *caput* do art. 137 da Lei nº 14.133. Ali está previsto que a rescisão deve ser formalmente motivada nos autos do processo, sendo assegurados o contraditório e a ampla defesa. Trata-se de providências elementares que, embora já fossem necessárias no regime anterior, agora são previstas expressamente. Delas decorre que deve haver oportunidade para manifestação do particular afetado, com a prolação de decisão contendo motivação pertinente.

De acordo com Marçal Justen Filho, "o *caput* do art. 137, antes de elencar as hipóteses de extinção do contrato, impõe a observância do devido processo legal. Isso compreende inclusive o dever de motivação satisfatória".[26]

Essas previsões afastam qualquer pretensão de rescisão automática, sem a observância das garantias processuais aplicáveis.

5.2.2 A rescisão condicionada a pressuposto específico (art. 137, III)

Ademais, existem diferenças importantes nas hipóteses específicas contempladas no inc. III do art. 137 em face das hipóteses da Lei nº 8.666.

A diferença mais relevante consiste em que o referido inc. III estabelece uma condição específica cuja presença é indispensável para se determinar a rescisão contratual.

---

[25] JUSTEN NETO, Marçal. O processo licitatório na Lei 14.133/2021. *In*: NIEBUHR, Karlin Olbertz; POMBO, Rodrigo Goulart de Freitas (org.). *Novas questões em licitações e contratos (Lei 14.133/2021)*. Rio de Janeiro: Lumen Juris, 2023. p. 34.

[26] *Comentários à Lei de Licitações e Contratações Administrativas*. 2. ed. São Paulo: RT, 2023, p. 1.504.

Trata-se de avaliar se a alteração cogitada restringe a capacidade do contratado de prosseguir com a execução contratual. De acordo com Marçal:

> A rescisão contratual somente pode ser decretada se evidenciado um vínculo de nocividade entre a mudança e o cumprimento da prestação contratual. Cabe à Administração evidenciar que a modificação torna inviável a execução do contrato. Têm de existir elementos concretos evidenciadores do prejuízo ou que autorizem a presunção de que, sob a nova roupagem, a contratante não executará corretamente suas prestações.[27]

Portanto, a rescisão nessa hipótese se sujeita a requisito específico. Afasta-se a possibilidade de rescisão automática, decorrente da mera constatação da ocorrência de alguma hipótese de alteração societária do contratado. Essa alteração legislativa evidencia que a reestruturação societária não é repelida, mas admitida pelo ordenamento jurídico. Essa solução condiz com o reconhecimento de que o contrato administrativo, em regra, não tem caráter personalíssimo.

5.2.3 A questão da rescisão em decorrência de subcontratação e cessão do contrato

O inc. III do art. 137 não menciona os casos de subcontratação ou de cessão de contrato como motivo para a rescisão. A Lei nº 14.133 adotou solução diferente da Lei nº 8.666, deixando de prever a rescisão automática do contrato em casos de cessão da posição contratual e de subcontratação.

Porém, isso não implica que a subcontratação ou a cessão da posição contratual seja permitida em qualquer situação.

A disciplina sobre subcontratação consta do art. 122 da Lei nº 14.133. A subcontratação é admitida, mas nos limites autorizados pela Administração em cada caso. O §2º prevê que regulamento ou o edital podem vedar, restringir ou fixar condições para a subcontratação. A única vedação legal genérica à subcontratação se relaciona à proibição de contratação de sujeitos que tenham vínculo com autoridades que integram o órgão contratante.[28]

Portanto, e tendo em vista as especificidades de cada contratação, pode haver maior ou menor possibilidade de subcontratação. Já os casos de cessão da posição contratual não recebem tratamento legal expresso, o que aumenta a relevância de previsão em sede de regulamento e no edital.

Logo, a cessão ou a subcontratação indevida podem conduzir à rescisão contratual. Mas o fundamento normativo não será o inc. III, mas o inc. I do art. 137, que versa sobre

---

[27] *Comentários à Lei de Licitações e Contratações Administrativas*. 2. ed. São Paulo: RT, 2023, p. 1.504.
[28] O §3º do art. 122 determina que "será vedada a subcontratação de pessoa física ou jurídica, se aquela ou os dirigentes desta mantiverem vínculo de natureza técnica, comercial, econômica, financeira, trabalhista ou civil com dirigente do órgão ou entidade contratante ou com agente público que desempenhe função na licitação ou atue na fiscalização ou na gestão do contrato, ou se deles forem cônjuge, companheiro ou parente em linha reta, colateral, ou por afinidade, até o terceiro grau, devendo essa proibição constar expressamente do edital de licitação".

a rescisão por descumprimento de condições editalícias ou cláusulas contratuais. Isso exigirá avaliar o cabimento de rescisão em face dos pressupostos correspondentes.

Nesse sentido, confira-se a lição de Marçal Justen Filho:

> o art. 137 da Lei 14.133/2021 deixou de aludir expressamente à subcontratação ou à cessão do contrato como causas de rescisão contratual. No entanto, práticas dessa ordem podem ser enquadradas, em vista das circunstâncias do caso concreto, como infração subsumível ao inc. I. Tal se passará nos casos em que existir vedação explícita, de cunho absoluto e intransponível.[29]

Cabe ao edital e ao contrato estabelecer a disciplina correspondente, considerando inclusive as normas regulamentares.

De todo modo, as hipóteses de rescisão consideram os contratos administrativos mais usuais, que não são pactuados *intuitu personae*. Mas há contratações peculiares que se configuram como personalíssimas. Nessa categoria, Marçal aponta exemplificativamente as contratações de artistas e os serviços técnicos especializados de natureza predominantemente intelectual.[30]

Essas contratações efetivamente personalíssimas, por sua natureza, não admitem a substituição do contratado, inclusive por subcontratação. A subcontratação é admitida somente em relação a aspectos acessórios da execução, alheios ao núcleo do objeto que pressupõe a atuação do contratado. Marçal aponta que, nessas situações, a "subcontratação somente será admissível relativamente a aspectos irrelevantes e acessórios da execução do objeto, quanto aos quais a identidade do agente não apresente qualquer pertinência".[31]

5.3 O seguro-garantia com cláusula de retomada (*step-in*)

A Lei nº 14.133/2021 inovou ao estabelecer que, na contratação de obras e serviços de engenharia, o edital pode exigir prestação de seguro-garantia e prever que a seguradora terá obrigação de assumir a execução e concluir o objeto contratual, em caso de inadimplemento do contratado (art. 102).

A possibilidade de assunção da execução pela seguradora se relaciona com a premissa de inexistência de personalismo na contratação administrativa. Afinal, o personalismo seria incompatível com a possibilidade de assunção da prestação por terceiros. Esse vínculo é detectado pela doutrina.

A propósito da cláusula de *step-in rights* no âmbito das concessões de serviços públicos, Floriano de Azevedo Marques Neto e Carlos Eduardo Bergamini Cunha observam:

---

[29] *Comentários à Lei de Licitações e Contratações Administrativas*. 2. ed. São Paulo: RT, 2023, p. 1.504.
[30] *Comentários à Lei de Licitações e Contratações Administrativas*. 2. ed. São Paulo: RT, 2023, p. 1.509.
[31] *Comentários à Lei de Licitações e Contratações Administrativas*. 2. ed. São Paulo: RT, 2023, p. 1.392.

Uma crítica que vez ou outra aparece quando se imagina a alteração da figura do contratado em um ajuste administrativo, seja uma concessão ou um contrato de empreitada, envolve a alegação de que tais negócios seriam personalíssimos (*intuitu personae*). Ou seja, afirma-se que, por conta do resultado da licitação, estes contratos somente poderiam ser executados pelo contratado original, o vencedor do certame. Assim, é possível que se alegue que o caráter personalíssimo dos contratos administrativos impede a assunção do controle da concessão pelo financiador via acionamento da cláusula *step-in rights*, e posteriormente pelo novo contratado pós-alienação definitiva.[32]

Como observam os autores, esse posicionamento não se sustenta, porque os contratos administrativos não têm o alegado caráter personalíssimo. As regras legais – Lei de PPP, Lei nº 8.987, Lei nº 14.133 – permitem a substituição do contratado em casos determinados, mediante a observância dos pressupostos previstos. Essas regras se baseiam logicamente na inexistência de caráter personalíssimo na contratação administrativa.

6 Conclusão

A análise realizada neste texto permite constatar a inegável contribuição de Marçal Justen Filho na evolução do posicionamento a respeito da inexistência de caráter personalíssimo do contrato administrativo. A crítica perspicaz formulada e defendida por ele ao longo dos anos, em contraponto à doutrina quase unânime e à jurisprudência então consolidada, foi essencial nesse processo de evolução.

Se hoje é possível afirmar que essa questão está superada, com avanços importantes na legislação e na jurisprudência, muito se deve à contribuição de Marçal.

Referências

ARAÚJO, Edmir Netto de. *Contrato Administrativo*. São Paulo: RT, 1987.

BAZILLI, Roberto Ribeiro. *Contratos Administrativos*. São Paulo: Malheiros, 1996.

DI PIETRO, Maria Sylvia Zanella. *Direito Administrativo*. 20. ed. São Paulo: Atlas, 2006.

FREITAS, Rafael Véras de. A subconcessão de serviço público. *Revista Brasileira de Infraestrutura – RBINF*, Belo Horizonte, ano 5, n. 10, p. 75/101, jul./dez. 2016.

GOMES, Orlando. *Contratos*. 12. ed. Rio de Janeiro: Forense, 1990.

JUSTEN FILHO, Marçal. *Concessões de Serviços Públicos*. São Paulo: Dialética, 1997.

JUSTEN FILHO, Marçal. *Teoria Geral das Concessões de Serviços Públicos*. São Paulo: Dialética, 2003.

JUSTEN FILHO, Marçal. Considerações acerca da modificação subjetiva dos contratos administrativos. *In*: BACELLAR FILHO, Romeu; MOTTA, Paulo Roberto F.; CASTRO, Rodrigo P. A. (org.). *Direito Administrativo Contemporâneo*. 1. ed. Belo Horizonte: Fórum, 2004, p. 185-209.

---

[32] MARQUES NETO, Floriano de Azevedo; CUNHA, Carlos Eduardo Bergamini. A cláusula *step-in rights* no contexto das concessões de serviços públicos. *In*: WALD. Arnoldo; JUSTEN FILHO, Marçal; PEREIRA, Cesar. *O Direito Administrativo na atualidade*: estudos em homenagem ao centenário de Hely Lopes Meirelles (1917-2017). São Paulo: Malheiros, 2017, p. 464.

JUSTEN FILHO, Marçal. Considerações acerca da modificação subjetiva dos contratos administrativos. *Fórum de Contratação e Gestão Pública – FCGP*, Belo Horizonte, ano 4, n. 41, maio 2005.

JUSTEN FILHO, Marçal. *Comentários à Lei de Licitações e Contratações Administrativas*. 2 ed. São Paulo: RT, 2023.

JUSTEN NETO, Marçal. O processo licitatório na Lei 14.133/2021. *In*: NIEBUHR, Karlin Olbertz; POMBO, Rodrigo Goulart de Freitas (org.). *Novas questões em licitações e contratos (Lei 14.133/2021)*. Rio de Janeiro: Lumen Juris, 2023.

LEITE, Fábio Barbalho A ilicitude da cessão de contrato administrativo e operações similares e o mito do personalismo dos contratos administrativos. *Revista de Direito Administrativo*, n. 232, Rio de Janeiro, abr./jun. 2003.

MARQUES NETO, Floriano de Azevedo; LOUREIRO, Caio de Souza. O caráter impessoal dos contratos de concessão de direito real de uso de bem público. *In: Revista de Direito Administrativo Contemporâneo*, v. 23, mar./abr. 2016.

MARQUES NETO, Floriano de Azevedo. A admissão de atestados de subcontratada nomeada nas licitações para concessão de serviços públicos. *Revista de Direito Administrativo*, n. 238, p. 121-130.

MARQUES NETO, Floriano de Azevedo; CUNHA, Carlos Eduardo Bergamini. A cláusula *step-in rights* no contexto das concessões de serviços públicos. *In*: WALD, Arnoldo; JUSTEN FILHO, Marçal; PEREIRA, Cesar. *O Direito Administrativo na atualidade*: estudos em homenagem ao centenário de Hely Lopes Meirelles (1917-2017). São Paulo: Malheiros, 2017, p. 464.

MEIRELLES, Hely Lopes. *Direito Administrativo Brasileiro*. 33. ed. São Paulo: Revista dos Tribunais, 2007.

MOREIRA NETO, Diogo de Figueiredo. *Curso de Direito Administrativo*. 11. ed. Rio de Janeiro: Forense, 1996.

SCHWIND, Rafael Wallbach. Transferência das concessões e do controle acionário das concessionárias: cabimento, aprovação prévia e requisitos necessários. *In*: CARVALHO, André Castro; MORAES E CASTRO, Leonardo Freitas de (org.). *Manual do* Project Finance *no Direito Brasileiro*. São Paulo: Quartier Latin, 2016, v. 1, p. 409-437.

Informação bibliográfica deste texto, conforme a NBR 6023:2018 da Associação Brasileira de Normas Técnicas (ABNT):

POMBO, Rodrigo Goulart de Freitas. Inexistência de personalismo da contratação administrativa: a contribuição de Marçal Justen Filho. *In*: JUSTEN, Monica Spezia; PEREIRA, Cesar; JUSTEN NETO, Marçal; JUSTEN, Lucas Spezia (coord.). *Uma visão humanista do Direito*: homenagem ao Professor Marçal Justen Filho. Belo Horizonte: Fórum, 2025. v. 2, p. 729-743. ISBN 978-65-5518-916-2.

A LEI Nº 14.133/2023 E O NOVO SISTEMA DE REGISTRO DE PREÇOS

RONNY CHARLES LOPES DE TORRES

1 Introdução

O convite para a participação em uma obra que homenageia o Professor Marçal Justen Filho é uma grande honra e também um grande desafio. É enorme a relevância do homenageado para a formação de toda uma geração de administrativistas e profissionais da área das contratações públicas, na qual pode ser incluído o autor deste artigo.

Pedindo licença para uma rápida narrativa em primeira pessoa, quero registrar que foram os livros "Comentários à Lei de Licitações e Contratos" e "Pregão" (com comentários à legislação sobre aquela então novel modalidade), ambos de autoria do homenageado, duas das primeiras obras sobre licitações e contratos a serem exaustivamente lidas por mim, com anotações e registros sobre as ponderações ali produzidas.

O estudo daqueles livros e as pertinentes ponderações feitas pelo Dr. Marçal Justen Filho em seus comentários, sempre provocando reflexões sobre a escorreita compreensão do nosso Direito Administrativo e a necessidade de romper-se com facetas autoritárias na aplicação do regime jurídico de Direito Público, aguçaram minha paixão pelo tema, alimentaram a vontade de conhecer mais obras e me ajudaram no forjar de uma carreira de pesquisa e paixão pelo tema.

Não é exagero falar que os textos e a escrita do autor homenageado influenciaram meus pareceres, posteriormente meus escritos acadêmicos e certamente são fonte inestimável de pesquisa para aqueles que lidam diariamente com os dilemas do ambiente das contratações públicas.

Dito isto, e voltando ao modo adequado para a narrativa desse texto, a indicação do Sistema de Registro de Preços como tema para o artigo a ser escrito trouxe consigo a oportunidade de abordar novidades desta interessante ferramenta (instrumento) auxiliar do regime jurídico licitatório brasileiro que sempre teve, e continuará tendo, na doutrina grande lastro teórico para suas evoluções, sobretudo diante da atual necessidade de identificação das normas jurídicas a serem extraídas do texto da recente Lei nº 14.133/2021.

Este é o objetivo pretendido por este breve escrito, que se esforçará em abordar o tema de maneira objetiva e didática, como sempre buscou fazer em seus textos o homenageado.

2 Breve histórico sobre a evolução normativa do SRP

Pois bem, pode-se apontar já nas "concurrências permanentes" do Decreto nº 4.536/1922 (Código de Contabilidade da União) um embrião do sistema de registro de preços. Elas eram voltadas para fornecimentos ordinários, devendo cada interessado se inscrever nas contabilidades dos ministérios e repartições interessadas.

No registro, eram indicados os preços oferecidos e o produto, para o fornecimento dos artigos de consumo habitual, além de informações sobre qualidade e mais esclarecimentos necessários. Os preços indicados não poderiam ser alterados antes de quatro meses e era vedada a recusa ao fornecimento, quando da solicitação administrativa.

O Decreto-Lei nº 2.416/1940, responsável pela aprovação da codificação das normas financeiras para os Estados e Municípios, estabelecendo para eles a obrigação geral de realizar procedimentos de seleção para os fornecedores, fazia expressa referência a um "registro de preços" como meio a ser utilizado para a realização da concorrência administrativa (modalidade alternativa à concorrência pública). Embora seja feita a alusão ao registro de preços, o normativo não detalha seu procedimento, apenas o definindo como uma alternativa à correspondência.

Posteriormente, pode-se identificar a referência ao registro de preços no Decreto-Lei nº 2.300/1986, voltado especificamente para compras. A descrição normativa se repetiu na Lei nº 8.666/93, sem muitas alterações, mas com o acréscimo de que o Sistema de Registro de Preços agora deveria estar vinculado a um processo de seleção derivado da modalidade concorrência.

Mas foi com a regulamentação feita à Lei nº 8.666/93, especialmente após o regulamento federal definido pelo Decreto nº 3.931/2001, que o Sistema de Registro de Preços avançou para a modelagem até hoje adotada. O citado regulamento previu de forma mais clara a adoção compartilhada da ata (por órgão gerenciador e participantes) e também a adesão (por órgãos não participantes), fazendo com que o Sistema de Registro de Preços passasse a ter um marco regulatório mais robusto, estabelecendo-se como um procedimento auxiliar, com ampla utilização pela Administração Pública em todo o país e potencialidades provavelmente sequer imaginadas pelo legislador.

Após severas críticas aos excessos cometidos com a adesão,[1] a modelagem definida pelo referido decreto foi alterada parcialmente pelos ulteriores Decretos Federais nº 7.892/2013 e nº 9.488/2018, que, mantendo a lógica estrutural anterior, estabeleceram limites para a adesão, além da previsão de novas regras procedimentais ao procedimento auxiliar, entre elas: o cadastro de reserva e a intenção de registro de preços.

A Lei nº 14.133/2021 manteve em grande parte o *framework* definido pelos decretos federais anteriormente citados, mas acrescentou significativas inovações ao SRP, ampliando sua aplicabilidade e flexibilizando regras.

---

[1] Vide, por exemplo, Acórdão nº 1.487/2007 e Acórdão nº 1.233/2012, ambos do Plenário do TCU.

Entre as mudanças, destacam-se a possibilidade (novamente) de registro de fornecedores com preços diferentes, a adoção do registro de preços em contratações diretas, o uso deste procedimento auxiliar para licitação de obras, a prorrogação da vigência da ata, as condições para alteração e atualização dos preços registrados e a definição por lei das regras para aplicação da adesão por órgãos não participantes.

Essas evoluções refletem um esforço contínuo para tornar o SRP uma ferramenta mais eficiente e adaptada às demandas modernas da Administração Pública.

Atualmente, o sistema de registro de preços é um procedimento auxiliar que facilita a atuação da Administração em relação a futuras contratações. É um procedimento para registro formal de preços, condições de fornecimento e fornecedores, para contratações futuras.

Nos dizeres do Professor Marçal Justen Filho, ele pode ser definido como um contrato normativo, que estabelece regras vinculantes para a Administração Pública e um particular relativamente a contratações futuras, antecedido de um procedimento específico e segundo condições predeterminadas.[2]

Este mecanismo permite o registro formal de preços, condições de fornecimento e de fornecedores, possibilitando que as futuras demandas da Administração sejam atendidas de maneira eficiente e célere, com certo dinamismo e características operacionais que permitem inovações procedimentais.[3]

Ao estabelecer uma ata de registro de preços, o vencedor de um processo licitatório tem seus preços formalmente registrados, o que possibilita a realização de contratações subsequentes com base nesses valores previamente acordados. Essa metodologia confere à Administração maior flexibilidade e agilidade na gestão de suas contratações, sem a necessidade de iniciar um novo certame para cada demanda específica.

Baseado em modelagem voltada para o sistema de contratações *just in time*, que preconiza que a compra ou contratação deve ocorrer apenas quando houver necessidade, proporcionando redução nos gastos de armazenagem e estoque,[4] o SRP é especialmente útil para superar dificuldades relacionadas aos contingenciamentos orçamentários e ao fracionamento ilegal de despesas.

Além disso, esse *framework* para contratação promove uma colaboração eficaz entre diferentes órgãos administrativos, permitindo ganhos de escala, maior celeridade nas aquisições e evitando a formação de estoques ociosos.[5]

Ao mesmo tempo, ao instrumentalizar um acordo vinculativo entre órgãos e entidades da Administração e fornecedores, denominado ata de registro de preços,[6] que fixa condições de fornecimento para ulteriores pedidos de contratação (incerta),

---

[2] JUSTEN FILHO, Marçal. *Comentários à lei de licitações e contratos administrativos*. São Paulo: Thomson Reuters Brasil, 2021, p. 1158.
[3] RIGOLIN, Ivan Barbosa. Registro de Preços. *Fórum de Contratação e Gestão Pública – FCGP*, Belo Horizonte, ano 17, n. 203, p. 42, 2018.
[4] BITTENCOURT, Sidney. Contratando sem licitação. São Paulo: Almedina, 2016. p. 198.
[5] PEREIRA JUNIOR, Jessé Torres; DOTTI, Marinês Restelatto. *Limitações constitucionais da atividade contratual da administração pública*. Sapucaia do Sul: Notadez, 2011. p. 291.
[6] Segundo a Lei nº 14.133/2021, a ata de registro de preços é um "documento vinculativo e obrigacional, com característica de compromisso para futura contratação, no qual são registrados o objeto, os preços, os fornecedores, os órgãos participantes e as condições a serem praticadas, conforme as disposições contidas no edital da licitação, no aviso ou instrumento de contratação direta e nas propostas apresentadas".

o sistema de registro de preços possui características que geram desafios próprios, notadamente em virtude do impacto no preço dos riscos existentes, do fato de ser a ata um instrumento plurissubjetivo e da dificuldade de estabilização radical de preços durante todo o período de vigência da ata.

De qualquer forma, este instrumento auxiliar é extremamente importante para as contratações públicas brasileiras e a Lei nº 14.133/2021 proporcionou interessantes inovações que, robustecidas por boa regulamentação, podem dar ensejo a avanços na busca por eficiência nas contratações públicas.

3 Características do SRP e condições para sua adoção

O Sistema de Registro de Preços possui características bem definidas que foram consolidadas pela regulamentação, ao longo dos anos de vigência da já revogada Lei nº 8.666/93, em grande parte mantidas na Lei nº 14.133/2021.

Primeiramente, convém destacar a desnecessidade de dotação orçamentária prévia na licitação para registro de preços. Esse ponto é crucial, pois o SRP não visa diretamente à contratação imediata, mas sim ao registro formal de preços, o que possibilita futuras contratações sem que haja, naquele momento inicial, a obrigatoriedade de uma previsão orçamentária.[7]

A dotação orçamentária, nesse contexto, será exigida apenas no momento da formalização do contrato ou do instrumento equivalente, gerando maior flexibilidade para a Administração Pública.

Outra característica importante é a facultatividade da contratação. Mesmo após o registro dos preços, o fornecedor não possui direito automático à contratação, pois a concretização do contrato depende da conveniência da Administração.

Por um lado, isso permite maior flexibilidade administrativa, notadamente diante de demandas recorrentes, mas de quantificação imprecisa; por outro lado, pode gerar incerteza (sobre a demanda efetiva) que acabará induzindo receio na precificação por alguns fornecedores mais avessos a riscos.

Para evitar abusos na utilização irrefletida de variadas atas de registro de preços, o inciso VIII do artigo 82 da Lei nº 14.133/2021 veda a participação em mais de uma ata de registro de preços com o mesmo objeto no prazo de validade daquela de que já tiver participado, salvo quando a ata tenha registrado quantitativo inferior ao máximo previsto no edital.

A referida regra impõe certa responsabilidade pelos órgãos públicos, evitando a utilização descompromissada de atas variadas, o que prejudicaria a credibilidade do uso deste instrumento auxiliar.

De qualquer forma, a adoção do SRP é facultativa e não deve ser vista como uma obrigação, embora seja altamente recomendável em situações nas quais há necessidade de contratações frequentes ou de efetivações segmentadas da contratação.

---

[7] VACCAREZZA, André Bastos. Os Instrumentos auxiliares na Nova Lei de Licitações. *Revista da ESDM*, v. 7, n. 14, p. 60-76, 2021.

Outra característica relevante é a vocação do SRP para o compartilhamento de demandas. A conveniência administrativa na reunião de pretensões contratuais de diversos órgãos licitantes ou a imprecisão na estimativa do quantitativo a ser demandado são fatores que podem justificar a adoção desse sistema.

A flexibilidade do SRP permite que uma única licitação reúna pretensões contratuais de vários órgãos públicos, o que não apenas amplia o objeto da licitação, mas também reduz os custos burocráticos associados à realização de múltiplos certames, gerando economia de escala e ampliando potencialmente o poder de barganha da Administração.

A possibilidade de centralização das compras, atendendo a múltiplos órgãos, é uma das grandes vantagens desse sistema, que se mostra particularmente eficiente para programas e projetos de execução descentralizada.

Além disso, o SRP possibilita que um órgão que não tenha participado originalmente do procedimento (órgão não participante) possa aderir à ata de registro de preços, prática conhecida como "carona". Essa adesão é especialmente útil em situações nas quais outros órgãos ou entidades podem se beneficiar de preços já registrados, evitando a necessidade de novas licitações e aproveitando as condições vantajosas previamente estabelecidas.

Por fim, pode-se apontar como característica do SRP o fato de que sua licitação não tem como fim imediato uma contratação, mas sim a formação da ata de registro de preços, um documento vinculativo, de natureza obrigacional, que estabelece compromisso relacionado à futura contratação.[8]

A ARP não produz diretamente um contrato de fornecimento ou de serviço, é um instrumento auxiliar que "formaliza um contrato preliminar, que envolve a disciplina de futuras contratações entre as partes".[9] Nela são registrados os preços, os fornecedores, os órgãos participantes e as condições a serem praticadas, conforme as disposições contidas no instrumento convocatório e propostas apresentadas.

Os bens, serviços e obras registrados, nos preços e condições ali firmados, podem lastrear contratações por uma diversidade de órgãos e entidades, tenham eles participado do processo de construção da ARP (gerenciador e participantes) ou não (órgãos não participantes), de acordo com as regras previstas na ata e limitações definidas pela legislação.

Traçando um paralelo com a modelagem "acordo-quadro", pode-se dizer que o SRP, ao menos como tradicionalmente utilizado no Brasil nos dias de hoje, assemelha-se a um acordo-quadro "fechado", por não admitir a entrada de novos fornecedores (após a definição da ata de registro de preços), e "completo", já que este instrumento auxiliar definirá (junto com o respectivo edital e contrato, se for o caso) todos os termos e condições para o fornecimento de bens ou prestações de serviços.

Mas é importante compreender que a aplicação de uma modelagem engessada ao SRP pode prejudicar sua eficiência, pois um *framework* rígido, como acordos-quadro

---

[8] PINTO, Vera Regina Ramos. Um breve histórico sobre inovações em compras e licitações públicas no Brasil / A brief history of innovations in procurement and public bidding in Brazil. *Brazilian Journal of Development*, [S. l.], v. 6, n. 8, p. 63378-63397, 2020. DOI: 10.34117/bjdv6n8-680. Disponível em: https://ojs.brazilianjournals.com.br/ojs/index.php/BRJD/article/view/15862.

[9] JUSTEN FILHO, Marçal. *Comentários à lei de licitações e contratos administrativos*. São Paulo: Thomson Reuters Brasil, 2021, p. 1159.

fechados, traz consigo o risco de se tornar um instrumento de aquisição inflexível, não satisfazendo com eficiência as necessidades das entidades adjudicantes reunidas.[10]

4 Apontamentos sobre algumas das principais inovações do SRP na Lei nº 14.133/2021

A Lei nº 14.133/2021, embora tenha mantido a estrutura estabelecida pela regulamentação do SRP construída sob a égide da Lei nº 8.666/93, trouxe inovações que podem permitir importantes avanços na aplicação prática deste relevante instrumento auxiliar.

Nos tópicos a seguir, serão sucintamente analisados alguns desses pontos.

4.1 Possibilidade de fornecedores registrados com preços diferentes

O artigo 82 da Lei nº 14.133/2021 definiu que o edital de licitação para registro de preços deve observar suas regras gerais, dispondo, entre outras coisas, sobre a possibilidade de prever preços diferentes entre os fornecedores registrados.

Esta possibilidade (previsão de preços diferentes), sugerida pelo inciso III, foi restringida às seguintes situações:
a) quando o objeto for realizado ou entregue em locais diferentes;
b) em razão da forma e do local de acondicionamento;
c) quando admitida cotação variável em razão do tamanho do lote;
d) por outros motivos justificados no processo;

As alíneas "a", "b" e "c" não trazem propriamente novidades. Por razões óbvias, a divisão do item em lotes, como parece supor as alíneas "a e b", tende a gerar preços diferentes. Cada lote se caracteriza como um item autônomo, cuja licitação e posterior adjudicação poderá ter como resultado preços diferentes. Nessa linha, pode-se, por exemplo, utilizar o SRP em uma licitação para gerar uma ata que atenda a diferentes regiões do Brasil, estimulando a competitividade.[11]

Da mesma forma, ao admitir a cotação variável em razão do tamanho do lote, a alínea "c" deixa óbvia a possibilidade de que os licitantes apresentem preços diversos. Ora, se o primeiro colocado, com preço X, não se comprometer a fornecer todo o quantitativo requerido pela Administração, o próximo licitante classificado, que complementará a demanda, poderá oferecer um preço distinto.

No entanto, é a hipótese "d" que se destaca por permitir que outros motivos justificados no processo possam fundamentar o registro de fornecedores com preços diferentes, algo útil para evitar a frustração de execução da ata de registro de preços.

Com fundamento nesta regra, é possível, por exemplo, prever o registro dos primeiros cinco fornecedores, mesmo que os preços ofertados sejam diferentes. Esta

---

[10] ALBANO, Gian Luigi; NICHOLAS, Caroline. *The Law and Economics of Framework Agreements*. Cambridge University Press. Edição do Kindle (p. 56-57).

[11] SILVA, Michelle Marry Marques da. Comentário Inciso III. In: SARAI, Leandro (org.). *Tratado da Nova Lei de Licitações e Contratos Administrativos: Lei nº 14.133*. Comentada por Advogados Públicos. São Paulo: Juspodivm, 2021.

sequência de fornecedores registrados pode garantir a continuidade de utilização da ARP, mesmo quando, por motivos legítimos, for necessário cancelar o registro do fornecedor vencedor da licitação.

Isso porque, como lembra Marçal Justen Filho, "a extinção do registro de preços relativamente a um fornecedor, ainda que seja o primeiro classificado, não afeta necessariamente os registros dos demais fornecedores", prevalecendo o registro relativamente aos demais.[12]

A implementação dessa disposição dependerá de uma regulamentação que supere eventuais lacunas ou incertezas quanto a sua aplicação, mas é evidente que as frustrações comuns nas atas de registro de preços, como o cancelamento de registros ou o abandono por parte dos fornecedores registrados, podem fornecer dados que justifiquem essa medida.

4.2 Registro de preços para contratações diretas

A Lei nº 14.133/2021 trouxe peculiar novidade ao permitir, no §6º do artigo 82, que o sistema de registro de preços (SRP) seja utilizado em casos de inexigibilidade e dispensa de licitação, aplicável a aquisições de bens e serviços por múltiplos órgãos ou entidades.

Trata-se de avanço notável, considerando que o SRP visa à criação de um cadastro de fornecedores por meio da ata de registro de preços. Sua utilização em hipóteses de contratação direta pode ser uma solução eficiente para a Administração Pública, diante da possibilidade de compartilhamento do processo de contratação direta.

Um exemplo prático seria a contratação de fornecedores exclusivos, cujos bens e serviços são rotineiramente adquiridos por diversos órgãos públicos através de processos repetitivos de dispensa ou inexigibilidade. Ao centralizar essas contratações em uma única ata de registro de preços, seriam simplificados procedimentos e ampliado o poder de barganha da Administração.

Como registra o parágrafo 6º do artigo 82 da Lei nº 14.133/2021, a contratação direta para a promoção de registro de preços carece da devida regulamentação.[13] Na verdade, uma regulamentação clara e precisa será fundamental, pois as contratações diretas possuem requisitos específicos, muitas vezes determinados pela particularidade da situação em questão.

Diante disso, a condição plurissubjetiva da ata de registro de preços demandará um cuidado especial na identificação desses requisitos.

O atual regulamento federal não cuidou de detalhar tais questões, embora tenha repetido o texto legal, reafirmando a possibilidade de formação de atas de registro de preços através de processos de contratação direta.

---

[12] JUSTEN FILHO, Marçal. *Comentários à lei de licitações e contratos administrativos*. São Paulo: Thomson Reuters Brasil, 2021. p. 1174.
[13] NIEBUHR, Joel de Menezes. *Licitação pública e contrato administrativo*. 5. ed. Belo Horizonte: Fórum, 2022.

4.3 Registro de preços para obras

No passado, houve resistência à ideia de usar o SRP para licitações de obras, mas o artigo 85 da Lei nº 14.133/2021 claramente permite que a Administração contrate a execução de obras e serviços de engenharia por meio do registro de preços.

Para tanto, faz-se necessário que dois requisitos sejam atendidos: a existência de um projeto padronizado, sem complexidade técnica e operacional, e a necessidade permanente ou frequente do serviço ou obra.

No passado, já havia precedente do STJ que indicava, em sua ementa, a possibilidade de utilização do SRP tanto para serviços como para obras.[14] Embora o acórdão não aprofundasse a questão, justificando de forma pormenorizada o raciocínio indicado, restava evidente a defesa de certa extensão do registro de preços. Em sentido contrário, o TCU apresentava certa resistência ao uso do SRP para obras de engenharia, rechaçando essa adoção.[15]

Realmente, grande parte das obras reúne condições singulares e específicas que tornam incompatível a adoção do sistema de registro de preços; porém, há obras e serviços de engenharia que, dada sua natureza comum e reduzida complexidade, podem, em tese, ser licitados adotando esse relevante instrumento (procedimento) auxiliar, notadamente nas situações em que se possa determinar, antecipadamente, a dimensão, localização ou intensidade de tais serviços, como o calçamento de ruas, sua manutenção, a limpeza de galerias pluviais ou a construção de casas populares padronizadas.[16]

É importante avaliar cuidadosamente a adequação do SRP para obras e serviços de engenharia, considerando que a maioria deles apresenta características únicas que podem inviabilizar as vantagens do registro de preços. Nessa linha, o registro de preços não deve ser utilizado como regra para obras e serviços de engenharia, tendo em vista que normalmente trata-se de atividades singulares e não replicáveis.[17]

Na mesma trilha, Marçal Justen Filho entende que a autorização da Lei nº 14.133/2021 não significa que qualquer obra possa ser licitada mediante SRP, pois ele se caracteriza pela padronização de objetos, envolvendo prestações padronizadas. Diante disso, com razão, o autor defende que "somente podem ser objeto de registro de preços as obras e serviços de engenharia que comportem definição de modo genérico, envolvendo prestações que não necessitem de adaptação em vista das circunstâncias de cada caso".[18]

O registro de preços será seguramente cabível no tocante às obras e aos serviços de engenharia de menor complexidade, que se revestirem de características uniformes, padronizadas, afinal o registro de preços objetiva contratações seriadas, repetidas ao longo do tempo. Percebe-se que a característica principal a justificar a adoção do SRP para obras e serviços de engenharia está relacionada à padronização desses objetos e sua baixa complexidade.

---

[14] STJ – ROMS 15647. Relatora: Min. Eliana Calmon – Órgão Julgador: Segunda Turma – Publicação: DJ 14.02.2003.
[15] Nessa linha, vide Acórdão nº 296/07, da Segunda Câmara do TCU, e Acórdãos nº 3.605/2014 e nº 980/2018, ambos do Plenário do TCU.
[16] TORRES, Ronny Charles Lopes de. *Leis de licitações públicas comentadas*. 15. ed. São Paulo: Juspodivm, 2024. p. 585.
[17] NIEBUHR, Joel de Menezes. *Licitação pública e contrato administrativo*. 5. ed. Belo Horizonte: Fórum, 2022.
[18] JUSTEN FILHO, Marçal. *Comentários à lei de licitações e contratos administrativos*. São Paulo: Thomson Reuters Brasil, 2021, p. 1176.

Em relação a obras e serviços de engenharia, simples e padronizáveis, a adoção do registro de preços pode gerar enormes ganhos de eficiência, com economicidade e agilidade na resolução de importantes demandas administrativas.

4.4 SRP e menor preço por grupo

O §1º do artigo 82 estabelece que o critério de julgamento com base no menor preço por grupo de itens só deve ser utilizado quando a adjudicação por item individual for inviável e quando houver clara vantagem técnica e econômica em agrupá-los. Nesse caso, o edital deve especificar o critério de aceitabilidade dos preços unitários máximos.

O legislador parece ter sido influenciado pela Jurisprudência do Tribunal de Contas da União, segundo a qual, em licitações para registro de preços, a adjudicação por item deve ser percebida como regra geral, admitindo-se a aglutinação (em grupos) como medida excepcional, incompatível com a aquisição futura por itens.[19]

O TCU tem demonstrado preocupação com a prática de adjudicação por grupo no SRP, que pode resultar em situações onde itens específicos, posteriormente contratados de forma isolada, acabam tendo preços superiores aos oferecidos por outros licitantes, com pior classificação no certame, especialmente quando os itens que garantiram ao vencedor o menor preço global não são os mais demandados na prática.

Essa preocupação, inclusive, chegou a fundamentar posicionamentos mais rígidos, por parte da referida Corte de Contas, nos quais ela vedou a possibilidade de contratação de itens isolados, quando da adoção da aglutinação em grupos.

Contudo, a Jurisprudência do Tribunal evoluiu para entender apenas como indevida a utilização da ata de registro de preços para aquisição separada de itens de objeto adjudicado por preço global de lote ou grupo, quando o fornecedor convocado para assinar a ata não tivesse apresentado o menor preço na licitação para aquele item.[20]

Em suma, a Jurisprudência do TCU acabou se firmando no sentido de que a modelagem de aquisição por preço global de grupo de itens, embora medida excepcional, poderia ser utilizada quando a Administração pretendesse contratar a totalidade dos itens do grupo, admitindo a aquisição futura de itens isoladamente, "quando o preço unitário ofertado pelo vencedor do grupo for o menor lance válido na disputa relativa ao item".[21]

No entanto, a solução adotada pelo legislador foi distinta.

O §1º do artigo 82 da Lei nº 14.133/2021 exige, em casos de adjudicação por grupo, a definição de critérios de aceitabilidade dos preços unitários máximos. Além disso, o §2º impõe que a contratação de um item específico de um grupo seja precedida de pesquisa de mercado e demonstração de sua vantagem para o órgão ou entidade.

---

[19] Acórdão nº 757/2015-Plenário, relator Ministro Bruno Dantas, 8.4.2015. Em sentido similar, vide: TCU. Acórdão nº 1.913/2013-Plenário, relator Ministro José Múcio Monteiro; TCU. Acórdão nº 4.205/2014-Primeira Câmara, relator Ministro-Substituto Weder de Oliveira; TCU. Acórdão nº 2.695/2013-Plenário, relator Ministro-Substituto Marcos Bemquerer Costa.

[20] TCU. Acórdão nº 1.893/2017 Plenário; TCU. Acórdão nº 343/2014-Plenário.

[21] TCU. Acórdão nº 1.347/2018 Plenário, Consulta, Relator Ministro Bruno Dantas.

Essa solução não leva em conta as ineficiências dos processos atuais de estimativa de custos, tanto na identificação de preços de mercado confiáveis quanto no tempo necessário para conduzir essa pesquisa.

Assim, além do alto custo transacional[22] para realizar a pesquisa de mercado, a cada adesão, há certa desconfiança de que o resultado da pesquisa não seja plenamente fidedigno para atestar a vantagem da adesão de um item para o qual o licitante apresentou preço mais caro no certame que seus concorrentes.

A regulamentação precisa identificar formatos mais seguros e eficientes para aplicação da regra legal, parecendo legítima eventual postura do Tribunal de Contas da União de manter a restrição firmada no passado.

4.5 Prazo de vigência da ata de registro de preços

A ata de registro de preços é um documento que estabelece obrigações futuras, vinculando preços, fornecedores, órgãos participantes e condições contratuais, conforme as disposições do edital e as propostas apresentadas. Ela é o produto final do Sistema de Registro de Preços (SRP) e possui um regime jurídico específico, distinto do contrato administrativo, podendo ser utilizada por diferentes órgãos, participantes ou não do processo de sua formação.

Sob a legislação anterior, a validade da ata era limitada a 12 meses. No entanto, a Lei nº 14.133/2021, em seu artigo 84, permite que a ata tenha vigência de um ano, com possibilidade de prorrogação por mais um ano, desde que comprovado que o preço permanece vantajoso.

Com a possibilidade de prorrogação, surge a questão de como lidar com os quantitativos originalmente fixados.

O regulamento federal repete o texto da lei, estipulando que a vigência da ata será de um ano, podendo ser prorrogada por igual período, sem abordar o efeito em relação aos quantitativos registrados. Seu artigo 23 veda o aumento dos quantitativos estabelecidos na ata, mas esta regra refere-se ao aumento em relação ao inicialmente previsto.

Em relação aos quantitativos registrados, a prorrogação pode ser compreendida de duas formas: como um mero prolongamento do prazo, sem alteração nos quantitativos, ou como uma renovação, em que o prazo e os quantitativos são repetidos. Cada opção gera implicações práticas importantes.

Se a prorrogação for entendida como renovação, a ata poderia ser prorrogada por mais um ano, com renovação dos quantitativos inicialmente previstos. Nesse prumo, se a previsão inicial era de 10.000 unidades e foram consumidas 9.500 no primeiro ano, a renovação permitiria novamente a contratação de 10.000 unidades no segundo ano.

Se a prorrogação da ata for entendida como uma prorrogação em sentido estrito (ampliando apenas seu prazo), no mesmo exemplo em que a previsão inicial era de 10.000

---

[22] Os custos econômicos não se restringem aos de produção, já que as trocas envolvem também os essenciais a sua realização, pois, toda vez que indivíduos coordenam suas atividades econômicas, surgem dispêndios que resultam da forma de coordenação escolhida. Sobre custos de transação, vide: COASE, Ronald H. The Nature of the Firm. *Economica*, N.S. 4; 386-405, Nov. 1937.

unidades e foram consumidas 9.500 no primeiro ano, a renovação permitiria apenas a contratação de 500 unidades no segundo ano.

Como resta evidente, a prorrogação da ata, compreendida em seu sentido estrito, é praticamente inútil para o órgão que planejou de maneira precisa a potencial contratação decorrente da ata durante o primeiro ano de vigência.

Sempre bom lembrar que a Lei nº 14.133/2021 define a anualidade para o planejamento. O plano de contratações deverá ser anual (§1º, art. 12) e o próprio planejamento das compras deve considerar a expectativa de consumo anual (art. 40), do que resulta que a expectativa de consumo para a ARP deve respeitar também a anualidade.

Assim, interpretar que a prorrogação admitida para ARP deveria ser compreendida como uma prorrogação em sentido estrito (inadmitindo, portanto, a renovação dos quantitativos) a tornaria inútil para aquele órgão que realiza um planejamento mais escorreito e preciso.

Isso, ao final, geraria incentivo para que o agente público competente, para resguardar utilidade à prorrogação da ata de registro de preços, projetasse o quantitativo previsto anualmente para um período de 24 meses, realizando um planejamento impreciso, artificial.

Em outras palavras, a impossibilidade de renovação dos quantitativos puniria o planejamento transparente e preciso, tornando a prorrogação da ata inútil justamente para aquele que projeta uma demanda fidedigna a sua necessidade.

A melhor compreensão da norma deve conduzir à construção de instituições que induzam comportamentos eficientes, já que as instituições são regras que estruturam a interação social.[23]

Nesse diapasão, parece que a compreensão mais adequada, a norma a ser extraída da disposição legal ao permitir a prorrogação da ata, é no sentido de conferir a ela configuração similar à outrora admitida às prorrogações de contratos de serviços continuados (sob a égide da Lei nº 8.666/93),[24] admitindo que sua prorrogação represente, na verdade, uma renovação do instrumento.

Em suma, quando uma ata de registro de preços é renovada, deve ocorrer uma repetição do instrumento, renovando-se as condições do período anterior e os quantitativos estimados.

4.6 Alteração e atualização dos preços registrados

O *caput* do artigo 82 da NLLCA estabelece que o edital de licitação para registro de preços deve especificar, entre outras questões, as condições para alteração dos preços registrados (inciso VI). Além disso, o §5º do mesmo artigo determina que o sistema de registro de preços deve observar a atualização periódica dos valores registrados (inciso IV).

---

[23] HELMKE, Gretchen; LEVITSKY, Steven. Informal Institutions and Comparative Politics: A Research Agenda. *Perspectives on Politics*, vol. 2, n. 4, p. 725-740, Dec. 2004. Published By: American Political Science Association. Disponível em: https://wcfia.harvard.edu/files/wcfia/files/883_informal-institutions.pdf. Acesso em: 3 out. 2023.

[24] Sobre o tema, vale a referência às lições de Marçal Justen Filho. JUSTEN FILHO, Marçal. *Comentários à Lei de Licitações e contratos administrativos*. 11 ed. São Paulo: Dialética, 2005. p. 505.

Seria importante não confundir essas mudanças com os mecanismos tradicionais de revisão econômica aplicáveis aos contratos administrativos, como reajuste, repactuação ou reequilíbrio econômico-financeiro (algo feito pelo regulamento federal sobre o SRP, Decreto nº 11.462/2023). É necessário evitar a tendência de interpretar novas leis de forma que elas se assemelhem às normas antigas, sem considerar a inovação que trazem.[25]

A aplicação dos mecanismos tradicionais de revisão econômica do contrato administrativo à ata de registro de preços não é adequada, especialmente porque esse instrumento geralmente envolve múltiplas partes.

O reequilíbrio econômico, que é frequentemente necessário durante a execução de um contrato, pode gerar problemas se for aplicado de forma indiscriminada a uma ARP com vários participantes, levando ao risco de superfaturamento em diferentes contratações. Isso ocorre porque o fator gerador de revisão econômica, pertinente a um contrato específico, pode não ser aplicável a outros fornecimentos sob a mesma ARP.

Por outro lado, considerando que a vigência de uma ata de registro de preços pode durar até 24 meses e que há relevante volatilidade nos mercados, torna-se essencial que este instrumento possua mecanismos para adaptar os preços às mudanças mercadológicas.

No entanto, esses mecanismos não devem ser confundidos com aqueles aplicáveis aos contratos. Os conceitos de "atualização" e "alteração", adotados pela Lei nº 14.133/2021 ao tratar sobre o sistema de registro de preços, devem ser a base para criação de modelos para resiliência dos preços registrados na ata a mudanças efetivamente identificadas nos preços do mercado, de forma mais eficiente que os métodos tradicionais de revisão econômica aplicados aos contratos.

Entende-se que a "atualização" se refere à aplicação de critérios previamente estabelecidos para ajustar os preços registrados na ata às flutuações de mercado, sem a necessidade de negociação direta com os fornecedores. Já a "alteração" de preços pressupõe uma negociação entre as partes envolvidas para redefinir o preço registrado.[26]

Há, de qualquer forma, espaço para que a regulamentação crie modelagens eficientes, permitindo que a ata de registro de preços se apresente como um *framework* resiliente às mudanças do preço de mercado, afastando riscos que acabam por prejudicar a busca de propostas mais vantajosas para a Administração.

4.7 Da adesão à ata de registro de preços

O Sistema de Registro de Preços (SRP) envolve, do lado da Administração, o "órgão gerenciador", responsável por conduzir a licitação e gerenciar a ata de registro de preços resultante, e o "órgão participante", que inclui sua demanda no certame conduzido pelo órgão gerenciador.

Além desses, durante a vigência da ata, outros órgãos ou entidades da Administração que não participaram da licitação podem utilizar a ata mediante consulta prévia ao órgão gerenciador e desde que seja comprovada a vantagem para a Administração.

---

[25] BARROSO, Luís Roberto. *Interpretação e aplicação da Constituição*: fundamentos de uma dogmática constitucional transformadora. 4. ed. rev. e atual. São Paulo: Saraiva, 2001. p. 71.
[26] TORRES, Ronny Charles Lopes de. *Leis de licitações públicas comentadas*. 15. ed. São Paulo: Juspodivm, 2024. p. 567.

Embora a adesão seja um instrumento objeto de muita desconfiança e legítimas críticas no Brasil, a verdade é que as merecidas críticas são alimentadas pelo abuso ou desvirtuamento na utilização deste instrumento auxiliar, mais do que pela adesão em si.

Analisada sem preconceitos, a possibilidade de adesão em licitações para registro de preços não se distancia muito de modelos adotados, com elogios e certo entusiasmo, em outros países.

Nessa linha, por exemplo, a *General Service Administration* – GSA, Central de Compras do governo dos Estados Unidos, oferece uma plataforma denominada "*GSA Advantage*",[27] cujo objetivo é disseminar as oportunidades a diversos fornecedores e conectar milhares de contratados do GSA *Schedule*, permitindo que as agências governamentais tenham acesso a um procedimento facilitador onde podem pesquisar quantidades de estoque, números de contratos e nomes de fornecedores, além de comparar recursos, preços, opções de entrega e realizar pedidos *on-line*.[28]

GSA *Schedules* são *frameworks* similares a acordos quadros que admitem tanto o modelo fechado (com registro restrito de adjudicatários do contrato mãe) quanto o modelo aberto, que permite a entrada de novos fornecedores e decorre dos instrumentos contratuais chamados de *Multiple Award Schedules* (MAS) e *Indefinite Delivery/Indefinite Quantities* (ID/IQ). As *Schedules* em regra são utilizadas pelo governo federal, mas, a depender do caso, as demais esferas podem valer-se desta ferramenta.[29]

Em relação às *Multiple Award Schedules*, podem ser compreendidas como contratações de longo prazo firmadas com vários fornecedores para entregas e quantidades indefinidas de produtos e serviços; sendo as quantidades e condições de entrega fixadas no momento da compra.[30]

Diante da lista de fornecedores, produtos e serviços, com preços-limites pré-negociados, as agências beneficiárias podem emitir ordens para o fornecimento ou para prestação de serviços,[31] isso ocorrendo no bojo de um "contrato mãe" gerenciado pela GSA,[32] em formato comparável ao atendimento de órgãos participantes e não participantes nas atas de registro de preços, no Brasil.

Da mesma forma, no Chile, país sul-americano com desenvolvido modelo de *frameworks* para contratações públicas, podemos encontrar interessantes experiências que guardam certa similitude com a modelagem admitida pela Lei nº 14.133/2021 para o sistema de registro de preços.

---

[27] FIUZA, Eduardo Pedral Sampaio *et al*. Experiências Internacionais de Centralização de Compras Públicas. *In*: LOPES, Virgínia Bracarense; SANTOS, Felippe Vilaça Loureiro *et al*. Compras Públicas Centralizadas no Brasil: teoria, prática e perspectivas. Belo Horizonte: Fórum, 2023, p. 68.

[28] GSA Schedule. *GSA Advantage!* Disponível em: https://gsaschedule.com/marketing-your-gsa-schedule/gsa-advantage/. Acesso em: 9 maio 2024.

[29] FIUZA, Eduardo Pedral Sampaio *et al*. *Experiências Internacionais de Centralização de Compras Públicas*. *In*: LOPES, Virgínia Bracarense; SANTOS, Felippe Vilaça Loureiro *et al*. *Compras Públicas Centralizadas no Brasil*: teoria, prática e perspectivas. Belo Horizonte: Fórum, 2023, p. 67.

[30] PAIXÃO, André Luís Soares da. *Compras Públicas Compartilhadas*: um estudo de caso comparando modelos de compras públicas eletrônicas adotados no Brasil, no Chile e nos Estados Unidos. Dissertação (Mestrado em Governança e Desenvolvimento) – ENAP. Brasília, 2021, p. 106-107. Disponível em: https://repositorio.enap.gov.br/handle/1/6409. Acesso em: 9 maio 2024.

[31] NASH JR.; CIBINIC JR.; YUKINS. *Formation of government contracts*, p. 1144 apud FRANCO NETO, E.G. *Centralização de Compras Públicas no Brasil*. Londrina: Thoth, 2023, p. 127.

[32] FRANCO NETO, Eduardo Grossi. *Centralização de Compras Públicas no Brasil*. Londrina: Thoth, 2023, p. 128-129.

O sistema de licitações e contratações públicas do Chile ocorre por meio da plataforma transacional do *ChileCompra*, denominada *Mercado Público*,[33] que interliga as necessidades das organizações e as ofertas de diversos fornecedores.

Uma das modelagens admitidas pela legislação chilena é o Convênio Marco, que possui formatação similar aos *Multiple Award Schedules da GSA*. Esta elogiada modelagem se apresenta como um formato comparável a uma loja eletrônica, onde os compradores públicos adquirem bens e serviços por meio de um clique. Mas é importante frisar que, anteriormente, a Direção *ChileCompra* realiza um concurso público (licitação), selecionando, para exposição no catálogo da loja, fornecedores e produtos, devendo estes serem altamente padronizáveis, de utilização frequente e transversal pelo Estado.[34]

Uma vez disponibilizados na plataforma *Tienda ChileCompra*, os bens e serviços licitados por Convênio Marco são adquiridos de forma semelhante à compra de itens em *sites* como *Amazon* e Mercado Livre.[35]

Como se vê, há certa similitude entre essas modelagens de contratações públicas com o procedimento adotado nas adesões a atas de registro de preços no Brasil, embora possuam como diferença estrutural uma maior transparência na oferta e identificação de bens e serviços disponíveis aos interessados.

A grande diferença, provavelmente, encontra-se na transparência que é dada aos fornecedores, produtos e serviços "registrados" ou catalogados, uma vez que nesses países adota-se uma lógica de plataforma que propicia maior facilidade de acesso à informação e melhor transparência.

No Brasil, notadamente com o regime jurídico definido pela Lei nº 14.133/2021, utilizando-se o SRP, o instrumento auxiliar por ele gerado (ata de registro de preços) permite, respeitados certos limites, que outros órgãos públicos utilizem o resultado da anterior licitação.

Como já explicado, mesmo os órgãos e entidades que não participaram da licitação podem aderir à ARP como "não participantes", desde que cumpram determinados requisitos e se submetam a certos limites.

Com a previsão legal, supera-se uma legítima crítica doutrinária à adesão, que anteriormente era prevista por decreto (e não pela Lei nº 8.666/93).

O órgão "carona", que adere à ata sem ter participado da licitação ou da formação da ata, apenas utiliza a ARP como base para firmar um contrato, sem a necessidade de realizar um procedimento licitatório específico. A adesão à ata de registro de preços se assemelha a uma hipótese de dispensa de licitação, já que o carona não participou do processo licitatório original.

Nesse contexto, a adesão, antes regulamentada por decreto, poderia ser vista como de questionável constitucionalidade, já que exceções ao princípio da obrigatoriedade de licitação devem ser previstas por lei, não por decreto.

---

[33] Dirección ChileCompra. ¿Qué es ChileCompra? Disponível em: https://www.chilecompra.cl/que-es-chilecompra/#1670358653479-425c6e1e-83d8. Acesso em: 17 abr. 2024.
[34] Dirección ChileCompra. Conoce Convenio Marco. Disponível em: https://www.chilecompra.cl/convenio-marco/. Acesso em: 19 abr. 2024.
[35] PAIXÃO, André Luís Soares da. Compras Públicas Compartilhadas: um estudo de caso comparando modelos de compras públicas eletrônicas adotados no Brasil, no Chile e nos Estados Unidos. Dissertação (Mestrado em Governança e Desenvolvimento) – ENAP. Brasília, 2021, p. 84. Disponível em: https://repositorio.enap.gov.br/handle/1/6409. Acesso em: 19 abr. 2024.

A ausência de previsão na Lei de Licitações trazia mácula jurídica à adesão. A previsão legal suplanta o problema, tornando, *a priori*, legítima a adesão, respeitados os limites legais. Nada obstante, preocupado com os abusos no uso da adesão, o legislador, inspirado na anterior regulamentação federal e na jurisprudência do TCU, definiu limites para ela.

A prática de adesão à ata de registro de preços pode gerar preocupações devido à imprevisibilidade do aumento nas demandas contratuais e à possível perda de economia de escala. Isso ocorre porque, em licitações com competição limitada, pode haver múltiplas contratações semelhantes sem que os preços sejam reduzidos, comprometendo os benefícios esperados da economia de escala. Além disso, há o risco de que editais mal-elaborados permitam abusos por parte dos órgãos que façam posteriores adesões.

Apesar dessas preocupações, não se deve condenar o uso do carona de forma absoluta. Em muitos casos, a adesão permite que órgãos com demandas menores se beneficiem dos preços obtidos em uma licitação mais ampla, algo que seria difícil em uma licitação individual.

Assim, a carona pode ser uma ferramenta eficiente, evitando a repetição de processos burocráticos e proporcionando economia de tempo e recursos. Consoante Jorge Ulisses Jacoby Fernandes, a carona pode ser um instrumento com o propósito de tornar o processo mais eficaz, consistindo na desnecessidade de repetição de um processo oneroso, lento e desgastante quando já alcançada a proposta mais vantajosa.[36]

Além disso, a previsão de que poderão ocorrer adesões pode incentivar uma redução nos preços durante a licitação, devido ao potencial ganho de escala percebido pelo licitante ao formular sua proposta.

Ao invés de questionar a legalidade do carona, o foco deve estar em estabelecer limites e critérios claros para seu uso, além de ampliar a transparência das atas de registro de preços geradas.

Com a devida regulamentação e o uso das ferramentas adequadas, essa prática pode estimular a redução de preços ao longo da licitação e garantir que os benefícios da economia de escala sejam realmente aproveitados, sem comprometer a isonomia e o interesse público.

Nesse sentido, tentando evitar excessos, a Lei nº 14. 133/2021 definiu diversos limites para a adesão.

O "limite subjetivo" refere-se às restrições impostas à adesão de Atas de Registro de Preços que se originam de certos órgãos. Esse limite impede que um órgão faça uso da adesão, mesmo quando há uma ata disponível que seja compatível com suas necessidades contratuais.

A Lei nº 14.133/2021 incorporou essa regra, anteriormente estabelecida por regulamentação federal, aparentemente sem considerar adequadamente seus fundamentos. Além disso, a Lei introduziu um limite subjetivo questionável do ponto de vista constitucional, especificamente em relação à adesão a atas gerenciadas por órgãos e entidades municipais.

---

[36] FERNANDES, Jorge Ulisses Jacoby. Carona em sistema de registro de preços: uma opção inteligente para a redução de custos e controle. *Fórum de Contratação e Gestão Pública*, Belo Horizonte, v. 6, n. 70, out. 2007. Disponível em: http://bdjur.stj.jus.br/dspace/handle/2011/30725.

Esse limite subjetivo, no entanto, foi posteriormente revisado e alterado pela Lei nº 14.770/2023, que ajustou as restrições originalmente impostas, permitindo com certa restrição a adesão a atas municipais.

Segundo o texto original do §3º do artigo 86, a adesão estaria limitada a órgãos e entidades da Administração Pública federal, estadual, distrital e municipal que, na condição de não participantes, desejarem aderir à ata de registro de preços de órgão ou entidade gerenciadora federal, estadual ou distrital.

Portanto, na redação original do dispositivo, o legislador havia criado uma restrição absoluta à adesão a atas oriundas de órgão municipais! Órgãos e entidades da Administração Pública federal, estadual, distrital e municipal poderiam realizar a adesão, desde que as atas não fossem de entidade gerenciadora municipal.

Em pertinente crítica, Victor Amorim defendeu à época que a impossibilidade de adesão à ata de registro de preços municipal representaria um desrespeito em relação à estrutura federativa do Estado brasileiro, sendo um discrímen injustificado no que diz respeito a um dos entes da Federação – o Município –, autônomo tanto quanto os demais.[37]

A redação original do §3º foi alterada pela Lei nº 14.770/2023. Com a alteração, órgãos e entidades da Administração Pública municipal podem agora aderir à ata de registro de preços de órgão ou entidade gerenciadora municipal.

Nada obstante, o dispositivo manteve uma exigência específica, afastando a adesão a uma ata de registro de preços (ARP) municipal quando ela decorrer de uma contratação direta. Além disso, mesmo que a ata de registro de preços municipal seja gerada por licitação, apenas órgãos e entes municipais poderão aderir a ela.

Em suma: pela nova redação do dispositivo, a adesão a um ARP municipal pode ocorrer apenas por órgãos ou entes municipais e desde que o sistema de registro de preços tenha sido formalizado mediante licitação, restando evidente certo preconceito, de constitucionalidade duvidosa, em relação aos municípios brasileiros.

Por seu turno, o "limite individual" se refere ao quantitativo máximo a ser contratado por cada aderente. Segundo o §4º do artigo 86, as adesões não poderão exceder, por órgão ou entidade, a 50% (cinquenta por cento) dos quantitativos dos itens do instrumento convocatório registrados na ata de registro de preços para o órgão gerenciador e para os órgãos participantes.

O percentual deve ser calculado não sobre os itens, mas sobre os quantitativos inseridos em cada item. Além disso, o percentual de 50% deve ser calculado sobre a soma de pretensões contratuais em cada item. Se há um órgão gerenciador e vários órgãos participantes, será o somatório requisitado por eles para cada item que deverá ser usado como base para o cálculo deste percentual.

O "limite global" está relacionado ao quantitativo máximo a ser contratado pelo somatório de todas as adesões. O §5º do artigo 86 estabelece que o quantitativo decorrente das adesões à ata de registro de preços não poderá exceder, na totalidade, ao dobro do quantitativo de cada item registrado na ata de registro de preços para o órgão gerenciador e órgãos participantes, independentemente do número de órgãos não participantes que aderirem.

---

[37] AMORIM, Victor. *A adesão de ata de registro de preços municipais na nova Lei de Licitações*: por uma necessária interpretação conforme a Constituição do §3º do art. 86 da Lei nº 14.133/2021. Disponível em: https://www.novaleilicitacao.com.br/.

Aqui também, o cálculo do dobro deve ser calculado não sobre os itens, mas sobre os quantitativos inseridos em cada item. O limite global não restringe o número de adesões (caronas), mas apenas o somatório do quantitativo contratado decorrente delas.

Vale registrar a ressalva de que o §7º afastou o limite quantitativo global para a "aquisição emergencial de medicamentos e material de consumo médico-hospitalar por órgãos e entidades da Administração Pública federal, estadual, distrital e municipal", nas adesões à ata de registro de preços gerenciada pelo Ministério da Saúde.

O "limite temporal" está relacionado à definição de que a adesão deverá ser feita durante a vigência da ata. Ele não foi expressamente citado pelo texto da Lei nº 14.133/2021. Contudo, essa limitação é implícita, pois, uma vez expirada a ata, não haveria fundamento para sua utilização em ulteriores adesões.

O "limite formal" está relacionado à necessidade de que a adesão esteja prevista no edital. A Lei nº 14.133/2021 não previu este limite de maneira expressa, mas ele pode ser compreendido como um limite implícito, por respeito à isonomia, transparência e boa-fé. Para os licitantes, a informação sobre a possibilidade de ulterior adesão influencia na formulação de suas propostas, pelos potenciais ganhos com a ampliação da escala de fornecimento.

Defende-se ainda a existência implícita do "limite lógico". Este limite impõe que a adesão só pode ser feita se aquele bem ou serviço é efetivamente apto a atender à necessidade administrativa.[38]

A adesão à ata de registro de preços depende de planejamento prévio que demonstre a compatibilidade da necessidade administrativa com o objeto registrado na ata de registro de preços, pois a adesão à ata de registro de preços exige compatibilidade das regras e condições estabelecidas no certame que originou a ata de registro de preços com as necessidades e condições determinadas na etapa de planejamento da contratação.[39]

Em outras palavras, a adesão à ata de registro de preços requer planejamento da ação, com o levantamento das reais necessidades da administração contratante, não se admitindo a contratação baseada tão somente na demanda originalmente estimada pelo órgão gerenciador.

Por fim, é possível suscitar o "limite procedimental". Embora seja um procedimento mais simplificado que a realização de um certame específico, a adesão à ata de registro de preços exige certo procedimento formal.

Segundo o §2º do artigo 86 da Lei nº 14.133/2021, para que seja realizada a adesão, devem ser observados os seguintes requisitos: apresentação de justificativa da vantagem da adesão; demonstração de que os valores registrados estão compatíveis com os valores praticados pelo mercado; prévias consulta e aceitação do órgão ou entidade gerenciadora e do fornecedor.

Esses requisitos se apresentam como limite procedimental à adesão.

Todos esses limites restringem a aplicação desta forma anômala de contratação direta que é a adesão e devem ser devidamente respeitados pelos órgãos responsáveis

---

[38] TORRES, Ronny Charles Lopes de. *Leis de licitações públicas comentadas*. 15. ed. São Paulo: Juspodivm, 2024. p. 605.
[39] Neste sentido, vide Acórdão nº 3.137/2014-Plenário do TCU, relator Ministro-Substituto Augusto Sherman Cavalcanti, 12.11.2014. Vide também Acórdão nº 998/2016, Plenário do TCU, relator Min. Benjamin Zymler.

pelos pleitos de adesão e, quando pertinente, pelo responsável pelo gerenciamento da ata de registro de preços, evitando abusos no uso desta relevante, porém polêmica, ferramenta.

5 Conclusão

A análise do novo Sistema de Registro de Preços (SRP), à luz da Lei nº 14.133/2021, evidencia um esforço legislativo significativo para modernizar e aperfeiçoar os instrumentos auxiliares das contratações públicas no Brasil. O SRP, ao longo de sua evolução normativa, consolidou-se como uma ferramenta indispensável para a Administração Pública, proporcionando maior flexibilidade, eficiência e economicidade nas contratações.

As inovações introduzidas pela Lei nº 14.133/2021, como a possibilidade de registro de preços diferenciados, a utilização do SRP em contratações diretas e a aplicação em obras, demonstram a busca por um sistema mais adaptado às complexidades e exigências contemporâneas da gestão pública. A regulação legal da adesão à ata de registro de preços e a flexibilização na prorrogação das atas são outros exemplos de como a legislação procura equilibrar a necessidade de eficiência com a segurança jurídica.

No entanto, a eficácia dessas inovações dependerá da regulamentação e da aplicação prática que se seguirão. É crucial que a regulamentação subsequente estabeleça parâmetros claros e precisos, capazes de superar eventuais lacunas e incertezas.

Além disso, a capacitação dos agentes públicos e a fiscalização adequada serão determinantes para garantir que o SRP cumpra seu papel de maneira plena, evitando abusos e desvios que possam comprometer os objetivos de eficiência e transparência.

Em síntese, a Lei nº 14.133/2021 apresenta um avanço importante no tratamento do Sistema de Registro de Preços, oferecendo novas oportunidades para a Administração Pública brasileira. Contudo, o sucesso desse novo marco dependerá da interpretação correta de suas disposições e da implementação cuidadosa e criteriosa por parte dos gestores públicos, lastreadas em boa doutrina e nas orientações dos órgãos competentes.

Referências

ALBANO, Gian Luigi; NICHOLAS, Caroline. *The Law and Economics of Framework Agreements*. Cambridge University Press. Edição do Kindle.

AMORIM, Victor. A adesão de ata de registro de preços municipais na nova Lei de Licitações: por uma necessária interpretação conforme a Constituição do §3º do art. 86 da Lei nº 14.133/2021. Disponível em: https://www.novaleilicitacao.com.br/.

BARROSO, Luís Roberto. *Interpretação e aplicação da Constituição*: fundamentos de uma dogmática constitucional transformadora. 4. ed., rev. e atual. São Paulo: Saraiva, 2001.

BITTENCOURT, Sidney. *Contratando sem licitação*. São Paulo: Almedina, 2016.

FERNANDES, Jorge Ulisses Jacoby. Carona em sistema de registro de preços: uma opção inteligente para a redução de custos e controle. *Fórum de Contratação e Gestão Pública*, Belo Horizonte, v. 6, n. 70, out. 2007. Disponível em: http://bdjur.stj.jus.br/dspace/handle/2011/30725.

FIUZA, Eduardo Pedral Sampaio *et al*. Experiências Internacionais de Centralização de Compras Públicas. *In*: LOPES, Virgínia Bracarense; SANTOS, Felippe Vilaça Loureiro *et al*. *Compras Públicas Centralizadas no Brasil*: teoria, prática e perspectivas. Belo Horizonte: Fórum, 2023.

FRANCO NETO, Eduardo Grossi. *Centralização de Compras Públicas no Brasil*. Londrina: Thoth, 2023.

HELMKE, Gretchen; LEVITSKY, Steven. Informal Institutions and Comparative Politics: A Research Agenda. Perspectives on Politics. Vol. 2, No. 4 (Dec., 2004), pp. 725-740 (16 pages) Published By: American Political Science Association. Disponível em: https://wcfia.harvard.edu/files/wcfia/files/883_informal-institutions.pdf. Acesso em 3 out 2023.

JUSTEN FILHO, Marçal. *Comentários à lei de licitações e contratos administrativos*. São Paulo: Thomson Reuters Brasil, 2021.

NASH JR.; CIBINIC JR.; YUKINS. *Formation of government contracts*, p. 1144 apud FRANCO NETO, E.G. *Centralização de Compras Públicas no Brasil*. Londrina: Thoth, 2023.

NIEBUHR, Joel de Menezes. *Licitação pública e contrato administrativo*. 5. ed. Belo Horizonte: Fórum, 2022.

PAIXÃO, André Luís Soares da. *Compras Públicas Compartilhadas*: um estudo de caso comparando modelos de compras públicas eletrônicas adotados no Brasil, no Chile e nos Estados Unidos. Dissertação (Mestrado em Governança e Desenvolvimento) – ENAP. Brasília, 2021, p. 84. Disponível em: https://repositorio.enap.gov.br/handle/1/6409. Acesso em: 19 abr. 2024.

PEREIRA JUNIOR, Jessé Torres; DOTTI, Marinês Restelatto. *Limitações constitucionais da atividade contratual da administração pública*. Sapucaia do Sul: Notadez, 2011.

PINTO, Vera Regina Ramos. Um breve histórico sobre inovações em compras e licitações públicas no Brasil / A brief history of innovations in procurement and public bidding in Brazil. *Brazilian Journal of Development*, [S. l.], v. 6, n. 8, p. 63378–63397, 2020. DOI: 10.34117/bjdv6n8-680. Disponível em: https://ojs.brazilianjournals.com.br/ojs/index.php/BRJD/article/view/15862.

RIGOLIN, Ivan Barbosa. Registro de Preços. *Fórum de Contratação e Gestão Pública – FCGP*, Belo Horizonte, ano 17, n. 203, 2018.

SILVA, Michelle Marry Marques da. Comentário Inciso III. *In*: SARAI, Leandro (org.). *Tratado da Nova Lei de Licitações e Contratos Administrativos: Lei nº 14.133*. Comentada por Advogados Públicos. São Paulo: Juspodivm, 2021.

TORRES, Ronny Charles Lopes de. *Leis de licitações públicas comentadas*. 15. ed. São Paulo: Juspodivm, p. 2024.

VACCAREZZA, André Bastos. Os instrumentos auxiliares na Nova Lei de Licitações. *Revista da ESDM*, v. 7, n. 14, p. 60-76, 2021.

Informação bibliográfica deste texto, conforme a NBR 6023:2018 da Associação Brasileira de Normas Técnicas (ABNT):

TORRES, Ronny Charles Lopes de. A Lei nº 14.133/2023 e o novo Sistema de Registro de Preços. *In*: JUSTEN, Monica Spezia; PEREIRA, Cesar; JUSTEN NETO, Marçal; JUSTEN, Lucas Spezia (coord.). *Uma visão humanista do Direito*: homenagem ao Professor Marçal Justen Filho. Belo Horizonte: Fórum, 2025. v. 2, p. 745-763. ISBN 978-65-5518-916-2.

DIREITO TRIBUTÁRIO

(Coordenadora: Betina Treiger Grupenmacher)

O DIFERIMENTO OU SUBSTITUIÇÃO REGRESSIVA E A SUA NATUREZA JURÍDICA

BETINA TREIGER GRUPENMACHER

FLÁVIA TREIGER GRUPENMACHER

1 Introdução

As hipóteses de sujeição passiva tributária estão arroladas no Código Tributário Nacional – CTN e indicam a trasladação da condição de devedor do tributo para o sujeito não contribuinte, quando verificadas as condições previstas pelo legislador complementar.

Importa destacar que, operado o fenômeno da incidência, irrompe no universo jurídico-tributário vínculo abstrato entre dois sujeitos em relação a um objeto, por força do qual o sujeito ativo tem o direito subjetivo de exigir a prestação, objeto da referida relação jurídico-tributária, e o sujeito passivo tem o correlato dever jurídico de realizar tal prestação.

O sujeito passivo é, em princípio, o contribuinte, também conhecido como "destinatário legal tributário"[1] ou "destinatário constitucional tributário".[2] É aquele

---

[1] Héctor Villegas, em substituição à denominação contribuinte, largamente utilizada pela doutrina, apresenta a expressão "destinatário constitucional tributário". VILLEGAS, Héctor. *Curso de Direito Tributário*. São Paulo: RT, 1980.

[2] Marçal Justen Filho, acatando os fundamentos adotados por Villegas, no sentido de estabelecer distinção entre os possíveis sujeitos da relação jurídico-tributária, no sentido de que nem sempre aquele que manifesta riqueza é quem assumirá a condição de devedor do tributo, apresenta a expressão "destinatário constitucional tributário" para indicar o contribuinte, observando, com isso, as peculiaridades do sistema tributário brasileiro, o que faz nos seguintes termos: "De fato, a eleição de uma certa situação para compor a materialidade da hipótese de incidência importa automática seleção de sujeitos. Se foi eleita, como evidenciadora de riqueza que autoriza a tributação, uma certa situação, é inegável que a regra imperiosa será a de que o sujeito obrigado ao dever tributário seja exatamente aquele que é titular dessa riqueza ou está com ela referido. Porque, a não ser assim, o resultado seria o de que haveria uma desnaturação da norma, acarretando a incidência do dever sobre pessoa diversa e a tributação sobre riqueza distinta. (...) Villegas deixou de observar uma peculiaridade do sistema tributário brasileiro, porém, poderia ter elaborado alguns conceitos mais refinados se tivesse em vista o

que pratica o fato jurídico-tributário e que, portanto, deve arcar com o ônus decorrente do pagamento do tributo.

Ocorre que, por razões de comodidade e de política fiscal, sob o fundamento de que a responsabilização de terceiro pelo pagamento do tributo é um eficiente instrumento contra a evasão fiscal, garantindo-se a realização da receita tributária, o legislador complementar estabeleceu, entre os arts. 128 e 138 do Código Tributário Nacional (CTN), hipóteses cuja sujeição passiva é deslocada para um terceiro que não integra, originalmente, a relação jurídico-tributária, mas assume o dever de cooperação com a administração fazendária, circunstância em que o cumprimento da prestação, objeto da relação jurídica, passa a ser exigido deste.

2 O sujeito passivo da relação jurídico-tributária

A Constituição Federal atribui competências tributárias e, ao fazê-lo, desde logo, estabelece o arquétipo dos tributos, prevendo seus critérios material, espacial, temporal, pessoal e quantitativo.

Quanto ao critério pessoal, o sujeito ativo é sempre o titular do direito subjetivo de exigir a prestação, pelo que, afora as hipóteses de parafiscalidade, o sujeito ativo será sempre uma das pessoas políticas de direito público (União, Estados, Municípios ou Distrito Federal).

Quanto ao sujeito passivo (contribuinte), é aquele que pratica o fato jurídico-tributário. Precisamente em relação aos impostos, é aquele que manifesta uma das formas de riqueza previstas no texto constitucional e que, por esta razão, deve transferir parcela desta ao Estado, por meio do pagamento do tributo.

Ocorre que, embora a Constituição Federal indique, desde logo, quem é o sujeito passivo da relação jurídico-tributária, o legislador complementar, ao exercer sua competência para estabelecer normas gerais, definiu, no art. 121 do CTN, o sujeito passivo da obrigação principal e o fez nos seguintes termos:

> Art. 121. Sujeito passivo da obrigação principal é a pessoa obrigada ao pagamento do tributo ou penalidade pecuniária.
>
> Parágrafo único. O sujeito passivo da obrigação principal diz-se:
>
> I - contribuinte, quando tenha relação pessoal e direta com a situação que constitua o respectivo fato gerador;
>
> II - responsável, quando, sem revestir a condição de contribuinte, sua obrigação decorra de disposição expressa de lei.

Efetivamente, o sujeito passivo da relação jurídico-tributária, por inferência do disposto no texto constitucional, é aquele que tem o dever jurídico de realizar a prestação, ou seja, é, na dicção do legislador complementar, aquele obrigado ao pagamento do tributo.

---

ordenamento pátrio. É que, no Brasil, pode-se falar não apenas em um destinatário *legal* tributário, mas também no destinatário *constitucional* tributário". JUSTEN FILHO, Marçal. *Sujeição Passiva Tributária*. Belém do Pará: CEJUP, 1986. p. 262.

Como regra, o devedor é aquele que pratica o fato descrito no critério material[3] do arquétipo constitucional do tributo, que, em se tratando de impostos, revela manifestação de capacidade contributiva (fato signo-presuntivo de riqueza).[4]

Ocorre, no entanto, que hipóteses há em que não é o contribuinte que assume a condição de devedor do tributo, pois tal obrigação é transferida para um terceiro por disposição expressa em lei. Trata-se das hipóteses de responsabilidade tributária, que comportam duas modalidades, quais sejam: a responsabilidade por transferência e a por substituição. Ambas as modalidades são instrumentos de que se vale a administração fazendária para imprimir eficiência à arrecadação tributária.

Quanto à responsabilidade por transferência, é mecanismo estabelecido legalmente, em que se atribui a terceiro o papel de fiscalizar o recolhimento do tributo pelo contribuinte; já na responsabilidade por substituição, a lei incumbe a terceiro o dever de recolher o tributo, concomitantemente com a ocorrência do fato jurídico-tributário, antecipadamente, previamente à ocorrência do fato gerador (substituição tributária progressiva), ou posteriormente à ocorrência do fato gerador (substituição tributária regressiva).

A responsabilidade por transferência se opera quando o contribuinte deixa de efetuar o pagamento do tributo trasladando-se o dever do referido pagamento a terceiro, que tenha relação indireta com o acontecimento descrito no texto constitucional. Não por outro motivo, Paulo de Barros Carvalho entende tratar-se de hipótese de "sanção administrativa".[5]

A responsabilidade por transferência está assim prevista no art. 128 do CTN:

> Sem prejuízo do disposto neste capítulo, a lei pode atribuir de modo expresso a responsabilidade pelo crédito tributário a terceira pessoa, vinculada ao fato gerador da respectiva obrigação, excluindo a responsabilidade do contribuinte ou atribuindo-a a este em caráter supletivo do cumprimento total ou parcial da referida obrigação.

Já no que diz respeito à responsabilidade por substituição, a transferência de responsabilidade se opera independentemente da inadimplência pelo contribuinte ou de outro evento relacionado à obrigação tributária, sendo, desde logo, imputada ao responsável por substituição. Também conhecido como substituto tributário.

---

[3] O critério material revela o núcleo da regra-matriz de incidência e indica o fato tributável, o qual há de ser identificado pela busca de um verbo agregado a um complemento. Paulo de Barros Carvalho leciona acerca do critério material: "Nele há referência a um comportamento de pessoas, físicas ou jurídicas, condicionado por circunstâncias de espaço e tempo (critérios espacial e temporal)". Ressalta que o comportamento de uma pessoa está representado na hipótese por um verbo agregado a um complemento, consideradas determinadas condições espaciais e temporais, afastando a utilização de verbos impessoais. BARROS CARVALHO, Paulo. *Curso de Direito Tributário*. 23. ed. São Paulo: Saraiva, 2011. p. 326.

[4] BECKER, Alfredo Augusto. *Teoria Geral do Direito Tributário*. 3. ed. São Paulo: Lejus, 1998. p. 497.

[5] Paulo de Barros Carvalho assim se manifesta sobre a natureza sancionatória da transferência de responsabilidade tributária: "Nosso entendimento é no sentido de que as relações jurídicas integradas por sujeitos passivos alheios ao fato tributado apresentam natureza de sanções administrativas". BARROS CARVALHO, Paulo. *Curso de Direito Tributário*. p. 393.

3 Responsabilidade por substituição tributária

A substituição tributária busca atribuir a terceiro/substituto, relacionado ao fato jurídico-tributário, o dever de pagar o tributo, em nome próprio, mas por conta de fato praticado pelo contribuinte/substituído.

É exemplo típico de substituição tributária concomitante a retenção e o recolhimento do IR pela fonte pagadora, conforme previsão do art. 45 do CTN, que assim dispõe em seu parágrafo único: "A lei pode atribuir à fonte pagadora da renda ou dos proventos tributáveis a condição de responsável pelo imposto cuja retenção e recolhimento lhe caibam".

A substituição tributária regressiva opera-se toda vez que a lei atribui ao substituto o dever de pagar o tributo em momento posterior à ocorrência do fato jurídico-tributário, são também conhecidas como hipóteses de diferimento. Nada mais é do que a postergação para pagamento do tributo para momento distinto daquele usualmente adotado por imposição da respectiva regra-matriz de incidência.

Quanto à substituição tributária progressiva, em sentido oposto à regressiva, também por razões de interesse da Administração Fazendária, o substituto antecipa o recolhimento do tributo à ocorrência do fato jurídico-tributário.

Embora o fato descrito na regra-matriz de incidência não tenha ocorrido, com fundamento no disposto no art. 150, §7º,[6] da Constituição Federal, a legislação sob a presunção de que este ocorrerá futuramente determina que o tributo relativo a todas as fases da cadeia econômica seja antecipado pelo substituto, o qual, além de pagar o tributo relativo à operação própria, o faz relativamente às operações praticadas por terceiros.

Importante destacar que o referido dispositivo constitucional, introduzido pela Emenda Constitucional nº 3/93, estabeleceu, por igual, a garantia de que, caso o fato gerador não se realize, fica assegurada a imediata e preferencial restituição da quantia paga.

A legitimidade do preceito constitucional aqui referido foi enfrentada pelo Supremo Tribunal Federal, que, afinal, reconheceu a sua constitucionalidade, razão pela qual a substituição tributária progressiva vem sendo amplamente aplicada pelos Estados, já que, estatisticamente, a adoção da substituição tributária progressiva reduziu os índices de sonegação fiscal, aumentando, em consequência, a arrecadação tributária.

Com o intuito de dar efetividade ao instituto da substituição tributária progressiva, os Estados, por meio de decretos – unilateralmente, portanto, sem a participação dos interessados –, estabelecem pautas de valores ou presumem margens de valor agregado (MVA), fixando bases de cálculo que, no mais das vezes, não correspondem aos preços efetivamente praticados.

Embora a constitucionalidade da substituição tributária progressiva tenha sido reconhecida pelo Supremo Tribunal Federal, não podemos deixar de ressaltar que os decretos antes referidos, no mais das vezes, são verdadeiras "caixas-pretas" e, por essa razão, em tudo e por tudo, incompatíveis com o supraprincípio constitucional da segurança jurídica.

---

[6] §7º - A lei poderá atribuir a sujeito passivo de obrigação tributária a condição de responsável pelo pagamento de imposto ou contribuição, cujo fato gerador deva ocorrer posteriormente, assegurada a imediata e preferencial restituição da quantia paga, caso não se realize o fato gerador presumido.

4 Diferimento: benefício fiscal ou substituição tributária?

Cada sistema adota, individualmente, mecanismos de desoneração da carga tributária, atribuindo a eles disciplina jurídica própria, a qual, embora possa coincidir em certos pontos com a disciplina jurídica atribuída por outros Estados a figuras semelhantes, não é necessariamente idêntica.

O que queremos afirmar é que, embora as diferentes formas de minoração fiscal, adotadas pelos vários ordenamentos, guardem certa similitude entre si, estas assumem, nos diferentes sistemas tributários, características distintas, posto que não há uma definição universalmente estabelecida para elas.

No Brasil, além das isenções e imunidades, há outros mecanismos de desoneração tributária que se inserem nas categorias tanto de incentivos como de benefícios fiscais, tais como reduções de alíquota e base de cálculo, diferimentos e concessão de crédito presumido. No entanto, pensamos que, para que sejam qualificados como incentivos, quaisquer das formas de desoneração referidas devem estar vinculadas a uma contrapartida do sujeito passivo. Assim, ainda que estabelecidas como forma de estímulo, se independerem da adoção de medidas por parte dos contribuintes, os mecanismos desonerativos serão qualificados como benefícios fiscais, e não como incentivos.

Entre todos os benefícios fiscais contemplados na legislação tributária destaca-se para fins do presente estudo a desoneração de uma das etapas da cadeia de circulação econômica, em geral do produtor rural, também conhecida como *diferimento*, que se verifica com maior regularidade nos tributos plurifásicos, mas que em algumas situações alcança também os monofásicos.

O *diferimento* é uma técnica adotada pelas administrações fazendárias em que se posterga o momento do pagamento do tributo devido em determinada operação para a etapa seguinte. Ocorre que, ao se diferir no tempo o momento para o pagamento do imposto, uma das etapas fica desonerada do respectivo tributo e, como consequência, a etapa seguinte passa a ser devedora dos valores decorrentes da operação que realizou e bem assim do imposto devido da etapa anterior, caso não houvesse diferimento.

O diferimento é, portanto, oposto à substituição tributária progressiva, ou "para frente". Enquanto na substituição tributária para frente o fenômeno da incidência é ficcionalmente antecipado, por meio de previsão legislativa, no diferimento, contrariamente, o fenômeno da incidência, ainda que ocorra factualmente, faz nascer a relação obrigacional de pagar tributo apenas em momento posterior.[7]

O diferimento, portanto, é mais facilmente visualizável, para fins didáticos, quando imaginamos tributos plurifásicos, onde há sucessões de fatos jurídicos tributários, com, consequentemente, mais de um momento de incidência da norma sobre o fato.

A doutrina se divide sobre ser ou não o *diferimento* um benefício fiscal. Há quem entenda que dado o fato de que um dos contribuintes fica desonerado do pagamento do tributo devido na operação que realizou, há, em relação a ele, um benefício tributário e, portanto, o *diferimento* poderia ser incluído no rol das benesses tributárias. Há, por outro lado, quem entenda que o diferimento não se enquadra na categoria de benefícios tributários, posto que o imposto é apenas diferido no tempo, mas ao final da cadeia de

---

[7] BECHO, Renato Lopes. *Sujeição Passiva e Responsabilidade Tributária*. São Paulo: Dialética, 2000, p. 136.

circulação econômica acaba sendo pago, não havendo, portanto, qualquer renúncia de receita por parte do Estado.

Efetivamente, não se pode negar que, em relação ao contribuinte desonerado do imposto, há, de fato, um benefício tributário, posto que deixa de pagar o tributo que deve. Por outro lado, em relação ao contribuinte da operação seguinte àquela em que se aplicou o diferimento, há uma oneração excessiva, já que, não podendo se creditar do imposto que seria devido na etapa anterior, apenas pelo fato de que o respectivo valor não foi pago, – como usualmente ocorre nos tributos plurifásicos não cumulativos –, acaba recolhendo o imposto decorrente de operação própria e aquele devido na etapa anterior, cujo recolhimento foi diferido no tempo, não tendo ele realizado o fato jurídico tributário que fez nascer o dever de pagar o tributo.

O diferimento existe por razões de política fiscal, para fins de barateamento do custo de determinados produtos e como mecanismo de praticabilidade e eficiência na arrecadação, sendo usual em hipóteses em que a autoridade fazendária encontra dificuldade na fiscalização de determinada categoria de contribuintes. Por essa razão, frequentemente, o diferimento alcança produtos "in natura".

Embora, de fato, haja um benefício no que concerne ao contribuinte que fica desonerado em função do diferimento, acompanhamos o entendimento daqueles que pensam que tal técnica de tributação não se insere no rol dos benefícios fiscais, a uma porque é intrínseca à natureza dos benefícios tributários a circunstância de que o Estado "perde" recursos com a sua concessão, ou seja, renuncia algum valor de receita, ou não ocorre no diferimento, já que o Estado não deixa de receber o tributo devido, apenas difere tal percepção para a etapa ou etapas seguintes da cadeia de circulação econômica; a duas porque não se pode admitir um benefício tributário que, a despeito de não observar a capacidade contributiva em relação ao contribuinte por ele alcançado, – já que embora manifeste riqueza deixa de ser tributado por motivos extrafiscais –, sobrecarregue financeiramente o contribuinte da etapa seguinte, mais uma vez agredindo o princípio da capacidade contributiva, já que impõe a este último o pagamento do imposto devido em decorrência de sua manifestação de riqueza e também daquele devido pela manifestação de riqueza verificada na etapa anterior, por contribuinte diverso, o que tornará a exação confiscatória e revelará, ademais, a incidência em cascata.

Sacha Calmon Navarro Coêlho também se manifesta no sentido de que a técnica do *diferimento* gera prejuízo àquele que deve recolher o tributo relativo à etapa desonerada, afirmando:

> Como o ICMS é um imposto não cumulativo e plurifásico, o não pagamento do ICMS em uma etapa da circulação provocaria uma quebra da cadeia débito-crédito do tributo. Isto acarretaria uma repercussão ou efeito prático assaz importante. É que o contribuinte beneficiário da isenção, não tendo que pagar o ICMS, também não poderia transferi-lo ao adquirente ou destinatário da mercadoria cuja operação de saída foi isenta. De um ponto de vista financeiro, o adquirente não se creditaria do imposto, que esse não houve na saída anterior. *Assim, quando tivesse que pagar o ICMS devido pelas suas próprias operações, pagaria mais*, pois, a respeito daquelas mercadorias ou inputs que entraram isentos, ele não teria crédito a aproveitar. (grifou-se)[8]

---

[8] COÊLHO, Sacha Calmon Navarro, *Teoria Geral do Tributo, da Interpretação e da Exoneração Tributária*: (O significado do art.116, parágrafo único, do CTN), p. 247.

Pensamos assim que, embora ocorra a desoneração de uma das etapas da circulação econômica – que inclusive se assemelha a uma isenção, mas que tecnicamente de isenção não se trata –, o diferimento não se insere no rol dos benefícios ou dos incentivos fiscais pelos dois motivos apontados, pois não há qualquer renúncia de receita por parte do Estado e também porque, em certa medida, há prejuízo para o contribuinte para o qual o recolhimento do tributo é diferido, o que, de per si, descaracteriza o diferimento como uma forma de desoneração.

O diferimento, além de não se subsumir ao conceito de incentivo ou benefício fiscal, por motivos de eficiência na arrecadação, estabelece desoneração inconstitucional, pois ao tempo que transfere o ônus tributário a contribuinte distinto daquele que praticou o fato jurídico tributário, sem criar mecanismos de recomposição patrimonial, garante ao Estado a percepção integral do tributo devido na cadeia de circulação econômica.

O que se passa, efetivamente, é que o Estado, em prol de seus interesses meramente arrecadatórios, cria mecanismo que lhe garante o recolhimento do tributo, mas o faz, no que concerne ao responsável pelo respectivo recolhimento, em total afronta aos princípios da capacidade contributiva, da vedação da cobrança de tributo confiscatório e o da igualdade, entre outros, transferindo o ônus financeiro do tributo a terceiro, repita-se, sem previsão de recomposição patrimonial.

A técnica só seria legítima, em nosso entendimento, se ao diferimento do imposto se fizesse acompanhar um crédito presumido em igual montante. Apenas e tão somente nesta hipótese seria possível inserir o diferimento no rol dos benefícios fiscais, pois o Estado estaria assumindo o ônus da benesse que estaria concedendo, e o contribuinte para o qual o recolhimento foi diferido desfrutaria de um crédito presumido para abater do valor por ele devido.

Há quem defenda,[9] ainda, ser o *diferimento* hipótese de substituição tributária.[10] Para estes autores, já que o responsável, alocado adiante na cadeia, relaciona-se ao fato jurídico tributário, e, mesmo não sendo o contribuinte, é quem é responsável pelo recolhimento do tributo, haveria a ocorrência de substituição tributária, com mera alteração do critério temporal da Regra Matriz de Incidência Tributária.

Importante destacar que a substituição tributária, enquanto espécie de sujeição passiva, é mecanismo previsto no sistema brasileiro que foi instituído no interesse da arrecadação e da fiscalização de tributos.

Como exposto anteriormente, no Brasil estão previstas três espécies de substituição tributária, a concomitante, a progressiva e a regressiva. Todas contemplam a possibilidade de recomposição patrimonial por parte do substituto tributário, que recolhe o tributo devido pelo substituído. Não é o que ocorre no diferimento. Aquele que recolhe

---

[9] É este o entendimento de Sacha Calmon Navarro Coêlho, que afirma: "Pois bem, o diferimento, em regra, como praticado na área do ICMS, é tipo de *substituição tributária*. A norma jurídica tributária prevê que a operação de circulação prática por A (digamos, o produto de carvão ou leite) é jurígena no sentido de atribuir a B (digamos, a siderúrgica ou estabelecimento laticinista) o dever de pagar o imposto. A não é sujeito passivo juridicamente falando. B o é! O deferimento assim entendido suscita a questão de se saber se o legislador pode livremente escolher o "substituto" jurídico daquele que deveria, pela lógica e por motivos econômicos, ser o sujeito passivo da obrigação, por ter praticado o fato gerador. A indagação funda-se no valor justiça e no princípio da segurança que exige a "ética da tributação". COÊLHO, Sacha Calmon Navarro, *Teoria Geral do Tributo, da Interpretação e da Exoneração Tributária*: (O significado do art.116, parágrafo único, do CTN), p. 256.

[10] A exemplo do autor, BECHO, Renato Lopes. *Sujeição Passiva e Responsabilidade Tributária*. São Paulo: Dialética, 2000, p. 136.

o tributo diferido o faz por imposição legal, embora esteja recolhendo tributo devido em etapa anterior. Assim, embora haja uma substituição do contribuinte cuja tributação foi diferida, de substituição tributária efetivamente não se trata. Há, em verdade, uma transferência do dever de pagar o tributo que, no entanto, não se classifica como substituição tributária nos moldes em que prevista no ordenamento pátrio.[11]

Convém ressaltar que a análise que aqui fazemos acerca da natureza jurídica do diferimento e a sua subsunção ao conceito de benefício fiscal é estritamente jurídica, despida, portanto, da investigação econômico-financeira própria dos impostos não cumulativos. É certo que diferido ou não, com isenção em uma das operações ou não, objeto de substituição tributária ou não, os tributos não cumulativos sempre repercutem sobre o preço do produto e, com isso, quem suporta o ônus financeiro da incidência é o consumidor final.

Nos impostos plurifásicos, afora as hipóteses em que toda a cadeia de circulação econômica fica desonerada, há repercussão econômica do tributo devido e quem arca com o pagamento do imposto, de fato, é o consumidor final.

Dada tal circunstância, há de se ressalvar que as ponderações aqui realizadas se referem, com exclusividade, aos contribuintes, ou destinatários constitucionais tributários, aqueles que manifestam riqueza, que realizam operações sujeitas à tributação plurifásica e não aos consumidores, sujeitos passivos de fato, que suportam o ônus financeiro em decorrência da observância do princípio da não cumulatividade, o que ocorre, havendo ou não diferimento.

É certo que nesse ponto de nossas reflexões poderia surgir o questionamento de que, se assim é, ou seja, se os diferimentos não são legítimos, também não seriam legítimas as isenções concedidas para uma das etapas da circulação econômica de produtos sujeitos a tributos plurifásicos, como, em especial, é o caso do ICMS (Imposto Sobre Circulação de Mercadorias e Serviços).

---

[11] Entendimento nesse sentido é o de Marçal Justen Filho: "a figura do diferimento não se confunde com a substituição. E isso porque o diferimento importa subsunção do pagamento da prestação tributária à ocorrência de um fato futuro e incerto: nova operação relativa à circulação da mesma mercadoria. A substituição envolve, exclusivamente, alteração do sujeito passivo. Análise das circunstâncias jurídicas demonstra que, antes de verificada nova operação relativa à circulação da mesma mercadoria, inexiste débito ou relação tributária. Isso comprova que o diferimento se insere dentro da categoria de não incidência. Somente haverá fato impossível se e enquanto ocorrer uma operação relativa à circulação da mercadoria subsequente àquela sujeita ao regime do diferimento". E ainda: "... o mandamento da norma criadora da substituição restringe-se *exclusivamente* a recortar e 'substituir' a determinação subjetiva da norma tributária principal. Por decorrência, a única alteração que se produz é que o sujeito passivo não será o destinatário legal tributário, mas o terceiro que titularizava a situação de poder. Não há qualquer modificação no tocante á hipótese de incidência da norma tributária. Exatamente por isso é que o vulgo reconhece, na substituição, que em um terceiro paga tributo 'alheio'". E continua: "quando se dá diferimento, contudo, não é tal que ocorre. Se fosse, o 'substituto' estaria simplesmente obrigado a pagar *nas mesmas e exatas condições* previstas para o 'subsídio'. Tão logo verificado seu poder de reembolso para compensar-se. Mas, no caso de diferimento, o que se determina é que, quando e se houver operação relativa à circulação da mesma mercadoria, é que o tributo será devido". E conclui: "suponha-se, por exemplo, que uma das mercadorias, que é adquirida pelo comerciante sob regime de diferimento, venha a perder-se acidentalmente. Logo, não haverá operação futura relativa á sua, porque não existe mais. Assim, explica-se por que só se tornará devida a prestação tributária se e *quando houver posterior relativa à circulação daquela mercadoria*. É que não está pendente nenhuma prestação tributária, pois incorreu fato impossível; a operação anterior é tributariamente, irrelevante para o fisco, que não poderá exigi qualquer quantia exageradamente por ainda não ser credor. Por decorrência só se pode concluir que a norma que estabelece o 'diferimento' está, em realidade, subtraindo a existência da norma do ICM uma certa operação relativa á circulação de mercadorias. Incorre fato impossível por que a conjunção das duas normas impede que umas delas seja aplicável". JUSTEN FILHO, Marçal. *Sujeição Passiva Tributária*. São Paulo: Cejup, 1986, p. 331-335 e 355.

Embora as consequências práticas de ambas as formas desonerativas sejam as mesmas, a isenção tem previsão constitucional e o diferimento não. Conceitualmente também os benefícios são distintos. Enquanto na isenção a desoneração decorre da mutilação de um dos critérios da norma, no diferimento há a postergação do momento para pagamento do tributo.

Importante esclarecer em relação à isenção que a Constituição brasileira contempla regra que veda o aproveitamento do crédito, quando houver isenção ou não incidência.[12]

Efetivamente, por amor à coerência, se não há incidência ou se há isenção, o tributo não é pago e, se assim é, não pode gerar crédito para as operações futuras. Ocorre, no entanto, que, se tal premissa é verdadeira quando a isenção alcança todas as etapas do ciclo de circulação econômica do bem, não é verdadeira nas hipóteses em que a desoneração se opera em relação a uma de suas fases apenas. Em tal circunstância, a inexistência de crédito a ser aproveitado pelo contribuinte da etapa seguinte àquela isenta lhe gera efeito prejudicial, assim como em relação a todas as demais etapas de circulação do bem e, consequentemente, ao consumidor final, que suportará o ônus financeiro do referido imposto.

O efeito maléfico da vedação de aproveitamento de crédito na isenção é o mesmo que se opera no diferimento e, nessa medida, pensamos que para que a isenção de uma das etapas da cadeia de circulação econômica fosse considerada concretamente um benefício fiscal, assim como defendemos em relação ao diferimento, deveria ser concedido ao contribuinte da etapa seguinte crédito presumido no montante do que teria sido recolhido na etapa anterior e não o foi por força de regra isentiva. Caso contrário, a norma constitucional acaba privilegiando um contribuinte (o isento) em detrimento dos demais que integram a cadeia de circulação de determinado bem.

Sobre as consequências pejorativas desencadeadas pela regra constitucional que veda o aproveitamento de crédito na isenção ou não incidência e bem assim daquela que determina a anulação de crédito das etapas anteriores, manifestou-se Eliud José Pinto da Costa.

> Ressalta-se que, nas operações realizadas pelo produtor, não foram apropriados créditos por partir-se do pressuposto de não ter havido operação anterior. Desconsideramos, também, a existência de créditos presumidos ou outorgados. Com isso é de inferir-se que o óbice ao crédito decorrente da operação anterior transforma o imposto em cascata, com feições cumulativas, contrariando sua principal característica: a não-cumulatividade. Ademais, a concessão de isenção nas etapas posteriores à produção, quando aplicadas nos moldes das alíneas "a" e "b" do inciso II do §2º do art. 155 da CF, distancia ainda mais o imposto da não-cumulatividade e torna mais pesada a carga tributária na exata medida em que atinge as operações mais próximas do consumidor final. (...) Como facilmente se observa, a isenção tributária com vedação à apropriação de créditos torna-se mais vantajoso ao Fisco

---

[12] Art. 155. Compete aos Estados e ao Distrito Federal instituir impostos sobre:
I – (...) II - operações relativas à circulação de mercadorias e sobre prestações de serviços de transporte interestadual e intermunicipal e de comunicação, ainda que as operações e as prestações se iniciem no exterior. §2º O imposto previsto no inciso II atenderá ao seguinte: I - será não cumulativo, compensando-se o que for devido em cada operação relativa à circulação de mercadorias ou prestação de serviços com o montante cobrado nas anteriores pelo mesmo ou outro Estado ou pelo Distrito Federal; II - a isenção ou não incidência, salvo determinação em contrário da legislação: a) não implicará crédito para compensação com o montante devido nas operações ou prestações seguintes; b) acarretará a anulação do crédito relativo às operações anteriores;

à medida que mais valores são agregados pelo contribuinte ao longo da movimentação da mercadoria ao consumo final. É, portanto, exatamente para evitar esse desvio do preceito constitucional que sabiamente o constituinte inseriu a cláusula "salvo determinação em contrário da legislação". Nesse sentido, Aires Fernandino Barreto já havia concluído que "à luz das normas e dos princípios jurídicos, só numa única hipótese justifica-se a vedação do crédito: naquela em que a isenção (ou não incidência) é da última operação".[13]

No que concerne a tais hipóteses pensamos que a vedação de aproveitamento do crédito só é legítima por estar assim contemplada na Constituição Federal, pois em outra situação a não conformidade com os direitos e garantias do contribuinte, como é o caso, geraria a inconstitucionalidade da respectiva norma.

Defende-se, portanto, no presente artigo, em consonância com Geraldo Ataliba e Cléber Giardino, não se tratar o diferimento de substituição tributária, senão de "figura meramente financeira".[14] Em consonância com o que se entende no presente estudo, os autores defendem que se trata, em verdade, de uma isenção, ao menos ao contribuinte – que é desonerado – restrita à primeira etapa da cadeia, já que o ônus recai, sem qualquer desconto, na etapa seguinte.

De um lado, não é benefício nem incentivo fiscal já que, conforme se defendeu, não há renúncia fiscal do Estado nem benefício ao contribuinte, pelo contrário, há prejuízo ao responsável tributário, que arca com ônus próprio e alheio.

De outro, não é hipótese de substituição tributária, já que não há hipótese de aproveitamento de crédito da operação, não se tratando de hipótese em que o responsável apenas recolhe, mas não arca com o ônus, senão de que, mesmo não realizando o fato jurídico tributário, é quem recolhe e, ao mesmo tempo, arca com o ônus do tributo.

5 Conclusão

Conclui-se, assim, que a figura do diferimento não pode ser definida como hipótese de benefício ou incentivo fiscal, já que ausente qualquer renúncia fiscal por parte do Estado ou contrapartida do contribuinte. Há, em verdade, prejuízo financeiro do responsável pelo recolhimento do tributo, descaracterizando, também, hipótese de substituição tributária.

A substituição tributária, conforme exposto, restringe-se aos casos em que, em substituição ao contribuinte, – que realiza o fato jurídico tributário –, o responsável recolhe o tributo por ele devido. Nesses casos, porém, em respeito ao princípio da não cumulatividade e ao princípio da capacidade contributiva, há necessidade de que o substituto tenha direito de aproveitar o crédito referente àquela operação, o que não ocorre no caso do diferimento.

A sujeição passiva, conforme importante contribuição de Marçal Justen Filho, é matéria relevante afeta ao critério pessoal da regra matriz de incidência, em que se analisa quem é o devedor do tributo.

---

[13] COSTA, Eliud José Pinto da. *ICMS Mercantil*. São Paulo: Quartier Latin, 2008, p. 82-84.
[14] ATALIBA, Geraldo. ICM – Linhas Mestras Constitucionais – O Diferimento. *RDT* 23-24: 118-145, especialmente p. 143, *in:* BECHO, Renato Lopes. *Sujeição Passiva e Responsabilidade Tributária*. São Paulo: Dialética, 2000, p. 136.

No caso do diferimento, que, em um primeiro momento, pode parecer ser um benefício ou incentivo tributário, ou, ainda, em um segundo momento uma hipótese de substituição tributária progressiva, encontra óbices nas duas definições.

Em razão dos argumentos expostos, conclui-se, então, não se tratar nem de uma hipótese, nem de outra. Já que não há nem renúncia fiscal por parte do Estado, nem, por outro lado, direito ao crédito pelo suposto substituto. Na verdade, é um mero artifício financeiro de facilitação de recolhimento por parte do sujeito ativo, com isenção ao contribuinte, restrita àquela etapa, e com oneração do responsável pelo recolhimento, que, conforme exposto, pode, ao fim e ao cabo, não arcar efetivamente com o custo financeiro do tributo, que será repassado ao consumidor final, mas que assume o ônus jurídico de realizar o recolhimento.

Referências

ATALIBA, Geraldo. *Hipótese de Incidência Tributária*. 6. ed. 18ª tiragem. São Paulo: Malheiros, 2019.

BARROS CARVALHO, Paulo. *Curso de Direito Tributário*. 23. ed. São Paulo: Saraiva, 2011.

BECHO, Renato Lopes. *Sujeição Passiva e Responsabilidade Tributária*. São Paulo: Dialética, 2000.

BECKER, Alfredo Augusto. *Teoria Geral do Direito Tributário*. 3. ed. São Paulo: Lejus, 1998.

COÊLHO, Sacha Calmon Navarro. *Teoria Geral do Tributo, da Interpretação e da Exoneração Tributária*: (O significado do art.116, parágrafo único, do CTN).

COSTA, Eliud José Pinto da. *ICMS Mercantil*. São Paulo: Quartier Latin, 2008.

JUSTEN FILHO, Marçal. *Sujeição Passiva Tributária*. Belém do Pará: CEJUP, 1986.

VILLEGAS, Héctor. *Curso de Direito Tributário*. São Paulo: RT, 1980.

Informação bibliográfica deste texto, conforme a NBR 6023:2018 da Associação Brasileira de Normas Técnicas (ABNT):

GRUPENMACHER, Betina Treiger; GRUPENMACHER, Flávia Treiger. O diferimento ou substituição regressiva e a sua natureza jurídica. *In*: JUSTEN, Monica Spezia; PEREIRA, Cesar; JUSTEN NETO, Marçal; JUSTEN, Lucas Spezia (coord.). *Uma visão humanista do Direito*: homenagem ao Professor Marçal Justen Filho. Belo Horizonte: Fórum, 2025. v. 2, p. 767-777. ISBN 978-65-5518-916-2.

IMPACTOS DO JULGAMENTO DO ERESP Nº 1.795.347/RJ: POSSIBILIDADE DE CONVERSÃO DE EMBARGOS À EXECUÇÃO FISCAL EM AÇÃO ANULATÓRIA À LUZ DOS ARTIGOS 20 E 24 DA LEI DE INTRODUÇÃO ÀS NORMAS DO DIREITO BRASILEIRO

FERNANDA GUIMARÃES HERNANDEZ

RODRIGO GABRIEL ALARCON

1 Introdução

O presente estudo, escrito em homenagem ao Professor Marçal Justen Filho, examina a possibilidade de conversão de embargos à execução fiscal em ação anulatória, bem como a necessidade de observância dos artigos 20 e 24 da Lei de Introdução às Normas do Direito Brasileiro (LINDB), analisados pelo professor homenageado em seu texto "Art. 20 da LINDB – Dever de transparência, concretude e proporcionalidade nas decisões públicas".[1]

Adota-se como objeto de análise a interpretação do §3º do artigo 16 da Lei de Execuções Fiscais – LEF (Lei nº 6.830/80)[2] conferida pela Primeira Seção do Superior Tribunal de Justiça quando da apreciação do EREsp nº 1.795.347/RJ.

Em outubro de 2021, a aludida Seção de Direito Público do Superior Tribunal de Justiça, ao julgar os embargos de divergência referenciados, declarou a impossibilidade de o contribuinte defender, em embargos à execução fiscal, a extinção do crédito tributário mediante compensação que não fora homologada administrativamente. Toda essa

---

[1] JUSTEN FILHO, M. Art. 20 da LINDB – Dever de transparência, concretude e proporcionalidade nas decisões públicas. *Revista de Direito Administrativo*, p. 13-41, 2018. Disponível em: https://doi.org/10.12660/rda.v0.2018.77648.

[2] Art. 16 - O executado oferecerá embargos, no prazo de 30 (trinta) dias, contados: (...) §3º - Não será admitida reconvenção, nem compensação, e as exceções, salvo as de suspeição, incompetência e impedimentos, serão arguidas como matéria preliminar e serão processadas e julgadas com os embargos.

compreensão, segundo se extrai do acórdão, se deu à luz da correta interpretação dada ao referido §3º do artigo 16 da LEF.

Consoante voto do relator, Ministro Gurgel de Faria, o controle de legalidade do ato administrativo denegatório do pedido de compensação tributária deve ser realizado em via judicial própria, isto é, mediante ação ordinária, não havendo possibilidade de o contribuinte demonstrar, em sua defesa, nos embargos à execução fiscal, a ausência de liquidez e certeza da certidão de dívida ativa, em razão do encontro de contas junto à administração tributária.

Chancelou, por fim, não ser lícito ao juiz – por força da regra invocada – homologar compensação administrativa em embargos à execução fiscal quando tal pleito fora administrativamente recusado pelo Fisco.

Antes do julgamento dos mencionados embargos de divergência, a Corte Superior havia decidido, em 2009, em precedente vinculante (REsp 1.008.343, Tema 294/STJ), que a compensação efetuada pelo contribuinte em momento anterior à propositura de execução fiscal configura fato impeditivo desta, pois suprime a presunção de certeza e liquidez do título executivo, certidão de dívida ativa.[3]

A partir disso, muitos contribuintes opuseram embargos à execução fiscal visando submeter ao Judiciário o tema da compensação não homologada administrativamente, à luz da tese enunciada no Tema Repetitivo 294/STJ. Caberia ao Poder Judiciário controlar a legalidade do ato administrativo que indeferira o encontro de contas.

Inobstante, a 2ª Turma do Superior Tribunal de Justiça passou a interpretar, a partir de 2012, o precedente repetitivo de forma restritiva, para concluir que somente poderia servir como matéria de defesa em embargos à execução fiscal a compensação já homologada (deferida) no âmbito administrativo ou reconhecida em juízo antes da propositura da execução.[4]

Mesmo com a restrição proposta pela Segunda Turma, os contribuintes não eram os únicos que depositavam confiança no entendimento repetitivo de 2009, mas também a própria Procuradoria-Geral da Fazenda Nacional pelo lado do fisco, que incluiu a matéria no item 1.7 de sua Lista de Dispensa de Recursos.[5]

---

[3] Superior Tribunal de Justiça. REsp n. 1.008.343/SP, relator Ministro Luiz Fux, Primeira Seção, julgado em 9/12/2009, publicado em 1/2/2010.

[4] "Esta Corte Superior, sob o rito do art. 543-C do Código Buzaid, firmou a compreensão de que a compensação efetuada pelo contribuinte, antes do ajuizamento do feito executivo, pode figurar como fundamento de defesa dos Embargos à Execução Fiscal, a fim de ilidir a presunção de liquidez e certeza da CDA, máxime quando, à época da compensação, restaram atendidos os requisitos da existência de crédito tributário compensável, da configuração do indébito tributário e da existência de lei específica autorizativa da citada modalidade extintiva do crédito tributário (REsp. 1.008.343/SP, Rel. Min. LUIZ FUX, DJe 1.2.2010). 3. Interpretando o julgado supramencionado, ambas as Turmas integrantes da 1ª Seção deste Sodalício possuem a orientação de que somente seria possível a alegação, em Embargos à Execução Fiscal, de compensação tributária, caso esta já tenha sido reconhecida administrativa ou judicialmente antes do ajuizamento do feito executivo. Por isso, a compensação indeferida na seara administrativa não encontra lugar nos Embargos à Execução Fiscal diante do óbice do art. 16, §3º, da Lei 6.830/1980". Precedentes: AgInt no AREsp. 1.327.944/SP, Rel. Min. Mauro Campbell Marques, DJe 22/11/2018; AgInt no REsp. 1.694.942/RJ, Rel. Min. Mauro Campbell Marques, DJe 2/3/2018; AgInt no AgInt no REsp. 1.550.730/RS, Rel. Min. Og Fernandes, DJe 15/8/2017; AgRg no Ag 1.352.136/RS, Rel. Min. Benedito Gonçalves, DJe 2/2/2012.

[5] Art. 2º, V, VII, §§3º a 8º, da Portaria PGFN nº 502/2016: 1.7. Compensação e repetição de indébito. (...) c) Compensação - Embargos à execução fiscal: REsp 1.008.343/SP (Tema nº 294 de recursos repetitivos) – "(...) a compensação efetuada pelo contribuinte, antes do ajuizamento do feito executivo, pode figurar como fundamento de defesa dos embargos à execução fiscal, a fim de ilidir a presunção de liquidez e certeza da CDA, máxime quando, à época da compensação, restaram atendidos os requisitos da existência de crédito tributário

A partir da explicitada interpretação restritiva, foi interposto o EREsp nº 1.795.347/RJ, no qual a Primeira Seção do Superior Tribunal de Justiça reinterpretou o seu próprio precedente vinculante, para concluir que o parágrafo 3º do artigo 16 da LEF veda, no âmbito dos embargos à execução fiscal, a revisão do ato administrativo indeferitório do pedido de compensação formulado.

O presente artigo não tratará do acerto ou não da conclusão adotada pela Primeira Seção do Superior Tribunal de Justiça, embora os autores discordem da solução dada no mérito do recurso. A questão aqui se põe em outra vertente.

Não há dúvidas de que para os casos futuros a discussão dos débitos tributários decorrentes da não homologação da compensação prévia à execução fiscal deverá se dar mediante ação anulatória de débito fiscal e não mais via embargos à execução fiscal. No entanto, e para os casos antigos em que os últimos foram ajuizados quando a jurisprudência pátria legitimava tal caminho?

Segundo a interpretação que será desenvolvida no presente artigo, há pelo menos dois aspectos que devem ser observados pelos tribunais para impedir que embargos à execução propostos antes da alteração jurisprudencial do Superior Tribunal de Justiça sejam extintos sob a premissa de inadequação da via eleita.

Primeiro, entendemos caber o pedido, a ser deduzido nos embargos à execução, para conversão deste em ação anulatória de débito fiscal, porquanto ambas as demandas são desconstitutivas de débito e com cognição autônoma.

Segundo, compreende-se que o Superior Tribunal de Justiça e outros tribunais pátrios deveriam observar o teor dos artigos 20 e 24 da Lei de Introdução às Normas do Direito Brasileiro, dotados da *finalidade de reduzir o subjetivismo e a superficialidade de decisões, impondo a obrigatoriedade do efetivo exame das circunstâncias do caso concreto*,[6] bem como preservar a segurança jurídica.

2 Possibilidade de conversão de embargos à execução fiscal em ação anulatória de débito fiscal

Os embargos à execução fiscal possuem natureza de ação autônoma. Cabem ao devedor ou a terceiro prejudicado e se dirigem à anulação da certidão de dívida ativa. Além da própria desconstituição do título executivo, a defesa pode objetivar a extinção ou redução do crédito exequendo.[7]

A discussão versará sobre o lançamento, o processo administrativo, a inscrição do débito e a própria certidão de dívida ativa.[8]

A ação anulatória, de cunho desconstitutivo, por sua vez, é utilizada quando o sujeito passivo tenha como escopo anular lançamento já realizado pelo Fisco, desconstituindo

---

compensável, da configuração do indébito tributário, e da existência de lei específica autorizativa da citada modalidade extintiva do crédito tributário".

[6] JUSTEN FILHO, Marçal. Art. 20 da LINDB – Dever de transparência, concretude e proporcionalidade nas decisões públicas. In: *Revista de Direito Administrativo*, Edição Especial, p. 13-41, out. 2018.

[7] SCHERER, Tiago. *Lei das Execuções Fiscais comentada e interpretada*: a prática nas execuções fiscais conforme a jurisprudência. São Paulo: Quartier Latin, 2022.

[8] PAULSEN, Leandro. *Curso de Direito Tributário Completo*. 13. ed. São Paulo: SaraivaJur, 2022.

o auto de infração ou ato administrativo equivalente[9] – como, por exemplo, o ato de indeferimento de compensação. O prazo prescricional para o ajuizamento da ação anulatória é de cinco anos, aplicando-se o art. 1º do Decreto nº 20.910/32, contados da notificação do lançamento ou da decisão final do processo administrativo. A ação anulatória, ainda, poderá fazer as vezes dos embargos à execução fiscal, quando já exista ou sobrevenha posterior execução fiscal.[10]

Os embargos à execução fiscal se assemelham, em quase todos os aspectos, às ações de rito comum – tal como é o caso da ação anulatória – nas quais há amplo debate sobre as matérias veiculadas, liberdade no que se refere à instrução probatória e grande similaridade quanto ao iter processual.

Nesse contexto, observa-se serem ações análogas, porquanto ambas são desconstitutivas de débito fiscal e com cognição autônoma. Por isso, os autores entendem cabível a conversão dos embargos à execução em ação anulatória de débito fiscal. Isso para as situações em que referidos embargos foram propostos em momento prévio à alteração jurisprudencial promovida pelo Superior Tribunal de Justiça (EREsp nº 1.795.347/RJ), de modo a se evitar o esvaziamento da discussão e provocar uma prática mecanicista do Direito em detrimento de uma realista, mais adequada para descrever a atividade de aplicação do Direito.[11]

Considerando que os aludidos embargos à execução fiscal atingem a mesma finalidade da ação anulatória (extinção ou redução do crédito tributário), os atos processuais praticados até a consolidação da alteração jurisprudencial no âmbito da Seção de Direito Público do Superior Tribunal de Justiça devem ser considerados válidos.

A conversão encontra amparo nos princípios da instrumentalidade das formas (artigos 188 e 277 do Código de Processo Civil[12]), da economia processual (artigo 283 do Código de Processo Civil[13]), da inafastabilidade do acesso ao Judiciário para controle de atos administrativos denegatórios de compensação (artigo 5º, XXXV, da CF/88[14]), bem como da eficiência e razoabilidade (artigo 8º do Código de Processo Civil[15]).

Na perspectiva do art. 20 da LINDB, o processo vai além da aplicação de valores jurídicos abstratos e não pode deixar de ser visto como ferramenta da concretização de direitos, em vistas do direito material discutido.

---

[9] PAULSEN, Leandro. *Curso de Direito Tributário Completo*. 13. ed. São Paulo: SaraivaJur, 2022.

[10] PAULSEN, Leandro. *Curso de Direito Tributário Completo*. 13. ed. São Paulo: SaraivaJur, 2022.

[11] JUSTEN FILHO, Marçal. Art. 20 da LINDB – Dever de transparência, concretude e proporcionalidade nas decisões públicas. In: *Revista de Direito Administrativo*, Edição Especial, p. 16, out. 2018.

[12] Art. 188. Os atos e os termos processuais independem de forma determinada, salvo quando a lei expressamente a exigir, considerando-se válidos os que, realizados de outro modo, lhe preencham a finalidade essencial.
Art. 277. Quando a lei prescrever determinada forma, o juiz considerará válido o ato se, realizado de outro modo, lhe alcançar a finalidade.

[13] Art. 283. O erro de forma do processo acarreta unicamente a anulação dos atos que não possam ser aproveitados, devendo ser praticados os que forem necessários a fim de se observarem as prescrições legais.

[14] Art. 5º Todos são iguais perante a lei, sem distinção de qualquer natureza, garantindo-se aos brasileiros e aos estrangeiros residentes no País a inviolabilidade do direito à vida, à liberdade, à igualdade, à segurança e à propriedade, nos termos seguintes: (...) XXXV - a lei não excluirá da apreciação do Poder Judiciário lesão ou ameaça a direito.

[15] Art. 8º Ao aplicar o ordenamento jurídico, o juiz atenderá aos fins sociais e às exigências do bem comum, resguardando e promovendo a dignidade da pessoa humana e observando a proporcionalidade, a razoabilidade, a legalidade, a publicidade e a eficiência.

O formalismo poderá levar ao equívoco de que o "sucesso" processual cria direitos às partes, em detrimento do direito material na relação verificada entre os sujeitos do processo,[16] qual seja, o debate quanto aos possíveis vícios na condução do processo administrativo de homologação da compensação fiscal, no caso do EREsp nº 1.795.347/RJ.

Superando-se o formalismo, a conversão de embargos em ação anulatória encontra amparo na jurisprudência do Superior Tribunal de Justiça, a qual reconhece a fungibilidade entre embargos à execução fiscal e as variadas ações anulatórias autônomas que podem ser propostas pelo executado, isso em razão da equivalência – como dito – entre os provimentos passíveis de serem obtidos em cada uma delas.

Ao analisar o Recurso Especial nº 574.357/SP[17] (relator Ministro Teori Albino Zavascki), a Primeira Turma do Superior Tribunal de Justiça concluiu que ações dessa espécie (desconstitutivas) têm natureza idêntica à dos embargos do devedor e, quando os antecedem, podem até substituir tais embargos, já que repetir seus fundamentos e causa de pedir importaria litispendência, evidenciando ser inegável a fungibilidade entre a ação de embargos e as diversas ações anulatórias autônomas.

A mesma conclusão se deu quando do julgamento do Recurso Especial nº 758.266/MG, também de relatoria do Ministro Teori Zavascki, no qual restou assentado que os embargos à execução, visando ao reconhecimento da ilegitimidade do débito fiscal em execução, têm natureza de ação cognitiva, semelhante à da ação anulatória autônoma.

No referido precedente, concluiu-se que, em razão da própria semelhança entre as ações, não faria sentido extinguir embargos à execução fiscal sem exame de mérito, por insuficiência de garantia, visto que uma visão sistemática e teleológica do CPC certamente permite o entendimento de que, mesmo sem garantia alguma, os embargos podem ser recebidos e processados como ação cognitiva autônoma, ainda que sem suspender a execução.

Salientou-se também que esse entendimento seria compatível com o princípio da instrumentalidade das formas e da economia processual, já que evitaria a propositura de outra ação, com idênticas partes, causa de pedir e pedido da anterior, só mudando o nome (de embargos para anulatória).

A compreensão manifestada pelo Superior Tribunal de Justiça é encontrada nos Tribunais Regionais Federais, igualmente. O TRF da 4ª Região já se posicionou pela possibilidade de conversão de embargos à execução fiscal em ação anulatória, visto que tais ações têm a mesma natureza cognitiva, de modo que a conversão é compatível com o princípio da instrumentalidade das formas e da economia processual, porquanto evita a propositura de outra ação, com idênticas partes, pedido e causa de pedir.[18]

---

[16] DINAMARCO, Cândido Rangel. *A Instrumentalidade do Processo*. 15. ed. São Paulo: Malheiros, 2013, p. 316.

[17] "(...) Ações dessa espécie têm natureza idêntica à dos embargos do devedor, e quando os antecedem, podem até substituir tais embargos, já que repetir seus fundamentos e causa de pedir importaria litispendência. 3. O exercício do direito constitucional de ação, para ver declarada a nulidade do título ou a inexistência da obrigação, independe da oferta de garantia, indispensável apenas na hipótese de o devedor pretender obter a suspensão da exigibilidade do débito impugnado. 4. Recurso especial a que se nega provimento" (REsp 574.357/SP, Rel. Min. Teori Albino Zavascki, 1ª Turma, DJe 04/05/2006).

[18] "Requereu a embargante, de forma alternativa, que os embargos à execução fiscal sejam convertidos em Ação Declaratória de Inexistência de Débito Fiscal, adotando-se os princípios da fungibilidade, economia processual e instrumentalidade das formas; Com efeito, é possível que, caso requerido pelo embargante (o que aqui ocorreu), os embargos à execução fiscal sejam recepcionados como ação anulatória. Isso porque ambas as demandas visam ao reconhecimento da ilegitimidade do débito fiscal, possuindo, então, a mesma natureza cognitiva. Desse modo,

Em igual sentido é o entendimento Tribunal Regional Federal da 3ª Região, ao concluir que, considerando que os embargos à execução fiscal foram recebidos à luz de entendimento jurisprudencial qualificado, recentemente reinterpretado de forma a impossibilitar um julgamento de mérito do feito, parece razoável, em observância aos princípios já invocados e, diante da fase em que se encontram os embargos, a conversão do rito processual, transformando-os em uma ação anulatória, com o aproveitamento de todos os atos processuais praticados.

Os embargos à execução e a ação anulatória desconstitutiva de débito tributário possuem natureza de ação cognitiva, que visam o reconhecimento da ilegitimidade do débito fiscal, de modo que à luz dos princípios da cooperação, da economia processual, bem como da primazia da decisão de mérito, não seria legitimo obstar o acesso à jurisdição em decorrência da medida judicial empregada.

Não legitimar a conversão de ações que, na forma da jurisprudência, possuem a mesma natureza, com a consequente extinção dos embargos à execução fiscal sem a efetiva análise da questão material neles deduzidas resultaria na impossibilidade de controle judicial da negativa de determinada compensação na via administrativa e materializaria o que o art. 20 da LINDB busca evitar, uma vez que a previsão dos efeitos práticos da solução adotada é indispensável para verificar a compatibilidade entre a dita decisão e o próprio valor invocado de modo abstrato.[19]

3 Observância dos artigos 20 e 24 da Lei de Introdução às Normas do Direito Brasileiro (LINDB)

Um segundo ponto que deve ser decidido pelos Tribunais Pátrios – especialmente pelo Superior Tribunal de Justiça –, na temática em estudo, diz respeito à observância dos artigos 20 e 24 da Lei de Introdução às Normas do Direito Brasileiro (LINDB), que assim prescrevem:

> Art. 20. Nas esferas administrativa, controladora e judicial, não se decidirá com base em valores jurídicos abstratos sem que sejam consideradas as consequências práticas da decisão.
>
> Parágrafo único. A motivação demonstrará a necessidade e a adequação da medida imposta ou da invalidação de ato, contrato, ajuste, processo ou norma administrativa, inclusive em face das possíveis alternativas.
>
> Art. 24. A revisão, nas esferas administrativa, controladora ou judicial, quanto à validade de ato, contrato, ajuste, processo ou norma administrativa cuja produção já se houver completado levará em conta as orientações gerais da época, sendo vedado que, com base em mudança posterior de orientação geral, se declarem inválidas situações plenamente constituídas.

é provido, no ponto, o apelo interposto, a fim de que estes embargos sejam recebidos como ação anulatória, cujas custas processuais deverão ser recolhidas posteriormente. Desta forma, tenho como razoável a pretensão recursal da embargante, já que a sua negativa levaria à propositura de ação ordinária com as mesmas partes, mesmo pedido e mesma causa de pedir. Assim, os autos deverão retornar à origem para o regular processamento do feito na condição de ação anulatória do débito fiscal, sem efeitos suspensivos em relação à execução". AC nº 5049744-17.2016.4.04.7000, 1ª T., Rel. Des. Alexandre Gonçalves Lippel, DJe. 13/05/21.

[19] JUSTEN FILHO, Marçal. Art. 20 da LINDB – Dever de transparência, concretude e proporcionalidade nas decisões públicas. In: Revista de Direito Administrativo, Edição Especial, p. 29, out. 2018.

Parágrafo único. Consideram-se orientações gerais as interpretações e especificações contidas em atos públicos de caráter geral ou em jurisprudência judicial ou administrativa majoritária, e ainda as adotadas por prática administrativa reiterada e de amplo conhecimento público.

Segundo leciona o Professor homenageado, as inovações introduzidas pela Lei nº 13.655/2018 à Lei de Introdução às Normas do Direito Brasileiro destinam-se preponderantemente a diminuir certas práticas que resultam em insegurança jurídica no desenvolvimento da atividade estatal.

Salienta que o artigo 20 *se relaciona a um dos aspectos do problema, versando especificamente sobre as decisões proferidas pelos agentes estatais e fundadas em princípios e valores de dimensão abstrata*. Adicionalmente, afirma que a finalidade perquirida é a redução do subjetivismo e a superficialidade de decisões, *impondo a obrigatoriedade do efetivo exame das circunstâncias do caso concreto, tal como a avaliação das diversas alternativas sob um prisma de proporcionalidade*.[20]

O artigo 24, por sua vez, assegura ao particular que não lhe seja imposta exigência sobre conduta passada se, no momento de avaliação, a cobrança que lhe for feita tiver por fundamento "orientação geral" posterior aos fatos. No conceito de orientação geral do Poder Público, incluem-se, dentre outros, a jurisprudência pátria existente à época dos fatos.[21]

O dispositivo em referência estipula, em caráter cogente, que o controle de validade dos atos, contratos, ajustes, processos ou normas administrativas já perfeitos e acabados tome em consideração as orientações gerais da época em que aqueles foram produzidos ou praticados, incluindo-se, dentre essas orientações, as interpretações da jurisprudência dos Tribunais, especialmente dos Superiores.

No pertinente ao conteúdo e alcance do artigo 24 da LINDB, a Senadora Simone Tebet – em considerações apresentadas no relatório aprovado pela Comissão de Constituição e Justiça do Senado Federal ao avaliar o Projeto de Lei do Senado nº 349/2015, que resultou nas alterações em análise – bem assentou que, *ao proteger as situações consolidadas pelo tempo e ao proibir mudanças de interpretação retroativas ou abruptas, ambos os artigos concretizam o princípio constitucional da segurança jurídica*.[22]

O mencionado princípio da segurança jurídica, prestigiado pelo art. 24, orienta a preservação da situação jurídica anteriormente protegida por uma norma válida que o deixe de ser sob a perspectiva de uma posterior. Nas hipóteses em que haja alteração ou

---

[20] JUSTEN FILHO, Marçal. Art. 20 da LINDB – Dever de transparência, concretude e proporcionalidade nas decisões públicas. In: *Revista de Direito Administrativo*, Edição Especial, p. 13-41, out. 2018.

[21] "Art. 24 (...) Parágrafo único. Consideram-se orientações gerais as interpretações e especificações contidas em atos públicos de caráter geral ou em jurisprudência judicial ou administrativa majoritária, e ainda as adotadas por prática administrativa reiterada e de amplo conhecimento público."

[22] "E o art. 25 (projeto e 24 da Lei) cuida da preservação da segurança jurídica no tempo em que decisão ou a revisão do ato ou contrato for feita, devendo ter por base não apenas a legislação da época – regra hoje aplicável – mas também os entendimentos e "orientações gerais" do momento da prática do ato. Este artigo traz bom senso nos casos de mudanças, que são bem-vindas, afinal, o direito é mutável, como o são as relações sociais (...) Ao proteger as situações consolidadas pelo tempo e ao proibir mudanças de interpretação retroativas ou abruptas, ambos os artigos concretizam o princípio constitucional da segurança jurídica (Constituição Federal – CF, art. 1º, *caput*; art. 5º, *caput* e XXXVI), especialmente no aspecto da proteção da boa-fé e das legítimas expectativas do administrado ou jurisdicionado (...) Nesse contexto, a disposição prevista no PLS vem ao encontro da doutrina mais moderna, que exige a adoção de um regime de transição sempre que haja mudança de interpretação".

superação subsequente da orientação geral vigente à época, é vedado que se declarem inválidas situações constituídas em consonância com orientações passadas.

Na análise da questão do presente estudo, tem-se que os dispositivos transcritos devem ser levados em consideração no momento da apreciação da temática em estudo. Isso porque até o julgamento do EREsp nº 1.795.347/RJ, prevalecia o entendimento que legitimava, como linha de defesa, a compensação não homologada administrativamente em embargos à execução fiscal.

Aliás, a própria Administração Pública dispensava a interposição de recursos, afirmando que *a compensação efetuada pelo contribuinte, antes do ajuizamento do feito executivo, pode figurar como fundamento de defesa dos embargos à execução fiscal, a fim de ilidir a presunção de liquidez e certeza da CDA, máxime quando, à época da compensação, restaram atendidos os requisitos da existência de crédito tributário compensável, da configuração do indébito tributário, e da existência de lei específica autorizativa da citada modalidade extintiva do crédito tributário.*[23]

Em razão da modificação na jurisprudência do Superior Tribunal de Justiça, todos os embargos à execução propostos até a data do julgamento dos embargos de divergência supramencionados foram impactados, criando uma situação prejudicial para os particulares, uma vez que agora eles não mais poderão ser conhecidos – afetando a resolução do mérito – em virtude da nova interpretação jurisprudencial. Em muitos casos, ainda, verifica-se o decurso do prazo de 5 anos para ajuizamento de ação anulatória, de modo que os particulares restariam desamparados pelo Poder Judiciário.

É nesse contexto que os autores compreendem que se manter a discussão de embargos à execução fiscal na hipótese em que ajuizados antes da alteração jurisprudencial do Superior Tribunal de Justiça é medida que prestigia o princípio da segurança jurídica, albergado pelo art. 24 da LINDB, o qual orienta a preservação da situação jurídica anteriormente protegida por uma norma válida que o deixa de ser sob a perspectiva de uma nova. Ou seja, admite-se a subsistência dos embargos à execução, como tais, com fundamento no princípio da segurança jurídica.

A medida se coaduna, ainda, com os princípios da proporcionalidade e da razoabilidade, considerando que dela se extrai melhor a solução ótima para a discussão, na opinião dos autores. A importância do postulado da proporcionalidade especialmente na aplicação do Direito Público está positivada também nos artigos 21, parágrafo único, 23 e 26, §1º, inciso I, da LINDB.

4 Conclusão

O julgamento do EREsp nº 1.795.347/RJ e a conclusão de que não são cabíveis embargos à execução para discutir compensação não homologada pela via administrativa criaram uma situação de insegurança jurídica para os contribuintes que se encontravam legitimados pela tese fixada no Tema 294/STJ. Apesar da posterior restrição do tema pela Segunda Turma do STJ, a Seção de Direito Público ainda apresentava em seu acervo

---

[23] Disponível em: https://www.gov.br/pgfn/pt-br/assuntos/representacao-judicial/documentos-portaria-502/lista-de-dispensa-de-contestar-e-recorrer-art-2o-v-vii-e-a7a7-3o-a-8o-da-portaria-pgfn-no-502-2016#1.7_ok (item 1.7 - Compensação e repetição, c) Compensação - Embargos à execução fiscal, REsp nº 1.008.343/SP, tema 294 de recursos repetitivos.

de precedentes um julgamento submetido à sistemática dos recursos repetitivos no sentido de que a compensação administrativa configura fato impeditivo da execução fiscal, uma vez que suprime a presunção de certeza e liquidez do título executivo, a certidão de dívida ativa.[24]

Nesse cenário, existem três possíveis situações distintas, que merecem soluções próprias. Em primeiro lugar, os contribuintes que opuseram embargos à execução sobre o tema após o julgamento do EREsp nº 1.795.347/RJ. Em segundo, os contribuintes que opuseram embargos de divergência antes do julgamento do EREsp referenciado, contudo ainda se encontram no prazo para ajuizamento de ação anulatória. Por último e de maior relevância, o contribuinte que opôs embargos à execução e já se verificou o decurso do prazo prescricional quinquenal.

Na primeira hipótese, a solução se encontra na extinção do processo sem resolução de mérito quanto ao tema analisado, por impossibilidade de sua discussão após o julgamento dos citados embargos de divergência pelo Superior Tribunal de Justiça, em função do caráter uniformizador da jurisprudência. No entanto, é de se observar que não se está diante de julgamento realizado na sistemática repetitiva.

A questão exige uma atenção maior no pertinente aos dois últimos casos. A solução vinculada ao princípio da legalidade previsto no art. 5º, II, da Constituição Federal leva à extinção do processo sem resolução de mérito e à condenação dos particulares ao pagamento de honorários de sucumbência, nos termos do art. 85 do Código de Processo Civil, independentemente da possibilidade de rediscussão da matéria em anulatória ou não, observada a prescrição.

Aqui surgem duas disparidades. Externa, em relação àqueles que se utilizaram da via dos embargos à execução após o julgamento do STJ, porque situações desiguais serão equiparadas. Interna, entre os particulares que podem recorrer à ação anulatória e os que não podem mais em razão da prescrição.

Tais situações, quando observadas à luz dos princípios abstratos da instrumentalidade das formas, economia processual, inafastabilidade do acesso ao Judiciário, eficiência e razoabilidade, tornam impositiva, ao menos no último caso, a conversão dos embargos à execução em ação anulatória desconstitutiva de débito fiscal.

O segundo caso pode vir a ser condenado ao pagamento de honorários, contudo ainda terá a oportunidade de discutir o seu direito pela via adequada. A possibilidade não se repete em favor do último contribuinte.

O raciocínio que conduz a jurisdição para a via da legalidade estrita, pela ótica do art. 20 da LINDB, exige ao menos uma fundamentação que vai além da mera aplicação da lei pela lei. A superação futura de um repetitivo não pode desconstituir em definitivo o aforamento de uma matéria por estrita formalidade, sem a devida ponderação das consequências desta negativa de prestação jurisdicional. É o que Marçal Justen Filho chama de transparência valorativa da norma.[25]

O particular que não mais dispõe de prazo para ajuizar ação anulatória não pode ser condenado a pagar honorários de sucumbência e, ao mesmo tempo, rejeitado pelo

---

[24] Superior Tribunal de Justiça. REsp n. 1.008.343/SP, relator Ministro Luiz Fux, Primeira Seção, julgado em 9/12/2009, publicado em 01/02/2010.
[25] JUSTEN FILHO, Marçal. Art. 20 da LINDB – Dever de transparência, concretude e proporcionalidade nas decisões públicas. In: *Revista de Direito Administrativo*, Edição Especial, p. 27, out. 2018.

Poder Judiciário para análise das suas razões sem a adequada justificação dos motivos que levaram à prevalência da formalidade superveniente em detrimento do seu direito material.

Logo, os três cenários merecem justificativas; ao segundo e terceiro, precisa ser assegurada a prestação jurisdicional, mesmo que, no último caso, isso importe na conversão dos embargos à execução em ação anulatória, suprimindo-se os honorários de sucumbência que seriam devidos ao ente público pelo ajuizamento de ação supostamente imprópria para a discussão da compensação não homologada.

Referências

BRASIL. Superior Tribunal de Justiça. Embargos de Divergência em Recurso Especial nº 1.795.347/RJ. Embargante: Raízen Combustíveis S.A. Embargada: Fazenda Nacional. Relator: Ministro Gurgel de Faria. Disponível em: https://processo.stj.jus.br/processo/revista/documento/mediado/?componente=ITA&sequencial=2111769&num_registro=201802422708&data=20211125&formato=PDF. Acesso em: 12 ago. 2024.

BRASIL. Superior Tribunal de Justiça. Recurso Especial nº 1.008.343/SP. Tema repetitivo nº 294. Recorrente: Braskalb Agropecuária Brasileira Ltda. Recorrida: Fazenda Nacional. Relator: Ministro Luiz Fux. Disponível em: https://processo.stj.jus.br/processo/revista/documento/mediado/?componente=ITA&sequencial=934833&num_registro=200702750399&data=20100201&formato=PDF. Acesso em: 12 ago. 2024.

BRASIL. Superior Tribunal de Justiça. Recurso Especial nº 574.357/SP. Recorrente: Município de São Paulo. Recorrido: Carlos Alberto Fernandes Filgueiras. Relator: Ministro Teori Zavascki. Disponível em: https://processo.stj.jus.br/processo/revista/documento/mediado/?componente=ITA&sequencial=623126&num_registro=200301127070&data=20060612&formato=PDF. Acesso em: 12 ago. 2024.

BRASIL. Superior Tribunal de Justiça. Recurso Especial nº 758.266/MG. Recorrente: Malacco Amarante Comércio Exterior Ltda e Outros. Recorrido: Estado de Minas Gerais. Relator: Ministro Teori Zavascki. Disponível em: https://processo.stj.jus.br/processo/revista/documento/mediado/?componente=ITA&sequencial=565740&num_registro=200500956343&data=20050822&formato=PDF. Acesso em: 12 ago. 2024.

BRASIL. Lei nº 6.830/1980. Dispõe sobre a cobrança judicial da Dívida Ativa da Fazenda Pública, e dá outras providências. Disponível em: https://www.planalto.gov.br/CCIVIL_03/////Leis/L6830.htm. Acesso em: 12 ago. 2024.

BRASIL. Lei nº 13.655/2018. Inclui no Decreto-Lei nº 4.657, de 4 de setembro de 1942 (Lei de Introdução às Normas do Direito Brasileiro), disposições sobre segurança jurídica e eficiência na criação e na aplicação do direito público. Disponível em: https://www.planalto.gov.br/ccivil_03/_Ato2015-2018/2018/Lei/L13655.htm#art1. Acesso em: 12 ago. 2024.

DINAMARCO, Cândido Rangel. *A Instrumentalidade do Processo*. 15. ed. São Paulo: Malheiros, 2013.

JUSTEN FILHO, Marçal. Art. 20 da LINDB – Dever de transparência, concretude e proporcionalidade nas decisões públicas. *In*: Revista de Direito Administrativo, edição especial, p. 13-41, out. 2018.

PAULSEN, Leandro. *Curso de Direito Tributário Completo*. 13. ed. São Paulo: SaraivaJur, 2022.

SCHERER, Tiago. *Lei das Execuções Fiscais comentada e interpretada*: a prática nas execuções fiscais conforme a jurisprudência. São Paulo: Quartier Latin, 2022.

Informação bibliográfica deste texto, conforme a NBR 6023:2018 da Associação Brasileira de Normas Técnicas (ABNT):

HERNANDEZ, Fernanda Guimarães; ALARCON, Rodrigo Gabriel. Impactos do julgamento do EREsp nº 1.795.347/RJ: possibilidade de conversão de embargos à execução fiscal em ação anulatória à luz dos artigos 20 e 24 da Lei de Introdução às Normas do Direito Brasileiro. *In*: JUSTEN, Monica Spezia; PEREIRA, Cesar; JUSTEN NETO, Marçal; JUSTEN, Lucas Spezia (coord.). *Uma visão humanista do Direito*: homenagem ao Professor Marçal Justen Filho. Belo Horizonte: Fórum, 2025. v. 2, p. 779-788. ISBN 978-65-5518-916-2.

A HIPÓTESE DE INCIDÊNCIA DO IPI SEGUNDO MARÇAL JUSTEN FILHO: UM JURISTA QUE DOMINA O PEQUENO E MORA NAS ALTURAS!

JOSÉ ROBERTO VIEIRA

"Quem sabe respirar o ar de meus escritos sabe que é um ar das alturas..."
Friedrich Nietzsche[1]

"Levemos em conta as pequenas coisas e nos tornaremos grandes."
Santo Agostinho[2]

1 Homenagem ao Jurista

São numerosos os *livros* que constituem coletâneas de artigos *redigidos em honra deste ou daquele jurista*.[3]

---

[1] *Ecce Homo*: como alguém se torna o que é, p. 18.
[2] *Apud* PEDRO TEIXEIRA CAVALCANTE (org.), Mensagens dos Santos, p. 18.
[3] Às vezes, a força da ciência germânica faz com que eles sejam chamados de *"Festschrift"*; outras vezes, é a influência italiana que os denomina como *"Libro in: Onore"*; e outras, ainda, como *"Liber Amicorum"*, pelo influxo do Latim. Não se tome este registro como aversão gratuita aos estrangeirismos. Desde o século passado, fomos advertidos por CELSO PEDRO LUFT, de que os peregrinismos "... são consequência inevitável do intercâmbio entre os povos" – ABC da Língua Culta, p. 155 – como o confirmam, recentemente, CARLOS ALBERTO FARACO e CRISTOVÃO TEZZA – Oficina de Texto, p. 29; e de que, quando agregam significado e são adaptados à língua, transformam-se em empréstimos linguísticos, constituindo "... contribuições ao léxico da língua..." – MARCOS BAGNO, Gramática Pedagógica do Português Brasileiro, p. 267; RENATO AQUINO, Dicionário de Gramática, p. 145; NELLY CARVALHO, Empréstimos Linguísticos na Língua Portuguesa, p. 9. Nessas hipóteses eles se tornam necessários e mesmo indispensáveis, pela inexistência de equivalentes vernáculos – JOSÉ

Participamos de dez deles, escrevendo com prazer.[4] Deixamos de participar de uns, por não convidados.[5] Não tomamos parte de outros, embora convidados: de alguns, pela efetiva indisponibilidade temporal; de outros, pela ausência de convicção quanto à procedência da honraria, a despeito da alegação da mesma espécie de indisponibilidade, para não ferir susceptibilidades. *Muitos juristas já foram alvo de obras desse tipo* e muitos ainda o serão, mas *muito poucos que o mereçam tanto quanto Marçal Justen Filho*.

Por duas décadas, de 1986 a 2006, Marçal foi Professor Titular da Universidade Federal do Paraná – UFPR, ministrando aulas de diversas disciplinas, desde a Introdução ao Estudo do Direito até o Direito Econômico, passando pelo Direito Comercial e pelo Direito Tributário. Convivemos, de 1992 a 2006, no corpo docente daquela instituição, da qual, infelizmente, ele então se afastou, para grande prejuízo da universidade e dos seus professores, mas sobretudo dos alunos.

Teríamos *um testemunho eloquente a prestar acerca do seu trabalho como professor*, que acompanhamos de perto nesses 14 anos, inclusive quanto à sua *influência pessoal*

PEDRO MACHADO, Estrangeirismos na Língua Portuguesa, p. 7-8; DOMINGOS PASCHOAL CEGALLA, Dicionário de Dificuldades da Língua Portuguesa, p. 154-155; FRANCISCO ALVES DA COSTA, Dicionário de Estrangeirismos, p. 72-73; FERNANDO ALVES, Dicionário de Estrangeirismos Correntes na Língua Portuguesa, p. 11. Trata-se, em verdade, de afastar os abusos e exorbitâncias, as palavras e expressões desnecessárias ou inúteis, que correspondem à "... importação servil de estrangeirismos gratuitos..." – SÉRGIO RODRIGUES, Viva a Língua Brasileira!, p. 14. A título de síntese, pode-se recorrer à regra de JOSÉ PEDRO MACHADO, o respeitado especialista lusitano: "... guerra implacável ao estrangeirismo intruso e inútil; braços abertos com boas-vindas ao que for expressivo e útil" – Estrangeirismos na Língua Portuguesa, p. 6. Especificamente na linguagem jurídica, geralmente pomposa e altissonante, o recurso aos estrangeirismos costuma passar atestado de subserviência cultural, limitando-se à tentativa ambiciosa e arrogante de demonstrar prestígio, sofisticação e erudição, numa manifestação frequentemente pernóstica de afetação e de pedantismo – D. P. CEGALLA, Dicionário de Dificuldades da Língua Portuguesa, p. 155; C. A. FARACO e C. TEZZA, Oficina de Texto, p. 29; M. BAGNO, Gramática Pedagógica do Português Brasileiro, p. 268; EDUARDO MARTINS, Com Todas as Letras: O Português Simplificado, p. 145.

4 E, Afinal, a Constituição Cria Tributos!, *in*: HELENO TAVEIRA TÔRRES (coord.), Teoria Geral da Obrigação Tributária: Estudos em Homenagem ao Professor José Souto Maior Borges, 2005, p. 594-642; Crédito de IPI Relativo a Operações Anteriores Beneficiadas: Maiô Completo ou Completa Nudez?, *in*: EURICO MARCOS DINIZ DE SANTI (coord.), Curso de Especialização em Direito Tributário: Estudos Analíticos em Homenagem a Paulo de Barros Carvalho, 2005, p. 709-740; Direitos Fundamentais e Reforma Tributária: Esse Obscuro e Ardiloso Objeto do Desejo, *in*: EURICO MARCOS DINIZ DE SANTI (coord.), Tributação e Desenvolvimento: Homenagem ao Professor Aires Barreto, 2011, p. 351-381; Milton Luiz Pereira: Um Homem que Tinha Pouco, mas que Era Muito!, *in*: VLADIMIR PASSOS DE FREITAS (coord.), Ministro Milton Luiz Pereira: Narrativas de Uma Trajetória Exemplar, 2013, p. 28-30; Educação e Imposto de Renda das Pessoas Físicas: O Rei está Nu !, *in*: FERNANDA DRUMMOND PARISI, HELENO TAVEIRA TÔRRES e JOSÉ EDUARDO SOARES DE MELLO (coord.), Estudos de Direito Tributário em Homenagem ao Professor Roque Antonio Carrazza, v. 2, 2014, p. 148-215; Legalidade e Norma de Incidência: Influxos Democráticos no Direito Tributário, *in*: BETINA TREIGER GRUPENMACHER (coord.), Tributação: Democracia e Liberdade – Em Homenagem à Ministra Denise Martins Arruda, 2014, p. 925-963; O Princípio da Federação, Soares de Melo e uma Obra "Federal", *in*: EDUARDO SOARES DE MELO (org.), Estudos de Direito Tributário: Homenagem a José Eduardo Soares de Melo, v. I, 2020, p. 79-112; Uma Cruzada de Souto Contra o Instinto de Rebanho: A Constituição Brasileira como Berço dos Tributos, *in*: FLÁVIO COUTO BERNARDES, JUSELDER CORDEIRO DA MATA e VALTER DE SOUZA LOBATO (coord.), ABRADT: Estudos em Homenagem ao Professor José Souto Maior Borges, 2022, p. 491-519; Ciência Feliz e Educação em Souto Maior: Uma Meditação Menor sobre sua Obra Maior, *in*: PAULO ROSENBLATT, JOSÉ ANDRÉ WANDERLEY DANTAS DE OLIVEIRA, VIRGÍNIA DE CARVALHO LEAL e CARLOS SOARES SANT'ANNA (coord.), Direito Tributário: O Legado de José Souto Maior Borges, 2022, p. 129-157; Mestre Paulo de Barros Carvalho: Um Eterno Aprendiz, *in*: TÁCIO LACERDA GAMA (coord.), Paulo de Barros Carvalho: Educador, Jurista e Filósofo, 2024; este último ainda no prelo.

5 Lamentamos não integrar os préstimos rendidos a alguns juristas, sobre os quais teríamos muito a dizer: ALCIDES MUNHOZ NETO, CELSO ANTÔNIO BANDEIRA DE MELLO, RICARDO LOBO TORRES, GERALDO ATALIBA, EDUARDO DOMINGOS BOTTALLO, PAULO DE BARROS CARVALHO e JOSÉ SOUTO MAIOR BORGES, estes dois últimos em outras obras de homenagem adicional.

em momentos relevantes da nossa modesta trajetória acadêmica. Embora dispuséssemos, na segunda parte dos anos 1990, da orientação privilegiada do Professor Paulo de Barros Carvalho, no doutorado da PUC-SP, foram marcantes algumas conversas que mantivemos acerca do projeto da nossa tese, para o qual suas generosas contribuições pessoais foram valiosas e decisivas. Ademais disso, tendo ingressado no corpo docente da UFPR em 1992, em concurso para preenchimento da vaga deixada pelo Prof. Manoel Eugênio Marques Munhoz, tínhamos razoável experiência de magistério universitário, após 4 anos na então Faculdade de Direito de Curitiba (depois UNICURITIBA) e 14 anos na Faculdade Católica de Administração e Economia – FAE (mais tarde UNIFAE); mas as aulas para o mestrado, a partir de 1995, e para o doutorado, a partir de 2000, trouxeram o desafio das orientações de mestrandos e doutorandos, para as quais nossa experiência era nenhuma; e, mais uma vez, contamos com algumas preciosas e esclarecedoras conversas com o Marçal, orientando-nos a orientar. E poderíamos prosseguir pela recordação da iniciativa que compartilhamos de trazer a disciplina do Direito Tributário do 5º para o 4º ano da graduação, a fim de abrir espaço, no último ano do curso, para disciplinas optativas relacionadas, tais como Direito Tributário Aplicado, voltado para os estudos dos tributos em espécie, e Direito Processual Tributário; bem como outros momentos, iniciativas e eventos relevantes daqueles anos. É outra, contudo, a motivação que ora nos inspira. No final dos anos 80 e início dos 90, preparando-nos para redigir a dissertação de mestrado, e antes de conhecê-lo pessoalmente, tivemos contato com os dois livros por ele produzidos na esfera do Direito Tributário, quedando-nos muito fortemente impactados pela sua robusta veia jurídica.

    O homenageado desta obra exibe *números superlativos em seu invejável currículo*. Participou de 421 congressos e eventos, via de regra ministrando palestras e conferências. Publicou 97 artigos em periódicos jurídicos, 86 em jornais e revistas e 76 capítulos de livros. Além de haver escrito em parceria ou participado da organização de 8 livros;[6] *publicou, em caráter individual, 15 obras*, a saber: "*O Imposto sobre Serviços na Constituição*" (1985); "*Sujeição Passiva Tributária*" (1986); "*Desconsideração da Personalidade Societária no Direito Brasileiro*" (1987); "*Comentários à Lei de Licitações e Contratos Administrativos*" (1993 – reeditado 18 vezes, em relação à Lei nº 8.666/1993); "*Concessões de Serviços Públicos*" (1997); "*Pregão (Comentários à Legislação do Pregão Comum e Eletrônico)*" (2001 – hoje com 6 edições); "*O Direito das Agências Reguladoras Independentes*" (2002); "*Teoria Geral das Concessões de Serviço Público*" (2003); "*Curso de Direito Administrativo*" (2005 – que se encontra, hoje, em sua 15ª edição); "*O Estatuto da Microempresa e as Licitações Públicas*" (2007 – com uma reedição no mesmo ano); "*Comentários ao RDC*" (2013); "*Estatuto Jurídico das Empresas Estatais – Lei 13.303/2016 – 'Lei das Estatais'*" (2016); "*Comentários à Lei de Contratos de Publicidade da Administração Pública – Lei nº 12.232/2010*" (2020); "*Comentários à Lei de Licitações e Contratações Administrativas*" (2021 – com uma reedição em 2023, agora em relação à Lei nº 14.133/2021).

---

6 A saber: com CARLOS VALDER NASCIMENTO, Emenda dos Precatórios: Fundamentos de sua Inconstitucionalidade, de 2010; com CESAR AUGUSTO GUIMARÃES PEREIRA, *Infrastructure Law of Brazil*, de 2010; bem como O Regime Diferenciado de Contratações Públicas (RDC): Comentários à Lei nº 12.462 e ao Decreto nº 7.581, de 2012; com RAFAEL WALLBACH SCHWIND, Parcerias Público-Privadas: Reflexões sobre os 10 Anos da Lei 11079/2004, de 2015; com ARNOLDO WALD e CESAR AUGUSTO GUIMARÃES PEREIRA, O Direito Administrativo na Atualidade: Estudos em Homenagem ao Centenário de Hely Lopes Meirelles (1917-2017), de 2017; e com diversos coautores, Publicistas: Direito Administrativo sob Tensão, v. 1, de 2022; Publicistas: Direito Administrativo sob Tensão, v. 2, de 2023; e Curso de Direito Administrativo em Ação, de 2024.

Não se duvide, pois, da procedência e da justiça da homenagem que, por intermédio desta obra, presta-se ao jurista maiúsculo da qual ela é alvo. Cabe-nos, porém, tornar explícita essa procedência e fazer patente essa justiça. Para isso o presente trabalho.

Da vasta produção científica mencionada, contentar-nos-emos com o exame apenas e tão somente do seu livro inaugural, de 1985: *"O Imposto sobre Serviços na Constituição"*. Eis que as virtudes que nele evidenciou só foram ampliadas e multiplicadas nas obras que se lhe seguiram, ao longo dessas quase quatro décadas.

2 Teoria da norma jurídica de incidência tributária: independência e originalidade

O trabalho que culminou neste livro foi, originalmente, redigido como a dissertação de mestrado desse jurista na PUC-SP. E o foi sob a batuta de Geraldo Ataliba como seu orientador. Ora, Ataliba era/é um reconhecido autor de uma das mais prestigiadas visões, à época – primeira metade da década de 80 –, da norma jurídica de incidência tributária, com uma proposta de estrutura dessa norma que se contrapunha à concepção de Paulo de Barros Carvalho, seu antigo assistente e, então, colega de corpo docente daquele instituição de ensino superior.

Para Ataliba, tratava-se de uma norma, composta por uma hipótese e por um mandamento. A hipótese, como descrição do fato que faria surgir a relação jurídica, seria composta pelo aspecto material (a configuração do fato), pelo aspecto temporal (indicação da condição de tempo do fato), pelo aspecto espacial (indicação da condição de lugar do fato) e pelo aspecto pessoal (indicação dos sujeitos ativo e passivo da relação a vir à luz); sendo que a base de cálculo, por dimensionar o fato descrito, estaria incluída no aspecto material. Embora o mandamento estivesse reservado para a imposição da relação jurídica, os sujeitos da relação já tinham sido incluídos no aspecto pessoal da hipótese; assim como dos dados para definir os contornos do objeto da prestação – que, por sua vez, era o objeto da relação jurídica – um deles também já fora localizado no aspecto material da hipótese (a base de cálculo), restando para integrar o mandamento não mais do que a alíquota.[7]

Paulo de Barros oferecia uma proposta diversa da estrutura da norma de incidência, integrada por uma hipótese, descritora do fato, com seus critérios material (comportamento humano expresso por um verbo mais um complemento), espacial (condição de lugar do fato) e temporal (condição de tempo do fato); e por uma consequência, prescritora da relação jurídica a irromper, com seus critérios pessoal (sujeitos ativo e passivo) e quantitativo (base de cálculo e alíquota).[8]

O que, normalmente, se espera de um mestrando é que demonstre conhecer a literatura acerca do assunto da sua dissertação, a capacidade de sistematizá-la e o domínio do tema.[9] Quase nunca que ele se posicione de modo absolutamente firme e imparcial em relação às propostas doutrinárias que se encontram sobre a mesa da ciência; e, não

---

[7] Hipótese de Incidência Tributária, p. 39-106, *passim*.
[8] Teoria da Norma Tributária, p. 75-109; Curso de Direito Tributário, p. 262-387.
[9] VILMA MACHADO *et al.*, Manual de Normalização de Documentos Científicos de Acordo com as Normas da ABNT, p. 28.

necessariamente, mas – mirando a realidade – quase sempre de acordo, talvez não de "pleno", com a visão esposada por seu orientador.

Marçal Justen Filho, no entanto, não agiu como um mestrando normal – que ele, certamente, não foi –, mas diagnosticou adequadamente a situação: "Barros Carvalho repeliu a concepção já festejada, de Ataliba..."; e não hesitou em reconhecer: "O estudo mais correto, a nosso ver, realizado no campo incumbiu a Paulo de Barros Carvalho...";[10] posicionando-se, portanto, contra seu orientador, que era, naquele momento, o líder inconteste da Escola de Direito Tributário da PUC-SP; exibindo, dessa forma, incomum autonomia científica e revelando compreender, com profundidade, a missão da ciência.

Mas não lhe bastou essa demonstração de independência, porque foi ainda além. É raro, mas compreensível, que um mestrando, quando consciente e bem preparado, se mostre autônomo em seu pensamento, optando por uma visão alheia àquela que segue seu orientador. Muito mais excepcional ainda, no entanto, seria que esse mestrando não se limitasse a fazer sua opção entre os caminhos científicos disponíveis, depois de cuidadosamente ponderar suas alternativas, mas acabasse, isso sim, por construir um caminho próprio, todo e exclusivamente seu. Isso constitui a originalidade, a contribuição pessoal do autor para a sua área do conhecimento;[11] que se costuma exigir tão só do doutorando, na sua tese, estudioso que, via de regra, já caminhou mais numerosos e mais árduos caminhos, acumulando mais robusta bagagem.

Pois foi precisamente o caso do nosso homenageado. Ele aceitou a proposta de Paulo de Barros quanto à existência de critérios, na hipótese, "... para reconhecer o fato cuja ocorrência concreta fará atuar a previsão da consequência...", mas rejeitou a existência de "critérios" na consequência normativa, alegando que a hipótese "... descreve uma situação fática cuja ocorrência não é produzida pela norma...", enquanto "... a consequência 'produz' uma entidade até então inexistente...", para inferir "... uma natureza 'descritiva' da hipótese normativa..." e "... uma natureza... 'constitutiva'..." para o mandamento. E concluiu: "No mandamento não há critérios, mas determinações...".[12] Por isso, Marçal defende substituir o critério pessoal da consequência por uma "determinação subjetiva". E mais, alega inadequação do "critério quantitativo" de Paulo de Barros, uma vez que o objeto da relação jurídica não é uma quantia, mas uma conduta, geralmente de "dar", e essa conduta é que, por sua vez, teria como objeto uma quantia; donde sugere substituir "critério quantitativo" por "determinação objetiva", na consequência.[13]

Quanto às "determinações" da consequência, lembre-se que a linguagem científica admite os chamados conceitos estipulativos, que envolvem propostas de significação;[14] e nada impede que se atribua, convencionalmente, o caráter descritivo à palavra "critério", quando do seu uso na hipótese, e o prescritivo, quando na consequência. Mas a bem tecida formulação do ex-professor da UFPR encontrou eco em nossa doutrina,

---

[10] O Imposto sobre Serviços na Constituição, p. 44.
[11] EDUARDO DE OLIVEIRA LEITE, Monografia Jurídica, p. 34.
[12] O Imposto sobre Serviços na Constituição, p. 44-46.
[13] O Imposto sobre Serviços na Constituição, p. 53.
[14] J. R. VIEIRA, A Regra-Matriz de Incidência do IPI: Texto e Contexto, p. 28; L. A. WARAT, A Definição Jurídica, p. 34-38 e 58; L. A. WARAT, O Direito e sua Linguagem, p. 57; GENARO CARRIÓ, Notas sobre Derecho y Lenguaje, p. 92-93; TÉRCIO SAMPAIO FERRAZ JR., Introdução ao Estudo do Direito – Técnica, Decisão, Dominação, p. 38.

como, por exemplo, em Nicolau Konkel Junior e em Maurício Timm do Valle, ambos ex-orientandos nossos.[15]

E prosseguiu aquele jurista, então indevidamente identificado como simples "mestrando", a desbastar a floresta científica com a qual se deparava. E passou a reivindicar um critério pessoal na hipótese normativa, alegando que, se ali tínhamos "... uma conduta humana. Seria ilógico suprimir... a indicação do sujeito da conduta". A não ser que fosse possível "... uma pessoa (qualquer pessoa) praticar a conduta...", situação em que seria desnecessário o critério pessoal expresso. Acrescentava, então: "Na maior parte dos casos do Direito Positivo, é dispensado o critério pessoal expresso. Contudo, há aqueles em que é essencial...". De fato, quando o comportamento só pode ser realizado por determinada pessoa, reconheça-se razão a Marçal, que, invocando José Afonso da Silva, afirma que "... esse elemento subjetivo integra o fato gerador do imposto, pois, sem ele, não se verificará aquela 'situação...'".[16]

No que diz respeito à defesa do critério pessoal da hipótese, é larga a doutrina de apoio, que inclui, há muito, Sacha Calmon Navarro Coêlho e Misabel de Abreu Machado Derzi; além de André Renato Miranda Andrade, Miguel Hilú Neto, Nicolau Konkel Junior, Carlos Renato Cunha, Maurício Timm do Valle e tantos outros.[17] De nossa parte, não rejeitamos, desde o início, a possibilidade desse critério hipotético, embora apontando que sua necessidade ocorreria "raramente".[18] Todavia, quando revisávamos o texto dessa obra de mais de 30 anos, para uma reedição, tomamos a iniciativa de incluir precisamente o critério pessoal na hipótese de incidência do IPI, embora interrompendo essa revisão diante do mais recente projeto de Reforma Tributária, que planejava originalmente a sua substituição e a da COFINS e das Contribuições para PIS/PASEP pela Contribuição sobre Bens e Serviços – CBS e pelo Imposto Seletivo; interrupção essa que, com a manutenção do IPI, enquanto subsistir a Zona Franca de Manaus (Constituição, ADCT, artigo 126, III, a) – no mínimo até 2073 (Constituição, ADCT, artigo 92-A) –, cessará;[19] retomando-se aquela revisão e a inclusão daquele critério na hipótese do IPI, por força dos raciocínios que logo desenvolveremos, pouco adiante.

E o autor aqui reverenciado demonstra excepcional criatividade e consistência quando reconhece a relevância da linguagem, na interpretação do Direito, propondo a análise da hipótese sob o "enfoque gramatical...", lembrando que "sob ângulo sintático, a hipótese da norma jurídica é uma oração...". Passa a identificar aquele que integra o critério pessoal como o sujeito; o verbo que exprime o comportamento como o predicado

---

[15] N. KONKEL JR., Contribuições Sociais: Doutrina e Jurisprudência, p. 114-118; M. TIMM DO VALLE, Princípios Constitucionais e Regras-Matrizes de Incidência do Imposto sobre Produtos Industrializados – IPI, p. 218-222, 222-223 e 344-345.

[16] O Imposto sobre Serviços na Constituição, p. 47 e 49-51.

[17] SACHA C. N. C., Do Imposto sobre a Propriedade Predial e Territorial Urbana, p. 141-143; Teoria Geral do Tributo, da Interpretação e da Exoneração Tributária, p. 97-101; MISABEL A. M. D., Do Imposto sobre a Propriedade Predial e Territorial Urbana, p. 219-220; ANDRÉ RENATO M. A., A Regra-Matriz de Incidência do ICMS e a Inexistência de Imunidade no Serviço de Transporte de Energia Elétrica, in: JAMES MARINS e GLÁUCIA VIEIRA MARINS (coord.), Direito Tributário Atual, p. 277; M. HILÚ NETO, Imposto sobre Importações e Imposto sobre Exportações, p. 45-47; N. KONKEL JR., Contribuições Sociais: Doutrina e Jurisprudência, p. 110-113; C. R. CUNHA, O Simples Nacional, a Norma Tributária e o Princípio Federativo: Limites da Praticabilidade Tributária, p. 103-107; M. TIMM DO VALLE, Princípios Constitucionais e Regras-Matrizes de Incidência do Imposto sobre Produtos Industrializados – IPI, p. 214-218.

[18] A Regra-Matriz de Incidência do IPI: Texto e Contexto, p. 64.

[19] GUSTAVO FOSSATI, Constituição Tributária Comentada, p. 502 e 542.

– ambos termos essenciais da oração –, que ainda pode incluir, como complemento(s), o predicativo e eventuais objetos direto e indireto – termos integrantes da oração – ademais dos critérios espacial e temporal – adjuntos adverbiais que corresponderiam aos termos acessórios.[20] Interessante observar que tais reflexões, defendidas em 1984, antecipam, de certa forma, a elevada importância que lhes outorgará Paulo de Barros, no ano seguinte, 1985, na primeira edição do seu *"Curso de Direito Tributário"*;[21] caminho que também seguimos nós.[22]

Por fim, no que tange à Teoria da Norma Jurídica de Incidência Tributária, adicionemos breve menção ao critério pessoal – ou, na terminologia do homenageado, à "determinação subjetiva" – da consequência normativa, acerca da melhor forma de expressão para caracterizar a identificação daqueles que irão ocupar os dois polos da relação jurídica tributária. Guardamos na memória o fato de termos redigido e retificado "algumas" vezes o pequeno texto, até julgá-lo razoável para exprimir o que entendíamos: "... a determinação do sujeito ativo é somente normativa e anterior ao fato jurídico tributário, ao passo que a do sujeito passivo é normativo-fática e posterior àquele evento".[23] Só mais tarde percebemos que já o fizera Marçal, num trecho de quiçá menor síntese, mas de indiscutivelmente maior poder explicativo: "... o sujeito ativo é localizado através do simples exame da norma. Já o sujeito passivo só o pode ser através de uma conjugação do estudo da norma com o levantamento da situação real. O primeiro é conhecido aprioristicamente; o segundo, 'a posteriori'".[24]

É simplesmente assim que um mestrando assume o papel de doutorando, constrói uma sólida e muito bem fundamentada proposta de nova estrutura para a norma jurídica de incidência tributária, convertendo sua dissertação em tese e impactando a doutrina tributária nacional.

3 Hipótese de incidência do IPI

3.1 Núcleo constitucional

Antes de deitar olhos à visão de Marçal Justen Filho para a hipótese de incidência tributária do IPI, discorramos acerca do tema, preparando o caminho para o exame daquela visão.

O primeiro dos critérios da hipótese é o *critério material*. E esse "primeiro" pode muito bem ser entendido com o sentido de precedência, uma vez que os critérios de tempo e lugar se dedicam apenas a condicioná-lo, donde decorre seu caráter de núcleo

---

[20] O Imposto sobre Serviços na Constituição, p. 47-48.
[21] Curso de Direito Tributário, primeira edição, 1985, p. 1-7 e 57-59; Curso de Direito Tributário, 32. ed., 2022, p. 5-14 e 103-105; Direito Tributário: Linguagem e Método, p. 156-173 e 180-205.
[22] A Regra-Matriz de Incidência do IPI: Texto e Contexto, 1993, p. 50-53; Interpretação Jurídica e Linguagem: A Moldura de Kelsen ou a Resposta Certa de Dworkin? In: PAULO DE BARROS CARVALHO (coord.); PRISCILA DE SOUZA (org.), As Conquistas Comunicacionais no Direito Tributário Atual, 2022, p. 837-883; Interpretação Jurídica e Linguagem: De Kelsen a Dworkin, Um Pouco do Juiz Hércules e Muito do Jurista Davi, in: VALTERLEI DA COSTA e MAURÍCIO TIMM DO VALLE (coord.), Estudos Sobre a Teoria Pura do Direito: Homenagem aos 60 Anos de Publicação da 2ª Edição da Obra de Hans Kelsen, 2023, p. 285-335.
[23] A Regra-Matriz de Incidência do IPI: Texto e Contexto, p. 66.
[24] O Imposto sobre Serviços na Constituição, p. 53.

da hipótese normativa. Abstraídas as circunstâncias de espaço e tempo, esse núcleo será invariavelmente composto por comportamentos de pessoas, expressos por um verbo pessoal e transitivo, cuja predicação é incompleta e por isso pede um complemento.

No contexto de um Direito Tributário sobremaneira constitucional, como, indubitavelmente, é o nosso, a pesquisa da materialidade da hipótese de incidência do IPI parte, certamente, da sua atribuição constitucional de competência: "Compete à União instituir impostos sobre... produtos industrializados" (artigo 153, IV). *Produto* é toda coisa ou toda utilidade que se extraiu de outra coisa, sem periodicidade, reduzindo-lhe a quantidade (Pedro Nunes, José Náufel, De Plácido e Silva, Rubens Limongi França, Iêdo Batista Neves e Henri Capitant[25]); esclarecendo-se que a palavra "coisa" está, aqui, empregada na acepção de *"res"* dos romanos, a mais frequente no Direito, significando objeto material ou corpóreo (Orlando Gomes e De Plácido e Silva[26]). Já o adjetivo "industrializado" implica o abandono, desde logo, dos produtos naturais (agrícolas, pecuários e minerais), em prol daqueles que resultam de uma ação humana, pelo "... transformar em utilidades a matéria-prima: produto manufaturado" (De Plácido e Silva, Antônio Maurício da Cruz e Pedro Nunes[27]).

Ora, ao possibilitar à União instituir o tributo sobre os produtos já industrializados, entendemos claro o alvo constitucional num momento posterior à atividade industrial. Donde deduzimos que *não é a industrialização em si que será atingida*, mas, isso sim, o resultado dela proveniente. Afastamo-nos aqui da doutrina dominante – como observa Ricardo Ferreira Bolan[28] – que, com poucas variações, eleva o "industrializar produtos" à condição de critério material da hipótese (José Carlos Graça Wagner, Américo Masset Lacombe, Paulo de Barros Carvalho *etc.*[29]). Mas o fazemos na boa companhia de Antônio Maurício da Cruz, um tanto implicitamente;[30] de José Eduardo Soares de Melo, de Eduardo Domingos Bottallo, de José Eduardo Tellini Toledo e de Maurício Timm do Valle, claramente;[31] e de Geraldo Ataliba e Cleber Giardino, decididamente: "Se, portanto, a produção ou industrialização for posta na materialidade da hipótese de incidência do imposto, já não se estará diante do IPI, mas de tributo diverso".[32]

---

[25] P. NUNES, Dicionário de Tecnologia Jurídica, p. 687; J. NÁUFEL, Novo Dicionário Jurídico Brasileiro, v. III, p. 2; DE PLÁCIDO E SILVA, Vocabulário Jurídico, v. III, p. 465; e R. LIMONGI FRANÇA, Produto, *in*: Enciclopédia Saraiva do Direito, v. 62, p. 8; I. BATISTA NEVES, Vocabulário Enciclopédico de Tecnologia Jurídica e de Brocardos Latinos, v. II, p. 1.589; H. CAPITANT, *Vocabulario Jurídico*, p. 447.

[26] O. GOMES, Introdução ao Direito Civil, p. 187; DE PLÁCIDO E SILVA, Vocabulário Jurídico, *op. cit.*, v. I, p. 450.

[27] Vocabulário Jurídico, v. III, p. 465; A. M. CRUZ, O IPI – Limites Constitucionais, p. 43; P. NUNES, Dicionário de Tecnologia Jurídica, p. 687.

[28] Regimes Especiais: IPI e ICMS, p. 75-76, nota nº 103.

[29] J. C. GRAÇA WAGNER, IPI, *in*: IVES GANDRA DA SILVA MARTINS (coord.), Curso de Direito Tributário, p. 37; A. MASSET LACOMBE, Imposto sobre Produtos Industrializados, *Revista de Direito Tributário*, n. 27/28, p. 113 e 117-119; P. B. CARVALHO, Curso de Direito Tributário, 32. ed., p. 383; e Direito Tributário, Linguagem e Método, p. 688.

[30] O IPI – Limites Constitucionais, p. 78.

[31] J. E. SOARES DE MELO O Imposto sobre Produtos Industrializados (IPI) na Constituição de 1988, p. 121 e 146, nota nº 53; e IPI: Teoria e Prática, p. 53; E. D. BOTTALLO, Fundamentos do IPI (Imposto sobre Produtos Industrializados), p. 37; J. E. TELLINI TOLEDO, O Imposto sobre Produtos Industrializados: Incidência Tributária e Princípios Constitucionais, p. 69-70; M. TIMM DO VALLE, Princípios Constitucionais e Regras-Matrizes de Incidência do Imposto sobre Produtos Industrializados – IPI, p. 545-546.

[32] CLEBER GIARDINO, Conflitos entre Imposto sobre Produtos Industrializados e Imposto sobre Operações Relativas à Circulação de Mercadorias, Revista de Direito Tributário, nº 13/14, p. 139; GERALDO ATALIBA e CLEBER GIARDINO, Hipótese de Incidência do IPI, Revista de Direito Tributário, n. 37, p. 148.

E segue o Alto Diploma, dispondo que o IPI "será não cumulativo, compensando-se o que for devido em cada operação com o montante cobrado nas anteriores" (artigo 153, §3º, II). Ao determinar a aplicação a esse imposto do princípio da não cumulatividade, o texto constitucional estabelece, com toda a limpidez, *a incidência do tributo sobre esse ato por ele chamado de "operação"*. Eis que o tributo, além de não alcançar a industrialização, não atinge os produtos industrializados, como se diz correntemente, mas sim as operações que com eles se realizam.

Se o critério material da hipótese normativa apresenta comportamentos pessoais, representados por um verbo e seu complemento, já dispomos, até aqui, do complemento verbal por inteiro: *operações com produtos industrializados*. Quanto ao *verbo*, a Lei Maior foi reticente ao versar as figuras tributárias não vinculadas que incidem sobre operações tais como o IOF e o IPI, salvo quando, tratando minuciosamente do ICMS, e especificamente de suas relações com o IPI, mencionou operação "... realizada..." (artigo 155, §2º, XI). Eis a claridade contextual que nos conduz à localização em comando dirigido a uma situação que constitui simultaneamente hipótese de incidência de ambos os impostos, da *disposição jurídica que nos faltava: o verbo "realizar"*. Não nos podemos pôr de acordo, neste ponto, lastimavelmente, com o mestre Paulo de Barros, que, tratando do tema, assevera que "... o constituinte se refere, no art. 153, IV, a instituir 'imposto sobre produtos industrializados', não adscrevendo o verbo a ser agregado a esse complemento..."; nem com Cristiano Carvalho, para quem "a CF limita-se a criar a competência da União para instituir imposto 'sobre produto industrializado', sem dispor sobre o verbo no critério material...".[33] Embora não o faça no texto do mesmo dispositivo, o legislador constitucional o faz, logo depois, numa hipótese em que, como declara expressamente, está sujeita a sofrer a incidência tanto do ICMS quanto do IPI; ou seja, ele o faz com toda a transparência e limpidez.

Dispomos, pois, do critério material da hipótese de incidência tributária desse imposto, em sua completa compostura constitucional: *realizar operações com produtos industrializados*.

3.2 Complemento infraconstitucional

Imprescindível, todavia, completar o desenho constitucional pelo necessário exame da legislação infraconstitucional, de modo a obter a configuração integral da materialidade da hipótese do IPI.

Cumpre enfatizar, assim, *a condição de jurídicas das operações com produtos industrializados*. Pondo sob exame a Lei nº 4.502, de 30.11.64, que instituiu o imposto federal em tela, e considerando os dispositivos concernentes à base de cálculo, artigos 14 a 17, e 19 (regras equivalentes no CTN, Lei nº 5.172, de 25.10.66, artigo 47, II), veremos que as diversas menções à venda, revenda, venda a varejo, locação ou operação a título gratuito (doação ou comodato, por exemplo) correspondem a referências indiscutíveis a atos ou *negócios jurídicos translativos da posse ou da propriedade do produto*; bem como as indicações de preço da operação, preço do produto, preço normal de venda, preço

---

[33] P. B. CARVALHO, Direito Tributário, Linguagem e Método, p. 690; C. CARVALHO, O IPI e a Industrialização por Encomenda, *in*: MARCELO MAGALHÃES PEIXOTO (coord.), IPI: Aspectos Jurídicos Relevantes, p. 51.

corrente, preço de venda e reajustamento de preços, constituem referências indiretas a operações de compra e venda, na maior parte dos casos, ou ainda a outras operações, mas sempre atos ou negócios jurídicos. Cientes de que a base de cálculo tem uma função comparativa, confirmando o critério material da hipótese, quando de acordo com ele, ou estabelecendo esse critério, quando infirmar o que estava originalmente previsto, e observando a definição legal dos preços dos atos ou negócios jurídicos como base de cálculo do imposto, é acertado e fácil concluir, sem hesitar, pelo caráter jurídico das operações com produtos industrializados descritas no antecedente da regra-modelo. É como entende larga e autorizada doutrina.[34]

Curiosamente, a Lei nº 4.502/64, artigo 2º, II, define o "... fato gerador..." do imposto, quanto aos produtos nacionais, como sendo "... a saída do respectivo estabelecimento produtor" (disposição similar no CTN, artigo 46, II). Não se pode mais do que apenas restringir essa regra às proporções de critério temporal da hipótese do IPI, sob pena de desacato flagrante ao comando constitucional. São eloquentes os exemplos trazidos à consideração por Baleeiro, Ataliba e Paulo de Barros, para ilustrar *a inocorrência do fato jurídico tributário em razão exclusiva da saída física dos produtos*, perante a ausência de operação jurídica: saída por furto ou roubo de marginais; a saída pelas águas da enchente que inundam o estabelecimento e quebram as vitrinas; a saída para a rua em razão de incêndio na fábrica; a saída momentânea para a calçada, decorrente de reforma ou pintura do prédio *etc*.[35] Ocorre que *a saída só tem o condão de provocar o nascimento da obrigação tributária do IPI, quando no âmbito de uma operação jurídica com produtos industrializados* que importe transmissão da propriedade ou da posse desses produtos.

A jurisprudência dos tribunais já assumiu, por vezes, essa óptica quanto ao núcleo da hipótese de incidência do IPI. Veja-se, para ilustrar, a ementa de decisão do TRF da 4ª Região, nas palavras da juíza relatora Tania Escobar: "A hipótese de incidência do IPI não é industrializar produtos e sim realizar operações com produtos industrializados".[36] E conquanto, em outros tempos, tenham sido raros aqueles com quem nos pusemos de acordo, no tema – como Geraldo Ataliba e José Eduardo Soares de Melo[37] – nos dias de hoje, são muitos e respeitados *os doutrinadores* que não titubeiam em seguir essa tese, como Eduardo Domingos Bottallo, Roque Antonio Carrazza, André Elali, José Eduardo Tellini Toledo e Júlio Maria de Oliveira;[38] e, inclusive, há quem o faça após já haver defendido,

---

[34] *Apud* J. R. VIEIRA, A Regra-Matriz de Incidência do IPI: Texto e Contexto, p. 77-80. Na esfera do antigo ICM, em que a indagação era idêntica: PONTES DE MIRANDA, ALIOMAR BALEEIRO, CARLOS DA ROCHA GUIMARÃES, GERALDO ATALIBA, JOSÉ SOUTO MAIOR BORGES, PAULO DE BARROS CARVALHO, HUGO DE BRITO MACHADO, ROQUE ANTONIO CARRAZZA e AIRES FERNANDINO BARRETO. Especificamente, no que tange ao IPI: GERALDO ATALIBA, PAULO DE BARROS CARVALHO, AMÉRICO MASSET LACOMBE, MARÇAL JUSTEN FILHO e JOSÉ EDUARDO SOARES DE MELO.

[35] *Apud* J. R. VIEIRA, A Regra-Matriz de Incidência do IPI: Texto e Contexto, p. 76-77.

[36] Apelação em Mandado de Segurança nº 95.04.50498-1/PR, DJU 2, de 06.05.98, p. 912; também Revista Dialética de Direito Tributário, nº 34, p. 218.

[37] G. ATALIBA, IPI – Hipótese de Incidência, *in*: Estudos e Pareceres de Direito Tributário, v. 1, p. 3-5; e apud PÉRSIO DE OLIVEIRA LIMA, Hipótese de Incidência do IPI – Opinião de Geraldo Ataliba, *in*: Hipótese de Incidência do IPI, Revista de Direito Tributário, nº 7/8, p. 192-193. J. E. SOARES DE MELO, O Imposto sobre Produtos Industrializados (IPI) na Constituição de 1988, p. 124; ponto de vista que este autor segue defendendo: IPI: Teoria e Prática, p. 53.

[38] E. D. BOTTALLO, Fundamentos do IPI (Imposto sobre Produtos Industrializados), p. 35; e IPI – Princípios e Estrutura, p. 22 e 32; ROQUE A. CARRAZZA, em estudo conjunto com EDUARDO BOTTALLO: A Não-incidência do IPI nas Operações Internas com Mercadorias Importadas por Comerciantes (um Falso Caso de

anteriormente, a materialidade "industrializar produtos", como é o caso de Eduardo Marcial Ferreira Jardim;[39] todos seguidos por larga e igualmente respeitável doutrina.[40]

Inevitável também é uma rápida palavra acerca do *conceito de industrialização*, que, embora privado da importância que lhe é outorgada por aqueles que, em equívoco, o veem na essência do critério material da hipótese da norma-padrão do IPI, desempenha ali uma função que, embora acessória, é relevante, pois desse conceito depende a definição de quais sejam ou não os produtos industrializados. São substanciais as reservas doutrinárias ao conceito da legislação ordinária, e mormente às noções regulamentares (Decreto nº 7.212, de 15.06.2010, artigo 4º, I a V), para as quais caracterizam industrialização as operações de transformação (obtenção de espécie nova), beneficiamento (aperfeiçoamento de um produto), montagem (reunião de produtos), acondicionamento ou reacondicionamento (colocação ou substituição de embalagem) e renovação ou recondicionamento (restauração de produto usado); numa noção que já classificamos como "... de grande largueza", acatada, inclusive, pela nossa Corte Suprema, no que contamos com o endosso respeitado de Eduardo Domingos Bottallo.[41] Vizinhos dos entendimentos de Geraldo Ataliba e de Osiris de Azevedo Lopes Filho, não temos dúvida de que a transformação consiste em industrialização, nem de que o acondicionamento/reacondicionamento e a renovação/recondicionamento correspondem a prestações de serviços, permanecendo as operações de montagem e de beneficiamento numa região de incertezas, em que podem consubstanciar, caso a caso, tanto uma como outra alternativa.[42] Concepção que desfruta do arrimo valioso de Eduardo Marcial Ferreira Jardim.[43]

Equiparação Legal), Revista Dialética de Direito Tributário, nº 140, p. 92-94; A. ELALI, IPI: Aspectos Práticos e Teóricos, p. 53 e 58; J. E. TELLINI TOLEDO, O Imposto sobre Produtos Industrializados: Incidência Tributária e Princípios Constitucionais, p. 68-70; J. M. OLIVEIRA, O Princípio da Legalidade e sua Aplicabilidade ao IPI e ao ICMS, p. 237-239.

[39] Instituições de Direito Tributário, p. 68. Sete anos depois, em 1995, registrou mudança de pensamento, asseverando que o IPI "... tem por regra-matriz de incidência a realização de operações com produtos industrializados..." – Dicionário Jurídico Tributário, p. 80; para, mais recentemente, confirmar e explicitar o novo posicionamento: "... este Manual, com inspiração nas lições de José Roberto Vieira e de José Eduardo Soares de Mello, adota o posicionamento na vereda em que o fato gerador não consiste na industrialização ou no produto industrializado em si, mas na realização de operações jurídicas que tenham por objeto o produto industrializado. A operação jurídica citada consubstancia 'atos ou negócios jurídicos translativos da posse ou da propriedade do produto', conforme preleciona José Roberto Vieira" – Manual de Direito Financeiro e Tributário, p. 287.

[40] A título exemplificativo: MARCELO CARON BAPTISTA, ISS: Do Texto à Norma, p. 316-318; MAURÍCIO DALRI TIMM DO VALLE, Princípios Constitucionais e Regras-Matrizes de Incidência do Imposto sobre Produtos Industrializados – IPI, p. 271-277; REGIANE BINHARA ESTURILIO, A Seletividade no IPI e no ICMS, p. 59; CLÁUDIA GUERRA, Incidência do IPI na Importação, Revista de Direito Tributário, nº 83, p. 209; FABIO ARTIGAS GRILLO, IPI e ICMS: Regime Jurídico dos Descontos Incondicionais Bonificados, *in:* OSWALDO OTHON DE PONTES SARAIVA FILHO e MARCOS AURÉLIO PEREIRA VALADÃO (org.), IPI: Temas Constitucionais Polêmicos, p. 408; GUSTAVO MASINA, ISSQN: Regra de Competência e Conflitos Tributários, p. 95; LEANDRO PAULSEN, Imposto sobre Produtos Industrializados, *in:* LEANDRO PAULSEN e JOSÉ EDUARDO SOARES DE MELO, Impostos Federais, Estaduais e Municipais, p. 82-83 e 106; FÁBIO SOARES DE MELO, Impossibilidade de Exigência do Imposto sobre Produtos Industrializados (IPI) sobre as Importações de Produtos Industrializados – Apontamentos Principais, *in:* MARCELO MAGALHÃES PEIXOTO e FABIO SOARES DE MELO (coord.), IPI: Questões Fundamentais, p. 11; ALESSANDRA LIMA COSTA BEBER CORRÊA, Da Não Inclusão do Frete e Seguro na Base de Cálculo do IPI, *in:* VICENTE BRASIL JR. (coord.), IPI: Questões Atuais, p. 95 e 100; MANOELA FLORET SILVA XAVIER, IPI: Imposto sobre Produtos Industrializados, p. 14.

[41] J. R. VIEIRA, A Regra-Matriz de Incidência do IPI: Texto e Contexto, p. 95. EDUARDO D. BOTTALLO, O Imposto sobre Produtos Industrializados na Constituição, *in:* HELENO TAVEIRA TÔRRES (coord.), Tratado de Direito Constitucional Tributário: Estudos em Homenagem a Paulo de Barros Carvalho, p. 637.

[42] A Regra-Matriz de Incidência do IPI: Texto e Contexto, p. 95-96.

[43] Dicionário Jurídico Tributário, p. 80-81 e 85.

Por fim, no que concerne à hipótese da norma de incidência desse tributo, acrescente-se uma última reflexão. Se da Lei Maior deriva a ideia de que o IPI tributa a realização de operações com produtos industrializados; e, como acrescentaremos logo adiante, despontando o industrial como o realizador do comportamento pessoal da hipótese e como o destinatário constitucional tributário; e se da lei ordinária decorre a noção de que essas operações são jurídicas e implicam transmissão da propriedade ou posse dos produtos, bem como provém a informação de que elas se devem ter por consumadas no momento da saída dos produtos industrializados dos estabelecimentos que os industrializaram; torna-se patente e irrecusável que esse imposto atinge os negócios jurídicos com os produtos, quando eles tenham sido, imediatamente antes, industrializados; resulta nítido e incontestável que o IPI incide na primeira etapa da cadeia de produção e comercialização dos produtos industrializados. Tese que nasceu há mais de quatro décadas, e com a distinção da defesa pelo primeiro professor de Direito Tributário do país (Rubens Gomes de Sousa[44]), segue sendo sustentada hoje (por exemplo, por Adolpho Bergamini[45]), e conta, ao longo do tempo, com a advocacia expressiva da mais qualificada doutrina (José Eduardo Soares de Melo e Eduardo Domingos Bottallo[46]). De pleno acordo com a tese, encaramos como notório e incontroverso que *esse imposto atinge as operações realizadas pela indústria*.

3.3 Critério pessoal

Deve-se ainda, no entanto, adicionar um dado derradeiro, também no plano rigorosamente constitucional. Trata-se de aludir à pessoa que, intrinsecamente vinculada à situação hipotética, está destinada à categoria de sujeito passivo do tributo, na adequada expressão de Héctor Villegas, o professor argentino: "destinatário legal tributario".[47] E esse autor assim justifica a denominação: "Lo llamamos..." assim "... porque a él está dirigida la carga patrimonial de aquel tributo cuyo hecho imponible tuvo en cuenta su capacidad contributiva". E prossegue: "El destinatario legal tributario es... aquel que queda encuadrado en el hecho imponible... es quien ejecuta el acto o se halla en la situación que la ley elige como presupuesto hipotético...".[48] De fato, quando o legislador descreve a hipótese de incidência de um tributo, mesmo que não o faça expressamente, acaba sempre apontando, de modo implícito, mas nítido, para a pessoa a quem o tributo

---

[44] O ICM, o IMS, o IPI e a Construção Civil, Revista de Direito Público, nº 22, p. 297-298: "... IPI... o imposto havia deixado de ser sobre o consumo de mercadorias... e passara a ser 'sobre a circulação de mercadorias, em sua fase de produção...'" (destacamos entre aspas simples).

[45] IPI – Necessidade de a Lei Complementar prever as Hipóteses de Equiparações de Pessoas Jurídicas à condição de Industrial, Revista de Direito Tributário da Apet, nº 19, p. 25: "... o critério material do IPI é 'realizar operações translativas de propriedade ou posse... 'com produtos em fase de industrialização'" (destacamos entre aspas simples).

[46] J. E. S. DE MELO, O Imposto sobre Produtos Industrializados (IPI) na Constituição de 1988, p. 124; IPI: Teoria e Prática, p. 91: "... IPI e ICMS... neste último tributo... gravando-se todo o ciclo mercantil de operações; ao passo que, 'no IPI, só se grava a 'operação' realizada pelo próprio elaborador (industrial) do bem, na fase de sua produção'" (destacamos entre aspas simples). E. D. BOTTALLO, IPI – Princípios e Estrutura, p. 32: "... o IPI incide sobre operações jurídicas com produtos industrializados, vale dizer, 'ele é devido quando ocorrer o fato de um produto sair do estabelecimento produtor...'" (destacamos entre aspas simples).

[47] Destinatário Legal Tributário: Contribuinte e Sujeitos Passivos na Obrigação Tributária, Revista de Direito Público, nº 30, 1974, p. 274-275; Curso de Finanzas, Derecho Financiero y Tributario, p. 319-320 e 328.

[48] *Curso de Finanzas, Derecho Financiero y Tributario*, p. 319-320.

se dirige: aquele que realiza o fato descrito na hipótese e que, nem sempre, mas na maioria dos casos, será o sujeito passivo. A partir daí, especialmente da publicação do citado artigo, em 1974, no Brasil, certa parte da doutrina passou a valer-se da expressão "destinatário legal tributário", conceito que Marçal classificou como "... interessantíssimo e muito valioso...".[49]

Até que, em 1985, no seu livro sobre o ISS, Marçal Justen Filho referiu-o como o "destinatário constitucional...", sem, no entanto, maiores explicações.[50] E no ano seguinte, no livro oriundo da sua tese de doutorado, repetiu essa expressão: "destinatário constitucional tributário". E então, como se tratava de uma obra exatamente sobre a sujeição passiva tributária, justificou-a. Faz todo o sentido, na Argentina, onde a hipótese de incidência dos tributos é estabelecida na legislação ordinária, que se cogite de "destinatário 'legal' tributário". Não assim no Brasil, porém, desde que aqui é o próprio legislador constitucional que enuncia a essência das hipóteses da maior parte dos tributos, sendo muito mais adequado falar-se de "destinatário 'constitucional' tributário".[51]

A expressão de Villegas, adaptada, com felicidade, por Marçal Justen Filho, para a realidade brasileira, em que o núcleo da hipótese já se encontra, via de regra, na própria Lei Mãe, foi adotada por Geraldo Ataliba, a partir da 4ª edição do seu clássico "Hipótese de Incidência Tributária".[52]

Ora, no caso do imposto em questão, quem efetiva o comportamento pessoal que constitui a essência da hipótese (verbo + complemento), quem realiza a operação com os produtos que foram antes industrializados, é *o industrial*, sendo ele, pois, sem sombra de dúvida, *o destinatário constitucional do IPI*. Raciocínio com o qual, tudo indica, o autor aqui honrado se encontra de acordo, pois faz menção a "... uma operação jurídica que impulsione o produto industrializado para além da titularidade do industrial".[53] E quando não é qualquer pessoa que pode desempenhar a conduta humana que corresponde à hipótese normativa do tributo, mas apenas e tão somente uma única e exclusiva pessoa – aquela que exibe a condição de industrial – não há por que tergiversar: reconheça-se apropriada, na esteira da lição de Marçal Justen Filho, a presença de um critério pessoal na hipótese desse imposto.

---

[49] Sujeição Passiva Tributária, p. 260.
[50] O Imposto sobre Serviços na Constituição, p. 155 e 158.
[51] São palavras do Marçal: "Villegas deixou de observar uma peculiaridade do sistema tributário brasileiro, porém... nossa Constituição estabelece como deverá ser o núcleo da hipótese de incidência a ser editada pela via legislativa ordinária... Bem por isso pode-se aludir à figura do destinatário constitucional tributário. É aquela categoria de pessoas que se encontram em relação com a situação prevista para inserir-se no núcleo da hipótese de incidência tributária e que são as pessoas sujeitáveis à condição de sujeito passivo tributário (ao menos em princípio)" – Sujeição Passiva Tributária, p. 262-263.
[52] G. ATALIBA: "... no Brasil, só pode ser onerado o destinatário constitucional tributário..." – Hipótese de Incidência Tributária, 4. ed., 1990, p. 84, nº 32.3. Não se encontrava na edição anterior – 3. ed., 1984, p. 82-83, nº 32.3 – e foi repetida nas posteriores: 5. ed., 1992, p. 78, nº 32.3; e 6. ed., 2009, p. 86, nº 32.3. Nós testemunhamos, em diversas situações e oportunidades, Ataliba atribuir o mérito devido à pessoa que o merece. Essa parece ter sido, no entanto, uma exceção, pois, a despeito de abraçar a expressão, não mencionou o nome do Marçal, a quem coube cunhá-la.
[53] O Imposto sobre Serviços na Constituição, p. 111.

4 Hipótese de Incidência do IPI segundo Marçal Justen Filho

Já ao construir uma proposta toda sua para a estrutura da Norma Jurídica de Incidência Tributária, *incluindo um Critério Pessoal na Hipótese Normativa* – no caso específico do IPI, restringindo ou, pelo menos, permitindo restringir o comportamento hipotético à figura do industrial –, o homenageado dá ensejo a consequências de enorme relevo para a legislação desse tributo, *permitindo a oposição de óbices poderosos às equiparações de estabelecimentos comerciais a industriais*, recurso do qual se valeu com duvidosa e condenável insistência o legislador do IPI no passado.[54] Mas o autor que é objeto do preito de que faz parte este trabalho levou a cabo outra contribuição para a hipótese do IPI, ainda mais notável do que essa.

Comecemos por mencionar que, no começo dos anos 90, quando fazíamos nosso mestrado, tínhamos a intenção primeira de aplicar a Teoria da Norma de Incidência Tributária ao Imposto de Renda, em nossa dissertação; intenção essa que foi, gradativamente, substituída pela da mesma aplicação ao IPI. Motivo? *O incômodo que nos causava a afirmação da nossa doutrina em peso*, que, se não era unânime, aproximava-se muito dessa condição, *no sentido de que o núcleo da hipótese do IPI seria "industrializar produtos"!* Sempre nos pareceu que não. Primeiro, por uma questão simples e prática: se nós nos estabelecêssemos com uma indústria, fabricássemos determinados bens e, em vez de os negociarmos, nós os mantivéssemos em estoque, depositados num armazém; teríamos, indubitavelmente, industrializado produtos e, em algum momento, seríamos devedores desse tributo? Nunca. Segundo e sobretudo, porque, do exame dos dispositivos constitucionais pertinentes (artigos 153, IV; 153, §3º, II; e 155, §2º, XI) que fizemos no subitem 3.1, atrás, não se pode deduzir nada diverso do "realizar operações com produtos industrializados".

À época em que escrevíamos, *tomamos em consideração especialmente alguns trechos do texto do Marçal*. A começar pela sua referência à "... conclusão generalizada de o critério material da hipótese de incidência do IPI consistir na atividade de 'industrializar' bens, com o que surge 'produto industrializado'". Depois, pelo seu esclarecimento de que não atentaria para as duas outras hipóteses desse tributo – importar ou arrematar produtos industrializados – reduzindo as perspectivas do seu esforço científico: "Trabalharemos, nesse tópico, apenas com a previsão de 'industrializar produtos'".[55] E daí *concluímos pelo seu alinhamento com a visão doutrinária francamente predominante, no que nos precipitamos e incorremos em erro.*[56]

Uma releitura do autor que ora se homenageia mostra, na sequência, sua crítica à "... incorreção do simplismo de reduzir a materialidade da hipótese de incidência do IPI à simples atividade de industrializar produtos...", acrescentando que o fato tributário "... só se concretiza quando se soma à atividade de industrialização uma operação jurídica que impulsione o produto industrializado para além da titularidade do industrial".

---

[54] J. R. VIEIRA, IPI x ICMS e ISS: Conflitos de Competência ou Sedução das Aparências?, *in*: EURICO MARCOS DINIZ DE SANTI e VANESSA RAHAL CANADO (coord.), Direito Tributário: Tributação do Setor Industrial, p. 70-73; Equiparações de Estabelecimentos Comerciais a Industriais: Ficções que Tangem o Divino ou que Tocam o Demoníaco?, *in*: PAULO DE BARROS CARVALHO (coord.) e PRISCILA DE SOUZA (org.), Direito Tributário e os Novos Horizontes do Processo, p. 709-715.

[55] O Imposto sobre Serviços na Constituição, p. 110-111.

[56] A Regra-Matriz de Incidência do IPI: Texto e Contexto, p. 74.

Donde sua cogitação de "... uma hipótese de incidência cuja materialidade é complexa...", desde que "... envolve uma atividade de cunho material (industrialização) somada a uma atividade jurídica (operação jurídica que produz a transferência da posse ou do domínio do produto industrializado)".[57]

E estabelece a comparação com o tributo que constitui o alvo do seu livro: "... a hipótese de incidência do ISS compreende uma prestação de esforço caracterizável juridicamente como adimplemento de uma obrigação de fazer"; ao passo que, "...no tocante ao IPI, firmamos que sua hipótese abrange uma operação jurídica de transferência da posse ou da propriedade – tipicamente definível como obrigação de dar". Também existe um fazer anterior na hipótese do IPI, mas a explicação do autor, além de competente, é suficiente: no ISS, "... a prestação de serviço... enquanto adimplemento de uma obrigação de fazer... é, portanto, um 'fazer' no sentido técnico jurídico. Já a atividade de industrialização..." – para o IPI – "... é um 'fazer' apenas no sentido vulgar da expressão".[58] E, como apoio à sua interpretação, invoca o entendimento de Cleber Giardino, exposto no mesmo artigo que nós igualmente conjuramos, no item 3, retro, citado na nota de rodapé nº 32!

Em outras palavras, conquanto deixando de trilhar o caminho constitucional que nos conduziu ao núcleo hipotético como o "realizar operações com produtos industrializados", Marçal sustenta uma visão da hipótese de incidência do IPI que, em tudo e por tudo, guarda muito grande similaridade, senão absoluta identidade com a nossa, e veiculada oito anos antes que o fizéssemos!

Se perdemos, naquela oportunidade, a chance de louvar sua reflexão jurídica irretocável, incluindo-o entre as boas exceções que navegavam contra a correnteza doutrinária equivocada, no que concerne à hipótese de incidência do IPI, fazêmo-lo agora, não obstante essa longa mora, *penitenciando-nos e resgatando tal dívida intelectual de mais de três décadas*.[59]

5 Do domínio do pequeno à morada nas alturas

O estudo da hipótese do IPI – tal como da do ICMS (à época ainda ICM) – no livro dedicado ao ISS desempenha um papel secundário, tão só para permitir, pelo

---

[57] O Imposto sobre Serviços na Constituição, p. 111.
[58] O Imposto sobre Serviços na Constituição, p. 113-114.
[59] Por uma questão de honestidade científica, reconheça-se que, eventualmente, essa dívida pode até ser maior do que à primeira vista parece. Dentre as obras disponíveis na literatura jurídica nacional acerca do IPI, a que é, sem dúvida, a mais completa – e, portanto, a melhor – tratando dos princípios constitucionais que lhe são aplicáveis, teorizando quanto à norma de incidência tributária, aplicando esse esquema teórico ao tributo, e enriquecendo o estudo do consequente tributário, especialmente do critério pessoal, com os recursos da Teoria Analítica do Direito, na linha de ALCHOURRÓN e BULYGIN, é o livro de MAURÍCIO TIMM DO VALLE – Princípios Constitucionais e Regras-Matrizes de Incidência do Imposto sobre Produtos Industrializados – IPI (S. Paulo: Noeses, 2016) – fruto da sua dissertação de mestrado (2010) e, no que tange ao estudo analítico dos sujeitos da relação, resultado da sua tese de doutorado (2015), ambas defendidas, com brilhantismo, na UFPR. Ora, esse autor incide no mesmo lapso que nós, quanto ao exame da concepção de MARÇAL JUSTEN FILHO, embora apontando a tendência conflitante das primeiras páginas do texto tomadas com as que se lhe seguem (p. 545, nota de rodapé nº 1264). Há o risco de que, conscientemente ou não, o orientador tenha exercido influência – aqui, indubitavelmente, má – sobre o orientando, pecado que, se aconteceu, pedimos vênia para incluí-lo, desde já, em nossa penitência e resgate.

confronto, traçar contornos mais precisos para a hipótese do ISS. São 7,5 páginas num texto de 171, isso é, cerca de 4% apenas. Pode-se, pois, asseverar que, *diante do "grande" do ISS, o IPI constituiu, certamente, um "pequeno" objeto*. E mesmo assim, Marçal foi tão zeloso, minudente e virtuoso na execução da análise jurídica de algo tão... pequeno... no contexto do seu trabalho!

É exatamente essa deferência carinhosa pelo detalhe, esse respeito atento pelo pequeno, que revela a dimensão jurídica – e a grande dimensão jurídica! – do estudioso e analista do Direito. Não é à toa que Santo Agostinho, o filósofo, bispo de Hipona e doutor da Igreja do século V, sentenciava, na afirmação que escolhemos como segunda epígrafe deste artigo: "Levemos em conta as pequenas coisas e nos tornaremos grandes". E se desejarmos alguma explicação para isso, basta invocar outra marcante doutora da Igreja, do século XVI, Santa Teresa de Ávila: "... as pequenas coisas abrem as portas para as maiores...".[60]

É o domínio do pequeno que leva Marçal Justen Filho a encontrar sua habitação jurídica nas alturas, sob *uma forte inspiração nietzschiana*. Friedrich Nietzsche, aliás, esse filósofo maiúsculo – assegurava Antônio Cândido de Mello e Souza, o respeitado crítico literário e intelectual – é "... um dos maiores inspiradores do mundo moderno...".[61] E inspira-nos, aqui, mercê da sua paixão pelas culminâncias, porque, como já registramos, com sua "... expressão literariamente cintilante...", ele "... *nos convoca com exuberância para a missão de sonhadores e andarilhos das alturas...*".[62]

E esse convite nietzschiano parte da certeza da existência de homens nessas regiões excelsas: "Mas existe uma espécie... de homens, que também está nas alturas...";[63] "Se quereis atingir as alturas, usai as vossas próprias pernas!... ó *homem superior*...";[64] aqueles que se sobrelevam aos demais por seguir as pegadas de um profeta – "Zaratustra... é o *precursor do ser-acima-do-humano*"[65] – numa trilha que permite chegar à excelência: "...'elevação máxima da consciência de força do ser humano' como aquele que é capaz de constituir o *ser-acima-do-humano*".[66] Esses têm vocação para a escalada: "... de olhos abertos e indiferentes ao perigo escalamos os mais perigosos caminhos, rumo aos telhados e torres da fantasia, sem qualquer vertigem, como que *nascidos para escalar* – ... Nós, artistas!... Nós, maníacos da Lua e de Deus! Nós, incansáveis e silenciosos andarilhos, em *alturas que não vemos como alturas, mas como nossas planícies, nossas certezas!*".[67] Esses estão predestinados aos ares etéreos: "...que fazer, se *nascemos para o ar, o ar puro*... bem gostaríamos... de andar sobre partículas do éter... 'rumando' para o Sol!".[68] Eles sentem o chamado como uma necessidade: "Tenho que superar cem degraus, tenho que subir...".[69]

---

[60] *Apud* PEDRO TEIXEIRA CAVALCANTE (org.), Mensagens dos Santos, p. 414.
[61] Posfácio, *in:* F. NIETZSCHE, Obras Incompletas, p. 411.
[62] J. R. VIEIRA, Interpretação da Morte de Deus em Nietzsche, ADECON – Revista da Faculdade Católica de Administração e Economia, p. 34; Legalidade Tributária ou Lei da Selva: Sonho ou Pesadelo, Revista de Direito Tributário, nº 84, p. 108.
[63] Além do Bem e do Mal: Prelúdio a uma Filosofia do Futuro, p. 192, nº 286.
[64] Assim Falou Zaratustra: Um Livro para Todos e para Ninguém, p. 291-292.
[65] Fragmentos do Espólio: Primavera de 1884 a Outono de 1885, p. 173.
[66] Fragmentos do Espólio: Primavera de 1884 a Outono de 1885, p. 187.
[67] A Gaia Ciência, p. 97, nº 59.
[68] A Gaia Ciência, p. 199, nº 293.
[69] A Gaia Ciência, p. 29, nº 26. Preferimos, aqui, no entanto, a tradução que nos vem através do espanhol, de Laureano Pérez Latorre: F. NIETZSCHE, *Poesia Completa*, Madrid, Trotta, 1998, p. 30.

Até descobrirem seu próprio local e sua própria altitude: "Pois *esta é 'nossa' altura e nosso lugar*: aqui habitamos, demasiado alto e íngreme para todos os impuros e sua sede... vizinhos às águias, vizinhos à neve, vizinhos ao sol...".[70] Aquele local e aquela altitude que os compraz e deleita: "...*tive que voar às grandes alturas* para de novo encontrar a nascente do prazer!".[71] Tratam-se, certamente, de zonas inexploradas: "...eu venho de *alturas que asa nenhuma cruzou*, eu conheço abismos onde pé algum jamais se extraviou".[72] Trata-se, evidentemente, de plagas solitárias: "...*sempre mais raros são os que comigo sobem montanhas sempre mais altas...*".[73] E, afinal, essa paixão pelos cimos e píncaros não é sem razão, ao contrário, tende e aspira ao ilimitado e ao sempiterno: "'Nós, aeronautas do espírito!' – Todos esses ousados pássaros que voam para longe, para bem longe... Todos os nossos grandes mestres e precursores... Esta nossa ideia e crença porfia em voar com eles para o alto e para longe, sobe diretamente acima de nossa cabeça... às alturas de onde olha na distância e vê bandos de pássaros... que ambicionarão as lonjuras que ambicionávamos... Para onde nos arrasta essa poderosa avidez, que para nós vale mais que qualquer outro desejo?... *nosso destino era naufragar no infinito?*".[74]

Tal como para Nietzsche, na Filosofia, também para Marçal Justen Filho, no Direito, o ar dos seus escritos é um ar das alturas, como confessava o filósofo na primeira das nossas epígrafes. E assim é porque Marçal, senhor do pequeno, foi inevitavelmente atraído e seduzido pelo convite nietzschiano: "Levantai vossos corações, meus irmãos, bem alto, mais alto!".[75] *E há muito Marçal Justen Filho chegou, instalou-se e fez sua morada nas alturas do jurídico; aclimatou-se como poucos e ali descobriu, desde sempre, seu lar.*

Curitiba, 13 de agosto de 2024 – *Dia de S. João Berchmans (1599-1621)*
Um jovem belga, cuja breve vida foi de apenas 22 anos, mas foi suficiente
para que se destacasse como jesuíta e se tornasse conhecido como
um "Apóstolo da Juventude"; e que afirmou: "É preciso
dar grandíssimo valor às coisas mínimas".[76]

Referências

1. Obras jurídicas

ANDRADE, André Renato Miranda. A Regra-Matriz de Incidência do ICMS e a Inexistência de Imunidade no Serviço de Transporte de Energia Elétrica. *In*: MARINS, James; MARINS, Gláucia Vieira (coord.). *Direito Tributário Atual*. Curitiba: Juruá, 2000, p. 267-296.

---

[70] *Ecce Homo*: Como Alguém se Torna o Que é, p. 34.
[71] *Ecce Homo*: Como Alguém se Torna o Que é, p. 33.
[72] *Ecce Homo*: Como Alguém se Torna o Que é, p. 55-56.
[73] *Ecce Homo*: Como Alguém se Torna o Que é, p. 89.
[74] *Aurora*: Reflexões sobre os Preconceitos Morais, p. 283-284, nº 575.
[75] *Assim Falou Zaratustra*: Um Livro para Todos e para Ninguém, p. 296.
[76] MARIO SGARBOSSA, Os Santos e os Beatos da Igreja do Ocidente e do Oriente, p. 458; ALBAN BUTLER, Vida dos Santos de Butler, v. XI, p. 235-237; DAVID HUGH FARMER, *The Oxford Dictionary of Saints*, p. 55; JOHN J. DELANEY, *Dictionary of Saints*, p. 90; VERA SCHAUBER e HANNS MICHAEL SCHINDLER, *Diccionario Ilustrado de los Santos*, p. 361-362; *apud* PEDRO TEIXEIRA CAVALCANTE (org.), Mensagens dos Santos, p. 186.

ATALIBA, Geraldo. IPI – Hipótese de Incidência. *In: Estudos e Pareceres de Direito Tributário*, São Paulo, vol. 1, p. 1-11, 1978.

ATALIBA, Geraldo. *Hipótese de Incidência Tributária*. 3. ed. São Paulo: RT, 1984 (Textos de Direito Tributário, 8).

ATALIBA, Geraldo. *Hipótese de Incidência Tributária*. 4. ed. São Paulo: RT, 1990 (Textos de Direito Tributário, 8).

ATALIBA, Geraldo. *Hipótese de Incidência Tributária*. 5. ed. São Paulo: Malheiros, 1992 (Estudos de Direito Tributário).

ATALIBA, Geraldo. *Hipótese de Incidência Tributária*. 6. ed. São Paulo: Malheiros, 2009.

ATALIBA, Geraldo; GIARDINO, Cleber. Hipótese de Incidência do IPI. *Revista de Direito Tributário*, São Paulo, n. 37, p. 147-151, jul./set. 1986.

BAPTISTA, Marcelo Caron. *ISS: do texto à norma*. São Paulo: Quartier Latin, 2005.

BOLAN, Ricardo Ferreira. *Regimes Especiais: IPI e ICMS*. São Paulo: Quartier Latin, 2004.

BOTTALLO, Eduardo Domingos. *Fundamentos do IPI (Imposto sobre Produtos Industrializados)*. São Paulo: RT, 2002.

BOTTALLO, Eduardo Domingos. O Imposto sobre Produtos Industrializados na Constituição. *In:* TÔRRES, Heleno Taveira (coord.). *Tratado de Direito Constitucional Tributário*: estudos em homenagem a Paulo de Barros Carvalho. São Paulo: Saraiva, 2005, p. 625-639.

BOTTALLO, Eduardo Domingos. *IPI – Princípios e Estrutura*. São Paulo: Dialética, 2009.

BOTTALLO, Eduardo Domingos; CARRAZZA, Roque Antonio. A não-incidência do IPI nas Operações Internas com Mercadorias Importadas por Comerciantes (um Falso Caso de Equiparação Legal). *Revista Dialética de Direito Tributário*, São Paulo, n. 140, p. 92-106, maio 2007.

BRASIL. Tribunal Regional Federal da 4ª Região. Apelação em Mandado de Segurança nº 95.04.50498-1/PR. Tributário – IPI – Hipótese de Incidência e Prazo para Recolhimento. Relatora: Juíza Tania Escobar. Porto Alegre, 5 fev. 1998. *DJU 2*, de 06.05.98, p. 912; também *Revista Dialética de Direito Tributário*, n. 34, p. 218, jul. 1998.

CAPITANT, Henri. *Vocabulario Jurídico*. Tradução: Aquiles Horacio Guaglianone. Buenos Aires: Depalma, 1986.

CARRAZZA, Roque Antonio; BOTTALLO, Eduardo Domingos. A não-incidência do IPI nas Operações Internas com Mercadorias Importadas por Comerciantes (um Falso Caso de Equiparação Legal). *Revista Dialética de Direito Tributário*, São Paulo, n. 140, p. 92-106, maio 2007.

CARRIÓ, Genaro R. *Notas sobre Derecho y Lenguaje*. 4. ed. Buenos Aires: Abeledo-Perrot, 1990.

CARVALHO, Cristiano. O IPI e a Industrialização por Encomenda. *In:* PEIXOTO, Marcelo Magalhães (coord.). *IPI: Aspectos Jurídicos Relevantes*. São Paulo: Quartier Latin, 2003, p. 49-55.

CARVALHO, Paulo de Barros. *Teoria da Norma Tributária*. 2. ed. São Paulo: RT, 1981.

CARVALHO, Paulo de Barros. *Curso de Direito Tributário*. São Paulo: Saraiva, 1985.

CARVALHO, Paulo de Barros. *Direito Tributário: Linguagem e Método*. 5. ed. São Paulo: Noeses, 2013.

CARVALHO, Paulo de Barros. *Curso de Direito Tributário*. 32. ed. São Paulo: Noeses, 2022.

COÊLHO, Sacha Calmon Navarro. *Teoria Geral do Tributo, da Interpretação e da Exoneração Tributária*. São Paulo: Dialética, 2003.

CARVALHO, Paulo de Barros; DERZI, Misabel de Abreu Machado. *Do Imposto sobre a Propriedade Predial e Territorial Urbana*. São Paulo: Saraiva, 1982.

CORRÊA, Alessandra Lima Costa Beber. Da não inclusão do frete e seguro na base de cálculo do IPI. *In:* BRASIL JR., Vicente (coord.). *IPI: Questões Atuais*. Curitiba: Juruá, 2006, p. 87-116.

CRUZ, Antônio Maurício. *O IPI – Limites Constitucionais*. São Paulo: RT, 1983.

CUNHA, Carlos Renato. *O Simples Nacional, a Norma Tributária e o Princípio Federativo*: Limites da Praticabilidade Tributária. Curitiba: Juruá, 2011.

DERZI, Misabel de Abreu Machado; COÊLHO, Sacha Calmon Navarro. *Do Imposto sobre a Propriedade Predial e Territorial Urbana*. São Paulo: Saraiva, 1982.

ELALI, André. *IPI: Aspectos Práticos e Teóricos*. Curitiba: Juruá, 2004.

ESTURILIO, Regiane Binhara. *A Seletividade no IPI e no ICMS*. São Paulo: Quartier Latin, 2008.

FERRAZ JR., Tércio Sampaio. *Introdução ao Estudo do Direito – Técnica, Decisão, Dominação*. São Paulo: Atlas, 1989.

FOSSATI, Gustavo. *Constituição Tributária Comentada*. 4. ed. São Paulo: Thomson Reuters, 2024.

FRANÇA, Rubens Limongi. Produto. *In: Enciclopédia Saraiva do Direito*. vol. 62. São Paulo: Saraiva, 1977, p. 8.

GIARDINO, Cleber. Conflitos entre Imposto sobre Produtos Industrializados e Imposto sobre Operações Relativas à Circulação de Mercadorias. *Revista de Direito Tributário*, São Paulo, n. 13/14, p. 137-144, jul./dez. 1980.

GIARDINO, Cleber. ; ATALIBA, Geraldo. Hipótese de Incidência do IPI. *Revista de Direito Tributário*, São Paulo, n. 37, p. 147-151, jul./set. 1986.

GOMES, Orlando. *Introdução ao Direito Civil*. 3. ed. Rio de Janeiro: Forense, 1971.

GRILLO, Fabio Artigas. IPI e ICMS: Regime Jurídico dos Descontos Incondicionais Bonificados. *In:* SARAIVA FILHO, Oswaldo Othon de Pontes; VALADÃO, Marcos Aurélio Pereira (org.). *IPI: Temas Constitucionais Polêmicos*. Belo Horizonte: Fórum, 2009, p. 407-419 (Fórum de Direito Tributário, 1).

GUERRA, Cláudia. Incidência do IPI na Importação. *Revista de Direito Tributário*, São Paulo, n. 83, p. 202-216, [200-].

HILÚ NETO, Miguel. *Imposto sobre Importações e Imposto sobre Exportações*. São Paulo: Quartier Latin, 2003.

JARDIM, Eduardo Marcial Ferreira. *Instituições de Direito Tributário*. São Paulo: Aquarela, 1988.

JARDIM, Eduardo Marcial Ferreira. *Dicionário Jurídico Tributário*. São Paulo: Saraiva, 1995.

JARDIM, Eduardo Marcial Ferreira. *Manual de Direito Financeiro e Tributário*. 11. ed. São Paulo: Saraiva, 2010.

JUSTEN FILHO, Marçal. *O Imposto sobre Serviços na Constituição*. São Paulo: RT, 1985. (Textos de Direito Tributário, 10).

JUSTEN FILHO, Marçal. *Sujeição Passiva Tributária*. Belém: CEJUP, 1986.

JUSTEN FILHO, Marçal. *Desconsideração da Personalidade Societária no Direito Brasileiro*. São Paulo: RT, 1987.

JUSTEN FILHO, Marçal. *Comentários à Lei de Licitações e Contratos Administrativos*. Rio de Janeiro: Aide, 1993.

JUSTEN FILHO, Marçal. *Concessões de Serviços Públicos*. São Paulo: Dialética, 1997.

JUSTEN FILHO, Marçal. *Pregão (Comentários à Legislação do Pregão Comum e Eletrônico)*. São Paulo: Dialética, 2001.

JUSTEN FILHO, Marçal. *O Direito das Agências Reguladoras Independentes*. São Paulo: Dialética, 2002.

JUSTEN FILHO, Marçal. *Teoria Geral das Concessões de Serviço Público*. São Paulo: Dialética, 2003.

JUSTEN FILHO, Marçal. *Curso de Direito Administrativo*. São Paulo: Saraiva, 2005.

JUSTEN FILHO, Marçal. *O Estatuto da Microempresa e as Licitações Públicas*. São Paulo: Dialética, 2007.

JUSTEN FILHO, Marçal. *Comentários ao RDC*. São Paulo: Dialética, 2013.

JUSTEN FILHO, Marçal. *Estatuto Jurídico das Empresas Estatais* – Lei 13.303/2016 – "Lei das Estatais". São Paulo: RT, 2016.

JUSTEN FILHO, Marçal. *Comentários à Lei de Contratos de Publicidade da Administração Pública* – Lei nº 12.232/2010. Belo Horizonte: Fórum, 2020.

JUSTEN FILHO, Marçal. *Comentários à Lei de Licitações e Contratações Administrativas*. São Paulo: RT, 2021.

JUSTEN FILHO, Marçal; NASCIMENTO, Carlos Valder. *Emenda dos Precatórios:* Fundamentos de sua Inconstitucionalidade. Belo Horizonte: Fórum, 2010.

JUSTEN FILHO, Marçal; PEREIRA, Cesar Augusto Guimarães. *Infrastructure Law of Brazil* (ed.). Belo Horizonte: Fórum, 2010.

JUSTEN FILHO, Marçal; PEREIRA, Cesar Augusto Guimarães (coord.). *O Regime Diferenciado de Contratações Públicas (RDC)*: Comentários à Lei nº 12.462 e ao Decreto nº 7.581. Belo Horizonte: Fórum, 2012.

JUSTEN FILHO, Marçal; SCHWIND, Rafael Wallbach (coord.). *Parcerias Público-Privadas*: reflexões sobre os 10 anos da Lei 11.079/2004. São Paulo: RT, 2015.

JUSTEN FILHO, Marçal; ARNOLDO WALD, Arnoldo; PEREIRA, Cesar Augusto Guimarães (org.). *O Direito Administrativo na Atualidade*: estudos em homenagem ao centenário de Hely Lopes Meirelles (1917-2017). São Paulo: RT, 2017.

JUSTEN FILHO, Marçal et al. *Publicistas*: Direito Administrativo sob Tensão. vol. 1. Belo Horizonte: Fórum, 2022.

JUSTEN FILHO, Marçal et al. *Publicistas: Direito Administrativo sob Tensão*. vol. 2. Belo Horizonte: *Fórum*, 2023.

JUSTEN FILHO, Marçal et al. *Curso de Direito Administrativo em Ação*. Salvador: Juspodivm, 2024.

KONKEL JR., Nicolau. *Contribuições Sociais: Doutrina e Jurisprudência*. São Paulo: Quartier Latin, 2005.

LACOMBE, Américo Masset. Imposto sobre Produtos Industrializados. *Revista de Direito Tributário*, São Paulo, n. 27/28, p. 109-133, jan./jun. 1984.

LEITE, Eduardo de Oliveira. *Monografia Jurídica*. 7. ed. São Paulo: RT, 2006.

LIMA, Pérsio de Oliveira. Hipótese de Incidência do IPI. *Revista de Direito Tributário*, São Paulo, n. 7/8, p. 191-197, jan./jun. 1979.

MASINA, Gustavo. *ISSQN: Regra de Competência e Conflitos Tributários*. Porto Alegre: Livraria do Advogado, 2009.

MELO, Fábio Soares de. Impossibilidade de Exigência do Imposto sobre Produtos Industrializados (IPI) sobre as Importações de Produtos Industrializados – Apontamentos Principais. *In:* PEIXOTO, Marcelo Magalhães; MELO, Fábio Soares de (coord.). *IPI*: Questões Fundamentais. *São Paulo: MP*, 2008, p. 9-20.

MELO, José Eduardo Soares de. *O Imposto sobre Produtos Industrializados (IPI) na Constituição de 1988*. São Paulo: RT, 1991.

MELO, José Eduardo Soares de. *IPI*: Teoria e Prática. São Paulo: Malheiros, 2009.

NÁUFEL, José. *Novo Dicionário Jurídico Brasileiro*. 5. ed. vol. III. Rio de Janeiro: J. Konfino, 1969.

NEVES, Iêdo Batista. *Vocabulário Enciclopédico de Tecnologia Jurídica e de Brocardos Latinos*. vol. II. Rio de Janeiro: Forense, 1997.

NUNES, Pedro. *Dicionário de Tecnologia Jurídica*. 12. ed. Rio de Janeiro: Freitas Bastos, 1993.

OLIVEIRA, Júlio Maria de. *O Princípio da Legalidade e sua Aplicabilidade ao IPI e ao ICMS*. São Paulo: Quartier Latin, 2006.

PAULSEN, Leandro. Imposto sobre Produtos Industrializados. *In:* PAULSEN, Leandro; MELO, José Eduardo Soares de. *Impostos Federais, Estaduais e Municipais*. 6. ed. Porto Alegre: Livraria do Advogado, 2011, p. 82-132.

SILVA, De Plácido e. *Vocabulário Jurídico*. 3. ed. V. I e III. Rio de Janeiro: Forense, 1993.

TOLEDO, José Eduardo Tellini. *O Imposto sobre Produtos Industrializados*: Incidência Tributária e Princípios Constitucionais. São Paulo: Quartier Latin, 2006.

VALLE, Maurício Dalri Timm do. *Princípios Constitucionais e Regras-Matrizes de Incidência do Imposto sobre Produtos Industrializados – IPI*. São Paulo: Noeses, 2016.

VIEIRA, José Roberto. *A Regra-Matriz de Incidência do IPI*: Texto e Contexto. Curitiba: Juruá, 1993.

VIEIRA, José Roberto. Legalidade Tributária ou Lei da Selva: Sonho ou Pesadelo. *Revista de Direito Tributário*, São Paulo, Malheiros, nº 84, [2002?], p. 96-108.

VIEIRA, José Roberto. E, afinal, a Constituição cria tributos! *In:* TÔRRES, Heleno Taveira (coord.). *Teoria Geral da Obrigação Tributária*: Estudos em Homenagem ao Professor José Souto Maior Borges. São Paulo: Malheiros, 2005, p. 594-642.

VIEIRA, José Roberto. Crédito de IPI Relativo a Operações Anteriores Beneficiadas: Maiô Completo ou Completa Nudez? *In:* SANTI, Eurico Marcos Diniz de (coord.). *Curso de Especialização em Direito Tributário*: Estudos Analíticos em Homenagem a Paulo de Barros Carvalho. Rio de Janeiro: Forense, 2005, p. 709-740.

VIEIRA, José Roberto. Direitos fundamentais e reforma tributária: esse obscuro e ardiloso objeto do desejo. *In*: SANTI, Eurico Marcos Diniz de (coord.). *Tributação e Desenvolvimento*: Homenagem ao Professor Aires Barreto. São Paulo: Quartier Latin, 2011, p. 351-381.

VIEIRA, José Roberto. Milton Luiz Pereira: um homem que tinha pouco, mas que era muito! *In*: FREITAS, Vladimir Passos de (coord.). *Ministro Milton Luiz Pereira: Narrativas de Uma Trajetória Exemplar*. Brasília: Conselho da Justiça Federal, 2013, p. 28-30.

VIEIRA, José Roberto. Educação e imposto de renda das pessoas físicas: o rei está nu! *In*: PARISI, Fernanda Drummond; TÔRRES, Heleno Taveira; MELLO, José Eduardo Soares de (coord.). *Estudos de Direito Tributário em Homenagem ao Professor Roque Antonio Carrazza*. vol. 2. São Paulo: Malheiros, 2014, p. 148-215.

VIEIRA, José Roberto. Legalidade e norma de incidência: influxos democráticos no Direito Tributário. *In*: GRUPENMACHER, Betina Treiger (coord.). *Tributação: Democracia e Liberdade* – Em Homenagem à Ministra Denise Martins Arruda. São Paulo: Noeses, 2014, p. 925-963.

VIEIRA, José Roberto. O Princípio da Federação, Soares de Melo e uma Obra "Federal". *In*: MELO, Eduardo Soares de (org.). *Estudos de Direito Tributário*: Homenagem a José Eduardo Soares de Melo. V. I. S. Paulo: Malheiros, 2020, p. 79-112.

VIEIRA, José Roberto. Uma Cruzada de Souto Contra o Instinto de Rebanho: A Constituição Brasileira como Berço dos Tributos. *In*: BERNARDES, Flávio Couto; MATA, Juselder Cordeiro da; LOBATO, Valter de Souza (coord.). *ABRADT*: Estudos em Homenagem ao Professor José Souto Maior Borges. Belo Horizonte: Arraes, 2022, p. 491-519.

VIEIRA, José Roberto. Ciência feliz e educação em Souto Maior: Uma meditação menor sobre sua obra maior. *In*: ROSENBLATT, Paulo; OLIVEIRA, José André Wanderley Dantas de; LEAL, Virgínia de Carvalho; SANT'ANNA, Carlos Soares (coord.). *Direito Tributário: o legado de José Souto Maior Borges*. Belo Horizonte: Arraes, 2022, p. 129-157.

VIEIRA, José Roberto. Interpretação Jurídica e Linguagem: A moldura de Kelsen ou a resposta certa de Dworkin? *In*: CARVALHO, Paulo de Barros (coord.); SOUZA, Priscila de (org.). *As Conquistas Comunicacionais no Direito Tributário Atual*. São Paulo: Noeses e IBET, 2022, p. 837-883.

VIEIRA, José Roberto. Interpretação Jurídica e Linguagem: de Kelsen a Dworkin, um pouco do juiz Hércules e muito do jurista Davi. *In*: COSTA, Valterlei da; VALLE, Maurício Timm do (coord.). *Estudos Sobre a Teoria Pura do Direito*: Homenagem aos 60 Anos de Publicação da 2ª Edição da Obra de Hans Kelsen. São Paulo: Almedina, 2023, p. 285-335 (Universidade Católica de Brasília).

VIEIRA, José Roberto. Mestre Paulo de Barros Carvalho: um eterno aprendiz. *In*: GAMA, Tácio Lacerda (coord.). *Paulo de Barros Carvalho*: Educador, Jurista e Filósofo. Inédito.

XAVIER, Manoela Floret Silva. *IPI*: Imposto sobre Produtos Industrializados. Rio de Janeiro: Freitas Bastos, 2008.

VILLEGAS, Héctor B. Destinatário Legal Tributário: Contribuinte e Sujeitos Passivos na Obrigação Tributária. *Revista de Direito Público*, São Paulo, n. 30, p. 271-279, jul./ago. 1974.

VILLEGAS, Héctor B. *Curso de Finanzas, Derecho Financiero y Tributario*. 8. ed. Buenos Aires: Astrea, 2003.

WAGNER, José Carlos Graça. IPI. *In*: MARTINS, Ives Gandra da Silva (coord.). *Curso de Direito Tributário*. 3. ed. V. 2. Belém: CEJUP e CEEU, 1994.

WARAT, Luis Alberto. *O Direito e sua Linguagem*. Porto Alegre: Fabris, 1984.

2. Obras não jurídicas

ALVES, Fernando. *Dicionário de Estrangeirismos Correntes na Língua Portuguesa*. São Paulo: Atlas, 1998.

AQUINO, Renato. *Dicionário de Gramática*. Rio de Janeiro: Elsevier, 2008.

BAGNO, Marcos. *Gramática Pedagógica do Português Brasileiro*. São Paulo: Parábola, 2012.

BUTLER, Alban. *Vida dos Santos de Butler*. V. XI. Tradução: Attílio Brunetta. Petrópolis, RJ: Vozes, 1993.

CARVALHO, Nelly. *Empréstimos Linguísticos na Língua Portuguesa*. São Paulo: Cortez, 2009.

CAVALCANTE, Pedro Teixeira (org.). *Mensagens dos Santos*. São Paulo: Paulus, 2005.

CEGALLA, Domingos Paschoal. *Dicionário de Dificuldades da Língua Portuguesa*. 2. ed. Rio de Janeiro: Nova Fronteira, 1999.

COSTA, Francisco Alves da. *Dicionário de Estrangeirismos*. Lisboa: Domingos Barreira, 1990.

DELANEY, John J. *Dictionary of Saints*. New York: Doubleday, 2005.

FARACO, Carlos Alberto; TEZZA, Cristovão. *Oficina de Texto*. Petrópolis: Vozes, 2016.

FARMER, David Hugh. *The Oxford Dictionary of Saints*. 5. ed. Oxford: University of Oxford, 2004.

LUFT, Celso Pedro. *ABC da Língua Culta*. São Paulo: Globo, 2010.

MACHADO, José Pedro. *Estrangeirismos na Língua Portuguesa*. Lisboa: Notícias, 1994.

MACHADO, Vilma et al. *Manual de Normalização de Documentos Científicos de Acordo com as Normas da* ABNT. Curitiba: UFPR, 2022. Disponível em: https://hdl.handle.net/1884/73330. Acesso em: 19 ago. 2024.

MARTINS, Eduardo. *Com Todas as Letras*: O Português Simplificado. São Paulo: Moderna, 1999.

NIETZSCHE, Friedrich. *Assim falou Zaratustra:* Um livro para todos e para ninguém. 9. ed. Tradução: Mário da Silva. Rio de Janeiro: Bertrand Brasil, 1998.

NIETZSCHE, Friedrich. *Poesía Completa*. Edición y Traducción: Laureano Pérez Latorre. Madrid: Trotta, 1998.

NIETZSCHE, Friedrich. *Ecce Homo*: como alguém se torna o que é. Tradução: Paulo César de Souza. São Paulo: Companhia das Letras, 1999.

NIETZSCHE, Friedrich. *Além do Bem e do Mal:* Prelúdio a uma Filosofia do Futuro. 2. ed. Tradução: Paulo César de Souza. São Paulo: Companhia das Letras, 2000.

NIETZSCHE, Friedrich. *A Gaia Ciência*. Tradução: Paulo César de Souza. São Paulo: Companhia das Letras, 2001.

NIETZSCHE, Friedrich. *Aurora*: Reflexões sobre os Preconceitos Morais. Tradução: Paulo César de Souza. São Paulo: Companhia das Letras, 2004.

NIETZSCHE, Friedrich. *Fragmentos do Espólio*: Primavera de 1884 a Outono de 1885. Tradução: Flávio R. Kothe. Brasília: UnB, 2008.

RODRIGUES, Sérgio. *Viva a Língua Brasileira!* São Paulo: Companhia das Letras, 2016.

SCHAUBER, Vera; SCHINDLER, Hanns Michael. *Diccionario Ilustrado de los Santos*. Tradução: Luis Miralles de Imperial. Barcelona: Grijalbo Mondadori, 2001.

SGARBOSSA, Mario. *Os Santos e os Beatos da Igreja do Ocidente e do Oriente*. Tradução: Armando Braio Ara. São Paulo: Paulinas, 2003.

SOUZA, Antônio Cândido de Mello e. Posfácio. *In*: NIETZSCHE, Friedrich Wilhelm. *Obras Incompletas*, 2. ed. Tradução: Rubens Rodrigues Torres Filho. São Paulo: Abril Cultural, 1978, p. 409-416.

VIEIRA, José Roberto. Interpretação da Morte de Deus em Nietzsche. *ADECON – Revista da Faculdade Católica de Administração e Economia*, Curitiba, n. 2, p. 33-43, 1991.

Informação bibliográfica deste texto, conforme a NBR 6023:2018 da Associação Brasileira de Normas Técnicas (ABNT):

VIEIRA, José Roberto. A hipótese de incidência do IPI segundo Marçal Justen Filho: um jurista que domina o pequeno e mora nas alturas! *In*: JUSTEN, Monica Spezia; PEREIRA, Cesar; JUSTEN NETO, Marçal; JUSTEN, Lucas Spezia (coord.). *Uma visão humanista do Direito*: homenagem ao Professor Marçal Justen Filho. Belo Horizonte: Fórum, 2025. v. 2, p. 789-810. ISBN 978-65-5518-916-2.

SISTEMA AMBIENTAL-TRIBUTÁRIO E O CONTROLE DAS EMISSÕES DE CO_2

LEONARDO SPERB DE PAOLA

O Professor Marçal Justen Filho, a quem muito devo em minha formação acadêmica, é um jurista cujas notáveis contribuições se espraiam por diversos ramos do Direito: tributário,[1] comercial,[2] administrativo[3] e, mais recentemente, teoria geral do Direito.[4] Muito ainda virá, mas o que já produziu é suficiente para alçá-lo à condição de um dos mais prolíficos e profundos estudiosos do Direito de nossos tempos. Coisa cada vez mais rara neste mundo de especializações estanques entre si: ser plural em suas navegações pelo oceano jurídico, mas sempre tendo como estrela polar a Justiça e a Ética. Pagar tributo a ele é obrigação à qual um pupilo não se evade. E esse tributo é entregue sob a forma de reflexões acerca das potencialidades oferecidas pela reforma tributária para a tributação ambiental, especialmente no tocante à redução das emissões de CO_2.

1 O sistema ambiental-tributário na Constituição

A reforma tributária de 2023 definitivamente transformou a fiscalidade e, mais especialmente, a tributação em meio a serviço do meio ambiente. E a maior evidência disso consiste na inclusão da defesa do meio ambiente entre os princípios que regem o

---

[1] O Imposto sobre Serviços na Constituição, Revista dos Tribunais, 1985; Sujeição Passiva Tributária, CEJUP, 1986.
[2] Desconsideração da Personalidade Societária no Direito Brasileiro, Revista dos Tribunais, 1987.
[3] Curso de Direito Administrativo, cuja última edição, publicada pela editora Forense, é a 15ª; Comentários à Lei nº de Licitações e Contratações Administrativas (14.133/2021), cuja última edição, publicada pela editora Revista dos Tribunais, é a 2ª; Comentários à Lei nº de Licitações e Contratações Administrativas (8.666/1993), cuja última edição, publicada pela editora Revista dos Tribunais, é a 18ª; Teoria Geral das Concessões de Serviço Público, cuja última edição, publicada pela editora Dialética, é a 1ª; Reforma da Lei de Improbidade Administrativa, cuja última edição, publicada pela editora Forense, é a 1ª; O Direito das Agências Reguladoras Independentes, cuja última edição, publicada pela editora Dialética, é a 1ª.
[4] Introdução ao Estudo do Direito, Forense, 2021.

Sistema Tributário Nacional, lado a lado com justiça tributária, simplicidade, transparência e cooperação (art. 146, §3º). O que traz implicações para a totalidade do ordenamento tributário, podendo todos os tributos ser convocados a desempenhar papel nessa defesa. Suas irradiações são múltiplas, mas, é claro, há necessidade de sua ponderação com outros princípios, e não apenas os que se encontram perfilados no mesmo dispositivo. Mas não é só isso. Compreendendo as regras e os princípios preexistentes há muito na Constituição e os que foram recentemente acrescidos pela Emenda Constitucional nº 132, os preceitos normativos que expressamente conectam finanças públicas, tributação e meio ambiente são estes: incentivos fiscais regionais devem considerar, sempre que possível, critérios de sustentabilidade ambiental e redução das emissões de carbono (art. 43, §4º, incluído no texto constitucional pela EC nº 132, de 2023); competência atribuída à União para instituir impostos sobre produção, extração, comercialização ou importação de bens e serviços prejudiciais ao meio ambiente (art. 153, VIII, incluído pela EC nº 132); imunidade do imposto sobre transmissão causa mortis e doação – ITCMD nas doações destinadas a projetos socioambientais ou a mitigar efeitos das mudanças climáticas (art. 155, §1º, V, incluído pela EC nº 132); possibilidade de diferenciação de alíquota do imposto sobre propriedade de veículos automotores – IPVA em função do impacto ambiental (art. 155, §6º, II, com a redação dada pela EC nº 132); repasse aos Municípios de 1,25% (5% de 25%) do produto de arrecadação do novo imposto sobre bens e serviços – IBS, com base em indicadores de preservação ambiental (art. 158, §2º, III, incluído pela EC nº 132); prioridade, na aplicação de recursos do novo Fundo Nacional de Desenvolvimento Regional, pelos Estados e pelo Distrito Federal, aos projetos que prevejam ações de sustentabilidade ambiental e redução das emissões de carbono (art. 159-A, §2º, incluído pela EC nº 132); possibilidade de se dar tratamento diferenciado, conforme o impacto ambiental, aos produtos e serviços e a seus processos de elaboração e prestação (art. 170, VI); destinação de parte dos recursos arrecadados com a contribuição sobre intervenção no domínio econômico relativa a combustíveis ao financiamento de projetos ambientais relacionados com a indústria do petróleo e do gás (art. 177, §2º, "b"); dever do Poder Público, para assegurar a efetividade do direito ao meio ambiente ecologicamente equilibrado, de manter regime fiscal favorecido para os biocombustíveis e hidrogênio de baixa emissão de carbono (dito "verde") relativamente aos combustíveis fósseis (art. 225, §1º, VIII, com a redação dada pela EC nº 132). Daí não haver exagero em se falar em um sistema (ou subsistema) constitucional ambiental-tributário. Diz-se ambiental-tributário, e não tributário-ambiental, para denotar o papel de meio, de instrumento do tributo na defesa do meio ambiente. Como se vê, há vasto fundamento constitucional a partir do qual deverá ser construída uma estrutura tributária em defesa do meio ambiente.

Mas a concretização infraconstitucional do sistema ambiental-tributário não deveria repetir os vícios prevalecentes no sistema tributário vigente (e que, pelo andar das coisas, serão em grande parte mantidos na regulamentação de sua reforma): complexidade; multiplicidade de exceções e regimes especiais; irracionalidade econômica; intransparência; injustiça tributária. A mixórdia daí resultante merece o nome de sistema apenas em uma acepção bastante frouxa da palavra. As diretrizes a serem observadas na (re)construção desse sistema têm que ser outras: generalidade, simplicidade, efetividade. O que significa normas de largo espectro, sem ou com poucas exceções, e, no que diz respeito ao problema central enfrentado por este texto, tributação concentrada o mais a montante possível da cadeia que leva à emissão de CO_2 (extração-refino-distribuição-comercialização). Nesse quadro, a justiça tributária opera mais sob a forma de restituição de valores arrecadados a montante aos contribuintes de menor renda (vulgarmente conhecido como *cashback*) do que por meio de isenções, redutores de alíquotas e outros expedientes dos quais se usa e, principalmente, abusa.

2 A caixa de ferramentas da defesa do meio ambiente

Há múltiplos instrumentos jurídicos para limitar as emissões de CO_2, os quais podem ser classificados em dois grandes grupos: regulatórios e indutores. Os primeiros basicamente tratam de estabelecer, por meio de regras mandatórias, tetos à emissão, e toda a parafernália necessária a garantir seu cumprimento: autorizações, controles, fiscalização etc. Já os segundos buscam estimular, sem impor, um comportamento do agente econômico, por meio de bônus ou de ônus ou mesmo de ambos. E é aí que entram os tributos, bem como os mercados criados por lei (o que pode soar contradição em termos), caso do *cap-and-trade* da União Europeia (European Emission Trading System – ETS). Com eles, se estabelece um preço para o carbono (*carbon pricing*), ou seja, se transforma, ao menos em parte, a externalidade negativa, que é a emissão de CO_2,[5] em custo internalizado de produção do bem ou serviço oferecido no mercado pelo emissor de CO_2.[6] Em tese, esses mecanismos direcionam os agentes econômicos a buscar soluções tecnológicas que reduzam ou mitiguem emissões, até o limite em que seu custo não ultrapasse os ganhos com redução de tributos ou com aquisição de créditos de carbono. Mas a adoção de um desses instrumentos não é excludente à dos demais. Eles podem ser, e são, utilizados de forma coordenada, atingindo setores ou etapas distintas da cadeia extrativa-industrial-comercial. Assim, sem prescindir de limites setoriais absolutos à emissão de CO_2, a legislação pode estabelecer um tributo sobre o carbono e, criando sublimites, um mercado regulado de créditos de carbono. Exemplifica-se: a emissão acima do teto é simplesmente ilícita e dever ser duramente sancionada, e isso até com suspensão ou mesmo encerramento de atividades; a emissão abaixo do teto é permitida, mas está sujeita à incidência de tributo sobre o carbono emitido; a emissão abaixo do teto, mas acima do sublimite, além de sujeitar-se ao tributo, deve ainda ser compensada

---

[5] A ideia de externalidade negativa (e seu inverso) tornou-se corrente a partir da obra de A. C. Pigou, *The Economics of Welfare*, 4. ed., Macmillan, 1932, p. 183. Na explicação cristalina de Robert B. Cooter Jr. E Thomas Ulen: "The second source of market failure is the presence of what economists call externalities. Exchange inside a market is voluntary and mutually beneficial. Typically, the parties to exchange capture all the benefits and bear all the costs, thus having the best information about the desirability of the exchange. But sometimes the benefits of an Exchange may spill over tonto Other parties than those explicitly engaged in the Exchange. Moreover, the costs of the Exchange may also spill over onto other parties. The first instance is an example of an external benefit; the second, an external cost. An example of an external benefit is the pollination that a beekeeper provides to his neighbor who runs an apple orchard. An example of an external cost is air or water pollution" (*Law and Economics*, 6. ed., Pearson, 2014, p. 39). A legislação brasileira já adotou essas locuções: a Lei nº 14.902, de 27 de junho de 2024, em seu art. 9º, §2º, determina que as externalidades negativas ou positivas serão consideradas na metodologia para definição de alíquota de IPI sobre os veículos automotores.

[6] "O tributo serviria, assim, de mecanismo para internalizar os custos ambientais [...]" (SCHOUERI, Luís Eduardo. Normas Tributárias Indutoras em Matéria Ambiental. *In*: TÔRRES, Heleno Taveira (org.). *Direito Tributário Ambiental*. São Paulo: Malheiros, 2005).

mediante aquisição de créditos gerados pelos emissores abaixo do sublimite; e a emissão abaixo do sublimite (emissão "ótima") sujeita-se também ao tributo, mas gera créditos comercializáveis pelo emissor. Em suma: proibido (acima do limite); permitido não ótimo (abaixo do limite, mas acima do sublimite) = tributo + compra de créditos; permitido ótimo (abaixo do sublimite) = tributo (-) venda de créditos. Parece simples, mas a dificuldade reside na calibragem das faixas e dos correspondentes custos tributários e não tributários. Nem excesso nem frouxidão. Um inviabiliza a atividade econômica; o outro é deficiente no estímulo à redução de emissões, ao estabelecer sublimites muito altos e causar inundação de créditos no mercado, tornando economicamente desinteressante a redução de emissões.

Tributação e *cap-and-trade* são meios que apresentam similitudes e, até certo ponto, podem ser intercambiáveis, especialmente se aquela for acompanhada de incentivos fiscais aos contribuintes que adotarem medidas voltadas a reduzir emissões. No *cap-and-trade*, são outorgadas permissões (*allowances*) de emissão de CO_2 aos agentes econômicos, considerando determinado parâmetro setorial de emissão. Essas outorgas podem ser gratuitas ou onerosas. Os agentes que emitirem CO_2 aquém das outorgas de que são titulares podem negociar o excedente (créditos). Com quem? Com os agentes que ultrapassarem o seu limite de outorgas, os quais estão obrigados por lei a compensar esse excesso. Por qual preço? Aí entram os mecanismos de mercado: abundância de oferta de créditos relativamente à demanda implicará queda de preços; inversamente, a alta demanda frente à menor oferta levará ao aumento dos preços. É evidente, como dito, que essa relação oferta-demanda depende dos limites setoriais de emissão de CO_2 estipulados pela autoridade pública: se forem fixados num patamar muito elevado, que pode ser facilmente observado pela maioria dos agentes econômicos que operam no setor, o resultado, provavelmente, será excesso de oferta e queda de preços, hipótese na qual os agentes econômicos que ultrapassarem o limite terão mais interesse em adquirir créditos do que em reduzir suas emissões. Na hipótese contrária, de patamares baixos de emissão, a escassez de créditos os tornará caros e, assim, estimulará a adoção de medidas voltadas à redução de emissões pelos agentes que os ultrapassarem. Traduzindo isso na linguagem dos economistas, o agente econômico terá estímulo para reduzir as emissões enquanto o custo marginal dos investimentos a tanto necessários ficar aquém do custo marginal de aquisição dos créditos.[7] Assim, por exemplo, se o primeiro for de 10 milhões e o segundo, de 12 milhões, compensará o investimento na redução das emissões. Ideal, portanto, é que o mecanismo funcione de maneira a tornar desinteressante a aquisição de créditos por excesso de emissão face aos investimentos para reduzir esse excesso, já que o mercado é simples meio negocial a serviço de uma finalidade ambiental, que é a redução de emissões. A União Europeia adquiriu a experiência mais abrangente em torno desse sistema de precificação de emissões, mas foge ao propósito deste texto aprofundar o tema. Quanto ao Brasil, basta anotar que existe um regime específico de *cap-and-trade*

---

[7] "The tax rate for each unit of pollution is set equal to the estimated social costs created by that pollution; this distinguishes the tax from a fine intended to deter pollution in the usual manner of criminal sanctions. A firm subject to a pollution tax will compare its tax costs with the costs of buying pollution control equipment or reducing its output or otherwise trying to reduce pollution. If a net tax saving would be generated by one of these measures, the firm will adopt it; otherwise it will pay the tax and continue to pollute" (Richard Posner, *Economic Analysis of Law*, 9. ed, Aspen Casebook Series, p. 506).

mandatório para estimular o uso de biocombustíveis,[8] mercados voluntários, estando em discussão no Congresso um projeto mais abrangente.[9]

E usando-se tributação + incentivos fiscais para o mesmo propósito? Aí, o preço de emissão do CO_2 é o tributo fixado, preferencialmente, por unidade de medida: tantos reais por tonelada de CO_2 lançada na atmosfera. Cada agente econômico ponderará esse "preço" face aos investimentos necessários para reduzir a emissão. A autoridade reguladora pode então introduzir o estímulo financeiro sob a forma de incentivo fiscal: os agentes que ficarem aquém do patamar de emissões serão subvencionados com recursos gerados pela arrecadação do tributo sobre o excedente emitido pelos agentes que ultrapassarem o limite. Em tese, o excedente arrecadatório seria integralmente destinado aos agentes que operam abaixo do patamar de emissões. Mas, em se tratando de Brasil, sabe-se que a tentação do fisco em transformar os tributos extrafiscais em fonte de arrecadação é grande. Em todo caso, a questão-chave, novamente, é definir o limite do preço de emissão, ou seja, calibrar o estímulo/desestímulo aos agentes econômicos. A similitude com o *cap-and-trade* fica ainda mais patente no caso em que as outorgas de permissões forem inicialmente vendidas pelo poder público aos agentes econômicos. A grande diferença é que, no caso de tributação + incentivos fiscais, os preços estão dados pelo poder público.

Qual deles, então? Ambos, sem dúvida, podem induzir os agentes econômicos a reduzir emissões de CO_2. Em um, em que a intervenção do poder público é mais limitada, os preços de créditos oscilam de acordo com as interações entre oferta e demanda no mercado; no outro, o fisco opera fixando os preços e atuando como um intermediário entre os agentes. Nas duas hipóteses, o valor recebido pelos agentes que ficarem aquém dos limites dependerá da quantidade de CO_2 emitida em excesso pelos agentes que os ultrapassarem. Uma diferença relevante é que, no *cap-and-trade*, o preço é um sinal que responde de imediato às interações entre oferta e demanda, se, bem entendido, o mercado operar próximo das condições de concorrência perfeita. Já via tributação, ajustes no tributo – por exemplo, um aumento no valor por unidade de medida, caso este se revele pouco estimulante/desestimulante – dependem de atos legais, os quais se sujeitam a requisitos formais e temporais. A escolha entre um e outro acaba sendo influenciada por fatores diversos, tais como as instituições de mercado existentes, sua transparência e funcionalidade, bem como a ideologia pró ou contra mercado prevalecente na sociedade.[10] Assim, não há uma resposta única, salvo para os que foram capturados por Cila (culto à sapiência do Poder Público), ou Caríbdis (reverência à mão invisível do mercado). Neste texto, sem fechar questão, será explorada a trilha tributária.

---

[8] Lei nº 13.576, de 26 de dezembro de 2017, que criou o Crédito de Descarbonização – CBIO, que será emitido em quantidade proporcional ao volume de biocombustível produzido, importado e comercializado. O CBIO deverá ser adquirido pelos distribuidores de combustíveis para atendimento à meta individual de redução de emissões de gases causadores do efeito estufa para a comercialização de combustíveis.

[9] Projeto de Lei nº 412/2022.

[10] Aspectos relacionados ao comportamento estratégico dos agentes econômicos podem, por exemplo, fazer pender a balança em prol da taxação: "The likely strategic behavior by agents on markets of pollution rights makes taxation of externalities the most common policy tool. The polluter must then pay for each unit of a polluting activity a tax which equals the marginal cost imposed by this activity on the other agents" (EATWELL, John; MILGATE, Murray; NEWMAN, Peter (ed.). *The New Palgrave* – A Dictionary of Economics, Palgrave Publishers, 2004, vol. 2, p. 264).

Mas, antes de prosseguir, vale mencionar que, na adoção combinada ou alternativa desses instrumentos, deve lançar-se mão, ao lado da abordagem jurídica, da perspectiva econômica do Direito (conhecida como *law and economics*), pela qual regras jurídicas são consideradas não dogmaticamente (dever ser), mas sim como incentivos ou desincentivos à conduta de um agente maximizador de utilidades, que, ponderando custos e benefícios, pode "escolher" entre sofrer uma penalidade ou cumprir a regra precificada pela penalidade. Sob essa ótica, uma sanção (uma multa pecuniária, por exemplo) é traduzida como um custo. Aqui entra a conhecida, e péssima, expressão "poluidor-pagador", ou seja, o agente que adquire o "direito" de poluir ou causar outros danos ambientais mediante o pagamento de multas e outros quase preços. A análise econômica tem duas abordagens: a positiva e a normativa. A positiva busca descrever e compreender o comportamento efetivo dos agentes econômicos e dos operadores jurídicos, especialmente as cortes, a partir de suas reações às regras jurídicas postas, tanto as gerais e abstratas, como as individuais e concretas. Por sua vez, a normativa visa propor políticas públicas e regras que melhor considerem e melhor proporcionem a maximização das utilidades. O presente texto não comporta aprofundamento dessa vertente. Basta aqui dizer que a premissa da pura maximização de utilidades – também chamada escolha racional – tem sido submetida a ajustes pela escola da economia comportamental (*behavioral economics*), a qual considera desvios "irracionais" típicos passíveis de generalização (*bias*) na análise da conduta dos agentes econômicos. Daí o surgimento da *behavioral law and economics*,[11] e a realização de estudos sobre tributação sob esta ótica.[12] Fato é que, com essa maior aproximação à realidade comportamental dos agentes econômicos, em que se mesclam motivos utilitários "racionais" e "irracionalidades" previsíveis (*bias*), a análise econômica se torna instrumento necessário, mas, bem entendido, não suficiente, à modelagem de políticas públicas, o que compreende as que se valem do tributo para funções extrafiscais. E é indispensável para atender à exigência, estipulada pela Lei nº 13.874, de 20 de setembro de 2019, de que a edição de atos normativos infralegais de interesse de agentes econômicos e de usuários de serviços seja precedida de análise de impacto regulatório.[13] Também nesse sentido, regra veiculada na Lei nº 13.848, de 25 de junho de 2019, diploma que dispõe sobre a gestão, a organização, o processo decisório e o controle social das agências reguladoras.[14] E não só aí: no próprio cerne da atividade do juiz, a interpretação e aplicação das normas, passou-se a exigir, com as regras introduzidas pela

---

[11] Compendiando as principais contribuições dessa vertente, a obra de Eyal Zamir e Doron Teichman, *Behavioral Law and Economics*, Oxford University Press, 2018.

[12] "The upshot of the behavioral studies described above is that people's reaction to taxes –including their economic decision-making, tax compliance, and propensity to appeal tax liability – depends not only on the net monetary effect of the tax, but also on its framing, salience, perceived fairness, perceived behavior of other people, and so forth. Most important, the behavioral studies point to the strong effect of tax salience on people's behavior" (Eyal Zamir e Doron Teichman, *Behavioral Law and Economics*, p. 478).

[13] Art. 5º As propostas de edição e de alteração de atos normativos de interesse geral de agentes econômicos ou de usuários dos serviços prestados, editadas por órgão ou entidade da administração pública federal, incluídas as autarquias e as fundações públicas, serão precedidas da realização de análise de impacto regulatório, que conterá informações e dados sobre os possíveis efeitos do ato normativo para verificar a razoabilidade do seu impacto econômico.

[14] Art. 6º A adoção e as propostas de alteração de atos normativos de interesse geral dos agentes econômicos, consumidores ou usuários dos serviços prestados serão, nos termos de regulamento, precedidas da realização de Análise de Impacto Regulatório (AIR), que conterá informações e dados sobre os possíveis efeitos do ato normativo.

Lei nº 13.655, de 25 de abril de 2018, a consideração das "consequências *práticas*" das decisões por ele proferidas com base em valores jurídicos abstratos,[15] o que, sem dúvida, abre a porta para o uso, com esse desiderato, dos instrumentos do *law and economics*. Mas tão equivocado quanto sobrevalorizá-los seria negligenciá-los.

3 Tributação das emissões de CO_2

Diz-se que um tributo tem finalidade extrafiscal quando sua função ou finalidade precípua não é gerar receitas para o Estado e sim auxiliar na consecução de políticas públicas, induzindo o agente, econômico ou não, a adotar determinada conduta visada por essas políticas, quer essa conduta seja uma ação, quer uma omissão.[16] É o que sucede especialmente com o imposto sobre operações financeiras, com o imposto de importação, com o imposto de exportação e, como o próprio nome já indica, com as contribuições de intervenção no domínio econômico. Em alguns casos, o objetivo é estimular o comportamento almejado, e aí a alíquota do tributo é reduzida a zero; em outros, desestimular, o que leva a alíquotas elevadas. Nos tributos sobre o consumo, o comportamento a ser influenciado é das partes envolvidas na transação do bem ou serviço. Conforme a política pública em questão, o objetivo pode ser aumentar ou reduzir o consumo do bem ou serviço, com ou sem substituição desse bem ou serviço por outro. A eficiência dessa política depende, é claro, do grau de elasticidade da demanda pelo bem ou serviço.[17] Se for alta, mesmo pequenas alterações de alíquota podem gerar grandes impactos nos padrões de consumo, especialmente se houver facilidade na substituição por bens ou serviços equivalentes (gasolina por etanol, por exemplo). Já se for baixa, será preciso estabelecer alíquotas maiores, e mesmo assim sem garantia de redução significativa no consumo do produto (caso das bebidas alcoólicas), e ainda sob o risco de evasão fiscal, contrabando e outras condutas delitivas. Será necessário dizer que isso não significa atribuir função sancionatória ao tributo? Não se trata de punir uma atividade ilícita,[18] mas de direcionar uma atividade que, conquanto lícita, pode trazer impactos negativos para a própria pessoa (para evitar, por exemplo, o consumo excessivo de bebidas alcoólicas), para a comunidade (o já referido custo social) ou para o meio ambiente. O tributo, ainda que pesado, não equivale juridicamente a uma penalidade pecuniária, embora, sob a ótica econômica, exerça uma função similar, a de coibir, com maior ou menor eficácia, o comportamento indesejado.

---

[15] Art. 20. Nas esferas administrativa, controladora e judicial, não se decidirá com base em valores jurídicos abstratos sem que sejam consideradas as consequências práticas da decisão.
Parágrafo único. A motivação demonstrará a necessidade e a adequação da medida imposta ou da invalidação de ato, contrato, ajuste, processo ou norma administrativa, inclusive em face das possíveis alternativas.

[16] Neutralidade tributária, conforme bem esclarece Luís Eduardo Schoueri, não significa a não interferência do tributo sobre a economia, o que é praticamente impossível de não ocorrer, dado o chamado peso morto dos tributos (transações econômicas que deixam de ocorrer em razão do aumento nos preços dos bens e serviços resultante do custo tributário neles embutidos); significa, sim, neutralidade em relação à livre concorrência, ou seja, em princípio, o tributo, ou a falta dele, não pode auxiliar alguns dos agentes econômicos em determinado mercado em detrimento de outros (*Curso de Direito Tributário*, 12. ed., Saraiva, 2022, p. 824).

[17] O quanto o aumento de preço reduzirá a demanda por determinado bem e serviço: quanto maior a redução, maior a elasticidade, e vice-versa.

[18] Função expressamente afastada pelo art. 3º do CTN na definição do que seja tributo.

Mas, ainda que tenha finalidade extrafiscal, o tributo, salvo nos casos expressamente excepcionados pela Constituição, não escapa aos princípios e regras que formam o Sistema Constitucional Tributário. Uma dessas exceções diz respeito ao princípio da anterioridade, uma vez que, justamente em razão da necessidade de respostas rápidas a mudanças em conjunturas econômicas, não faria sentido submeter imposto sobre operações financeiras, imposto sobre importação e imposto sobre exportação a um lapso temporal que poderia tornar a resposta do Poder Público lenta, ineficiente e até inócua. No que diz respeito à legalidade, sucede o mesmo: o trâmite legislativo para a alteração de uma alíquota não atende à celeridade imposta, por exemplo, pela política cambial. Quanto aos princípios que não foram excepcionados, coloca-se, quando operarem como mandamentos de otimização e não como regras em sentido estrito, a necessidade de ponderá-los com os bens que a extrafiscalidade busca proteger. A justiça tributária, princípio que ganhou expressa formulação constitucional com a EC nº 132, embora já se encontrasse abrigada em outros princípios, como o da isonomia e o da capacidade contributiva, pode ser afetada pela extrafiscalidade. Basta pensar na incidência de tributos sobre o consumo de combustíveis em alíquotas altas, que pesam desproporcionalmente sobre a população de menor renda. Neste caso, a concordância prática pode-se dar sob a forma de restituição de parte do tributo arrecadado a esses contribuintes (o popular *cashback*). O mesmo vale para a capacidade contributiva. E quanto à vedação ao confisco? Um tributo sobre o consumo com alíquotas muito altas, em alguns casos superiores a 50% e até mesmo a 100% do preço do bem ou serviço, poderia ser considerado confiscatório? O não confisco aplica-se especialmente aos tributos sobre o patrimônio e a renda, bases que, indiretamente, são afetadas pela tributação sobre o consumo. Ainda assim, e mesmo considerando o efeito cumulativo de tributos sobre o consumo sobre um mesmo bem (IPI + ICMS + PIS + COFINS, por exemplo), é bastante problemática a aplicação do princípio em questão sobre esses tributos. Resta ainda falar do impacto da extrafiscalidade sobre a livre-iniciativa e sobre o livre exercício das atividades econômicas, princípios da ordem econômica (art. 170, *caput* e parágrafo único). Sem dúvida, a elevada carga tributária pode tolher o exercício de atividades econômicas lícitas, especialmente nas situações de maior elasticidade de preço, ou seja, naquelas em que o aumento de preço causado pelo tributo reduz significativamente a demanda por determinado bem ou serviço, o que, no limite, pode inviabilizar a atividade econômica em questão. Por outro lado, o fato da atividade, conquanto lícita, gerar externalidade negativas elevadas justifica, sim, que estas sejam incorporadas ao preço do bem ou serviço sob a forma de tributos, e isso mesmo ao ponto de reduzir drasticamente a sua demanda, mas não de eliminá-la,[19] o que implica adequada calibragem da alíquota aplicável. De resto, ao listar a defesa do meio ambiente como um dos princípios fundamentais da ordem econômica, a Constituição expressamente autorizou o "tratamento diferenciado conforme o impacto ambiental dos produtos e serviços e de seus processos de elaboração e prestação" (art. 170, VI, com a redação dada pela EC nº 42, de 19.12.2003), o que certamente compreende a tributação diferenciada.

---

[19] É famosa a afirmação do Chief Justice Marshall, em McCulloch v. Maryland: "the power to tax involves the power to destroy". E igualmente célebre a sua refutação pelo Justice Holmes, em Panhandle Oil Co v. Know: "the power to tax is not the power to destroy while this Court sits".

A extrafiscalidade voltada à proteção do meio ambiente pode ser adotada principalmente em tributos sobre o patrimônio e em tributos sobre o consumo, com menor impacto, salvo sob a forma de incentivos fiscais, em tributos sobre a renda. No caso do patrimônio, imposto territorial rural, imposto sobre a propriedade territorial urbana e imposto sobre a propriedade de veículos automotores podem ser funcionalizados a essa proteção. Mas é em relação aos tributos sobre o consumo que ela mostra o maior potencial, especialmente a partir da inclusão, pela EC nº 132, da proteção ao meio ambiente como um dos princípios retores do Sistema Constitucional Tributário (art. 145, §3º), pois as últimas décadas de evolução do constitucionalismo brasileiro evidenciaram o poder de irradiação de direitos e deveres a partir de princípios gerais, que antes eram tratados como meras declarações de intenção. Porém, isso não significa, dada a alta carga tributária já existente, que seja admissível um aumento generalizado de tributos com justificativa ambiental. Mais indicado é selecionar alguns poucos tributos para essa finalidade.

No contexto da extrafiscalidade ambiental, importa aqui destacar o uso do tributo para conter, reduzir ou, pelo menos, precificar a emissão de CO_2, o chamado *carbon tax*. Trata-se, com isso, de, via tributação, trazer, ainda que parcialmente, para dentro do preço dos bens e serviços (internalizar) a maior de todas as externalidades negativas, que é o aquecimento global e seus efeitos devastadores sobre o meio ambiente e a civilização. Desnecessário dizer que esse tema tem gerado debates também acalorados, dos quais, no espaço exíguo deste texto, não cabe tratar. Como modelar esse tributo? Uma alternativa seria mensurar a pegada de carbono de cada atividade econômica e aplicar-lhe uma carga tributária correspondente ao efeito gerado no meio ambiente. É fácil imaginar a complexidade disso e as intermináveis controvérsias daí resultantes. Algo bem mais factível é, partindo da simples constatação que cada tonelada de CO_2 emitida na atmosfera contribui exatamente da mesma maneira para o efeito estufa, tributar o mais possível a etapa de extração da matéria-prima dessa emissão, que são os combustíveis fósseis. Ou seja, tributar, de forma monofásica, apenas a nascente do rio de emissões, ou, se a nascente se encontrar no exterior, a importação. Assim, o custo da emissão será internalizado via preço e transmitido ao longo da cadeia de transformação-comércio-consumo. É claro que isso impactará os mais diversos bens e serviços, inclusive os de primeira necessidade. Por isso, para atender a justiça tributária e a capacidade contributiva, deve ser instituído junto com o imposto um meio de restituição parcial do valor arcado pela população de baixa renda, a partir de uma presunção de consumo médio. Afora isso, como o imposto estará embutido no preço já na etapa inicial da cadeia, a diminuição da carga tributária nas etapas seguintes só poderá vir da redução de emissões pelos agentes econômicos e consumidores, e, para tanto, além da própria economia tributária que vem com essa redução, serão úteis incentivos voltados à substituição pelos agentes econômicos e consumidores de equipamentos e máquinas intensivos no uso da matriz poluidora por outros menos prejudiciais ao meio ambiente.

Quanto à fixação da alíquota desse tributo, o ideal é que ela seja feita por unidade de medida: tantos reais por tonelada de CO_2 lançada na atmosfera, considerando, é claro, a emissão gerada por tipo e quantidade de combustível, e, em seguida, chegando-se a um valor a ser multiplicado por unidade de medida do combustível em questão. A maior dificuldade reside em apurar o custo socioambiental de cada tonelada de CO_2, até porque esse custo se dissemina e se faz sentir por todo o globo: o CO_2 emitido nos EUA contribuiu parcialmente para as chuvas e enchentes no Rio Grande do Sul em

2023.[20] Além disso, é improvável, tanto política como economicamente, absorver no tributo a totalidade do custo socioambiental das emissões. E, já se viu, seria também necessário, na sua fixação, ponderar o princípio tributário da defesa do meio ambiente com outros princípios tanto tributários como não tributários. Também seria recomendável que, a partir de um mínimo necessário à parcial cobertura do custo socioambiental das emissões, fosse possível efetuar ajustes anticíclicos na alíquota, cujo propósito principal seria impedir que os combustíveis fósseis baixassem aquém de certo patamar de preços, ganhando maior competitividade com fontes limpas de geração de energia. Afinal, o objetivo de tudo isso não é arrecadar, mas induzir os agentes a reduzir o uso de combustíveis fósseis, substituindo-os gradualmente por fontes renováveis, inclusive biocombustíveis (como é o caso do etanol e do biodiesel). Já o que fazer com o produto da arrecadação desse tributo é assunto para mais adiante, mas se pode antecipar que idealmente ele deveria ser utilizado, mimetizando a economia circular, para estimular a substituição dos combustíveis fósseis por outras fontes de baixa emissão: toda receita tributária seria usada como "combustível", via incentivos, para a adoção de matrizes mais limpas, o que inclusive tornaria política e socialmente mais aceitável o aumento de carga tributária.[21]

Essas, as ideias gerais que devem ser testadas e ajustadas à positividade de nosso Sistema Tributário, do que nos ocupamos a seguir ao identificar os tributos que melhor se afeiçoam ao perfil aqui traçado.

3.1 Novo imposto seletivo sobre bens e serviços prejudiciais à saúde e ao meio ambiente

No âmbito da reforma tributária aprovada em 2023, foi outorgada à União a competência para "instituir impostos sobre produção, extração, comercialização ou importação de bens e serviços prejudiciais à saúde ou ao meio ambiente" (art. 153, VIII, incluído pela EC nº 132). A extrafiscalidade desse tributo está inscrita no seu núcleo: proteção dos bens constitucionais saúde e meio ambiente. E isso alcança as emissões de CO_2, a ambos nocivas. Assim, não há como duvidar que dentro dessa materialidade se encaixa a produção, extração, comercialização ou importação de combustíveis fósseis. Daí a importância de discorrer brevemente sobre a feição constitucional desse imposto. Consoante dispõe o §6º do art. 153, o imposto seletivo não incidirá sobre as exportações nem sobre as operações com energia elétrica e com telecomunicações; incidirá uma única vez sobre o bem ou serviço; não integrará sua própria base de cálculo; integrará a base de cálculo do ICMS, do ISSQN, do novo imposto sobre bens e serviços – IBS e da nova contribuição sobre bens e serviços – CBS; poderá ter o mesmo fato gerador e base

---

[20] O que já traz consigo a ideia de que, caso fosse instituído um tributo também global, ainda que criado nacionalmente por todos os países, parte do produto da arrecadação dele fosse direcionada para um fundo igualmente global voltada à reparação dos danos causados por eventos climáticos (secas, chuvas, furacões), bem como à adaptação climática.

[21] "Often, the activity being taxed and the use made with the tax revenues are closely related. For instance, revenues raised from taxing pollutants are frequently used for environmental purposes, and not for other popular projects such as education. Experimental and observational studies have shown that such alignment does indeed increase public support for taxes" (Eyal Zamir e Doron Teichman, Behavioral Law and Economics, p. 469).

de cálculo de outros tributos; terá suas alíquotas fixadas em lei ordinária, podendo ser específicas, por unidade de medida adotada, ou *ad valorem*; e, na extração, será cobrado independentemente da destinação (incidirá, portanto, sobre a exportação), caso em que a alíquota máxima corresponderá a 1% (um por cento) do valor de mercado do produto. Salta aos olhos que, apesar de sua extrafiscalidade, não foi prevista a possibilidade de alteração de sua alíquota por ato do Poder Executivo, tal como se dá em relação a imposto de importação, imposto de exportação, IPI e IOF (art. 153, §1º); e tampouco foi-lhe excepcionada a aplicação do princípio da anterioridade, o que sucede em relação ao IOF, imposto de exportação, imposto de importação (art. 150, §1º). Ora, justamente essas duas exceções são de grande importância para dar agilidade nos ajustes conjunturais dos tributos com função extrafiscal. No caso de um tributo sobre emissões, permitiriam, por exemplo, uma intervenção contracíclica do Poder Público, evitando, por exemplo, que, por razões de mercado, os combustíveis fósseis ficassem abaixo de determinado patamar, em detrimento dos biocombustíveis. Ausente também regra expressa destinando o uso dos recursos arrecadados para despesas voltadas à proteção à saúde e ao meio ambiente, à míngua da qual se aplica a vedação contida no art. 167, IV, da Constituição.

O novo imposto "incidirá uma única vez sobre o bem ou serviço" (art. 153, §6º, II), ou seja, será monofásico. Tome-se o caso do petróleo cru e de seus diversos derivados obtidos no processo de refino. Se optar-se por tributar aquele na extração, restará ainda, *v.g.*, a possibilidade de incidência do imposto, na etapa de distribuição, sobre a gasolina obtida a partir de seu refino? Para esse efeito, o derivado é o mesmo bem do qual derivou? Parece-nos que as transformações pelas quais passa o bem original, ainda que levem ao seu enquadramento em outro código da NCM, não abrem caminho para nova incidência, sob pena de se transformar o imposto monofásico em plurifásico e, pior, cumulativo, já que o perfil constitucional desse tributo não acolheu a não cumulatividade. Assim, escolhida a etapa de extração do bem para fins de incidência do imposto seletivo, não caberá a incidência em outras etapas nas quais este sofra transformação.

A alíquota poderá ser fixada por unidade de medida (tantos reais por m³ de combustível, por exemplo) ou *ad valorem* (art. 153, §6º, VI), estando já predefinido que, se a incidência ocorrer na extração, a alíquota máxima corresponderá a 1% (um por cento) do valor de mercado do produto (art. 153, §6º, VII), o que em princípio já afasta a possibilidade de tributar a extração por unidade de medida, uma vez que esta não acompanha automaticamente as oscilações de preço do bem. Justamente tendo em vista esse limitador, melhor será que a incidência monofásica ocorra na fase de distribuição do derivado do bem extraído.

A regulamentação do imposto seletivo por lei complementar é veiculada pelos arts. 406 a 437 do projeto de lei complementar PLP nº 68/2023, o qual, ao tempo em que estas linhas foram escritas, tendo sido aprovado na Câmara dos Deputados, encontra-se no Senado. Nele, prevê-se a tributação de "bens minerais" (art. 406, §1º, VI), assim entendidos: carvão mineral, minérios de ferro, óleos brutos de petróleo, gás natural liquefeito e gás natural gasoso (conforme anexo XVII do projeto). *Assim, não haverá incidência sobre os derivados do petróleo.* Fato gerador poderá ser: a primeira comercialização do bem (art. 410, I); a transferência não onerosa do bem mineral extraído ou do bem produzido (art. 410, III); a exportação do bem mineral extraído (art. 410, V); ou o consumo do bem pelo produtor-extrativista ou fabricante (art. 410, VI). Conforme o fato gerador escolhido, a base de cálculo será: o valor de venda na comercialização (art. 412, I); o valor de referência (presumido, cuja metodologia será estabelecida por ato do Poder Executivo) na transação não onerosa, no consumo do bem ou na exportação do bem mineral (art. 412, III). Isso, é claro, nas hipóteses em que, na lei ordinária, não se opte pela tributação por unidade de medida (art. 412, §1º). As alíquotas serão estabelecidas por lei ordinária, ficando estabelecido que as aplicáveis a veículos automotores serão graduadas de acordo com vários critérios, dentre os quais vale destacar: eficiência energética; reciclabilidade de materiais; pegada de carbono; emissão de dióxido de carbono; e reciclabilidade veicular (art. 417, parágrafo único). Já a alíquota aplicável às operações com bens minerais *extraídos observará o percentual máximo de 0,25% (vinte e cinco centésimos por cento)* (art. 419, §2º), o que restringe significativamente o potencial arrecadatório do imposto. De tudo isso fica claro que, a se manter o texto do projeto, especialmente no tocante ao fato gerador e alíquotas, o imposto seletivo terá nenhum ou mínimo efeito sobre as emissões de CO_2.

3.2 Contribuição de intervenção no domínio econômico

Outro tributo que, relativamente à emissão de CO_2, exerce função extrafiscal é a contribuição de intervenção no domínio econômico – CIDE,[22] que tem assento nos arts. 149 c/c 177, §4º, do Texto Constitucional, os quais autorizam a criação pela União Federal de contribuição de intervenção no domínio econômico relativa às atividades de importação ou comercialização de petróleo e seus derivados, gás natural e seus derivados e álcool combustível. O perfil constitucional desse tributo, traçado pelo §4º do art. 177, o torna adequado a essa finalidade. Sua alíquota, passível de diferenciação por produto ou uso, pode ser, uma vez estabelecido o teto por lei, reduzida ou restabelecida por ato do Poder Executivo, não se sujeitando ao princípio da anterioridade de exercício, mas mantida a submissão à noventena. Os recursos arrecadados serão destinados: ao pagamento de subsídios a preços ou transporte de álcool combustível, gás natural e seus derivados e derivados de petróleo; *ao financiamento de projetos ambientais relacionados com a indústria do petróleo e do gás*; ao financiamento de programas de infraestrutura de transportes; e ao pagamento de subsídios a tarifas de transporte público coletivo de passageiros. A extrafiscalidade não se limita ao nome do tributo, mas à flexibilidade de seu manuseio na consecução de políticas públicas e na destinação dos recursos arrecadados.

No âmbito infraconstitucional, o tributo foi criado pela Lei nº 10.336, de 19.12.2001. Seu fato gerador é a importação e comercialização no mercado interno de: gasolina e suas correntes; diesel e suas correntes; querosene de aviação e outros querosenes; óleos combustíveis; gás liquefeito de petróleo, inclusive o derivado de gás natural e de nafta; e álcool etílico combustível (art. 3º). Sua alíquota máxima é estabelecida por unidade de medida, com nítida diferença entre a carga tributária dos combustíveis fósseis e a dos

---

[22] Já bem destacada por Heleno Taveira Tôrres em sua contribuição, sob o título CIDE e Defesa do Meio Ambiente, para a obra coletiva Direito Tributário Ambiental, organizador Heleno Taveira Tôrres, Malheiros, 2005, na qual conclui que "[...] a Contribuição de Intervenção no Domínio Econômico será sempre um excelente instrumento para a ação legislativa da União no domínio das questões ambientais" (p. 149).

biocombustíveis,[23] podendo ser, tal como previsto na Constituição, reduzida ou restabelecida por ato do Poder Executivo, sem necessidade de observância da anterioridade de exercício.

Estaria a CIDE cumprindo sua função extrafiscal? A julgar pelos seus efeitos sobre a emissão de CO_2, a resposta é um retumbante não. Chama aliás a atenção que as suas alíquotas máximas por unidade de medida foram atualizadas pela última vez em 30 de dezembro de 2002 pela Lei nº 10.636 daquele ano. Desde então, passaram-se quase 22 anos, com uma inflação, nesse período, de 252,82%.[24] A que se deve esse desinteresse da União no tributo? Provavelmente ao fato de que, nos termos do art. 159, III, da Constituição, parte de sua arrecadação (29%) é compartilhada com os Estados e o Distrito Federal. Diante disso, fica claro que também a CIDE desempenha na prática um papel menor no controle de emissões: o grosso da tributação dos combustíveis fósseis passa pela incidência de PIS, COFINS e ICMS, cujas alíquotas somadas, aí sim, representam um impacto significativo sobre eles.

4 Incentivos fiscais

Até agora se tratou do desincentivo às emissões via tributação. Cabe agora falar do "avesso" do tributo, dos incentivos fiscais à redução das emissões.

Mas, antes, é preciso reconhecer o problema da "emissão" em excesso de incentivos fiscais no país. A crítica ao desperdício de gastos tributários[25] torna-se cada vez mais sonora e estridente. A Receita Federal do Brasil divulga relatórios voltados a mostrar o que julga serem excessos na concessão de benefícios fiscais. Para tanto, se vale da imprecisão do termo, que cobre um universo de institutos tributários díspares, tais como imunidades, isenções, regimes tributários diferenciados (caso do Simples Nacional e da contribuição previdenciária sobre a receita bruta), alíquotas diferenciadas (aí incluída a alíquota zero), componentes da base de cálculo (créditos, despesas, deduções, depreciações), entre os mais notórios. Intencionalmente embarralha o que é incentivo e o que é parte da regra matriz, da estrutura do tributo. De todo modo, é inegável a importância de trazer à luz e ao debate a questão, sendo muito necessária a transparência dessa modalidade de gasto público.[26] Pois, exageros à parte, o fato é que existem muitas distorções e irracionalidades econômicas na criação e na outorga de incentivos, tanto por força da assim denominada guerra fiscal entre os entes federativos, como em virtude da ação dos grupos de interesse: criar um incentivo é criar, ou reforçar, um grupo de interesse que, em alguns casos, somente existirá para sua perpetuação. O fato é que a multiplicação de exceções à regra matriz de tributação aumenta a complexidade do

---

[23] Nesse sentido, comparem-se as alíquotas de gasolina, diesel e etanol previstas no art. 5º do texto legal: gasolina, R$ 860,00 por m³; diesel, R$ 390,00 por m³; álcool etílico combustível, R$ 37,20 por m³.

[24] Considerando a variação do IPCA-E entre dezembro de 2022 e junho de 2024.

[25] Tradução de *tax expenditures*.

[26] Nesse sentido, a Medida Provisória nº 1.227, de 4 de junho de 2024, em boa hora, tratou de estabelecer a obrigatoriedade de apresentação da Declaração de Incentivos, Renúncias, Benefícios e Imunidades de Natureza Tributária – DIRBI, com base na qual a Receita Federal do Brasil editou a Instrução Normativa nº 2.198/2024. A Receita Federal também disponibiliza informações sobre incentivos gozados pelas empresas no portal https://portaldatransparencia.gov.br/renuncias.

sistema tributário, e, dada a crescente rigidez das despesas públicas, impõe medidas compensatórias do lado das receitas tributárias, como o aumento de alíquotas "gerais", sem as quais o "cobertor fica curto". Porém, não é propósito deste texto desenvolver, além destas breves notas, uma "teoria crítica dos incentivos fiscais".

Para os propósitos deste texto, os incentivos fiscais podem ser sumariamente classificados em: nacionais ou regionais (ZFM); gerais ou setoriais; voltados mais diretamente ao crescimento econômico ou ao desenvolvimento socioambiental (incentivos à cultura, esporte, educação, preservação do meio ambiente). E algumas dessas modalidades de incentivos têm-se prestado mais à devastação do que à preservação do meio ambiente. É o que tem sucedido especialmente com os incentivos regionais. Por isso mesmo, a EC nº 132 inseriu no Texto Constitucional regra dispondo que os incentivos fiscais regionais devem considerar, *sempre que possível*, critérios de sustentabilidade ambiental e redução das emissões de carbono (art. 43, §4º). A cláusula "sempre que possível" está aí apenas para enfraquecer o preceito: afinal, quando não seria possível vincular um incentivo a critérios de sustentabilidade ambiental? A rigor, com a inclusão da defesa do meio ambiente entre os princípios constitucionais tributários, é sustentável que, doravante, todos os novos incentivos sujeitem-se à mesma condição, tanto no ato de outorga como ao longo do período em que forem gozados. Assim, para dar um exemplo, uma infração ambiental por parte do beneficiário seria motivo para a suspensão ou mesmo cancelamento do incentivo.

Diversamente do que sucede com a tributação das emissões, que deve ser alocada a montante das cadeias produtivas, preferencialmente na fase extrativa ou de refino do combustível fóssil, os incentivos podem ser distribuídos ao longo delas, especialmente na etapa de industrialização, com os propósitos de: estimular a pesquisa de desenvolvimento de produtos e processos com maior eficiência energética e uso racional de recursos naturais; reduzir o consumo energético no processo de industrialização; possibilitar a substituição de equipamentos e bens de capital que geram maior emissão de CO_2 por outros menos agressivos ao meio ambiente; produzir bens de consumo com menor pegada de carbono e maior potencial de reciclagem, entre outros. Porém, o país ainda está bastante atrasado na modelagem ambiental dos incentivos. Basta dizer que a principal lei federal de incentivos fiscais voltados à modernização da indústria, a Lei nº 11.196, de 21 de novembro de 2005, conhecida como Lei do Bem, não traz nenhum incentivo nesse sentido nem estabelece requisitos ambientais para os diversos incentivos que criou.[27] Mas o quadro começa lentamente a mudar, até porque, na reforma tributária de 2023, estabeleceu-se ser dever do Poder Público, para assegurar a efetividade do direito ao meio ambiente ecologicamente equilibrado, "manter regime fiscal favorecido para os biocombustíveis e para o hidrogênio de baixa emissão de carbono [denominado "hidrogênio verde"], na forma de lei complementar, a fim de assegurar-lhes tributação inferior à incidente sobre os combustíveis fósseis, capaz de garantir diferencial competitivo em relação a estes, especialmente em relação às contribuições de que tratam o art. 195, I, "b" [contribuição sobre a receita ou faturamento], IV [sobre importações]

---

[27] Que são: Regime Especial de Tributação para a Plataforma de Exportação de Serviços de Tecnologia da Informação – Repes, Regime Especial de Aquisição de Bens de Capital para Empresas Exportadoras – Recap, incentivos à pesquisa tecnológica e desenvolvimento de inovação tecnológica, Programa de Inclusão Digital, incentivos às microrregiões nas áreas de atuação das extintas SUDENE e SUDAM.

e V [CBS], e o art. 239 [PIS], e aos impostos a que se referem os arts. 155, II [ICMS], e 156-A [IBS]" (art. 225, §1º, VIII, com a redação dada pela EC nº 132).[28] Em observância a essa injunção, veio de ser editada a Lei nº 14.948, de 2 de agosto de 2024, que instituiu o Regime Especial de Incentivos para a Produção de Hidrogênio de Baixa Emissão de Carbono (Rehidro), ao qual, como dispõe seu art. 28, se aplicam, pelo prazo de 5 (cinco) anos, a partir de 1º de janeiro de 2025, os incentivos fiscais previstos no Regime Especial de Incentivos para o Desenvolvimento da Infraestrutura – REIDI, instituído pela Lei nº 11.488, de 15.06.07, quais sejam: suspensão da incidência de PIS e de COFINS em operações de compra de máquinas, aparelhos, instrumentos e equipamentos, novos, e de materiais de construção para utilização ou incorporação em obras de infraestrutura destinadas ao ativo imobilizado, a qual se converte em alíquota zero após a utilização ou incorporação do bem ou material de construção na obra (art. 3º da Lei nº 11.488); *idem* em relação aos serviços destinados a obras de infraestrutura para incorporação ao ativo imobilizado (art. 4º). Também merece referência a Lei nº 14.902, de 27 de junho de 2024, que criou o Programa Mobilidade Verde e Inovação (Programa Mover), em substituição ao Programa Rota 2030, o qual fora instituído pela Lei nº 13.755, de 10 de dezembro de 2018. Consoante dispõe o art. 1º, §1º, da lei, o Programa Mover tem, entre outras, a finalidade de apoiar a descarbonização e o alinhamento a uma economia de baixo carbono no ecossistema produtivo de veículos e de autopeças. Nessa linha, de acordo com o §2º do mesmo artigo, destacam-se as seguintes diretrizes: incremento da eficiência energética; promoção do uso de biocombustíveis, de outros combustíveis de baixo teor de carbono e de formas alternativas de propulsão e valorização da matriz energética brasileira; e promoção do uso de sistemas produtivos mais eficientes, com vistas ao alcance da neutralidade de emissões de carbono. Para tanto, diz o art. 2º, o Poder Executivo federal estabelecerá requisitos obrigatórios para a comercialização de veículos novos produzidos no País e para a importação de veículos novos relativos a: eficiência energética veicular no ciclo do tanque à roda[29] e emissão de dióxido de carbono (eficiência energético-ambiental) no ciclo do poço à roda;[30] e reciclabilidade veicular. O descumprimento desses requisitos acarretará a aplicação das multas previstas no art. 6º da Lei. Já sua observância garantirá, na forma disposta pelo art. 9º, §2º, diferenciação de alíquotas de IPI que serão de *pelo menos*: dois pontos percentuais em relação ao requisito de eficiência energética, considerado como parâmetro o ciclo do tanque à roda; dois pontos percentuais em relação ao requisito de reciclabilidade, a partir de 1º de janeiro de 2025. Relativamente aos veículos movidos exclusivamente a etanol ou *flex*, fica estipulada até 31 de dezembro de 2026 diferenciação de alíquota de até três pontos percentuais em relação aos veículos convencionais, de classe e categoria similares, equipados com esse mesmo tipo de motor (art. 9º, §5º). O mesmo diploma instituiu, nos arts. 12 e seguintes, regime de incentivos à realização de atividades de pesquisa e desenvolvimento e de

---

[28] Outro incentivo estabelecido diretamente pela Constituição e que alcança em seu escopo a redução de emissões é a imunidade do imposto sobre transmissão causa mortis e doação – ITCMD nas doações destinadas a projetos socioambientais ou a mitigar efeitos das mudanças climáticas (art. 155, §1º, V, incluído pela EC nº 132).

[29] Definido como o "ciclo de vida que considera as emissões de gases de efeito estufa associadas à operação de veículos leves e pesados dentro de um ciclo de uso padronizado" (art. 2º, §5º, I).

[30] Definido como o "ciclo de vida que considera as emissões de gases de efeito estufa que se originam desde a fase de extração de recursos naturais, passa pela produção e pela distribuição da fonte energética, até seu uso em veículos leves e pesados de passageiros e comerciais" (art. 2º, §5º, II).

produção tecnológica para as indústrias de mobilidade e logística, sob a forma de créditos financeiros (art. 15). Além de outros requisitos legais, o gozo desses créditos, na forma do art. 18, poderá ser condicionado à produção no Brasil de: tecnologias de propulsão avançadas e sustentáveis, inclusive seus sistemas auxiliares; veículos com tecnologias de propulsão avançadas e sustentáveis ou equipamentos de abastecimento ou recarga dessas tecnologias de propulsão avançadas e sustentáveis.

O espaço não permite maior aprofundamento na análise desses e de outros incentivos. Mas o balanço que se pode fazer é de que, apesar de toda a vibração em torno do assunto, os incentivos focados na preservação do meio ambiente/sustentabilidade em geral e na redução de emissões em particular ainda são tímidos, acanhados e até mesmo irrisórios, principalmente se comparados com o brutal incentivo oculto à degradação e às emissões, sob a forma de externalidades negativas ainda não devidamente alcançadas pela tributação e por outros meios de internalização de seu custo nos bens e serviços que as geram. Há, pois, muito o que avançar nessa matéria. Mas, antes de se criarem novos incentivos,[31] melhor seria, na medida do possível, revisar e adequar ao princípio tributário da defesa do meio ambiente os já existentes, de modo a incorporar-lhes novos requisitos e condicionantes ambientais, garantidos, é claro, os direitos adquiridos dos atuais beneficiários.[32] É preciso que cada gasto tributário, o qual subtrai recursos que poderiam ser aplicados diretamente pelo Poder Público, seja testado à luz do que entrega para a sociedade em termos de desenvolvimento socioambiental.

Enfim, o que se pode concluir é que o uso no Brasil dos instrumentos tributários voltados à defesa do meio ambiente e, em especial, ao controle de emissões de CO_2, tanto sob a forma de tributação como de incentivos fiscais, ainda é bastante limitado.

Referências

EATWELL, John; MILGATE, Murray; NEWMAN, Peter (ed.). *The New Palgrave* – A Dictionary of Economics, volume 2, Palgrave Publishers, 2004.

COOTER JR., Robert B.; ULEN, Thomas. *Law and Economics*, 6. ed., Pearson, 2014.

PARRY, Ian W. H.; MOOIJ, Ruud A. de; Keen, Michael (ed.). *Fiscal Policy to Mitigate Climate Change* – A Guide for Policy Makers, International Monetary Fund – IMF, 2012.

PIGOU, A. C. *The Economics of Welfare*, 4. ed., Macmillan, 1932.

POSNER, Richard. *Economic Analysis of Law*. 9. ed. Aspen Casebook Series.

SCHOUERI, Luís Eduardo. *Curso de Direito Tributário*. 12. ed. São Paulo: Saraiva, 2022.

---

[31] Em relação ao imposto sobre bens e serviços – IBS, criado pela reforma tributária de 2023, ficou vedada a "concessão de incentivos e benefícios financeiros ou fiscais relativos ao imposto ou de regimes específicos, diferenciados ou favorecidos de tributação, excetuadas as hipóteses previstas nesta Constituição" (art. 156-A, §1º, X, introduzido pela EC nº 132).

[32] Nesse sentido, seria altamente desejável a inclusão no ADCT da Constituição Federal de regra que reeditasse o disposto no art. 41 desses Atos, segundo o qual "[o]s Poderes Executivos da União, dos Estados, do Distrito Federal e dos Municípios reavaliarão todos os incentivos fiscais de natureza setorial ora em vigor, propondo aos Poderes Legislativos respectivos as medidas cabíveis", considerando "revogados após dois anos, a partir da data da promulgação da Constituição, os incentivos que não forem confirmados por lei" (§1º), sem prejuízo dos direitos adquiridos a incentivos concedidos sob condição e com prazo certo (§2º).

SCHOUERI, Luís Eduardo. Normas Tributárias Indutoras em Matéria Ambiental. *In*: TÔRRES, Heleno Taveira (org.). *Direito Tributário Ambiental*. São Paulo: Malheiros, 2005.

TÔRRES, Heleno Taveira. CIDE e Defesa do Meio Ambiente. *In*: TÔRRES, Heleno Taveira (org.). *Direito Tributário Ambiental*. São Paulo: Malheiros, 2005.

ZAMIR, Eyal; TEICHMAN, Doron. *Behavioral Law and Economics*. Oxford: University Press, 2018.

Informação bibliográfica deste texto, conforme a NBR 6023:2018 da Associação Brasileira de Normas Técnicas (ABNT):

PAOLA, Leonardo Sperb de. Sistema ambiental-tributário e o controle das emissões de CO_2. *In*: JUSTEN, Monica Spezia; PEREIRA, Cesar; JUSTEN NETO, Marçal; JUSTEN, Lucas Spezia (coord.). *Uma visão humanista do Direito*: homenagem ao Professor Marçal Justen Filho. Belo Horizonte: Fórum, 2025. v. 2, p. 811-827. ISBN 978-65-5518-916-2.

LEGITIMAÇÃO SUBJETIVA PASSIVA TRIBUTÁRIA: UM CONTRAPONTO ENTRE AS CONTRIBUIÇÕES DO PROFESSOR MARÇAL JUSTEN FILHO E AS VIOLAÇÕES DAS GARANTIAS JUSTRIBUTÁRIAS NO ORDENAMENTO JURÍDICO ATUAL

NAPOLEÃO NUNES MAIA FILHO

EDSON KOHL JUNIOR

ANDRESSA LAMEU

1 Introdução

Em matéria de Direito Tributário, a análise acerca da sujeição passiva tributária tem ganhado notável destaque no cenário jurídico atual, por representar ponto primordial à determinação da existência ou não de vínculo jurídico obrigacional entre sujeitos na formação de fato gerador de tributo, sendo argumento que possibilita o afastamento da corresponsabilidade fiscal entre pessoas diversas, fundamentalmente quando analisado à luz dos determinados grupos econômicos compostos por diversas pessoas jurídicas autossuficientes entre si.

Como é sabido, a ilegitimidade subjetiva passiva tributária deve ser avocada em toda e qualquer situação que determinado sujeito esteja sendo responsabilizado pelo pagamento de tributos indevidamente, seja por erro de identificação do correto sujeito passivo pela autoridade fiscal ou pela má interpretação das normas de sujeição tributária.

Assim, compreender o que é a legitimação subjetiva passiva tributária é fundamental para garantir a justiça fiscal e a correta aplicação das normas tributárias, pois dessa forma é possível aferir a existência ou não de responsabilidade no adimplemento de exação fiscal, bem como evita que o Fisco exija tributo de quem melhor lhe aprouver, atribuindo à pessoa estranha ao fato gerador de um tributo a corresponsabilidade pelo seu pagamento.

Essa compreensão é relevante principalmente em situações de insuficiência patrimonial dos reais devedores do crédito tributário, fato que se repete com frequência na atualidade e que tem justificado a instauração de inúmeros incidentes de desconsideração da personalidade jurídica e responsabilização de empresas componentes de grupos econômicos, informais ou de fato, pelos débitos umas das outras.

Sobre o tema, o renomado Professor Marçal Justen Filho, reconhecido internacionalmente por suas contribuições significativas ao Direito Público e, em particular, ao Direito Tributário, em sua obra sempre atual "Sujeição Passiva Tributária", considerou que a existência de responsabilidade tributária entre sujeitos diversos somente seria imponível mediante a aplicação da norma, não competindo ao legislador tributário uma imposição de responsabilidade arbitrariamente, como ocorrido hodiernamente, por paradigma:

> O que é incompatível com um regime democrático e com os princípios jurídicos consagrados na Constituição é que o Estado pretenda impor o dever independentemente da existência de uma situação de poder (decorrência da estruturação de outras normas ou do fato da convivência). Não é viável impor, ad exemplum, que todos os homens com mais de 1,90 m de altura teriam o dever de investigar se os contribuintes com altura inferior cumpriram devidamente seus deveres tributários. Ou seja, o legislador tributário não pode impor, arbitrariamente, o dever cujo descumprimento acarretará o nascimento da responsabilidade tributária. O máximo que lhe é dado é, encarando as situações de poder decorrentes da existência de outras normas, transformá-las em situações de dever.[1]

Ante ao exposto, este artigo objetiva explorar a importância do tema abordado, destacando as contribuições do Professor Marçal Justen Filho, especialmente através de sua obra "Sujeição Passiva Tributária", de 1986, que, mesmo com o passar dos anos, permanece significativa para o entendimento da recorrente problemática enfrentada judicialmente na atualidade, que prevê a responsabilidade tributária solidária desenfreada. Pode-se observar a tendência do Fisco de pleitear o direito de exigir o adimplemento de obrigação tributária de quem não participou da formação de fato gerador do tributo, mesmo inexistindo dever jurídico legalmente instituído para tanto. Essa tendência corporifica o que o Professor Lucien Sfez chama apropriadamente de *pratique théorisée*, indicando que se trata de um procedimento (prática) desprovido de lastro teórico, que retira de seu próprio dinamismo a sua teorização oportuna, casuística, tópica e sem respaldo na teoria aceita.

2 Conceito e características da sujeição passiva tributária e responsabilidade tributária

Visando compreender o objeto do presente estudo, necessário se faz inicialmente examinar o instituto da sujeição passiva tributária em si, realizando a distinção entre a figura do contribuinte e do responsável numa relação jurídico-tributária.

---

[1] Sujeição Passiva Tributária. p. 295.

Entende o Professor Marçal Justen Filho por "sujeição passiva tributária a situação jurídica correspondente à titularidade do polo passivo de uma relação jurídica sujeitada ao regime de direito tributário",[2] assim, a figura do contribuinte e do responsável seriam duas categorias sujeicionais passivas dentro do contexto de sujeição passiva tributária, consoante previsto no art. 121 do Código Tributário Nacional:

> Art. 121. Sujeito passivo da obrigação principal é a pessoa obrigada ao pagamento de tributo ou penalidade pecuniária.
>
> Parágrafo único. O sujeito passivo da obrigação principal diz-se:
>
> I - Contribuinte, quando tenha relação pessoal e direta com a situação que constitua o respectivo fato gerador;
>
> II - Responsável, quando, sem revestir a condição de contribuinte, sua obrigação decorra de disposição expressa de lei.[3]

Enquanto os contribuintes possuem relação pessoal e direta com o fato gerador da obrigação tributária, possuindo o dever imediato de pagar os tributos ao Fisco, os responsáveis tributários assumem um caráter supletivo aos contribuintes no cumprimento da obrigação tributária, assumindo de modo expresso a responsabilidade pelo crédito tributário de tais terceiros, nos termos do art. 128 do Código Tributário Nacional (CTN):

> Art. 128. Sem prejuízo do disposto neste capítulo, a lei pode atribuir de modo expresso a responsabilidade pelo crédito tributário a terceira pessoa, vinculada ao fato gerador da respectiva obrigação, excluindo a responsabilidade do contribuinte ou atribuindo-a a este em caráter supletivo do cumprimento total ou parcial da referida obrigação.[4]

Assim, a caracterização da responsabilidade tributária surge de situações completamente independentes do responsável, mas provenientes de um evento tributável determinado pela norma tributária, nesse sentido, ponderou o nobre Professor Marçal:

> Vale dizer, o dever de responsabilidade não é vinculado à conduta que possa ter praticado ou deixado de praticar o "responsável", mas se proporciona a situações a ele absolutamente estranhas. São situações alheias a ele, porquanto correspondem à prestação tributária, proveniente da ocorrência de um fato imponível e determinada segundo o mandamento da norma tributária.[5]

Logo, observa-se que a configuração da responsabilidade tributária não se confunde com qualquer sanção, pois desvinculada de conduta específica do responsável, não havendo a intenção de substituir-se o contribuinte pelo responsável, transferindo a este último o encargo originariamente existente entre Fisco e contribuinte e dissolvendo

---

[2] Sujeição Passiva Tributária. p. 230.
[3] Código Tributário Nacional: Lei nº 5.172, de 25 de outubro de 1966.
[4] Código Tributário Nacional: Lei nº 5.172, de 25 de outubro de 1966.
[5] Sujeição Passiva Tributária. p. 288.

a relação jurídica tributária original, mas sim o estabelecimento de uma obrigação adicional.

Embora sutil a distinção entre aplicação de uma sanção e a cobrança de um tributo do responsável, Marçal analisa o instituto da responsabilidade tributária, propondo que esta seria composta, portanto, por uma endonorma e uma perinorma, sendo a primeira composta na existência de relação de poder entre o contribuinte e o responsável (possibilidade do último compelir o primeiro a adimplir o crédito tributário) e o dever de sindicância do responsável sobre a conduta do contribuinte (velar pelo recolhimento dos tributos), enquanto que a última (perinorma) seria decorrente da caracterização de um ilícito (não recolhimento do tributo pelo contribuinte) e da determinação da sujeição passiva solidária resultante da responsabilidade.

Assim, a inobservância do dever de vigilância/diligência avocaria a sujeição passiva também ao responsável, tornando-o juntamente obrigado com os contribuintes devedores, por uma relação tributária já existente, fato que causa contradição acerca da natureza não sancionatória da norma que estabelece a responsabilidade tributária, contradição esta sentida e ponderada pelo estudioso Marçal Justen Filho:

> Porém, há casos em que se torna fluída a distinção [entre a sanção e o tributo, que normalmente são tingidos de forte contraste], exatamente porque a situação (tributária, inequivocamente) relaciona-se a uma conduta ilícita (ou seja, prevista hipoteticamente em uma perinorma tributária).
>
> Isso se passa no vaso da responsabilidade tributária, a nosso ver. Ou seja, há efetivamente um ato ilícito tributário. Mas a sanção não pode ser distinguida de um tributo. E não o pode porque se confunde com uma prestação tributária já existente. A "sanção" consiste em alguém tornar-se obrigado juntamente com os devedores de uma relação tributária já existente.[6]

Portanto, sendo a responsabilidade tributária uma sanção ou não, nítido que o responsável tributário possui relação, ainda que indireta, com o fato gerador da obrigação tributária.

O CTN alça à condição de responsáveis aquelas pessoas arroladas no art. 134,[7] fato que, em primazia à estrita legalidade tributária, veda a imputação da cobrança de um tributo a pessoa não prevista em lei ou que não tenha materializado as hipóteses de responsabilização solidária previstas no art. 124 do mesmo diploma, *in verbis*:

> Art. 134. Nos casos de impossibilidade de exigência do cumprimento da obrigação principal pelo contribuinte, respondem solidariamente com este nos atos em que intervierem ou pelas omissões de que forem responsáveis:
>
> I - Os pais, pelos tributos devidos por seus filhos menores;
>
> II - Os tutores e curadores, pelos tributos devidos por seus tutelados ou curatelados;
>
> III - Os administradores de bens de terceiros, pelos tributos devidos por estes;
>
> IV - O inventariante, pelos tributos devidos pelo espólio;

---

[6] Sujeição Passiva Tributária. p. 296.
[7] Código Tributário Nacional: Lei nº 5.172, de 25 de outubro de 1966.

V - O síndico e o comissário, pelos tributos devidos pela massa falida ou pelo concordatário;

VI - Os tabeliães, escrivães e demais serventuários de ofício, pelos tributos devidos sobre os atos praticados por eles, ou perante eles, em razão do seu ofício;

VII - Os sócios, no caso de liquidação de sociedade de pessoas.

Art. 124. São solidariamente obrigadas:

I - As pessoas que tenham interesse comum na situação que constitua o fato gerador da obrigação principal;

II - As pessoas expressamente designadas por lei.[8]

Ante ao exposto, não poderá a autoridade fiscal buscar corresponsabilizar terceiros, por débitos tributários sobre os quais não tenham dever legal de zelar pelo adimplemento ou que não tenham interesse em comum na situação que constitui o fato gerador da obrigação principal, haja vista que sem interesse comum na formação do fato gerador do tributo, ausente elemento axial da definição de responsabilidade tributária.

A despeito disso, verifica-se – como dito – uma tendência das autoridades fiscais buscarem corresponsabilizar sujeitos distintos por uma obrigação tributária com a qual não possuíram qualquer relação, ainda que indireta, com seu fato gerador, fazendo-os suportarem o encargo ou pagamento dos tributos perquiridos pela Administração Tributária, especialmente quando os reais contribuintes do crédito tributário não possuem recursos patrimoniais suficientes para fazê-lo.

3 Responsabilidade tributária solidária: uma análise acerca da ausência de interesse comum na situação que constitui o fato gerador da exação tributária e violação da regra-matriz tributária

Como se sabe, a atuação da Administração Pública deve-se pautar em inúmeros princípios, dentre esses: legalidade, finalidade, motivação, razoabilidade, proporcionalidade, moralidade, ampla defesa, contraditório, impessoalidade, segurança jurídica, interesse público, eficiência, publicidade, informalismo, oficialidade, gratuidade e verdade real.

A partir disso, denota-se que toda ação administrativa deve ser embasada nos princípios mencionados, em particular, no Direito Tributário, sendo necessário enfatizar o papel fundamental do princípio da legalidade para a estruturação e funcionamento do sistema arrecadatório brasileiro, considerando que a regra-matriz da incidência tributária é a norma jurídica tributária, não se admitindo outras fontes.

No instante em que se tolera que a exigência de tributo possa calcar-se em fontes não legais, se está reduzindo à inutilidade a garantia constitucional da estrita legalidade tributária e explodindo o monopólio da lei tributária na regência da relações – tradicional e geralmente muito tensas – entre o Fisco e os contribuintes.

---

[8] Código Tributário Nacional: Lei nº 5.172, de 25 de outubro de 1966.

De fato, consagrado na Constituição Federal[9] em seu art. 5º, II, o princípio da legalidade determina que "ninguém será obrigado a fazer ou deixar de fazer alguma coisa senão em virtude de lei".

Corroborando com o exposto, os já citados arts. 121 e 128 do Código Tributário Nacional determinam que somente mediante disposição legal poderá ser transferido o ônus financeiro do adimplemento de um tributo a terceira pessoa, reconhecendo primazia ao princípio da legalidade, basilar do Direito Tributário e da atuação administrativa na província tributária do Direito Público.

Nesse sentido, o doutrinador Marçal Justen Filho dispõe que "o princípio da legalidade significa, na verdade, que ninguém é obrigado a fazer ou deixar de fazer alguma coisa senão em virtude da existência de uma norma jurídica produzida por uma lei".[10]

Nada obstante, na prática, a sujeição passiva tributária frequentemente gera controvérsias que são dirimidas pelo Poder Judiciário, havendo recorrentemente a configuração de responsabilidade tributária solidária à pessoa alheia ao fato gerador do tributo. Esse evento demonstra a necessidade de os operadores do Direito Tributário aprenderem o valor da estrita legalidade tributária como solene garantia constitucional. Essa postura seguramente os levará a constatar casos de flagrante ilegitimidade passiva tributária, assim se evitando cobranças indevidas ou injustas e promovendo, de fato, a justiça tributária e a eficiência do sistema tributário brasileiro.

Sobre o tema, mais uma vez cristalino o entendimento do Professor Marçal Justen Filho sobre a imprescindibilidade de tributar-se riqueza da qual o sujeito obrigado seja titular *ou que esteja com ela referido*, sob pena de desnaturalização da norma tributária, por paradigma:

> De fato, a eleição de uma certa situação para compor a materialidade da hipótese de incidência importa automática seleção de sujeitos. Se foi eleita, como evidenciadora de riqueza que autoriza a tributação, uma certa situação, é inegável que a regra imperiosa será a de que o sujeito obrigado ao dever tributário seja exatamente aquele que é titular dessa riqueza ou está com ela referido. Porque, a não ser assim, o resultado seria o de que haveria uma desnaturação da norma, acarretando a incidência do dever sobre uma pessoa diversa e a tributação sobre riqueza distinta. Por isso, a construção da materialidade da hipótese de incidência condiciona a escolha de sujeito passivo, impondo uma identidade de conteúdo entre o titular do aspecto pessoal da hipótese e o titular da determinação subjetiva do mandamento.[11]

Portanto, não pode a autoridade fiscal compelir de forma arbitrária quem irá ser responsável pelo adimplemento de tributos, pois haveria uma desnaturação da norma tributária que elenca a necessidade de relação, ainda que indireta, dos responsabilizados com o fato gerador da exação tributária, não podendo adotar a seu bel-prazer qualquer solução para liquidar os créditos tributários que possui, principalmente nos casos em que os reais devedores não possuem bens suficientes à garantia do montante perseguido pelo Fisco.

---

[9] Constituição da República Federativa do Brasil.
[10] Curso de Direito Administrativo. p. 154.
[11] Sujeição Passiva Tributária. p. 262.

A responsabilidade tributária solidária, portanto, deveria ser atribuída a pessoas diversas do contribuinte originário *somente nos casos em que haja interesse comum destas na situação que constitua o fato gerador do tributo*. Deve-se pontuar que há entendimento pacífico jurisprudencial alinhado à perene lição do respeitado Professor Marçal Justen Filho acerca da sujeição passiva tributária, sendo imprescindível que todos os responsabilizados pelo adimplemento de uma obrigação tributária tenham realizado conjuntamente a situação configuradora de seu fato gerador.

Desse modo, não pode a responsabilidade ser estabelecida por presunções do Fisco, sob pena de eliminar-se do Direito Tributário uma das mais tradicionais garantias do contribuinte: a legalidade estrita.

No dia em que as presunções de autoridades fiscais tiverem a força de lei para criar delitos, penas, fatos geradores, sujeitos passivos ou alíquotas, todos estaremos ao desamparo de proteção jurídica e os poderes estatais não conhecerão freios ou contenções, afinal, atribuir a responsabilização solidária de alguém no adimplemento de obrigações tributárias, sem atender aos termos previstos em lei, levará à banalização das garantias jurídicas, devendo o Fisco sempre provar a ocorrência do fato gerador e a responsabilidade do sujeito passivo, seja aquele original (contribuinte), seja aquel'outro (responsável).

A demonstração dessa relação obrigacional somente poderá ser feita pela autoridade fiscal competente, não podendo – de forma alguma – ser operada por outra autoridade, seja ela administrativa, judicial, ministerial, seja qual for a sua hierarquia.

4 Implicações práticas da configuração da responsabilização solidária tributária desenfreada

Conforme visto anteriormente, a atuação de uma ou mais pessoas na conformação do fato gerador de uma obrigação tributária *deveria ser requisito indissociável para configuração de uma corresponsabilidade tributária*, sendo estabelecido legalmente no art. 124 do Código Tributário Nacional que o contribuinte e um terceiro são solidariamente responsáveis pelo pagamento de um tributo *quando houver interesse comum entre eles com o fato gerador*.

Ocorre que, cada vez é mais recorrente o uso manifestamente impróprio e irrestrito dos pedidos de redirecionamento de débito tributário e incidentes de desconsideração da personalidade jurídica para direcionar cobrança de crédito tributário a empresas que não possuem relação direta com o fato gerador da exação fiscal. Essa distorção ocorre principalmente no contexto empresarial de grupos econômicos (responsabilização solidária das empresas integrantes), havendo a atribuição a terceiro de fato que seria imputável exclusivamente ao contribuinte originário, desvirtuando o sistema tributário e o entendimento do próprio doutrinador Marçal Justen Filho acerca da utilização do instituto da desconsideração da personalidade jurídica, por paradigma:

> Sustenta, com apoio na doutrina germânica, a necessidade de distinguir as operações de imputação de atos jurídicos e a desconsideração propriamente dita. Não se trataria de

desconsideração quando a questão fosse de atribuir o ato jurídico ou os efeitos desse ato a pessoa distinta a quem usualmente seria imputável. Haveria desconsideração somente quando o caso fosse de responsabilização subsidiária de uma pessoa pelo débito alheio.[12]

Notório que o Fisco pretende evitar o perecimento de seu direito ao adimplemento de seus créditos tributários mediante a utilização de referido instituto, todavia, não se pode olvidar que regra-matriz de incidência tributária decorre da norma jurídica, somente podendo ser responsabilizado aquele que possui interesse comum no fato gerador do tributo perseguido pela autoridade fiscal, sendo flagrante a ilegalidade da utilização da desconsideração como uma forma de extensão da responsabilidade tributária de forma genérica.

Ou seja, se o ato (responsabilização solidária de terceiro que não possui interesse comum no fato gerador do tributo ou com o contribuinte originário) é legalmente inválido por ausência de previsão legal, não se pode dar aplicabilidade à teoria da desconsideração da pessoa jurídica para evitar a perda do direito creditório do Fisco.

Logo, não há faculdade ao aplicador do Direito para utilizar-se da desconsideração numa situação onde não se vislumbra sustentação legal. Nesse sentido afirmou Marçal Justen Filho:

> Mas o entendimento da liberação do aplicador do direito para avaliar o caso concreto e estender a previsão normativa foi frontalmente repudiada pela doutrina. Alberto Pinheiro Xavier, em brilhante tese de doutorado, enunciou definitivamente os critérios limitativos da liberdade do aplicador da norma tributária.
>
> Demonstrou cabalmente que o princípio da legalidade apresenta-se, no campo tributário, com uma peculiaridade atinente à tipicidade. A lei tributária é dotada de tipicidade, na acepção de ser incompatível com cláusulas genéricas. E acrescenta: "A tipicidade repele assim a tributação baseada num conceito geral ou cláusula geral de tributo, ainda que referido à ideia de capacidade econômica, da mesma forma que em Direito Criminal não é possível a incriminação com base num conceito ou cláusula geral de crime. Ao invés do que sucede, por exemplo, com o ilícito disciplinar, os crimes e os tributos devem constar de uma tipologia, ou seja, devem ser descritos em tipos ou modelos, que exprimam uma escolha ou seleção do legislador no mundo das realidades passíveis, respectivamente, de punição ou tributação".[13]

Assim, a utilização desenfreada da responsabilidade tributária solidária pelas autoridades fiscais, inclusive com a reiteração de pedidos de desconsideração de personalidades jurídicas para responsabilizar empresas componentes de um mesmo grupo por débitos umas das outras, por vezes com respaldo do Poder Judiciário, tem colocado à prova a ideia do próprio interesse estatal sobre o papel desempenhado pela pessoa jurídica na sociedade, como defendido por Marçal Justen Filho:

---

[12] Desconsideração da Personalidade Societária no Direito Brasileiro. p. 57-58.
[13] Desconsideração da Personalidade Societária no Direito Brasileiro. p. 109-110.

Isto posto, reputamos que a personificação societária envolve uma sanção positiva prevista pelo ordenamento jurídico. Trata-se de uma técnica de incentivação, pela qual o direito busca conduzir e influenciar a conduta dos integrantes da comunidade jurídica. A concentração da riqueza e a conjugação de esforços inter-humanos afigura-se um resultado desejável não em si mesmo, mas como meio de atingir outros valores e ideais comunitários. O progresso cultural e econômico propiciado pela união e pela soma de esforços humanos interessa não apenas aos particulares mas ao próprio Estado.[14]

Portanto, o desenvolvimento pretendido acaba por ser desestimulado e as garantias justributárias dos contribuintes postas em dúvida e relativizadas. Logo, assim que constatada a infringência da regra-matriz de incidência tributária pela ausência de norma tributária justificadora da inclusão de um contribuinte no polo passivo de uma cobrança tributária contra terceiro, sobre fato gerador que não possua nenhuma relação comum, deverá este suscitar sua ilegitimidade tributária passiva, invocando a correta interpretação da legislação tributária e jurisprudência pacífica dos tribunais, permitindo ao Poder Judiciário corrigir equívocos perpetuados pela entidade fiscal.

Nesse sentido, citam-se, por paradigmas, entendimentos do egrégio Superior Tribunal de Justiça que se coadunam com os entendimentos do nobre Professor Marçal Justen Filho e que evidenciam a predominância da legalidade estrita do Direito Tributário. Mas é de todo evidente que a afirmação dessa garantia – como de outras igualmente constitucionais – sempre dependerá da vocação dos juspublicistas para promover a sua prevalência e a sua máxima efetividade. Eis alguns exemplares dessa orientação:

TRIBUTÁRIO. AGRAVO REGIMENTAL NO RECURSO ESPECIAL. EXECUÇÃO FISCAL. RESPONSABILIDADE TRIBUTÁRIA DE TERCEIROS. ALEGAÇÃO DE GRUPO ECONÔMICO. IMPOSSIBILIDADE DE REDIRECIONAMENTO DA EXECUÇÃO FISCAL CONTRA EMPRESAS CONSTITUÍDAS APÓS O FATO GERADOR DO TRIBUTO DE OUTRA EMPRESA, DITA INTEGRANTE DO MESMO GRUPO ECONÔMICO. AGRAVOS REGIMENTAIS A QUE SE NEGA PROVIMENTO.

1. A teor do art. 124, I do CTN e de acordo com a doutrina justributarista nacional mais autorizada, não se apura responsabilidade tributária de quem não participou da elaboração do fato gerador do tributo, não sendo bastante para a definição de tal liame jurídico obrigacional a eventual integração interempresarial abrangendo duas ou mais empresas da mesma atividade econômica ou de atividades econômicas distintas, aliás não demonstradas, neste caso. Precedente: AgRg no AREsp 429.923/SP, Rel. Min. HUMBERTO MARTINS, 2T, DJe 16.12.2013.

2. Da mesma forma, ainda que se admita que as empresas integram grupo econômico, não se tem isso como bastante para fundar a solidariedade no pagamento de tributo devido por uma delas, ao ponto de se exigir seu adimplemento por qualquer delas. Precedentes: AgRg no AREsp 603.177/RS, Rel. Min. BENEDITO GONÇALVES, 1T, DJe 27.3.2015; AgRg no REsp. 1.433.631/PE, Rel. Min. HUMBERTO MARTINS, 2T, DJe 13.3.2015.

3. Agravos Regimentais da FAZENDA NACIONAL e LEMOS DANOVA ENGENHARIA E EMPREENDIMENTOS LTDA – ME a que se nega provimento.[15]

---

[14] Desconsideração da Personalidade Societária no Direito Brasileiro. p. 49.
[15] BRASIL. Superior Tribunal de Justiça. AgRg no Recurso Especial nº 1.535.048 – PR (2015/0125689-0). Brasília, DF: STJ, 2015.

****////****

TRIBUTÁRIO. AGRAVO REGIMENTAL NO RECURSO ESPECIAL. EXECUÇÃO FISCAL. RESPONSABILIDADE TRIBUTÁRIA. GRUPO ECONÔMICO. IMPOSSIBILIDADE DE REDIRECIONAMENTO DA EXECUÇÃO. EMPRESA CONSTITUÍDA APÓS O FATO GERADOR. AGRAVO REGIMENTAL A QUE SE NEGA PROVIMENTO.

1. A jurisprudência desta Corte entende que não basta o interesse econômico entre as empresas de um mesmo grupo econômico, mas sim que ambas realizem conjuntamente a situação configuradora do fato gerador. Precedentes: AgRg no AREsp 603.177/RS, Rel. Min. BENEDITO GONÇALVES, DJe 27.3.2015; AgRg no REsp. 1.433.631/PE, Rel. Min. HUMBERTO MARTINS, DJe 13.3.2015.

2. No caso, se o fato gerador ocorreu em 2003, não há como admitir que outra empresa constituída no ano de 2004 seja responsabilizada por este ato de terceiro.

3. Agravo Regimental da FAZENDA NACIONAL a que se nega provimento.[16]

****////****

TRIBUTÁRIO. AGRAVO INTERNO NO RECURSO ESPECIAL. EXECUÇÃO FISCAL. ALEGAÇÃO DA EXISTÊNCIA DE GRUPO ECONÔMICO, PARA COMPELIR TERCEIROS A RESPONDER POR DÍVIDA FISCAL DA EXECUTADA. IMPOSSIBILIDADE DE REDIRECIONAMENTO DA EXECUÇÃO FISCAL CONTRA PESSOA JURÍDICA DIVERSA DO DEVEDOR, FORA DAS HIPÓTESES LEGAIS. O ACÓRDÃO RECORRIDO ESTÁ RESPALDADO NA JURISPRUDÊNCIA DO STJ DE QUE A EXISTÊNCIA DE GRUPO ECONÔMICO, POR SI SÓ, NÃO ENSEJA A SOLIDARIEDADE PASSIVA NA EXECUÇÃO FISCAL. AGRAVO INTERNO DA FAZENDA NACIONAL A QUE SE NEGA PROVIMENTO.

1. A respeito da definição da responsabilidade entre as empresas que formam o mesmo grupo econômico, de modo a uma delas responder pela dívida de outra, a doutrina tributária orienta que esse fato (o grupo econômico) por si só, não basta para caracterizar a responsabilidade solidária prevista no art. 124 do CTN, exigindo-se, como elemento essencial e indispensável, que haja a induvidosa participação de mais de uma empresa na conformação do fato gerador, sem o que se estaria implantando a solidariedade automática, imediata e geral; contudo, segundo as lições dos doutrinadores, sempre se requer que estejam atendidos ou satisfeitos os requisitos dos arts. 124 e 128 do CTN. 2. Em outras palavras, pode-se dizer que uma coisa é um grupo econômico, composto de várias empresas, e outra é a responsabilidade de umas pelos débitos de outras, e assim é porque, mesmo havendo grupo econômico, cada empresa conserva a sua individualidade patrimonial, operacional e orçamentária; por isso se diz que a participação na formação do fato gerador é o elemento axial da definição da responsabilidade; não se desconhece que seria mais cômodo para o Fisco se lhe fosse possível, em caso de grupo econômico, cobrar o seu crédito da empresa dele integrante que mais lhe aprouvesse; contudo, o sistema tributário e os institutos garantísticos de Direito Tributário não dariam respaldo a esse tipo de pretensão, mesmo que se reconheça que ela (a pretensão) ostenta em seu favor a inegável vantagem da facilitação da cobrança.

3. Fundando-se nessas mesmas premissas, o STJ repele a responsabilização de sociedades do mesmo grupo econômico com base apenas no suposto interesse comum previsto no

---

[16] BRASIL. Superior Tribunal de Justiça. AgRg no Recurso Especial nº 1.340.385 – SC (2012/0178002-4). Brasília, DF: STJ, 2016.

art. 124, I do CTN, exigindo que a atuação empresarial se efetive na produção do fato gerador que serve de suporte à obrigação. Nesse sentido, cita-se o REsp. 859.616/RS, Rel. Min. LUIZ FUX, DJ 15.10.2007. 4. Assim, para fins de responsabilidade solidária, não basta o interesse econômico entre as empresas, mas, sim, que todas realizem conjuntamente a situação configuradora do fato gerador. Precedentes: AgRg no AREsp. 603.177/RS, Rel. Min. BENEDITO GONÇALVES, DJe 27.3.2015; AgRg no REsp. 1.433.631/PE, Rel. Min. HUMBERTO MARTINS, DJe 13.3.2015.

5. A circunstância de várias empresas possuírem, ao mesmo tempo, sócio, acionista, dirigente ou gestor comum pode até indiciar a presença de grupo econômico, de fato, mas não é suficiente, pelo menos do ponto de vista jurídico tributário, para tornar segura, certa ou desenturvada de dúvidas a legitimação passiva das várias empresas, para responderem pelas dívidas umas das outras, reciprocamente.

6. Agravo Interno da Fazenda Nacional a que se nega provimento.[17]

Assim, no âmbito do Direito Tributário, a aplicabilidade da desconsideração da personalidade jurídica e a determinação de uma responsabilização solidária por um tributo encontram insuperável limitação, devido à forma e rigidez de suas normas, decorrentes principalmente do princípio da estrita legalidade que impede a imposição de obrigação tributária a um indivíduo sem uma base legal diretamente correspondente. E assim é porque, na seara justributária, o poder discricionário de qualquer autoridade não ultrapassa o vão da porta de entrada.

Não se deve esquecer que a arrecadação indiscriminada de tributos foi a causa social de notáveis revoluções, como a Revolução Americana de 1776 e a Revolução Francesa de 1789. A propósito da violência – não apenas jurídica – com que se fazia a arrecadação fiscal, vêm a pelo estas palavras do escritor Morris West, sobre Giordano Bruno:

> A autoridade que cobra impostos pode invadir as transações mais particulares das pessoas; e o que não pode provar, a autoridade pode presumir, alegando a falta de prova em contrário; um funcionário pode requisitar, fichar e transmitir, sem o consentimento da pessoa, os pormenores mais íntimos da vida privada do indivíduo e a sua recusa em comunicá-los pode significar a presunção de crimes ocultos.[18]

5 Conclusão

Após uma análise criteriosa dos conceitos fundamentais da sujeição passiva tributária e responsabilidade tributária, à luz das considerações e ensinamentos do eminente professor Marçal Justen Filho, restou evidenciado neste trabalho que o sistema tributário enfrenta desafios consideráveis em termos de justiça fiscal, tendo a Administração Tributária habitualmente colocado à prova as garantias fundamentais dos contribuintes ao atribuir a estes a responsabilidade de assumirem encargos ou o

---

[17] BRASIL. Superior Tribunal de Justiça. AgInt no Agravo em Recurso Especial nº 1.035.029 – SP. Brasília, DF: STJ, 2019.
[18] O Herege. Tradução de Carlos Lacerda. Rio de Janeiro: Record, 1969, p. 9.

adimplemento de obrigação tributária da qual sequer participaram de seu fato gerador, inexistindo qualquer relação comum com a hipótese de incidência tributária.

Nesse sentido, é imperioso que os juristas dediquem atenção imediata ao tema, buscando compreender os conceitos ora estudados, para garantir a aplicação imparcial das leis tributárias, visando fortalecer a segurança jurídica e evitando não só a utilização de técnicas antitributárias pelo Fisco na busca pelo adimplemento de exações fiscais, mas também visando rebater a trivialização das garantias dos contribuintes que sofrem cada vez mais com atos arbitrários e injustos por parte das autoridades fiscais.

Por fim, este artigo não apenas reconhece a importância da verificação e suscitação de ilegitimidade passiva tributária pelos operadores de Direito em situações de flagrante ilegalidade perpetuadas por autoridades fiscais na busca do recebimento de seus créditos tributários, mas também presta uma sincera homenagem ao Professor Marçal Justen Filho por suas inestimáveis contribuições ao Direito brasileiro, destacando seu papel fundamental na formação de um pensamento crítico e na promoção de um sistema tributário mais justo e eficiente.

Referências

BRASIL. Lei nº 5.172, de 25 de outubro de 1966. Código Tributário Nacional. Diário Oficial da União, Brasília, DF, 27 out. 1966 e retificado em 31 de out. 1966. Disponível em: https://www.planalto.gov.br/ccivil_03/leis/l5172compilado.htm. Acesso em: 20 jul. 2024.

BRASIL. Constituição (1988). Constituição da República Federativa do Brasil. Brasília, DF: 5 de outubro de 1988. Disponível em: https://www.planalto.gov.br/ccivil_03/constituicao/constituicaocompilado.htm. Acesso em: 22 jul. 2024.

BRASIL. Superior Tribunal de Justiça. AgRg no Recurso Especial nº 1.535.048 – PR (2015/0125689-0). Brasília, DF: STJ, 2015. Disponível em: https://processo.stj.jus.br/processo/pesquisa/?num_registro=201501256890. Acesso em: 22 jul. 2024.

BRASIL. Superior Tribunal de Justiça. AgRg no Recurso Especial nº 1.340.385 – SC (2012/0178002-4). Brasília, DF: STJ, 2016. Disponível em: https://processo.stj.jus.br/processo/pesquisa/?num_registro=201201780024. Acesso em: 21 jul. 2024.

BRASIL. Superior Tribunal de Justiça. AgInt no Agravo em Recurso Especial nº 1.035.029 – SP). Brasília, DF: STJ, 2019. Disponível em: https://processo.stj.jus.br/processo/pesquisa/?num_registro=201603321600. Acesso em: 21 jul. 2024.

HILL, Lawrence. *O Herege*. Tradução de Carlos Lacerda. Rio de Janeiro: Record, 1969.

JUSTEN FILHO, Marçal. *Curso de Direito Administrativo*. 4. ed. São Paulo: Saraiva, 2009.

JUSTEN FILHO, Marçal. *Sujeição Passiva Tributária*. Belém: CEJUP, 1986.

JUSTEN FILHO, Marçal. *Desconsideração da Personalidade Societária no Direito Brasileiro*. São Paulo: Revista dos Tribunais, 1987.

Informação bibliográfica deste texto, conforme a NBR 6023:2018 da Associação Brasileira de Normas Técnicas (ABNT):

MAIA FILHO, Napoleão Nunes; KOHL JUNIOR, Edson; LAMEU, Andressa Legitimação subjetiva passiva tributária: um contraponto entre as contribuições do Professor Marçal Justen Filho e as violações das garantias justributárias no ordenamento jurídico atual. *In*: JUSTEN, Monica Spezia; PEREIRA, Cesar; JUSTEN NETO, Marçal; JUSTEN, Lucas Spezia (coord.). *Uma visão humanista do Direito*: homenagem ao Professor Marçal Justen Filho. Belo Horizonte: Fórum, 2025. v. 2, p. 829-840. ISBN 978-65-5518-916-2.

TRIBUTAÇÃO E O FINANCIAMENTO DA EDUCAÇÃO PÚBLICA NO BRASIL: UM HISTÓRICO DESINTERESSE

ANA LÚCIA BARELLA

OCTAVIO CAMPOS FISCHER

Introdução

A questão do direito fundamental à educação é extremamente complexa. Não basta sua previsão constitucional, não basta que se reconheça que as suas normas constitucionais têm eficácia plena e aplicabilidade direta e imediata, mas, assim como em relação a outros direitos sensíveis à sociedade, é necessária a construção de uma contínua conscientização da classe política e, também, do setor privado, de que o desenvolvimento dos cidadãos, da sociedade e do país precisa de um serviço de alta qualidade. Por isso, como lecionou o Min. Ayres Britto, no julgamento da ADI nº 3.330, além de dever do Estado, é "uma de suas políticas públicas de primeiríssima prioridade".[1] Também já decidiu o Supremo Tribunal Federal que "é dever do Estado propiciar meios que viabilizem o seu exercício",[2] de modo que, nas precisas lições do Min. Dias Toffoli, configura-se "omissão estatal no cumprimento desse mister um comportamento que deve ser repelido pelo Poder Judiciário".[3]

Todavia, uma questão pouco debatida diz com o financiamento para custear tal serviço.

O presente trabalho tem o objetivo de analisar como o financiamento da educação ocorreu ao longo da história brasileira, associado à evolução da própria tributação nacional, de modo a avaliar a importância da educação para os governantes do Brasil.

---

[1] BRASIL, Supremo Tribunal Federal. ADI nº 3.330, rel. min. Ayres Britto, j. 3.5.2012, P, DJE de 22.3.2013.
[2] BRASIL, Supremo Tribunal Federal. RE nº 594.018 AgR, rel. min. Eros Grau, j. 23.6.2009, 2ª T, DJE de 7.8.2009.
[3] BRASIL, Supremo Tribunal Federal. AI nº 658.491 AgR, rel. min. Dias Toffoli, j. 20.3.2012, 1ª T, DJE de 7.5.2012

Os estudos se iniciaram pelas normas brasileiras desde a colônia, passando pelo império e república até chegar à lei maior atual. Em seguida, concentraram-se na breve avaliação sobre a tributação no Brasil a partir da Constituição vigente, considerando sua propensão, ou não, em reduzir desigualdades e sobre o financiamento recente e atual da educação por meio de fundos (FUNDEF, FUNDEB e Novo FUNDEB) para que fosse possível avaliar a importância da tributação e, consequentemente, a relevância da educação no debate público por quem define as políticas tributárias e públicas de prestação de serviços como a educação.

Impõe-se discutir o financiamento da educação tendo em vista que, passados mais de 35 anos da promulgação da Constituição vigente, que eleva a educação como direito social, gratuito e obrigatório, por meio do qual as diferenças regionais e as desigualdades deverão ser reduzidas, a educação pública ainda não encontra pleno amparo financeiro que garanta uma prestação adequada e de qualidade em todo o país.

A pesquisa valeu-se do método dedutivo, partindo da análise das constituições do Brasil, de outras normas, da doutrina e da jurisprudência.

1 O financiamento da educação pública nas constituições anteriores à CF/88

Não se pode falar de uma educação pública antes da chegada dos portugueses ao Brasil, pois o próprio conceito de educação, como o conhecemos, está atrelado à educação europeia trazida de Portugal ao país. Nada do que os povos originários utilizavam para a transmissão de conhecimento parece ter sido levado em conta no processo de escolarização brasileiro.

É a partir dessa colonização que se pode falar em educação pública. Para a prestação desse serviço impõe-se algum financiamento. Explica Soares[4] que, "em 1565, o Infante D. Henrique, regente do Reino de Portugal durante a menoridade de D. Sebastião, institui a *redizima*, que destina, aos colégios da Companhia de Jesus no Brasil, 10% da arrecadação da Coroa com impostos".

Essa destinação de impostos aos jesuítas corrobora com o entendimento de Carvalho sobre o financiamento da educação durante o Brasil Colônia, quando teria ficado "sob a responsabilidade exclusiva dos jesuítas (...) embora estivesse diretamente ligada à política colonizadora dos portugueses realizando a conversão dos indígenas em mão de obra escrava para o trabalho na colônia".[5] Mais significativo é que esse financiamento acabou gerando uma elitização da educação, pois era aplicado de forma mais substancial aos filhos das famílias burguesas.

---

[4] SOARES, Rúben da Silva. O financiamento da educação pública nas Constituições Brasileiras. p. 49-76. In: RANIERI, Nina Beatriz Stocco; ALVES, Angela Limongi Alvarenga (org.). *Direito à educação e direitos na educação em perspectiva interdisciplinar.* São Paulo: Cátedra UNESCO de Direito à Educação, Universidade de São Paulo (USP), 2018, p. 49.

[5] CARVALHO, Fabrício Aarão Freire. *Financiamento da Educação:* do FUNDEF ao FUNDEB – repercussões da política de fundos na valorização docente da Rede Estadual de Ensino do Pará – 1996 a 2009. 267f. Tese. (Doutorado em educação). Faculdade de Educação da Universidade de São Paulo (USP), São Paulo, 2012, p. 47. Disponível em: http://observatorioderemuneracaodocente.fe.usp.br/FABRICIOAARAOFREIRECARVALHO.pdf. Acesso em: 15 fev. 2023.

De fato, conta Ranieri, "nos séculos XVI e XVII, ler e escrever não era exigência ou condição da vida social; em nenhum momento, a educação popular esteve entre as ações prioritárias da Coroa Portuguesa".[6]

Mas a atitude do regente D. Henrique garantiu "a manutenção dos colégios e a remuneração dos jesuítas (...). Desse modo, o ensino continuou a ser gratuito, e a redizima seria o primeiro registro histórico de financiamento público oficial da educação brasileira".[7]

Por volta de 1758 Sebastião José de Carvalho e Melo, Conde de Oeiras, mais tarde intitulado Marquês de Pombal, "assume o cargo de primeiro ministro português e empreende grandes reformas administrativas em Portugal e em suas colônias"[8] que afetaram sobremaneira a educação tanto no Brasil quanto em Portugal.

Isso porque já em 1759 o Marquês de Pombal expulsou os jesuítas do Brasil, conta Soares,[9] "substituindo o modelo educacional deles pelas aulas régias". Nessa fase o financiamento da educação "era precário, uma vez que as câmaras municipais buscavam se valer de taxas locais sobre alguns poucos produtos, como aguardente, sal e carne, entre outros, cujo rendimento era ínfimo", diante do que rendiam as propriedades rurais "que se autossustentavam com a cana-de-açúcar". Cumpre registrar que houve a criação pelo Marquês de Pombal de um fundo próprio cuja maior fonte de recurso era o tributo chamado *subsídio literário*, cobrado semestralmente sobre a produção de vinho, aguardente e vinagre.

Assim, não durou muito a transferência de responsabilidades sobre o financiamento da educação pela Coroa às províncias, isso ocorreu por meio da Lei Geral do Ensino de 1827 e do Ato Adicional de 1834, que, de acordo com Ranieri,[10] "transferiram para as Assembleias Provinciais a responsabilidade pelo ensino primário e secundário e pela formação dos professores", entretanto, dadas as condições econômicas, sociais e culturais vigentes da época, "o sistema educacional do País não se organizou em bases uniformes e nacionais".

Na Constituição de 1824, "a matéria educação ficou restrita somente a dois parágrafos de um único artigo: art. 179, §§32 e 33. Instituía o ensino primário como direito do cidadão sob a forma de prestação estatal gratuita: 'instrução primária gratuita e aberta a todos os cidadãos' (§ 32)".[11] Ou seja, silenciou acerca do seu financiamento.

Esclarece Nunes que, "em contraposição à política imperial, a república evocava o ideal liberal de igualdade, no qual haveria uma profusão de orientações políticas, que reverberariam na construção das políticas educacionais".[12] Entretanto, "com a

---

[6] RANIERI, Nina Beatriz Stocco. Educação obrigatória e gratuita no Brasil: um longo caminho, avanços e perspectivas. p.15-48. *In*: RANIERI, Nina Beatriz Stocco; ALVES, Angela Limongi Alvarenga (org.). *Direito à educação e direitos na educação em perspectiva interdisciplinar*. São Paulo: Cátedra UNESCO de Direito à Educação, Universidade de São Paulo (USP), 2018, p. 3.

[7] SOARES, 2018, p. 49.

[8] SOARES, 2018, p. 50.

[9] SOARES, 2018, p. 50.

[10] RANIERI, 2018, p. 19.

[11] SOARES, 2018, p. 52.

[12] NUNES, Alynne Nayara Ferreira. Financiamento da educação básica no Brasil: uma análise dos arranjos jurídicos adotados ao longo do período republicano. *Revista Digital de Direito Administrativo*, São Paulo (USP), v. 4, n. 1, p. 32-58, 2017, p. 35. Disponível em: https://www.revistas.usp.br/rdda/article/view/122956/122660. Acesso em: 15 fev. 2023.

proclamação da República (1889), pouco ou quase nada foi feito pela educação pública primária, descentralizada para os Estados (...)".[13]

Para o autor,[14] "no campo educacional mantinha-se uma política datada do império, que descentralizou a prestação da instrução básica às denominadas províncias (Estados), de modo que o governo central teria apenas a competência normativa". Assim o financiamento da educação se manteve a cargo das províncias, enquanto a União apenas fornecia suporte financeiro em situações pontuais, como, por exemplo, para desenvolver escolas na zona rural. Segundo Nunes, o montante de recursos das províncias destinados à educação "era demasiadamente baixo para torná-la um tema prioritário".

Já a Constituição de 1891 não previu a gratuidade da instrução primária para todos. Afirma Soares[15] que "a República silenciou-se sobre o tema acerca do qual o Império se pronunciara" e essa omissão manteve a educação pública sob a responsabilidade de Estados e Municípios. Para o autor, "a constituição também se omitiu sobre a obrigatoriedade da educação e manifestou-se a favor da permissão da atuação da iniciativa privada em todos os níveis educacionais (art. 72, §17)".

No entanto, com o aumento da população urbana no início do século XX, "logo na década de 1920 foram intensificadas as reformas educacionais capitaneadas pelos Estados, estimuladas pelas reivindicações das classes média e popular".[16]

Foi "nesse período, que começaram a tomar forma os debates que pretendiam vincular parte das receitas do orçamento para garantir recursos à educação pública, que se tornariam constantes ao longo da história do financiamento público educacional", além dos debates sobre a obrigatoriedade da educação, uma vez que com o financiamento todos os entes poderiam ofertar a prestação do serviço educacional "promovendo o almejado desenvolvimento em nome de uma identidade nacional".[17]

A vinculação de recursos para a educação só chegou, pela primeira vez e ainda fragmentada em relação à União, com a 'Reforma João Luiz Alves' (Decreto nº 16.782-A, de 13 de janeiro de 1925), que, de acordo com Nunes, "determinava que os Estados aplicassem 10% de suas receitas na instrução primária e normal (artigo 25, "c"), e obrigava à União o pagamento dos vencimentos dos professores primários, até o máximo de 2:400$ anuais"; enquanto as responsabilidades dos Estados "vieram acompanhadas da criação de fundos estaduais específicos".[18]

Soares[19] também comenta o assunto ao afirmar que foi a Reforma João Alves/Rocha Vaz que estabeleceu "o concurso da União para a difusão do ensino primário", tendo em vista que a União "deveria subsidiar parcialmente o salário dos professores primários em exercício nas escolas rurais" e os Estados membros deveriam "pagar o restante do salário; oferecer residência aos docentes; construir ou arranjar prédio escolar; e fornecer o material didático (art. 25)".

---

[13] RANIERI, 2018, p. 20.
[14] NUNES, 2017, p. 35.
[15] SOARES, 2018, p. 57.
[16] NUNES, 2017, p. 35.
[17] NUNES, 2017, p. 36.
[18] NUNES, 2017, p. 36.
[19] SOARES, 2018, p. 58.

Mas foi na década de 1930, ainda no Governo Provisório, que se iniciaram as principais mudanças, com a criação do Ministério dos Negócios da Educação e Saúde Pública (MES) na estrutura burocrática da administração federal "encarregado de conduzir e promover a centralização das políticas educacionais, cuja liderança coube ao jurista Francisco Campos"; tendo a instituição do MES a função de "ocupar um espaço de poder que teria 'importância estratégica na configuração e no controle, técnico e doutrinário, do aparelho escolar'".[20]

À vista disso, "com a Constituição Federal de 1934, inaugurou-se uma nova fase do financiamento da educação que se estende até os dias atuais, em que se definiram percentuais mínimos de recursos tributários a serem aplicados na educação".[21] Nessa fase é retomada "a organização federativa dos sistemas de ensino, desta feita com maior liberdade de organização para os Estados, sob atuação supletiva da União na medida das necessidades locais e regionais (arts. 170 e 171)".[22]

A Constituição de 1934 contou, pela primeira vez, com um capítulo específico para a educação, que passou a ser 'direito de todos'. Nela,

> A vinculação de recursos foi prevista no artigo 156, determinando que a União e os Municípios deveriam resguardar ao menos 10% da receita resultante de impostos, para a manutenção e desenvolvimento dos sistemas educativos; a porcentagem aos Estados e Distrito Federal, era de ao menos 20%. A União teria, ainda, ação supletiva, nas hipóteses de deficiência de recursos (artigo 150, e).[23]

Junto disso, "exigiu-se a criação, pelos entes federativos, de fundos de educação, compostos por sobras das dotações orçamentárias, porcentagens sobre doação e vendas de terras públicas, taxas especiais e outros recursos financeiros (artigo 157)".[24] Para Soares "esse diploma é pioneiro na vinculação constitucional de recursos para a educação".[25]

A Constituição de 1934 não durou muito, tendo em vista o Golpe de Estado de Getúlio Vargas, em 1937, que deu origem à Constituição conhecida como 'Polaca', onde a educação foi prevista como matéria de dever dos pais, com atuação do Estado apenas subsidiária "a fim de suprir as necessidades daqueles que não tinham como provê-la (artigos 125, 128 e seguintes)", ficando silente "quanto à vinculação de recursos".[26] "Nesse período, a concepção de educação pública é a de que esta seria destinada aos pobres que não podem arcar com o ensino na rede privada. Mesmo na rede pública, institui-se a contribuição para o caixa escolar aos que podem pagar"[27] (artigo 130).

Não durou muito e logo a Constituição de 1937 "revogou a vinculação constitucional de recursos financeiros para a educação".[28] Já em 1942, o Decreto-Lei (DEL)

---

[20] NUNES, 2017, p. 37.
[21] CARVALHO, 2012, p. 48.
[22] RANIERI, 2018, p. 25
[23] NUNES, 2017, p. 38.
[24] NUNES, 2017, p. 38.
[25] SOARES, 2018, p. 61.
[26] NUNES, 2017, p. 39.
[27] SOARES, 2018, p. 62.
[28] SOARES, 2018, p. 63.

nº 4.958/42 criou o Fundo Nacional do Ensino Primário, aponta Nunes, "composto pela renda de tributos federais a serem concebidos para auxiliar na ampliação e melhoria dos sistemas educacionais dos Estados, Distrito Federal e Territórios 'na conformidade de suas maiores necessidades' (artigo 3º)".[29]

O que se estabeleceu, portanto, na ausência de obrigação da União, foi uma "regra de cooperação federal aos entes subnacionais", e a norma previu, ainda, "que os recursos somente estariam disponíveis após celebração de Convênio Nacional do Ensino Primário, que o Ministro da Educação poderia celebrar com os governos dos Estados, Distrito Federal e Territórios (artigo 4º)".[30]

Por meio do Decreto-Lei nº 5.293, de março de 1943, o referido Convênio foi firmado, como esclarece Nunes,[31] estabelecendo "que a União prestaria assessoria técnica a determinados entes federados, que subscreveram o ato". Aos Estados coube "aplicar ao menos 15% da renda proveniente de impostos no ensino primário, cuja porcentagem aumentaria gradativamente até 20% no ano de 1949, a ser mantida a partir dos anos subsequentes (cláusula terceira)". Havia ainda a determinação de que "os Estados realizassem convênios com os Municípios, para que aplicassem 10% da renda de impostos no ensino primário, cuja porcentagem também aumentaria gradualmente, devendo alcançar 15% no ano de 1949 (cláusula quinta)". Segundo a autora, "os recursos que comporiam o Fundo, no entanto, foram criados somente em 1944, por meio do Decreto-Lei nº 6.785, que incluiu adicional de 5% sobre as 'taxas' do imposto de consumo sobre bebidas".

Somente pelos Decretos nºs 19.513/45 e 24.191/47 é que se regulou o DEL nº 4.958/42 ao se estabelecer critérios para a distribuição dos recursos, "a fim de que fossem direcionados aos entes com maiores necessidades", levando-se em consideração o número de crianças fora da escola para distribuição dos recursos, que seriam aplicados da seguinte forma: "(i) 70% para construir escolas; (ii) 25% na educação primária de adolescentes e adultos analfabetos; e (iii) 5% em bolsas de estudo para aperfeiçoamento do pessoal dos serviços de inspeção e orientação do ensino primário".[32]

A Constituição Federal de 1946 consagrou a vinculação de recursos, determinando (artigo 169) que a União aplicasse "ao menos 10% da 'renda resultante dos impostos na manutenção e desenvolvimento do ensino'; ao passo que aos Estados, Distrito Federal e Municípios, o percentual correspondia a, no mínimo, 20%".[33] Nunes ainda lembra que, "mesmo sob a vigência de uma nova Constituição, não foi revogada a política do Fundo Nacional do Ensino Primário, criada pelo Decreto-Lei nº 4.958/42".[34]

Ficou a cargo da União "prestar auxílio pecuniário para colaborar com o desenvolvimento dos sistemas de ensino", como observa Soares,[35] para quem esse auxílio, no caso do ensino primário, viria do respectivo Fundo Nacional. "O sistema de ensino foi dividido em dois: a) federal e dos territórios, organizado pela União; e b) dos estados e Distrito Federal"; e "ambos os sistemas deveriam possuir serviços de assistência educacional para o atendimento da clientela carente (art. 170, 171 e 172)".

---

[29] NUNES, 2017, p. 39.
[30] NUNES, 2017, p. 39.
[31] NUNES, 2017, p. 39.
[32] NUNES, 2017, p. 40.
[33] NUNES, 2017, p. 40.
[34] NUNES, 2017, p. 41.
[35] SOARES, 2018, p. 65.

Explica Nunes[36] que meses depois do início da ditadura militar no Brasil, instituiu-se "a contribuição social Salário-Educação, por meio da Lei nº 4.440/1964, para complementar as despesas com educação, buscando recursos junto ao setor privado". Nela, "metade do montante deveria ser depositado no Fundo Estadual de Ensino Primário (artigo 4º, "a"), enquanto a outra parte deveria ser aplicada no Fundo Nacional de Ensino Primário (artigo 4º, "b")".

Esta lei, artigo 5º, "obrigava as empresas com mais de 100 empregados a manter serviço próprio de ensino primário ou instituir bolsas de estudo para seus servidores e os filhos destes"; mas com a opção de "recolher uma contribuição denominada 'salário-educação', equivalente a 2% do salário mínimo multiplicado pelo número total de seus empregados". Em 1965, "a Lei nº 4.863 alterou a alíquota e a base de cálculo da contribuição para 1,4%. Posteriormente, por meio do Decreto nº 87.043/1982 sua alíquota foi redefinida para 2,5% sobre a folha de pagamento".[37]

Em 1967, com a nova Constituição, a educação se "consagrou como direito de todos, assegurando a igualdade de oportunidade (artigo 168), mas silenciou sobre a vinculação de recursos".[38] Sendo a Emenda [AI-5] a determinar que "os Municípios aplicassem, ao menos, 20% de sua receita no ensino primário (artigo 15, §3º, "f")",[39] enquanto "União e Estados, no entanto, não eram obrigados a vincular parte de seus recursos para financiar a educação".[40]

Anos depois, com a Emenda Constitucional nº 24/83, conhecida como Emenda Calmon, "foi finalmente promulgada em 5 de dezembro de 1983, estabelecendo a aplicação à União de, ao menos, 13% da receita resultante de impostos; cujo percentual para os Estados e Municípios era de 25%". Entretanto, foi necessário regulamentar a emenda para sua validade. "A Lei Calmon (Lei nº 7.348/85), por sua vez, somente ingressou no ordenamento nos primeiros meses após a ditadura ter se encerrado nominalmente".[41]

Apenas com a Constituição de 1988 é que a vinculação de recursos para a educação tornou-se permanente.

Analisado o financiamento por meio das constituições anteriores, a próxima seção analisará o financiamento a partir da Constituição atual, de 1988, e sua evolução desde então.

2 O financiamento da educação pública na Constituição atual

A Constituição de 1988 estipula, "em seu artigo 212, a vinculação de recursos à educação (...)".[42] Sobre isso, Soares[43] ressalta que coube à União a aplicação anual de "no mínimo 18% e os Estados, o Distrito Federal e os municípios 25% da receita

---

[36] NUNES, 2017, p. 41.
[37] CARVALHO, 2012, p. 50.
[38] NUNES, 2017, p. 42.
[39] NUNES, 2017, p. 42.
[40] NUNES, 2017, p. 43.
[41] NUNES, 2017, p. 44.
[42] NUNES, 2017, p. 44.
[43] SOARES, 2018, p. 69.

resultante de impostos, compreendida a proveniente de transferências, na manutenção e desenvolvimento do ensino". Também foi instituída "a prioridade na distribuição de recursos públicos por meio de atendimento das necessidades do ensino obrigatório, nos termos do plano nacional de educação".

Entretanto, segundo Godoi,[44] no campo econômico, já no final da década de 90, concomitante à promulgação da Constituição vigente, tendo em conta pagamentos muito altos de juros sobre sua dívida pública, o Brasil se comprometeu junto ao FMI "a produzir elevados *superávits* primários", ou seja, alcançar "elevadas diferenças positivas entre o total de receitas públicas arrecadadas e o total das despesas públicas efetuadas num ano, excluídas as despesas com o pagamento de juros". Com essa decisão, "até 1999, o país não produzia *superávits* primários; a partir de então, passou a produzir *superávits* primários superiores a 3% do PIB, número bastante alto e que poucos países conseguem realizar, realidade que permaneceu a mesma até 2008".

Nessa mesma época, do Plano Real, analisa Nunes,[45] estabilizada a economia e controlada a hiperinflação, foi criado "o Fundo Social de Emergência (FSE), pela Emenda Revisional nº 1/94, que desvinculou parte dos recursos da União destinados à educação até 1996." Essa desvinculação "foi objeto de prorrogação pela Emenda Constitucional nº 10/96, ocasião em que recebeu a denominação de Fundo de Estabilização Fiscal (FEF)".[46]

O financiamento da educação, com essas decisões, foi prejudicado. Mas, para Carvalho,[47] a Emenda Constitucional nº 14, de 1996, do Governo Federal, que instituiu o FUNDEF, com duração de 10 anos, agravou a situação ao alterar o art. 60 do Ato das Disposições Constitucionais Transitórias (ADCT) da Constituição Federal de 1988, "diminuindo de 50% para menos do que 30% do percentual da receita vinculada à educação, que deveria aplicar na erradicação do analfabetismo e na manutenção de desenvolvimento do ensino fundamental".

Associado a isso, Carvalho[48] pondera o "não cumprimento por parte do governo Fernando Henrique Cardoso da forma de cálculo do valor mínimo a ser gasto por aluno, constante na Lei 9.424/96" (LDB, Lei de Diretrizes e Bases da Educação, de 1996) e com isso o ensino fundamental teria deixado de receber cerca de dez bilhões de reais de recursos federais entre 1998 e 2012.

Além disso, o autor observa estudos sobre uma redução crescente de recursos destinados à educação, que se manteve mesmo no primeiro Governo Lula (2003-2006), de cerca de 20% em relação aos gastos do Governo Federal.[49]

Por outro lado, explica Soares,[50] com a EC nº 14/96 foi criada a contribuição social do salário educação, uma alternativa como fonte adicional de financiamento para o nível de ensino fundamental público; esta contribuição seria recolhida pelas empresas, que dela poderiam deduzir a aplicação realizada no ensino fundamental de seus empregados e dependentes.

---

[44] GODOI, Marciano Seabra de. *Finanças públicas brasileiras:* diagnóstico e combate dos principais entraves à igualdade social e ao desenvolvimento econômico, 2019, p. 20.
[45] NUNES, 2017, p. 45.
[46] NUNES, 2017, p. 46.
[47] CARVALHO, 2012, p. 61-2.
[48] CARVALHO, 2012, p. 62.
[49] CARVALHO, 2012, p. 63.
[50] SOARES, 2018, p. 69-70.

Nesse mesmo ano, observa Nunes,[51] a nova Lei de Diretrizes e Bases da Educação, de dezembro de 1996, "reforçou a regra vinculatória prevista na Constituição (artigo 69), além de prever balizas sobre a interpretação da rubrica Manutenção e Desenvolvimento do Ensino (MDE)". Nessa linha, a LDB "definiu quais gastos podem (artigo 70) e quais não podem (artigo 71) ser incluídos como MDE, colocando parâmetros interpretativos às atividades dos órgãos fiscalizadores. A cooperação federalista, por sua vez, restou disposta em seu artigo 8º e seguintes".

De acordo com a autora,[52] a Emenda Constitucional nº 14/96 também criou o Fundo de Manutenção e Desenvolvimento do Ensino Fundamental e de Valorização do Magistério (FUNDEF), com vigência de 10 anos e objetivo principal de determinar como o gestor público gastaria os recursos já vinculados constitucionalmente com destinação específica para a educação. O FUNDEF, segundo Nunes, foi regulamentado pela Lei nº 9.424/96 e "abarcava o Ensino Fundamental (então 1ª a 8ª séries) e pugnava, sobretudo, pela transparência nos gastos públicos e valorização do professorado, que deveriam ter sua remuneração garantida por, ao menos, 60% dos recursos do Fundo (artigo 7º)".

Para Carvalho, "o FUNDEF contribuiu para a ampliação do atendimento do ensino fundamental, deixando, porém, uma grande quantidade de crianças e jovens em idade escolarizável à margem da educação infantil e do ensino médio".[53]

Assim, considera o autor[54] que o FUNDEF não apresentou novos recursos para o sistema de educação brasileiro, "apenas redistribuiu, em âmbito estadual, entre o governo estadual e os municipais, uma parte dos impostos que já eram vinculados à Manutenção e Desenvolvimento do Ensino (MDE) com base no número de matrículas no ensino fundamental regular".

Nesse sentido, nas palavras de Carvalho, "a União diminuiu progressivamente o valor de sua complementação aos fundos estaduais e consequentemente o número de estados beneficiados com esta complementação", "chegando em 2006, último ano de vigência do FUNDEF, a atender apenas os estados do Pará e do Maranhão".[55]

Mas no segundo mandato do Governo Lula, afirma Carvalho, "de 2007 a 2009 a União ampliou em mais de 96,9% o montante de sua complementação e elevou de 8 para 9 o número de estados atendidos",[56] já na vigência do FUNDEB de 2006.

Carvalho[57] observa que, nos próximos anos, aproximadamente entre 2009 e 2019 "os efeitos concentradores e regressivos do modelo de tributação brasileira conviveram com efeitos desconcentradores e redistributivos provocados pela expansão real dos gastos sociais".

A distribuição das receitas do FUNDEF ocorria entre "os entes prestadores do serviço da educação básica – Estados, Distrito Federal e Municípios –, de acordo com a quantidade de alunas e alunos matriculados na rede, atribuindo-se fator de ponderação a cada etapa de ensino (artigo 2º, §2º)". Mas se "o Fundo respectivo não alcançasse o valor

---

[51] NUNES, 2017, p. 46.
[52] NUNES, 2017, p. 46.
[53] CARVALHO, 2012, p. 58.
[54] CARVALHO, 2012, p. 61.
[55] CARVALHO, 2012, p. 64-5.
[56] CARVALHO, 2012, p. 71.
[57] GODOI, 2019, p. 19.

mínimo estabelecido para cada aluno (artigo 6º, §1º), previu-se a complementação de recursos pela União (artigo 6º). Dessa forma, almejava-se conferir tratamento igualitário a cada local do país".[58]

Depois dos 10 anos iniciais, foi criado o FUNDEB para substituir o FUNDEF, por meio da Emenda Constitucional nº 53/2006, com vigência prevista até 2020. Esse novo Fundo "contou com maior participação da sociedade, que exigiu a ampliação de recursos do Fundo, de modo a atender outras etapas de ensino que o FUNDEF não abarcara",[59] como as creches e a Educação para Jovens e Adultos.

Nesse sentido, o novo Fundo pretendeu superar as limitações e todos os problemas provocados e não resolvidos pelo FUNDEF, tais como: "o seu impacto negativo sobre a educação de infantil e sobre a educação de jovens e adultos, a precariedade do sistema de avaliação e controle de seus recursos, bem como a inexpressiva valorização do magistério".[60]

Essa Ementa nº 53/2006, nas palavras de Soares, "incorporou algumas das críticas apontadas no FUNDEF, outras não. Ela incluiu o parágrafo 5º no artigo 211 da Constituição Federal, deixando claro que a prioridade pública é o ensino regular, isto é, todas as etapas da Educação Básica".[61]

Carvalho ressalta, acerca da contribuição do salário-educação, que essa ementa também "alterou o artigo 212 da CF, permitindo que seus recursos (alíquota de 2,5%) sejam utilizados em toda a educação básica e não mais somente no ensino fundamental, como acontecia anteriormente".[62]

O FUNDEB manteve a distribuição dos recursos com base no número de matriculados, com complementação da União em caso de ausência de recursos para manutenção do valor mínimo por aluno (artigo 4º). "Manteve-se a destinação de, ao menos, 60% do Fundo para remuneração de profissionais do magistério em exercício (artigo 22), cujo restante deve ser aplicado na manutenção e desenvolvimento do ensino (MDE)".[63]

Segundo Soares, os impostos que já faziam parte do FUNDEF "têm seu percentual aumentado de 15% para 20% em três anos, sendo no primeiro 16,66% e no segundo 18,33%, até atingir os 20% no terceiro ano, outros são incluídos com uma participação de 6,66% no primeiro ano, 13,33% no segundo, até atingir 20% no terceiro ano".[64]

Isso porque o Fundo foi regulamentado pela Lei nº 11.494/06, sendo o aumento de sua composição de 15% para 20% sobre as seguintes receitas: "(i.) ITCMD, (ii.) ICMS, (iii.) IPVA (arrecadação do Estado e transferência obrigatória ao Município), (iv.) imposto residual da União (não criado), (v.) parte do ITR, (vi.) parcela do IR e IPI devido ao FPE e FPM, (vii.) parcela do IPI e (viii.) receita da dívida ativa relativa a esses impostos".[65]

Ou seja, o FUNDEB é composto, na quase totalidade, por recursos dos próprios Estados, Distrito Federal e Municípios, sendo constituído de: a) contribuição de

---

[58] NUNES, 2017, p. 47.
[59] NUNES, 2017, p. 48.
[60] CARVALHO, 2012, p. 58.
[61] SOARES, 2018, p. 71.
[62] CARVALHO, 2012, p. 71.
[63] NUNES, 2017, p. 49.
[64] SOARES, 2018, p. 71.
[65] NUNES, 2017, p. 49.

Estados, DF e Municípios, de: 16,66% em 2007; 18,33% em 2008 e 20% a partir de 2009; b) contribuição de Estados, DF e Municípios, de: 6,66% em 2007; 13,33% em 2008 e 20% a partir de 2009; e c) receitas da dívida ativa e de juros e multas, incidentes sobre as fontes já relacionadas.[66]

Esclarece Soares que, "além desses recursos, ainda compõe o FUNDEB, a título de complementação, uma parcela de recursos federais, sempre que, no âmbito de cada Estado, seu valor por aluno não alcançar o mínimo definido nacionalmente".[67]

Justamente por ter maior potencial financeiro e administrativo, considera Soares que "é o governo federal quem assume a dianteira para criar e manter universidades públicas, e o faz em praticamente todas as regiões do território nacional por meio das instituições federais de ensino superior".[68]

Na visão de Lima "a previsão de tais valores (ainda que possam ser majorados) evidencia a importância conferida à educação, uma vez que a maior 'fatia' do orçamento público é direcionada à educação".[69]

Entretanto, ainda que, de forma geral, como observa Godoi,[70] o volume da carga tributária no Brasil pós Constituição de 1998, até 2017, tenha aumentado consideravelmente, "passando de 25,2% do PIB em 1991 para 33,47% do PIB em 2014, um crescimento considerável de 33%"; esse aumento expressivo da carga tributária brasileira ocorreu, segundo Godoi, "no período que vai do Plano Real até o ano de 2007, quando chegou a 33,78% do PIB"; e "após 2008, já sem a cobrança da CPMF e com um volume cada vez maior de desonerações fiscais no plano federal, a carga tributária bruta se manteve estável, na casa dos 33% do PIB". De acordo com o autor, "em 2014, a arrecadação conjunta do IR e do IPI não se alterou tanto (6,68% do PIB), mas a arrecadação das contribuições sociais e de intervenção no domínio econômico representou 14,83% do PIB, um significativo aumento de 81%", isso não foi notado claramente na educação.

Na verdade, a situação do financiamento da educação piorou, segundo Godoi,[71] com a aprovação da Emenda Constitucional nº 95 (EC 95), de 2016, que instituiu o 'Novo Regime Fiscal', que freou bruscamente a expansão dos gastos sociais em proporção do PIB, "enquanto a estrutura regressiva da tributação brasileira permanece intacta".

Sobre o assunto, esclarece Tavares[72] que essa emenda foi proposta ainda nos primeiros dias de gestão do Presidente Temer, depois de deposta a Presidente Dilma,

---

[66] SOARES, 2018, p. 71-2.
[67] SOARES, 2018, p. 72.
[68] SOARES, 2018, p. 72-3.
[69] LIMA, Marcela Catini de. Eficácia e Efetividade do Direito à Educação enquanto Direito Fundamental Social à Luz da Constituição de 1988. *Revista Direitos Fundamentais & Democracia*, Curitiba, v. 7, n. 7, p. 352-378, 2010, p. 374. Disponível em: https://revistaeletronicardfd.unibrasil.com.br/index.php/rdfd/article/view/87/86. Acesso em: 14 fev. 2023.
[70] GODOI, Marciano Seabra de. Finanças públicas brasileiras: diagnóstico e combate dos principais entraves à igualdade social e ao desenvolvimento econômico. *Revista de Finanças Públicas, Tributação e Desenvolvimento*, Rio de Janeiro, v. 5, n. 5, p. 13, 2017. Disponível em: https://www.e-publicacoes.uerj.br/index.php/rfptd/article/view/25565/19718. Acesso em: 17 fev. 2023.
[71] GODOI, 2019, p. 19.
[72] TAVARES, Francisco Mata Machado. A nova sociologia fiscal: contribuições de um estudo de caso de tipo público para uma promissora subdisciplina na sociologia brasileira. *Sociedade e Estado*, Brasília (DF), v. 34, p. 835-65, 2019. Disponível em: https://www.scielo.br/j/se/a/CkPng7kFydC7m5N53p3P4FH/abstract/?lang=pt. Acesso em: 10 mar. 2023.

em 2016. O Novo Regime Fiscal "consistiu em um congelamento do valor das despesas públicas primárias da União por um período de 20 anos", uma proibição de aumento de gastos que "não excepcionou nenhum poder da República, aplicando-se uniformemente ao Executivo, ao Legislativo e ao Judiciário e não comportou exceções vinculadas a elementos como aumento de arrecadação ou expansão demográfica".

No caso dos gastos com saúde e educação, afirma Godoi[73] que antes a Constituição determinava que "um percentual da receita corrente líquida da União Federal devesse necessariamente ser aplicado em referidas áreas. Após a EC 95, essa regra de aplicação mínima de recursos como proporção da arrecadação tributária deixará de existir"; progressivamente, em 2017, os gastos nessas áreas observaram os pisos já previstos, mas a partir de 2018 os gastos mínimos com saúde e educação deixaram de ser "calculados em função da arrecadação tributária" para corresponderem "ao piso do exercício anterior, corrigido pelo IPCA". Assim, a partir da EC nº 95, "a única possibilidade de essas áreas sociais continuarem a expandir seus gastos reais é que em outras áreas do Poder Executivo federal (ciência e tecnologia, cultura, forças armadas, transportes, administração tributária) ocorram reduções de gastos".

Entretanto, "um passo importante no sentido de romper com a lógica que pauta o financiamento da educação no Brasil foi dado com a definição dos Referenciais de Custo Aluno-Qualidade inicial (CAQi) pela Campanha Nacional pelo Direito à Educação" de 2007[74] na época do primeiro FUNDEB.

Portanto, mesmo com a substituição de um fundo por outro, "(...) o FUNDEB, apesar das modificações estabelecidas em relação ao papel da União no financiamento da educação básica, dá continuidade à lógica da racionalidade financeira",[75] mantendo o critério contábil de cálculo do valor anual mínimo por aluno dissociado do critério pedagógico.[76]

Diante disso, Carvalho[77] conclui pelo desinteresse "da classe no poder e do Estado em garantir uma educação pública de qualidade para todos", pois, apesar do discurso por uma educação de qualidade, "esta não se materializou em uma política de financiamento capaz de romper definitivamente com a lógica da racionalidade financeira e de garantir a ampliação significativa dos gastos públicos em prol de uma educação de qualidade".

Para o autor, evidência do descaso do Estado com a educação "pode ser encontrada na estrutura de financiamento que permeou toda a sua história: o financiamento da educação nunca foi efetivamente concebido a partir das necessidades reais dos alunos".[78]

Como a vigência do FUNDEB era até 31 de dezembro de 2020, foi necessária nova legislação sobre o financiamento da educação no país. Isso ocorreu por meio da Emenda Constitucional nº 108, de 27 de agosto de 2020, "que tornou o FUNDEB permanente e, dentre outros avanços, elevou a participação da União no financiamento da educação

---

[73] GODOI, 2019, p.18.
[74] CARVALHO, 2012, p. 76.
[75] CARVALHO, 2012, p. 69.
[76] CARVALHO, 2012, p. 72.
[77] CARVALHO, 2012, p. 72.
[78] CARVALHO, 2012, p. 73.

infantil e dos ensinos fundamental e médio". O governo ainda informa que, além disso, o FUNDEB "previu o aumento de recursos da complementação da União e o aprimoramento dos critérios de distribuição desses recursos".[79]

Explica o Instituto Brasileiro de Sociologia Aplicada (IBSA) sobre o funcionamento do novo FUNDEB em relação ao anterior que neste

> (...) foram excluídos da redistribuição os recursos relativos à Lei Kandir e incluídos os recursos relativos às alíquotas adicionais de ICMS para os Fundos de Combate à Pobreza (em alguns Estados, adicionais na alíquota do ICMS de bebidas alcóolicas e de fumo e seus sucedâneos manufaturados).[80]

Além disso, como ocorreu na mudança do FUNDEF para o FUNDEB, também com o novo FUNDEB a contribuição da União sofrerá um aumento gradativo até atingir o percentual de 23% dos recursos que formarão o Fundo em 2026. A previsão quando da aprovação do novo Fundo foi de que este passará de 10% do extinto FUNDEB para 12% em 2021; em seguida, para 15% em 2022; 17% em 2023; 19% em 2024; 21% em 2025; até alcançar 23% em 2026.[81]

Ou seja, para Vieira,[82] o novo FUNDEB apresenta mudança significativa quanto ao percentual de complementação da União, que passará de 10% progressivamente para 23% até 2026. Assim, a "antiga demanda quanto ao aumento do percentual de contribuição por parte da União com vistas à equalização da educação em relação aos Estados e Municípios com menor arrecadação" começa a ser alcançada.

Explica Guerra que "a atuação da Campanha Nacional pelo Direito à Educação mostrou-se decisiva [em relação ao Novo FUNDEB, de 2020], assim como havia sido na formulação do primeiro FUNDEB".[83] Para o autor, "o novo FUNDEB foi resultado de uma vasta mobilização da sociedade civil, fruto da ação política de diversas entidades e segmentos sociais que nem sempre coincidiram em suas bandeiras".[84]

Outra novidade trazida pelo art. 5º da lei do novo FUNDEB, explica Vieira, é a divisão da complementação:

> i) 10% no âmbito de cada Estado, quando o Fundeb retido estiver abaixo do mínimo nacional por aluno, ou seja, abaixo do VAAF (valor anual por aluno); ii) 10,5% no âmbito de cada Estado e Município, quando o Fundeb retido e as outras receitas do ensino somarem

---

[79] FUNDEB. Fundo Nacional de Desenvolvimento da Educação. MEC. *Histórico*. Disponível em: https://www.fnde.gov.br/index.php/financiamento/fundeb/sobre-o-plano-ou-programa/historico. Acesso em: 28 fev. 2023.

[80] IBSA. Instituto Brasileiro de Sociologia Aplicada. *O novo FUNDEB e seus impactos para os Estados e Municípios em 2022*. Disponível em: https://ibsa.org.br/o-novo-fundeb-e-seus-impactos-para-os-estados-e-municipios-em-2022/. Acesso em: 28 fev. 2023.

[81] FUNDEB. Fundo Nacional de Desenvolvimento da Educação. MEC. *Sobre o FUNDEB*. Disponível em: http://www.fnde.gov.br/index.php/financiamento/fundeb/sobre-o-plano-ou-programa/sobre-o-fundeb. Acesso em: 28 fev. 2023.

[82] VIEIRA, Andrea Mara RS. O novo FUNDEB e o Direito à Educação: avanços, retrocessos e impactos normativos. *Revista Brasileira de Estudos Políticos*, Belo Horizonte (MG), n. 125, p. 49-99, 2022, p. 73-4.

[83] GUERRA, Luiz Antonio. Participação Popular na Formulação de Políticas Educacionais: A Campanha e o Novo FUNDEB. *Educação & Sociedade*, Campinas (SP), v. 44, p. 1-15, 2023, p. 11.

[84] GUERRA, 2023, p. 7.

valor abaixo do mínimo nacional por aluno, ou seja, abaixo do VAAT (valor anual total por aluno) e; iii) 2,5% para as redes públicas, estaduais ou municipais, que apresentarem melhores indicadores educacionais.[85]

As conquistas recentes em relação ao financiamento da educação pública nacional por meio do FUNDEB ainda encontram entraves na política tributária, como é o caso da previsão de complementação do Valor anual Aluno por Resultado (VAAR), que, conforme Vieira,[86] corresponde "a 2,5 pontos percentuais, devida em caso de cumprimento das condicionalidades de 'melhoria de gestão' e 'melhoria da aprendizagem com redução das desigualdades'" e concede "essa espécie de bônus a alguns alunos e escolas em detrimento de outros que possuem os mesmos direitos constitucionais de acesso universal à educação de qualidade".

Por isso a autora afirma que

> A transferência de responsabilidades na qual a área da educação surge como a causadora dos problemas, e, por isso, atrai para si a obrigação de resolvê-los de forma independente e apenas com seus recursos financeiros, não se mostra como um modo legítimo de redução da desigualdade educacional, antes, porém (ou conjuntamente), será preciso reduzir a desigualdade econômica e social.[87]

Mesmo assim, Vieira considera que, "com as alterações no âmbito do FUNDEB trazidas pela Emenda Constitucional 108/20, [o financiamento da educação] passou a integrar o corpus constitucional, contribuindo para a consolidação da efetividade do direito à educação".[88]

Com base nos dados observados nesta seção, a pesquisa passará a analisar a importância dos impostos para o financiamento da educação pública no Brasil.

3 A importância dos impostos para a educação pública no Brasil

O ato de tributar, explicam Di Stefano Filho e Buffon,[89] "é crucial para que o Estado consiga desempenhar suas funções como prestador de serviço público e garantidor de direitos sociais", pois, segundo eles, "a arrecadação de recursos é necessária para que a efetivação dos objetivos da república seja exequível, gerando uma relação de dependência direta entre direitos fundamentais e tributação".

Mas, conforme observado na seção anterior, a proteção legal da educação enquanto direito "sempre se manteve vinculada ao contexto histórico, político e social, do país,

---

[85] VIEIRA, 2022, p. 74.
[86] VIEIRA, 2022, p. 81.
[87] VIEIRA, 2022, p. 85.
[88] VIEIRA, 2022, p. 61.
[89] DI STEFANO FILHO, Mario; BUFFON, Marciano. Benefícios Fiscais Regressivos: um estudo sobre Políticas Públicas Distributivas à luz de Theodore J. Lowi. *Rei – Revista Estudos Institucionais*, Rio de Janeiro (UFRJ), v. 8, n. 1, p. 138-159, 2022, p. 144. Disponível em: https://www.estudosinstitucionais.com/REI/article/view/668/773. Acesso em: 17 fev. 2023.

desde sua independência até os dias atuais, como pode ser verificado por meio da análise do direito à educação e sua trajetória constitucional".[90]

Explica Godoi que, "no Brasil, os estudos de direito tributário costumam ser completamente alienados sobre o contexto global das finanças públicas em que determinada exigência tributária está inserida".[91]

A intenção dessa pesquisa é justamente avaliar a tributação brasileira em relação ao financiamento da educação no país e, consequentemente, a destinação de recursos para a educação pública.

Ao se analisar o financiamento da educação, importa considerar, como afirmam Martins e Ribeiro, que "o papel do tributo em uma sociedade contemporânea não é somente financiar o Estado, mas, primordialmente, servir de instrumento de transformação social e concretização do princípio da dignidade da pessoa humana".[92]

Sobre esse papel, Di Stefano Filho e Buffon[93] consideram que o artigo terceiro do texto constitucional garante "os objetivos a serem perseguidos, dentre os quais destaca-se o combate à desigualdade e a erradicação da pobreza. Os meios pelos quais o Estado buscará alcançar essas finalidades serão as políticas públicas sociais", dentre elas, a educação. Para eles, "tais políticas serão financiadas por recursos oriundos da tributação, que serão arrecadados por políticas públicas próprias, denominadas de tributárias".

Sobre isso, observam os autores[94] que "o sistema tributário pode ser definido como uma ferramenta promotora de políticas sociais. Assim, elenca-se o ato de pagar tributos como um dever fundamental". Em virtude disso, explicam que "a atuação do Estado resulta de uma arrecadação de recursos, pois toda prestação do Estado, visando concretizar ou garantir direitos, gera consequentemente um custo ao erário público".

Assim, nas palavras de Abraham, "(...) destacam-se os debates a respeito do direito fundamental do cidadão de, não apenas ser adequadamente informado sobre a origem e aplicação dos recursos públicos, mas principalmente participar ativamente nas escolhas das políticas públicas".[95]

Nas seções anteriores, a partir da análise do financiamento da educação ao longo da história tributária do Brasil, não se notou participação efetiva da população em relação ao destino de seus impostos, muito menos a participação na tomada de decisão acerca de possíveis políticas públicas financiadas com tal arrecadação.

Di Stefano Filho e Buffon consideram que "as políticas públicas são fundamentadas de acordo com os resultados que se espera produzir. Aliás, a partir delas, busca-se alcançar efeitos concretos a fim de materializar uma verdadeira transformação da realidade social".[96]

---

[90] LIMA, 2010, p. 366.
[91] GODOI, 2017, p. 2.
[92] MARTINS, Joana D'Arc Dias; RIBEIRO, Maria de Fátima. Políticas Públicas Tributárias como Instrumento de Redução das Desigualdades Sociais: Rumo ao Desenvolvimento Sustentável. *Revista de Direito, Economia e Desenvolvimento Sustentável*, Florianópolis (SC), v. 7, n. 1, p. 1-23, 2021, p. 2 Disponível em: https://www.indexlaw.org/index.php/revistaddsus/article/view/7580/pdf. Acesso em: 17 fev. 2023.
[93] DI STEFANO FILHO; BUFFON, 2022, p. 153.
[94] DI STEFANO FILHO; BUFFON, 2022, p. 145.
[95] ABRAHAM, Marcus. Orçamento público como instrumento de cidadania fiscal. *Revista Direitos Fundamentais & Democracia*, Curitiba, v. 17, n. 17, p. 188-209, 2015, p. 190. Disponível em: https://revistaeletronicardfd.unibrasil.com.br/index.php/rdfd/article/view/596/421. Acesso em: 14 fev. 2023.
[96] DI STEFANO FILHO; BUFFON, 2022, p. 142.

Esses efeitos concretos estão relacionados às prestações positivas, "que dependem de uma ação concreta do Estado", e às negativas, "baseadas na não intervenção estatal", ambas necessitam de financiamento.[97]

Nota-se que as políticas públicas positivas, como a educação, "têm custos que serão financiados por meio da tributação. A arrecadação de tributos angariará recursos ao fundo público, que por sua vez os destinará, por meio do orçamento, às políticas públicas sociais", ou seja, "as políticas públicas tributárias determinarão o meio de financiamento das políticas sociais".[98]

Os recursos destinados a compor esse fundo público apresentarão "uma progressividade ou regressividade do sistema tributário". Neste ocorrerá a "hipótese do tributo impor um ônus tributário acima da capacidade contributiva do cidadão e consequentemente ameaçar sua existência digna"; naquele, "se o ônus observar, proporcionalmente, a condição socioeconômica do contribuinte, fixando alíquotas com aumento sucessivo, a relação será progressiva".[99]

Explicam Di Stefano Filho e Buffon[100] que "as políticas públicas tributárias que instituam ou majorem a tributação de renda e propriedade são progressivas, enquanto aquelas que instituam ou majorem tributos sobre consumo e produção são regressivas", e que "a escolha das áreas contempladas por ações governamentais é um ato fundamentalmente político, dependendo exclusivamente da priorização dos entes administrativos".

Neste ponto há que se considerar as forças envolvidas, que determinam as políticas públicas e seu financiamento a depender dos interesses que as determinam, especialmente porque as políticas públicas, de acordo com Di Stefano Filho e Buffon,[101] "são instrumentos das quais o Estado [se] utilizará para concretizar direitos sociais básicos às camadas mais vulneráveis da população". Se se considerar essa camada da população, a melhor escolha pública seria de políticas distributivas, que "são aquelas designadas a beneficiar determinado grupo ou região, e devem, portanto, ter como objetivo final a atuação favorável ao Estado Democrático de Direito, por meio do exercício de direitos fundamentais".

A partir disso, as políticas distributivas, de acordo com os autores, "são caracterizadas pelo benefício individualizado a determinado grupo e região, enquanto as políticas redistributivas caracterizam-se pela tributação de renda dos grupos mais privilegiados e seu devido repasse aos mais carentes por programas sociais".[102]

No entanto, alertam Di Stefano Filho e Buffon[103] que "a arena de poder que se desenvolve ao redor da política redistributiva é (...) caracterizada por uma visão elitista do processo político, pois sua realização depende de uma elite que detém cargos de comando" e essa política tributária seria contrária aos interesses próprios dessa elite e a favor da parcela vulnerável da sociedade. Por isso "há um alto índice de oposição nas políticas redistributivas devido ao conflito de interesses de dois lados", que os autores

---

[97] DI STEFANO FILHO; BUFFON, 2022, p. 145.
[98] DI STEFANO FILHO; BUFFON, 2022, p. 145.
[99] DI STEFANO FILHO; BUFFON, 2022, p. 145.
[100] DI STEFANO FILHO; BUFFON, 2022, p. 146.
[101] DI STEFANO FILHO; BUFFON, 2022, p. 139.
[102] DI STEFANO FILHO; BUFFON, 2022, p. 153.
[103] DI STEFANO FILHO; BUFFON, 2022, p. 147.

não traduzem como burguesia e proletariado, "mas detentores de dinheiro e tomadores de serviço, que ainda sim opõe classes sociais diferentes".

É no mesmo sentido a crítica de Martins e Ribeiro,[104] uma vez que para elas enquanto a base do sistema tributário progressivo (tributação direta) "atende ao princípio da capacidade contributiva, agravando de modo mais contundente as pessoas com maior capacidade econômica", a base do sistema tributário regressivo (tributação indireta) "possui caráter nitidamente regressivo, onerando igualmente os mais ricos e os mais carentes. Exemplo disso é o ICMS, incidente, inclusive, sobre os produtos da cesta básica". A partir disso as autoras concluem que a tributação indireta viola o princípio da capacidade contributiva e, portanto, "o direito ao mínimo existencial – elemento vital e básico para uma existência digna –, subtraindo do indivíduo o seu direito fundamental de prover a si e a seus familiares dos recursos elementares para seu desenvolvimento e a ampliação de suas capacidades".

Uma das justificativas para o discurso a favor desse tipo de tributação, e consequentemente contra políticas públicas redistributivas, é, nas palavras de Godoi,[105] o 'liberalismo fiscal', partindo-se da ideia de que haveria uma espécie de lei natural segundo a qual a arrecadação do tributo atende "as necessidades do Estado (os libertaristas nunca falam em necessidades da população ou dos indivíduos que compõem a sociedade civil)" e "os interesses privados dos detentores do poder, mesmo que se rotulem tais interesses de interesses públicos".

Para Godoi,[106] na visão libertarista, "o pagamento do tributo faz com que um recurso que tinha determinada utilidade para o contribuinte, para o mercado e para a economia nacional perca automaticamente essa utilidade", ao perder a utilidade o tributo se transformaria "num simples combustível a ser queimado nas engrenagens burocráticas da *máquina do Estado*".

O autor[107] analisa os tributos a partir de três perspectivas. "No plano positivo, o tributo é uma obrigação jurídica como qualquer outra"; "no plano da fundamentação ética, (...) a solidariedade social é o esteio da obrigação de pagar impostos, os quais possuem sim princípios materiais de justiça"; e "no plano pragmático de uma economia capitalista de mercado, o tributo compõe (...) o quadro institucional necessário para a geração de riquezas, as trocas comerciais e a preservação de direitos individuais e coletivos dos cidadãos e das empresas".

No Brasil, o modelo de tributação pós-Constituição de 1988, pondera Godoi,[108] "não incorporou qualquer viés desconcentrador de renda", ao contrário, "o ideal igualitário clássico de uma tributação progressiva e baseada nos impostos pessoais sobre a renda foi claramente rejeitado pela política tributária colocada em prática pelos poderes legislativo e executivo nas últimas décadas".

Depreende-se da opção por tal modelo tributário outras opções desses poderes, posto que a tributação está indiscutivelmente vinculada às políticas públicas por eles determinadas, que funcionam sob suas escolhas.

---

[104] MARTINS; RIBERIO, 2021, p. 14.
[105] GODOI, 2017, p. 4.
[106] GODOI, 2017, p. 5.
[107] GODOI, 2017, p. 5-6.
[108] GODOI, 2017, p. 19.

O sistema tributário brasileiro se distancia do ideal de justiça fiscal, como apontam Martins e Ribeiro,[109] por ser "altamente regressivo, com prevalência da tributação sobre o consumo, em detrimento da tributação sobre renda e propriedade". De acordo com elas, com base em dados colhidos junto à Receita Federal sobre a carga tributária no ano de 2018, "cerca de 25% da arrecadação no país foi oriunda da incidência sobre renda e propriedade, enquanto algo em torno de 50% decorreu da incidência sobre consumo de bens e serviços".

Consequência disso, consideram Martins e Ribeiro,[110] é que sobrecarregando o consumo em detrimento da renda e da propriedade o sistema tributário se encontra estruturado para "atender aos interesses de arrecadação do Estado, a partir da perspectiva liberal de neutralidade e de eficiência econômica, e não à ideia de justiça fiscal, de combate à desigualdade ou de fortalecimento do Estado Social".

Ou seja, para as autoras,[111] em resumo, não se trata "apenas de arrecadação ou distribuição dos tributos, mas também de uma adequada gestão dos valores, dado que, apenas com a convergência de todos estes elementos, será possível se pensar em uma efetiva justiça social tributária".

O problema para se alcançar tal efetividade parece estar, portanto, nas decisões sobre o sistema tributário, sobre as políticas de distribuição de renda e, principalmente, sobre políticas públicas, tendo em vista que somente a partir das escolhas feitas pelos Poderes Legislativo e Executivo é que a garantia dos direitos sociais constitucionalmente determinados poderá ser alcançada.

Constata-se que mesmo as tentativas de ampliação dos gastos com educação esbarram na política tributária nacional. À vista disso, Buffon e Anselmini[112] apontam que a tributação é um dos elementos tradicionalmente entendidos como capazes de "minimizar a desigualdade de renda e patrimônio", isto é, a escolha tributária de um país "revela se a opção política é voltada à redução das desigualdades inerentes ao modo de produção capitalista ou se os tributos servem apenas para prover os recursos necessários para manter a coisa pública, sem muitos ou quaisquer intentos redistributivos".

No país, explica Godoi,[113] "em vez de levantar recursos recorrendo a uma tributação mais progressiva e concentrada no patrimônio e rendimento dos estratos sociais mais elevados", a opção do Brasil "foi, mais uma vez, por levantar novos recursos trilhando a linha de menor resistência política", qual seja, a de

> Cancelamento da correção monetária das faixas da tabela progressiva de alíquotas do IRPF que se esperava para o ano de 2016, revogação de diversos benefícios e desonerações fiscais concedidos anteriormente, retomada das alíquotas normais do IPI para os automóveis,

---

[109] MARTINS; RIBERIO, 2021, p. 11.
[110] MARTINS; RIBERIO, 2021, p. 11.
[111] MARTINS; RIBERIO, 2021, p. 12.
[112] BUFFON, Marciano; ANSELMINI, Priscila. Imposto sobre as grandes fortunas: sua relevância social e jurídica à efetivação da justiça fiscal e diminuição das desigualdades no Brasil. *Revista Eletrônica de Direito do Centro Universitário Newton Paiva*, Belo Horizonte, n. 38, p. 55-71, maio/ago. 2019, ISSN 16788729, p. 56. Disponível em: http://revistas.newtonpaiva.br/redcunp/wp-content/uploads/2020/03/DIR38-04.pdf. Acesso em: 17 fev. 2023.
[113] GODOI, 2017, p. 20-1.

aumento do IPI dos cosméticos, aumento da alíquota do IOF nos empréstimos a pessoas físicas, reintrodução da cide-combustíveis, retomada da cobrança de PIS/COFINS sobre as receitas financeiras no regime não cumulativo.

Assim, segundo o autor, "temos na Constituição um projeto de tributação progressiva, mas, na prática, a legislação ordinária construiu um sistema fortemente regressivo",[114] não se podendo falar de financiamento da educação sem ressaltar que "são as finanças públicas globalmente consideradas que podem atuar no sentido de agravar ou combater a desigualdade".[115]

Atuações significativas, como a da Campanha Nacional pelo Direito à Educação, formada por diferentes movimentos populares que se articularam em torno de um mesmo objetivo, demonstram que "(...) não se pode deixar de considerar a cidadania, em termos atuais, como um direito fundamental básico e essencial, sem o qual não é possível obter e exercer nenhum outro direito".[116]

Ou seja, "a luta por justiça e transparência tributária é, para a cidadania brasileira, tão relevante quanto a luta contra a ditadura. Sem justiça tributária não há democracia, desenvolvimento ou justiça social".[117]

De acordo com Ribeiro e Gesteiro,[118] apenas com a socialização dos tributos, por meio de sua aplicação como instrumento social, "é que será possível desenvolver uma política social justa e distributiva, nos anseios da nação e como forma de se alcançar as finalidades que o Estado se prestou a desenvolver", previstos na Constituição Federal, e que devem orientar o Poder Público em suas escolhas tributárias e consequentemente de políticas públicas.

O que Buffon e Anselmini[119] constatam é que, no Brasil, "apesar de haver um quadro de desigualdade que coloca o Brasil entre os quinze países de pior índice GINI, a tributação sobre o patrimônio, especialmente quando significativo, é muito reduzida". Para eles, os impostos sobre o patrimônio representam somente 4% da arrecadação nacional e frisam que, "num país em que o agronegócio é uma grande fonte de riqueza, o imposto incidente sobre a propriedade rural representa menos de 0,5% do montante da arrecadação".

Os autores concluem, a partir disso, que "uma tributação voltada ao patrimônio traz benefícios para toda a população, principalmente no que tange à redistribuição de riquezas e a redução de iniquidades sociais".[120]

Nesse ponto, a trajetória da educação básica no Brasil, que se confunde com a própria história do financiamento da educação pública no país, nas palavras de Ranieri,

---

[114] GODOI, 2019, p. 28-9.
[115] GODOI, 2019, p. 29.
[116] ABRAHAM, 2015, p. 191.
[117] RIBEIRO, Maria de Fátima; GESTEIRO, Natalia Paludetto. A busca da Cidadania Fiscal no Desenvolvimento Econômico: Função Social do Tributo. *Argumentum – Revista de Direito*, Marília (SP), v. 5, p. 59-74, 2005, p. 68. Disponível em: http://ojs.unimar.br/index.php/revistaargumentum/article/view/721/373. Acesso em: 17 fev. 2023.
[118] RIBEIRO; GESTEIRO, 2005, p. 70.
[119] BUFFON; ANSELMINI, 2019, p. 58.
[120] BUFFON; ANSELMINI, 2019, p. 69.

"avança, positivamente, em direção à meta da sua universalização, com tendência à diminuição e eliminação, paulatinas, da histórica desigualdade em seu oferecimento", mas "é preciso foco nas famílias mais pobres, com renda per capta inferior a ¼ de salário-mínimo, que requerem políticas públicas específicas, entre estas, em particular, negros e indígenas".[121]

Apenas quando as forças que decidem sobre tributação e sua destinação escolherem efetivamente diminuir as desigualdades no Brasil, é que esse processo começará a caminhar.

Considerações finais

A partir da pesquisa realizada foi possível verificar que no período colonial o regente de Portugal instituiu a redizima, imposto destinado aos colégios da Companhia de Jesus no Brasil para garantir o financiamento da educação no país.

Com a expulsão dos jesuítas do Brasil pelo Marquês de Pombal, a educação passou a se valer do modelo de aulas régias, com financiamento precário, por meio das câmaras locais.

As Constituições de 1824 e de 1891 (da República) praticamente não se preocuparam com a educação ou seu financiamento, descentralizado para os Estados desde o Império.

Com a migração da população do campo para as cidades no começo do século XX, as reivindicações da classe média intensificaram os debates sobre educação, quando parte das receitas do orçamento público passou a ser destinada ao financiamento da educação pública.

Apenas com a Constituição de 1934 é que foram definidos percentuais mínimos dos recursos tributários para aplicação na educação. Modelo que se mantém até hoje, baseado em fundos compostos por uma diversidade de recursos financeiros.

Ainda que logo a Constituição de 1937 tenha revogado essa previsão, a Constituição de 1942 retomou o financiamento, criando o Fundo Nacional de Ensino Primário, composto por tributos federais.

A Constituição de 1946 consagrou a distribuição e vinculação de recursos públicos entre os entes federados.

Na ditadura militar foi criada a contribuição social Salário Educação para complementar as despesas com esse serviço, apesar da Constituição de 1967 ter silenciado sobre o financiamento da educação.

Somente depois do fim da ditadura militar, em 1985, é que a Emenda Constitucional nº 24/83, Emenda Calmon, foi promulgada com o intuito de estabelecer percentuais mínimos destinados ao financiamento da educação.

Coube à Constituição de 1988 estabelecer definitivamente a vinculação de recursos para esse financiamento. Mesmo assim, até hoje, a destinação de recursos para a educação passa por dificuldades.

---

[121] RANIERI, 2018, p. 46.

Já na década de 90 o repasse de recursos da União foi prejudicado pela necessidade de contenção da dívida pública, em seguida, junto com o Plano Real veio a Emenda Revisional de 1994, que desvinculou parte desses recursos da União até 1996, quando foi criado provisoriamente o FUNDEF (10 anos), que diminuiu ainda mais o percentual de receitas da União destinadas à educação.

Em substituição ao FUNDEF foi criado o FUNDEB, também provisoriamente (até 2020), contemplando dessa vez as creches e a Educação para Jovens e Adultos, priorizando a Educação Básica; a União manteve sua contribuição em patamares baixos em relação aos Estados e Municípios.

Já com o Novo FUNDEB, de 2020, agora permanente, há previsão de progressiva ampliação na contribuição da União com o financiamento da educação, novos cálculos foram previstos para que seja possível gradualmente reduzir as diferenças regionais no aporte de recursos públicos para o financiamento da educação.

A pesquisa demonstrou que a educação é uma prestação positiva, que depende de uma ação concreta do Estado, ou seja, é uma política pública que demanda recursos para sua efetivação. Apenas por meios dessas políticas é que os objetivos constitucionais podem ser alcançados. Por isso a educação está estreitamente ligada à tributação.

Sendo assim, no campo da arrecadação, ainda que os ideais constitucionais sejam voltados para a diminuição das diferenças regionais e das desigualdades sociais, a pesquisa constatou que a política tributária nacional é regressiva, pois os tributos nacionais são essencialmente voltados para o consumo e para a produção, em detrimento de políticas progressivas sobre renda e propriedade que privilegiariam a capacidade contributiva dos contribuintes, auxiliando, portanto, na diminuição das desigualdades sociais.

Nesse sentido, as políticas de distribuição de renda no país permanecem baseadas em políticas distributivas, que beneficiam determinados grupos ou regiões, deixando o Poder Público de se utilizar de políticas redistributivas, que tributariam a renda de grupos privilegiados para o financiamento de programas sociais destinados aos mais carentes.

Diante disso, a pesquisa concluiu que o sistema de tributação utilizado no país é fruto da decisão daqueles já privilegiados diretamente ou por sua influência nos Poderes Legislativo e Executivo. Desde o período colonial a tributação visa atender aos interesses dessas mesmas classes, sem que se pudesse notar qualquer preocupação com a redistribuição de renda que permitisse a diminuição de desigualdades.

Consequência disso, o financiamento da educação foi paulatinamente ficando relegado aos mínimos repasses previstos, quando previstos, sempre a cargo dos Estados e/ou municípios, que historicamente detêm menos recursos que o Governo Federal.

Mesmo com a vigência da Constituição atual, com previsões de financiamento pela LDB e por fundos como o FUNDEF e o FUNDEB, a pesquisa pôde concluir que o repasse de recursos se manteve em patamares insuficientes.

As previsões do novo FUNDEB ascendem as esperanças, mas é preciso manter a atenção, pois a partir dos dados levantados e das análises feitas conclui-se que historicamente a educação pública brasileira não é pauta prioritária do Poder Público, posto não parece estar entre os pontos de maior interesse daqueles que escolhem as formas de arrecadação e sua destinação no país.

Referências

ABRAHAM, Marcus. Orçamento público como instrumento de cidadania fiscal. *Revista Direitos Fundamentais & Democracia*, Curitiba, v. 17, n. 17, p. 188-209, 2015. Disponível em: https://revistaeletronicardfd.unibrasil.com.br/index.php/rdfd/article/view/596/421. Acesso em: 14 fev. 2023.

BUFFON, Marciano; ANSELMINI, Priscila. Imposto sobre as grandes fortunas: sua relevância social e jurídica à efetivação da justiça fiscal e diminuição das desigualdades no Brasil. *Revista Eletrônica de Direito do Centro Universitário Newton Paiva*, Belo Horizonte, n. 38, p. 55-71, maio/ago. 2019, ISSN 16788729. Disponível em: http://revistas.newtonpaiva.br/redcunp/wp-content/uploads/2020/03/DIR38-04.pdf. Acesso em: 17 fev. 2023.

CARVALHO, Fabrício Aarão Freire. *Financiamento da Educação*: do FUNDEF ao FUNDEB – repercussões da política de fundos na valorização docente da Rede Estadual de Ensino do Pará – 1996 a 2009. 267f. Tese. (Doutorado em educação). Faculdade de Educação da Universidade de São Paulo (USP), São Paulo, 2012. Disponível em: http://observatorioderemuneracaodocente.fe.usp.br/FABRICIOAARAOFREIRECARVALHO.pdf Acesso em: 15 fev. 2023.

DI STEFANO FILHO, Mario; BUFFON, Marciano. Benefícios Fiscais Regressivos: um estudo sobre Políticas Públicas Distributivas à luz de Theodore J. Lowi. *Rei – Revista Estudos Institucionais*, Rio de Janeiro (UFRJ), v. 8, n. 1, p. 138-159, 2022. Disponível em: https://www.estudosinstitucionais.com/REI/article/view/668/773. Acesso em: 17 fev. 2023.

FUNDEB. Fundo Nacional de Desenvolvimento da Educação. MEC. *Histórico*. Disponível em: https://www.fnde.gov.br/index.php/financiamento/fundeb/sobre-o-plano-ou-programa/historico. Acesso em: 28 fev. 2023.

FUNDEB. Fundo Nacional de Desenvolvimento da Educação. MEC. *Sobre o FUNDEB*. Disponível em: http://www.fnde.gov.br/index.php/financiamento/fundeb/sobre-o-plano-ou-programa/sobre-o-fundeb. Acesso em: 28 fev. 2023.

GODOI, Marciano Seabra de. Finanças públicas brasileiras: diagnóstico e combate dos principais entraves à igualdade social e ao desenvolvimento econômico. *Revista de Finanças Públicas, Tributação e Desenvolvimento*, Rio de Janeiro, v. 5, n. 5, 2017. Disponível em: https://www.e-publicacoes.uerj.br/index.php/rfptd/article/view/25565/19718. Acesso em: 17 fev. 2023.

GODOI, Marciano Seabra de. *Finanças públicas brasileiras*: diagnóstico e combate dos principais entraves à igualdade social e ao desenvolvimento econômico, 2019.

GUERRA, Luiz Antonio. Participação Popular na Formulação de Políticas Educacionais: A Campanha e o Novo FUNDEB. *Educação & Sociedade*, Campinas (SP), v. 44, p. 1-15, 2023.

IBSA. Instituto Brasileiro de Sociologia Aplicada. *O novo FUNDEB e seus impactos para os Estados e Municípios em 2022*. Disponível em: https://ibsa.org.br/o-novo-fundeb-e-seus-impactos-para-os-estados-e-municipios-em-2022/. Acesso em: 28 fev. 2023.

LIMA, Marcela Catini de. Eficácia e Efetividade do Direito à Educação enquanto Direito Fundamental Social à Luz da Constituição de 1988. *Revista Direitos Fundamentais & Democracia*, Curitiba, v. 7, n. 7, p. 352-378, 2010. Disponível em: https://revistaeletronicardfd.unibrasil.com.br/index.php/rdfd/article/view/87/86. Acesso em: 14 fev. 2023.

MARTINS, Joana D'Arc Dias; RIBEIRO, Maria de Fátima. Políticas públicas tributárias como instrumento de redução das desigualdades sociais: rumo ao desenvolvimento sustentável. *Revista de Direito, Economia e Desenvolvimento Sustentável*, Florianópolis (SC), v. 7, n. 1, p. 1-23, 2021. Disponível em: https://www.indexlaw.org/index.php/revistaddsus/article/view/7580/pdf. Acesso em: 17 fev. 2023.

NUNES, Alynne Nayara Ferreira. Financiamento da educação básica no Brasil: uma análise dos arranjos jurídicos adotados ao longo do período republicano. *Revista Digital de Direito Administrativo*, São Paulo (USP), v. 4, n. 1, p. 32-58, 2017. Disponível em: https://www.revistas.usp.br/rdda/article/view/122956/122660. Acesso em: 15 fev. 2023.

RANIERI, Nina Beatriz Stocco. Educação obrigatória e gratuita no Brasil: um longo caminho, avanços e perspectivas. *In*: RANIERI, Nina Beatriz Stocco; ALVES, Angela Limongi Alvarenga (org.). *Direito à educação e direitos na educação em perspectiva interdisciplinar*. São Paulo: Cátedra UNESCO de Direito à Educação, USP, 2018. p. 15-48.

RIBEIRO, Maria de Fátima; GESTEIRO, Natalia Paludetto. A busca da Cidadania Fiscal no Desenvolvimento Econômico: Função Social do Tributo. *Argumentum – Revista de Direito*. Marília (SP), v. 5, p. 59-74, 2005. Disponível em: http://ojs.unimar.br/index.php/revistaargumentum/article/view/721/373. Acesso em: 17 fev. 2023.

SOARES, Rúben da Silva. O financiamento da educação pública nas Constituições Brasileiras. *In:* RANIERI, Nina Beatriz Stocco; ALVES, Angela Limongi Alvarenga (org.) *Direito à educação e direitos na educação em perspectiva interdisciplinar*. São Paulo: Cátedra UNESCO de Direito à Educação, Universidade de São Paulo (USP), 2018. p. 49-76.

TAVARES, Francisco Mata Machado. A nova sociologia fiscal: contribuições de um estudo de caso de tipo público para uma promissora subdisciplina na sociologia brasileira. *Sociedade e Estado*. Brasília (DF), v. 34, p. 835-65, 2019. Disponível em: https://www.scielo.br/j/se/a/CkPng7kFydC7m5N53p3P4FH/abstract/?lang=pt. Acesso em: 10 mar. 2023.

VIEIRA, Andrea Mara RS. O novo FUNDEB e o Direito à Educação: avanços, retrocessos e impactos normativos. *Revista Brasileira de Estudos Políticos*, Belo Horizonte, n. 125, p. 49-99, 2022.

Informação bibliográfica deste texto, conforme a NBR 6023:2018 da Associação Brasileira de Normas Técnicas (ABNT):

BARELLA, Ana Lúcia; FISCHER, Octavio Campos. Tributação e o financiamento da educação pública no Brasil: um histórico desinteresse. *In*: JUSTEN, Monica Spezia; PEREIRA, Cesar; JUSTEN NETO, Marçal; JUSTEN, Lucas Spezia (coord.). *Uma visão humanista do Direito*: homenagem ao Professor Marçal Justen Filho. Belo Horizonte: Fórum, 2025. v. 2, p. 841-863. ISBN 978-65-5518-916-2.

OS GASTOS TRIBUTÁRIOS E OS INVISÍVEIS

REGIS FERNANDES DE OLIVEIRA

1. A pobreza como problema jurídico. O Direito não costuma tratar temas fora dos conceitos normativos. Muitos entendem que a pobreza não é *matéria jurídica*. O assunto desbordaria para o nível sociológico, ficando fora da incidência de regras jurídicas.

Ora, o art. 6º da Constituição Federal estabelece como direito social a "assistência aos desamparados". O art. 1º do mesmo diploma dispõe que a *dignidade da pessoa humana* é um dos fundamentos da República Federativa do Brasil e o art. 3º tem a *erradicação da pobreza* como um dos objetivos fundamentais do mesmo Estado.

Como se isso não bastasse, o mesmo artigo 3º de nossa Lei Maior considera um dos objetivos fundamentais construir uma sociedade *justa e solidária* que busca "reduzir as desigualdades sociais".

O art. 23 de nossa Carta estabelece que é da competência comum dos três entes federativos "combater as causas da pobreza e os fatores de marginalização, promovendo a integração social dos setores desfavorecidos".

Para cumprir tais disposições constitucionais, foi que se criou o Fundo de Combate e Erradicação da Pobreza, por meio dos arts. 79 a 83 do Ato das Disposições Constitucionais Transitórias. Originariamente destinado a viger até 2010, foi prorrogado pela Emenda Constitucional nº 67/2010 por tempo indeterminado.

Vê-se, pelos dispositivos invocados (além dos incisos LXXIV do art. 5º, que cuida de assistência jurídica, e do inciso LXXVI do mesmo artigo, que trata da gratuidade de atos registrais, do art. 134, que cuida da Defensoria Pública para a defesa dos necessitados, e também do art. 203, que trata da assistência social a quem dela necessitar) que o Estado moderno opta por reequilibrar a sociedade, mediante políticas retributivas.

O assunto é estritamente jurídico e como tal deve ser tratado.

Definição. Desnecessária uma definição de pobreza. Ela é real. Seu contrário é a riqueza. O ordenamento normativo não busca amparar a riqueza, mas contém inúmeros preceitos para assistir à pobreza.

Como disse Rousseau, nas primeiras linhas de seu discurso sobre "a origem da desigualdade entre os homens", "concebo na espécie humana duas espécies de desigualdade. Uma, que chamo de natural ou física, porque é estabelecida pela natureza e que consiste na diferença das idades, da saúde, das forças do corpo e das qualidades do espírito ou da alma. A outra, que pode ser chamada de desigualdade moral ou política, porque depende de uma espécie de convenção e que é *estabelecida ou pelo menos autorizada pelo consentimento dos homens*. Esta consiste nos diferentes privilégios de que gozam alguns em prejuízo dos outros, como ser mais ricos, mais honrados, mais poderosos do que os outros ou mesmo fazer se obedecer por eles".

A rotulada *desigualdade política ou social* é que merece atenção do legislador e do administrador e, diga-se o mesmo, do julgador. Todos compõem o governo de um país em determinada época. São seus integrantes que têm que voltar os olhos para os desiquilíbrios sociais.

O parágrafo único do art. 6º da Constituição consagrou o que se rotula de *renda mínima*, o que será adiante analisado. Mas por aí bem se vê a obrigatoriedade de o Estado amparar as pessoas em situação de *vulnerabilidade*. É o que se está rotulando de *invisibilidade*.

A pobreza criada pelos homens irá necessitar por parte do Estado de ações positivas que busquem atenuar, compensar ou extinguir o fosso social que se abre entre ricos e pobres.

A partir daí é que estudaremos os gastos tributários, as diferenças sociais, as normas que buscam reduzi-las e os problemas que existem em sua diminuição.

2. Espécies: individual, coletiva e social. Podemos visualizar alguns tipos de pobreza: a) a individual; b) a coletiva; e c) a social. Todos eles merecem a atuação do Estado.

2.1. Individual. Indigência e pobreza. A pobreza *individual* é involuntária. Há pessoas que voluntariamente fazem votos religiosos de pobreza ou por convicção pessoal de desprendimento. Com tal tipo de pobreza não se envolve o Estado, porque integra as diversas opções do indivíduo. Respeitada deve ser sua privacidade e liberdade. Se escolhe um caminho de humildade, de renúncia aos bens da vida, de desapego a bens materiais, o Estado não pode intervir. Exige-se uma omissão. Cumpre sua missão constitucional não intervindo na intimidade. Tais casos são exceção.

O cuidado do Estado começa com a pobreza involuntária individual. Essa exige ações positivas do Estado. De duas uma: ou o indivíduo provoca a atuação estatal ou esta, espontaneamente, vai até ele. Se uma pessoa está abandonada nas ruas da cidade, tem o Estado o dever de recolhê-la, alimentá-la e dar-lhe abrigo. Se o indivíduo busca órgão municipal, estadual ou federal, esse tem que atendê-lo.

No caso de não atendimento, busca a gratuidade da defensoria pública para obrigar, através do Judiciário, a ação. Para Aristóteles "*potência* significa o princípio do movimento ou da mudança existente em alguma coisa distinta da coisa mudada, ou nela enquanto outra" ("Metafísica", ed. Edipro, 2ª ed., capítulo V, 12, p. 149). O filósofo valeu-se dos ensinamentos anteriores de Heráclito e Parmênides. O primeiro dizia que tudo se movimenta; o segundo que nada se movimenta. O "*ato* significa a presença da coisa, não no sentido em que entendemos potência. Dizemos que uma coisa está presente potencialmente como Hermes está presente na madeira ou a semilinha no todo, porque são indissociáveis, e até o homem que não está estudando chamamos de estudioso desde que seja capaz de estudar" (Metafísica", ob. cit., capítulo IX, 6, p. 236). O exemplo didático é representado pela semente e a árvore. O ato é representado pela ação da criação da árvore; a potência é a possibilidade de a semente virar árvore.

O Estado, através de seus inúmeros órgãos de atuação, é mera potência enquanto não acionado ou enquanto não age. Ao se movimentarem, Estado e agentes viram atos vivos de transformação da realidade.

O indivíduo é inerte e inerme. Mero ato. Ao se movimentar e buscar a ação (potência) do Estado, também vira potência.

Pode-se estabelecer diferença entre indigência e pobreza? Zanobini afirma que a indigência é uma situação permanente e mais grave; a pobreza é ocasional e superável ("Corso di diritto amministrativo", vol. V, Milano, Griuffrè, 1952, p. 334). Podemos dizer que a indigência é mais duradoura. Tal afirmação não firma critério ponderável nem aceitável de distinção. Ambas são situações conflitivas dentro da sociedade. Ambas envolvem e necessitam da atuação da sociedade ou do Estado.

A exceção vem mencionada com notável alusão à figura do *muçulmano* no campo de concentração, tão bem retratado por Giorgio Agamben em "O que resta de Auschwitz" (ed. Boitempo, *homo sacer III*, 2010, capítulo 2). O abandono individual significa a perda completa da dignidade. É a negação da vida. Somente o amparo do Estado pode recuperar a dignidade e também a vida.

Em nossa realidade temos exemplos bastante vivos da primeira hipótese, são os moradores de rua. Vêm de algum lugar, não lograr espaço na estrutura do Estado ou em empresas particulares, vão perdendo a dignidade aos poucos e, de repente, viram molambos circulando pela cidade. Muitos com problemas psíquicos; outros por malandragem; a maioria, necessitados.

Ao lado da individual há a pobreza coletiva.

2.2. Pobreza coletiva. O mesmo ocorre quando se cuida da pobreza coletiva: favelas, cortiços, invasões múltiplas de área, "Cracolândia", etc. Agrupamentos abandonados que nascem ao arrepio das ações governamentais e contra essas e se impõem na sociedade.

Aqui o problema já não é cuidar de um indivíduo apenas, mas de um aglomerado que tem o mesmo problema. Subalimentação, falta de atendimento médico, doenças, promiscuidade, perda do sentido do social.

O grupo sente-se em *apartheid*, fora da incidência do regramento jurídico. Aqui não é o indivíduo, mas uma coletividade. De qualquer forma carente. Acha-se fora do alcance dos mecanismos do Estado. Não há trabalho, não há água potável, não há saneamento básico, não há transporte, não há assistência médica. Nada. Abandono completo.

Além da coletiva, há a pobreza social.

2.3. Pobreza social. Por fim, há a pobreza da sociedade. Não mais indivíduos ou grupos, mas grande parte da sociedade alijada dos bens da vida. Daí a importância de uma *política social* no exato dizer de Foucault, quando escreve que é "uma política que se estabelece como objetivo de uma relativa repartição do acesso de cada um aos bens de consumo" ("Nascimento da biopolítica", ed. Martins Fontes, coleção Tópicos, 2008, p. 194). Socializa-se o consumo. O governo tem que intervir "nessa sociedade para que os mecanismos concorrenciais, a cada instante e em cada ponto da espessura social, possam ter o papel de reguladores – e é nisso que a sua intervenção vai possibilitar o que é o seu objetivo: a constituição de um regulador de mercado geral da sociedade" (ob. cit., p. 199).

O que está em jogo é uma política pública do Estado frente a toda uma sociedade. Já não mais a solução pontual de uma situação dada nem a de atendimento a um grupamento, mas a toda a sociedade, que está desequilibrada. É o que se pode rotular de *pobreza difusa*. Está permeada no seio da coletividade como um todo.

Pode-se dizer que a sociedade está em situação de vulnerabilidade, na hipótese em que há muita desigualdade econômica. Amartya Zen em seu "desenvolvimento com liberdade" assinala bem a regra moral aplicável a todos e que a ninguém é dado fugir.

Na análise de tal autor, o problema é que o abandono social limita a liberdade. Esta como apanágio maior do indivíduo é prejudicada, porque, se não se tem o mínimo de subsistência, sua liberdade inexiste. Salvo a de passar fome.

Vistos os *três* tipos de pobreza, passemos à análise de como deve o Estado agir e o que pode fazer para diminuir os níveis de tensão existentes na sociedade e fazer com que se reduzam os conflitos.

3. Capacidade contributiva tributária e receptiva financeira. Políticas públicas e destinatários. Um primeiro ponto é o sistema de arrecadação. Este deve levar em conta o que os juristas chamam de *capacidade contributiva*. É essencial na compreensão do problema. De forma positiva, significa que cada indivíduo que tenha recursos e os aufira no seio da sociedade em que vive tem obrigação moral de contribuir para que as desigualdades diminuam.

Há sérios problemas éticos envolvidos. Até que ponto se pode obrigar alguém a contribuir para ajudar terceiros? Há, no interior da sociedade tal obrigação a exigir uma conduta ética neste sentido? Ora, o Estado não é integrado apenas de ricos com exclusão dos pobres ou dos pobres com exclusão dos ricos. Todos estão jogados na sociedade. São, nesse sentido, *responsáveis* por ela. Contribuem para a riqueza total do país. Quem pode mais paga mais; quem pode menos contribui com menos. Mas, pode-se questionar, esta regra é compatível com a disciplina da sociedade?

Temos que é dever ético de todos os que convivem não serem obrigados a sustentar os mais pobres, mas devem colaborar para que a sociedade os ampare. É que todos usufruem dos benefícios públicos. Boas estradas, bons divertimentos, bons sistemas de saúde, de educação, etc. Moléstias transmissíveis atingem a todos, sem indagar se são ricos ou pobres. Males como a dengue são democráticos. Logo, o viver em comunidade pressupõe responsabilidades divididas.

Assentada tal premissa, é dever de todos o pagamento de tributos. Pode-se dizer que é dever bíblico. Ora, viver em determinado Município, Estado-membro ou país significa que as pessoas a eles se acham integradas. Logo, todos devem pagar de acordo com sua capacidade e quando da ocorrência das hipóteses de incidência.

Deve haver uma relação entre o que se arrecada e o produto interno bruto (PIB). Exaurir as forças produtivas da sociedade não é o caminho. O capital busca mais capital e mais lucro. Não vê o problema social. Nem quer saber dele. Quer que o Estado não atrapalhe a empresa. De outro lado, a população afastada do emprego não quer incomodar o capital, mas dele precisa. Nasce relação altamente tensional. Invasões de terra, ocupação de imóveis particulares e públicos, passeatas, confusões, incêndios de pneus em vias públicas, depredação de empresas, etc. Atos de vandalismo que buscam conforto e apoio no descompasso dos níveis sociais de compreensão.

O dono do capital não quer a convivência em tal estado de coisas. Tem que proteger seu capital, sua empresa e sua família. Logo, tem obrigação moral de contribuir mais fartamente para o bolo da receita.

As receitas não podem tirar do dono do capital todo seu potencial. Ao contrário, devem existir estímulos quando os empresários tiverem dificuldade, por força do relacionamento internacional ou mesmo em face de dificuldade climáticas, cambiais, etc. Tem, também, que existir relação entre o produto interno bruto e a capacidade contributiva do todo da sociedade.

Como disse Bernardo Giorgio Mattarella, "la povertà è un problema non solo per chi ne è vittima, ma per tutta la società, e non solo in termini morali o estetici, ma anche in termini molto materiali" ("Il problema della povertà nel diritto amministrativo", *in*: "Rivista trimestrale di diritto pubblico", Fiuffré editore, 2012, p. 368).

Se o problema é de toda a sociedade e o capital deve participar de sua solução, todos devem estar irmanados na luta pela diminuição das desigualdades.

Daí a atuação do Estado.

Ressalta-se a importância de todos estarem dispostos a participar no pagamento dos tributos (evitando-se a evasão, a elisão e todos os mecanismos de redução de seu pagamento). É dever cívico.

Amparado o cofre público com recursos correlativos com o produto interno bruto (o Brasil tem excessiva cobrança, o que diminui a perspectiva do crescimento do país), o governo tem que pensar no destino a ser dado aos tributos arrecadados.

Daí é que se deve pensar no *efeito distributivo* dos recursos arrecadados. Os *destinatários*, então, são a outra face da moeda, os pobres. Se aos ricos se aplica a regra da *capacidade contributiva* em relação aos impostos, aos pobres se aplica a regra da *capacidade receptiva*. Tendo o governo a disponibilidade de caixa, cabe-lhe discutir com a sociedade (rica e pobre) onde, como e quando investir nas denominadas políticas públicas.

Na estrutura orgânica do Estado há uma série de atribuições distribuídas entre os entes públicos. Cada qual tem competência para agir em busca de soluções públicas. Em relação ao tema da distribuição dos recursos públicos e sua aplicação em benefício do indivíduo, das coletividades e da sociedade, surgem as denominadas *políticas públicas*. Estas outras coisas não são que agir no espaço vazio e necessário. São as ações do Estado em benefício ou em direção às necessidades que foram definidas no ordenamento jurídico.

Evidente que há um ideal (pode-se dizer platônico): pleno emprego, ninguém abandonado, todos com moradia, usufruindo de bom sistema de transporte, saúde, educação, etc. Tal Estado é o ideal. Mas, como se viu, a realidade é mais dura e contundente. As desigualdades estão evidentes e crescem a cada dia. Há um poder de concentração de capital nas mãos de poucos. A grande maioria da sociedade vive marginalizada. É o que se vê no dia a dia de nossas cidades, pequenas ou grandes.

Os distanciamentos aumentam. Cada qual quer cuidar de sua própria vida, sem ser perturbado pelos outros. O egoísmo cresce, o cuidado de si mesmo se agiganta e a cura do coletivo é completamente abandonada. A sociedade sente-se absolutamente em confronto com o Estado. Este é composto por pessoas que agem em função de suas pulsões e de seus sentimentos. Nem sempre nobres. Nem sempre controlados. A proximidade do dinheiro público entorpece os sentimentos de solidariedade e de benemerência, fazendo estimular tudo o que há de menos elevado.

Não há espaço para estudar os sentimentos que fluem no interior das pessoas. Análise psicanalítica, mas importante na análise dos fatos sociais. É que quem exerce poderes no Estado são pessoas. Plexos de sentimentos conflituosos. De fluência perversa e que busca valer-se dos bens do Estado, na saborosa crítica do Padre Vieira (no sermão do bom ladrão).

Fizemos algumas ponderações em recente livro (Regis Fernandes de Oliveira, "As emoções e o direito", Novo Século, 2024).

A literatura estrangeira é farta em estudar as desigualdades sociais. Situações de fome foram retratadas por Zola, Dostoiévski, etc. A brasileira não fica atrás, especialmente quando do realismo (Aloísio de Azevedo, Graciliano Ramos). O ciclo da cana-de-açúcar também reflete tal situação

O problema da literatura é denunciar ou descrever fatos agudos da realidade. O do governante é de buscar resolvê-los.

De posse dos recursos e através do orçamento, irá efetuar sua redistribuição, tendo em vista os problemas sociais existentes. O bom governante não pode ignorar sua realidade. Tem que saber dos desníveis em que os grupos (as tribos, no dizer de Michel Maffesoli) se encontram. Daí nasce a *decisão política* do gasto. É *deliberação* da mais alta importância. Através dela é que dará destino adequado aos tributos e demais receitas arrecadadas.

A *capacidade receptiva* decorre de um *direito à prestação* do Estado e ela se qualifica em face dos diversos dispositivos constitucionais que disciplinam a matéria. Tal direito decorre de se encontrar o credor (ou beneficiário) na situação de risco ou de vulnerabilidade descrita no todo constitucional.

Os *destinatários* devem se encontrar naquelas situações descritas antes: pobreza individual, coletiva ou social. Desnecessário efetuar um detalhamento nem buscar no ganho individual a identificação do necessitado. A lei, por vezes, cria critérios para identificação do pobre.

O Brasil busca através da instituição de um Fundo aperfeiçoar instrumentos para atingir seus objetivos. É o que se passa a analisar.

4. O Fundo de Erradicação da Pobreza. A linha de pobreza. A Emenda Constitucional nº 31, de 14 de dezembro de 2000, inovou o Direito brasileiro. Diante das desigualdades reconhecidas e patentes na situação socioeconômica brasileira, o governo de então resolveu instituir um fundo para combater e erradicar a pobreza. Evidente está que a epígrafe da EC nº 31/2000 era demais ambiciosa, uma vez que pretendia a *erradicação*, ou seja, eliminar *pela raiz* a situação de desigualdade constatada.

De qualquer maneira, instituiu-se o fundo para vigorar durante dez anos, que foi regulamentado pela Lei Complementar nº 111/2001. O objetivo? Propiciar a todos os brasileiros o acesso "a níveis dignos de subsistência". Os recursos dirigidos ao fundo seriam destinados à "nutrição, habitação, educação, saúde, reforço de renda familiar e outros programas de relevante interesse social voltados para melhoria de qualidade de vida" (art. 79 do ADCT, introduzido pela EC nº 31/2000). O fundo seria administrado por um Conselho Consultivo e de Acompanhamento.

Os recursos adviriam a) de contribuição social, b) parcela do IPI, c) recursos sobre grandes fortunas, d) dotações orçamentárias, e) doações de qualquer natureza e f) outras receitas.

Outras receitas não se sabe o que são. *Doações* acho que nunca foram destinadas ao fundo. Dotações orçamentárias foram mínimas. *O imposto sobre grandes fortunas* nunca foi instituído. Assim, os recursos ficaram restritos a *recursos advindos da cobrança de contribuição provisória sobre movimentação ou transmissão de valores de créditos e direitos de natureza financeira,* nos exatos termos do art. 75 do ADCT.

Os recursos advieram da desestatização de entidades estatais (art. 81 do ADCT). Os recursos mínimos seriam de R$4 bilhões (parágrafo 1º do art. 81 do ADCT).

As demais unidades federativas devem também instituir fundos respectivos (art. 82 do ADCT). A exigência é de que os fundos fossem geridos por conselhos com participação da sociedade civil. Previu-se a instituição de um adicional sobre a alíquota do ICMS sobre serviços e produtos supérfluos (cigarros, bebidas, etc.). Os Municípios poderiam instituir percentual sobre a alíquota de ISS sobre serviços supérfluos.

O que são produtos ou serviços supérfluos? A lei federal os definirá.

5. Os gastos tributários e os invisíveis. A Lei Complementar nº 101/2000. A EC nº 114/2021. O tributo é gasto diretamente no pagamento das obrigações assumidas pelo Estado. Ao elaborar o orçamento, o Estado calcula qual será sua receita para o exercício seguinte e estabelece os objetivos que deverão ser atingidos. Calcula-se *receita e despesa.* Em tese, deve haver um equilíbrio entre ambas. Ocorre que nem sempre é assim. Os orçamentos retratam os interesses da sociedade e do Estado em determinado momento histórico e tais dados são levados para a lei. Esse é o gasto direto. Despesa tributária.

De outro lado, há o que se rotula de *gasto tributário,* que involucram benesses, favores fiscais, isenções, redução de alíquota e uma série de gestões em que abre mão da arrecadação tributária para beneficiar determinados setores de produção ou estimular outros. O recurso deixa de entrar. No primeiro caso, o tributo é arrecadado e gasto. Aqui, o tributo não ingressa nos cofres públicos, mas estimula certos instrumentos para o crescimento da produção.

São situações diversas, mas que levam à mesma solução. Gasto direto, de um lado e estímulo à economia por outro, com abstenção da cobrança.

Difícil definir o *gasto tributário.* Melhor arrolar elementos que possam embasar uma definição. Assim, pode-se: a) reduzir o montante do tributo a ser pago, b) alcançar parte dos contribuintes, c) ter estrutura diferente da relativa a tributos, d) objetivar finalidades que poderiam ser atingidas por via direta. Insiste-se – gasto tributário não é o gasto direto. São possibilidades constitucionais de exoneração da incidência. O parágrafo 6º do art. 165 prevê as hipóteses de sua ocorrência.

Falar em *gasto tributário* é curioso, porque nem é gasto nem é tributário no sentido da exigência do pagamento de obrigações tributárias.

O parágrafo 6º do art. 150 da Constituição Federal estabelece que "qualquer subsídio ou isenção, redução de base de cálculo, concessão de crédito presumido, anistia ou remissão relativos a impostos, taxas ou contribuições só poderá ser concedido mediante lei específica, federal, estadual ou municipal, que regule exclusivamente as matérias enumeradas ou o correspondente tributo ou contribuição, sem prejuízo do disposto no art. 155, parágrafo 2º, XII, 'g'". Bem se vê que, no caso não se está dependendo gasto, mas utilizando-se de dispositivo constitucional para evitar o pagamento de tributo em benefício de alguém. É o que Weder de Oliveira chama de "exoneração tributária" ("Curso de responsabilidade fiscal – direito, orçamento e finanças públicas", BH: Fórum, 2013, p. 866). Outros autores mencionam tal fato como de exclusão tributária

Daí uma indagação pertinente: De que forma uma das modalidades da exoneração tributária pode alcançar uma parte dos contribuintes? Há forma de o gasto tributário alcançar apenas os invisíveis?

O normal é que o *gasto tributário* alcance a área produtiva, servindo de incentivo para o aumento de produção ou em socorro a problemas randômicos de produção. Aí alcança uma série de pessoas físicas e jurídicas que serão beneficiadas. Acobertam-se, então, setores produtivos seja no campo agrário ou pecuário, seja no setor industrial. Caracteriza-se, então, seu aspecto extrafiscal de incentivar comportamentos.

Detecta-se seu caráter extrafiscal, ou seja, não tem finalidade meramente arrecadatória, mas incentiva ou desestimula comportamentos. O Estado necessita incentivar determinado setor da indústria e renuncia a cobrança de determinado tributo por certo tempo. Com isso aquele segmento que necessitava de um respiro ou de incentivo vê-se socorrido e se recupera.

Pode-se utilizar de tal estratagema tributário para incentivar setores a se localizarem em regiões distantes que necessitam de ocupação e atividades. Mais uma vez ingressa o caráter extrafiscal dos incentivos.

As renúncias de receita estão previstas na Constituição e na Lei nº 101/2000, a Lei de Responsabilidade Fiscal. Por ali constam as cautelas para que as exceções à incidência possam ser concedidas. Fizemos análise sobre elas em nosso "Curso de direito financeiro", 9. ed., Fórum, capítulo 22.5.2, p. 747/751. O art. 14 da lei mencionada aponta as modalidades de renúncia de receita por nós analisadas e são: anistia, remissão, subsídio, crédito presumido, concessão de isenção em caráter não geral e alteração de alíquota.

A doutrina rotula o benefício fiscal de *tax expenditure*. Evidente está que a outorga de tais benefícios deve ser detidamente estudada pelo órgão financeiro correspondente no governo e, apenas depois de ponderado seu benefício à sociedade, é que deve ser concedido.

Como tudo o que aqui se passa, interessados de toda ordem exercem pressão sobre o governo a fim de obter benefícios indevidos. No mais das vezes conseguem. É que nada é feito com muita seriedade e setores da produção obtêm vantagens indevidas por se cercarem do governo e lograrem seduzir os servidores com compromissos que não serão cumpridos.

Evidente está que a Lei nº 101/2000 tem exigências que devem ser satisfeitas para que possa ser concedido o favor fiscal. Estimativa do impacto orçamentário-financeiro há de ser feito e deve alcançar três exercícios financeiros. Deve haver sintonia com a Lei de Diretrizes Orçamentárias e também a renúncia deve ser levada em conta na estimativa de receita do orçamento.

Busca-se, de tal forma, a prevalência do interesse público e da segurança fiscal ao invés de atender a favores políticos.

Utiliza-se o *gasto tributário*, no caso dos desvalidos, para retirar a incidência do tributo em cesta básica, por exemplo, ou para estimular pequenos negócios ou negócios familiares de subsistência. Incentivos para a produção de mel ou mandioca nos rincões da Amazônia pelas populações ribeirinhas.

Em suma, o *gasto tributário* pode ter, se bem utilizado, forte apelo social em prol dos menos favorecidos.

Isso redunda em fazer vir à tona o ser humano até então abandonado. No notável livro de Ralph Ellison ele diz: "Sou um homem invisível. Não, não sou espectro como aqueles que assombravam Edgar Allan Poe, nem sou um ectoplasma do cinema de Hollywood. Sou um homem com substância de carne e osso, fibras e líquidos, e talvez até se possa dizer que possuo uma mente. Sou invisível, compreende? – simplesmente porque as pessoas se recusam a me ver" ("O homem invisível", ed. José Olímpio, 2013, p. 25, prologo).

O invisível a que aqui me refiro é o vulnerável, o que não tem a quem pedir e vive de mãos estendidas à procura de ajuda. É o desamparado da vida. É o afastado dos bens úteis.

Daí uma questão fundamental deve ser posta perante o Direito Tributário e o Direito Financeiro: até que ponto gestões de amparo a tais pessoas podem advir dos denominados gastos tributários?

Analisando hipótese relativa ao Estado-membro, a ministra Regina Helena deixou estabelecido que: "A concessão de incentivo por ente federado, observados os requisitos legais, configura instrumento legítimo de política fiscal para materialização da autonomia consagrada pelo modelo federativo" (Resp. 1.222.547/RS, DJe, 16.03.2022). Prossegue a emenda do acórdão: "Embora represente renúncia a parcela da arrecadação, pretende-se, dessa forma, facilitar o atendimento a um plexo de interesses estratégicos para a unidade federativa, associados às prioridades e às necessidades locais coletivas".

Vê-se, pois, da utilidade de dispositivos legais que permitam o uso de *incentivos fiscais* para que o Estado possa bem desempenhar suas atribuições.

Em sendo assim, apura-se que os denominados *gastos tributários* outra coisa não são que dispositivos legais que: a) reduzem o montante do tributo, b) alcançam parcela de contribuintes, c) escapam da incidência tributária, e d) atingem objetivos necessários ao bom desempenho das políticas do Estado.

Valendo-me da expressão *incentivo fiscal*, quero crer que todo gasto tributário alcança seu conceito. O incentivo está englobado pelo gasto tributário. O mesmo se diga de outros dispositivos, tais como a isenção ou redução de alíquota.

O problema que temos que enfrentar, então, é o seguinte, os denominados gastos tributários alcançam ou não os rotulados *invisíveis*.

Aqui entra em cena outro dado de análise importante. São as emoções que se encontra imiscuídas, embora a maioria não aceite, na teoria e na aplicação do Direito. Quem consegue incentivos? Apenas os órgãos de pressão sobre a estrutura do Estado. Não se pode crer que os invisíveis que sequer sabem os direitos que têm, que sequer sabem se movimentar nos escaninhos estatais, que desconhecem os procedimentos formais para se dirigir à estrutura burocrática possam, de alguma forma, obter *favores fiscais*.

Os negros, ainda as mulheres, os indígenas, o grupo LGBTQI+, os imigrantes, a esses grupos é que estou rotulando de invisíveis ou vulneráveis. Não têm voz. Não sabem os caminhos. Não têm representantes, salvo vozes esporádicas. É silêncio desesperador de vozes jamais escutadas. Como diz Alain Corbin, o silêncio, "não é somente a ausência de ruído" ("História do Renascimento", Vozes, 2021, p. 9e), complementa mencionando Valery, "ouça este barulho sutil e constante que é o silêncio, escute o que escutamos quando nada se faz ouvir". É o grito silencioso do desamparo.

A PEC nº 114/2021 foi quem estabeleceu no parágrafo único do art. 6º da Constituição a denominada *renda básica*. Dispõe: "Todo brasileiro em situação de vulnerabilidade social terá direito a uma renda básica familiar, garantida pelo poder público em programa permanente de transferência de renda, cujas normas e requisitos de acesso serão determinados em lei, observada a legislação fiscal e orçamentária".

Consagrou-se aqui a denominada renda básica, que é um mínimo garantido a todo aquele que se encontre em situação de vulnerabilidade. O que é isso? Significa que todo aquele que não logre subsistir por seu esforço próprio, que não tenha o mínimo necessário para subsistir com dignidade, faz jus a um aporte do Estado.

Aqui não se está falando de gastos tributários, mas desempenho efetivo de recursos em prol de determinadas pessoas. Em suma, as pessoas que não têm voz devem ser socorridas e atendidas pelo Poder Público. É a *biopolítica* tão reclamada por Foucault. É o homem de carne e osso a que alude Karl Marx ("Crítica à filosofia do direito de Hegel", Boitempo, 2005, p. 151). *O homem real.*

Da ação do Estado e da sociedade nascem as diferenças sociais. Como diz Rousseau: "Concebo na espécie humana dois tipos de desigualdade: uma que chamo natural ou física, porque é estabelecida pela natureza e consiste na diferença das idades, da saúde, das forças do corpo e das qualidades do espírito ou da alma; outra, que podemos chamar de desigualdade moral ou política, porque depende de uma espécie de convenção e é estabelecida, ou pelo menos autorizada, pelo consentimento dos homens" ("Discurso sobre a origem e os fundamentos da desigualdade entre os homens", L&M Pocket, 2017, p. 43).

Assim são as coisas – os homens criam as desigualdades. Os governos não conseguem acabar com elas. Nem diminuir as diferenças. É que isso decorre da lógica da dominação instaurada pelo nascimento do Estado. Essa afirmação demandaria novos argumentos não compatíveis com a dissertação de agora.

6. Lei Complementar nº 111/2001. A Lei Complementar nº 111, de 6 de julho de 2001, disciplinou os arts. 79, 80 e 81 do Ato das Disposições Constitucionais Transitórias. Tem o objetivo de viabilizar *a todos os brasileiros* o acesso a ações suplementares de "nutrição, habitação, saúde, educação, reforço de renda familiar" (art. 1º).

A lei complementar utiliza palavras vagas para localizar os destinatários. Fala, por exemplo, em famílias que tenham renda "inferior à linha de pobreza" (inciso I do art. 3º) ou de populações "que apresentem condições desfavoráveis" (inciso II do art. 3º).

A linha de pobreza é critério que vem sendo utilizado para identificar situações de risco social absoluto. É o que recebe menos de um dólar (indigência) por mês ou dois dólares (pobreza), de acordo com critério do Banco Mundial.

O Banco Mundial indica que cerca de 3,4 bilhões de pessoas ainda lutam para satisfazer suas necessidades básicas (dados de outubro de 2018, obtidos do site: nacoesunidas.org/banco-mundial-quase-metade-da-populacao-global-vive-abaixo-da-linha-da-pobreza, em 6/11/2019).

Os dados são: Viver com menos de 3,20 dólares por dia reflete a linha de pobreza em países de baixa ou média renda; viver com 5,50 é linha padrão para países de média e alta renda. A pobreza extrema é definida como quem vive com 1,90 por dia.

No Brasil, o IBGE indica que 52 milhões de brasileiros estão abaixo da linha de pobreza. É o caso de brasileiros que vivem com menos de 5,50 dólares por dia (18,24 reais). Dados colhidos em veja.abril.com.br/economia/IBGE, em 2017.

Os dados são absolutamente trágicos. A Constituição implementada pela Lei Complementar nº 111/2001. Os dados colhidos são de 2017 a 2019. Nada ou quase nada foi feito.

Com o advento de referida lei complementar ingressou em vigor e tornou-se eficaz. Ela repete a Constituição em seu conteúdo.

Pode-se entender que o governo tenha discrição e discernimento na escolha das situações tensionais que enfrenta e a elas destine os recursos necessários para a diminuição ou eliminação das tensões. Políticas habitacionais, alimentares, sanitárias, de transporte, etc. devem estar na mente dos governantes. Doentes, idosos, deficientes, desempregados, todas estas pessoas e situações em que se encontram são reais e não imaginárias.

Diante de tais critérios imprecisos pode-se falar em pobreza relativa e absoluta ou extrema. Quais os critérios de distinção? É linha tênue de raciocínio que nos irá levar a eles. A segunda é o abandono total dos bens da vida. Não há remédio, nem escola, nem hospital, nem transporte, nem moradia. Nada. É o completo exangue. Não tem mais poder de recuperação. Encontra-se totalmente desnorteado, sem possibilidade de reação. É o muçulmano descrito por Agamben. A pobreza relativa pode ser identificada como aquele indivíduo ou agrupamento que ainda pode encontrar um lugar para dormir num albergue ou uma alimentação frugal em casa de recolhimento.

7. A fracassada PEC nº 187/2019. A Emenda proposta pelo Governo busca extinguir quase todos os fundos até então criados. Primeira providência foi a de exigir lei complementar para estabelecer "condições para o funcionamento de fundos públicos de qualquer natureza".

A redação originária previa apenas a lei complementar para a "instituição e funcionamento de fundos". O acréscimo é o acréscimo: "qualquer natureza". Assim, a partir da aprovação do texto, tudo passa a ser disciplinado por lei complementar.

Na sequência, há a alteração do inciso IX do art. 167, para guardar sintonia com a previsão anterior no sentido de exigir a "autorização por lei complementar" para a instituição de fundos de qualquer natureza.

Extinção de todos os fundos. A grande inovação da PEC nº 187/2019 é o seu art. 3º, que dispõe: "Os fundos públicos da União, do Distrito Federal e dos Municípios existentes na data da promulgação desta Emenda Constitucional serão extintos se não forem ratificados pelos respectivos Poderes Legislativos, por meio de lei complementar específica para cada um dos fundos públicos, até o final do segundo exercício financeiro subsequente à data da promulgação desta Emenda Constitucional".

A providência é salutar. Foram criados, ao longo do tempo, inúmeros fundos que deixaram de ter qualquer sentido, uma vez que não cumpriram sua finalidade. Daí o interesse do Governo de "dar mais racionalidade na alocação dos sempre escassos recursos públicos" e "recuperar a capacidade de alocar e definir" suas prioridades. Busca "restaurar a capacidade do Estado brasileiro de definir e ter políticas públicas condizentes com a realidade socioeconômica atual, sem estar preso a prioridades definidas no passado distante". É o que consta da exposição de motivos.

Sem dúvida é assim. Os fundos até então instituídos, salvo alguns, deixaram de cumprir sua finalidade de atender a determinados pontos de estrangulamento das políticas públicas. Ao contrário, passaram a acumular recursos sem que se lhes dessem a finalidade adequada.

Para demonstrar a capacidade atual de tais fundos, a PEC proposta determina que, no sentir de cada unidade federativa, possa haver a *ratificação* pelo Poder Legislativo de cada ente, com o que subsiste o fundo então instituído.

O art. 1º da PEC estabelece a reserva de lei complementar para os fundos e a ratificação imprescindível para a subsistência dos até então criados.

A extinção de todos os fundos não ratificados não alcançam o previsto "nas Constituições e Leis Orgânicas de cada ente federativo, inclusive no Ato das Disposições Constitucionais Transitórias" (§1º do art. 3º da PEC proposta).

Com a extinção de todos os fundos não ratificados, "o patrimônio dos fundos extintos em decorrência do disposto neste artigo será transferido para o respectivo Poder de cada ente federado ao qual o fundo se vinculava". Esse é exatamente o objetivo da PEC, ou seja, permitir que todos os recursos não aproveitados venham a fazer parte do bolo orçamentário para, então, serem destinados às políticas públicas do respectivo ente federativo.

Como bem anotado na exposição de motivos, o art. 36 do Ato das Disposições Constitucionais Transitórias já estabelecia a extinção dos fundos. Só que não houve a ratificação ali prevista e todos eles continuaram a receber recursos que permaneceram não utilizados.

Em verdade, o que há é um descontrole total na verificação do cumprimento das finalidades dos referidos fundos. São instituídos para o cumprimento de finalidade específica declinada na lei criadora. Mas, como são inúmeros, há total descontrole em relação às receitas neles ingressadas, o que resulta na sua inoperância e má aplicação dos recursos.

Como diz a justificação de motivos, somente em relação à União haverá a extinção de 248 fundos, sendo que 165 foram instituídos antes da Constituição de 1988.

O que se passa, em verdade, é o absoluto descontrole em relação às finanças públicas. Os governos vão criando, ao sabor de cada ideologia ou de cada momento histórico, determinados fundos para atender a situações propostas e, depois, atendidas as pretensões políticas específicas, deixam de controlar os recursos destinados.

É a balbúrdia que ocorre em relação às finanças públicas brasileiras.

Os fundos instituídos nas Constituições Federal e Estaduais e nas Leis Orgânicas dos Municípios não se extinguem. É que estão dotados de eficácia constitucional ou legal. Os demais instituídos por lei ordinária são extintos, se não ratificados. É que, antes da propositura da PEC, os fundos eram instituídos por lei ordinária. A lei complementar prevista no §9º do art. 165 apenas disciplinava a "instituição e funcionamento dos fundos", mas sua criação era prevista em lei ordinária.

Com a nova sistemática que se buscou implementar pela PEC nº 187, a instituição apenas ocorre por lei complementar, o que exige *quórum* qualificado. A disciplina é mais rigorosa.

O art. 4º estabelece que "os dispositivos infraconstitucionais, no âmbito da União, dos Estados, do Distrito Federal e dos Municípios, existentes até a data da publicação desta Emenda Constitucional que vinculem receitas públicas a fundos públicos serão revogados ao final do exercício financeiro em que ocorrer a promulgação desta emenda constitucional".

O artigo disciplina e bem, pois revoga os dispositivos infraconstitucionais que vinculem receitas a fundos. Como estes ficam extintos, é evidente que cessa a obrigatoriedade de transferência de receitas a eles.

"Parte das receitas públicas desvinculadas em decorrência do disposto neste artigo poderá ser destinada a projetos e programas voltados à erradicação da pobreza e a investimentos em infraestrutura que visem a reconstrução nacional".

O dispositivo tem conteúdo aberto. Primeiro fala em "parte" das receitas. Qual parte? Quem determinará o que é a parte? Depois fala em "poderá". Pode sim ou pode não. Mas, sabendo-se qual a parte e decidindo-se a destinação das verbas, serão destinadas a "projetos e programas voltados à erradicação da pobreza". Como este fundo não foi extinto, poderá receber recursos dos fundos que forem revogados.

Da mesma forma, os fundos que envolvam investimentos em infraestrutura que "visem a reconstrução nacional" também poderão receber as receitas daqueles que forem extintos e não tiverem destino determinado.

O art. 5º da PEC determina que o "superávit financeiro das fontes de recursos dos fundos públicos apurados ao final de cada exercício será destinado à amortização da dívida pública do respectivo ente".

Com a extinção dos fundos que não forem ratificados pelo respectivo Legislativo do ente federativo, os recursos que foram a eles destinados ficarão sem previsão específica. Logo, há a determinação de que sejam eles encaminhados ao bolo orçamentário e destinados "à amortização da dívida pública".

Infelizmente, a proposta não foi avante. Teria sido importante a extinção de fundos que já perderam seu sentido original e hoje apenas existem no mundo jurídico por falta de revogação expressa de lei posterior.

Em meu livro "As desigualdades sociais, a mulher e a liberdade no direito" (Regis Fernandes de Oliveira, Novo Século, p. 54/64), fiz análise sobre o assunto e parte do que se menciona aqui está transcrito no texto.

8. A pobreza como restrição à liberdade. A literatura. Paralelamente aos estudos de Direito, os articulistas, jornalistas e romancistas têm uma visão diferente daquela estritamente jurídica. A pobreza sempre foi objeto de pesquisa.

A miserabilidade tem tudo a ver com a liberdade. Não sou livre para passar fome. O ladrão não é livre para passar a roubar.

Se a pessoa não pode viver em sociedade com um mínimo de dignidade, não se pode dizer que é livre. Está subordinada aos demais. Está restrita na convivência.

Lima Barreto traçou um quadro bastante interessante da elevação de todos os preços, o que levaria à morte das pessoas, por falta de condições de comprar os produtos. Alguém afirma: "Vossa Excelência quer matar de fome o povo de Bruzundanga". Responde o personagem: "Não há tal, mas mesmo que viessem a morrer muitos, seria até um benefício, visto que o preço da oferta é regulado pelo da procura e, desde que a procura diminuía com a morte de muitos, o preço dos gêneros baixará fatalmente" ("Os Bruzundangas", 2010, p. 34). Carolina de Jesus, em "Quarto de despejo", dá bem a ideia do que é o abandono social.

Em "O cortiço", Aluísio de Azevedo igualmente soube retratar a pobreza. Em "Vidas secas", Graciliano Ramos trouxe seu momento mais agudo da absoluta fome, ao lado de José Lins do Rego e Guimarães Rosa.

Na literatura internacional, Dostoiévski ("Humilhados e ofendidos") nos apresenta cenas terríveis de pobreza e de deformação social. Zola em "Germinal" retrata a luta das classes e a fome dos trabalhadores nas minas de carvão. Jean Genet explora a figura do marginal.

Não se pode olvidar o notável poema em prosa de Charles Baudelaire "Os olhos dos pobres". É pungente. É tocante. Um casal foi a um café recém-inaugurado. Estava o local iluminado exibindo uma sequência de espelhos, o ouro das molduras e dos frisos. Pagens serviam. A decoração era primorosa. "Bem em frente de nós, na calçada, estava plantado um homem de bem, de uns quarenta anos, de rosto canado, barba grisalha, tendo numa das mãos um menino e sobre o outro braço um pequeno ser ainda muito frágil para andar". "Todos em farrapos". "Os olhos do pai diziam – "Que beleza! Que beleza! Dir-se-ia que todo o ouro do pobre mundo fora posto nessas paredes". Os olhos do menino "Mas é uma casa onde só podem entrar pessoas que não são como nós!"

O poeta estava enternecido com esta família de ouros. "Virei meus olhos para os seus, querido amor, para ler neles o meu pensamento". A mulher que o acompanhava disse: "Não suporto essa gente com seus olhos arregalados como as portas das cocheiras! Será que você poderia pedir ao maître do café para afastá-los daqui?"

O poema termina com as seguintes palavras: "É tão difícil o entendimento, meu caro anjo, e tão incomunicável o pensamento mesmo entre pessoas que se amam".

Baudelaire, com sua extremada sensibilidade, retrata a vida real. Os gastos tributários não podem ajudar.

Todos os excluídos da sociedade sofrem, embora a sociedade seja rica, produza e tente a inclusão. Ocorre que só a vontade não basta. Essencial que se instituam políticas públicas para dar oportunidade a todas as pessoas. Criam-se ilhas de felicidade e fartura, enquanto a maior parte da sociedade continue sofrendo. Disparidades terríveis. Benefícios políticos para um grupo que domina o restante.

Sigo sempre na minha teoria de que a dominação é que prepondera na sociedade. Um grupo assume o poder, manobra o Parlamento e o Judiciário, se apodera dos meios de produção e canaliza todas as benesses para uma parte privilegiada da sociedade. O que alarma, como disse Amartya Sem, é ver o crescimento sem que se atente para o que há de mais "nobre em seu interior, que é o ser humano" ("Desenvolvimento com liberdade", Cia. das Letras, 2002, p. 29). Insiste: "A pobreza deve ser vista como privação de capacidades básicas em vez de meramente como baixo nível de renda, que é o critério tradicional de identificação da pobreza" (p. 109).

Todos os setores pensantes do mundo todo, incluindo o Brasil, se debruçam sobre a pobreza. Análises já foram feitas. Ocorre que não se encara o problema pela raiz e o mundo segue tal e qual.

Daí por que a igualdade de todos perante a lei, dogma do Estado Democrático de Direito, passa a ser letra morta. Não se postula a igualdade absoluta, inexistente em todo o mundo e impossível de ser alcançada. É que existem as desigualdades naturais. Estas são insuperáveis. Mas há outras desigualdades, como diz Rousseau, que são criadas pelo homem ("Indagação sobre a desigualdade").

As desigualdades instituídas pelo homem nascem da força, do egoísmo do ser humano e da hipocrisia que se retrata na ideologia que busca esconder os reais motivos das diferenças sociais.

9. A opção pelos invisíveis é religiosa ou jurídica? As emoções. A Encíclica "*De rerum novarum*", do Papa Leão XIII, de 15 de maio de 1891, foi um alerta da Igreja em analisar as diferenças sociais em face do capitalismo. A crítica à miséria e à pobreza veio em momento certo. Afirma que "é necessário, com medidas prontas e eficazes, vir em auxílio dos homens das classes inferiores, atendendo a que eles estão, pela maior parte, numa situação de infortúnio e de miséria".

A Igreja despertou para uma realidade apavorante. As desigualdades sociais eram e continuam visíveis. Como disse Platão, pela boca de Trasímaco ("A República"), "o justo não é senão o vantajoso para o mais forte (338 c). Os desequilíbrios sociais sempre existiram, mas não há gestos fortes no sentido de reduzi-los. As pessoas e os governos parecem se acomodar diante da realidade e, como "não há o que fazer", deixam as coisas como estão.

As desigualdades são tão flagrantes que o *funk* captou tal situação. "A desigualdade social", de Gabriel, o pensador, e as letras de Mc Joga 7, de Júnior e Leonardo, refletem o problema. Os Rebitantes fulminam – "o governo larga o pobre num lixo destrutivo" e "pela minoria o mundo é dominado, que vive do lucro, do povo explorado".

Os cantores populares e o *rap* captam as situações da vida melhor que ninguém. Vivemos no mundo das *Madonas* e de *Taylor Swift* e dos cantores e compositores da alta sociedade. Mas os que vivem nas periferias cantam a pobreza.

Vê-se que a Igreja sensibilizou-se, a poesia popular retratada na música o fez e também a norma jurídica captou a realidade social, só que não se consegue levar as mudanças requeridas adiante.

Urge estabelecer plano em primeiro lugar, de ajuda aos famintos. Em segundo ponto, redistribuir a renda, aos poucos, sem querer tornar os ricos mais pobres. Não. Podem continuar na sobrevivência nababesca. Mas há que ter um ponto de redistribuição de renda.

Em meu livro "As desigualdades sociais, a mulher e a liberdade no direito" (Regis Fernandes de Oliveira, Novo Século, 2020), faço digressão sobre as diversas desigualdades em relação a gênero, etnia, insanidade, grupo LGTBQIA+ como diferenças pessoais, mas que assumem desigualdade social, na medida em que a sociedade as conhece em seu meio.

Vê-se, claramente, que o problema que ora se analisa não é somente religioso ou fruto da solidariedade humana. Assume feição jurídica, isto é, a norma tem que ser instituída para impedir o crescimento das desigualdades e procurar, aos poucos, reduzir as diferenças ainda existentes na sociedade.

Daí não surge uma opção, tal como a religiosa, mas um dever cujo exercício não se esgota em seu uso. Enquanto obrigações e direitos se extinguem, deveres e poderes não se consomem pelo seu exercício.

O que vale e é o que tento enfatizar no livro recentemente publicado sobre "As emoções e o direito", ed. Novo Século, 2024, que as emoções prevalecem sobre a razão e elas que dirigem a tomada de decisão. Os problemas são levados ao legislador, a quem, através do orçamento, cabe distribuir os recursos públicos pelas diversas competências atribuídas ao Estado. A cada qual (União, Estado-membro, Distrito Federal e Municípios) das entidades federativas cabe traçar seu esboço de ação. Aí ingressam profundamente as emoções, de forma a preencher as diversas necessidades públicas mediante alocação de recursos.

Há dever constitucional. Mas as emoções a ele se sobrepõem e devem influenciar o legislador a olhar para os mais pobres. Fazer como a quebra do respeito com a imagem da justiça que é retratada de olhos vendados. É importante retirar a venda da deusa da justiça e obrigá-la a ver a dura realidade e o flagrante desequilíbrio existente na sociedade.

No caso, não se trata de mera opção jurídica, mas dever constitucional que tem o Estado de dar prevalência sobre "a dignidade humana" (inciso III do art. 1º da Constituição Federal), de destinar recursos para a construção de "uma sociedade livre, justa e solidária" (inciso I do art. 3º) e, por fim, alocar receitas para "erradicar a pobreza e a marginalização e reduzir as desigualdades sociais e regionais" (inciso III do art. 3º da CF).

Na Igreja a opção é por fraternidade. No Direito não há opção. A obrigatoriedade de buscar reduzir as desigualdades deflui de determinação constitucional. É dever imposto.

10. Considerações finais. A pobreza existe no mundo todo. Mais ou menos. Depende do país. As desigualdades sociais da mesma forma. Sempre existiram. O que se pode esperar é que haja um esforço dos Estados juntamente com a sociedade civil para diminuir ou minorar seus efeitos, realizar o processo de inclusão através das políticas públicas.

Para tanto, as normas constitucionais assim estabelecem. As leis fazem o mesmo. Nada obstante, as desigualdades persistem e cada vez se fazem mais agudas. O sofrimento da população é uma constante.

As normas editadas pelo governo buscam diminuir distâncias entre pobres e ricos.

De outro lado, o que se deve ponderar é a urgência de se instituírem novos mecanismos na distribuição dos recursos. Não apenas entregando dinheiro aos necessitados, mas identificando-os por mecanismos eletrônicos, controlando o destino dado aos recursos. A revolução operada pelas máquinas é fantástica, chegando-se à Inteligência Artificial. O controle através das máquinas é impressionante. Você se comunica com o mundo todo em questão de segundos. Você celebra contratos em diferentes momentos e diferentes espaços.

Importante, pois, trabalhar para que as máquinas identifiquem os bolsões de pobreza, saibam quanto há de recursos disponíveis para o atendimento de tais gravíssimos problemas, apontem soluções e as efetivem.

Quando exerci a magistratura, o Tribunal de Justiça encaminhava verba para as famílias cadastradas e identificadas como necessitadas. O recurso era entregue em espécie. Percebi que o gasto era com bebidas alcoólicas e bens inúteis. Imediatamente, celebrei convênio com supermercados, loja de eletrodomésticos e de tecidos para que ali fossem gastos os recursos entregues. Assim, só poderiam retirar alimentos de primeira necessidade, roupas e pequenos aparelhos. Moralizou-se o gasto público.

Idênticas providências devem ser adotadas a fim de evitar o desperdício, o gasto inútil e despesas com bebidas alcoólicas e cigarros.

Importante o esforço do governo. Resta saber da destinação e controle das verbas. O governo tem interesse em que os recursos tributários sejam bem gastos. Não apenas o gasto direto, que é o dispêndio com as obrigações e deveres estampados na Constituição Federal, mas pode valer-se de estratégias permitidas para alcançar as populações desprotegidas. Aliás, não é de sua conveniência, mas de seu dever, tal como estampado na Constituição Federal, nos arts. 1º e 3º.

O gasto tributário, como instrumento de extrafiscalidade, é importante mecanismo de intervenção na economia e na produção, podendo auxiliar as decisões das despesas.

Vê-se que o Estado tem inúmeras formas de realizar a inclusão social. Não pode se descuidar das demais camadas da população que também vivem sob sua proteção, mas é essencial que olhe para os setores mais carentes e busque inserir esta faixa do povo no destinatário das benesses fiscais.

Informação bibliográfica deste texto, conforme a NBR 6023:2018 da Associação Brasileira de Normas Técnicas (ABNT):

OLIVEIRA, Regis Fernandes de. Os gastos tributários e os invisíveis. *In*: JUSTEN, Monica Spezia; PEREIRA, Cesar; JUSTEN NETO, Marçal; JUSTEN, Lucas Spezia (coord.). *Uma visão humanista do Direito*: homenagem ao Professor Marçal Justen Filho. Belo Horizonte: Fórum, 2025. v. 2, p. 865-881. ISBN 978-65-5518-916-2.

A EXCLUSÃO DO ISS DA BASE DE CÁLCULO DO PIS/COFINS[1]

ROQUE ANTONIO CARRAZZA

> *"[Serviço é] prestação de uma utilidade (material ou não) de qualquer natureza, efetuada sob o regime de Direito Privado mas não sob regime trabalhista, qualificável juridicamente como execução de obrigação de fazer, decorrente de um contrato bilateral."*
>
> Marçal Justen Filho

1 Introdução

I Confesso que me senti extremamente honrado quando a Professora Titular Betina Treiger Grupenmacher me convidou para participar desses "Estudos em Homenagem ao Professor Marçal Justen Filho", obra coordenada pelos Professores Monica Spezia Justen, Cesar Pereira, Marçal Justen Neto e Lucas Spezia Justen.

Registro, de logo, que o Professor Marçal Justen Filho se destaca entre os mais respeitados e competentes juristas do País. Trata-se, sem favor algum, de um educador esclarecido e adiantado, de um advogado de escol e de um autor de livros e artigos que merecem ser lidos e meditados.

Chega-me à memória que Marçal, ao se apresentar, no começo da década de 1980, como aluno dos cursos de pós-graduação da Pontifícia Universidade Católica de São Paulo, logo revelou a genialidade que marcou sua brilhante carreira, no Brasil e no exterior.

---

[1] Este artigo foi escrito em junho de 2024, quando ainda não estava pautado o julgamento presencial do RE 592.616 (Tema 118 da Repercussão Geral).

Não excede dizer que, graças ao seu devotamento ao estudo sério, tem dado, ao longo do tempo, contribuições de alta visada ao progresso da Ciência Jurídica, que conhece em todos os seus meandros e especificidades.

II Pois bem, motivado pelo talento do ilustre homenageado, procurarei demonstrar, neste artigo, a inconstitucionalidade da inclusão dos valores devidos pelo contribuinte, a título de *ISS* (imposto sobre serviços de qualquer natureza), na base de cálculo do *PIS* e da *COFINS* a seu cargo.

Para levar a bom termo o trabalho, farei inicialmente um escorço histórico, seguido de um estudo sobre o *princípio da segurança jurídica* e a irretroatividade *in peius* dos precedentes do Supremo Tribunal Federal.

Por fim, uma vez assentadas algumas premissas fundamentais, cuidarei do assunto central.

2 Escorço histórico

I Em 15 de março de 2017, ao julgar o RE 574.706 (Tema 69 da Repercussão Geral), o Supremo Tribunal Federal (*STF*) declarou inconstitucional a inclusão do *ICMS* na base de cálculo do *PIS* e da *COFINS*, por entender que o montante do imposto é receita dos Estados, e não dos contribuintes.[2]

Adotando essa linha de raciocínio, a relatora, Ministra Cármen Lúcia, encareceu que meros ingressos de caixa não representam receita, *in verbis*:

> O *punctum saliens* é que a inclusão do ICMS na base de cálculo do PIS e da COFINS leva ao inaceitável entendimento de que os sujeitos passivos destes tributos *faturam ICMS*. A toda evidência, eles não fazem isto. *Enquanto o ICMS circula por suas contabilidades, eles apenas obtêm ingressos de caixa, que não lhes pertencem*, isto é, não se incorporam a seus patrimônios, até porque destinados aos cofres públicos estaduais ou do Distrito Federal.[3]

Posteriormente (maio de 2021), em sede de embargos de declaração, o *STF*, apesar de modular os efeitos do acórdão, esclareceu que o *ICMS* a ser excluído da base de cálculo das preditas contribuições é o destacado na nota fiscal, e não apenas o efetivamente recolhido. Confira-se:

> O valor integral do ICMS destacado na nota fiscal da operação não integra o patrimônio do contribuinte – *e não apenas o que foi efetivamente recolhido em cada operação isolada* –, pois o mero ingresso contábil não corresponde ao faturamento, devendo por isso ser excluído da base de cálculo da contribuição PIS/COFINS.[4]

---

[2] Em 1999 fui o primeiro advogado a sustentar essa tese na tribuna do *STF*, quando a matéria foi afetada ao Plenário, por meio do RE 240.785, sem, porém, os efeitos da repercussão geral, que ainda não existia. Em 08.10.2014, após 15 anos de tramitação naquela Alta Corte, o julgamento foi finalizado, com a decisão majoritária (7 x 2) de que o "ICMS não deve ser incluído na base de cálculo da COFINS". Tal conclusão acabou replicada no julgamento do RE 574.706, que deu origem ao Tema 69 da repercussão geral.

[3] Grifei.

[4] Grifei.

Agora, o *STF* colocou em julgamento o RE 592.616, que, após ter sua repercussão geral reconhecida, está classificado como Tema 118, da Repercussão Geral.

II Para que melhor se compreenda: a empresa "A" presta serviços de transporte coletivo de passageiros, o que em geral faz por meio de operações, em linhas regulares, no Município "X".

Sobre seu faturamento, incidem *PIS* e *COFINS* cumulativos, *ex vi* do disposto nos arts. 10, XII, *e* 15, V, da Lei nº 10.833/2003.[5]

IIa Em dezembro de 2006, impetrou um mandado de segurança, visando a ver reconhecido seu direito líquido e certo de excluir, da base de cálculo do *PIS* e da *COFINS* a seu cargo, o *ISS* incidente sobre os serviços de transporte municipal que realiza.

IIb A segurança foi denegada em primeira instância e a sentença foi confirmada pela 2ª Turma, do TRF-4, em acordão assim ementado: "O ISS integra a base de cálculo da contribuição para o PIS e da COFINS".

Inconformada, a empresa interpôs o suprarreferido recurso extraordinário.

III O julgamento no *STF* iniciou-se entre 14 e 21 de agosto de 2020, por meio de sessão virtual.

Depois do Ministro Celso de Mello (então relator do feito) ter dado provimento ao recurso, para "excluir da base de cálculo das contribuições referentes ao PIS e à COFINS o valor arrecadado a título de imposto sobre serviços de qualquer natureza (ISS)", o julgamento foi suspenso pelo pedido de vista do Ministro Dias Toffoli.

IIIa O recurso foi novamente incluído em pauta, sempre para julgamento virtual, para a sessão de 20 a 27 de agosto de 2021.

Na ocasião, o Ministro Dias Toffoli divergiu do Ministro-Relator. Entendeu que a tese aplicada ao *ICMS* não valia para o *ISS*, porquanto haveria substancial diferença entre a técnica de apuração e arrecadação desses dois impostos, o que, segundo sustentou, impactaria a noção de receita e/ou faturamento.

Explicitando seu ponto de vista, alegou que o *ICMS* está sujeito à não cumulatividade, gera créditos na entrada de mercadorias e é destacado em nota fiscal. Acrescentou que o *ISS*, "(...) não está sujeito à não cumulatividade. Ademais, não é ele destacado na nota fiscal por força de sistemática de tributação igual ou análoga à citada [do *ICMS*]",[6] pelo que concluiu que seu montante deve integrar a base de cálculo do *PIS* e da *COFINS*.

IIIb Na sequência, votou o Ministro Alexandre de Moraes, que também divergiu do Ministro-Relator, mas por outros motivos. Em primeiro lugar, por estar convencido de que os votos divergentes prolatados no RE nº 574.706 são aplicáveis ao caso em julgamento, já que o valor recolhido pelo contribuinte integraria, inicialmente, seu patrimônio, sendo registrado em sua contabilidade; apenas em momento posterior, haveria o repasse ao Fisco.

Além disso, o Ministro afirmou que a Emenda Constitucional nº 20/1998 teria ampliado a materialidade tributável pelas contribuições à seguridade social, para

---

[5] Lei nº 10.833/2003: "Art. 10. Permanecem sujeitas às normas da legislação da COFINS vigentes anteriormente a esta Lei, não se lhes aplicando as disposições dos arts. 1º a 8º: (...) XII- as receitas decorrentes de prestação de serviços de transporte coletivo rodoviário, metroviário, ferroviário e aquaviário de passageiros".
"Art. 15. Aplica-se à contribuição para o PIS/PASEP não cumulativa de que trata a Lei nº 10.637, de 30 de dezembro de 2002, o disposto: (...) V- nos incisos VI, IX a XXVII do caput e nos §§1º e 2º do art. 10 desta Lei".

[6] Esclareci nos colchetes.

contemplar, além do *"faturamento"*, a *"receita"*, o que, a seu sentir, também permitiria que o *PIS* e a *COFINS* incidissem sobre o *ISS*.

IIIc Os Ministros Ricardo Lewandowski, Cármen Lúcia e Rosa Weber acompanharam o relator. Além dos votos dos Ministros Alexandre de Moraes e Dias Toffoli, votaram pelo desprovimento do recurso os Ministros Roberto Barroso e Edson Fachin. O placar ficou, pois, empatado em 4 a 4.

IIId O julgamento foi, então, suspenso, por força de pedido de destaque formulado pelo Ministro Luiz Fux, motivo pelo qual se aguarda a reinclusão em pauta do recurso extraordinário, desta vez, na modalidade presencial.[7]

IV Dos votos proferidos, pode-se identificar três linhas argumentativas diferentes: uma, em favor dos contribuintes e, duas, a eles contrárias.

IVa A corrente favorável aos contribuintes, iniciada com o voto do agora aposentado Ministro Celso de Mello, defende que os valores recolhidos a título de *ISS*, tal como os recolhidos a título de *ICMS*, ingressam transitoriamente no caixa da pessoa jurídica, vale dizer, sem *animus* definitivo e, nessa medida, não podem ser equiparados a receita, nem, muito menos, a faturamento.

IVb A corrente inaugurada pelo voto do Ministro Dias Toffoli, como já adiantado, defende que, na medida em que o *ISS*, ao contrário do *ICMS*, é apurado pela sistemática cumulativa e, portanto, não possui registro de créditos escriturais, seu impacto é distinto para o cálculo do *PIS/COFINS*, não se aplicando, pois, a esse caso, o Tema 69, da repercussão geral.

IVc Finalmente, a corrente capitaneada pelo Ministro Alexandre de Moraes sustenta que: *a)* os mesmos argumentos contidos nos votos divergentes prolatados no RE nº 574.706 são aplicáveis ao caso em julgamento; e *b)* a Emenda Constitucional nº 20/1998, incluindo a *"receita"* como *base de cálculo possível* das contribuições patronais para a seguridade social, autorizou que o *PIS* e a *COFINS* incidissem sobre quaisquer ingressos (*v.g.*, os montantes de *ISS*) na contabilidade da empresa.

V *Data maxima venia*, penso que deve prevalecer a primeira corrente.

Antes, porém, de entrar nesse assunto, cuidarei do *princípio da segurança jurídica* e da irretroatividade dos precedentes do Supremo Tribunal Federal.

3 O *princípio da segurança jurídica* e a irretroatividade dos precedentes do *STF*

I O *princípio da segurança jurídica* guarda relação direta com a própria existência do Direito. Trata-se de *norma fundamental*, que atua como vetor axiológico para a interpretação e boa aplicação de todos os atos normativos.

Esse aspecto é bem destacado por Luis Recaséns Siches, para quem "sem segurança não há Direito, nem bom, nem mau, nem de nenhuma espécie",[8] pois "segurança é o

---

[7] Com o destaque e novo julgamento em Plenário presencial, existe a possibilidade de alteração dos votos anteriormente proferidos e, até, de novo julgamento, agora sob a relatoria do Ministro Nunes Marques (*cf.* art. 38, IV, "a", do *RISTF*).

[8] *Tratado General de Filosofia del Derecho*, 19. ed., México: Editorial Porrúa, 2008, p. 224.

valor fundamental do jurídico, sem o qual não pode haver Direito".⁹ Deriva, em se preferindo, da necessidade de garantir a justiça.

A segurança, portanto, tem a ver com o "câmbio de expectativas" a que alude Tercio Sampaio Ferraz Jr.¹⁰ As pessoas criam expectativas normativas e confiam que o Direito as garantirá no caso de elas serem frustradas. Em outras palavras, creem que as perspectivas amparadas no Direito são legítimas e protegidas pelo sistema jurídico.¹¹

II No Brasil, o princípio da segurança jurídica é uma das manifestações do nosso *Estado Democrático de Direito*, consagrado já no art. 1º, da Constituição Federal, e visa a proteger e preservar as justas expectativas das pessoas. Para tanto, veda a adoção de medidas legislativas, administrativas ou judiciais, capazes de frustrar a confiança que depositam no Poder Público.

De fato, como o Direito visa à obtenção da *res justa*, de que nos falavam os antigos romanos, todas as normas jurídicas, especialmente as que dão efetividade às garantias constitucionais, devem procurar tornar segura a vida das pessoas e das instituições. Incumbe ao Estado zelar para que todos tenham não só uma proteção eficaz dos seus direitos, como possam prever, em alto grau, as consequências jurídicas dos comportamentos que adotarem.

Ademais, uma das funções mais relevantes do Direito é "conferir certeza à incerteza das relações sociais",¹² subtraindo do campo de atuação do Estado qualquer resquício de arbítrio.

Ora, conhecendo o *modus* pelo qual as regras de conduta serão aplicadas, todos acabam tendo a tranquilidade para planejar o porvir.

III Por outro lado, a certeza de que verão respeitados o direito adquirido, a coisa julgada e o ato jurídico perfeito dá às pessoas a chamada "garantia do passado". Calha, a respeito, a feliz expressão de Ricardo Lobo Torres, "segurança jurídica é certeza e garantia dos direitos. É paz".¹³

Vai daí que a segurança jurídica acaba por desembocar na confiança que as pessoas devem ter no Direito, peculiaridade que não escapou à percepção de Gomes Canotilho; *verbis*:

> O homem necessita de segurança para conduzir, planificar e conformar autônoma e responsavelmente a sua vida. Por isso, desde cedo se consideravam os princípios da segurança jurídica e da proteção à confiança como elementos constitutivos do Estado de Direito. Estes dois princípios – segurança jurídica e proteção da confiança – andam estreitamente associados, a ponto de alguns autores considerarem o princípio da confiança como um subprincípio ou como uma dimensão específica da segurança jurídica. Em geral,

---

[9] *Idem, ibidem*, p. 225. A lição de Humberto Ávila segue no mesmo sentido; *verbis*: "Segurança jurídica existe precisamente quando o indivíduo conhece e compreende o conteúdo do Direito, quando tem assegurados no presente os direitos que conquistou no passado e quando pode razoavelmente calcular as consequências que serão aplicadas no futuro relativamente aos atos que praticar no presente" (*Constituição, Liberdade e Interpretação*, São Paulo: Malheiros Editores, 2019, p. 19).

[10] *Segurança jurídica e normas gerais tributárias*, in: *Revista de Direito Tributário* n. 17 e 18, p. 51.

[11] Vale, a propósito, a observação de Gustav Radbruch; *verbis*: "A lei, mesmo quando má, conserva ainda um valor: o valor de garantir a segurança do direito perante situações duvidosas" (*Filosofia do Direito*, trad. L. Cabral de Moncada, 6. ed. rev. e ampl. reimp. Coimbra: Arménio Amado Editor, 1997, p. 417.

[12] Alfredo Augusto Becker, *Teoria Geral do Direito Tributário*, 3. ed., São Paulo: Lejus, 1998, p. 76.

[13] *Tratado de Direito Constitucional Financeiro e Tributário*, vol. 2, Rio de Janeiro: Renovar, 2005, p. 168.

considera-se que a segurança jurídica está conexionada com elementos objetivos da ordem jurídica – garantia de estabilidade jurídica, segurança de orientação e realização do direito – enquanto a proteção da confiança se prende mais com os componentes subjetivos da segurança, designadamente a calculabilidade e previsibilidade dos indivíduos em relação aos efeitos dos actos.[14]

Portanto, o *princípio da segurança jurídica*, com seu corolário de proteção da confiança, submete o exercício do poder ao Direito, fazendo com que as pessoas possam prever, com relativa certeza, os efeitos que advirão, inclusive das decisões judiciais.

IV De fato, também as decisões judiciais devem sujeitar-se aos postulados que consagram e garantem a segurança jurídica das pessoas. Dito de outro modo, as decisões judiciais que evitam que as pessoas se sintam frustradas em suas legítimas expectativas, configuram uma das mais expressivas manifestações do *princípio da segurança jurídica*.

Tal assertiva cresce de ponto quando se está diante de jurisprudência consolidada, máxime no Supremo Tribunal Federal. Nesse caso, ele deve evitar ao máximo dar novo tratamento a uma situação, igual ou equivalente, a que tenha sido julgada na sistemática da repercussão geral.

É o que passo a expor e fundamentar.

V Os processos julgados na sistemática da repercussão geral decorrem das disputas "em massa" e versam sobre idênticas questões de Direito Constitucional.

Neles se discute a aplicação de uma mesma tese jurídica a uma mesma *situação de fato*, que, por não apresentar peculiaridades dignas de nota, é incapaz de suscitar dúvidas, quer às partes, quer ao julgador.[15]

Como é fácil captar, a sistemática da repercussão geral tem o escopo de resolver, com economicidade, igualdade e justiça, casos análogos. Cria precedentes, dos quais a Suprema Corte, em princípio, não deve se afastar, pois funcionam como modelos (*standards*) para decisões posteriores.

VI De acordo com Neil MacCormick, Robert Summers e Arthur L. Goodhard,[16] aplicar lições do passado, para solucionar problemas do presente e do futuro, é uma parte fundamental de como exercermos nossa razão prática. Deveras, é intuitivo que, ao nos depararmos com problemas atuais, nos voltemos ao passado para questionar como determinado assunto já foi decidido, movidos pela crença de que o processo histórico pressupõe um acúmulo de sabedoria.[17]

VIa Psicologicamente, esse modo de proceder está de algum modo relacionado ao que Sigmund Freud chamava de "pulsão de ordem", que corresponde a "uma espécie de compulsão à repetição, que, por um dispositivo estabelecido de uma vez por todas, decide quando, onde e como algo tem de ser feito, de modo que, em cada caso idêntico, hesitações e oscilações são poupadas".[18]

---

[14] *Direito Constitucional e Teoria da Constituição*, Coimbra: Almedina, 2000, p. 256.
[15] Cf. Gláucia Mara Coelho, *Repercussão Geral*: da Questão Constitucional no Processo Civil Brasileiro, São Paulo: Atlas, 2009, p. 140 – Coleção Atlas de Processo Civil, coord. Carlos Alberto Carmona.
[16] *Interpreting Precedents: A Comparative Study*, New York: Routledge, 2016, p. 1.
[17] É o caso de aqui invocar a famosa parêmia "A História é a mestra da vida (*Historia magistra vitae*)".
[18] *Cultura, Sociedade, Religião: o mal-estar na cultura e outros ensaios*. Tradução Maria Rita Salzano Moraes, São Paulo: Autêntica, 2020, p. 342.

VIb Além disso, o precedente fornece uma argumentação já pronta a ser aplicada desde que haja uma situação semelhante ou análoga, o que evita aprofundamentos sobre questões que já encontraram uma solução no passado.

VII Como se vê, é muito mais simples, rápido e fácil aderir a um precedente, para dar a solução jurídica de hoje.

Isso não significa, porém, que tal deva ser feito automaticamente, pois decidir por precedentes pressupõe olhar para o passado e para o futuro.

Com efeito, o julgador, máxime o constitucional, ao se deparar com os casos que lhe são submetidos, deve, para decidir o presente, se guiar pelo que já foi estabelecido no passado e, ao mesmo tempo, compreender que o que está sendo decidido hoje será o guia para as decisões futuras.

VIIa Bem por isso, pelo menos nos países do sistema da *Common Law*,[19] a cultura de precedentes tem, de acordo com Neil Duxbury, uma dimensão histórica e uma dimensão consequencial,[20] pois cria restrições aos juízes, por meio do *stare decisis*.[21] Contudo, ao mesmo tempo, lhes concede uma margem de discrição, para eventual superação do precedente, diante das peculiaridades do caso concreto e da natural evolução do Direito.[22]

VIIb Registre-se que o *stare decisis* subdivide-se em *vertical*[23] e *horizontal*. Em sua acepção *horizontal*, o *stare decisis* determina que a Corte, ao enfrentar um argumento ou uma questão jurídica, deve se alinhar à decisão prolatada em caso idêntico ou semelhante, pela *Corte anterior*.[24]

Dito de outro modo, a decisão da *Corte anterior* tem *autoridade vinculante* sobre a *Corte atual*. Do contrário, o precedente teria mera *autoridade persuasiva* e, nesse sentido, sua observância seria facultativa.

VIII Aqui chegados, permito-me lembrar, para que não pairem dúvidas, que nosso sistema jurídico adotou a tradição da *Civil Law*, o que importa dizer que, nele, a lei é fonte direta e primária do Direito. No Brasil, o julgador, embora possua alguma atividade criativa, aplica o direito legislado, seja derivando uma norma específica de outra superior, seja criando outra norma, mas sempre baseado no direito posto.

---

[19] *Common Law*, com iniciais maiúsculas, é o sistema jurídico típico dos países anglo-saxões, que tem como figura central o precedente, instrumento jurídico estatal que dá *fundamento de validade* ao próprio Direito.
Por outro lado, a expressão *common law*, com iniciais minúsculas, é aquela que, ombreada ao Direito Constitucional e ao Direito Estatutário, corresponde à autonomia de criar o Direito *ex novo*, não por conta de uma autorização legislativa, mas, de uma tradição dos países anglo-saxões, de reconhecer a figura do julgador como fonte primária do Direito (cf. Richard Allen Posner, *Overcoming Law*, Cambridge: Harvard University Press, 1995. p. 400).

[20] *The Nature and Authority of Precedent*, Cambridge: Cambridge University Press, 2008, p. 4.

[21] *Stare decisis* é uma expressão latina, que literalmente significa "permanecer com o que foi decidido", e é largamente empregada no sistema jurídico americano, no sentido de que as Cortes e os juízes devem honrar os precedentes.
Recentemente, a Suprema Corte dos EUA, ao julgar o caso *Kimble v. Marvel Enterprises LLC* (576 U.S. 446, 135 S.Ct.2401 192 L.Ed.2d.463), deixou assentado que: "A superação de um precedente nunca é uma questão de somenos. O 'stare decisis' – a ideia de que a Corte de hoje deve respeitar as decisões de ontem – é 'a pedra fundamental das decisões judiciais'. Cf. Michigan v. Baymills Indian Community, 572 U.S., 134 S.Ct.2024, 2036, 188 L.Ed.2d 1071 – 2014)".

[22] *Idem*, p. 183.

[23] No *stare decisis vertical*, o precedente dos Tribunais superiores vincula as decisões dos Tribunais inferiores.

[24] A expressão "Corte anterior" deve ser entendida como "Corte do passado", ou seja, como a Corte de mesma hierarquia, ainda que de composição diferente.

Logo, entre nós, o julgador deve necessariamente seguir o direito positivo, aplicando as regras pertinentes aos diversos casos ou, na hipótese de encontrar uma lacuna normativa, ontológica ou axiológica,[25] construindo a norma jurídica com base em uma interpretação razoável.

IX Nada obstante, mesmo nos países da *Civil Law*, cada vez mais se exige que o Poder Judiciário respeite, o quanto possível, os precedentes. Para deles se desviar é imprescindível uma argumentação reforçada, seguida de uma exposição minuciosa dos motivos pelos quais isso está sendo feito.

X Enfim, a adoção da força vinculante dos precedentes judiciais, tal como determinada no *CPC*, revela que o legislador se imbuiu do espírito de dar segurança jurídica às pessoas. Com isso, nosso sistema judicial, marcado pela alta litigiosidade, ganhou eficiência.

XI É óbvio, no entanto, que o fenômeno do Direito não pode ser reduzido a simples previsões de como os juízes decidirão um determinado caso. Ao contrário do que uma vez sustentou Oliver Wendell Holmes Jr.,[26] a Ciência do Direito não tem o mero objetivo de fazer profecias acerca do que os tribunais irão decidir, o que, no dizer do notável jusfilósofo pátrio Lourival Vilanova,[27] confundiria (equivocamente) os mundos do ser e do dever ser.

Entrementes, fazendo coro ao pranteado Mestre José Souto Maior Borges,[28] entendo que a importância do estudo dos precedentes é inegável desde que seja feito com base no direito positivo; jamais tendo por fonte primária a decisão judicial.

XII Muito bem, na tradição da *Civil Law*, as leis demandam um ato precedido de debates, que desaguarão em um estatuto prevendo – ou tentando prever – todas as possibilidades que poderão surgir no mundo fenomênico. De revés, o processo de construção de precedentes é muito mais longo, porque segue uma evolução e acaba por gerar uma decisão que se limitará a resolver o caso concreto.

Em outros termos, o legislador filtra os dados da realidade e, no intuito de transformá-la, constrói a norma geral e abstrata, que incidirá no futuro. Já o Poder Judiciário atua para o passado, levando em conta a filtragem dos fatores externos já feita pelo legislador, a fim de, operando em estrita vinculação com o direito posto, determinar a interpretação única da predita norma geral e abstrata.[29]

XIII Sublinho, ainda, que, em um sistema jurídico como o nosso, instituído no contexto de um Estado Democrático de Direito, esses postulados devem ser seguidos, mas sempre considerando, sob pena de absurdamente tornar dispensável a tarefa do legislador, que a atividade jurisdicional aplica a Constituição e as leis e tem balizas intransponíveis.

XIV Muito bem, dando seguimento ao nosso discurso, quando a Suprema Corte fixa um tema, na sistemática da repercussão geral, ela, na administração dos direitos e deveres, inclusive dos contribuintes (caso do Tema 69), precisa respeitar os valores

---

[25] Cf. Maria Helena Diniz, *Lei de Introdução às Normas do Direito Brasileiro*, 18. ed. São Paulo: Saraiva, 2013, p. 123.
[26] The Path of Law, *in: Harvard Law Review*, Boston, v. 10, n. 8, p. 458, mar. 1897.
[27] *As Estruturas Lógicas e o Sistema de Direito Positivo*, 4. ed. São Paulo: Noeses, 2010, p. 36-37.
[28] Um Ensaio Interdisciplinar em Direito Tributário: Superação da Dogmática, *in: Revista Dialética de Direito Tributário*, n. 211, p. 106-121, 2013.
[29] Conforme Misabel Derzi, *Modificações da Jurisprudência no Direito Tributário*, São Paulo: Noeses, 2009, p. 577-578.

políticos e sociais da continuidade, como a coerência, a generalidade, a imparcialidade e a previsibilidade, tudo em homenagem ao *sobreprincípio da segurança jurídica*.

XV Mas, afinal, por que a Suprema Corte é obrigada a seguir os precedentes advindos da sistemática da repercussão geral?

A meu ver, basicamente por dois motivos: um, de *ordem deontológica*; outro, de *ordem consequencialista*.[30]

XVa Deontologicamente, a Suprema Corte é obrigada a seguir seus precedentes, para atender aos reclamos da justiça, da igualdade e da segurança jurídica. Ao se conduzir desse modo, garante que casos idênticos ou equivalentes tenham o mesmo desfecho e que o Direito seja aplicado de forma linear, se presente a mesma razão para decidir.

XVb De outra banda, seguir precedentes, para a Suprema Corte, tem um motivo de ordem consequencialista,[31] na medida em que o conjunto de decisões anteriores sobre o mesmo tema representa, no mais das vezes, um útil atalho para a boa administração da Justiça.

A aplicação dessa doutrina, embora não envolva um comando inexorável, é o caminho que deve preferencialmente ser seguido, porque, além de prestigiar a imparcialidade, a previsibilidade e o desenvolvimento consistente dos princípios jurídicos, promove a confiança nas decisões da mais alta Corte do País.

A par disso, ela tem o condão de desestimular o desafio aos precedentes firmados, poupando as partes e os tribunais inferiores dos custos da reiteração ilimitada de litígios, acerca de questões já pacificadas.

Além de tudo, a doutrina dos precedentes privilegia a estabilidade do Direito, porquanto encerra a forte presunção de que o Supremo Tribunal Federal seguirá suas decisões anteriores, quando questões idênticas ou equivalentes surgirem em novos processos.[32]

XVI Essas noções são importantes para o deslinde do caso concreto, pois permitem demonstrar que a tese, fixada com repercussão geral, no RE 574.706 ("O ICMS não compõe a base de cálculo para fins de incidência do PIS e da COFINS"), deve necessariamente ser aplicada no RE 592.616, no qual se pretende que o Supremo Tribunal Federal também mande excluir da base de cálculo do *PIS* e da *COFINS* o montante devido, pelos contribuintes dessas exações, a título de *ISS*.

É o que passo a expor e fundamentar.

---

[30] Cf. Neil Duxbury, *op. cit.*, p. 97 e 168-170.

[31] O termo "consequencialismo" foi cunhado por Gertrude Elizabeth Margaret Anscombe, em artigo intitulado "Modern Philosophy", em 1958. Anscombe foi uma escritora irlandesa que dedicou grande parte de sua obra ao estudo da ética. Criou o termo, dentre outros motivos, para abarcar a linha de pensamento dos acadêmicos morais ingleses, que a estruturam na máxima ética segundo a qual a ação correta é a que produz as melhores consequências possíveis (entre as consequências, os valores intrínsecos atribuídos a certos tipos de ato, por alguns objetivistas).
Objetivistas são os acadêmicos morais que distinguem os valores intrínsecos de cada ação humana – como, o inerente a não matar alguém – e as consequências desses mesmos atos. Sendo assim, alguns atos seriam moralmente obrigatórios, independentemente dos resultados positivos que seriam atingidos. Conquanto Neil Duxbury utilize o termo "consequencialismo" em sua obra, associa-o à eficiência e não exatamente no sentido utilizado por Anscombe.

[32] Trata-se daquilo que a doutrina norte-americana denomina "aspecto horizontal do *'stare decisis'*".

4 Da equivalência das inserções do *ICMS* e do *ISS*, na base de cálculo do *PIS/COFINS*, a exigir o mesmo tratamento jurídico-tributário

I As inserções do *ISS* e do *ICMS*, na base de cálculo do *PIS/COFINS*, guardam perfeita equivalência, pelo que devem receber o mesmo tratamento jurídico-tributário.

Sendo mais específico, tenho para mim que a principiologia que levou o Supremo Tribunal Federal a declarar a inconstitucionalidade da inclusão do *ICMS* na base de cálculo do *PIS* e da *COFINS* (Tema 69 da repercussão geral) há de ser aplicada na inclusão do *ISS* na base de cálculo dessas contribuições sociais, por força, se por mais não fosse, do *princípio da igualdade* e do seu consectário, o *princípio da equivalência*.

II O *princípio da igualdade*, num Estado Democrático de Direito como o nosso, tem a importante função de contribuir para a realização dos valores ligados à justiça.[33] Nas palavras de Norberto Bobbio, "uma relação de igualdade é uma meta desejável na medida em que é considerada justa", pois está relacionada "com um ideal de harmonia das partes de um todo".[34]

Não por outro motivo, José Souto Maior Borges considera o *princípio da igualdade* o mais importante, de quantos a Constituição Federal consagra; *verbis*:

> [O princípio da igualdade é] o princípio dos princípios, o mais originário de todos, não na ordem cronológica, mas na ordem valorativa e epistemológica, a condicionar os nossos estudos e a aplicação constitucional. A isonomia é, na Constituição Federal, o protoprincípio – o mais originário na ordem do conhecimento, o outro nome da Justiça. Uma Justiça imanente – não transcendente portanto – ao ordenamento constitucional positivo.[35]

IIa Conceituar "igualdade", contudo, não é tarefa fácil, notadamente em razão da vagueza que caracteriza o próprio termo.[36] Mas como meu objetivo, nas próximas linhas, é tratar a igualdade sob o viés jurídico, voltarei minhas atenções para o art. 5º, *caput*, da Constituição Federal, que estatui:

> Art. 5º. Todos são iguais perante a lei, sem distinção de qualquer natureza, garantindo-se aos brasileiros e aos estrangeiros residentes no País a inviolabilidade do direito à vida, à liberdade, à igualdade, à segurança e à propriedade, nos termos seguintes: (...).

---

[33] Ricardo Lobo Torres, partindo do significado de igualdade como "... proibição de arbitrariedade, de excesso ou de desproporcionalidade (= não razoabilidade)", defende que o princípio em questão significa "... vedação da desigualdade consubstanciada na injustiça, na insegurança e na opressão da liberdade", por entender que a isonomia "participa... das ideias de justiça, segurança e liberdade, sendo que no que concerne a esta última, aparece tanto na liberdade negativa quanto na positiva, como condição da liberdade, a assegurar a todos a igualdade de chance (= liberdade para ou real)" (*Os Direitos Humanos e a Tributação*: Imunidades e Isonomia, Rio de Janeiro: Renovar, 1995, p. 264-267).

[34] *Igualdade e Liberdade*, tradução de Carlos Nelson Coutinho, Rio de Janeiro: Ediouro, 1996, p.15.

[35] A isonomia tributária na Constituição Federal de 1988, *in*: *Revista de Direito Tributário*, São Paulo, n. 64, p.11, 1995.

[36] Tal dificuldade não passou despercebida por Dino Jarach; *verbis*: "Nada más difícil y más vago que definir lo que se entiende por igualdad. En todo el desarrollo de nuestra jurisprudencia y de nuestra doctrina no hallamos una definición precisa y sí encontramos una serie de fallos a través de los cuales se va elaborando, mediante ejemplos o especificaciones, el criterio de la igualdad, sistema que, después de una larga evolución, vuelve al punto de partida" (*Finanzas Públicas y Derecho Tributario*, 3. ed. Buenos Aires: Abeledo-Perrot, 1996, p. 318).

IIb Destaco, inicialmente, a relação de proximidade existente entre a igualdade e a legalidade. A propósito, Celso Antônio Bandeira de Mello salienta que "[a] lei não deve ser fonte de privilégios ou perseguições, mas instrumento regulador da vida social que necessita tratar equitativamente todos os cidadãos", de maneira que, "ao se cumprir uma lei, todos os abrangidos por ela hão de receber tratamento parificado, sendo certo, ainda, que ao próprio ditame legal é interdito deferir disciplinas diversas para situações equivalentes".[37]

IIc Outro ponto que não pode ser ignorado é que a Constituição Federal visa a proteger a igualdade sob pelo menos duas perspectivas: *perante a lei* (sentido formal) e *na lei* (sentido material).[38]

IId A igualdade *perante a lei* – ou seja, a isonomia sob o aspecto formal – garante que será aplicada de forma isonômica para todos. Nesse passo revela conteúdo prevalentemente negativo, que consiste no afastamento dos privilégios e na fixação da premissa de que a lei – inclusive a tributária – deverá ser uniformemente aplicada.

Isso não significa, porém, que a lei deva ser aplicada de modo absolutamente igual para todos, pois, como bem observou Rui Barbosa, em sua celebérrima *Oração aos Moços*, "[n]ão há, no universo, duas coisas iguais. Muitas se parecem umas às outras. Mas todas entre si diversificam".[39]

Na realidade, a isonomia perante a lei impede o *desigual tratamento de pessoas, sob os mesmos pressupostos de fato*.

Mas é importante esclarecer que esse aspecto da igualdade não garante, por si só, a observância do dever de isonomia, para a concretização da ideia de justiça. Basta pensar na edição de uma lei em que houvesse distinções arbitrárias entre as pessoas – *v.g.*, de um lado, os adeptos de partidos políticos de centro-direita e, de outro, as pessoas filiadas a partidos políticos de esquerda –, e que ela fosse aplicada, de maneira igual, àqueles que estivessem na mesma situação de fato: tal medida, a toda evidência, seria injurídica.

IIe Daí a necessidade de se observar a *igualdade na lei* – ou seja, a isonomia sob o aspecto material – que impede que este ato normativo crie distinções arbitrárias ou abusivas. Deveras, é vedado à lei, principalmente quando gira em torno de direitos fundamentais, chancelar desigualdades arbitrárias, vale dizer, que "... tenham propósitos determinados de hostilização ou favorecimento".[40]

IIf Resta saber, no entanto, que critérios devem ser levados em consideração, pelo legislador, para se conferir efetividade ao *princípio da igualdade* – ou seja, para dar tratamento igual aos iguais e desigual aos desiguais, na medida de suas desigualdades (conforme a clássica fórmula aristotélica).

IIg Para Celso Antônio Bandeira de Mello, a identificação de "iguais" e "desiguais" implica a adoção de "... critérios distintivos justificadores de tratamentos jurídicos díspares",[41] que devem "... residir na pessoa, coisa ou situação a ser discriminada".[42]

---

[37] *O Conteúdo Jurídico do Princípio da Igualdade*, 3. ed. São Paulo: Malheiros Editores, 2010, p. 10.
[38] Cf. Humberto Ávila, *Teoria da Igualdade Tributária*, 2. ed. São Paulo: Malheiros Editores, 2009, p. 74.
[39] São Paulo: JG Editor, 2003, p. 45.
[40] Cf. Ramón Valdés Costa, *Instituciones de Derecho Tributario*, 2. ed. Buenos Aires: Depalma, 2004, p. 401.
[41] *O conteúdo...*, p. 11.
[42] *O conteúdo...*, p. 24.

IIh Tendo em conta a generalidade e abstração das leis (pois a igualdade está ligada à existência de normas gerais e abstratas), as diferenças entre as pessoas devem ser estabelecidas a partir de "características, traços, nelas residentes",[43] sendo essencial que haja *justificativa racional* para a eleição desses critérios diferenciadores.

IIi Nas palavras de Humberto Ávila, "[d]iferenciar sem razão é violar o princípio da igualdade",[44] sendo certo que tal razão deve estar em conformidade com os valores constitucionais, especialmente aqueles que determinam a necessidade de relação entre os meios utilizados e os fins a serem atingidos.

IIj Cumpre destacar, ainda, que o *princípio da igualdade* tem como destinatários: *a)* o Poder Legislativo, pois impede a criação de textos normativos que contrariem os contornos da isonomia; *b)* o Poder Judiciário, haja vista que vincula a interpretação do Direito, à luz da igualdade; e, também, *b)* o Poder Executivo, cuja pauta de conduta deve estar voltada ao respeito e à implementação de medidas de efetivação da isonomia.[45]

III Transplantando essas noções, apenas bosquejadas, para o campo tributário, o princípio da igualdade proíbe que as pessoas políticas (União, Estados-membros, Distrito Federal e Municípios) instituam "... tratamento desigual entre contribuintes que se encontrem em situação equivalente, proibida qualquer distinção em razão de ocupação profissional ou função por eles exercida, independentemente da denominação jurídica dos rendimentos, títulos ou direitos" (cf. art. 150, II, da CF).

IIIa As premissas lançadas no item precedente, relativas ao princípio genérico da igualdade (art. 5º, *caput*, da CF/88), aplicam-se integralmente à igualdade tributária: seus destinatários são os poderes Legislativo, Judiciário e Executivo. Também ao sujeito passivo da obrigação tributária (seja contribuinte, seja responsável) é resguardado o direito à igualdade, tanto no seu sentido formal (perante a lei) quanto no material (na lei).

IIIb Isso não leva a concluir, porém, que a igualdade tributária seja mera reiteração da igualdade referida no art. 5º, *caput*, da Constituição Federal.

Isso porque a igualdade, em matéria tributária, deve ser vista como forma adicional de proteção do contribuinte (pessoa física ou jurídica), diante do poder tributário do Estado.

Assim, a *igualdade tributária perante a lei* exige a aplicação de maneira uniforme e isonômica desse ato normativo aos sujeitos passivos tidos por "iguais", não se admitindo vantagens injustificadas (que Ricardo Lobo Torres chama de "privilégios odiosos"[46])

---

[43] O conteúdo..., p. 41.

[44] "O princípio da isonomia em matéria tributária", *in: Tratado de Direito Constitucional Tributário* – Estudos em Homenagem a Paulo de Barros Carvalho, São Paulo: Saraiva, 2005, p. 413.

[45] Nesse sentido, Pontes de Miranda; *verbis*: "O princípio [da isonomia] é imperativo para os legisladores e para os executores administrativos ou judiciais. (...) Se explorarmos o conteúdo do princípio, temos que lhe cabem duas funções: (1) regular a feitura de leis, o direito '*in fieri*', submetendo-o à exigência de ser igual para todos; (2) quanto ao direito já feito, a) servir, ou de regra de interpretação, no caso de dúvida, ou como preceito que autoriza recorrer-se à analogia, b) ser fonte de direito, em si mesmo, preenchendo as lacunas das leis anteriores ou posteriores à sua edição, c) ser preceito de direito intertemporal e de ordem pública, d) servir de regra de exegese ou interpretação da própria Constituição, e) ser fundamento de outros princípios (e. g., igual acesso aos cargos públicos), só ou em conjunção com outros direitos fundamentais" (*Democracia, Liberdade, Igualdade:* Os Três Caminhos, 2. ed. São Paulo: Saraiva, 1979, p. 487).

[46] Segundo Ricardo Lobo Torres; *verbis*: "'*Privilégio* odioso' é a permissão para fazer ou deixar de fazer alguma coisa contrária ao direito comum, sem justificativa razoável. Do ponto de vista fiscal odioso é o privilégio que consiste em pagar tributo menor que o previsto para os outros contribuintes, não pagá-lo (isenção) ou obter subvenções ou incentivos, tudo em razão de diferenças subjetivas, afastadas dos princípios d justiça ou da

àqueles pertencentes a uma mesma categoria de contribuintes.[47] E, para que se possa aplicar a lei com isonomia, o legislador deve eleger "critérios de discriminação", pois a igualdade na lei, "... permite a formação de distinções ou categorias sempre que estas sejam razoáveis, com exclusão de toda discriminação arbitrária, injusta ou hostil contra determinadas pessoas ou categorias de pessoas".[48]

IV Mas, afinal, quais seriam os critérios legítimos de discriminação que o legislador poderia utilizar, no âmbito da tributação, para criar categorias distintas de sujeitos passivos (contribuintes e responsáveis) a fim de conferir eficácia ao *princípio da igualdade tributária*?

A resposta a tal questionamento deve partir da Constituição, pois, como refere Paulino Jacques, "[é nela] que o jurista deve buscar os elementos integrativos do conceito de igualdade jurídica, porque, fora deles, se embrenhará numa floresta inextrincável de indagações, quase sempre, infrutíferas".[49]

IVa Pois bem, com respaldo na Constituição, o *princípio da igualdade* exige que a legislação tributária, a ser tanto editada quanto aplicada: *a)* não discrimine os contribuintes que se encontrem em situação jurídica equivalente; *b)* discrimine, *na medida de suas desigualdades*, os contribuintes que não se encontrem em situação jurídica equivalente.

Ora, no âmbito das relações tributárias (notadamente naquelas em que prepondera o caráter fiscal do gravame, caso do *PIS* e da *COFINS*), o critério de *discrímen* (do latim *discrimen, inis,* o que separa, diferencia) permitido pela Constituição Federal é, por excelência, a capacidade econômica do contribuinte.

IVb De fato, o *princípio da igualdade* exige que as pessoas paguem tributos na proporção dos seus haveres, ou seja, de seus índices de riqueza. Esse, aliás, é o pensamento de José Juan Ferreiro Lapatza; *verbis*:

> Todos são iguais perante a lei no momento de implantar os tributos. Mas, naturalmente, a igualdade exige um tratamento igual para os iguais e desigual para os desiguais. Quanto maior é a riqueza de um indivíduo, maior sua capacidade econômica, maior deverá ser a quantidade com a qual terá que contribuir para o sustento dos ônus públicos. Só assim são suportados por igual os ônus tributários. Só assim estes ônus são igualmente gravosos para os distintos contribuintes.[50]

---

segurança jurídica. A concessão de privilégio odioso ofende a liberdade relativa a terceiros, que ficam obrigados ao desembolso do tributo de que o detentor do privilégio foi dispensado: alguém sempre paga pelos benefícios concedidos a outrem. Em vista disso os privilégios odiosos são proibidos pela CF, explícita ou implicitamente..." (*Tratado de Direito Constitucional Financeiro e Tributário* – Os Direitos Humanos e a tributação: Imunidades e Isonomia, Vol. III, 3. ed. Rio de Janeiro: Renovar, 2005, p. 357).

[47] Klaus Tipke e Joachim Lang, ao tratarem da eficácia do princípio da igualdade tributária *perante a lei*, registraram que "[a] regra da igualdade obriga para o Direito Tributário, que os sujeitos passivos sejam por uma lei tributária jurídica e factualmente onerados da mesma maneira" (*Direito Tributário* (Steuerrecht), Porto Alegre: Sérgio Antônio Fabris Editor, 2008, p.19). Essa noção está intimamente ligada à concepção clássica de Estado Liberal, que, conforme as lições de Victor Uckmar, "... consiste em a lei dever ser igual para todos que se encontrem em situações idênticas, e na proibição de estabelecer exceções ou privilégios tais que excluam a favor de um, aquilo que é imposto a outros, em idênticas circunstâncias" (*Princípios Comuns de Direito Constitucional Tributário*, tradução de Marco Aurélio Greco, Revista dos Tribunais, São Paulo: 1976, p. 56).

[48] Cf. Giuliani C. M. Fonrouge, *Conceitos de Direito Tributário*, Tradução de Geraldo Ataliba e Marco Aurélio Greco, São Paulo: Lael, 1973, p.56.

[49] *Da Igualdade Perante a Lei:* Fundamento, Conceito e Conteúdo. 2. ed. Rio de Janeiro: Forense, 1957, p. 89.

[50] *Direito Tributário*: Teoria Geral do Tributo, tradução de Roberto Barbosa Alves, Barueri (São Paulo), Manole, 2007, p. 23.

IVc Deveras, é justamente na capacidade econômica que se comprova a existência de correlação lógica entre o fator de discriminação (manifestação de riqueza apta a ser tributada) e os fins que, por meio dela, se pretendem alcançar: arrecadação para o financiamento da máquina pública e a realização da justiça fiscal.

IVd Em síntese, os reclamos do princípio da igualdade, em matéria tributária, somente são atendidos quando se levam em conta as capacidades econômicas dos contribuintes.

V Muito bem. Relaciona-se com o *princípio da igualdade tributária* o *da equivalência tributária*, que, aliás, lhe dá as devidas dimensões. Em outro giro verbal, o *princípio da equivalência tributária* constitui-se em um valioso parâmetro[51] para a concretização da igualdade tributária.

De fato, a tributação deve levar em conta a natureza econômica em que os contribuintes se encontram. É o que revela a interpretação sistemática do precitado art. 150, II, da Constituição Federal, que – não custa repetir – proíbe que recebam tratamento desigual *(i)* quando estão em situação equivalente ou *(ii)* em razão de ocupação profissional ou função por eles exercidas, independentemente da denominação jurídica dos seus rendimentos, títulos ou direitos.

Cuida-se, pois, da explicitação da diretriz, por mim já acenada, de que os contribuintes que estão em situação econômica análoga devem receber o mesmo tratamento fiscal. Há de prevalecer, no caso, a substância (a realidade econômica) sobre a forma, observados, evidentemente, os princípios constitucionais que pautam a tributação, como, entre outros, o da segurança jurídica, da legalidade e o da certeza do direito. Assim, por exemplo, há uma situação de equivalência entre as proposições "alguns contribuintes devem recolher o imposto sobre a renda" *e* "é falso que todos os contribuintes devem recolher o imposto sobre a renda", muito embora as palavras que as compõem sejam diferentes.

Aqui, porém, uma pergunta precisa ser formulada e respondida: em que consiste a *equivalência*?

Va O filósofo Nicola Abbagnano define a *equivalência* como sendo a "[r]elação entre dois objetos que tenham o mesmo valor; p. ex., entre duas figuras planas que tenham a mesma área ou duas figuras sólidas que tenham o mesmo volume".[52] Também remete ao seu sinônimo *equipolência; verbis*:

> Relação entre enunciados diversos que tem o mesmo valor de verdade. (...)
> Na lógica contemporânea a E. [equipolência] (que se chama também equivalência) é simbolizada pelo signo ≅ e definida, de acordo com a tradição, como coincidência de dois enunciados em seu valor de verdade.[53]

---

[51] Utilizei o termo "parâmetro" no sentido matemático de medida que serve de guia para o confronto dos diversos elementos de um problema.

[52] *Dicionário de Filosofia*, tradução da 1ª edição brasileira coordenada e revista por Alfredo Bosi, revisão da tradução e tradução dos novos textos por Ivone Castilho Benedetti, 4. ed., 2ª tir., São Paulo: Martins Fontes, 2003, p. 340 (esclareci nos colchetes).

[53] *Idem, ibidem*, p. 340.

Já o jurista De Plácido e Silva é mais específico, *verbis*:

> Derivado de 'equivaler', do latim 'æquivalere' (ter o mesmo valor, valer tanto), significa a 'igualdade de valor' entre duas coisas.
>
> Desse modo, pela 'equivalência' as duas coisas não se assemelham nem se igualam (equiparam), mas possuem um valor igual, embora radicalmente diferentes em natureza e espécie.
>
> A equivalência dá, pois, sempre a ideia de 'preço' ou de 'custo', pois que 'valor' aí é tido pela 'medida financeira' que vem igualar o 'preço' de coisas diferentes, para que uma possa substituir a outra, ou 'compensar' uma pela outra.
>
> A equivalência é sempre anotada pela avaliação ou 'estimação do preço' da coisa que se vai substituir ou compensar.[54]

Logo, há equivalência quando duas proposições, embora não coincidam em todos os seus termos, possuem o mesmo *valor de verdade*,[55] vale dizer, se uma é verdadeira, a outra também será.

Vb Foi nesse sentido que o Texto Magno, em seu art. 150, II, empregou a expressão "situação equivalente". Portanto, os contribuintes, para receberem tratamento isonômico, não precisam estar em posição de igualdade formal ou absoluta; basta que haja, entre eles, *afinidades substanciais*.

Incensuráveis, a respeito, as seguintes observações de Rodrigo Santos Masset Lacombe; *verbis*:

> Ao utilizar [a Constituição, no inc. II, do seu art. 150] o termo 'equivalente' afastou-se a igualdade econômica-formal e privilegiou-se a igualdade econômica-material, o que se verifica também pelo estabelecimento da irrelevância da denominação jurídica dos rendimentos, títulos ou direitos. Conforme acentua Gandra Martins, a igualdade absoluta admite a heterogeneidade nos componentes, ao passo que na equivalência a igualdade é flexível, permitindo resultados homogêneos entre componentes heterogêneos.[56]

Isso é facilmente explicável: como os contribuintes exercem atividades econômicas diversas, a justiça fiscal exige que a isonomia seja modulada pela capacidade econômica de cada categoria. Destarte, dizer que as situações econômicas de vários contribuintes são equivalentes significa que elas, embora não se superponham, possuem características comuns, em *valor de verdade*.

É o que, de resto, ensina Ives Gandra da Silva Martins; *verbis*:

> Equivalente é um vocábulo de densidade ôntica mais abrangente do que 'igual'. A igualdade exige absoluta consonância em todas as partes, o que não é da estrutura do princípio da

---

[54] *Vocabulário Jurídico*, vols. I e II, 3. ed., Rio de Janeiro: Forense, 1991, p. 181/182.
[55] O *valor de verdade*, também chamado *veritativo*, indica a relação de uma proposição à verdade. É o que se busca obter, por exemplo, nas decisões judiciais. Na Lógica Clássica e na Matemática uma proposição só pode ser verdadeira ou falsa (*tertium non datur*).
[56] *O princípio da equivalência no direito tributário brasileiro*, Belo Horizonte: Arraes Editores, 2022, p. 144 (esclareci nos colchetes).

equivalência. Situações iguais na equipolência, mas diferentes na forma, não podem ser tratadas diversamente. A equivalência estende à similitude de situações a necessidade de tratamento igual pela política impositiva, afastando a tese de que os desiguais devem ser tratados, necessariamente, de forma desigual. Os desiguais, em situação de aproximação, devem ser tratados, pelo princípio da equivalência, de forma igual em matéria tributária, visto que a igualdade absoluta, na equivalência não existe, mas apenas a igualdade na equiparação de elementos (peso, valor etc.).[57]

Segue-se, pois, que não basta afirmar que, em matéria tributária, todos são iguais perante a lei. É necessário, ainda, que os contribuintes que se encontram em situações econômicas equivalentes recebam o mesmo tratamento fiscal.

Vc Por outro lado, é preciso sempre ter presente que os contribuintes, para obterem riquezas tributáveis, exercem atividades econômicas diferentes. Realmente, uns são comerciantes, outros industriais, outros prestadores de serviços, outros, ainda, profissionais liberais, e assim por diante.

Ora, para que os tributos observem o *princípio da igualdade*, mostra-se imprescindível que os critérios de diferenciação da capacidade econômica dos contribuintes sejam modulados pela equivalência. Assim deve ser, justamente para que, a pretexto de tratar desigualmente os contribuintes desiguais, este princípio não caia por terra.

Melhor esclarecendo, os critérios de desigualação dos contribuintes, longe de poderem ser eleitos de modo ilimitado, devem sempre levar em conta suas capacidades econômicas, independentemente de suas profissões, funções ou situações jurídicas.

Em suma, a igualdade tributária é respeitada quando pessoas que se encontram em situações economicamente equivalentes são tributadas do mesmo modo.

VI Muito bem, assim amanhado o terreno, sinto-me confortável para afirmar que os princípios *da igualdade* e *da equivalência* exigem que tanto os contribuintes de *ICMS* quanto os de *ISS* expunjam os montantes destes tributos das bases de cálculo do *PIS* e da *COFINS*.

Sendo mais diretos, entendo que o Tema 118, da repercussão geral, deve, *mutatis mutandis*, ser fixado no mesmo sentido do Tema 69, desta sistemática, ou seja, "o ISS não compõe a base de cálculo para a incidência do PIS e da COFINS".

Isso porque não integram o faturamento (a receita) das sociedades empresárias os valores que elas recolhem seja a título de *ICMS*, seja de *ISS*. Eles não passam de ingressos, que circulam pela contabilidade dessas pessoas jurídicas, rumo, respectivamente, aos cofres públicos estaduais e municipais. Ou, caso se prefira, compõem o faturamento dessas pessoas políticas; não o dos contribuintes em questão.

Trata-se, como é fácil perceber, de situações essencialmente iguais, a exigir, no referente à tributação por meio de *PIS* e de *COFINS*, idêntico tratamento fiscal.

VIa A asserção é facilmente demonstrável, comparando-se a situação *(i)* da empresa recorrente, que, por prestar serviços de transporte municipal de passageiros, recolhe o *ISS-transporte*, com *(ii)* a de outra empresa que, por prestar serviços de transporte interestadual ou intermunicipal de passageiros, recolhe o *ICMS-transporte*.

---

[57] *Cadernos de Pesquisas Tributárias nº 17*, São Paulo: CEU-Resenha Tributária, 1992, p. 19.

VIb Deveras, tais serviços de transporte de passageiros são *equivalentes*; apenas um é prestado dentro do território do Município, ao passo que o outro, no território de dois ou mais Municípios ou Estados.

VIc Desse modo, diante da *equivalência* entre o *ICMS-transporte* e o *ISS-transporte*, agride o *princípio da isonomia* permitir que apenas o montante do primeiro venha retirado da base de cálculo do *PIS* e da *COFINS*.

VII Para que, no entanto, tal conclusão não fique no plano das meras alegações, lembro que a Constituição Federal prevê vários impostos sobre prestações de serviços; a saber: *a)* o imposto sobre a prestação de serviços de transporte interestadual e intermunicipal (*ICMS-Transporte*); *b)* o imposto sobre a prestação de serviços de comunicação (*ICMS-Comunicação*); e *c)* os impostos sobre prestações de serviços de outras naturezas, mais conhecidos como "impostos sobre serviços de qualquer natureza" (*ISS* ou *ISSQN*). Os dois primeiros a Carta Magna reservou aos Estados-membros; os últimos, aos Municípios.[58]

O fato gerador *in concreto* (*fato imponível*) de todos esses impostos ocorre quando, em razão de negócio jurídico firmado entre particulares, sob regime de direito privado (mas não trabalhista), os aludidos serviços são efetivamente prestados.

É imprescindível, pois, o detido exame do fato realizado, para se saber qual tributo é devido: se o *ICMS-Transporte*, se o *ICMS-Comunicação* ou se o *ISS*, em qualquer de seus núcleos de incidência.

VIII Muito bem. O *ICMS*, conforme dispõe o art. 155, II, da Constituição Federal, também pode incidir "sobre prestações de serviços (...) de transporte interestadual e intermunicipal (...), ainda que (...) as prestações se iniciem no exterior".[59] É o *ICMS-Transporte*.

Pelo contrário, as prestações de serviços de transporte municipais, a dizer, aqueles cujo trajeto estiver contido no território de um único Município, escapam ao alcance desta exação. São tributáveis por meio de *ISS-transporte*.

Os dois tributos, porém, têm a mesma materialidade, já que ambos incidem sobre prestações onerosas de serviços de transporte e seus montantes não se integram ao patrimônio da empresa que as realiza, mas, pelo contrário, vão ter: um (o *ICMS*), ao Erário estadual; o outro (o *ISS*), ao Erário municipal.

Ora, por força do *princípio da isonomia*, tal equivalência leva à necessidade de exclusão do montante de *ISS* da base de cálculo do *PIS* e da *COFINS*, da mesma forma que ocorre com o *ICMS*, conforme decidido no tema 69, da repercussão geral.

Sempre mais se confirma, portanto, que o valor referente ao *ISS*, por simplesmente circular pelo patrimônio do prestador, a ele não se agrega, não podendo ser enquadrado como receita sua, até porque tem previsão certa de saída, rumo aos cofres públicos municipais. Definitivamente, não deve integrar a base de cálculo do *PIS* e da *COFINS*.

Aqui chegado, farei breves considerações sobre o perfil constitucional do *ISS*.

---

[58] Em seu território, o Distrito Federal pode instituir todos os impostos sobre serviços, por força do que estatuem os arts. 147, *in fine*, e 155, *caput*, da Constituição Federal.

[59] Este imposto, ora de competência dos Estados, "descende", por assim dizer, do antigo *imposto federal sobre serviços de transporte*/ISTR, salvo os estritamente municipais. Quem tiver interesse no assunto encontrará subsídios em artigo homônimo que foi publicado nos *Anais do 4º Encontro Nacional dos Procuradores Municipais do Brasil*, realizado em julho/1977.

5 O perfil constitucional do ISS

I O perfil constitucional do imposto sobre serviços de qualquer natureza (*ISS*[60]) encontra-se no art. 156, III, da Constituição Federal; *verbis*:

> Art. 156. Compete aos Municípios instituir impostos sobre: (...)
>
> III - impostos sobre serviços de qualquer natureza, não compreendidos no art. 155, II, definidos em lei complementar.

Note-se que, em rigor, *ISS* não passa de uma sigla, a hospedar, diferentes impostos. Na verdade, tantos quantos forem os serviços tributáveis pelos Municípios.

São impostos diferentes, exatamente por terem *hipóteses de incidência* e *bases de cálculo* diferentes.[61] A ideia, diga-se de passagem, encontra-se bem travejada no art. 4º do Código Tributário Nacional.[62]

Insisto que o binômio *hipótese de incidência/base de cálculo* confirma que o rótulo *ISS* alberga múltiplos impostos,[63] que, no entanto, por possuírem um "denominador comum", podem ser estudados conjuntamente.

II Retomando o fio do discurso, os Municípios são competentes para tributar, por meio de impostos, os serviços de qualquer natureza, exceção feita aos de transporte interestadual e intermunicipal e de comunicação, estes tributáveis por meio de *ICMS* (*ex vi* justamente do disposto no art. 155, II, da *CF*).

Na realidade, o *ISS*, em suas plúrimas rotulações, não alcança propriamente os serviços, mas suas *prestações* onerosas.[64] Daí podermos avançar o raciocínio, frisando que só podem surgir da execução de *obrigações de fazer*,[65] mais precisamente, do fato de

---

[60] O imposto sobre serviços de qualquer natureza (*ISS*) foi previsto, pela primeira vez, na Constituição de 24 de janeiro de 1.967, em seu art. 25, II; *verbis*: "Art. 25. Compete aos Municípios decretar impostos sobre: (...) II – serviços de qualquer natureza, não compreendidos na competência tributária da União ou dos Estados, definidos em lei complementar". A Emenda Constitucional nº 1, de 18 de outubro de 1.969, voltou a tratar do assunto, agora em seu art. 24, II, que praticamente manteve a redação *supra*: "Art. 24. Compete aos Municípios instituir impostos sobre: (...) II – serviços de qualquer natureza, não compreendidos na competência tributária da União ou dos Estados, definidos em lei complementar". Apenas para registro, à época, o Texto Supremo conferia à União competência para tributar, por meio de impostos, os serviços de transporte (art. 21, X) e de comunicações (art. 21, VII), ambos intermunicipais ou entre Município brasileiro e território estrangeiro.

[61] Indisputável que o que distingue um tributo de outro não é o nome que possui, nem a destinação do produto de sua arrecadação, mas sua *hipótese de incidência*, confirmada por sua *base de cálculo*.

[62] Código Tributário Nacional: "Art. 4º. A natureza jurídica específica do tributo é determinada pelo fato gerador da respectiva obrigação, sendo irrelevantes para qualificá-la: I - a denominação e demais características formais adotadas pela lei; II - a denominação legal do produto da sua arrecadação".

[63] Assim, o imposto sobre serviços de funilaria é diferente do imposto sobre serviços de hospedagem, que é diferente do imposto sobre serviços de decoração, que é diferente do imposto sobre serviços de transporte municipais e assim por diante. Enfim, os exemplos podem ser multiplicados, que são legião.

[64] Embora a Constituição, em seu art. 156, III, faça expressa menção a *serviços*, ela, elipticamente, está aludindo a serviços prestados a terceiros, ou seja, a *prestações de serviços*. Isto fica mais claro se cotejarmos este dispositivo com o art. 155, II, do mesmo Diploma Magno (referido no art. 156, III), que confere, aos Estados, competência para tributar, via *ICMS*, "*prestações de serviços* de transporte interestadual e intermunicipal e de comunicação" (grifei).
 Ademais, como o *ISS* deve obedecer a uma série de princípios constitucionais, dentre os quais o *da capacidade contributiva*, é necessário agregar, à expressão *serviços de qualquer natureza*, o verbo "prestar". Qualquer outro verbo ("fruir", por exemplo) negaria os postulados constitucionais informadores da tributação por meio de impostos.

[65] Lembro, na esteira do art. 594, do Código Civil, que "[t]oda a espécie de serviço ou trabalho lícito, material ou imaterial, pode ser contratada mediante retribuição".

uma pessoa realizar, mediante contraprestação econômica, uma atividade, física ou intelectual, em favor de terceiro.

III Em se preferindo, o *fato imponível* (*fato gerador in concreto*) do *ISS* somente ocorre quando, em razão de negócio jurídico havido entre particulares, sob regime de Direito Privado (mas não trabalhista),[66] serviços de qualquer natureza forem efetivamente prestados.

Portanto, nos termos da Constituição, a *hipótese de incidência* do *ISS* somente pode ser a prestação, a terceiro, de uma utilidade, com conteúdo econômico, sob *regime de Direito Privado*, desde que não trabalhista, tendente a produzir uma utilidade ao fruidor.

IV Para os fins deste artigo, importa ter presente que o *ISS* é um *tributo indireto*, que incide sobre a execução de uma obrigação de fazer, mas cujo ônus econômico é repassado pelo prestador (contribuinte *de direito*) ao tomador do serviço (contribuinte *de fato*).

IVa Lembro meteoricamente que *tributos indiretos* são aqueles cujo encargo financeiro é repassado ao consumidor final, que é o verdadeiro pagador da exação.

Para que melhor se compreenda: o tomador do serviço paga a quem o prestou um preço que engloba *(i)* o custo da execução da obrigação de fazer correspondente; e *(ii)* o montante do *ISS* devido por essa operação jurídica. Assim, por exemplo, se o custo do serviço for de R$ 1.000,00 e o valor do *ISS* de R$ 50,00, o tomador pagará ao prestador R$ 1.050,00. Entretanto, o prestador do serviço não incorporará, sem reservas ou condições, ao seu patrimônio líquido, esses R$ 1.050,00, mas apenas R$ 1.000,00, já que os R$ 50,00 restantes deverá lançar na conta "tributos a pagar", de tal sorte que o valor do *ISS* não transitará pela sua conta "receita". Quem arcará com o encargo financeiro desses R$ 50,00 será o tomador do serviço (o contribuinte *de fato*).

Com o exemplo *supra* é fácil perceber que o montante do *ISS*, embora retido pelo prestador do serviço, longe de ser uma receita, não passa de um ingresso, pois transita pela sua contabilidade, indo ter aos cofres do Município competente para haver a exação.

Em suma, o prestador do serviço não fatura *ISS*, pelo que o montante desse tributo não deve ser incluído na base de cálculo do *PIS* e da *COFINS*.

IVb Esse regime jurídico faz do contribuinte do *ISS* (tributo indireto) um mero agente arrecadador, que transfere aos cofres públicos municipais o montante do imposto que será suportado pelo tomador do serviço (contribuinte *de fato*).

Ora, como as empresas não faturam o montante do *ISS*, segue-se logicamente que a base de cálculo do *PIS* e da *COFINS* não pode incluir o valor desta exação, que é apenas arrecadada de terceiros.

V Está-se, pois, diante de *situação jurídica equivalente*[67] à que levou o *STF* a decidir, nos autos do RE nº 574.706, que é inconstitucional a inclusão do *ICMS* na base de cálculo da contribuição ao *PIS* e da *COFINS* (Tema 69, da repercussão geral).

Va Tal não escapou à argúcia do saudoso Ministro Menezes Direito, quando, na condição de Relator do RE nº 592.616, observou:

---

[66] Cf. Marçal Justen Filho, *O imposto sobre serviços na Constituição*, São Paulo: Revista dos Tribunais 1985, p. 177.
[67] V., *supra*, item 5.

Entendo que a matéria constitucional discutida nestes autos, porque trata de *tema análogo* ao do RE nº 574.706/PR, Relatora a Ministra Cármen Lúcia, que discute a constitucionalidade da inclusão do ICMS na base de cálculo da contribuição ao PIS e da COFINS, cuja repercussão geral foi reconhecida pelo Plenário desta Corte, transcende o interesse subjetivo das partes e possui relevância suficiente para viabilizar o julgador do recurso extraordinário por este Supremo Tribunal Federal.[68]

Sendo assim, caso vingue a tese fazendária, no sentido de que o *ISS* deve ser incluído na base de cálculo do *PIS* e da *COFINS*, frustrar-se-á a justa expectativa dos contribuintes de verem julgado o assunto, em consonância com a orientação adotada pelo *STF*, nos autos do precitado RE 574.706.

VI Demais disso, haverá, no caso, uma quebra injustificável de um *stare decisis horizontal*,[69] isto é, de um precedente da própria Suprema Corte, porquanto – não custa insistir – o RE nº 574.706 e o RE 592.616 tratam de questões jurídicas em tudo e por tudo equivalentes.

Anoto que, de acordo com vários filósofos norte-americanos,[70] a observância do *stare decisis*, quer horizontal, quer vertical, baseia-se no princípio denominado "conservadorismo epistêmico", que defende que um agente deve manter suas crenças e concepções atuais, a menos que tenha alguma razão positiva (em geral, na forma de novas evidências ou provas) para repensá-las.

VIa Trazendo tal princípio epistemológico para o campo do Direito, entendo que um Tribunal – e, por maioria de razão, uma Corte Constitucional – não deve revisar seus precedentes, salvo se houver, para tanto, uma razão positiva, sólida e pertinente, o que não é o caso.[71]

Além de tudo, nunca se deve perder de vista que o *stare decisis* simboliza a previsibilidade dos vereditos do Poder Judiciário, porque evita a "instabilidade e o sentimento de injustiça que acompanham a disrupção de uma expectativa legal firmada".[72]

Daí por que há de prevalecer, no julgamento do RE nº 592.616, a corrente favorável aos contribuintes, se por mais não fosse, porque a Suprema Corte deve respeitar seus próprios precedentes, inclusive em questões análogas (*stare decisis horizontal*).

---

[68] Grifei.
[69] V., *supra*, item 5-*VIIb*.
[70] É o caso de Robert Beddor, professor assistente de Filosofia das Universidades da Flórida e de Singapura, e reconhecida autoridade na Pesquisa da Epistemologia, que, em novembro de 2023, apresentou o trabalho "*An Epistemic Argument for Stare Decisis*" ("Um Argumento Epistêmico para o '*Stare Decisis*'"), na Faculdade de Direito da Universidade da Califórnia (UCLA).
[71] Nesse sentido, por diversas vezes, a Suprema Corte Norte Americana declarou que "[n]ão se afastaria da doutrina do stare decisis sem uma justificativa convincente" (tradução livre minha). Foi o que se deu no *case* Hilton v. S.C. Pub. Rys. Comm'n, 502 U.S. 197, 202 (1991).
[72] Cf. Randall v. Sorrell, 548 U.S. 230, 244 (2006) (tradução livre minha).

6 Da irrelevância, para o deslinde do caso em consulta, de o *ISS*, ao contrário do *ICMS*, não dever obedecer ao *princípio da não cumulatividade*

I Tenho por juridicamente irrelevante, para o deslinde do caso em análise, a circunstância de o *ISS*, ao contrário do *ICMS*, não dever obedecer ao *princípio da não cumulatividade*, motivo pelo qual, de acordo com o Fisco, seria inaplicável, no julgamento do RE nº 592.616, a *ratio decisionis* do RE nº 574.706. Isso porque a não cumulatividade nada mais é do que uma forma de arrecadação do tributo.

II Antes, porém, de aprofundar o assunto, permito-me observar que no RE nº 574.706 não se discutiu a natureza jurídica do *ICMS*, tanto quanto no RE nº 592.616 não se está a perquirir a natureza jurídica do *ISS*. Neste recurso extraordinário, como no anterior, o assunto central é a constitucionalidade da inclusão, nas bases de cálculo de tributos de competência da União (o *PIS* e da *COFINS*), de valores que o contribuinte recolhe, a título de tributo de competência de outra pessoa política (do Estado, no caso do *ICMS*; do Município, no caso do *ISS*).

IIa Além disso, vem a propósito lembrar que, no RE nº 592.616, se analisa o regime jurídico do *PIS* e da *COFINS*; não, o do *ISS*. Este tributo é mencionado apenas por ter sido (inconstitucionalmente) inserido na base de cálculo das referidas contribuições.

IIb Nessa perspectiva, o montante de *ISS* – tanto quanto o de *ICMS* – não passa de uma *referência numérica*, que não abre espaço à discussão da forma como este tributo é pago. De fato, caso se incluísse, por exemplo, na base de cálculo do *PIS* e da *COFINS*, o valor devido pelo contribuinte a título de *tarifa de energia elétrica*, obviamente não faria o menor sentido jurídico indagar se ela foi paga ou qual era, na oportunidade, a "bandeira tarifária" em vigor (se verde, amarela ou vermelha).[73]

IIc Seguindo por essa senda, é irrelevante saber se o *ISS* foi ou não pago pelo contribuinte do *PIS* e da *COFINS*; tampouco, averiguar o modo pelo qual foi pago (em moeda, em bens imóveis, por compensação etc.).

IId Ora, como a mesma linha de raciocínio vale para o *ICMS*, é equivocado invocar o *princípio da não cumulatividade*, que passa ao largo do *ISS*, para concluir que o montante desse último imposto, ao contrário do montante do primeiro, deve ser incluído na base de cálculo das preditas contribuições sociais.

IIe Logo, a forma de apuração do montante recolhido, quer de *ICMS*, quer de *ISS*, pelo contribuinte, não interfere no conceito de faturamento, já pacificado pelo STF.

III Registre-se, por outro lado, que no RE 592.616 se discute se a contribuição ao *PIS* e a *COFINS* – tributos federais *diretos*, que encontram *fundamento de validade* no art. 195, I, "b", da Constituição – podem ter inseridas, em suas bases de cálculo, o montante que o contribuinte dessas exações recolhe a título de *ISS* – tributo municipal *indireto*, que encontra *fundamento de validade* no art. 156, III, da Constituição.

É incontendível que *não*, até porque se está diante de tributos diferentes, por: *a)* terem *regras-matrizes* diferentes; *b)* serem instituídos por entes federados diferentes; e,

---

[73] "Bandeira tarifária" é o sistema que sinaliza aos consumidores os custos reais da geração de energia elétrica. A cor da "bandeira" (verde, amarela ou vermelha) indica se a energia custará mais ou menos, em função das condições de geração de eletricidade.

c) serem informados por princípios constitucionais igualmente diferentes. Desse modo, é impertinente averiguar como o *ISS* é recolhido pelo contribuinte, para decidir se tal montante deve, ou não, integrar a base de cálculo do *PIS* e da *COFINS*. Em resumo, esse assunto não influi na solução do caso concreto.

IV Anote-se, outrossim, que, independentemente de o *ICMS* ser não cumulativo e o *ISS*, cumulativo, o certo é que o montante de ambos os tributos, como demonstrado ao longo deste estudo, não se enquadra no conceito de faturamento (ou receita).

Enfim, o montante, quer de *ICMS*, quer de *ISS*, não se inclui na definição de faturamento (ou receita), chancelada pelo *STF*, por isso que não pode compor a base de cálculo seja do *PIS*, seja da *COFINS*.

V Nesse passo, mostra-se oportuno remarcar que, para fins de divulgação do *resultado*, o faturamento (ou a receita) somente inclui os valores monetários, recebidos – ou a receber – pela empresa, no exercício de suas atividades ordinárias, que lhe aumentam, sem reservas ou condições, o patrimônio líquido.

VI Como se vê, tudo reconduz à conclusão de que deixam de compor o faturamento (ou a receita) da empresa as quantias que ela cobra por conta de terceiros, tais como os tributos sobre vendas mercantis e prestações de serviços, pois são valores econômicos que apenas transitam pela sua contabilidade, indo ter, afinal, aos cofres públicos de pessoas políticas diversas da União. Para a empresa, são meros ingressos que não se subsomem ao conceito de faturamento (ou receita).

É o que se dá com os valores destacados a título de *ISS*, nas prestações negociais de serviço: são receitas do Município, que, por terem sido indevidamente inseridas nas bases de cálculo do *PIS* e da *COFINS*, devem ser repetidas ou compensadas.[74]

VII Mas, entrando especificamente no assunto – o que faço apenas por amor ao debate –, a não cumulatividade, como antes adiantado, é apenas um modo de arrecadação do tributo, que, portanto, não interfere em sua natureza jurídica.

VIIa De fato, o *princípio da não cumulatividade* do *ICMS* (veiculado no art. 155, §2º, I e II, da *CF*) se limita a assegurar ao contribuinte, em cada operação ou prestação, uma dedução correspondente ao montante do tributo devido nas operações ou prestações anteriores. Como ensinava o saudoso Professor Geraldo Ataliba, esta exação tem duas moedas de pagamento: a moeda corrente (o real) *e* os créditos provenientes das operações ou prestações anteriores, tributadas ou tributáveis por meio de *ICMS*.[75]

Daí que o *ICMS* não é um imposto sobre o valor agregado (ao contrário do *IVA* europeu), porque, em cada operação ou prestação, *todo* o montante destacado na nota fiscal deve ser recolhido. Sua forma de pagamento é que varia. Dependendo das circunstâncias, ele pode ser efetuado: *a)* somente em moeda corrente; *b)* parte em moeda corrente e parte em créditos; ou *c)* somente em créditos. Em qualquer desses casos, porém, o *quantum debeatur* é sempre o mesmo: o montante do tributo destacado na nota fiscal.

---

[74] Embora a questão não seja constitucional, lembro que os valores indevidamente recolhidos poderão, além de ser repetidos, ser compensados com débitos de quaisquer tributos administrados pela Receita Federal do Brasil (cf. art. 74, da Lei nº 9.430/1996). A medida poderá ser requerida administrativamente, após o trânsito em julgado (cf. art. 170-A do CTN), observado o prazo prescricional de cinco anos (cf. art. 168, I, do CTN e LC nº 118/2005) e cumpridas as condições previstas no art. 26-A da Lei nº 11.547/2007.

[75] Não é preciso que o *ICMS* tenha sido efetivamente recolhido nas operações ou prestações anteriores, para que gere moeda de pagamento do tributo; basta que tenha sido devido.

Ora, é justamente este montante de *ICMS* que, segundo decidido pelo *STF*, em sede de repercussão geral (Tema 69), deve ser retirado da base de cálculo do *PIS* e da *COFINS*, pouco importando a forma como foi recolhido (*v.g.*, apenas em moeda corrente, apenas em créditos ou, como no mais das vezes ocorre, parte em moeda corrente, parte em créditos).

Pois bem, a mesma linha de raciocínio há de ser seguida, em relação ao *ISS*: esse tributo, que é recolhido em moeda corrente, deve ser, todo ele, expungido da base de cálculo do *PIS* e da *COFINS* a cargo do contribuinte destas exações.

Em suma, é irrelevante o fato de serem diferentes as técnicas de arrecadação do *ICMS* e do *ISS*, já que também o montante desse último tributo não se incorpora ao patrimônio do contribuinte, ou seja, deixa de integrar o seu faturamento.

Insisto que o valor recolhido a título de *ISS*, por tipificar mero ingresso de caixa ou trânsito contábil, destinado aos cofres públicos municipais, não deve ser incluído na base de cálculo do *PIS* e da *COFINS*.

7 Conclusão

Tudo posto e considerado, concluo que os valores que o contribuinte do *PIS* e da *COFINS* desembolsa, a título de *ISS*, por apenas transitarem em sua conta, sendo necessariamente destinados ao Município, não se enquadram na noção de *receita*, (*faturamento*) acolhida pelo Supremo Tribunal Federal. Devem, portanto, ser expungidos das bases de cálculo dessas contribuições sociais.

Referências

ATALIBA, Geraldo. *Hipótese de Incidência Tributária*. 5. ed., 3. tir. São Paulo: Malheiros Editores, 1992.

ABBAGNANO, Nicola. *Dicionário de Filosofia*. Tradução da 1ª edição brasileira coordenada e revista por Alfredo Bosi, revisão da tradução e tradução dos novos textos por Ivone Castilho Benedetti. 4. ed., 2. tir. São Paulo: Martins Fontes, 2003,

ÁVILA, Humberto. *Constituição, Liberdade e Interpretação*. São Paulo: Malheiros Editores, 2019.

ÁVILA, Humberto. O princípio da isonomia em matéria tributária. *In:* TORRES, Heleno Taveira (coord.). *Tratado de Direito Constitucional Tributário – Estudos em Homenagem a Paulo de Barros Carvalho* São Paulo: Saraiva, 2005.

BANDEIRA DE MELLO, Celso Antônio. *O Conteúdo Jurídico do Princípio da Igualdade*. 3. ed. São Paulo: Malheiros Editores, 2010.

BARBOSA, Ruy. *Oração aos Moços*. São Paulo: JG Editor, 2003.

BECKER, Alfredo Augusto. *Teoria Geral do Direito Tributário*. 3. ed. São Paulo: Lejus, 1998.

BEDDOR, Robert. *An Epistemic Argument for Stare Decisis*. Faculdade de Direito da Universidade da Califórnia (UCLA), 2023.

BOBBIO, Norberto. *Igualdade e Liberdade*. Tradução de Carlos Nelson Coutinho. Rio de Janeiro: Ediouro, 1996.

BORGES, José Souto Maior. A isonomia tributária na Constituição Federal de 1988. *In: Revista de Direito Tributário*, São Paulo, n. 64, p. 8-19, 1995.

BORGES, José Souto Maior. Um Ensaio Interdisciplinar em Direito Tributário: Superação da Dogmática. In: *Revista Dialética de Direito Tributário*, n. 211, p. 106-121, 2013.

CARRAZZA, Roque Antonio. *Curso de direito constitucional tributário*. 35. ed. São Paulo: Juspodivm-Malheiros, 2024.

CARRAZZA, Roque Antonio. *ICMS*. 20. ed. São Paulo: Juspodivm-Malheiros, 2024.

COELHO, Gláucia Mara. *Repercussão Geral*: da Questão Constitucional no Processo Civil Brasileiro. São Paulo: Atlas, 2009. Coleção Atlas de Processo Civil, coord. Carlos Alberto Carmona.

TIPKE, Claus; LANG, Joachim. *Direito Tributário* (Steuerrecht). Porto Alegre: Sérgio Antônio Fabris Editor, 2008.

DE PLÁCIDO E SILVA. *Vocabulário Jurídico*, vols. I e II. 3. ed. Rio de Janeiro: Forense, 1991.

DERZI, Misabel. *Modificações da Jurisprudência no Direito Tributário*. São Paulo: Noeses, 2009.

DINIZ, Maria Helena. *Lei de Introdução às Normas do Direito Brasileiro*. 18. ed. São Paulo: Saraiva, 2013.

DUXBURY, Neil. *The Nature and Authority of Precedent*. Cambridge: Cambridge University Press, 2008.

FERRAZ JUNIOR, Tercio Sampaio. Segurança jurídica e normas gerais tributárias. In: *Revista de Direito Tributário*, n. 17 e 18, p. 51.

FERREIRO LAPATZA, José Juan. *Direito Tributário*: Teoria Geral do Tributo. Tradução de Roberto Barbosa Alves. Barueri: Manole, 2007.

FONROUGE, Giuliani C. M. *Conceitos de Direito Tributário*. Tradução de Geraldo Ataliba e Marco Aurélio Greco. São Paulo: Lael, 1973.

FREUD, Sigmund. *Cultura, Sociedade, Religião*: o mal-estar na cultura e outros escritos. Tradução Maria Rita Salzano Moraes. Belo Horizonte: Autêntica, 2020.

GOMES CANOTILHO, José Joaquim. *Direito Constitucional e Teoria da Constituição*. Coimbra: Almedina, 2000.

HOLMES JUNIOR, Oliver Wendell. The Path of Law. In: *Harvard Law Review*, Boston, v. 10, n. 8, p. 458, mar. 1897.

JACQUES, Paulino. *Da Igualdade Perante a Lei*: fundamento, conceito e conteúdo. 2. ed. Rio de Janeiro: Forense, 1957.

JARACH, Dino. *Finanzas Públicas y Derecho Tributario*. 3. ed. Buenos Aires: Abeledo-Perrot, 1996.

JUSTEN FILHO, Marçal. *O imposto sobre serviços na Constituição*. São Paulo: Revista dos Tribunais, 1985.

LACOMBE, Rodrigo Santos Masset. *O princípio da equivalência no direito tributário brasileiro*. Belo Horizonte: Arraes Editores, 2022.

MARTINS, Ives Gandra da Silva. *Cadernos de Pesquisas Tributárias nº 17*. São Paulo: CEU-Resenha Tributária, 1992.

MACCORMICK, Neil; SUMMERS, Robert; GOODHARD Arthur L. *Interpreting Precedents*: A Comparative Study. New York: Routledge, 2016.

PONTES DE MIRANDA. *Democracia, Liberdade, Igualdade*: Os Três Caminhos. 2. ed. São Paulo: Saraiva, 1979.

RADBRUCH, Gustav. *Filosofia do Direito*. Trad. L. Cabral de Moncada. 6. ed. rev. e ampl. reimp. Coimbra: Arménio Amado Editor, 1997.

SICHES, Luis Recaséns. *Tratado General de Filosofia del Derecho*. 19. ed. México: Editorial Porrúa, 2008.

TORRES, Ricardo Lobo. *Os Direitos Humanos e a Tributação*: imunidades e isonomia. Rio de Janeiro: Renovar, 1995.

TORRES, Ricardo Lobo. *Tratado de Direito Constitucional Financeiro e Tributário*, vols. 2 e 3. Rio de Janeiro: Renovar, 2005.

UCKMAR, Victor. *Princípios Comuns de Direito Constitucional Tributário*. Tradução de Marco Aurélio Greco. São Paulo: Revista dos Tribunais, 1976.

VILANOVA, Lourival. *As Estruturas Lógicas e o Sistema de Direito Positivo*. 4. ed. São Paulo: Noeses, 2010.

Informação bibliográfica deste texto, conforme a NBR 6023:2018 da Associação Brasileira de Normas Técnicas (ABNT):

CARRAZZA, Roque Antonio. A exclusão do ISS da base de cálculo do PIS/COFINS. *In*: JUSTEN, Monica Spezia; PEREIRA, Cesar; JUSTEN NETO, Marçal; JUSTEN, Lucas Spezia (coord.). *Uma visão humanista do Direito*: homenagem ao Professor Marçal Justen Filho. Belo Horizonte: Fórum, 2025. v. 2, p. 883-907. ISBN 978-65-5518-916-2.

A LEI COMPLEMENTAR COMO AGENTE NORMATIVO ORDENADOR DO SISTEMA TRIBUTÁRIO E DA REPARTIÇÃO DAS COMPETÊNCIAS TRIBUTÁRIAS

SACHA CALMON NAVARRO COÊLHO

1 As leis complementares da Constituição

O art. 59 da Constituição Federal prescreve:

Art. 59. O processo legislativo compreende a elaboração de:
I – emendas à Constituição;
II – leis complementares;
III – leis ordinárias;
IV – leis delegadas;
V – medidas provisórias;
VI – decretos legislativos;
VII – resoluções.
Parágrafo único. Lei complementar disporá sobre a elaboração, redação, alteração e consolidação das leis.

E o art. 69 averba: "As leis complementares serão aprovadas por maioria absoluta".
Infere-se que a lei complementar faz parte do processo legislativo da Constituição.
Nunes Leal, antes da Carta de 1967 e, por suposto, antes da Constituição de 1988, observara que nada distinguia uma lei complementar de outra, ordinária. Eram chamadas de complementares aquelas que tangiam instituições e regulavam os pontos sensíveis do ordenamento jurídico.
Agora a situação é outra. As leis complementares, inclusive as tributárias, são entes legislativos reconhecíveis formal e materialmente (forma e fundo), senão vejamos:

A) sob o ponto de vista formal, lei complementar da Constituição é aquela votada por maioria absoluta (*quorum* de votação de metade mais um dos membros do Congresso Nacional), a teor do art. 69 da CF;

B) sob o ponto de vista material, a lei complementar é a que tem por objetivo (conteúdo) a complementação da Constituição, quer ajuntando-lhe normatividade, quer operacionalizando-lhe os comandos, daí se reconhecer que existem leis complementares normativas e leis complementares de atuação constitucional. A matéria das leis complementares é fornecida pela própria CF expressamente.

2 As leis complementares tributárias

Em matéria tributária, a Constituição de 1988 assinala para a lei complementar os seguintes papéis:

I – emitir normas gerais de Direito Tributário;
II – dirimir conflitos de competência;
III – regular limitações ao poder de tributar;
IV – fazer atuar certos ditames constitucionais.

Os três primeiros *são genéricos*. O quarto é *tópico*. Caso por caso, a Constituição determina a utilização da lei complementar. Podemos dizer, noutras palavras, que a utilização da lei complementar não é decidida pelo *Poder Legislativo*. Ao contrário, a sua utilização é predeterminada pela Constituição. As matérias sob reserva de lei complementar são aquelas expressamente previstas pelo constituinte (âmbito de validade material, predeterminado constitucionalmente).

O assunto convoca necessariamente alguma explicação sobre a ordem jurídica dos Estados federativos. Em que pesem as particularidades dos vários Estados federais existentes, um fundamento é intrinsecamente comum a todos eles: a *existência*, ou melhor, a *coexistência de ordens jurídicas parciais* sob a égide da Constituição.

No Brasil, *v.g.*, existem três ordens jurídicas parciais que, subordinadas pela ordem jurídica constitucional, formam a ordem jurídica nacional. As ordens jurídicas parciais são: (a) a federal, (b) a estadual e (c) a municipal, pois tanto a União, como os estados e os municípios possuem autogoverno e produzem *normas* jurídicas. Juntas, estas ordens jurídicas formam a *ordem jurídica total*, sob o império da Constituição, fundamento do *Estado* e do *Direito*. A lei complementar é *nacional* e, pois, subordina as ordens jurídicas parciais (o Distrito Federal é estado e município a um só tempo).

3 O lugar da lei complementar no ordenamento jurídico – O âmbito de validade das leis em geral – Enlace com a teoria do federalismo

Para bem precisar a noção em exame, de resto fundamental, é preciso atentar para o estudo dos âmbitos de validade das leis teorizado por Kelsen e entre nós por Pontes de Miranda, Miguel Reale e José Souto Maior Borges, sem olvidar Lourival Vilanova, os dois últimos da Universidade Federal de Pernambuco, autores que nos inspiram e com os quais mantemos irrisórias divergências terminológicas ou analíticas.

A lei, toda lei, necessariamente exige um emissor, uma mensagem e um receptor (ou destinatário), porque a função maior da lei consiste em planificar comportamentos humanos e sociais. Todavia, não basta dizer isto. As leis possuem âmbitos de validade e são quatro: o material, o pessoal, o espacial e o temporal:

A) o âmbito de validade material diz respeito ao seu conteúdo, ou seja, diz respeito à norma que ela encerra. A lei é continente, a norma é conteúdo. Cada norma tem um conteúdo material preciso e, pois, limitado. Daí as classificações de normas pelo objeto: competenciais, organizatórias, técnicas ou processuais, de dever, sancionatórias etc.;

B) o âmbito de validade pessoal diz respeito aos destinatários da norma, ou seja, às classes de pessoas a quem se dirige a lei, com exclusão de todas as demais classes;

C) o âmbito de validade espacial encerra o espaço político onde a lei tem vigência e eficácia, onde produz efeitos, daí as noções de territorialidade e extraterritorialidade das leis;

D) o âmbito de validade temporal liga-se ao tempo de aplicação da lei, daí as questões de Direito intertemporal.

Agora o enlace.

Kelsen e os bons teóricos do federalismo costumam distinguir, utilizando-se do âmbito de validade espacial das leis, as que são válidas em todo o território do Estado federal (normas centrais) das que são válidas apenas para determinadas partes desse mesmo território (normas parciais). Preferimos falar em ordem jurídica federal em vez de central. No Brasil, *v.g.*, "centrais" seriam as leis emitidas pelo Legislativo federal. Em verdade, as leis federais vigem e valem em todo o território nacional. Parciais seriam as leis emitidas pelos Legislativos estaduais e municipais. Vigem e valem, respectivamente, nos territórios pertencentes aos diversos Estados-Membros da Federação e nos territórios dos seus municípios. Preferimos falar em ordens jurídicas estaduais e municipais. Para nós, então, a reunião dessas três ordens parciais (a federal, a estadual e a municipal) forma a ordem jurídica total (nacional) sob a ordem jurídica constitucional, fundamento de validez de todas elas. A propósito, Misabel de Abreu Machado Derzi preleciona quanto aos arquétipos federais:

> Já afirmamos, com Reale, que a todo poder social corresponde uma ordem jurídica, sendo a ordenação pelo direito a forma de organização da coerção social. Por conseguinte, com a descentralização política própria do Estado federal se dá, necessariamente, uma descentralização jurídica.
>
> O enfoque estritamente jurídico da questão leva-nos a constatar o inverso. À descentralização jurídica corresponderá a política, já que o poder estatal, sob tal ângulo, é mera validade e eficácia da ordem jurídica.[1]

O emissor da lei complementar posta no Texto Constitucional e aqui tratada é o Congresso Nacional, que também edita as leis ordinárias federais. Vimos por outro lado que a lei complementar é votada por maioria absoluta (metade mais um dos membros

---

[1] COÊLHO, Sacha Calmon Navarro; DERZI, Misabel. *O IPTU*. São Paulo: Saraiva, 1982, *passim*.

do Congresso Nacional), o que fornece o critério formal de seu reconhecimento como ente legislativo autônomo. Vimos, ainda, os seus objetos materiais, isto é, os assuntos que cabem à lei complementar tributária. Inobstante, tais clareamentos nada adiantam sobre o lugar da lei complementar no interior das ordens jurídicas que integram o Estado federal. A lei complementar é lei federal, é lei da ordem jurídica parcial da União? Ou, ao revés, é lei que integra o próprio ordenamento constitucional, não no sentido de ser da Constituição, mas no sentido de ser o instrumento que diz como devem ser certas determinações constitucionais?

    A resposta, por certo, é difícil. Contudo, a reunião de certos conceitos e intuições talvez nos permita bem compreender a dinâmica, antes que a estática da lei complementar no sistema jurídico da Constituição brasileira.

    Em primeiro lugar, o órgão de emissão da lei complementar é o mesmo que emite a lei federal ordinária, e seu âmbito de validade espacial é igual ao âmbito da lei federal. Por aí, as leis complementares da Constituição são idênticas às leis federais ordinárias.

    O âmbito de validade espacial da lei complementar é intratável. Ela tem que viger e valer em todo o território nacional sob pena de se não realizar em seus objetivos. A coincidência com o âmbito de validade espacial da lei federal é fatal e irredutível. Quanto ao órgão legislativo de sua emissão, só pode ser mesmo o Congresso Nacional, uma vez que, terminada a Constituição, a Assembleia Nacional Constituinte extinguiu-se. É preciso, porém, estabelecer quanto ao tema um "escolástico distíngui". É que o Congresso Nacional, ao lado das suas funções normais de órgão legislativo da União Federal (ordem jurídica parcial), outras exerce que não são do exclusivo interesse desta. É o caso, por exemplo, das emendas à Constituição, que são feitas pelo Congresso Nacional em prol da Nação, alterando a própria ordem constitucional. O mesmo se pode dizer da lei complementar, que, a nosso ver, é lei nacional de observância obrigatória pelas ordens parciais, embora reconheçamos que, ao lume da teorização kelseniana, a assertiva não possui fundamento incontestável, pois nacional é também a lei federal, aos fundamentos de que são os mesmos: (a) o órgão de emissão e (b) o âmbito de validade espacial (de ambas as leis), diferentes somente no *quorum* de votação (requisito de forma) e no conteúdo (requisito de fundo). A crítica, forçoso é reconhecer, procede. No entanto, estamos alcunhando de *nacional* a lei complementar com o único intuito de apartá-la da legislação federal ordinária pelo *quorum* (forma) e em razões de seus conteúdos (fundo), os quais, veremos, são sempre fins queridos pelo legislador constituinte, em continuação da própria Lei Maior, através de determinações expressas do texto constitucional. Certo, certíssimo. A lei complementar é utilizada, agora sim, em matéria tributária, para fins de complementação e atuação constitucional.

    A) Serve para complementar dispositivos constitucionais de eficácia limitada, na terminologia de José Afonso da Silva;

    B) Serve ainda para conter dispositivos constitucionais de eficácia contida (ou contível);

    C) Serve para fazer atuar determinações constitucionais consideradas importantes e de interesse de toda a Nação. Por isso mesmo as leis complementares requisitam *quorum* qualificado por causa da importância nacional das matérias postas à sua disposição.

    Noutras palavras, a lei complementar está a serviço da Constituição e não da União Federal. Esta apenas empresta o órgão emissor para a edição das leis complementares (da Constituição). Por isso mesmo, por estar ligada à expansão do texto constitucional, a lei complementar se diferencia da lei ordinária federal, que, embora possua também âmbito de validade espacial nacional, cuida só de matérias de interesse ordinário da União Federal, cuja ordem jurídica é parcial, tanto quanto são parciais as ordens jurídicas dos Estados-Membros e dos Municípios. A lei complementar é, por excelência, um instrumento constitucional utilizado para integrar e fazer atuar a própria Constituição. Sendo tal, a lei complementar jamais pode delegar matéria que lhe concerne, por determinação constitucional; tornaria flexível a nossa Constituição.

4 A lei complementar e seu relacionamento jurídico com a Constituição Federal e as leis ordinárias

A lei complementar na forma e no conteúdo só é contrastável com a Constituição (o teste de constitucionalidade se faz em relação à Superlei) e, por isso, pode apenas adentrar área material que lhe esteja expressamente reservada. Se porventura cuidar de matéria reservada às pessoas políticas periféricas (Estado e Município), não terá valência. Se penetrar, noutro giro, competência estadual ou municipal, provocará inconstitucionalidade por invasão de competência. Se regular matéria da competência da União reservada à lei ordinária, em vez de inconstitucionalidade incorre em queda de *status*, pois terá valência de simples lei ordinária federal. Abrem-se ensanchas ao brocardo processual "nenhuma nulidade, sem prejuízo", por causa do princípio da economia processual, tendo em vista a identidade do órgão legislativo emitente da lei. Quem pode o mais pode o menos. A recíproca não é verdadeira. A lei ordinária excederá se cuidar da matéria reservada à lei complementar. Não valerá. Quem pode o menos não pode o mais.

É oportuno compreender por que as coisas se passam assim, com um pouco mais de profundidade, com esforço na Teoria Geral do Direito. Todo sistema jurídico abriga determinadas técnicas de reconhecimento de suas leis e de suas normas. Sim, porque leis e normas são coisas distintas, assunto que retomaremos mais à frente aproveitando os escólios de Souto Maior Borges. Por ora, aprofundando a teoria dos âmbitos de validade, basta dizer que as leis são como fios por onde correm as energias normativas, isto é, as normas. No caso da lei complementar, há requisitos de forma quanto à sua edição e requisitos de fundo quanto ao seu conteúdo, isto é, quanto ao que pode conter em termos normativos. Os conteúdos são predeterminados na Constituição. Tais requisitos formam a técnica de reconhecimento das leis complementares tributárias no sistema jurídico brasileiro.

Logicamente, o teste de validade formal só é possível ao pressuposto de que a lei existe. A existência da lei é um *prius* em relação à sua validade formal. E a questão da vigência somente pode ser conferida ao suposto de que a lei é formalmente válida, porque se for inválida não pode viger com validez. Vigerá, mas não valerá.

No plano da norma, isto é, no plano de consideração do "dentro" ou do conteúdo da lei, de sua normatividade, importa primeiramente (a) verificar se o que prescreve possui validade material ou, noutro giro, se está de acordo com o sistema normativo como um todo e com os fundamentos materiais de validez por ele fornecidos. Os conteúdos da lei complementar, vimos, são autorizados pela CF; (b) depois importa verificar a sua eficácia, que é a capacidade de produzir os efeitos jurídicos que lhe são próprios. Norma eficaz é a que tem validade material e que veio a lume através de lei válida formalmente já em vigor.

Poderá, outrossim, ter validade material, mas não ter validez formal. Não valerá, salvo se adaptável. Vejamos uns exemplos. Voltando à lei que, votada como complementar, trata de objeto reservado à lei ordinária federal, temos que ocorre o fenômeno da adaptação: o sistema adapta a pretensa lei complementar à função que lhe determinou o ordenamento *ratione materiae*. No caso de lei complementar regulando matéria de lei ordinária estadual ou municipal, ocorre o fenômeno da rejeição. O sistema jurídico rejeita a norma, vedando o seu ingresso no ordenamento para evitar a invasão das competências fixadas na CF. O mesmo ocorrerá se a lei ordinária federal cuidar de matéria reservada à lei complementar. Já o fenômeno da recepção ocorre quando o sistema reconhece a existência da lei, sua validade formal, sua validade material e, portanto, se vigente, a sua eficácia. As técnicas de reconhecimento, portanto, uma vez utilizadas, levam à adaptação, à rejeição ou à recepção das normas do sistema.

5 Como operam as leis complementares em matéria tributária

Embora já saibamos que as leis complementares, em tema de tributação, têm por objetos materiais: (a) editar normas gerais; (b) dirimir conflitos de competência; (c) regular as limitações ao poder de tributar; e (d) fazer atuar ditames constitucionais, é oportuníssimo vislumbrar *como operam as leis complementares* dentro do sistema (interconexão normativa).

Pois bem, as leis complementares *atuam diretamente* ou *complementam dispositivos constitucionais de eficácia contida* (balizando-lhes o alcance), ou, ainda, integram dispositivos constitucionais de eficácia limitada (conferindo-lhes normatividade plena).

Cuidemos de exemplos:

A) lei complementar integrando dispositivo constitucional de eficácia limitada, necessitado de agregação normativa para poder ser aplicado por não ser "bastante-em-si", como diria Pontes de Miranda.

> Art. 150, VI, "c", da CF:
>
> [...] é vedado à União, aos Estados, ao Distrito Federal e aos Municípios:
>
> [...]
>
> VI – instituir impostos sobre:
>
> [...]
>
> c) patrimônio, renda ou serviços dos partidos políticos, inclusive suas fundações, das entidades sindicais dos trabalhadores, das instituições de educação e de assistência social, sem fins lucrativos, atendidos os requisitos da lei;
>
> [...]

Sem lei, que só pode ser a complementar, a teor do art. 146, II, da CF, a imunidade sob cogitação é inaplicável à falta dos requisitos necessários à fruição desta (*not self-executing*);

B) lei complementar contendo dispositivo constitucional de eficácia contível e aplicável de imediato, sem peias.

> Art. 155, §2º, X, "a" (sobre o ICMS):
> §2º O imposto previsto no inciso II atenderá ao seguinte:
> [...]
> X – não incidirá:
> a) sobre operações que destinem ao exterior produtos industrializados, excluídos os semielaborados definidos em lei complementar;
> [...]

Esta redação é anterior à Emenda Constitucional nº 42/2003.[2] Hoje já não existem produtos semielaborados, todos são imunes, e, ademais, os exportadores possuem o direito de se creditarem do ICMS pago nas operações anteriores.

O exemplo é dado apenas para fins didáticos. Até e enquanto não sobreveio lei complementar ou convênio com a *lista dos semielaborados* excluíveis da regra de imunidade (limitação ao poder de tributar), todos os produtos industrializados, inclusive os semielaborados, foram *imunes* quando remetidos ao exterior. A lei complementar no caso teve por função comprimir a licença constitucional ampla e autoaplicável (*self-executing*).

C) lei complementar com função de fazer atuar diretamente dispositivo constitucional.

> Art. 148. A União, mediante lei complementar, poderá instituir empréstimos compulsórios:
> [...]

Nesse caso, a Constituição atribuiu à lei complementar a função direta de instituir tributo em favor da União (ordem parcial), presentes os motivos previstos no próprio texto constitucional (incisos I e II do art. 148). A mesma função desempenharão as leis complementares que tenham por objeto dirimir conflitos de competência entre as pessoas políticas em matéria tributária. Elas atuarão para diretamente resolver turbulências no *discrímen* das competências na hipótese de ocorrerem.

Bem examinadas as coisas, as leis complementares funcionam como manifestações de expansão da própria Constituição, daí o adjetivo complementar (da Constituição).

José Souto Maior Borges,[3] com percuciente visão científica, classifica as leis complementares em duas espécies. Para ele, as leis complementares: (a) fundamentam

---

[2] Presentemente a questão não existe. A Lei Complementar nº 87/1996 isentou exportações que, não imunes, eram tributadas pelos Estados (isenção heterônoma). Essa amplitude foi adotada pela Emenda Constitucional nº 42/2003, que, alterando a redação da letra "a" do inciso X do §2º do art. 155 da Constituição Federal, determinou que a regra da imunidade deveria ser aplicada sobre quaisquer operações que destinem ao exterior mercadorias ou serviços que estejam no campo de incidência do ICMS. Atualmente dispõe o parágrafo: "§2º O imposto previsto no inciso II atenderá ao seguinte: [...] X – não incidirá: a) sobre operações que destinem mercadorias para o exterior, nem sobre serviços prestados a destinatários no exterior, assegurada a manutenção e o aproveitamento do montante do imposto cobrado nas operações e prestações anteriores (redação dada pela Emenda Constitucional nº 42, de 19.12.2003); [...]".

[3] BORGES, José Souto Maior. *Lei complementar tributária*. São Paulo: RT, 1975.

a validez de outros atos normativos (leis ordinárias, decretos legislativos, convênios); ou (b) não fundamentam outros atos normativos, atuando diretamente.

E explica a sua sistematização, a qual não confronta a que acabamos de expor, senão que a completa analiticamente. Por oportuno, Souto Maior trabalha em cima da Constituição de 1967, o que não prejudica a teorização.

> O direito regula a sua própria criação, enquanto uma norma jurídica pode determinar a forma pela qual outra norma jurídica é criada, assim como, em certa medida, o conteúdo desta última. Regular a sua própria criação, de modo que uma norma apenas determine o processo mediante o qual outra norma é produzida ou também, em medida variável, o conteúdo da norma a ser produzida, é assim uma particularidade do direito. A validade de uma norma jurídica depende portanto de seu relacionamento com normas superiores processuais, reguladoras da atuação do órgão, e as normas superiores materiais, determinantes, até certo ponto, do conteúdo possível da norma a ser editada. A norma jurídica é válida então porque foi criada na forma estabelecida por outra norma que funciona como o seu fundamento ou razão de validade. Dado o caráter dinâmico do direito, uma norma jurídica somente é válida na medida em que é produzida pelo modo determinado por uma outra norma que representa o seu fundamento imediato de validade. Para Kelsen, a relação entre a norma que regula a produção de outra e a norma assim regularmente produzida por ser figurada por uma imagem espacial de suprainfraordenação. Trata-se pois de um mero recurso a imagens espaciais, figuras de linguagem de índole especial. A norma determinante da criação de outra é superior a esta; a criação de acordo com a primeira, lhe é, ao contrário, inferior. A criação de uma norma – a de grau mais baixo – é determinada por outra – a de grau superior – cuja criação é, por sua vez, determinada por outra norma de grau mais alto. Outro valor e outra significação não tem o problema de hierarquização dos diferentes níveis de normas. O ordenamento jurídico, para atualizarmos a "imagem espacial" de Kelsen, não está constituído por um sistema de normas coordenadas entre si, que encontrassem umas ao lado das outras.

> Para Kelsen, mesmo quando a norma de grau superior determina apenas o órgão que deve criar a norma de grau inferior (e não o seu conteúdo), ou seja, quando autoriza esse órgão a determinar, de acordo com seu próprio critério, o processo de criação da norma inferior, a norma superior é "aplicada" na criação da norma inferior. E, para ele, a norma superior tem que determinar quando menos o órgão incumbido da criação da norma inferior.[4]

> Podemos então denominar fundamento de validade de uma norma à norma reguladora de sua criação.[5]

> [...]

A doutrina brasileira, consoante exposto, vislumbra indistintamente uma função de intermediação ou intercalar da lei complementar, decorrente da sua inserção formal, na enunciação dos atos normativos do art. 46 da Constituição, entre as emendas

---

[4] Cf. KELSEN, Hans. *Teoría general del derecho*. México: Imprensa Universitaria, 1949. p. 128 e 138; *Teoría pura del derecho*. 2. ed. Coimbra: Arménio Amado, 1962. v. 2, p. 64; *Teoría pura del derecho*. Introducción a la ciencia del derecho. 10. ed. Buenos Aires: Ed. Universitaria de Buenos Aires, 1971. p. 147.

[5] Cf. VERNENGO, Roberto José. *Temas de teoría general del derecho*. Buenos Aires: Cooperadora de Ciencias Sociales, 1971. p. 343.

constitucionais e as leis ordinárias. Tal entretanto nem sempre ocorre, como o demonstra uma análise jurídica mais detida. Essa análise revelará dois grupos básicos de leis complementares: 1º) leis complementares que fundamentam a validade de atos normativos (leis ordinárias, decretos legislativos e convênios); e 2º) leis complementares que não fundamentam a validade de outros atos normativos. Não parece viável, fora dessa perspectiva, uma classificação das leis complementares.

Conquanto a integração das leis constitucionais possa ser feita por leis ordinárias, plebiscitos, referendos etc., dependendo do querer do legislador máximo, como bem observado por José Afonso da Silva, entre nós o constituinte elegeu a lei complementar como o instrumento por excelência dessa elevada função, com os matizes que vimos de ver, embora sem excluir aqui e acolá outros instrumentos integrativos. Em matéria tributária, sem dúvida, a lei complementar é o instrumento-mor da complementação do sistema tributário da Constituição, a começar pelo Código Tributário Nacional, que, material e formalmente, só pode ser lei complementar. Quatro consequências devem ser ditas: a) o legislador não escolhe a matéria da lei complementar, mas, sim, a Constituição; b) o legislador ordinário não pode adentrar matéria de lei complementar, torná-la-ia inútil; c) a lei complementar só é superior às leis ordinárias quando é o *fundamento de validez* destas; e d) a matéria sob reserva de lei complementar é *indelegável*.

6 Os três objetos materiais genéricos da lei complementar tributária segundo a Constituição Federal de 1988

Como dito anteriormente, o art. 146 do atual Texto Constitucional estabelece três funções materiais para a lei complementar: (a) dispor sobre conflitos de competência em matéria tributária entre as pessoas políticas, (b) regulação das limitações constitucionais ao poder de tributar e (c) editar normas gerais de Direito Tributário, com alguns caminhos já pautados pelas letras "a" a "d" do inciso III e parágrafo único, todos do mesmo art. 146. Veremos uma a uma nos itens a seguir, além da novidade do art. 146-A.

7 Conflitos de competência

O primeiro objeto genérico da lei complementar tributária é o de dispor sobre conflitos de competência em matéria tributária entre as pessoas políticas. A sua função na espécie é tutelar do sistema e objetiva controlar, após a promulgação da Lei Maior, o sistema de repartição de competências tributárias, resguardando-o. Em princípio, causa perplexidade a possibilidade de conflitos de competência, dada a rigidez e a rigorosa segregação do sistema, com impostos privativos e apartados por ordem de governo e taxas e contribuições de melhoria atribuídas com base na precedente competência político-administrativa das pessoas políticas componentes da Federação. Dá-se, porém, que não são propriamente conflitos de competência que podem ocorrer, mas invasões de competência em razão da insuficiência intelectiva dos relatos constitucionais pelas pessoas políticas destinatárias das regras de competência relativamente aos fatos geradores de seus tributos, notadamente impostos. É dizer, dada pessoa política mal entende o relato constitucional e passa a exercer a tributação de maneira mais ampla que a prevista na Constituição, ocasionando fricções, atritos, em áreas reservadas a outras pessoas políticas. Diz-se então que há um conflito de competência. Quando ocorrem fenômenos dessa ordem, o normal é submeter ao Judiciário o desate da questão, o que provoca maior nitidez, dando feição cada vez mais límpida ao sistema de repartição das competências tributárias. E, evidentemente, esta possibilidade existe. Ocorre que o constituinte, para custodiar o sistema, encontra uma fórmula legislativa de resolver o conflito interpretando o seu próprio texto através de lei complementar. Na verdade, o constituinte delegou ao Congresso esta função.

A remoção do conflito pela edição de normas práticas destinadas a solvê-lo, mediante lei complementar, agiliza, em tese, a resolução do problema, mantendo incólume o sistema de repartição de competências, o que não significa ter a lei complementar *in casu* a mesma força de uma decisão judicial, pois o monopólio da jurisdição é atributo do Poder Judiciário. Pode perfeitamente ocorrer que as partes não se convençam e continuem a controverter sobre as próprias regras de interpretação dispostas pela lei complementar, apropositando a intervenção provocada do Poder Judiciário. No passado, sob o regime da Carta de 1967, a regra já existia, o fenômeno ocorreu em relação, *v.g.*, às chamadas "operações mistas" que implicavam ICM e ISS, gerando um confronto amplo entre os Estados-Membros e os Municípios, em desfavor dos contribuintes. Era o caso, por exemplo, entre outros, das oficinas, que, além de venderem peças (mercadorias), faziam os serviços (ISS) para os seus clientes. O Estado queria tributar com o ICM o valor total da operação, e a prefeitura, o valor total do serviço. Cada qual reivindicava para si a ocorrência do "seu fato gerador". Para o Estado, houvera circulação de mercadoria. Para o Município, prestara-se um serviço. A solução encontrada foi, estando em recesso forçado o Congresso, a edição do Decreto-Lei nº 406/1968, seguido do Decreto-Lei nº 834/1969. Tecnicamente foi adotada a lista *numerus clausus*, *i.e.*, taxativa, que enumerava todos os serviços tributáveis pelo ISS municipal, com exclusão do ICM, seguida de uma regra de atenuação que dizia ficarem sujeitas ao ICM certas mercadorias e somente elas se e quando fornecidas juntamente com os serviços. Quaisquer outros serviços não constantes da lista que implicassem o fornecimento de mercadorias ficavam sujeitos ao ICM. Remarque-se que a solução sofreu sérias críticas doutrinárias. Entendeu-se que o Município sofreu restrições em sua competência constitucional.

A lei complementar, nesta espécie, é regra de atuação direta, ou seja, não complementa nem contém dispositivo constitucional, faz atuar a Constituição logo que surge a situação conflituosa, de modo a resguardar a discriminação das fontes de receitas tributárias instituídas na Lei Maior. É lei de resguardo da Constituição, com função tutelar. Mas não pode alterar a tal pretexto a própria Constituição.

Por suposto, a lei complementar que dirime, resolvendo os aparentes conflitos de competência, deve ser recepcionada pelas pessoas políticas. Dissemos aparentes os conflitos porque eles não são objetivos e sim subjetivos. A lei complementar destina-se, então, a eliminá-los através de "regras explicativas do discrímen". Obviamente, a lei complementar, a título de solver "conflito de competência", não pode alterar a Constituição. A uma, porque isto só é possível através de emenda, processo legislativo diverso. A duas, porque, pudesse fazê-lo, teria o legislador da lei complementar poder constituinte permanente (hipóteses impensáveis logicamente).

Por outro lado, não se pode garantir que as pessoas políticas envolvidas submetam-se aos ditames da lei complementar resolutória do conflito de modo absoluto.

Não certamente por uma questão de hierarquia vertical das leis, senão porque a lei complementar, na qualidade de lei interpretativa, explicativa e operativa do discrímen constitucional de competências tributárias, não fornece o fundamento de validez ao exercício do poder de tributar *ex lege* das pessoas políticas envolvidas, inclusive da própria União Federal, já que este fundamento é constitucional. Na espécie limita-se a esclarecer a Constituição oferecendo critérios.

O relacionamento Constituição-lei complementar-leis ordinárias, em torno da questão ora sob crivo, oferece instigantes indagações. Aporias surgem a requisitar respostas. Em princípio, impera o texto constitucional. Da sua interpretação pelas pessoas políticas podem surgir conflitos subjetivos de interpretação. Possível a lei complementar para resolvê-los; esta, uma vez editada, deve ser obedecida pelas pessoas políticas. A solução por ela encontrada submete as leis ordinárias. Em tese, estas catam submissão aos critérios da lei complementar resolutórios do conflito. Todavia, podem ocorrer várias situações, entre elas as seguintes:

A) as pessoas políticas ou mesmo os contribuintes podem acusar a lei complementar de exceder o seu objeto, eis que altera o texto da Constituição: eiva de inconstitucionalidade;

B) lei ordinária de dada pessoa política introjeta os ditames da lei complementar *pro domo sua*. A outra pessoa política prejudicada bem como os contribuintes opõem-se à dita lei, contrastando-a com a lei complementar: eiva de ilegalidade.

Nesses casos, a solução última e final somente pode ser dada pelo Judiciário. A função jurisdicional (*juris dicere*), cujo fito é a interpretação última das leis, com efeito de coisa julgada, é intransferível e insubstituível.

8 Regulação das limitações ao poder de tributar

O segundo objetivo genérico da lei complementar tributária é a regulação das limitações constitucionais ao poder de tributar. Como ressabido, todo poder emana do povo, que, elegendo representantes, constrói a Constituição, fundamento jurídico do Estado e do Direito Positivo, que a todos submete (o Estado e os seus cidadãos).

Pois bem, ao construir ou reconstruir juridicamente o Estado, o poder constituinte, democraticamente constituído pelo povo (legitimidade da ordem jurídica e do Estado), organiza o aparato estatal, garante os direitos fundamentais, reparte poderes e competências e, ao mesmo tempo, põe restrições ao exercício das potestades em prol da cidadania.

No campo tributário, a Constituição reparte competências tributárias, outorga poderes a pessoas políticas e, ao mesmo tempo, estatui restrições ao exercício do poder de tributar.

Como visto, um dos objetos possíveis da lei complementar é a regulação das limitações ao poder de tributar. Mas não é toda limitação constitucional ao poder de tributar que exige complementação, por vezes desnecessária. Princípio antigo da Teoria do Constitucionalismo, examinado magistralmente por Carlos Maximiliano, tido e havido como da ordem dos sumos hermeneutas, predica que as normas constitucionais proibitivas desnecessitam de regulação. Não obstante, o Direito positivado – objeto de labor do jurista – pode contrariar dito cânone. É uma questão de opção do constituinte.

A título propedêutico, podemos firmar as seguintes premissas:
A) quando a Constituição põe uma limitação ao poder de tributar, sem requisitar tópica e expressamente lei complementar, a competência conferida ao legislador da lei complementar para regulá-la é uma competência facultativa. Exercê-la-á o legislador pós-constitucional se quiser (trata-se de poder-faculdade na lição de Santi Romano);
B) quando a Constituição põe uma limitação ao poder de tributar, requisitando tópica e expressamente lei complementar, seja para conter, seja para ditar conteúdo normativo (proibições de eficácia limitada e proibições de eficácia contível), ao legislador da lei complementar é dada uma competência obrigatória (poder-dever na terminologia de Santi Romano);
C) certas proibições ao poder de tributar, pela sua própria natureza e fundamentos axiológicos, repelem regulamentação porque são autoaplicáveis em razão de normatividade plena, daí o acerto de Carlos Maximiliano quanto às vedações constitucionais de eficácia cheia.

Aos exemplos:
A) o artigo 150, VI, "d", dispõe que é vedado instituir impostos sobre livros, jornais, periódicos e o papel destinado a sua impressão. Nesse caso, o legislador regulará a limitação se quiser (regulação facultativa);
B) o artigo 150, VI, "c", dispõe que é vedado instituir impostos sobre o patrimônio, a renda ou os serviços dos partidos políticos, inclusive as suas fundações, das entidades sindicais dos trabalhadores, das instituições de educação e de assistência social, sem fins lucrativos, atendidos os requisitos da lei. Nesta hipótese, o dispositivo constitucional vedatório exige complementação quanto aos requisitos sem os quais não é possível a fruição da imunidade. O legislador, sob pena de omissão, está obrigado a editar lei complementar (regulação obrigatória). Se não o fizer, sendo o dispositivo de eficácia limitada, cabe mandado de injunção. A omissão, no caso, desemboca em inaplicação da Constituição em desfavor dos imunes;
C) o artigo 150, I, veda à União, estados e municípios – excluídas as exceções constantes do próprio texto constitucional – exigir ou aumentar tributo, seja lá como for, sem que a lei o estabeleça. Nesse caso, a genealogia histórica e jurídica do princípio da legalidade é tal que dispensa regulamentação por lei complementar (por isso mesmo as exceções estão expressas no próprio texto constitucional).

A lei complementar na espécie de regulação das limitações ao poder de tributar é quase sempre instrumento de complementação de dispositivos constitucionais de eficácia limitada ou contida. Quando a limitação é autoaplicável, está vedada a emissão de lei complementar. Para quê?

9 Apreciações críticas sobre a matéria em exame

De lege ferenda entendemos que as leis complementares para dirimir conflitos são bem-vindas para zelar pelo *discrímen* de competências, sem exclusão do acesso ao Judiciário, cujas decisões prevalecerão sempre, ainda que contra texto de lei complementar, quando fundadas as decisões na interpretação da Constituição em cotejo com o alcance da sua complementação. As leis complementares para regular limitações ao poder de tributar, repelimo-las por entender que são desnecessárias, só se apropositando em raros casos de dispositivos de eficácia limitada para evitar paralisia constitucional. Mesmo assim, as vedações deveriam sair prontas da CF. A nosso sentir, no Brasil, o campo de eleição da lei complementar tributária é a *norma geral de Direito Tributário*, que examinaremos em seguida. Convém adiantar que, nessa matéria, a lei complementar é lei delegada pelo constituinte. Suas prescrições são questionáveis juridicamente apenas se o Judiciário decretar a incompatibilidade delas em relação à Constituição. Afora isso, as normas gerais de Direito Tributário são sobranceiras. O fundamento de validez das normas gerais é a própria Constituição. A seu turno, pelas normas gerais são fornecidos os critérios para a elaboração material das leis tributárias ordinárias federais, estaduais e municipais, sendo, portanto, materialmente, nexos fundantes da validade dessas leis das ordens jurídicas parciais, que delas só podem prescindir num único caso: *inexistência* (art. 24, §3º, da CF). Mas, tão logo sobrevenha a norma geral, as leis ordinárias em contrário ficam paralisadas, sem eficácia (art. 24, §4º, da CF). Retifique-se: no art. 24, §4º, onde se lê *lei federal*, leia-se *lei complementar*. No campo das *normas gerais*, os destinatários são os próprios legisladores das três ordens de governo em tema tributário.

10 Normas gerais de Direito Tributário

O terceiro objeto genérico da lei complementar é o de editar as normas gerais de Direito Tributário, expressão de resto polêmica à falta de um conceito escorreito de norma geral no Direito Tributário brasileiro, com a doutrina falhando por inteiro no encalço de conceituar o instituto de modo insofismável. O falecido Prof. Carvalho Pinto chegou a ponto de definir o que não era norma geral. Ficou nisso. E Rubens Gomes de Sousa teve a humilde ousadia de afirmar que a doutrina não chegara ainda à norma geral que levasse ao conceito das normas gerais de Direito Tributário. Para logo, o assunto complica-se pelo fato de existir a partilha das competências legislativas entre as pessoas políticas. Fôssemos um Estado unitário, e o problema desapareceria. Mas as dificuldades de modo algum impedem o trato da matéria.

O art. 24 da CF dispõe:

Art. 24. Compete à União, aos Estados e ao Distrito Federal legislar concorrentemente sobre:

I – direito tributário, financeiro, penitenciário, econômico e urbanístico;

II – orçamento;

III – juntas comerciais;

IV – custas dos serviços forenses;

[...]

Os parágrafos deste artigo prescrevem:

§1º No âmbito da legislação concorrente, a competência da União limitar-se-á a estabelecer normas gerais.

§2º A competência da União para legislar sobre normas gerais não exclui a competência suplementar dos Estados.

§3º Inexistindo lei federal sobre normas gerais, os Estados exercerão a competência legislativa plena, para atender a suas peculiaridades.

§4º A superveniência de lei federal sobre normas gerais suspende a eficácia da lei estadual, no que lhe for contrário.

Vale repisar a questão como posta no Texto Constitucional:

Art. 146. Cabe à lei complementar:

[...]

III – estabelecer normas gerais em matéria de legislação tributária, especialmente sobre:

a) definição de tributos e de suas espécies, bem como, em relação aos impostos discriminados nesta Constituição, a dos respectivos fatos geradores, bases de cálculo e contribuintes;

b) obrigação, lançamento, crédito, prescrição e decadência tributários;

c) adequado tratamento tributário ao ato cooperativo praticado pelas sociedades cooperativas;

d) definição de tratamento diferenciado e favorecido para as microempresas e para as empresas de pequeno porte, inclusive regimes especiais ou simplificados no caso do imposto previsto no art. 155, II, das contribuições previstas no art. 195, I e §§12 e 13, e da contribuição a que se refere o art. 239 (incluído pela Emenda Constitucional nº 42, de 19.12.2003).

Parágrafo único. A lei complementar de que trata o inciso III, "d", também poderá instituir um regime único de arrecadação dos impostos e contribuições da União, dos Estados, do Distrito Federal e dos Municípios, observado que (incluído pela Emenda Constitucional nº 42, de 19.12.2003):

I – será opcional para o contribuinte (incluído pela Emenda Constitucional nº 42, de 19.12.2003);

II – poderão ser estabelecidas condições de enquadramento diferenciadas por Estado (incluído pela Emenda Constitucional nº 42, de 19.12.2003);

III – o recolhimento será unificado e centralizado e a distribuição da parcela de recursos pertencentes aos respectivos entes federados será imediata, vedada qualquer retenção ou condicionamento (incluído pela Emenda Constitucional nº 42, de 19.12.2003);

IV – a arrecadação, a fiscalização e a cobrança poderão ser compartilhadas pelos entes federados, adotado cadastro nacional único de contribuintes (incluído pela Emenda Constitucional nº 42, de 19.12.2003).

Praticamente a matéria inteira da relação jurídico-tributária se contém nos preceitos supratranscritos. Diz-se que ali está a epopeia do nascimento, vida e morte da obrigação tributária. Se ajuntarmos a tais "normas gerais" o conteúdo (e aqui não se discute se são ou não excedentes) do atual Código Tributário Nacional, teremos uma visão bem abrangente do que são as normas gerais de Direito Tributário. A grande força da União como ente legislativo em matéria tributária resulta de que o Senado, através de resoluções, fixa bases de cálculo e alíquotas de vários tributos da competência de estados e municípios, e de que, através de normas gerais, o Congresso Nacional desdobra as hipóteses de incidência e, muita vez, o *quantum debeatur* desses tributos, exercitando controle permanente sobre o teor e o exercício da tributação no território nacional. A vantagem está na *unificação* do sistema tributário nacional, epifenômeno da *centralização legislativa*. De norte a sul, seja o tributo federal, estadual ou municipal, o fato gerador, a obrigação tributária, seus elementos, as técnicas de lançamento, a prescrição, a decadência, a anistia, as isenções etc. obedecem a uma mesma disciplina normativa, em termos conceituais, evitando o caos e a desarmonia. Sobre os prolegômenos doutrinários do federalismo postulatório da *autonomia das pessoas políticas* prevaleceu a *praticidade do Direito*, condição indeclinável de sua *aplicabilidade* à vida. A preeminência da norma geral de Direito Tributário é pressuposto de possibilidade do CTN (veiculado por *lei complementar*).

Da conjugação dos vários dispositivos supratranscritos sobram três conclusões:

A) a edição das *normas gerais de Direito Tributário* é veiculada pela União, através do Congresso Nacional, mediante leis complementares (lei nacional) que serão observadas pelas ordens jurídicas parciais da União, dos estados e dos municípios, salvo sua inexistência, quando as ordens parciais poderão suprir a lacuna (§3º, art. 24) até e enquanto não sobrevenha a solicitada lei complementar, a qual, se e quando advinda, *paralisa* as legislações locais, no que lhe forem contrárias ou incongruentes (§4º, art. 24);

B) a lei com estado de complementar sobre normas gerais de Direito Tributário, ora em vigor, é o Código Tributário Nacional, no que não contrariar a Constituição de 1988, a teor do art. 34, §5º, do Ato das Disposições Constitucionais Transitórias (*lex legum habemus*);

C) a lei complementar que edita normas gerais é lei de atuação e desdobramento do *sistema tributário*, fator de unificação e equalização aplicativa do Direito Tributário. Como seria possível existir um Código Tributário Nacional sem o instrumento da lei complementar, com império incontrastável sobre as ordens jurídicas parciais da União, dos Estados-Membros e dos municípios?

Mas, ao cabo, o que são normas gerais de Direito Tributário? O ditado constitucional do art. 146, III e alíneas, inicia a resposta dizendo nominalmente alguns conteúdos (normas gerais nominadas) sem esgotá-los. É dizer, o discurso constitucional é *numerus apertus*, meramente exemplificativo. Razão houve para isto. Certos temas, que a doutrina recusava fossem objeto de norma geral, passaram expressamente a sê-lo. *Roma locuta, tollitur quaestio*. Uma boa indicação do que sejam normas gerais de Direito Tributário, para sermos pragmáticos, fornece-nos o atual Código Tributário Nacional (Lei nº 5.172, de 25 de outubro de 1966, e alterações posteriores), cuja praticabilidade já está assentada na "vida" administrativa e judicial do país. O CTN, especialmente o Livro II, arrola inúmeros institutos positivados como *normas gerais*. Que sejam lidos. *Quid*, se diante do art. 146, III, "a", da CF, não edita o Congresso Nacional lei complementar a respeito do fato gerador, base de cálculo e contribuintes de dado imposto discriminado na CF? Fica a pessoa política titular da competência paralisada pela inação legislativa? A resposta é negativa. É o caso de se dar aplicação ao art. 24 e §§1º a 4º. E onde se lê *União*, leia-se *Congresso Nacional*, e onde se lê *lei federal*, leia-se *complementar*, ao menos em matéria tributária.

As normas gerais de Direito Tributário veiculadas pelas leis complementares são eficazes em todo o território nacional, acompanhando o âmbito de validade espacial destas, e se endereçam aos *legisladores das três ordens de governo da Federação*, em verdade, seus destinatários. A norma geral articula o sistema tributário da Constituição às legislações fiscais das pessoas políticas (ordens jurídicas parciais). São normas sobre como fazer normas em sede de tributação.

Uma forte e esclarecida parcela da doutrina justributária brasileira, com ótimas razões e fortes raízes federalistas, recusa *partes do Código Tributário Nacional* atual ao argumento de que cuidam de temas que, longe de se constituírem em *normas gerais*, imiscuem-se na competência privativa e indelegável das pessoas políticas, invadindo-a, contra a Constituição. Em síntese, são repelidas as regulações do CTN sobre o *fato gerador de impostos da competência* das pessoas políticas e sobre atos administrativos que lhe são privativos, atos de lançamentos fiscais, *v.g.*, além de prescrições sobre interpretação de leis tributárias, tidas por descabidas. Evidentemente, sustentam tais colocações as teorias federalistas e a autonomia constitucional das pessoas políticas, e o próprio sistema de *dação e repartição* de competências, cujo *único fundamento* é a Constituição. É inegável a boa procedência desta postura crítica. O assunto é delicadíssimo. Ocorre que o federalismo brasileiro, como talhado na Constituição de 1988, é *normativamente centralizado, financeiramente repartido e administrativamente descentralizado*. Há tantos federalismos, diversos entre si, quantos Estados federativos existam. O importante é que haja um *minimum* de autodeterminação política, de autogoverno e de produção normativa da parte dos Estados federados. Quanto à repartição das competências legislativas, a questão resolve-se pela opção do legislador. No Brasil, ao menos em tema de tributação, o constituinte optou pelo fortalecimento das prerrogativas do poder central. Este fato, por si só, explica por que avultou a área legislativa reservada à lei complementar tributária. A assertiva é comprovável por uma simples leitura do CTN redivivo e do art. 146, III, da CF, que reforça o centralismo legislativo em sede de tributação, além de matérias esparsas ao longo do capítulo tributário, deferida a lei complementar. Para compreender normas gerais, é preciso entender o federalismo brasileiro.

11 O federalismo brasileiro – Aspectos – Ligação com o tema das leis complementares

O federalismo americano, telúrico, pragmático, antimonárquico, cresceu na América do Norte da periferia para o centro. Ainda hoje a autonomia dos Estados-Membros é grande, em termos jurídicos, conquanto pareça irreversível o impulso para o centro (unitarismo). Legislam sobre muitas matérias: Direito Penal, Civil, Comercial etc. Em certos estados há pena de morte, noutros não. A Louisiana percute o Direito europeu continental, por força da influência francesa, em mistura com o *common law*. O Direito de Família, igualmente, é diverso, dependendo do estado. Nuns é fácil divorciar; noutros não, e assim por diante. O Direito Tributário não conhece nenhum sistema, sequer doutrinário, de repartição de competências. E funciona. Entre nós, a federação e o federalismo vieram de cima para baixo, por imposição das elites cultas, a partir de modelos teóricos e exóticos, sem correspondência com o evolver histórico, político e social do povo brasileiro. Então, ao longo do devir histórico, as instituições foram sendo afeiçoadas à nossa realidade. O federalismo brasileiro, pois, reflete a evolução do país, nem poderia ser diferente. A Constituição de 1988 promoveu uma grande descentralização das fontes de receitas tributárias, conferindo aos estados e municípios mais consistência (autonomia financeira dos entes políticos periféricos, base, enfim, da autonomia política e administrativa destes). À hipertrofia política e econômica da União dentro da Federação e à hipertrofia do Poder Executivo federal em face do Legislativo e do Judiciário, vigorantes na Carta de 67, seguiram-se a distrofia da União na Federação e a hipertrofia do Legislativo federal nos quadros da República federativa.

Em consequência, o *Congresso Nacional* assumiu desmesurados poderes e competências legislativas em desfavor de estados e municípios.

O sistema tributário da Constituição bem demonstra a assertiva. O domínio do Congresso Nacional no campo do Direito Tributário, inegavelmente, é avassalador, pelo domínio das leis complementares.

De lado o sistema tributário, verifica-se que o Direito brasileiro promana seguramente, em sua maior parte, das fontes legislativas federais.

Por outro lado, há condomínio de encargos e atribuições entre União, estados e municípios (art. 23). No campo especificamente tributário, o *instrumento formal* da lei complementar e o *conteúdo material* das normas gerais reafirmam a tese do federalismo concentracionário legiferante.

12 O "poder" das normas gerais de Direito Tributário em particular

O grande risco da lei complementar sobre normas gerais de Direito Tributário reside em o Legislativo federal desandar a baixá-las contra o espírito da Constituição, em desfavor das ordens jurídicas parciais, cuja existência e fundamentos de validez decorrem diretamente da Lei Maior. Os seus poderes e limitações, em suma, são de radicação constitucional. Grande, pois, o poder do Congresso Nacional, a ser exercido com cautela para não arranhar o estado federal armado na Lei Maior. O parágrafo único do art. 22, disposição inspirada na Lei Fundamental de Bonn, contrabalança a expansão federal, permitindo aos estados legislar sobre questões específicas das matérias relacionadas no art. 22, da competência privativa da União.

A sede jurídica de estudo das normas gerais situa-se na área da repartição das competências legislativas nos Estados federais. A doutrina costuma referir-se a dois tipos de repartições: a horizontal e a vertical. Na horizontal, as pessoas políticas, isonômicas, recebem cada qual suas áreas competenciais devidamente apartadas. São lotes, por assim dizer, perfeitamente delimitados. Em se tratando da repartição vertical, o *discrímen* se faz por graus, pois as matérias são regradas por mais de uma pessoa política. Para evitar a promiscuidade impositiva, faz-se necessário graduar, na escala vertical, o ponto de incidência do regramento cabente a cada pessoa política. Entre nós, determinadas províncias jurídicas não ensejam repartição vertical de competências legislativas. Tais são os casos dos Direitos Civil, Comercial, Penal, Trabalhista etc. Estes são Direitos cujas fontes legislativas são privativas da União Federal. Outros ramos jurídicos, mormente aqueles que se incrustam no que se convencionou chamar de Direito Público, oferecem ensejo a que ocorra o fenômeno da repartição vertical de competências legislativas, ocasião em que mais de uma pessoa política normatiza, por graus, uma mesma matéria jurídica. Em Direito Administrativo e Direito Tributário, o fenômeno é evidente. Ora, precisamente em razão da repartição vertical de competências é que surgem as normas gerais. Assim, as normas gerais de Direito Tributário são da competência legislativa da União Federal, através do Congresso Nacional. Na verdade, inexiste aí competência concorrente, senão a partilhada. A concorrência é meramente substitutiva, i.e., se a União não emitir normas gerais, a competência das pessoas políticas (Estados-Membros e Municípios) torna-se plena. Emitidas que sejam as normas gerais, cumpre sejam observadas quando do exercício das respectivas competências privativas por parte de estados e municípios, sem prejuízo da eventual e limitada competência supletiva do Estado-Membro na própria temática da norma geral, conforme se pode verificar a uma simples leitura da repartição geral de competências levada a efeito pela Constituição de 1988.

A melhor doutrina, na espécie, é a de Raul Machado Horta, ilustre Professor de Direito Constitucional na Faculdade de Direito da UFMG. Dizia ele, sob o regime de 1967, em lição ainda atual.[6]

Continua insuficientemente explorado o campo da repartição vertical de competência, que permite o exercício da legislação federal de normas gerais, diretrizes e bases, e da legislação estadual supletiva, sendo aquela primária e fundamental, enquanto a última é secundária e derivada. A competência comum, que se forma com a matéria deslocada do domínio exclusivo da União, para ser objeto de dupla atividade legislativa, corresponde a uma modernização formal da técnica federal de repartir competências e permite, ao mesmo tempo, que se ofereça ao Estado-Membro outra perspectiva legislativa, atenuando a perda de substância verificada na área dos poderes reservados em virtude do crescimento dos poderes federais. Perdura na evolução federativa brasileira o retraimento da competência comum, sem explorar as possibilidades do condomínio legislativo, para aperfeiçoar a legislação federal fundamental, de estrutura ampla e genérica, às peculiaridades locais. A evolução do comportamento da federação brasileira não conduz a diagnóstico necessariamente pessimista, preconizando o seu fim. A evolução demonstra que a federação experimentou um processo de mudança. A concepção clássica, dualista e centrífuga, acabou sendo substituída pela federação moderna, fundada na cooperação e na intensidade das relações intergovernamentais. A relação entre federalismo e cooperação já se encontra na etimologia da palavra federal, que deriva de *foedüs*: pacto ajuste, convenção, tratado, e essa raiz entra na composição de laços de amizade, *foedüs amicitae*, ou de união matrimonial, *foedüs thálami*. Em termos de prospectiva, é razoável presumir que a evolução prosseguirá na linha do desenvolvimento e da consolidação do federalismo cooperativo, para modernizar a estrutura do Estado federal.

Embora a teoria das normais gerais situe bem a questão do compartilhamento de competências (verticalizadas) nos Estados federais, afirmando que a norma geral possui eficácia forçada (*loi de cadre*), sempre sobrará uma zona cinzenta na delimitação das fronteiras objetivas da *norma geral, o ponto além do qual não pode ela passar sem ferir a competência das pessoas políticas*. Ao fim e ao cabo, somente a contribuição da doutrina e da jurisprudência, ao longo do tempo depurativo, trará solução a este tormentoso problema. Mas não é a sedimentação jurisprudencial que estabiliza a *ordem jurídica*?

Grande, repetimos, é a força e o comando das normas gerais de Direito Tributário emitidas pela União como fator de ordenação do sistema tributário, como ideado pelo constituinte de 1988.

---

6   HORTA, Raul Machado. *Rev. de Estudos Políticos*, Belo Horizonte: Faculdade de Direito da UFMG, 1968.

13 O art. 146-A do Texto Constitucional – A preservação da concorrência

Ainda a respeito das funções materiais da lei complementar, ditadas pelo Texto Constitucional, a Emenda Constitucional nº 42, de 19 de dezembro de 2003, introduziu o art. 146-A determinando que a lei complementar poderá "estabelecer critérios especiais de tributação, com o objetivo de prevenir desequilíbrios da concorrência, sem prejuízo da competência de a União, por lei, estabelecer normas de igual objetivo".

A novidade passa por algumas reflexões. Primeiro, quando se mantém a competência da União para legislar sobre tal matéria, por simples lei ordinária, certamente naquilo que se refere aos tributos de sua competência, pois não poderia – a bem do Federalismo – por simples lei ordinária invadir o campo de competência dos demais entes da Federação. Assim, a lei complementar fica para dirimir os desequilíbrios de concorrência entre os entes da federação ou nos casos em que a matéria tratada tenha como exigência lei complementar.

Quanto ao objetivo introduzido pelo art. 146-A, a concorrência tributária é objeto de estudo no mundo moderno, pois na medida em que os agentes econômicos e demais contribuintes buscam, de forma legítima, situar os *signos presuntivos* nos locais onde a tributação é mais amena. Assim, nas bases imponíveis com maior mobilidade teremos a denominada *concorrência tributária*, quando o ente político, para não perder sua base de incidência ou atrair outras bases, busca dois caminhos: (i) incentivos fiscais, com redução da tributação sobre estas bases mais móveis e concentração sobre outras bases menos móveis; (ii) incentivos econômicos, com o retorno ao chamado *imposto-troca*, criando para aquele contribuinte que se tenta atrair ou manter no seu território uma série de vantagens de infraestrutura, criadas com a "destinação" dos impostos arrecadados.

A *concorrência tributária* pode ser saudável para que os entes políticos busquem adequar sua carga às mudanças econômicas do mundo contemporâneo, mas, na maior parte das vezes, trata-se de um processo perigoso e degenerativo da carga tributária, pois tais entes políticos acabam por concentrar a carga tributária (incentivos fiscais) sobre os contribuintes que têm menor capacidade de mobilidade (com ferimento à capacidade econômica) ou revertem a arrecadação para projetos de infraestrutura que serão do agrado dos contribuintes que pretendem sejam mantidos no seu território (imposto-troca). Ao final, dirimir conflitos ou desequilíbrios da concorrência tem papel preservador dos contribuintes e da Federação.

14 Temas tópicos constitucionais reservados à lei complementar em matéria tributária

Além dos objetos genéricos retroexaminados sob reserva de lei complementar do Congresso Nacional, outros muitos existem ao longo do texto.

Praticamente a matéria inteira da relação jurídico-tributária se contém nos preceitos supratranscritos. Diz-se que ali está a epopeia do nascimento, vida e morte da obrigação tributária. Se ajuntarmos a tais "normas gerais" o conteúdo (e aqui não se discute se são ou não excedentes) do atual Código Tributário Nacional, teremos uma visão bem abrangente do que são as normas gerais de Direito Tributário. A grande força da União como ente legislativo em matéria tributária resulta de que o Senado, através de resoluções, fixa bases de cálculo e alíquotas de vários tributos da competência de estados e municípios, e de que, através de normas gerais, o Congresso Nacional desdobra as hipóteses de incidência e, muita vez, o *quantum debeatur* desses tributos, exercitando controle permanente sobre o teor e o exercício da tributação no território nacional. A vantagem está na *unificação* do sistema tributário nacional, epifenômeno da *centralização legislativa*. De norte a sul, seja o tributo federal, estadual ou municipal, o fato gerador, a obrigação tributária, seus elementos, as técnicas de lançamento, a prescrição, a decadência, a anistia, as isenções etc. obedecem a uma mesma disciplina normativa, em termos conceituais, evitando o caos e a desarmonia. Sobre os prolegômenos doutrinários do federalismo postulatório da *autonomia das pessoas políticas* prevaleceu a *praticidade do Direito*, condição indeclinável de sua *aplicabilidade* à vida. A preeminência da norma geral de Direito Tributário é pressuposto de possibilidade do CTN (veiculado por *lei complementar*).

15 A necessidade de lei complementar prévia para a instituição de impostos e contribuições

Discute-se muito sobre a necessidade de lei complementar, prévia, em relação à edição da lei institutiva de impostos e contribuições sociais. São duas as correntes, uma propugnando não poder a competência institutiva ser exercida sem prévia lei complementar de normas gerais, e outra defendendo a supremacia da competência impositiva das pessoas políticas na hipótese de inação do legislador complementar. A discussão faz-se à volta do art. 146 da CF, inciso III, letra "a", que predica a lei complementar para a *definição de tributos e suas espécies, bem como dos impostos discriminados na Constituição, seus respectivos fatos geradores, bases de cálculo e contribuintes*. A propósito, observamos que o CTN, recepcionado pela Constituição, já define o tributo, suas espécies e os fatos geradores e bases de cálculo da maioria *dos impostos discriminados*. Os impostos novos e, em parte, os modificados é que careceriam de maiores definições em lei complementar de normas gerais. Por isso mesmo o STF suspendeu a exigibilidade do adicional estadual do imposto de renda. O nosso posicionamento é o seguinte:

- A) quanto aos impostos residuais e aos restituíveis (empréstimos compulsórios), desnecessária se faz lei complementar normativa prévia, por isso que só podem ser instituídos pelo *processo legislativo da lei complementar*. Esta, ao instituir o *tipo tributário*, regrará aquelas matérias previstas no art. 146 da CF, III, "a", porquanto seria puerícia exigir que um mesmo legislador condicionasse a si próprio, o que ocorreria se, nessas hipóteses, exigíssemos, como *conditio sine qua non*, que uma lei complementar definindo o imposto, suas bases de cálculo e contribuintes precedesse, enquanto fundamento de validade, outras leis complementares, estas *institutivas* dos impostos em causa;
- B) no concernente especificamente às contribuições sociais do art. 195 da CF, só possuem legitimidade para exigir lei complementar prévia aqueles que entendem serem impostos tais figuras impositivas. Certo, por isso que a regra do art. 146, III, "a", da CF, endereçada está a impostos e, o que é mais, impostos discriminados nela. Consequentemente, os que entendem possuírem

as contribuições sociais natureza específica diversa da dos impostos, seja por critérios de *validação finalística*, seja por outros critérios, estão *ipso facto* impedidos de pleitear lei complementar regrando o *fato gerador*, a *base de cálculo* e os *contribuintes* dessas exações. As contribuições sobre folha de salários, lucro e faturamento (empregadores), receita de prognósticos deveriam ser previamente estruturadas em lei complementar de normas gerais. Mas o exercício da competência impositiva das pessoas políticas é eminentemente constitucional. O Congresso, por inação, não pode paralisar o exercício da tributação pelas pessoas políticas. O Convênio nº 66/1988 do Confaz – Ministério da Fazenda, em tema de ICMS, ausente lei complementar, confirma a assertiva. Evidentemente a superveniência de lei complementar sobre ditas espécies paralisa a eficácia dos dispositivos constantes das leis que ofereçam contraste às suas prescrições. A competência tributária, portanto, é dominante na CF;

C) as contribuições previdenciárias dos funcionários públicos federais, estaduais e municipais não são impostos e, portanto, são instituíveis por leis ordinárias, federais, estaduais e municipais (são contribuições sinalagmáticas).

A Constituição, para finalizar, contém regra expressa no art. 34, §3º, do Ato das Disposições Constitucionais Transitórias autorizando a União, os estados e os municípios a editarem as leis necessárias à instituição do sistema tributário no âmbito das respectivas competências.

O Supremo Tribunal assentou tese segundo a qual as contribuições do art. 195 desnecessitam de lei complementar prévia às leis ordinárias institutivas e modificativas, por isso que a própria Constituição já delineava os fatos geradores, os contribuintes e, implicitamente, as bases de cálculo. *A contrario sensu*, tal não é o caso das contribuições de intervenção no domínio econômico. Quanto a estas, a Constituição é lacônica, diz apenas que a União é competente para instituí-las e que são instrumentos de intervenção. No entanto, a Corte parece estar tolerando que dezenas de contribuições de intervenção, verdadeira derrama fiscal dos tempos lusitanos, sejam instituídas até por medidas provisórias. É intolerável.

Informação bibliográfica deste texto, conforme a NBR 6023:2018 da Associação Brasileira de Normas Técnicas (ABNT):

COÊLHO, Sacha Calmon Navarro. A lei complementar como agente normativo ordenador do sistema tributário e da repartição das competências tributárias. *In*: JUSTEN, Monica Spezia; PEREIRA, Cesar; JUSTEN NETO, Marçal; JUSTEN, Lucas Spezia (coord.). *Uma visão humanista do Direito*: homenagem ao Professor Marçal Justen Filho. Belo Horizonte: Fórum, 2025. v. 2, p. 909-929. ISBN 978-65-5518-916-2.

A INFLUÊNCIA DAS CONCEPÇÕES CENTRALIZADORA E DESCENTRALIZADORA NA CONFIGURAÇÃO DO FEDERALISMO TRIBUTÁRIO: O CASO DO ATO ADICIONAL DE 1834, AS INTERPRETAÇÕES DE TAVARES BASTOS E DO VISCONDE DO URUGUAY, E O FEDERALISMO MONÁRQUICO NO BRASIL IMPÉRIO

WEDER DE OLIVEIRA

Introdução

O Estado federal brasileiro formou-se a partir de um movimento histórico-nacional que resultou na descentralização do antigo Estado unitário, constituindo-se as Províncias em Estados-membros autônomos.[1]

As ideias federalistas impuseram-se, gradativamente, como "uma necessidade inexorável de nosso país" e a "federação foi a maior reivindicação liberal e o grande problema do Império".[2]

O processo inicia-se antes mesmo da Independência. Avançou e retrocedeu, em movimentos de maior e menor intensidade, ao longo do Império, até a Constituição da República dos Estados Unidos do Brasil, de 1891.[3]

Se a República tem origem na Constituição de 1891, a forma federativa de Estado já encontrava alguns de seus elementos essenciais no Brasil Império daquele século.

O Ato Adicional de 1834, reforma da Constituição de 1824, promoveu a repartição de poderes materiais e normativos entre o Governo Geral e as Províncias e deu origem

---

[1] RUSSOMANO, Rosah. *O princípio do Federalismo na Constituição Brasileira*, 1965, p. 39-40.
[2] BARACHO, José Alfredo de Oliveira. *Teoria geral do federalismo*, 1985, p. 187.
[3] "Art. 1º - A Nação brasileira adota como forma de Governo, sob o regime representativo, a República Federativa, proclamada em 1889, e constituiu-se por união perpétua e indissolúvel das suas antigas Províncias, em Estados Unidos do Brasil".

a um Estado com características de federalismo monárquico,[4] sendo a repartição de competências tributárias um de seus elementos constituintes fundamentais e decisivos.

Sobre a divisão do poder tributário dali resultante, estabeleceram-se complexas disputas jurídicas e jogos políticos ao longo do restante do século, em meio a crises financeiras, rebeliões provinciais e mudanças profundas na estrutura econômica e social do País.

Dessas disputas, participaram as Assembleias Provinciais, a Assembleia Geral, os ministros do Governo Geral, o Conselho de Estado, os presidentes das Províncias e autores engajados na estruturação do Estado brasileiro pós-Independência, fosse pela consolidação do Estado unitário monárquico, fosse pela constituição de uma República federativa.

Mello Franco[5] relaciona três autores de "estudos sérios do problema federal": o Visconde do Uruguay,[6] com seu *Direito Administrativo*; Tavares Bastos,[7] com *A Província*; e o Marquês de São Vicente, com *Direito Público Brasileiro*.

Tavares Bastos e o Visconde do Uruguay, juristas políticos, escreveram as obras mais densas e discutiram em profundidade alguns dos problemas da divisão do poder tributário mais relevantes para a definição do eixo fiscal (atribuição de receitas e de encargos) do federalismo monárquico, suscitados pelo Ato Adicional de 1834.

Em um século em que problemas políticos, sociais, econômicos e financeiros do Brasil estiveram quase sempre envoltos numa atmosfera de discussão de ideias centralizadoras e descentralizadoras (federalistas), a resolução jurídica das grandes questões constitucionais atinentes ao poder de tributar não estaria infensa a essa influência.

Neste artigo, analisamos e contrapomos a forma como Tavares Bastos e o Visconde do Uruguay compreenderam algumas dessas questões e como trafegaram entre o jurídico e o político em suas propostas de solução, na medida em que tinham concepções opostas sobre a constituição do Estado brasileiro.

O artigo tem por objetivos demonstrar o peso das concepções políticas centralizadora e decentralizadora na interpretação das normas sobre a competência legislativa concorrente no âmbito do federalismo e elaborar uma evidência histórica de que a conformação efetiva dos poderes do governo central e dos governos subnacionais resulta mais da influência, determinante, da concepção federativa de quem influencia e decide a interpretação constitucional do que de uma hermenêutica jurídica robusta, supostamente possível de ser elaborada sobre poucas e imprecisas normas de repartição de competências normativas e algumas proposições teóricas de federalismo fiscal.

A dinâmica dialética observada na pesquisa sobre os debates havidos no século XIX, entabulados por atores doutrinários e políticos, em que aspectos hermenêuticos se juntam a avaliações históricas e pragmáticas de ordem econômica e social, coordenados,

---

[4] DOLHNIKOFF, Miriam. *O pacto imperial*: origens do federalismo no Brasil do século XIX, 2005, p. 288.
[5] *Apud* Baracho, Teoria geral do federalismo, 1985, p. 187.
[6] Paulino José Soares de Sousa. Foi membro do Partido Conservador, presidente da Província do Rio de Janeiro, deputado geral e senador pela mesma província, Ministro da Justiça e Ministro dos Negócios Estrangeiros e conselheiro do Conselho de Estado. Autor de Ensaios sobre o direito administrativo e Estudos práticos sobre a administração das Províncias no Brasil.
[7] Aureliano Cândido Tavares Bastos. Foi membro do Partido Liberal e deputado geral de 1860 a 1868. Autor de A Província e Cartas do Solitário.

na produção da decisão jurídica, pela concepção pessoal mais ou menos favorável ao governo central ou aos governos subnacionais, também é observada nas discussões no Supremo Tribunal Federal no âmbito das controvérsias sobre a legislação concorrente pós-Constituição de 1988,[8] que, nesse campo, limitou a atuação da União (Governo Central) à elaboração de normas gerais.[9]

Esse modo de investigação é particularmente importante para a análise dos fundamentos das decisões tomadas em matéria constitucional e a compreensão de como se dá a configuração concreta do federalismo fiscal (atribuição equilibrada de receitas e encargos), no qual está inserido o federalismo tributário, subcampo em que se situa o debate em torno do Ato Adicional de 1834 aqui analisado.

O texto é composto desta introdução e outras três seções, além da conclusão. Na primeira, aborda-se a ideia de federalismo monárquico, ambiente em que se situa a pesquisa. Na segunda, o caso do Ato Adicional de 1834 e as interpretações de Tavares Bastos e do Visconde do Uruguay sobre a configuração do federalismo tributário no Brasil Império. Na terceira, expõem-se as concepções federativas, centralizadora e descentralizadora, do Visconde do Uruguay e de Tavares Bastos, respectivamente, sobre a estruturação do Estado brasileiro.

1 O federalismo monárquico

Na concepção corrente no início do século XIX, o conceito de federação remetia à ideia de associação de Estados independentes e soberanos para formarem, mediante uma Constituição, um novo Estado, composto pelos Estados-membros que lhe deram origem, não mais soberanos na ordem internacional, mas autônomos nos termos de sua Carta Constituinte, como se vê na manifestação do senador Carvalho e Mello, na sessão do Senado, de 17 de setembro de 1823:

> Federação, dizem os escritores políticos, é a união de associações, e estados independentes, que se unem pelos laços de uma constituição geral, na qual se marcam os deveres de todos, dirigidos ao fim comum da prosperidade nacional, e nela se regulam alianças ofensivas, e defensivas; resoluções de paz e de guerra; repartição de despesas; contribuições, e empréstimos necessários para a despesa, e segurança dos Estados-Unidos; empresas de utilidade geral, e relações diplomáticas.[10]

---

[8] Vide, na perspectiva atual, o art. 24 da Constituição Federal: "Compete à União, aos Estados e ao Distrito Federal legislar concorrentemente sobre: I - direito tributário, financeiro, penitenciário, econômico e urbanístico; II - orçamento; [...]. §1º No âmbito da legislação concorrente, a competência da União limitar-se-á a estabelecer normas gerais. §2º A competência da União para legislar sobre normas gerais não exclui a competência suplementar dos Estados. §3º Inexistindo lei federal sobre normas gerais, os Estados exercerão a competência legislativa plena, para atender a suas peculiaridades. §4º A superveniência de lei federal sobre normas gerais suspende a eficácia da lei estadual, no que lhe for contrário".

[9] Vide a respeito das concepções de normas gerais e os problemas do condomínio legislativo federativo, OLIVEIRA, Weder. Curso de Responsabilidade Fiscal: Direito, Orçamento e Finanças Públicas, 2015, Capítulo 17 – Lei de Responsabilidade Fiscal e leis locais: o problema do condomínio legislativo, p. 1052 e ss.

[10] BRASIL. Senado Federal. Anais do Senado Federal, 1823, p. 151-152.

Preston King, um dos principais teóricos do federalismo, entende a federação como "um arranjo institucional adotado como estratégia de construção do Estado, cuja principal característica é a coexistência de dois níveis de governos autônomos de governo, definidos constitucionalmente", em que "o centro assume a responsabilidade pelo governo nacional e as instâncias regionais respondem pelos assuntos locais" e têm "capacidade de interferir nas decisões do centro".[11]

Nesse conceito, a federação não é compreendida necessariamente como a associação de Estados existentes e independentes.

Dohnikoff (2005) soma ao pensamento de Preston King o de William Riker, em sentido congruente: a essência do sistema federal é a divisão formal de funções entre um governo central e os governos regionais, que governam o mesmo território e a mesma população, ambos com autonomia para tomar decisões:

> Há casos em que o governo federal tem um mínimo de atribuições, ficando a maior parte com os governos regionais, e há casos que se encontram no extremo contrário. O que importa, portanto, não é o grau de descentralização, mas a existência da divisão de competências entre governo geral e governos regionais. As matérias de competência do centro e das regiões, o volume de recursos financeiros que cabe a cada um, etc., são, para Riker, elementos conjunturais que variam entre os diversos países federalistas e variam também na história de cada um destes países.[12]

Riker, munido dessa definição, "afirma que no Brasil o Ato Adicional de 1834 organizou a monarquia de acordo com o modelo federativo,[13] o que significa que, para ele, federalismo não é exclusividade de regimes republicanos".

O Ato Adicional de 1834,[14] referido por Riker, emendou a Constituição de 1824,[15] na forma como autorizada pela Lei de 12 de outubro de 1832,[16] e, como mencionado, promoveu a repartição de poderes materiais e normativos entre o Governo Geral e as Províncias. Dele destacamos os seguintes excertos:

> Art. 9º - Compete às Assembleias Legislativas Provinciais propor, discutir e deliberar [...].
> Art. 10 - Compete às mesmas Assembleias legislar:

---

[11] DOLHNIKOFF (O pacto imperial, 2005, p. 288).
[12] Dolhnikoff (O pacto imperial, 2005, p. 287).
[13] Era extreme de dúvidas para Uruguay que, no que respeita "aos negócios que segundo o ato adicional ficaram sendo gerais", o Estado no Brasil, tal como era na França, "é e deve ser uno". No entanto, diz, "infelizmente ficaram confusamente extremados, como teremos, em outro trabalho ocasião de ver. No tocante aos negócios provinciais o Estado não é completamente um. Cada Província pode regular os seus interesses especiais como entender conveniente, com tanto que não ofenda a Constituição, os interesses de outras Províncias, os impostos gerais e os Tratados" (Visconde do Uruguay. *Ensaio sobre o Direito Administrativo*. Rio de Janeiro Nacional, 1862, Tomo II, p. 192).
[14] Lei nº 16, de 12 de agosto de1834. Faz algumas alterações e adições à Constituição Política do Império, nos termos da Lei de 12 de Outubro de 1832.
[15] A reforma da Constituição estava prevista em seu art. 174: "Se passados quatro anos, depois de jurada a Constituição do Brasil, se conhecer, que algum dos seus artigos merece reforma, se fará a proposição por escrito, a qual deve ter origem na Câmara dos Deputados, e ser apoiada pela terça parte deles".
[16] Lei de 12 de outubro de 1832. Ordena que os eleitores dos deputados para a seguinte legislatura lhes confirem nas procurações faculdade para reformarem alguns artigos da Constituição. Especificamente, a Lei de 12 de outubro de 1832 autorizava a reforma dos artigos 73, 74, 76, 77, 78, 83, §3º, 84, 85, 86, 87,88 e 89 "para o fim de serem os Conselhos Gerais convertidos em Assembleias Provinciais".

§1º - Sobre a divisão civil, judiciária e eclesiástica da respectiva província [...]. §2º - Sobre instrução pública e estabelecimentos próprios a promovê-la [...]. §4º - Sobre a polícia e economia municipal, precedendo propostas das câmaras.

§5º - Sobre a fixação das despesas municipais e provinciais, e os impostos para elas necessários, contanto que estes não prejudiquem as imposições gerais do estado. As câmaras poderão propor os meios de ocorrer às despesas dos seus municípios.

§6º - Sobre a repartição da contribuição direta pelos municípios da província e sobre a fiscalização do emprego das rendas públicas provinciais e municipais, e das contas de sua receita e despesa [...]. §7º - Sobre a criação, supressão e nomeação para os empregos municipais e provinciais [...]. §8º - Sobre obras públicas, estradas e navegação no interior da respectiva província [...].

Art. 12 - As Assembleias Provinciais não poderão legislar sobre impostos de importação, nem sobre objetos não compreendidos nos dois precedentes artigos.[17]

A autonomia das Assembleias Provinciais no Brasil Império, reconhecida pelo Visconde do Uruguay,[18] corrobora o entendimento de Riker. Uruguay, comparando-as com os Conselhos Gerais de Departamento franceses, realça que as assembleias parlamentares regionais "entre nós, legislam" e a elas foram conferidas "importantíssimas e descentralizadoras atribuições":

> Como órgãos dos interesses dos Departamentos [os Conselhos Gerais] apenas deliberam e emitem votos. As Assembleias Provinciais, porém, entre nós, legislam. As suas leis quando não contrárias à Constituição, quando não ofendem os impostos gerais, os direitos de outras Províncias, e os Tratados não podem ser anuladas nem mesmo pela Assembleia Geral. Ainda mesmo quando ofendam os interesses da própria Província, não podem ser embaraçadas pela negativa de sanção do Presidente da província, delegado do Imperador, uma vez que tenham a seu favor dois terços dos votos da Assembleia Provincial. Os Conselhos Gerais não têm as atribuições importantíssimas e descentralizadoras conferidas às Assembleias Provinciais, e os meios concedidos a estas para fiscalizarem, contrastarem, arcarem com os Presidentes das Províncias e mesmo com o Governo Geral, ao qual, sem saírem dos limites de suas atribuições, podem as ditas Assembleias suscitar graves embaraços.[19]

2 O contexto nacional e as interpretações de Tavares Bastos e do Visconde do Uruguay sobre o Ato Adicional de 1834

Adotado o Ato Adicional, era necessário, como analisou o Visconde do Uruguay,[20] "tornar efetiva a independência financeira das Províncias, dotá-las com recursos para fazerem face aos serviços e promoverem os melhoramentos que acabavam de ser-lhes

---

[17] Neste artigo, as transcrições das obras e da legislação do século XIX foram feitas mediante ajustes na grafia para facilitar a leitura.
[18] O Visconde do Uruguay, defensor do Império, do Estado unitário em contraposição ao Estado federal, opunha-se à descentralização dos poderes do Governo Geral para as Províncias.
[19] Visconde do Uruguay. Ensaio sobre o Direito Administrativo, 1862, Tomo II, p. 189.
[20] Visconde do Uruguay. Estudos Práticos sobre a Administração das Províncias no Brasil, 1865, p. 232-233.

encarregados". Segundo ele, "a expectação pública era imensa", pois [ironicamente] "as Províncias iriam ser cortadas por excelentes estradas, os caldeirões e atoleiros iam ser consignados à história, os rios iam ser cobertos de pontes, penetrados e devassados pela navegação os mais recônditos, desertos e interiores".

Contudo, continua, "o nosso sistema de impostos era, como ainda hoje [1865], defeituoso. Não eram eles filhos de um sistema, mas sem harmonia, criados e aglomerados pelo tempo, enxertados do sistema velho português do tempo colonial".

O Ato Adicional, que viera à luz numa ocasião "pouco azada para uma revisão geral dos impostos e estabelecimento de um sistema", não definiu o que era ou poderia vir a ser "uma imposição geral do estado",[21] nem fixou a matéria sobre a qual poderiam incidir os impostos provinciais. Eram questões jurídica e pragmaticamente complexas, e politicamente complicadas, a serem decididas pela Assembleia Geral, "que não podia vestir um santo nem despir outro", nem "abrir um largo déficit na renda geral" nem "dotar mesquinhamente um grande número de Províncias", sendo "impossível dotá-las com igualdade relativa, atenta à diversidade das circunstâncias"; uma tarefa hercúlea:

> A Assembleia Geral não podia vestir um santo sem despir outro. Via-se na dura alternativa ou de abrir um largo déficit na renda geral e de descontentar, enchendo-o com novos impostos, os entusiastas pelas novas reformas, ou de dotar mesquinhamente um grande número de Províncias! Era de mais impossível dotá-las com igualdade relativa, atenta à diversidade das circunstâncias, e das indústrias provinciais e à qualidade dos impostos.
>
> Era tarefa hercúlea e pouco azada a ocasião para uma revisão geral dos impostos e estabelecimento de um sistema, que se prestasse melhor à divisão, que se ia fazer, de rendas gerais e provinciais. Não se fez esse trabalho, que, ao menos, houvera servido para o estudo econômico do país, e para esclarecer assuntos vitais da maior importância. [...] Cada um queria que tocasse à sua Província este ou aquele imposto mais bem parado, e que julgava mais convir-lhe, embora não pudesse dele prescindir a União.[22]

De fato, a União não se encontrava em condições de prescindir de rendas em favor das províncias e, conforme relatou Castro Carreira,[23] o Governo Geral tinha no aumento dos impostos o meio de enfrentar os "sucessivos déficits com que tinham sido encerrados os orçamentos", face "à crescente e progressiva despesa de um país novo que, limitado aos recursos ordinários, para a elas ocorrer, tinha urgente necessidade de aumentar convenientemente a renda pública":

> Referindo-se aos *déficits* sucessivos com que tinham sido encerrados os orçamentos, o conselheiro Cândido Jose de Araujo Vianna [Marques de Sapucaí, Ministro da Fazenda e então membro do Conselho do Estado], no seu relatório, em que dá conta ao parlamento do estado financeiro do país em 1834, diz, que nem eram eles para admirar e nem tão pouco para assustar, atendo-se à sua naturalidade [...] e à crescente e progressiva despesa

---

[21] Art. 10, §5º - Sobre a fixação das despesas municipais e provinciais, e os impostos para elas necessários, contanto que estes não prejudiquem as imposições gerais do estado. As câmaras poderão propor os meios de ocorrer às despesas dos seus municípios.

[22] Visconde do Uruguay (Estudos Práticos sobre a Administração das Províncias no Brasil, 1865, p. 233).

[23] CARREIRA, Liberato de Castro. Historia Financeira e Orçamentária do Império do Brazil, 1889, p. 194-196.

de um país novo que, limitado aos recursos ordinários, para a elas ocorrer, tinha urgente necessidade de aumentar convenientemente a renda pública com a criação de novos impostos ou alargamento dos existentes, afim de mais aproximá-la à importância anual das despesas do Estado.

Na visão do então Ministro da Fazenda, a alternativa ao aumento de impostos, o "cerceamento das despesas", era "um meio aplicável nos países chegados quase a um estado estacionário", mas, no Brasil, país "em que apenas principia a organização e se tem necessidade de dar desenvolvimento à indústria, fonte de riqueza com que se deve contar, seria semelhante meio não só nocivo como quase impraticável".[24]

As Províncias, ainda no relato de Castro Carreira, clamavam "contra a exiguidade dos recursos com que foram dotadas, carecendo dos meios precisos para desenvolver suas forças, não podendo marchar senão lentamente para o seu progresso".

Postas aquelas questões, sem solução imediata, "empurrou-se para diante a dificuldade com uma solução provisória", como historiou o Visconde do Uruguay:

> Resolveu a lei do orçamento de 1834, no art. 36, que – enquanto uma lei geral não fixasse definitivamente os impostos que ficariam pertencendo à receita geral do Império, constaria esta dos impostos que lhe pertenciam na divisão feita pela lei de 8 de Outubro de 1833 – (Divisão tirada da lei anterior de 24 de outubro de 1832).[25]

A mencionada Lei de 34 de outubro de 1835 (Lei do Orçamento), no art. 11, definiu as rendas que compunham a renda geral. Ficaram pertencendo à receita provincial as imposições não compreendidas naquele rol, "competindo às assembleias provinciais legislar sobre a sua arrecadação e alterá-las, ou aboli-las, como julgassem conveniente".[26]

Eram rendas provinciais: contribuições de polícias, décima urbana, décima de heranças e legados, direitos de portagem, imposto sobre aguardente, imposto sobre libra de carne, passagens de rios, novo e velhos direitos, vendas de próprios provinciais, dízimos, quota especial do dizimo do açúcar, quota especial do café, terças partes de ofícios, direitos de chancelaria, imposto nas casas de leilões e modas, emolumentos de passaportes, emolumentos de visitas de saúde, imposto sobre séges, e bens de evento.

Dessas rendas, segundo Tavares Bastos,[27] "eram as seis últimas improdutivas, verbas de receitas nominais; e, adverte um escritor insuspeito [referindo-se ao Visconde do Uruguay] dentre elas, só os dízimos do café e açúcar ofereciam recursos abundantes". E mesmo essas, somente em certas províncias, "nas quais a do café elevou-se consideravelmente, como, por exemplo, na Província do Rio de Janeiro".[28]

A renda provincial era expressivamente menor do que a renda geral. No orçamento para o exercício 1834-1835, as imposições que compunham a renda geral somavam 11.000:000$000; as que poderiam ser cobradas pelas províncias, 2.386:000$000.[29] Em 1869,

---

[24] Vide a respeito as recentes discussões sobre os efeitos negativos da austeridade fiscal.
[25] Estudos Práticos sobre a Administração das Províncias no Brasil, 1865, p. 235.
[26] Carreira (Historia Financeira e Orçamentária do Império do Brazil, 1889, p. 208).
[27] Tavares Bastos. A Provincia: Estudo sobre a descentralisação no Brazil, 1870, p. 364.
[28] Visconde do Uruguay (Estudos Práticos sobre a Administração das Províncias no Brasil, 1865, p. 244).
[29] Castro Carreira (Historia Financeira e Orçamentária do Império do Brazil, 1889, p. 194).

"arrecadavam as províncias uma receita de 18,100 contos, e os municípios, em 1865, a de 2,668, montando toda a renda local a cerca de 21,000 contos".[30]

As Províncias não dispunham de recursos suficientes para suas despesas ordinárias e os melhoramentos que delas se esperavam. Por muito tempo seus orçamentos foram supridos pela renda geral da União. Não havia independência financeira completa.

Essa realidade mereceu comentários irônicos do Visconde do Uruguay:

> Os orçamentos gerais em 1851, 1852, 1853, 1854, 1855, 1856, 1857, consignarão quantias para auxiliar obras provinciais. Algumas províncias tiveram subvenções especiais e destacadas para certos fins. E não tem faltado quem queira fazer das Províncias uma espécie de Estados, de Naçõeszinhas! Com que recursos? Que cabeças![31]

Tavares Bastos via como soluções para o problema a redução da centralização, a redução da despesa geral e o aumento da renda provincial:

> Si o mais seguro meio de atingir à redução do imposto é o de reduzir simultaneamente a despesa, haja um governo patriótico que se levante sobre as ruínas dos ministérios áulicos, e combata as grandes causas permanentes dos nossos embaraços financeiros – o funcionalismo exagerado, os subsídios estrangeiros, a onerosa política de intervenção e proteção. Não se pode insistir bastante na rapidez com que eleva-se a despesa geral do Estado, e na correspondente agravação da sorte dos contribuintes, a que se pediram em 2 anos 40% mais dos ônus antigos.
>
> Esta difícil situação tem ainda outro lado desagradável: Ela embaraça consideravelmente a satisfação de uma necessidade há muito reconhecida, a de recursos mais abundantes com que possam as províncias prover as exigências do seu progresso [...] Não exigissem embora os princípios econômicos severa redução na despesa geral, bastava para aconselhá-la a urgência de ceder às administrações locais alguns fragmentos da matéria tributária.[32]

Propunha, na linha de sua concepção descentralizadora, a transferência simultânea de impostos gerais e despesas para as Províncias, em montantes equivalentes (6.000 contos), e vislumbrava como isso seria possível:

> Sem agravar as circunstancias do tesouro, nem acarretar ônus excessivo às províncias menos florescentes, a reforma da descentralização se recomenda por muitas vantagens. Cessariam desde logo as repetidas disputas e obstáculos opostos pelo governo imperial ao aumento do número das comarcas e paróquias. E muito mais ganharia o Estado com a restauração das franquezas locais. Ela permitir-lhe-ia diminuir as despesas de arrecadação e cobrança de impostos interiores, que exigem numeroso pessoal, quer porque o nosso tesouro, imitando o exemplo do dos Estados-Unidos, poderia servir-se dos mesmos agentes delas para recolher nos municípios as rendas dessa espécie que lhe restarem.[33]

---

[30] A Provincia, 1870, p. 334.
[31] Visconde do Uruguay (Estudos Práticos sobre a Administração das Províncias no Brasil, 1865, p. 249).
[32] A Provincia, 1870, p. 332-333.
[33] A Provincia, 1870, p. 363; 371-372.

O problema financeiro das Províncias não passava pela ampliação dos suprimentos de recursos vindos do Governo Geral. A questão assentava-se em aumentar o poder financeiro dos governos provinciais pelo lado da receita: "Não é acaso tempo de reconsiderar a divisão de rendas feita em 1835? Por outro lado, não haverá novas fontes de receitas unicamente provinciais? [...]".

Em outro momento, já alertara Tavares Bastos sobre o movimento das Províncias por fontes tributárias, em razão da insuficiência de suas rendas: "desta sorte, bem se compreende que tornou-se inevitável o lançamento das taxas de exportação e das outras, que tantas vezes têm sido exprobradas às províncias".[34]

Antevisão no mesmo sentido teve a 1ª Comissão de Fazenda e Orçamento da Câmara dos Deputados, quando, em 1835, apreciou um projeto de divisão definitiva da renda geral e provincial (não aprovado):

> A Comissão julga dever ainda ponderar à Câmara, que a necessidade de uma tal medida é tanto mais sensível e irrefragável, quantos os atos legislativos de algumas Províncias sobejamente demonstraram, que a não haver uma lei que extreme com precisão os ramos da receita geral, em breve só poderá reputar-se tal o produto das rendas de importação; por isso que os corpos legislativos de algumas localidades do Império continuarão a entender (como por exemplo, fez o do Ceará) que se acham autorizados a impor sobre objetos da receita geral; o que, na opinião da Comissão, é inteiramente ofensivo do ato adicional, à Constituição do Império, o qual estatue no § 5º do art. 10, que tais Assembleias poderão legislar sobre os impostos necessários, contanto que não prejudiquem as imposições gerais do Estado.

Esse era o contexto financeiro, jurídico e político em que se desenvolveram as divergências sobre a constitucionalidade de leis tributárias provinciais expostas por Tavares Bastos, em relação às manifestações do Conselho de Estado e da doutrina do Visconde do Uruguay, a partir da interpretação que se dava a expressões e conceitos do Ato Adicional de 1834.

Nesse campo de indefinições e de interpretação do Ato Adicional situavam-se as possibilidades de reduzir o âmbito da descentralização que estava sendo posta em prática. Entre essas possibilidades estavam as discussões sobre o imposto de importação (art. 12),[35] a repercussão dos impostos provinciais sobre os impostos gerais (§5º do art. 10) e o imposto de exportação (ambos os dispositivos).

Impostos provinciais e as imposições gerais

Uma das discussões mais acirradas sobre os limites da competência tributária das Províncias residia em saber se a matéria que é contribuinte para a renda geral poderia sê-lo também para a provincial.

---

[34] A Provincia, 1870, p. 364.
[35] "Art. 12 - As Assembleias Provinciais não poderão legislar sobre impostos de importação, nem sobre objetos não compreendidos nos dois precedentes artigos."

Essa questão era suscitada pelo fato de, nos termos colocados pelo Visconde do Uruguay (1865),[36] nem o Ato Adicional nem a lei de 1835 "que partilhou a renda" terem "claramente extremado o terreno em que os poderes geral e provincial têm de mover-se, em matéria de impostos".

Para ele, a cláusula "contanto que não prejudiquem as imposições gerais", do §5º do art. 10,[37] tem por finalidade "preservar os recursos com que o Poder geral tem de acudir às necessidades da União", mas é demasiadamente vaga e por isso "só pode ser explicada casuisticamente".[38]

A questão, portanto, como a colocou, era saber se "a única circunstância de recair o imposto provincial sobre matéria já contribuinte para a renda geral é bastante para ser declarado ofensivo dessa renda, e como tal anulado, ou se depende essa anulação de avaliação do grau da ofensa".[39]

Sobre esse ponto, diz que um parecer da Comissão das Assembleias Provinciais da Câmara dos Deputados, de 22 de julho de 1840, sobre leis provinciais do Ceará, estabelecia que as imposições gerais eram ofendidas e prejudicadas pelos impostos provinciais quando eram "de natureza a embaraçar e tolher a percepção daquelas".

Baseado nesse parecer, entendia que se podia dizer "com mais largueza, que o imposto provincial ofende o geral quando, por qualquer maneira ataca a sua fonte, estancando-a ou rarefazendo-a". Cita vários casos em que foram exaradas resoluções imperiais e expedidos avisos aos presidentes de Província ordenando-os que suspendessem a execução da lei provincial, porque, por exemplo, (a) "nela se achava muito de excessivo e excedente de suas atribuições na parte em que impunha novas contribuições sobre objetos já tributados pela Assembleia Geral legislativa"; ou (b) "não podem as Assembleias provinciais lançar impostos sobre os objetos de que a Assembleia Geral tem feito matéria contribuinte", como, por exemplo, fianças criminais, usufrutos, "insinuação de doação", "contratos de compra e venda de bem de raiz".

O fato, contudo, era que o §5º do art. 10 não vedava às Assembleias Provinciais criar imposto incidente sobre matéria já tributada pela União. Ao contrário, deduzia-se do dispositivo do Ato Adicional que era, sim, permitido às assembleias legislarem nesse sentido, desde que não prejudicassem as imposições gerais.

Apesar de a interpretação dada pela Comissão das Assembleias Provinciais da Câmara dos Deputados (anteriormente mencionada), no sentido de que as imposições gerais eram ofendidas e prejudicadas pelos impostos provinciais quando estes eram "de natureza a embaraçar e tolher a percepção daquelas", bem como da interpretação ampliativa feita pelo Visconde do Uruguay de que o imposto provincial ofende o geral quando, por qualquer maneira, "ataca a sua fonte, estancando-a, ou rarefazendo-a", a questão ainda não estava esclarecida, pois não havia critério objetivo que qualificasse a ocorrência do "prejuízo" às imposições gerais. Isso somente se podia aferir casuisticamente e com base em dados.

---

[36] Estudos Práticos sobre a Administração das Províncias no Brasil, 1865, p. 306.
[37] "Art. 10 – Compete às mesmas Assembleias legislar: §5 - Sobre a fixação das despesas municipais e provinciais, e os impostos para elas necessários, contanto que estes não prejudiquem as imposições gerais do estado. As câmaras poderão propor os meios de ocorrer às despesas dos seus municípios."
[38] Visconde do Uruguay (Estudos Práticos sobre a Administração das Províncias no Brasil, 1865, p. 192).
[39] Estudos Práticos sobre a Administração das Províncias no Brasil, p. 310-314.

Consciente da quase insolubilidade desse problema, em abstrato, Uruguay sustentou solução pragmática, em favor da União (coerente com sua visão centralizadora do poder político e financeiro no Governo Geral): a simples proibição de as províncias instituírem cobrança de impostos provinciais sobre matérias já tributadas pela União (imposição geral), sem qualquer necessidade de se avaliar o "grau de ofensa". Reconhecia, no entanto, que a questão só poderia ser definitivamente decidida pela via legislativa:[40] "Posto que, principalmente atenta à extrema dificuldade, senão impossibilidade de fixar uma medida pela qual se regule o grau de ofensa que o imposto provincial, recaindo sobre a mesma matéria contribuinte, possa fazer ao geral, pareça-me fora de questão a regra absoluta – o imposto provincial não pode recair sobre matéria contribuinte para a renda geral –, também me parece indispensável que a Assembleia Geral se pronuncie claramente sobre ponto tão importante".

Tavares Bastos discordaria dessa posição.[41]

Primeiramente, porque compreendia haver certos impostos sobre os quais não recairão dúvidas quanto a serem da competência do governo geral ("alguns, como o imposto de importação, por exemplo, têm evidentemente o cunho dos interesses comuns do país inteiro") ou do governo local ("outros, como as taxas de pedágio, não deixam dúvida sobre os interesses circunscritos que representam"). Sobre outros, não haverá regra absoluta de decisão:

> Nos países de governo descentralizado há porventura uma regra absoluta, um critério seguro, para definir em todos os casos o caráter nacional ou local de certos impostos? [...] Entre esses extremos flutuam indistintos vários tributos, criações multiformes do espírito do antigo regime fecundo em complicações financeiras, que a democracia tende a esmagar na mó do imposto-modelo, lançado nos valores representativos da riqueza, o imposto único. Classificar em nacionais e locais os diferentes tributos foi tarefa difícil até mesmo nos Estados Unidos.

Depois, defendendo, em sentido contrário ao que sustentara Uruguay, que as províncias estão autorizadas a impor adicionais sobre as imposições gerais, fundamentando sua posição no entendimento da Alexander Hamilton sobre a possibilidade dos demais impostos (excetuado o imposto de importação, "verdadeiramente nacional") poderem "constituir indiferentemente verbas da receita provincial ou da nacional":

> Os comentadores da constituição no *Federalista* não curavam de resguardar os interesses dos estados, porque a estes ninguém ameaçava; pelo contrário, era sua missão combater as exagerações da escola democrática que embaraçavam a formação do governo central. Mas com que medida e cautela se exprime Hamilton! Em primeiro lugar, reconhece que o imposto verdadeiramente nacional, excluído por si mesmo da autoridade dos estados, é o de importação; porquanto recai sobre o comércio externo, assunto superior à competência dos governos particulares. Na sua opinião, porém não se depara uma distinção profunda que permita da mesma sorte classificar os demais impostos, os quais podem constituir indiferentemente verbas da receita provincial ou da nacional.

---

[40] Visconde do Uruguay (Estudos Práticos sobre a Administração das Províncias no Brasil, 1865, p. 132).
[41] A Provincia, 1870, p. 338-340.

Ainda que dessa jurisdição cumulativa pudessem resultar inconvenientes, não havia impedimento constitucional para que fosse exercida pelas províncias. As palavras de Hamilton expressam uma visão jurídica e política da questão, segundo Tavares Bastos:

> Assim, se um dos dois poderes tributa algum dos artigos da renda interior, nem por isso o outro fica impedido de ajuntar-lhe uma taxa adicional. Eis as próprias palavras do publicista: "É verdade que um estado pode lançar sobre certo objeto tributo tal e tão grande que o Congresso ache inconveniente gravar o mesmo objeto com outro novo imposto; mas certamente ninguém lhe pode opor obstáculo constitucional a que o faça". Que dessa simultaneidade possa resultar inconvenientes, não o dissimula; mas pensa que o juízo prudencial dos governos removerá o embaraço. [...]
>
> A grandeza do tributo, as vantagens e inconvenientes de aumentá-lo por parte de um ou outro dos dois poderes, pode ser para cada um deles uma questão de prudência; mas com toda certeza não há incompatibilidade real. Abstenha-se um dos poderes de lançar novo tributo sobre aquele objeto que já tiver sido tributado pela outra autoridade. Como ambos são perfeitamente independentes um do outro, cada um terá evidente interesse nesta condescendência recíproca; [...].

Deve-se observar que seria possível, no sistema tributário em vigor à época, que uma Província pudesse vir a criar tributo sobre matéria até então não objeto de tributação pela União, pois o rol das rendas gerais da Lei de 1835 não poderia abarcar todas as possibilidades.

Surgiriam imediatamente questões difíceis: estaria o Governo Geral impedido de tributar a mesma matéria, já tributada por uma Província? Se não estivesse impedido e viesse a tributá-la, a nova imposição geral afastaria as imposições provinciais existentes, uma vez que, adotado o entendimento do Visconde do Uruguay, as províncias não podiam cobrar tributo sobre matéria objeto de imposição geral?

O sistema constitucional não ofereceria solução para essas questões no modelo proposto por Uruguay, mas elas se deduziriam no modelo de jurisdição cumulativa de Tavares Bastos, que compreendeu e expressou bem o contexto em que se sustentava a proposta do Visconde do Uruguay, entendendo-a arbitrária:

> Em verdade, sob a pressão de incessantes apuros, tem o tesouro geral monopolizado toda a sorte de imposições, taxas diretas e indiretas, rendas internas e até municipais. Nestas circunstâncias, não seria para as províncias solução, ao menos provisória, a de escolherem dentre os objetos tributados alguns que ainda possam sofrer uma taxa suplementar? Opõe-se-lhes, porém, mais este princípio restritivo: "a matéria já contribuinte para a renda geral não pode sê-lo também para a provincial".
>
> Conquanto confirmada várias vezes, e o tesouro suponha incontestável essa doutrina iniciada em 1842, é ela, todavia, tão arbitraria, que o próprio Sr. Uruguay não ousa adotá-la francamente, apelando para uma declaração autêntica. Entretanto, as expressões do ato adicional não deixam dúvida sobre o pensamento do legislador, o qual condenou somente os tributos que possam prejudicar as imposições gerais.

Tavares Bastos, como visto, explicara que o Tesouro Geral monopolizava "toda sorte de imposições, taxas diretas e indiretas, rendas internas e até municipais" porque encontrava-se "sob a pressão de incessantes apuros". De fato, o Tesouro Nacional viveu no final da década de 1830 e ao longo da década de 1840 "incessantes apuros", conforme se vê na sequência de *déficits* historiada por Castro Carreira (1883):[42]

1837-1838
Receita... 12.671:608$705
Despesa.. 18.919:682$110
Deficit.. 6.248:073$405

1838-1839
Receita... 14.970:631$059
Despesa.. 18.131:070$612
Deficit.. 3.160:439$553

1839-1840
Receita... 72.202:733$966
Despesa.. 90.336:865$058
Deficit.. 18.137:131$092

1840-1841
Receita... 16.310:575$708
Despesa.. 22.772:185$493
Deficit.. 6.461:609$785

1841-1842
Receita... 16.318:537$577
Despesa.. 27.483:018$370
Deficit .... 11.164:480$793

O autor, referindo-se ao período 1835-1840, no qual "houve quatro exercícios com *déficits* e um com saldo", explica que "para ocorrer ao *déficit* lançou-se mão do recurso dos créditos extraordinários na importância de 11.251:755$450 e a emissão do papel-moeda autorizado pela resolução legislativa n. 21, de 23 de Outubro de 1839, na importância de 6.073:000$000. Já em virtude do decreto de 6 de Outubro de 1835 fez-se a emissão de 33.888:122$ para substituição das notas do Banco do Brasil; assim como foi por decreto de 24 de Outubro de 1838 autorizado o empréstimo, na praça de Londres".

Em diversas passagens de *A Província*, Tavares Bastos critica o desequilíbrio do orçamento, conforme excerto que se extrai das páginas 331 e 332:

> Prenúncio de iminente ruína, o desarranjo das finanças é sempre sintoma de grave enfermidade nos Estados. Quão difícil superar as grandes crises financeiras! Quantos governos naufragaram nessa tentativa arriscada. Não se refere a historia mais raro

---

[42] Castro Carreira (Historia Financeira e Orçamentária do Império do Brazil, 1889, p. 24 e seguintes).

espetáculo do que oferecem à admiração do mundo os Estados-Unidos lutando e vencendo uma divida prodigiosa. Não acumulada pela sucessão de maus governos, como a de tantos povos do continente europeu [...] não para libertar a outros da tirania dos Rozas e dos Lopez, mas para esmagar a própria tirania doméstica emancipando uma raça inteira [...] Inspire-se o Brasil na grandeza deste exemplo; não lhe é dado marchar com passo igual, mas também não deve contemplar tranquilo a sua situação financeira. Problema ingente propõe-lhe a esfinge do futuro: - o orçamento do Estado, buscando debalde o equilíbrio perdido.

Alinhava-se, nessa visão sobre o mal do "desarranjo das finanças", aos pensadores de seu tempo, como Jean-Batiste Saye e Adam Smith. Smith se opunha aos orçamentos desequilibrados, conforme analisou Burkhead:

Os pontos de vista de Adam Smith sobre os orçamentos equilibrados eram, em grande parte, condicionados por suas ideias sobre dívida pública. [...] Mais importante ainda, o Estado era dissipador; tomava o dinheiro dos comerciantes e industriais e gastava de maneira desenfreada. [...] Esta era a principal razão da oposição de Smith a orçamentos desequilibrados: os governos tomariam empréstimos à indústria e ao comércio, privando, assim, a sociedade pobre de capital da receita que poderia ser reinvestida de maneira produtiva [...].

Uma vez que o soberano começasse a tomar empréstimos, o seu poder político aumentaria, porquanto ele não mais dependeria dos tributos de seus súditos. Os empréstimos, portanto, estimulariam o Governo a financiar guerras inúteis. [...] Em resumo, a capacidade de contrair empréstimos tornaria o soberano menos responsável. [...] E, finalmente, há um perigo, a longo prazo, da dívida. Uma vez acumulada até certo grau, leva inevitavelmente à bancarrota nacional.[43]

Say, segundo Burkhead, também se opunha ao endividamento irresponsável:

Estava ele muito impressionado com o desperdício dos gastos governamentais e citava exemplo após exemplo [...]. O empréstimo público não é apenas improdutivo, porque o capital é consumido e perdido, mas também, a nação é sobrecarregada pelo pagamento de juros anuais. [...] Uma dívida pública de volume moderado, que tenha sido judiciosamente despendida em obras públicas úteis, pode apresentar a vantagem de haver proporcionado uma aplicação do capital em investimentos que, de outra forma, poderia ser dissipada pelos indivíduos.

Este é talvez o único benefício de uma dívida pública; e mesmo este apresenta algum perigo, na medida em que permite ao Governo dissipar a poupança nacional. [...] É o Governo irresponsável que devemos temer. Quando o crédito governamental é forte, dizia Say: [...] eles estão por demais sujeitos a intrometer-se em toda a situação política e conceber projetos gigantescos, que levam algumas vezes ao desastre, outras vezes à glória, mas sempre a um estado de exaustão financeira.

---

[43] BURKHEAD, Jesse (Orçamento público, 197, p. 557 e ss.).

Portanto, para Tavares Bastos, a ação do Governo Geral de monopolizar "toda sorte de imposições, taxas diretas e indiretas, rendas internas e até municipais" e orientar a intepretação do Ato Adicional de 1834 no sentido de restringir o poder tributário das províncias para que não interferisse no seu, estava relacionado à sua necessidade de recursos, financiada por emissões monetárias e empréstimos.

O imposto de importação e os impostos provinciais sobre transações subsequentes

A segunda temática tributária disputada entre as províncias e o Governo Geral abrangeu a interpretação do art. 12 do Ato Adicional, que proíbe às Assembleias Provinciais a legislação sobre O imposto de importação. Aqui a disputa não envolve a indeterminação do texto, como se deu no §5º do art. 10, mas o próprio conceito de importação (que parecia estar fora de disputa) e a possibilidade de tributar transações e movimentações desses bens em momentos subsequentes à importação.

Note-se, inicialmente, que os impostos incidentes sobre o comércio exterior representavam a maior parcela da renda geral.

Segundo Tavares Bastos[44] (1870), "entre os anos de 1838 e 1861, a receita do governo federal quase assentava em dois capítulos únicos: importação e venda de terras públicas". A título de exemplo, no balanço de 1840-1841, a receita tem a seguinte procedência:[45]

Direitos de importação...............10.182:536$954
Direito de exportação................. 2.958:619$667
Despacho marítimo.................... 591.617$174
Interior.. 1.860.563$764
Extraordinário.......................... 717.237$849

É nítida a relevância da receita de importação; e presumível o vigor empreendido pelo Governo Geral para afastar o avanço provincial sobre a tributação de bens importados.

O Visconde do Uruguay, em sua obra *Estudos práticos sobre a administração das províncias no Brasil*, reúne e examina diversas leis provinciais questionadas quanto à inobservância do art. 12 do Ato Adicional, dadas por inconstitucionais pelo Conselho de Estado, decisões muitas delas corroboradas pelo autor (outras, não).

Tavares Bastos opõe-se à doutrina do Conselho e à avaliação de Uruguay sobre a nocividade dessas leis provinciais:

> As taxas de entrada nas alfândegas constituem certamente renda peculiar do governo nacional, único autorizado para legislar sobre o comércio; mas o caráter exclusivo deste direito é razão suficiente para entendê-lo em sentido literal, sem ampliações exageradas e confusões intencionais. Entretanto, em muitas das decisões referidas, aliás sem a devida

---

[44] A Provincia, p. 341.
[45] Castro Carreira (Historia Financeira e Orçamentária do Império do Brazil, 1889, p. 230).

critica, pelo Visconde do Uruguai (§§ 208 e seguintes), se notam claramente estes dois vícios gerais: - apreciação incorreta da natureza do imposto criado pelas Assembleias; exageração sistemática dos inconvenientes das leis que o votaram.[46]

Três casos apontados por ele serão discutidos: (a) a taxa municipal de 80 réis sobre a carga de gêneros que entrassem em um município para nele serem consumidos – caso do Rio Grande do Norte: aviso de 13 de julho de 1860; (b) a taxa de 1$000 sobre o barril de pólvora despachado para vender-se – Bahia: aviso de 30 de novembro de 1849; (c) as contribuições das tavernas de espíritos fortes ou vinhos – Bahia: consulta de 18 de março de 1859.

No primeiro caso, entendeu o Conselho de Estado que "era duvidoso o direito com que a Assembleia provincial do Rio Grande do Norte decretara na sua lei do orçamento municipal de 1859 o imposto de 80 réis sobre cada carga que entrasse no município com gêneros para serem vendidos, visto que tal imposto era de importação no município".[47]

No segundo, lei provincial da Bahia decretou a favor da Câmara Municipal da Capital a imposição de 1$000 por cada barril de pólvora despachado pela Polícia. O Conselho de Estado entendeu que a imposição fora decretada "com manifesta infração das disposições dos arts. 12 e 20 do ato adicional, por ser em realidade um imposto de importação e ofensivo dos impostos gerais".[48]

No terceiro, a Assembleia Provincial da Bahia lançou impostos sobre as casas que vendessem "espíritos fortes ou vinhos". O relator do caso foi o Visconde do Uruguay. Nesse caso, em síntese, o Conselho de Estado sustentou:

> Que ela (a taxa) vinha evidentemente afetar e recair sobre gêneros que pagam direitos de importação para os cofres gerais. Ora, se fosse permitido às Assembleias provinciais impor nos gêneros estrangeiros, ainda mesmo depois da saída das Alfândegas onde pagam direitos gerais de importação, poderiam os impostos provinciais causar considerável diminuição na importação e portanto nos impostos gerais que Ela produz. Se aquelas Assembleias tivessem o direito de impor, teriam o direito de impor muito, e, portanto, teriam a faculdade de reduzir e aniquilar o consumo, e o imposto geral correspondente.[49]

Tavares Bastos discordava dos pareceres do Conselho de Estado,[50] por entender que havia manifesta confusão "em considerar imposto de importação o que é taxa sobre o consumo local de certos gêneros". Para ele, "em toda a parte do mundo as corporações municipais cobraram e cobram tributos semelhantes. Compreende-se que, criando contribuições dessa natureza, hajam elas de consultar os interesses do consumidor, e evitem as taxas proibitivas, que são contrárias aos tratados".

No terceiro caso, a manifestação do Conselho de Estado expressa sua doutrina: não podiam recair sobre gêneros estrangeiros imposições provinciais ainda que após saídos da Alfândega onde pagaram "direitos gerais de importação". As razões para tal

---

[46] A Provincia, p. 344-345.
[47] Visconde do Uruguay (Estudos Práticos sobre a Administração das Províncias no Brasil, 1865, p. 259).
[48] Estudos Práticos sobre a Administração das Províncias no Brasil, p. 261.
[49] Estudos Práticos sobre a Administração das Províncias no Brasil, p. 263.
[50] Tavares Bastos (A Provincia, 1870, p. 345).

conclusão não eram realmente jurídicas, mas financeiras. As imposições provinciais poderiam elevar o preço do gênero importado a ponto de reduzir o seu consumo e, por consequência, reduzir o imposto de importação (principal renda do Governo Geral).

Contudo, certamente não haveria interesse da província em tributar excessivamente a circulação do gênero importado, arriscando indesejada redução do consumo. Tavares Bastos tocou exatamente nesse ponto, quando disse: "compreende-se que, criando contribuições dessa natureza, hajam elas de consultar os interesses do consumidor, e evitem as taxas proibitivas, que são contrárias aos tratados".

Temendo a perda de arrecadação e, eventualmente risco para tratados internacionais, o Conselho de Estado intentava afastar imposições tributárias provinciais reflexas sobre os gêneros importados, ainda que à custa de interpretação jurídica forçada que levava à proibição de as Assembleias Provinciais legislarem para além do que comportava a noção de importação, alcançando outras transações e movimentações subsequentes com esses produtos e as pessoas e entidades que as promoviam.

Um exemplo dessa linha de atuação, apresentado por Tavares Bastos, "é a memorável controvérsia sobre taxas itinerárias, erroneamente equiparadas a direitos de importação. Mandava uma lei do orçamento de Minas Gerais cobrar 4$ por cada animal, que entrasse com gêneros de comércio, e mais em proporção sendo o transporte em carro ou barco".[51]

Essa disposição da referida lei do orçamento foi revogada pela Assembleia Geral em 1845, mas tornou a ser incluída em leis orçamentárias posteriores, sob "incessantes reclamações do Conselho de Estado".[52]

Tal como no caso do Rio Grande do Norte (movimentação entre municípios), anteriormente mencionado, entendeu o Conselho de Estado que a movimentação de gêneros entre províncias significava "importação". Tavares Bastos relata que em 1853 Alves Branco tentou "dissipar a confusão em que assentara o precipitado juízo do parlamento" (refere-se à decisão da Assembleia Geral de revogar a mencionada disposição da lei do orçamento de Minas Gerais, em 1845). Alves Branco esclarecerá o sentido da palavra "importação", bem como o sentido de um "imposto de importação", o qual se impunha apenas às mercadorias que vinham do estrangeiro.

Uruguay relata com mais detalhes a posição de Alves Branco, externada quando da apreciação de consulta pela Seção de Fazenda do Conselho de Estado, do qual era membro, sobre duas leis orçamentárias de Minas Gerais, dos anos de 1851 e 1852, que estabeleciam, novamente, taxas itinerárias.

A maioria da seção entendeu que as disposições daquelas leis sobre taxas itinerárias "envolvem gravíssimas imposições acerca de importação de gêneros da Província, o que é expressamente vedado pela lei de 12 de agosto de 1834 [Ato Adicional]". Sustentava a maioria que as imposições não poderiam ser consideradas taxas itinerárias porque "das exceções que se notam nos próprios parágrafos que as estabelecem, conhece-se que o fim da imposição é de a fazer recair unicamente na entrada dos gêneros de fora da

---

[51] Visconde do Uruguay (Estudos Práticos sobre a Administração das Províncias no Brasil, 1865, p. 269), "a lei provincial de Minas Gerais nº 275, com data de 15 de Abril de 1844, estabeleceu direitos de entrada, e impôs a quantia de 4$000 em cada um animal, que importasse gêneros de outras províncias, não sendo de produção das limítrofes".

[52] Tavares Bastos (A Provincia, 1870, p. 346-347).

Província, e não no trânsito das estradas"; e que, "não fazendo o ato adicional diferença de importação, não é senão a Assembleia Geral a quem compete entender; enquanto isso não fizer, o executor deve tomá-la no rigor de sentido".[53]

Se de um lado parecia caber razão à maioria quanto à finalidade da imposição, de outro essa razão era difícil de reconhecer-lhe quanto a se qualificar a imposição como "imposto de importação", na forma como divergiu o conselheiro Alves Branco, conforme Tavares Bastos (1870):

> Nos §§1º, 2º, 3º e 4º não via direito algum de importação, palavra que nas nossas leis deve dar-se a mesma significação que tinha nas antigas, e não uma extensíssima e arbitrária, como depois se lhe tem querido dar. Os direitos que se pagavam nos antigos registros e passagens da Província tinham diversos nomes, mas nunca se chamaram direitos de importação; só designavam as rendas que se deduziam do valor das mercadorias na sua primeira introdução no Império, vindas de países estrangeiros [...].
>
> As taxas que impôs Minas, São Paulo, etc., em bestas que aí entram, são verdadeiras taxas itinerárias que antigamente já existiam, e seria muito fora de razão que os comerciantes que negociam em animais pelas províncias, usassem o estragassem as estradas sem nada pagar pelo seu concerto; o que se pretende impedir de província a província está-se pagando de uma rua para outra, aqui mesmo dentro da capital.[54]

Fundado nessa argumentação, critica a posição do Conselho e conclui: "Acaso, porém, padece dúvida que o que está proibido às assembleias é o imposto de importação, que literalmente significa direito de *entrada no império*?".

Visconde do Uruguay, conforme interpretou Tavares Bastos, estava inclinado a reconhecer a justiça de consentir esse imposto às tais províncias, "para com o produto dele construírem e beneficiarem estradas, ou melhorarem a navegação de rios", e a admitir taxas itinerárias sobre produtos de outras províncias ou de outros municípios, mas não a admiti-las sobre "mercadorias estrangeiras remetidas da província onde entraram primeiramente para outra central ou interior".

Uruguay[55] (1865) desenvolve, neste caso, uma argumentação (quase toda extrajurídica) em favor da Província de Minas Gerais, e por consequência, de outras, que destoa de outras partes de seu pensamento exposto em sua obra de 1865. Pergunta: "As taxas lançadas sobre animais e veículos que transportam gêneros para com seu produto construir ou beneficiar estradas, ou para a navegação de rios, entram na categoria de impostos de importação? Que condições devem ter?".

Em sua exposição, reconhece que a divisão de rendas estabelecidas pela lei de 1835 deixou certas Províncias sem os recursos necessários ao seu desenvolvimento, sem opções sobre fazer imposições, e julga ser inconveniente privá-las desse tipo de imposição, porque fundamental para propiciar-lhes recursos, concluindo por manter o questionamento sobre se a taxa itinerária seria mesmo um imposto de importação:

---

[53] Estudos Práticos sobre a Administração das Províncias no Brasil, p. 273.
[54] A Provincia, 346-347.
[55] Estudos Práticos sobre a Administração das Províncias no Brasil, p. 281-283.

Esta questão é vital e da maior importância, principalmente para certas Províncias centrais, mal aquinhoadas na divisão de rendas que estabeleceu a lei de 1835. Que importa, por exemplo, que a Província de Minas Gerais seja tão fértil, que tenha uma população econômica, inteligente, industriosa e geralmente morigerada, se a partilha de rendas feitas em 1835 apenas lhe deixou meios para vegetar estacionaria? Coberta de povoações todas decadentes, Ela não pode conservar sem capitais, e não os tem, nem de onde os haver.

Quase não tem sobre o que impor. Se com o fundamento de que são impostos de importação, forem certas províncias privadas do recurso de levantar fundos por meio de taxas sobre as estradas que fizerem ou melhorarem, para emprega-los em novos melhoramentos ou na sua conservação, onde hão de ir buscar meios, e ponto de apoio para se erguerem do estado em que estão? [...] O animal de carga que entra em uma Província não entra ordinariamente vazio. Leva alguma carga. A taxa lançada sobre ele pelo uso da estrada, é necessariamente imposto de importação?

Sem adotar posição expressa, sinaliza a direção que tomaria, pragmaticamente: "o objeto facilmente transportado por um bom caminho chega mais barato ao seu destino, embora pague taxas razoáveis, do que levado de graça por atoleiros, molhado e perdido pelas águas e lamas, com perda de animais, cada vez mais caros".

Para Tavares Bastos, as imposições sobre importação eram constitucionais, mas havia cautelas a adotar, dados os inconvenientes econômicos da tributação excessiva:

Nossa intenção não é repelir limites razoáveis à faculdade das assembleias, mas combater as invasões do governo central. Todos os poderes são limitados; no assunto que nos ocupa, é mister, como nos demais, fazer emprego prudente dos limites naturais traçados ao poder provincial. Não votem as assembleias taxas proibitivas, ou que diretamente restrinjam o consumo, e, portanto, a importação de mercadorias nas alfândegas.

Não prejudiquem a outras províncias cobrando taxas excessivas de mercadorias em trânsito por seu território. Não ofendam a igualdade de tratamento estipulada em convenções internacionais. Não estorvem a livre circulação dos produtos, não esqueçam a solidariedade dos interesses municipais e provinciais; guardem, em suma, o princípio econômico da liberdade de permutas; e então suas tábuas de imposições não oferecerão sólido fundamento a queixas do governo central.

Ainda que tivessem ocorrido irregularidades em alguns atos, a situação não era de anarquia e excessos, como apregoado pelo Visconde do Uruguay, em obra que Tavares Bastos reputa "mui valiosa", e as confusões que se seguiram ao Ato Adicional originaram-se na visão reacionária do Conselho de Estado:

Se alguns atos menos regulares se encontram nas legislações provinciais, não nos parecem eles de suma gravidade, nem merecem o ardor com que são condenados. O estudo do assunto não convenceu-me de que haja suficiente motivo para exagerações que apavoram. Frequentemente se depara na aliás mui valiosa obra do Sr. Uruguay uma exclamação contra a incerteza e a anarquia em que laboramos na ausência de decisões da assembleia geral, a quem debalde tem sido afeto os pontos duvidosos.

Quanto a nós, as medidas que pediram ao parlamento não fazem falta. Pediram-se na intenção de restrições infundadas; pediram-se muita vez para *interpretar* restrições claríssimas;

pediram-se para que o legislador renovasse golpes de estado parciais depois do valente golpe de estado de 1840. Se laboramos em confusão, gerou-a o conselho de estado; não fosse o propósito reacionário, e o ato adicional ir-se-ia interpretando curialmente, sem tornar-se amarga decepção um sistema inaugurado sob os mais lisonjeiros auspícios.

O imposto de exportação

A terceira temática relevante refere-se à possibilidade de as Províncias legislarem sobre imposto de exportação.

O Ato Adicional nenhuma restrição fazia às Assembleias Provinciais a esse respeito. No entanto, o Conselho de Estado em reiteradas vezes se opôs a essa tributação, posição suportada também pelo Visconde do Uruguay (1865),[56] para quem o Ato Adicional não foi omisso ao não vedar às Assembleias Provinciais a legislação sobre imposto de exportação; havia razões para permitir às Províncias tal imposição: "Mas talvez porque, na divisão da renda, tinha de ser dada às Províncias uma quota sobre a exportação dos gêneros de sua produção, e antolhava-se extremamente difícil dotá-las por outro modo, sem uma completa revolução no nosso sistema de impostos, foi aquela palavra – exportação – omitida".

Mas, apesar de "antolhar" essa razão de fundo, sinalizando que a intenção da Assembleia Geral ao reformar a Constituição de 1824 foi a de deixar que as Províncias tributassem a exportação (como forma de dotá-las de recursos), desenvolveu argumentação sustentando o oposto: o Ato Adicional vedava imposições provinciais sobre a exportação, pelas seguintes razões: (a) a Constituição dos Estados-Unidos determinou que os Estados não pudessem estabelecer, sem consentimento do Congresso, impostos não só de importação, como de exportação; (b) a razão política e econômica que se dá para os primeiros [importação] dá-se também para os segundos. A exportação estaria tão estreitamente relacionada com a importação, que seria indispensável que residisse na mesma mão o direito de regular uma e outra, para que pudesse haver um sistema econômico; (c) os impostos de exportação lançados pelas Assembleias Provinciais não podem deixar de afetar a importação e de ofender os impostos gerais que sobre ela recaem.

Se o Ato Adicional tivesse acrescentado à palavra importação a outra, exportação, como fez a Constituição dos Estados Unidos, "não haveria questão". Não o tendo feito, "resultaram grande confusão, excessos e abusos".

No âmbito do Conselho de Estado, três eram os argumentos principais recorrentes para invalidar leis provinciais. Primeiramente, o tributo acarretaria a redução do volume exportado e a arrecadação dos impostos gerais incidente sobre os produtos de exportação. Exemplo:[57]

> O Aviso de 7 de Agosto de 1840 declarou que a Lei nº 126 da Assembleia provincial de Santa Catharina prejudicava e ofendia os impostos gerais de exportação, e uma parte dos aplicados à amortização do papel moeda, porque onerando gravemente a exportação

---

[56] Estudos Práticos sobre a Administração das Províncias no Brasil, p. 283.
[57] Visconde do Uruguay (Estudos Práticos sobre a Administração das Províncias no Brasil, 1865, p. 230 e seguintes).

de alguns gêneros, e as lojas de armazéns, etc., faria diminuir a mesma exportação e o estabelecimento destas casas de negocio, e conseguintemente decrescer e muito a renda geral.[58]

Em segundo lugar, se reduzida fosse a exportação, reduzida também restaria a possibilidade de importação. Reduzida a importação, também seria reduzido o volume dos impostos gerais incidentes sobre os produtos importados em circulação. Exemplo:

> A lei da Assembleia da Província de S. Pedro do Sul de 30 de Novembro de 1855 lançou o imposto de 8% sobre a madeira de ipê exportada. O Aviso n.º 114 de 30 de Março de 1857, expedido ao Presidente da Província em virtude de Resolução Imperial de 15 de Novembro de 1856, tomada sobre Consulta da Seção de Fazenda do Conselho de Estado, declara aquela lei inconstitucional, por ser certo que a exportação regula a importação, mormente nos países agrícolas, e que o preço dos mercados da Europa sendo o regulador do mercado dos produtos de nossa indústria agrícola, tudo aquilo que pode afetar o valor permutável dos nossos produtos, afeta o seu mercado, e na mesma razão a importação e renda respectiva, e assim o Poder Legislativo que tivesse a faculdade de impor na exportação teria implicitamente a de regular a importação e de prejudica-la contra a letra do art. 10, §5º, e art. 12 (...).[59]

A terceira linha de argumentação refere-se à compreensão, tal como ocorrera no caso do imposto de importação, que a palavra exportação abrange tanto a acepção "exportação para fora do país" quanto "exportação de uma província para outra". Nesse caso, de tributação da movimentação de produtos de uma Província para outra (exportação interna), a fundamentação não poderia ser a mesma que se oferecia para a "exportação para o exterior".

Em consulta referente às leis provinciais de Alagoas e do Espírito Santo, de 1853, que estabeleciam imposições sobre gêneros exportados para fora da Província, constou da decisão do Conselho de Estado, considerando-as inconstitucionais, o seguinte excerto, que expressa fundamentação baseada na necessidade de evitar a rivalidade entre as Províncias (a questão era política):

> É indubitável que tais impostos recaindo sobre o consumo que daqueles gêneros fazem, atenta à generalidade com que são decretados, ofendem direitos que essencialmente nascem do grande princípio político, que faz das Províncias um só Estado, uma só Nação. Portanto para que se possa entender que o ato adicional apoia com os seus preceitos uma tal doutrina e prática seria mister crer que a mente daqueles legisladores constituintes não foi conservar as Províncias do Império Províncias irmãs, partes integrantes de um mesmo todo, formando uma e a mesma associação política, com interesses idênticos, e convergindo para um mesmo fim, mas sim fazer delas Estados encravados, independentes e rivais [...]

---

[58] A obra do Visconde do Uruguay não relata que essa e outras decisões similares tivessem sido tomadas com base em qualquer análise econômica, senão que baseadas unicamente na presunção subjetiva de que isso viria a ocorrer.

[59] Estudos Práticos sobre a Administração das Províncias no Brasil, p. 295-296.

ora, não sendo admissível tal suposição é evidente que não só a letra, mas o espírito do ato adicional se opõe ao direito que se arrogou a Assembleia provincial do Espírito Santo e outras de criar impostos de exportação.[60]

Tavares Bastos divergia com firmeza, no que se refere à exportação para o exterior, das manifestações do Conselho de Estado e da posição do Visconde do Uruguay.

Muito embora "nos Estados-Unidos nem o congresso, nem os estados podem tributar a exportação",[61] nesse país o sistema tributário fundava-se em rendas interiores e impostos diretos, o que não era o nosso caso, razão pela qual o Ato Adicional deixou de proibir a tributação da exportação pelas províncias (tal como aventara Uruguay). Assim, entendia que não se podia vedar às Assembleias provinciais tal imposição:

> A adoção deste princípio [da não tributação das exportações] era singularmente favorecida nos Estados-Unidos pelo sistema de imposto a que já aludimos [tributação direta]. Desistindo dessa renda, o governo federal e os locais, para formarem as suas receitas recorriam ousadamente às imposições diretas. Era razoável que não tributasse a sua produção o povo que desde o começo se habituara a pagar uma taxa geral sobre a propriedade. [...] Nossas províncias achavam-se porventura nas condições dos Estados-Unidos, para de súbito converterem em um largo sistema financeiro esses variados fragmentos de receita, os dízimos, alcavalas, sizas e fintas, trasladados para seus orçamentos?

E, continua, "onde o ato adicional não distingue, não podemos nós introduzir distinções arbitrárias":

> No ato adicional, redigido aliás sob a influência das instituições norte-americanas, deixou-se mui sabiamente de transcrever a proibição que é expressa na lei dos Estados-Unidos. E bem adverte o Sr. Uruguay, omitiu-se a palavra – exportação, "talvez porque na divisão da renda tinha de ser dada às províncias uma quota sobre a exportação dos gêneros de sua produção, e antolhava-se extremamente difícil dotá-las por outro modo, sem uma completa revolução do sistema".
>
> Custa, entretanto, conceber que ainda se repute duvidosa a competência das assembleias para cobrarem essa taxa, e que o próprio autor citado julgue preciso o parlamento resolver si podem elas impor, não somente sobre a exportação para fora do império, mas de umas para outras províncias, ou de um município para outro da mesma. Quanto a nós, onde o ato adicional não distingue, não podemos nós introduzir distinções arbitrárias; o que ele não proíbe, não se poderia com justiça proibir às províncias.

Os impostos excessivos de exportação eram inconvenientes, reconhecia, mas o direito a essa renda das Províncias era claro e para a maior parte delas não havia outra mais abundante; era parte substancial do orçamento de todas as Províncias e,

---

[60] Estudos Práticos sobre a Administração das Províncias no Brasil, p. 291-292.
[61] Ressalva o autor (1870, p. 350): "Conquanto a constituição permitia aos estados, mediante consentimento do congresso, cobrar taxas de exportação e de ancoragem, a regra geral é não auferir renda dos produtos nacionais despachados, seja para o exterior, seja de um para outro estado da União".

em algumas, representava dois terços da receita.⁶² Essa tributação, em vez de ter sido atacada pela sua inconveniência econômica, o foi pelo lado da legalidade, mas o direito das Províncias "é, com efeito, tão patente que o não contrariam os próprios delegados do governo central".⁶³

A dupla imposição na exportação não deveria continuar, mas sua solução era oposta à da doutrina do Conselho de Estado e do Visconde do Uruguay:

> Deve, porém, continuar a simultânea imposição de um tributo geral e outro provincial sobre os produtos nacionais? Eis aí uma questão que, em nosso entender, há de solver-se de modo oposto à da doutrina do conselho de estado. É forçoso reconhecer que alguns produtos encontram-se sobrecarregados [...] É o governo central, porém, que, em vez de disputá-lo às províncias, devera dar o exemplo de renunciar ao imposto de importação. Fora este o mais curto caminho para totalmente aboli-lo.⁶⁴

Consistente com sua posição liberal no comércio exterior, Tavares Bastos sustentava a abolição do imposto de exportação, mas isso devia ocorrer gradualmente, à medida que fosse sendo instituído um sistema de imposições diretas e, uma vez "abertos novos títulos de receita pública, a necessidade a que logo cumpria atender era a abolição da taxa geral sobre os produtos exportados". Assim, concluía:⁶⁵ "sendo preciso prorrogá-lo até que o substituam contribuições diretas, o imposto de exportação se reserve para as províncias, suprimida essa verba da receita geral".

3 Centralização e descentralização: Visconde do Uruguay e Tavares Bastos

Tavares Bastos e Visconde do Uruguay foram juristas e políticos e em suas obras posicionavam os problemas jurídicos envoltos em debates políticos, econômicos e sociológicos. Ambos estudaram na faculdade de Direito de São Paulo. Suas obras e suas vidas refletem a formação acadêmica que receberam.

Coser (2008) descreve a formação que aquela faculdade propiciava, ressaltando que "a ênfase do curso recaía na preparação de quadros para o Estado, formando homens que pudessem desempenhar as funções de juiz de direito, bem como de deputado/senador ou ministro" e que o "curso de Direito enfatizava a forma de juristas políticos empenhados na construção de um país":

> A faculdade de Direito de São Paulo havia sido criada em 1827, juntamente com a faculdade de Olinda. Nos Estatutos da Universidade, escritos pelo Visconde de Cachoeira, eram colocados os objetivos do novo curso jurídico: "[...] formar homens hábeis para serem um dia sábios magistrados e peritos advogados [...] e outros que possam vir a ser dignos Deputados e Senadores para ocuparem os lugares diplomáticos e mais empregos do

---

⁶² Tavares Bastos (A Provincia, 1870, p. 352).
⁶³ A Provincia, p. 351-352.
⁶⁴ A Provincia, p. 353.
⁶⁵ A Provincia, p. 364.

Estado" [...]. O curso durava cinco anos. [...] Deve se notar a ausência da cadeira do Direito Administrativo, tema ao qual Paulino dedicará seu grande trabalho intelectual.

Tal carreira será introduzida no curso somente em 1854. Observe-se, também, a presença da cadeira de economia política com a leitura de autores como Sismondi, Say, Adam Smith e Malthus, típicos representantes das ideias liberais [...] A ênfase do curso recaía na preparação de quadros para o Estado, formando homens que pudessem desempenhar as funções de juiz de direito, bem como de deputado/senador ou ministro; ficando em segundo plano a formação de advogados que representassem conflitos entre os indivíduos ou destes para com o Estado (*idem*). Como observou Werneck Vianna, o curso de Direito formava o jurista-político [...] O curso de Direito enfatizava a formação de juristas-políticos empenhados na construção de um país. Este seria uma obra a ser levada a cabo por um Estado, que por sua vez estava inscrito nos padrões de uma modernidade que não encontrava respaldo na sociedade civil.

O pensamento do Visconde do Uruguay

Visconde do Uruguay[66] defendia a centralização do Império contra a descentralização promovida pelo Ato Adicional de 1834 em favor das Províncias. Considerava as lideranças provinciais como facções que se enfrentavam em garantia da obtenção e manutenção do poder: "A História narra longamente as seculares e porfiadas lutas que a Realeza teve de sustentar para chegar a unidade e a centralização do Poder absoluto e talvez tirânico em muitos países e épocas, porém preferível ao poder também absoluto e tirânico de muitos tiranetes. O poder tirânico que está perto é mais insuportável do que o que está longe".

Entendia que a qualidade essencial da civilização moderna era a unidade e a centralização, que havia começado "somente do décimo século por diante, com a fusão dos elementos cristão e germânico".[67]

Dizia que a centralização era a "unidade da Nação e a unidade do poder" e que a centralização supõe uniformidade, unidade e concentração: "Parece-me, porém, fora de dúvida que a centralização supõe uniformidade, unidade e concentração, que podem ser maiores ou menores. São coisas que têm ligação íntima. Quem centraliza concentra. Quem centraliza e concentra une".[68]

É da essência de seu pensamento a diferenciação entre centralização política (ou governamental) e centralização administrativa. A primeira refere-se às relações externas, aos interesses comuns da todas as partes da Nação e a formação das leis gerais (e outras funções). A segunda, aos interesses especiais de certas partes da Nação:

> Porquanto há interesses que são comuns a todas as partes da Nação, bem como a formação das leis gerais, os que prendem as relações externas, etc. Há outros que são especiais a certas partes da Nação [...] Concentrar em um mesmo lugar ou na mesma mão o poder de dirigir os primeiros, é fundar o que se chama de centralização política ou governamental.

---

[66] Ensaios sobre o direito administrativo, 1862, p. 162.
[67] Ensaios sobre o direito administrativo, p. 161.
[68] Ensaios sobre o direito administrativo, p. 165.

Concentrar do mesmo modo o poder de dirigir os segundos, é fundar o que se chama centralização administrativa [...] "A centralização política é essencial" [...] O Poder Executivo "quer considerado como Poder político, quer como administrativo, deve ter concentrada em si quanta força for indispensável para bem dirigir os interesses comuns confiados a sua guarda e direção".[69]

Reconhecia que não era possível definir com clareza o que seriam os interesses comuns ou gerais e o que seriam os interesses locais. Essa linha demarcatória dependeria das circunstâncias de cada país. A maior ou menor descentralização dependeria dessas circunstâncias, em particular "a semelhança dos elementos sociais":

> A maior ou menor centralização ou descentralização depende muito das circunstâncias do país, da educação, hábitos, o caráter nacional, e não somente da legislação. Uma nação acostumada por muito tempo ao gozo prático de certas liberdades locais; afeita a respeitar as suas leis e os direitos de cada um; que adquiriu com a educação e o tempo aquele senso pratico que é indispensável para tratar os negócios; que tem a fortuna de possuir aquela unidade, mais profunda e mais poderosa, que a que dá a simples centralização das instituições, a saber a que resulta da semelhança dos elementos sociais; essa nação pode sem inconveniente dispensar em maior número de negócios a centralização. Estas breves considerações explicam por que a descentralização na Inglaterra e nos Estados-Unidos não produz os inconvenientes, que [...] infalivelmente produziria em outros países.[70]

Ao falar sobre as razões que levaram ao Ato Adicional de 1834, apontava que houve reação provincial à excessiva centralização no Poder Central, que ele reconhecia, mas a reação descentralizadora, em contraposição, fora excessiva:

> Havia nas ideias e aspirações dessa época um fundamento exagerado, porém no fundo verdadeiro. A instituição dos Conselhos Gerais, segundo a Constituição, não repartira com as Províncias aquela quantidade de ação indispensável para que pudessem prover eficazmente a certas urgentes necessidades administrativas locais. Nada se aviava por si nas Províncias, como que condenada ao suplício de Tantalo. Tudo por fim dependia do centro, ainda que mínimo e insignificante fosse. A centralização administrativa era excessiva, e era isso tanto mais sensível, porque estava tudo por criar e fazer, e esperavam todos maravilhas. [...]
>
> Cumpria soltar mais os braços as Províncias, para providenciarem com eficácia sobre o que fosse peculiar as suas localidades e urgências administrativas, sem cortar ou enlear os grandes laços que as devem unir. Mas a reação descentralizadora que se seguiu ao 7 de Abril, em ódio ao Poder central, excedeu-se muito e teria acabado com ele, e portanto com a união das Províncias, se não houvesse sido contida e reduzida a tempo.[71]

Nesse ponto, evidencia-se que o sentido da reforma da legislação (o Regresso) e da ação do Conselho de Estado era dirigido com o objetivo de reduzir o espaço da descentralização e do poder provincial, aí incluído, necessariamente, o poder tributário.

---

[69] Ensaios sobre o direito administrativo, p. 167-168.
[70] Ensaios sobre o direito administrativo, p. 174.
[71] Ensaios sobre o direito administrativo, 1862, p. 194 e ss.

Aceitava-se uma descentralização administrativa, mas não a governamental:

> [...] era indispensável que essa descentralização fosse meramente administrativa, e não embaraçasse a direção política dos Poderes Gerais, que não pode deixar de ser única: nem lhe é possível que hajam tantas políticas quantas Assembleias Provinciais. Seria uma completa anarquia.[72]

Uruguay avaliava que os sistemas descentralizados de governo e administração de países como os Estados Unidos e a Inglaterra não poderiam ser utilizados no Brasil, pois "não tínhamos como a formaram os ingleses por século, como a tiveram herdada os Estados-Unidos, uma educação que nos habilitasse praticamente para nos governarmos nós mesmos; não podíamos ter adquirido os hábitos, e o senso prático para isso necessários".[73]

O pensamento de Tavares Bastos

Tavares Bastos, ao contrário dos centralizadores, não via a descentralização como uma questão administrativa. A descentralização era "o fundamento e a condição de êxito de quaisquer reformas políticas e o sistema federal a base sólida de instituições democráticas".[74]

A expansão das forças individuais está na base do progresso social, afirmava.

Assim, "como se não há de condenar o sistema político que antepõe ao indivíduo o governo, a um ente real um ente imaginário, da responsabilidade pessoal, a influência estranha da autoridade acolhida sem entusiasmo ou suportada por temor?"[75] À doutrina que julgava que a cultura social do país não permitia a descentralização na direção do *self government*, mas, ao contrário, requeria a tutela estatal, endereçava forte críticas:

> Não são franquezas locais e liberdades civis, que nos faltam, dizem alguns; falta ao povo capacidade para o governo; máxima com que os conservadores atiram para o mundo das utopias as ideias democráticas. Não desconhecemos o valor de uma péssima educação histórica, que, sem preparar os povos para a liberdade, cerca de perigos formidáveis as instituições novas. Duplo é, sem dúvida, o crime do despotismo: ensanguentando ou esterilizando o passado, embaraça o futuro. [...]
>
> Negam ao país aptidão para governar-se por si, e o condenam por isso à tutela do governo. É pretender que adquiramos as qualidades e virtudes cívicas, que certamente nos faltam, sob a ação estragadora de um regime de educação política que justamente gera e perpetua os vícios opostos. Toda tutela prolongada produz infalivelmente uma certa incapacidade, e esta incapacidade serve de pretexto para continuar a tutela indefinidamente. E demais, esses tutores que nos são impostos, donde saem?[76]

---

[72] Ensaios sobre o direito administrativo, p. 203.
[73] A Província, 1870, p. 163.
[74] A Província, prefácio, p. VI-VII.
[75] A Província, p. 5.
[76] A Província, p. 32-33.

A centralização, de outro lado, inibiria o desenvolvimento de instituições provinciais e municipais das quais o país depende, ao mesmo tempo em que sobrecarrega o Governo Central com tarefas das quais não consegue se desembaraçar:

> Na estufa da centralização não se desenvolvem as aptidões. Os verdadeiros estadistas, os hábeis administradores, como generais em campos de batalha, formam-se na luta incessante de uma existência agitada. Duas coisas se percebem logo na triste situação do Brasil: isolado na nação, esmagado por uma carga superior às suas forças, o governo, longe de desembaraçar-se de tarefa tão gigantesca, reparte-a com agentes incapazes.
>
> Não bastaria despojar o poder executivo central de certas atribuições parasitas; fora preciso fundar em cada província instituições que eficazmente promovam os interesses locais. É o programa deste livro, inspirado por um estudo sincero sobre o Ato Adicional. [...] Permitindo a expansão de todas as aptidões, de todas as atividades, de todas as forças, o sistema federativo é sem dúvida a maior das forças sociais.[77]

Do estudo de suas principais obras, compreende-se que o pensamento federalista de Tavares Bastos está centrado na noção de um cidadão politicamente consciente, social e economicamente ativo (construtor da ordem social), à qual se associam as ideias de liberdade de empreender, de limitação do poder estatal central, de autonomia político-normativa das províncias para definirem e buscarem os meios de atenderem seus interesses, bem como em uma concepção de interesse nacional elaborado e percebido a partir da conciliação dos interesses provinciais.

Conclusão

Tavares Bastos e Visconde do Uruguay, com concepções divergentes da organização político-estatal, escreveram obras críticas e propositivas, que associam teoria, análise da realidade e estudos comparados.

Suas posições sobre a repartição do poder tributário decorrente da interpretação do Ato Adicional de 1834, examinadas neste artigo, alinham-se às suas visões da repartição do poder político segundo a lógica do Estado unitário (com um poder central forte) ou da federação centrada nas províncias. O jurídico e o político se fundem em sua compreensão da concretização do Ato Adicional de 1834, como reflexo da formação jurídica propiciada pela Faculdade de Direito de São Paulo.

As mais relevantes e sensíveis questões de repartição de poder tributário no federalismo monárquico brasileiro pós-Ato Adicional, como as reportadas aqui, eram questões a serem resolvidas no corpo da Constituição e derivavam de uma regulação singela e assistemática demais para um tema central da organização estatal, cujas lacunas começaram a ser resolvidas[78] na Constituição de 1891.[79]

---

[77] A Província, p. 35; 37.
[78] Em parte, porque novas questões surgiriam da nova regulação constitucional, ainda que outras ficassem superadas.
[79] "Art. 7º - É da competência exclusiva da União decretar: 1º) impostos sobre a importação de procedência estrangeira; 2º) direitos de entrada, saída e estadia de navios, sendo livre o comércio de cabotagem às mercadorias nacionais, bem como às estrangeiras que já tenham pagado impostos de importação; Art. 9º- É da competência

Este artigo, realizado sobre pesquisa histórica, mostra as concepções de dois dos principais autores do século 19 sobre o relacionamento Governo Central / Províncias, **típico de um sistema federativo, envolvendo matéria tributária e outras questões fiscais**, em verdadeira interpretação constitucional, bem como a estreita vinculação entre seus pensamentos teóricos e pragmáticos sobre a estruturação do Estado brasileiro e a forma como utilizaram o conhecimento jurídico na interpretação do Ato Adicional de 1934 em consonância com as ideias que defendiam.

Como referido anteriormente, a dinâmica observada nas análises procedidas por Tavares Bastos e Visconde do Uruguay, em que aspectos hermenêuticos se fundem a avaliações pragmáticas de ordem econômica e social, coordenados pela concepção pessoal mais favorável à descentralização em direção aos governos subnacionais, ou, ao contrário, mais favorável à centralização, ao governo central, também é observada nas discussões no Supremo Tribunal Federal na resolução de controvérsias sobre a legislação concorrente pós-Constituição de 1988.

Esse modo de investigação é útil à compreensão dos fatores que conduzem à configuração de nosso federalismo, especialmente o federalismo fiscal, no qual se insere o federalismo tributário, parte do Ato Adicional de 1834 aqui analisada.

Estudos da mesma natureza podem ser procedidos, à luz da Constituição Federal e da atuação da União, restrita à produção de normas gerais, para analisar uma questão central ao federalismo fiscal (atribuição de receitas e encargos): quais são as concepções federativas vigentes no Supremo Tribunal Federal direcionadoras da interpretação das normas sobre a legislação concorrente nesse campo?

Boas razões explicativas das decisões da Corte Suprema do País poderão ser encontradas nesse tipo de pesquisa, que abordou a riqueza do pensamento de dois dos maiores juristas políticos do Império, e por meio dela poder-se-á compreender como o balanço e a evolução das concepções centralizadora e descentralizadora definem o desenho e o funcionamento do federalismo fiscal brasileiro, bem mais do que as teorias interpretativas que as envolvem.

Referências

BRASIL. SENADO FEDERAL. *Anais do Senado Federal*. Brasília: Senado Federal, Livro 5, 1823. Disponível em: http://www.senado.gov.br/publicacoes/anais/asp/IP_AnaisImperio.asp. Acesso em: 23 maio 2014.

BRASIL. *Lei de 12 de outubro de 1832*. Ordena que os Eleitores dos Deputados para a seguinte legislatura, lhes confiram nas procurações faculdade para reformarem alguns artigos da Constituição. Disponível em: LIM-12-10-1832 (planalto.gov.br). Acesso em: 15 maio 2024.

BRASIL. *Lei nº 16, de 12 de agosto de 1834*. Faz algumas alterações e adições à Constituição Política do Império, nos termos da Lei de 12 de outubro de 1832. Disponível em: LIM 16 (planalto.gov.br). Acesso em: 15 maio 2024.

---

exclusiva dos Estados decretar impostos: 1º) sobre a exportação de mercadorias de sua própria produção; 2º) sobre Imóveis rurais e urbanos; 3º) sobre transmissão de propriedade; 4º) sobre indústrias e profissões. [...]. §2º- É isenta de impostos, no Estado por onde se exportar, a produção dos outros Estados. §3º- Só é lícito a um Estado tributar a importação de mercadorias estrangeiras, quando destinadas ao consumo no seu território, revertendo, porém, o produto do imposto para o Tesouro federal. [...] Art. 11 - É vedado aos Estados, como à União: 1º) criar impostos de trânsito pelo território de um Estado, ou na passagem de um para outro, sobre produtos de outros Estados da República ou estrangeiros, e, bem assim, sobre os veículos de terra e água que os transportarem;".

BARACHO, José Alfredo de Oliveira. *Teoria geral do federalismo*. Rio de Janeiro: Forense, 1985.

BURKHEAD, Jesse. *Orçamento público*. Rio de Janeiro: Fundação Getulio Vargas, 1971.

CARREIRA, Liberato de Castro. *O Orçamento no Imperio*. Rio de Janeiro: Typographia Nacional, 1883.

CARREIRA, Liberato de Castro. *Historia Financeira e Orçamentária do Império do Brazil*. Rio de Janeiro: Imprensa Nacional, 1889.

COSER, Ivo. *O pensamento político do Visconde do Uruguai e o debate centralização e federalismo no Brasil (1822-1866)*, 2008. Disponível em http://www.plataformademocratica.org/Publicacoes/1031.pdf, acesso em: 22 maio 2014.

COSER, Ivo, O Conceito de Federalismo e a Ideia de Interesse no Brasil do Século XIX. *Revista de Ciências Sociais*, Rio de Janeiro, vol. 51, n. 4, p. 941-981, 2008.

DOLHNIKOFF, Miriam. *O pacto imperial*: origens do federalismo no Brasil do século XIX. São Paulo: Globo, 2005.

FERREIRA, Gabriela Nunes. *Centralização e descentralização no Império* – O debate entre Tavares Bastos e visconde de Uruguai. São Paulo: Editora 34, 1999.

LOPES, José Reinaldo de Lima. *As palavras e a lei*: direito, ordem e justiça na história do pensamento jurídico moderno. São Paulo: Editora 34 / Edesp, 2004.

OLIVEIRA, Weder de. *Curso de Responsabilidade Fiscal*: Direito, Orçamento e Finanças Públicas. 2. ed. Belo Horizonte: Fórum, 2015.

RUSSOMANO, Rosah. *O princípio do Federalismo na Constituição Brasileira*. São Paulo: Livraria Freitas Bastos S.A, 1965.

TAVARES BASTOS, Aureliano Candido. *A Provincia*: Estudo sobre a descentralisação no Brazil. Rio de Janeiro: B. L. Garnier, Livreiro-editor, 1870.

TAVARES BASTOS, Aureliano Candido *Cartas do Solitário*. São Paulo: Companhia Editora Nacional, 4ª edição, 1975 (feita sobre a 2ª edição de 1863).

VISCONDE DO URUGUAY. *Ensaio sobre o Direito Administrativo*. Rio de Janeiro: Typographia Nacional, 1862, Tomo II.

VISCONDE DO URUGUAY. *Estudos Práticos sobre a Administração das Províncias no Brasil*. Rio de Janeiro: B. L. Garnier, 1865.

Informação bibliográfica deste texto, conforme a NBR 6023:2018 da Associação Brasileira de Normas Técnicas (ABNT):

OLIVEIRA, Weder de. A influência das concepções centralizadora e descentralizadora na configuração do federalismo tributário: o caso do Ato Adicional de 1834, as interpretações de Tavares Bastos e do Visconde do Uruguay, e o federalismo monárquico no Brasil Império. In: JUSTEN, Monica Spezia; PEREIRA, Cesar; JUSTEN NETO, Marçal; JUSTEN, Lucas Spezia (coord.). *Uma visão humanista do Direito*: homenagem ao Professor Marçal Justen Filho. Belo Horizonte: Fórum, 2025. v. 2, p. 931-959. ISBN 978-65-5518-916-2.

SOBRE OS AUTORES

Alécia Paolucci Nogueira Bicalho
Advogada. Consultora em contratações públicas, infraestrutura e regulatório.

Alexandre Aroeira Salles
Advogado. Doutor (PUC-SP) e Mestre (UFMG) em Direito Administrativo. Ex-professor de Direito Constitucional, Administrativo e Tributário. Palestrante e pesquisador acadêmico.

Alexandre Wagner Nester
Doutor em Direito do Estado pela USP. Mestre em Direito do Estado pela UFPR.

Ana Lúcia Barella
Advogada. Professora. Doutoranda em Direitos Fundamentais e Democracia (UNIBRASIL). Mestra em Direito Empresarial e Cidadania (UNICURITIBA), com especialização em Direito Educacional e em Privacidade e Proteção de Dados. Graduada em Letras e em Direito.

André Luiz Freire
Professor da Faculdade de Direito (Departamento de Teoria Geral do Direito) da Pontifícia Universidade Católica de São Paulo. Pós-doutor em Democracia e Direitos Humanos pela Universidade de Coimbra. Doutor (S.J.D.) em Teoria do Direito pela University of Virginia. Doutor e Mestre em Direito Administrativo pela PUC-SP. *Master of Laws* (LL.M.) pela University of Virginia. Sócio do Mattos Filho Advogados.

Andressa Lameu
Sócia do Escritório Kohl Advogados Associados, advogada tributarista do Escritório Kohl & Maia Advogados, especialista em Advocacia Tributária pela Universidade São Judas Tadeu (EBRADI) e Direito Público pela Faculdade CERS.

Betina Treiger Grupenmacher
Professora titular da Universidade Federal do Paraná. Pós-Doutora pela Universidade de Lisboa. Doutora pela UFPR, *Visiting Scholar* na Universidade de Miami. Sócia da Treiger Grupenmacher Advogados Associados.

Bradson Camelo
Procurador do Ministério Público de Contas da Paraíba, Mestre em Políticas Públicas pela Universidade de Chicago, Mestre em Direito Econômico pela UFPB e Mestre em Modelagem Matemática e Computacional pela UFPB.

Carolina Zancaner Zockun
Mestra e Doutora em Direito Administrativo pela PUC-SP, com pós-doutorado em Democracia e Direitos Humanos pelo Centro de Direitos Humanos da Universidade de Coimbra, em Portugal. Professora de Direito Administrativo na PUC-SP. Procuradora da Fazenda Nacional.

Caroline Vieira Barroso Sulz Gonsalves
Auditora de Controle Externo do Tribunal de Contas da União. Arquiteta e urbanista.

Cesar Pereira
Sócio sênior de Justen, Pereira, Oliveira & Talamini. Chartered Arbitrator (C.Arb) e Fellow do Chartered Institute of Arbitrators (FCiarb). Doutor em Direito Administrativo pela Pontifícia Universidade Católica de São Paulo (PUC-SP).

Christianne de Carvalho Stroppa
Professora Doutora e Mestra pela PUC-SP. Ex-Assessora de Gabinete no Tribunal de Contas do Município de São Paulo. Membra associada do Instituto Brasileiro de Direito Administrativo (IBDA). Professora convidada das pós-graduações em licitações e contratos da Coordenadoria Geral de Especialização (COGEAE) da PUC-SP, da PUCPR, da Escola Mineira de Direito, da Faculdade Polis Civitas, da Faculdade Baiana de Direito e do Complexo de Ensino Renato Saraiva. Advogada e consultora.

Clèmerson Merlin Clève
Professor titular das Faculdades de Direito da UFPR e do UniBrasil Centro Universitário.

Daniel Ferreira
Pós-doutor em Democracia e Direitos Humanos pelo *Ius Gentium Conimbrigae* (IGC/FDUC). Doutor e Mestre em Direito do Estado (Direito Administrativo) pela PUC-SP. Professor e coordenador do PPGD-UNINTER. Parecerista, consultor, árbitro, mediador e advogado.

Dinorá Adelaide Musetti Grotti
Doutora e Mestra pela PUC-SP. Professora aposentada de Direito Administrativo da PUC-SP. Procuradora aposentada do Município de São Paulo. Advogada.

Edgar Guimarães
Pós-Doutor em Direito pela Università del Salento (Itália). Doutor e Mestre em Direito Administrativo pela PUC-SP. Bacharel em Ciências Econômicas pela FESP/PR. Professor no curso de pós-graduação da Pontifícia Universidade Católica do Paraná e da Escola Paranaense de Direito. Consultor jurídico (aposentado) do Tribunal de Contas do Estado do Paraná. 2º Vice-Presidente do Instituto Brasileiro de Direito Administrativo. Advogado e árbitro.

Edson Kohl Junior
Especialista em Direito Público e Direito Eleitoral. Ex-assessor jurídico da Comissão de Relações Exteriores e Defesa Nacional do Senado Federal, ex-assessor jurídico do Parlamento do Mercosul e do Parlamento Amazônico. Advogado.

Estefânia Maria de Queiroz Barboza
Professora de Direito Constitucional da UFPR e do Centro Universitário Uninter. Mestra e Doutora em Direito pela PUCPR, com período sanduíche na Osgoode Hall Law School (York University, Canadá). Menção Honrosa no Prêmio Capes de Tese de 2012. Professora pesquisadora do Centro de Estudos da Constituição da UFPR (CCons).

Fernanda Bernardo Gonçalves
Mestra em Direito pela Universidade Federal do Paraná. Procuradora do Estado do Paraná. Assessora de Ministro no Supremo Tribunal Federal.

Fernanda Guimarães Hernandez
Doutora em Ciências com especialização em Direito Econômico e Financeiro pela Faculdade de Direito da Universidade de São Paulo (2010). Pós-graduada em Advocacia nos Tribunais Superiores, pelo Centro de Especialização, Aperfeiçoamento e Extensão do Centro de Ensino Unificado de Brasília (CESAPE/UniCEUB). Advogada.

Fernando Borges Mânica
Doutor em Direito do Estado pela USP. Mestre em Direito pela UFPR. Professor do Mestrado em Direito da Universidade Positivo. Advogado, especialista em Direito Administrativo, Terceiro Setor e Saúde. Procurador do Estado. Presidente da Comissão de Direito do Terceiro Setor da OAB Paraná. Presidente da Comissão de Saúde do Instituto Brasileiro de Direito da Saúde.

Fernando Vernalha Guimarães
Doutor e Mestre em Direito do Estado (UFPR). Foi pesquisador visitante na Columbia University School of Law (EUA, NY, 2017). Advogado e consultor na área do direito público.

Fernão Justen de Oliveira
Doutor em Direito do Estado pela Universidade Federal do Paraná. Mestre em Direito Privado pela Universidade Federal do Paraná. Sócio de Justen, Pereira, Oliveira e Talamini.

Flávia Treiger Grupenmacher
Mestranda em Direito Financeiro pela Universidade de São Paulo. Especialista em Direito Tributário pelo Instituto Brasileiro de Estudos Tributários IBET. Sócia da Treiger Grupenmacher Advogados Associados.

Flávio Amaral Garcia
Doutor pela Universidade de Coimbra. Professor de Direito Administrativo da Fundação Getúlio Vargas do Rio de Janeiro. Procurador do Estado do Rio de Janeiro. Counsel do Escritório Tauil & Chequer Advogado associado a Mayer Brown.

Gabriela Verona Pércio
Mestre em Gestão de Políticas Públicas. Vice-presidente do Instituto Nacional da Contratação Pública (INCP). Professora convidada das pós-graduações em licitações e contratos do Instituto Goiano de Direito, da Escola Mineira de Direito e da Faculdade Polis Civitas. Advogada e consultora.

Guilherme Carvalho
Doutor em Direito Administrativo e Mestre em Direito e Políticas Públicas. Ex-Procurador do Estado do Amapá e advogado do escritório Guilherme Carvalho & Advogados Associados. Bacharel em Administração.

Guilherme Reisdorfer
Doutor em Direito do Estado pela USP. Advogado.

Gustavo Binenbojm
Professor titular de Direito Administrativo da Faculdade de Direito da Universidade do Estado do Rio de Janeiro (UERJ). Doutor e Mestre em Direito Público pela UERJ. *Master of Laws* (LL.M.) pela Yale Law School. Procurador do Estado do Rio de Janeiro e advogado. Membro da Academia Brasileira de Letras Jurídicas.

Gustavo Buss
Doutorando em Direito na Universidade Federal do Paraná. Pesquisador do Centro de Estudos da Constituição (CCONS-UFPR). Secretário Executivo do Observatório para Monitoramento dos Riscos Eleitorais no Brasil (DEMOS). Diretor de Tecnologia da Sociedade Internacional de Direito Público (ICON-S).

Gustavo Kaercher Loureiro
Doutor em Direito pela Universidade Federal do Rio Grande do Sul. Professor de Direito Administrativo da Faculdade de Direito da Universidade de Brasília entre 2007-2014. Professor do mestrado profissional da Escola de Direito da Fundação Getúlio Vargas. Pesquisador sênior do Centro de Estudos de Regulação de Infraestruturas (CERI) da Fundação Getúlio Vargas RJ. Advogado.

Ingo Wolfgang Sarlet
Doutor em Direito pela Universidade de Munique, professor titular e coordenador do programa de pós-graduação em Direito da Escola de Direito da PUCRS. Desembargador aposentado do Tribunal de Justiça do Estado do Rio Grande do Sul. Advogado e parecerista.

Jorge Antônio de Oliveira Francisco
Ministro do Tribunal de Contas da União. Bacharel em Direito e especialista em Direito Público.

Jorge Ulisses Jacoby Fernandes
Mestre em Direito Público pela Universidade Federal de Pernambuco. Professor de Direito Administrativo. Diretor-Presidente da Jacoby Fernandes & Reolon Advogados Associados, consultor cadastrado no Banco Mundial, membro da Associação de Imprensa de Brasília (AIB), da Federação das Associações de Imprensa do Brasil (FENAI), da Comissão Especial de Defesa da Federação na OAB Nacional e membro honorário do IDAMS, do IADA e do INCP. Advogado,

José Anacleto Abduch Santos
Mestre e Doutor em Direito Administrativo pela UFPR. Advogado. Procurador do Estado do Paraná.

José Antonio Dias Toffoli
Ministro do Supremo Tribunal Federal. Ex-presidente do Supremo Tribunal Federal e do Conselho Nacional de Justiça (2018-2020) e ex-presidente do Tribunal Superior Eleitoral (2014-2016).

José Jorge de Vasconcelos Lima
Ministro Emérito do Tribunal de Contas da União. Atuou como Ministro de Estado de Minas e Energia e presidiu os Conselhos de Administração da Petrobras, Petrobras Distribuidora e Eletrobras (2001-2002). Foi Senador da República por Pernambuco (1999-2007) e Deputado Federal pelo mesmo estado (1983-1998). Também ocupou cargos como Secretário de Educação e Cultura (1975-1979) e de Habitação de Pernambuco (1979-1982). Mestre em Ciências pela UFRJ, com especialização em Pesquisa Operacional, possui pós-graduação em Estatística pela Universidade de Madri, além de ser graduado em Engenharia Mecânica pela UFPE e em Economia pela Universidade Católica de Pernambuco. Atualmente, é consultor exclusivo do Vasconcelos Cavalcanti e Wills Advogados.

José Roberto de Castro Neves
Doutor em Direito Civil pela Universidade do Estado do Rio de Janeiro (UERJ). Mestre em Direito pela Universidade de Cambridge, Inglaterra. Professor de Direito Civil da Pontifícia Universidade Católica (PUC-Rio) e da Fundação Getúlio Vargas (FGV-Rio). Advogado.

José Roberto Pimenta Oliveira
Doutor e Mestre pela PUC-SP. Professor de Direito Administrativo da PUC-SP. Procurador Regional da República na Terceira Região.

José Roberto Vieira
Professor de Direito Tributário da UFPR e do IBET (graduação, especialização, mestrado e doutorado). Mestre e Doutor em Direito do Estado – Direito Tributário (PUC-SP), com estudos pós-graduados no *Instituto de Estudios Fiscales* (Madri, Espanha). Ex-membro julgador do Conselho de Contribuintes do Ministério da Fazenda, atual CARF (Brasília, DF). Ex-Auditor da Receita Federal. Parecerista.

Juliano Heinen
Doutor e pós-doutor pela Universidade Federal do Rio Grande do Sul. Professor de Direito Administrativo e pesquisador da ENAP. Procurador do Estado do Rio Grande do Sul. Advogado.

Leonardo Sperb de Paola
Doutor em Direito pela UFPR, presidente do Instituto de Políticas Fiscais e Reforma Tributária. Advogado.

Lindineide Oliveira Cardoso
Servidora pública de carreira do Judiciário Federal. Especialista em Direito Processual Civil, especialista em Licitações e Contratos Administrativos. Membra do Instituto de Direito Administrativo de Alagoas (IDAA). Professora na área de Licitações e Contratos.

Luciano Elias Reis
Doutor em Direito Administrativo pela Universitat Rovira i Virgili. Doutor e Mestre em Direito Econômico pela Pontifícia Universidade Católica do Paraná. Coordenador da Especialização em Direito Administrativo da Escola Paranaense de Direito. Presidente do Instituto Nacional da Contratação Pública. Advogado.

Luís Roberto Barroso
Ministro do Supremo Tribunal Federal. Professor titular da Universidade do Estado do Rio de Janeiro (UERJ) e do Centro Universitário de Brasília (UniCEUB). Mestre pela Yale Law School. Doutor e livre-docente pela UERJ (1990). *Senior Fellow* na Harvard Kennedy School. Ex-Presidente do Tribunal Superior Eleitoral (2020-2022).

Luiz Alberto Blanchet
Professor titular do programa de pós-graduação em Direito – mestrado e doutorado – da Pontifícia Universidade Católica do Paraná (PPGD-PUCPR).

Luiz Edson Fachin
Ministro do Supremo Tribunal Federal. Doutor em Direito pela Pontifícia Universidade Católica de São Paulo. *Alma mater*: Universidade Federal do Paraná. Professor do CEUB.

Luiz Eduardo Gunther
Membro da Academia Brasileira de Direito do Trabalho. Desembargador do Trabalho do TRT 9 – PR. Professor do PPGD do Centro Universitário Curitiba (UNICURITIBA). Doutor pela UFPR. Pós-doutor pela PUCPR e editor-chefe da Revista Trabalho, Direito e Justiça.

Luna van Brussel Barroso
Mestra pela Faculdade de Direito de Yale. Doutoranda na Universidade de São Paulo. Mestra em Direito Público pela Universidade do Estado do Rio de Janeiro. Graduada em Direito pela Fundação Getúlio Vargas.

Marçal Justen Neto
Bacharel em Direito pela UFPR. LL.M pela London School of Economics and Political Science. Advogado.

Mário Goulart Maia
Advogado e jurista. Ex-Conselheiro do Conselho Nacional de Justiça (CNJ).

Matheus Gomes Setti
Mestre em Direito do Estado e graduado pela Universidade Federal do Paraná. Advogado.

Maurício Zockun
Mestre em Direito Tributário pela PUC-SP. Doutor e livre-docente em Direito Administrativo pela PUC-SP. Professor de Direito Administrativo na PUC-SP. Advogado.

Melina Girardi Fachin
Doutora em Direito Constitucional pela PUC-SP. *Visiting researcher* da Harvard Law School. Professora do Departamento de Direito do Estado da Universidade Federal do Paraná. Advogada.

Miguel Gualano de Godoy
Professor adjunto de Direito Constitucional da Universidade Federal do Paraná (UFPR) e atualmente na Universidade de Brasília (UnB). Mestre e Doutor em Direito Constitucional pela UFPR. Pós-Doutor pela Faculdade de Direito da USP. Ex-assessor de Ministro do STF. Advogado.

Napoleão Nunes Maia Filho
Ministro aposentado do Superior Tribunal de Justiça. Professor universitário, Mestre em Direito Público pela Universidade Federal do Ceará, livre-docente em Direito Público e Direito Processual pela Universidade do Vale do Acaraú. Membro da Academia Cearense de Letras.

Octavio Campos Fischer
Professor do UNIBRASIL. Mestre e Doutor em Direito Tributário pela UFPR. Desembargador do Tribunal de Justiça do Estado do Paraná.

Olavo Rigon Filho
Advogado.

Rafael Maffini
Mestre e Doutor em Direito pela Universidade Federal do Rio Grande do Sul. Professor adjunto da UFRGS. Juiz Substituto do Tribunal Regional Eleitoral do Rio Grande do Sul, em vaga destinada a advogados para os biênios 2016/2018 e 2018/2020. Advogado.

Regis Fernandes de Oliveira
Professor titular aposentado de Direito Financeiro da USP.

Renata C. Steiner
Professora de Direito Privado na Escola de Direito da Fundação Getúlio Vargas em São Paulo (FGV-SP) e na FGV Law. Doutora em Direito Civil pela Universidade de São Paulo. Mestra em Direito das Relações Sociais pela Universidade Federal do Paraná. Fundadora da AGIRE | Direito Privado em Ação. Árbitra independente (FCIArb) e parecerista.

Renato Geraldo Mendes
Autor das obras *Lei de Licitações e Contratos anotada* (8. ed., Zênite, 2011) e *O processo de contratação pública: fases, etapas e atos* (Zênite, 2012). Coautor da obra *Inexigibilidade de licitação: repensando a contratação pública e o dever de licitar* (2. ed., Zênite, 2023).

Ricardo Marcondes Martins
Doutor em Direito Administrativo pela PUC-SP. Professor de Direito Administrativo da PUC-SP.

Roberta Jardim de Morais
Doutora em Ciências Jurídico-Econômicas e Pós-Doutora em Direitos Humanos pela Universidade de Coimbra. Sócia de Cescon Barrieu.

Roberto Rosas
Professor titular da Faculdade de Direito da Universidade de Brasília. Ex-Ministro do TSE. Ex-Conselheiro federal (20 anos). Autor do livro *Direito Sumular*, 14ª ed. Membro da Academia Brasileira de Letras Jurídicas.

Rodrigo Gabriel Alarcon
Aluno do mestrado em Direito Tributário e Finanças Públicas no programa de pós-graduação do Instituto Brasileiro de Ensino, Desenvolvimento e Pesquisa em Brasília (IDP). Especializado em Direito Tributário pelo IDP. Graduado em Direito pelo UDF Centro Universitário.

Rodrigo Goulart de Freitas Pombo
Mestre em Direito do Estado pela USP. Advogado da Justen, Pereira, Oliveira e Talamini.

Ronny Charles Lopes de Torres
Doutor em Direito do Estado pela UFPE. Mestre em Direito Econômico pela UFPB. Foi Membro fundador da Câmara Nacional de Licitações e Contratos da Consultoria-Geral da União (AGU). Advogado, consultor e parecerista.

Roque Antonio Carrazza
Professor emérito da Pontifícia Universidade Católica de São Paulo e titular da cadeira de Direito Tributário da sua Faculdade de Direito. Mestre, doutor e livre-docente em Direito Tributário pela PUC-SP. Ex-Presidente da Academia Paulista de Direito. Advogado e consultor jurídico.

Sacha Calmon Navarro Coêlho
Coordenador do curso de especialização em Direito Tributário das Faculdades Milton Campos. Ex-professor titular das Faculdades de Direito da Universidade Federal de Minas Gerais (UFMG) e Universidade Federal do Rio de Janeiro (UFRJ). Ex-Juiz Federal. Ex-Procurador Chefe da Procuradoria Fiscal de Minas Gerais. Advogado.

Sergio Ferraz
Advogado. Parecerista. Árbitro. Titular da Cadeira nº 40 da Academia Brasileira de Letras Jurídicas. Titular da Cadeira nº 49 da Academia Nacional de Direito do Trabalho. Membro do Senado da UIBA (Unión Iberoamericana de Abogados) e coordenador do órgão. Vice-Presidente da Comissão de Direito da Biotecnologia, da UIA (Unión Internacional des Avocats). Ex-Presidente do Instituto dos Advogados Brasileiros (1984-1986).

Walter Godoy dos Santos Jr.
Juiz auxiliar do Gabinete do Ministro Dias Toffoli. Juiz de direito do Tribunal de Justiça de São Paulo. Professor do curso de pós-graduação *stricto sensu* em Direito da Universidade Nove de Julho. Doutor e Mestre pela USP.

Weder de Oliveira
Ministro-Substituto do Tribunal de Contas da União. Doutorando em Direito pela USP. Mestre em Direito pela USP. Graduado em Direito pela Universidade de Brasília (UnB) e em Engenharia Civil pela Universidade Federal de Goiás. Professor do IDP.

Esta obra foi composta em fonte Palatino Linotype, corpo 10
e impressa em papel Offset 63g (miolo) e Supremo 250g (capa)
pela Gráfica Forma Certa.